여러분의 [illegible]는

# 해커스경찰의 특별 혜택!

## 회독용 답안지 (PDF)

해커스경찰(police.Hackers.com) 접속 후 로그인 ▶ 상단의 [교재·서점 → 무료 학습 자료] 클릭 ▶
본 교재 우측의 [자료받기] 클릭하여 이용

## FREE 경찰학 **특강**

해커스경찰(police.Hackers.com) 접속 후 로그인 ▶ 상단의 [무료강좌 → 경찰 무료강의] 클릭하여 이용

## 해커스경찰 온라인 단과강의 **20% 할인쿠폰**

**C4DEADC3BCE2389Q**

해커스경찰(police.Hackers.com) 접속 후 로그인 ▶ 상단의 [내강의실] 클릭 ▶
[쿠폰/포인트] 클릭 ▶ 쿠폰번호 입력 후 이용

* 등록 후 7일간 사용 가능(ID당 1회에 한해 등록 가능)

## 합격예측 **온라인 모의고사 응시권 + 해설강의 수강권**

**FA5AF4B7E8C32E7U**

해커스경찰(police.Hackers.com) 접속 후 로그인 ▶ 상단의 [내강의실] 클릭 ▶
[쿠폰/포인트] 클릭 ▶ 쿠폰번호 입력 후 이용

* ID당 1회에 한해 등록 가능

쿠폰 이용 관련 문의 **1588-4055**

# 단기 합격을 위한
# 해커스경찰 커리큘럼

**입문**

### 탄탄한 기본기와 핵심 개념 완성!

누구나 이해하기 쉬운 개념 설명과 풍부한 예시로 부담없이 쌩기초 다지기

TIP 베이스가 있다면 **기본 단계**부터!

▼

**기본+심화**

### 필수 개념 학습으로 이론 완성!

반드시 알아야 할 기본 개념과 문제풀이 전략을 학습하고
심화 개념 학습으로 고득점을 위한 응용력 다지기

▼

**기출+예상 문제풀이**

### 문제풀이로 집중 학습하고 실력 업그레이드!

기출문제의 유형과 출제 의도를 이해하고 최신 출제 경향을 반영한
예상문제를 풀어보며 본인의 취약영역을 파악 및 보완하기

▼

**동형문제풀이**

### 동형모의고사로 실전력 강화!

실제 시험과 같은 형태의 실전모의고사를 풀어보며 실전감각 극대화

▼

**최종 마무리**

### 시험 직전 실전 시뮬레이션!

각 과목별 시험에 출제되는 내용들을 최종 점검하며 실전 완성

**PASS**

* 커리큘럼 및 세부 일정은 상이할 수 있으며,
자세한 사항은 해커스경찰 사이트에서 확인하세요.

**단계별 교재 확인** 및 **수강신청은 여기서!**

police.Hackers.com

해커스경찰

# 서정표

# 경찰학

기출문제집 | 1권 총론

해커스경찰

## 서정표

**약력**

국립경찰대학교 행정학과(학사)
고려대학교 경영대학원 Finance MBA(경영학 석사)
제49회 사법시험 합격
사법연수원 수료, 한국변호사

전 | 경북지방경찰청, 독도경비대장
울산지방경찰청, 동부경찰서
법무법인(유) 율촌, 기업법무/공공법무
IT기업 법무총괄

현 | 해커스 경찰학원 경찰학(순경) 강의

**저서**

해커스경찰 서정표 경찰학 기본서, 해커스경찰
해커스경찰 서정표 경찰학 기출문제집, 해커스경찰
서정표 REAL 경찰헌법 기본서, 연승북스

# 서문

## 수험공부의 왕도, 기출

수험가에는 수많은 공부법이 존재하고, 시간의 흐름에 따라 유행하는 공부법과 쇠락하는 공부법이 있습니다. 이러한 수많은 공부법들이 공통적으로 강조하는 단 한가지를 찾는다면, 그것은 바로 '**기출**'입니다.

기출은 내가 준비하는 시험이 어떤 시험인지 가장 정확하게 알 수 있는 길을 제시하면서, 앞으로 어떻게 출제될지 예측하는 기준점이 되고, 기본서를 통해 공부한 내용들을 반복 숙달하기에 가장 좋은 도구입니다.

## 이 기출문제집은?

이 기출문제집은 과거 10년간 시행된 순경채용시험은 물론, 승진(실무)시험 문제와 최근 5년간의 경행특채 문제까지 모두 분석하고, 변경된 현행 법령이나 제도에 맞게 변형하면서 출제 당시의 출제의도를 살리기 위해 노력하였습니다. 그중에서도 최근 치러진 시험에 우선순위를 두고 하나하나 선별하는 과정을 거쳐 만들었습니다.

또한, 같은 주제 내에서도 각각의 문제의 **주요 개념이 자연스럽게 숙달되고 익숙해 질 수 있도록 배치**하였으며, 사례형 문제나 종합적 사고를 요하는 문제는 후반부에 배치하여 순서대로 편하게 풀어나가다 보면 **자연스럽게 고난도 문제까지 풀릴 수 있도록** 하였습니다.

나아가 무엇보다도, 전체적으로 책이 다소 두꺼워지는 것을 감수하더라도, 해설이 생략되는 지문 없이 **모든 지문에 대한 해설**을 제시하는 것을 원칙으로 삼았습니다. 기출문제 풀이의 본질은 **반복과 반복, 그리고 반복**이므로, 반복되는 해설을 통해서 여러분들이 한번이라도 더 출제된 내용을 숙지할 수 있는 기회를 드리고, 해당 문제의 학습은 해당 문제에서 끝낼 수 있도록 하여 혹시 풀이과정에서 의문이 생기더라도 앞뒤로 찾아보는 수고를 덜어드리고자 하였습니다.

마지막으로 이 기출문제집은, 주제별로 서술된 본 저자의 경찰학 기본서와 완벽한 대칭구조를 갖도록 만들었습니다. 이를 통해, 기본이론강의를 수강하면서 여러분들이 스스로 해당 주제의 기출문제를 쉽게 찾아서 풀어볼 수 있도록 하였고, 반대로 기출강의를 수강하면서 기본서의 해당 부분을 쉽게 찾아서 내용을 확인해 볼 수 있도록 하였습니다.

## 실력이 확인되는 즐거움!

본 저자가 경찰학 기본서와 강의를 통해 여러분들에게 경찰학이라는 과목 자체의 재미와 즐거움을 찾을 수 있도록 하였다면, 본 기출문제집과 경찰공무원 시험 전문 **해커스경찰**(police.Hackers.com)에서 이루어지는 학원강의 · 인터넷동영상강의를 통해서는 공부한 실력이 확인되는 재미와 즐거움, 문제가 풀리는 재미와 즐거움을 느낄 수 있도록 하겠습니다. **어제 몰랐던 것을 오늘 알았고, 그렇게 알게 된 것이 눈으로 확인되는 즐거움과 성취감**은, 게임에서 레벨업하거나 승급하는 것과 같은 말초적 즐거움과는 차원이 다른 기쁨일 것입니다.

그리고 이 책이 수험생 여러분들과 만날 수 있도록 묵묵히 도움을 주신 해커스 편집팀 관계자분들께도 진심으로 감사의 마음을 전합니다.

감사합니다.

2024년 7월

서정표

# 목차

# 총론

## 제1편 경찰행정법

## 제2편 경찰학의 기초이론

### 제1장 경찰이론



### 제2장 범죄이론



## 제3편 경찰행정학

### 제1장 경찰관리



### 제2장 경찰통제

해커스경찰
police.Hackers.com

# 제1편

# 경찰행정법

# 제1장 I 경찰행정법 통론

## 제1절 I 경찰행정법이란?

### 주제 1 경찰행정법과 법치행정

**001** 법치행정의 원칙에 관한 설명으로 가장 적절하지 않은 것은? (다툼이 있는 경우 판례에 의함)

[2024 1차 채용]

① 법률우위원칙은 행정의 종류를 불문하고 모든 행정 영역에 적용된다.

② 법률유보원칙은 법률에 의한 규율을 뜻하므로 위임입법에 의해 기본권 제한을 할 수 없다.

③ 헌법상 보장된 국민의 자유나 권리를 제한할 때에는 적어도 그 제한의 본질적인 사항에 관하여 국회가 법률로써 스스로 규율하여야 한다.

④ 집회나 시위 해산을 위한 살수차 사용은 기본권에 대한 중대한 제한이므로, 살수차 사용요건이나 기준은 법률에 근거를 두어야 한다.

**정답 및 해설 I ②**

② [×] 위임의 구체성과 명확성을 구비하면 위임입법에 의하여도 기본권 제한을 할 수 있다.

**요지판례 I**

■ 법률유보원칙은 '법률에 의한' 규율만을 뜻하는 것이 아니라 '법률에 근거한' 규율을 요청하는 것이므로 기본권 제한의 형식이 반드시 법률의 형식일 필요는 없고 법률에 근거를 두면서 헌법 제75조가 요구하는 위임의 구체성과 명확성을 구비하면 위임입법에 의하여도 기본권 제한을 할 수 있다(헌재 2005.2.24, 2003헌마289).

① [○] 법률우위의 원칙은 행정의 모든 영역에 적용되므로, 수익적 · 침익적 행정, 권력작용 · 비권력작용을 가리지 않고 모두 적용된다. ➜ 반면, 법률유보 원칙의 경우 수익적 행정 내지 비권력적 작용에서는 완화되어 적용될 수 있으므로, 경찰은 조직법적 근거만 있다면 작용법적 근거가 없더라도 순수한 서비스활동과 같은 수익적 · 비권력적 작용을 할 수 있다고 본다.

**KEY POINT I 법률우위 원칙과 법률유보 원칙 비교**

| 구분 | 법률우위 | 법률유보 |
|---|---|---|
| 개념 | • 법률에 위반하면 안 됨 | • 법률에 근거(수권)요구 |
| 문제상황 | • 법률이 있는 경우 문제됨 | • 법률이 없는 경우 문제됨 |
| 성질 | • 소극적 원칙 | • 적극적 원칙 |
| '법률'의 범위 | • 형식적 의미의 법률 + 법규명령 등 행정입법<br>• 불문법도 포함 | • 형식적 의미의 법률 + 법규명령 등 행정입법<br>• 불문법은 포함 × |
| 적용범위 | • 모든영역 | • 권력적 작용: ○<br>• 비권력적 작용: × |

③ [○]

**요지판례 I**

■ 오늘날 법률유보원칙은 단순히 행정작용이 법률에 근거를 두기만 하면 충분한 것이 아니라, 국가공동체와 그 구성원에게 기본적이고도 중요한 의미를 갖는 영역, 특히 국민의 기본권실현에 관련된 영역에 있어서는 행정에 맡길 것이 아니라 국민의 대표자인 입법자 스스로 그 본질적 사항에 대하여 결정하여야 한다는 요구까지 내포하는 것으로 이해하여야 한다(이른바 의회유보원칙)(헌재 2008.2.28, 2006헌바70).

④ [○]

**요지판례 I**

■ 살수차는 사용빙법에 따라서는 경찰장구나 무기 등 다른 위해성 경찰장비 못지않게 국민의 생명이나 신체에 중대한 위해를 가할 수 있는 장비에 해당하고, 집회의 자유는 인격 발현에 기여하는 기본권이자 표현의 자유와 함께 대의 민주주의 실현의 기본 요소다. 집회나 시위 해산을 위한 살수차 사용은 이처럼 중요한 기본권에 대한 중대한 제한이므로, 살수차 사용요건이나 기준은 법률에 근거를 두어야 한다(헌재 2018.5.31, 2015헌마476).



**002** 법치행정에 대한 설명으로 가장 적절하지 않은 것은? (다툼이 있는 경우 판례에 의함) [2018 경행특채 2차]

① 기본권 제한에 관한 법률유보원칙은 '법률에 근거한 규율'을 요청하는 것이 아니라 '법률에 의한 규율'을 요청하는 것이다.

② 「지방자치법」에 의하면 지방자치단체가 조례로 주민의 권리 제한 또는 의무 부과에 관한 사항이나 벌칙을 정할 때에는 법률의 위임이 있어야 한다.

③ 오늘날 법률유보원칙은 국민의 기본권실현과 관련된 영역에 있어서 국민의 대표자인 입법자가 그 본질적 사항에 대해서 스스로 결정하여야 한다는 요구까지 내포하고 있다.

④ 집회나 시위 해산을 위한 살수차 사용은 집회의 자유 및 신체의 자유에 대한 중대한 제한을 초래하므로 살수차 사용요건이나 기준은 법률에 근거를 두어야 한다.

**정답 및 해설 I** ①

① [×] '법률에 의한' 규율뿐만 아니라 '법률에 근거한' 규율을 요청하는 것이다.

**요지판례 I**

■ 법률유보원칙은 '법률에 의한' 규율만을 뜻하는 것이 아니라 '법률에 근거한' 규율을 요청하는 것이므로 기본권 제한의 형식이 반드시 법률의 형식일 필요는 없고 법률에 근거를 두면서 헌법 제75조가 요구하는 위임의 구체성과 명확성을 구비하면 위임입법에 의하여도 기본권 제한을 할 수 있다(헌재 2005.2.24, 2003헌마289).

② [○]

**지방자치법 제28조【조례】** ① 지방자치단체는 법령의 범위에서 그 사무에 관하여 조례를 제정할 수 있다. 다만, 주민의 권리 제한 또는 의무 부과에 관한 사항이나 벌칙을 정할 때에는 법률의 위임이 있어야 한다.

③ [○]

**요지판례 I**

■ 오늘날 법률유보원칙은 단순히 행정작용이 법률에 근거를 두기만 하면 충분한 것이 아니라, 국가공동체와 그 구성원에게 기본적이고도 중요한 의미를 갖는 영역, 특히 국민의 기본권실현에 관련된 영역에 있어서는 행정에 맡길 것이 아니라 국민의 대표자인 입법자 스스로 그 본질적 사항에 대하여 결정하여야 한다는 요구까지 내포하는 것으로 이해하여야 한다(이른바 의회유보원칙)(헌재 2008.2.28, 2006헌바70).

④ [○]

**요지판례 I**

■ 살수차는 사용방법에 따라서는 경찰장구나 무기 등 다른 위해성 경찰장비 못지않게 국민의 생명이나 신체에 중대한 위해를 가할 수 있는 장비에 해당하고, 집회의 자유는 인격 발현에 기여하는 기본권이자 표현의 자유와 함께 대의 민주주의 실현의 기본 요소다. 집회나 시위 해산을 위한 살수차 사용은 이처럼 중요한 기본권에 대한 중대한 제한이므로, 살수차 사용요건이나 기준은 법률에 근거를 두어야 한다(헌재 2018.5.31, 2015헌마476).

**003** 행정의 법률적합성 원칙(법치행정의 원칙)에 관한 설명 중 가장 적절한 것은? (다툼이 있는 경우 판례에 의함) [2022 채용 2차]

① 법치행정의 원칙에 관한 전통적 견해는 '법률의 지배', '법률의 우위', '법률의 유보'를 내용으로 한다.

② '법률의 우위'에서의 법률에는 형식적 의미의 법률뿐만 아니라 그 밖에 성문법과 불문법이 포함된다.

③ 법규명령에는 위임명령과 집행명령이 있으며, 모두 국민의 권리 · 의무에 관한 사항을 규정할 수 있다.

④ 법령의 구체적 위임 없이 최루액의 혼합 · 살수 방법 등을 규정한 경찰청장의 「살수차운용지침」(2014.4.3.)은 법률유보의 원칙에 위배되는 측면이 있으나, 그 지침에 따라 살수한 경찰관의 행위는 집회를 해산하기 위한 불가피한 조치라는 점에서 반드시 위헌 · 위법이라 할 수 없다.

**정답 및 해설 I ②**

② [○] **법률우위 원칙**이란 모든 행정작용은 법률에 위반되어서는 안 된다는 원칙을 말하며, 여기서 말하는 법률은 형식적 의미의 법률 · 법규명령 등 행정입법 · 불문법을 모두 포함한다.

**KEY POINT I 법률우위 원칙과 법률유보 원칙 비교**

| 구분 | 법률우위 | 법률유보 |
|---|---|---|
| 개념 | • 법률에 위반하면 안 됨 | • 법률에 근거(수권)요구 |
| 문제상황 | • 법률이 있는 경우 문제됨 | • 법률이 없는 경우 문제됨 |
| 성질 | • 소극적 원칙 | • 적극적 원칙 |
| '법률'의 범위 | • 형식적 의미의 법률 + 법규명령 등 행정입법<br>• 불문법도 포함 | • 형식적 의미의 법률 + 법규명령 등 행정입법<br>• 불문법은 포함 × |
| 적용범위 | • 모든영역 | • 권력적 작용: ○<br>• 비권력적 작용: × |

① [×] 법치행정의 원칙에 관한 전통적 견해는 '법률의 법규창조력', '법률의 우위', '법률의 유보'를 내용으로 한다.

③ [×] 법규명령의 종류에는 위임명령과 집행명령이 있다는 설명은 옳다. 다만, **위임명령**이 법률의 위임범위 내에서 국민의 권리 · 의무에 관한 새로운 입법사항(법규사항)을 규정할 수 있음에 반해, **집행명령**은 법률 등을 현실적으로 집행하는 데 필요한 절차 · 형식 등 세부적인 사항을 규정할 수 있을 뿐 새로운 법규사항을 규정할 수는 없다.

**KEY POINT I 위임명령과 집행명령의 비교**

| 구분 | 위임명령 | 집행명령 |
|---|---|---|
| 근거 | • 개별적 · 구체적 수권 필요<br>• 헌법 제75조 · 제95조 + 개별적 위임 | • 포괄적 근거만으로 성립 가능<br>• 헌법 제75조 · 제95조 |
| 본질 | • 법률의 내용을 보충하는 보충명령 | • 법률의 집행에 관한 시행세칙 |
| 범위 | • 국민의 권리 · 의무에 관한 새로운 입법사항(법규사항) 규정 가능 | • 국민의 권리 · 의무에 관한 새로운 입법사항(법규사항) 규정 불가 |
| 공통점 | • 법규명령이다(법규성을 갖는다).<br>• 문서 · 법조형식을 취한다.<br>• 공포를 요한다. | • 국민의 권리 · 의무사항을 규율할 수 있다.<br>• 헌법에 근거가 있다. |

④ [×] 법률유보원칙에 위배되어 위헌 · 위법이라는 것이 헌법재판소의 입장이다.

**요지판례 I**

■ 집회나 시위 해산을 위한 살수차 사용은 집회의 자유 및 신체의 자유에 대한 중대한 제한을 초래하므로 살수차 사용요건이나 기준은 법률에 근거를 두어야 하고, 살수차와 같은 위해성 경찰장비는 본래의 사용방법에 따라 지정된 용도로 사용되어야 하며 다른 용도나 방법으로 사용하기 위해서는 반드시 법령에 근거가 있어야 한다. 혼합살수방법은 법령에 열거되지 않은 새로운 위해성 경찰장비에 해당하고 이 사건 지침에 혼합살수의 근거 규정을 둘 수 있도록 위임하고 있는 법령이 없으므로, 이 사건 지침은 법률유보원칙에 위배되고 이 사건 지침만을 근거로 한 이 사건 혼합살수행위 역시 법률유보원칙에 위배된다. 따라서 이 사건 혼합살수행위는 청구인들의 신체의 자유와 집회의 자유를 침해한다(헌재 2018.5.31, 2015헌마476).

**004** 개인의 자유를 침해하거나 의무를 부과하는 행정은 반드시 법률의 근거가 있어야 한다는 원칙을 전제할 때, 법률의 근거 없이도 가능한 것을 모두 고른 것은? (다툼이 있는 경우 판례에 의함) [2022 채용 2차]

> ㉠ 경찰관의 학교 앞 등교지도
> ㉡ 주민을 상대로 한 교통정책홍보
> ㉢ 기초생활수급자에 대한 생계비지원
> ㉣ 공무원에 대해 특정종교를 금지하는 훈령
> ㉤ 자살을 시도하는 사람에 대한 경찰관서 보호
> ㉥ 붕괴위험시설에 대한 예방적 출입금지

① ㉠, ㉡, ㉢
② ㉠, ㉡, ㉤
③ ㉠, ㉢, ㉤
④ ㉡, ㉢, ㉣, ㉥

**정답 및 해설 I ①**

㉠㉡㉢ [○] 법률유보의 원칙과 관련하여 국민의 자유와 권리를 제한하고, 국민에게 의무를 부과하는 권력적 작용(명령 · 강제)에서는 근거규범이 요구되고, 비권력적 수단이나 순수한 서비스활동에서는 근거규범을 요하지 않기 때문에 ㉠㉡㉢은 비권력적 수단이나 순수한 서비스 활동에 해당하여 근거규범을 요하지 않는다. ➜ 법률유보 원칙의 경우 수익적 행정 내지 비권력적 작용에서는 완화되어 적용될 수 있으므로, 경찰은 조직법적 근거만 있다면 **작용법적 근거가 없더라도 순수한 서비스활동과 같은 수익적 · 비권력적 작용**을 할 수 있다고 본다.

㉣ [×] 원칙적으로 훈령은 법적 근거를 요하지 않는다. 다만, 특별행정법관계에 있는 공무원에 대한 훈령이라도 기본권을 제한할 때에는 비록 일반 국민에 비해 넓고 강한 기본권 제한이 가능하다 하더라도 법률의 근거는 필요하다.

> **요지판례 I**
> ■ 공무원은 공직자인 동시에 국민의 한 사람이기도 하므로 국민 전체에 대한 봉사자로서의 지위와 기본권을 향유하는 기본권주체로서의 지위라는 이중적 지위를 가지는바, 공무원이라고 하여 기본권이 무시되거나 경시되어서는 안 되지만, 공무원의 신분과 지위의 특수성상 공무원에 대해서는 일반 국민에 비해 보다 넓고 강한 기본권 제한이 가능하게 된다(헌재 2012.3.29, 2010헌마97).

㉤ [×] 국민에 대한 권력적 작용으로서 법적 근거가 필요하다.

> **경찰관 직무집행법 제4조【보호조치 등】** ① 경찰관은 수상한 행동이나 그 밖의 주위 사정을 합리적으로 판단해 볼 때 다음 각 호의 어느 하나에 해당하는 것이 명백하고 응급구호가 필요하다고 믿을 만한 상당한 이유가 있는 사람(이하 "구호대상자"라 한다)을 발견하였을 때에는 보건의료기관이나 공공구호기관에 긴급구호를 요청하거나 경찰관서에 보호하는 등 적절한 조치를 할 수 있다.
> 2. 자살을 시도하는 사람

㉥ [×] 국민에 대한 권력적 작용으로서 법적 근거가 필요하다.

> **경찰관 직무집행법 제5조【위험 발생의 방지 등】** ① 경찰관은 사람의 생명 또는 신체에 위해를 끼치거나 재산에 중대한 손해를 끼칠 우려가 있는 천재, 사변, 인공구조물의 파손이나 붕괴, 교통사고, 위험물의 폭발, 위험한 동물 등의 출현, 극도의 혼잡, 그 밖의 위험한 사태가 있을 때에는 다음 각 호의 조치를 할 수 있다.
> 1. 그 장소에 모인 사람, 사물의 관리자, 그 밖의 관계인에게 필요한 **경고**를 하는 것
> 2. 매우 긴급한 경우에는 위해를 입을 우려가 있는 사람을 필요한 한도에서 **억류**하거나 **피난**시키는 것
> 3. 그 장소에 있는 사람, 사물의 관리자, 그 밖의 관계인에게 위해를 방지하기 위하여 필요하다고 인정되는 **조치**를 하게 하거나 직접 그 조치를 하는 것

**005** 통치행위에 대한 설명으로 가장 적절하지 않은 것은? (다툼이 있는 경우 판례에 의함) [2020 경행특채 2차]

① 대통령의 긴급재정경제명령은 국가긴급권의 일종으로서 고도의 정치적 결단에 의하여 발동되는 행위이고 그 결단을 존중하여야 할 필요성이 있는 행위라는 의미에서 이른바 통치행위에 속한다고 할 수 있으나, 그것이 국민의 기본권 침해와 직접 관련되는 경우에는 당연히 헌법재판소의 심판대상이 된다.

② 남북정상회담의 개최과정에서 재정경제부장관에게 신고하지 아니하거나 통일부장관의 협력사업 승인을 얻지 아니한 채 북한 측에 사업권의 대가 명목으로 송금한 행위 자체는 헌법상 법치국가의 원리와 법 앞에 평등원칙 등에 비추어 볼 때 사법심사의 대상이 된다.

③ 대법원은 대통령의 서훈 취소행위를 통치행위로 보고 있다.

④ 일반사병 이라크파병에 대한 헌법소원사건에서 외국에의 국군의 파견결정은 파견군인의 생명과 신체의 안전뿐만 아니라 국제사회에서의 우리나라의 지위와 역할, 동맹국과의 관계, 국가안보 문제 등 궁극적으로 국민 내지 국익에 영향을 미치는 복잡하고도 중요한 문제로서 통치행위로 보고 있다.

**정답 및 해설 | ③**

③ [×] 통치행위가 아니라고 보았다.

> **요지판례 |**
> ■ 비록 서훈취소가 대통령이 국가원수로서 행하는 행위라고 하더라도 법원이 사법심사를 자제하여야 할 고도의 정치성을 띤 행위라고 볼 수는 없다(대판 2015.4.23, 2012두26920).

① [○]

> **요지판례 |**
> ■ 대통령의 긴급재정경제명령은 대통령이 고도의 정치적 결단을 요하고 가급적 그 결단이 존중되어야 한다(헌재 1996.2.29, 93헌마186). ➜ 이른바 통치행위를 포함하여 모든 국가작용은 국민의 기본권적 가치를 실현하기 위한 수단이라는 한계를 반드시 지켜야 하는 것이고, 비록 고도의 정치적 결단에 의하여 행해지는 국가작용이라고 할지라도 그것이 국민의 기본권 침해와 직접 관련되는 경우에는 당연히 헌법재판소의 심판대상이 될 수 있는 것일 뿐만 아니라, 긴급재정경제명령은 법률의 효력을 갖는 것이므로 마땅히 헌법에 기속되어야 할 것이다.

② [○]

> **요지판례 |**
> ■ 남북정상회담의 개최과정에서 재정경제부장관에게 신고하지 아니하거나 통일부장관의 협력사업 승인을 얻지 아니한 채 북한 측에 사업권의 대가 명목으로 송금한 행위 자체는 헌법상 법치국가의 원리와 법 앞에 평등원칙 등에 비추어 볼 때 사법심사의 대상이 된다(대판 2004.3.26, 2003도7878).

④ [○]

> **요지판례 |**
> ■ 외국에의 국군의 파견결정은 파견군인의 생명과 신체의 안전뿐만 아니라 국제사회에서의 우리나라의 지위와 역할, 동맹국과의 관계, 국가안보 문제 등 궁극적으로 국민 내지 국익에 영향을 미치는 복잡하고도 중요한 문제로서 국내 및 국제정치관계 등 제반상황을 고려하여 미래를 예측하고 목표를 설정하는 등 고도의 정치적 결단이 요구되는 사안이다(헌재 2004.4.29, 2003헌마814).

## 주제 2 경찰행정법의 법원

**006** 경찰법의 법원(法源)에 관한 설명으로 가장 적절하지 않은 것은? [2019 채용 2차]

① 행정입법이란 행정부가 제정하는 법을 의미하며, 행정조직 내부의 사무처리기준에 관한 법규명령과 국민을 구속하는 효력이 있는 행정규칙으로 구분된다.

② 법규명령은 특별한 규정이 없는 한 공포일로부터 20일 경과 후 효력이 발생하나, 행정규칙은 공포를 요하지 않는다.

③ 최후의 보충적 법원으로서 조리는 일반적 · 보편적 정의를 의미하는바, 경찰관청의 행위가 형식상 적법하더라도 조리에 위반할 경우 위법이 될 수 있다.

④ 판례에 의할 때 운전면허 취소사유에 해당하는 음주운전을 적발한 경찰관의 소속 경찰서장이 사무착오로 위반자에게 운전면허정지처분을 한 상태에서 위반자의 주소지 관할 지방경찰청장이 위반자에게 운전면허취소처분을 한 경우 이는 법의 일반원칙인 조리에 반하여 허용될 수 없다.

**정답 및 해설 I ①**

① [×] 행정입법이란 행정부가 제정하는 법을 의미하며, 대외적으로 국민을 구속하는 효력이 있는 법규명령과 행정조직 내부의 사무처리기준에 관한 행정규칙으로 구분된다. ➜ 행정규칙은 법규성이 없다.

② [○] 형식을 기준으로 법규명령과 행정규칙을 분류할 때, 대통령령과 부령은 법규명령으로, 훈령 · 고시 · 예규 등은 행정규칙으로 분류하며, 행정규칙은 따로 공포를 요하지 않는다.

> **법령 등 공포에 관한 법률 제13조 【시행일】** 대통령령, 총리령 및 부령은 특별한 규정이 없으면 공포한 날부터 20일이 경과함으로써 효력을 발생한다.

③ [○] 조리는 비례의 원칙(과잉금지의 원칙), 평등의 원칙, 신뢰보호의 원칙(금반언의 원칙), 자기구속의 원칙, 부당결부의 금지원칙, 신의성실의 원칙 등으로 구성되어 있으며, 이러한 원칙들(조리)에 위반되는 경우에도 위법이 될 수 있다.

④ [○]

> **요지판례 I**
> ■ 운전면허 취소사유에 해당하는 음주운전을 적발한 경찰관의 소속 경찰서장이 사무착오로 위반자에게 운전면허정지처분을 한 상태에서 위반자의 주소지 관할 지방경찰청장이 위반자에게 운전면허취소처분을 한 것은 선행처분에 대한 당사자의 신뢰 및 법적 안정성을 저해하는 것으로서 허용될 수 없다(대판 2000.2.25, 99두10520).

**007** 경찰행정법의 법원(法源)에 관한 설명으로 가장 적절하지 않은 것은? (다툼이 있는 경우 판례에 의함) [2023 채용 1차]

① 경찰행정법의 법원(法源)은 일반적으로 성문법원과 불문법원으로 나눌 수 있으며 헌법, 법률, 조례와 규칙은 성문법원에 해당한다.

② 대통령령, 총리령 및 부령은 특별한 규정이 없으면 공포한 날부터 20일이 경과함으로써 효력을 발생한다.

③ 지방자치단체의 장은 법령의 범위에서 그 사무에 관하여 조리(條理)를 제정할 수 있다.

④ 사회의 거듭된 관행으로 생성한 사회 생활규범이 사회의 법적 확신과 인식에 의하여 법적 규범으로 승인 · 강행되기에 이른 것을 관습법이라 한다.

**정답 및 해설 I ③**

③ [×] 지방자치단체의 장은 법령 또는 조례의 범위에서 그 권한에 속하는 사무에 관하여 규칙을 제정할 수 있다. 반면 지방자치단체(법문상 표현에도 불구하고 실제 지방의회를 말함)는 법령의 범위에서 그 사무에 관하여 조례를 제정할 수 있다.

> **지방자치법 제29조 【규칙】** 지방자치단체의 장은 법령 또는 조례의 범위에서 그 권한에 속하는 사무에 관하여 규칙을 제정할 수 있다.
>
> **지방자치법 제28조 【조례】** ① 지방자치단체는 법령의 범위에서 그 사무에 관하여 조례를 제정할 수 있다. 다만, 주민의 권리 제한 또는 의무 부과에 관한 사항이나 벌칙을 정할 때에는 법률의 위임이 있어야 한다.

① [○] 반면 불문법원으로는 관습법, 헌법재판소의 위헌결정, 조리 등이 있다.

② [○]

> **법령 등 공포에 관한 법률 제13조 【시행일】** 대통령령, 총리령 및 부령은 특별한 규정이 없으면 공포한 날부터 20일이 경과함으로써 효력을 발생한다

④ [○]

> **요지판례 I**
>
> ■ **관습법**이란 사회의 거듭된 관행으로 생성한 사회생활규범이 사회의 법적 확신과 인식에 의하여 법적 규범으로 승인 · 강행되기에 이른 것을 말한다(대판 2005.7.21. 2002다13850).

## 008 경찰행정법의 법원(法源)에 대한 설명으로 가장 적절하지 않은 것은? [2023 경간]

① 헌법에 의하여 체결 · 공포된 조약과 일반적으로 승인된 국제법규도 경찰행정법의 법원으로 볼 수 있다.

② 헌법재판소의 위헌결정은 국가경찰 및 자치경찰을 기속하므로 법원성이 인정된다.

③ 경찰행정법의 일반원칙인 평등의 원칙, 비례의 원칙, 권한남용 금지의 원칙, 신뢰보호의 원칙은 「행정기본법」에는 규정되어 있지 않다.

④ 신의성실의 원칙은 「민법」뿐만 아니라 경찰행정법을 포함한 모든 법의 일반원칙이며 법원으로 인정된다.

**정답 및 해설 I ③**

③ [×] 경찰행정법의 일반원칙인 평등의 원칙, 비례의 원칙, 권한남용 금지의 원칙, 신뢰보호의 원칙은 「행정기본법」에 규정되어 있다.

> **행정기본법 제9조 【평등의 원칙】** 행정청은 합리적 이유 없이 국민을 차별하여서는 아니 된다.
>
> **행정기본법 제10조 【비례의 원칙】** 행정작용은 다음 각 호의 원칙에 따라야 한다.
> 1. 행정목적을 달성하는 데 유효하고 적절할 것
> 2. 행정목적을 달성하는 데 필요한 최소한도에 그칠 것
> 3. 행정작용으로 인한 국민의 이익 침해가 그 행정작용이 의도하는 공익보다 크지 아니할 것
>
> **행정기본법 제11조 【성실의무 및 권한남용금지의 원칙】** ① 행정청은 법령등에 따른 의무를 성실히 수행하여야 한다.
> ② 행정청은 행정권한을 남용하거나 그 권한의 범위를 넘어서는 아니 된다.
>
> **행정기본법 제12조 【신뢰보호의 원칙】** ① 행정청은 공익 또는 제3자의 이익을 현저히 해칠 우려가 있는 경우를 제외하고는 행정에 대한 국민의 정당하고 합리적인 신뢰를 보호하여야 한다.

**009** 경찰법의 법원(法源)에 관한 설명이다. 아래 가.부터 라.까지 설명 중 옳고 그름의 표시(○, ×)가 바르게 된 것은? [2023 경간]

> 가. 헌법은 국가의 기본적인 통치구조를 정한 기본법으로서 행정의 조직이나 작용의 기본원칙을 정한 부분은 그 한도 내에서 경찰법의 법원이 된다.
> 나. 경찰권 발동은 법률에 근거해야 하므로, 법률은 경찰법상의 법률관계에 있어서 중요한 법원이다.
> 다. 불문법원으로서 일반적으로 정의에 합치되는 보편적 원리로서 인정되고 있는 모든 원칙을 조리라 하고, 경찰관청의 행위가 형식상 적법하면 조리에 위반하더라도 위법이 될 수 없다.
> 라. 경찰법의 법원은 일반적으로 성문법원과 불문법원으로 나눌 수 있으며 헌법, 법률, 조약과 국제법규, 규칙은 성문법원이다.

① 가. [○] 나. [×] 다. [×] 라. [○]
② 가. [○] 나. [○] 다. [×] 라. [×]
③ 가. [○] 나. [○] 다. [×] 라. [○]
④ 가. [×] 나. [○] 다. [×] 라. [○]

**정답 및 해설 | ③**
나. [○] 국회가 제정한 형식적 의미의 법률은 경찰권 발동에 있어 가장 기본적이면서 중요한 법원이 된다.
다. [×] 경찰관청의 행위가 형식상 적법하더라도 조리, 즉 행정법의 일반원칙에 위반할 경우에는 위법이 될 수 있다.

**010** 경찰법의 법원에 대한 설명 중 옳지 않은 것을 모두 고른 것은? [2020 승진(경위)]

> ㉠ 경찰법의 법원은 일반적으로 성문법과 불문법원으로 나눌 수 있으며, 헌법, 법률, 조약과 국제법규, 조리와 규칙은 성문법원이다.
> ㉡ 국회의 의결을 거치지 않고 행정기관에 의하여 제정된 성문법규를 법규명령이라고 한다.
> ㉢ 국무총리는 직권으로 총리령을 발할 수 있으나, 행정각부의 장은 직권으로 부령을 발할 수 없다.
> ㉣ 지방의회가 법령의 범위 안에서 제정하는 자치법규를 규칙이라고 한다.

① ㉠, ㉡ ② ㉠, ㉢
③ ㉠, ㉡, ㉣ ④ ㉠, ㉢, ㉣

**정답 및 해설 | ④**
㉠ [×] 조리는 불문법원이다.
㉡ [○] 행정부가 제정하는 법을 행정입법이라고 하며, 이러한 행정입법 중 '법규성'이 있는 것을 법규명령, '법규성'이 없는 것을 행정규칙이라고 한다.
㉢ [×] 행정각부의 장도 직권으로 부령을 발할 수 있다.

> **헌법 제75조** 대통령은 법률에서 구체적으로 범위를 정하여 위임받은 사항과 법률을 집행하기 위하여 필요한 사항에 관하여 대통령령을 발할 수 있다.
> **헌법 제95조** 국무총리 또는 행정각부의 장은 소관사무에 관하여 법률이나 대통령령의 위임 또는 직권으로 총리령 또는 부령을 발할 수 있다.

㉣ [×] **조례**는 지방자치단체의 의회가 법령의 범위 안에서 지방자치권에 의거하여 제정하는 법규를 말하고, **규칙**은 지방자치단체의 장이 법령이나 조례가 위임한 범위에서 그 권한이 속하는 사무에 관하여 제정하는 법규를 말한다(지방자치법 제28조, 제29조).

## 011 경찰법의 법원(法源)에 대한 설명이다. 옳은 것은 모두 몇 개인가? [2021 경간]

가. 경찰법의 법원은 일반적으로 성문법원과 불문법원으로 나눌 수 있으며 헌법, 법률, 조약과 국제법규, 조리와 규칙은 성문법원이다.
나. 국회에서 의결을 거치지 않고 행정기관에 의하여 제정된 법규를 법규명령이라고 한다.
다. 조례와 규칙은 지방의회가 정한다.
라. 헌법은 국가의 기본적인 통치구조를 정한 기본법으로 행정의 조직이나 작용의 기본원칙을 정한 부분은 그 한도 내에서 경찰법의 법원이 된다.
마. 위임명령은 법규명령이고, 집행명령은 행정규칙이다.
바. 헌법재판소의 위헌결정은 법원이나 기타 국가기관 및 지방자치단체를 기속(羈束)하므로 법원성이 인정된다.
사. 조리는 평등의 원칙, 비례의 원칙, 금반언의 원칙, 신의성실의 원칙, 신뢰보호의 원칙 등으로 구성되어 있으며 오늘날 법의 일반원칙은 성문화되어 가는 추세에 있다.

① 1개
② 2개
③ 3개
④ 4개

**정답 및 해설 I ④**

가. [×] 조리는 성문법원이 아닌 불문법원이다.
나. [○] 행정입법이란 행정부가 제정하는 법을 의미하며, 대외적으로 국민을 구속하는 효력이 있는 **법규명령**과 행정조직 내부의 사무처리기준에 관한 **행정규칙**으로 구분된다. ➜ 행정규칙은 법규성이 없다.
다. [×] **조례**는 지방자치단체의 의회가 법령의 범위 안에서 지방자치권에 의거하여 제정하는 법규를 말하고, **규칙**은 지방자치단체의 장이 법령이나 조례가 위임한 범위에서 그 권한이 속하는 사무에 관하여 제정하는 법규를 말한다(지방자치법 제28조, 제29조).
라. [○] 옳은 설명이다.
마. [×] 위임명령과 집행명령 모두 법규명령이다.
바. [○] 헌법재판소법은 위헌결정에 대해 기속력을 인정하는 명문규정을 두고 있으므로, 헌법재판소의 위헌결정은 법원성이 인정된다고 본다(다수설).

> **헌법재판소법 제47조【위헌결정의 효력】** ① 법률의 위헌결정은 법원과 그 밖의 국가기관 및 지방자치단체를 기속한다.

사. [○] 옳은 설명이다.

## 012 행정규칙과 법규명령에 대한 설명으로 가장 옳은 것은? [2016 경간]

① 법규명령은 국민과 행정청을 동시에 구속하는 양면적 구속력을 가짐으로써 재판규범이 된다.
② 행정규칙은 대외적 구속력을 갖고 있으므로 위반하면 반드시 위법이 된다.
③ 위임명령은 법규명령이고, 집행명령은 행정규칙이다.
④ 법규명령은 공포를 요하지 않으나, 행정규칙은 공포를 요한다.

**정답 및 해설 I ①**

① [○] 법규명령은 대내적으로는 물론, 대외적으로 국민도 구속하는 법규성이 있는 규범으로서 재판규범성이 있지만, 행정규칙은 조직 내부의 대내적 구속력만 있어 재판규범성이 인정되지 않는다.
② [×] 행정규칙은 대외적 구속력이 없어(즉, 법규성이 없어), 위반해도 위법의 문제는 발생하지 않고, 다만 조직 내부적으로 징계책임의 문제는 발생할 수 있다.

③ [×] 위임명령과 집행명령은 모두 법규명령의 일종이다.

④ [×] 법규명령은 공포를 요하고, 행정규칙은 공포를 요하지 않는다.

> **법령 등 공포에 관한 법률 제11조【공포 및 공고의 절차】** ① 헌법개정 · 법률 · 조약 · 대통령령 · 총리령 및 부령의 공포와 헌법개정안 · 예산 및 예산 외 국고부담계약의 공고는 관보에 게재함으로써 한다.



## 013 경찰법의 법원에 대한 설명으로 가장 적절하지 않은 것은? [2017 승진(경감)]

① 법규명령의 특징은 국민과 행정청을 동시에 구속하는 양면적 구속력을 가짐으로써 재판규범이 된다.

② 대통령령, 총리령 및 부령은 특별한 규정이 없으면 공포한 날부터 14일이 경과함으로써 효력을 발생한다.

③ 국민의 권리 제한 또는 의무 부과와 직접 관련되는 법률, 대통령령, 총리령 및 부령은 긴급히 시행하여야 할 특별한 사유가 있는 경우를 제외하고는 공포일로부터 적어도 30일이 경과한 날부터 시행되도록 하여야 한다.

④ 법규명령의 한계로 행정권에 대한 입법권의 일반적 · 포괄적 위임은 인정될 수 없고, 국회 전속적 법률사항의 위임은 원칙적으로 금지되며, 법률에 의하여 위임된 사항을 전부 하위명령에 재위임하는 것은 금지된다.

**정답 및 해설 I ②**

② [×] 20일이 경과함으로써 효력을 발생한다.

> **법령 등 공포에 관한 법률 제13조【시행일】** 대통령령, 총리령 및 부령은 특별한 규정이 없으면 공포한 날부터 20일이 경과함으로써 효력을 발생한다.

① [○]

| 구분 | 법규명령 | 행정규칙 |
|---|---|---|
| 대상 | 일반국민 / 일반권력관계 | 공무원 등 / 특별권력관계 |
| 형식 | 시행령(대통령령), 시행규칙(부령) | 훈령, 고시, 예규, 지침 등 |
| 법적 근거 | • 위임명령: 개별 · 구체적 수권 필요<br>• 집행명령: 개별 · 구체적 수권 불필요 | 불필요(예외 있음) |
| 구속력 | • 양면적 구속력(대외 · 대내적 구속력)<br>• 재판규범성 ○ | • 일면적 구속력(대내적 구속력)<br>• 재판규범성 × |
| 조문형식 | 조문형식 필요 | 구술로도 가능 |
| 한계 | 법률우위원칙 + 법률유보원칙 | 법률우위원칙만 적용 |
| 위반효과 | 위법(무효 또는 취소사유) | • 위법 ×(효력에 영향 ×)<br>• 내부적 징계책임 발생 가능 |
| 공포 | 필요(효력발생요건) | 불필요 |

③ [○]

> **법령 등 공포에 관한 법률 제13조의2【법령의 시행유예기간】** 국민의 권리 제한 또는 의무 부과와 직접 관련되는 법률, 대통령령, 총리령 및 부령은 긴급히 시행하여야 할 특별한 사유가 있는 경우를 제외하고는 공포일부터 적어도 30일이 경과한 날부터 시행되도록 하여야 한다.

④ [○] 엄밀히는 법규명령 중 위임명령의 한계에 대한 설명으로, 위임명령의 한계는 다음과 같다.

- **포괄위임금지**: 법률에서 '구체적으로' 범위를 정하여 위임하여야 하므로, 일반적이고 포괄적인 위임은 금지된다.
- **국회전속 입법사항 위임금지**: 헌법에서 직접 법률로 정하도록 규정한 사항을 위임하는 것도 금지된다. ➜ 단, 일정 범위에서 구체적 범위를 정한, 세부적 사항에 대해서는 위임 가능
- **전면적 재위임 금지**: 법률에서 위임받은 사항을 전혀 규정하지 않고 그대로 재위임하는 것은 허용되지 않는다.

## 014 법규명령과 행정규칙에 대한 설명으로 가장 적절하지 않은 것은? [2019 승진(경감)]

① 법규명령은 국민과 행정청을 동시에 구속하는 양면적 구속력을 가짐으로써 재판규범이 된다.

② 법규명령의 한계로 행정권에 대한 입법권의 일반적 · 포괄적 위임은 인정될 수 없으며, 국회 전속적 법률사항의 위임은 원칙적으로 금지된다.

③ 행정규칙의 종류로는 고시 · 훈령 · 예규 · 일일명령 등이 있다.

④ 행정규칙은 행정기관이 법률의 수권 없이 권한 범위 내에서 만든 일반적 · 추상적 명령을 말하며 대내적 구속력을 갖고 있으므로 경찰관이 이를 위반하면 반드시 위법이 된다.

**정답 및 해설 I ④**

④ [×] 행정규칙은 원칙적으로 법규성이 인정되지 않는다(대외적 구속력 ×). 단, 발령기관의 권한이 미치는 범위 내에서 조직 내부에서는 일면적 구속력을 가진다(대내적 구속력 ○). 따라서 위반시 위법(무효 또는 취소)의 문제는 발생하지 않으나 내부적으로 징계책임의 문제는 발생할 수 있다.

①③ [○]

**KEY POINT I 법규명령과 행정규칙 비교**

| 구분 | 법규명령 | 행정규칙 |
|---|---|---|
| 대상 | 일반국민 / 일반권력관계 | 공무원 등 / 특별권력관계 |
| 형식 | 시행령(대통령령), 시행규칙(부령) | 훈령, 고시, 예규, 지침 등 |
| 법적 근거 | • 위임명령: 개별 · 구체적 수권 필요<br>• 집행명령: 개별 · 구체적 수권 불필요 | 불필요(예외 있음) |
| 구속력 | • 양면적 구속력(대외 · 대내적 구속력)<br>• 재판규범성 ○ | • 일면적 구속력(대내적 구속력)<br>• 재판규범성 × |
| 조문형식 | 조문형식 필요 | 구술로도 가능 |
| 한계 | 법률우위원칙 + 법률유보원칙 | 법률우위원칙만 적용 |
| 위반효과 | 위법(무효 또는 취소사유) | • 위법 ×(효력에 영향 ×)<br>• 내부적 징계책임 발생 가능 |
| 공포 | 필요(효력발생요건) | 불필요 |

## 015 행정규칙과 법규명령에 대한 설명으로 가장 적절하지 않은 것은? [2019 승진(경위)]

① 법규명령은 대외적 구속력을 갖기 때문에 그에 반하는 행정권 행사는 위법하다.

② 법규명령은 특별한 규정이 없는 한 공포한 날로부터 20일을 경과함으로써 효력을 발생한다.

③ 위임명령은 법규명령이고, 집행명령은 행정규칙이다.

④ 법규명령의 형식(부령)을 취하고 있지만 그 내용이 행정규칙의 실질을 가지는 경우 판례는 당해 규범을 행정규칙으로 보고 있다.

**정답 및 해설 | ③**

③ [×] 위임명령과 집행명령 모두 법규명령의 일종이다.

① [○] 반면 행정규칙의 위반은 위법이 문제가 아닌, 내부적인 징계책임 문제를 발생시킨다.

② [○]

> **법령 등 공포에 관한 법률 제13조【시행일】** 대통령령, 총리령 및 부령은 특별한 규정이 없으면 공포한 날부터 20일이 경과함으로써 효력을 발생한다.

④ [○] 대통령령, 부령과 같은 법규명령의 형식을 취했으나 실질적 내용은 행정규칙으로 다루어질 내용을 정하는 경우(법규명령 형식의 행정규칙), 이를 법규명령으로 보아야 할지 행정규칙으로 보아야 할지 학설은 대립하나, 판례는 행정규칙으로 보고 있다.

> **요지판례 |**
>
> ■ 공중위생법 시행규칙 제41조 별표7은 형식은 부령으로 되어 있으나 그 성질은 행정기관 내부의 사무처리준칙을 규정한 것에 불과한 것으로서 보건사회부장관이 관계 행정기관 및 직원에 대하여 그 직무권한행사의 지침을 정하여 주기 위하여 발한 행정명령의 성질을 가지는 것이지 위 법 제23조 제1항에 의하여 보장된 재량권을 기속하거나 대외적으로 국민이나 법원을 기속하는 것은 아니다(대판 1990.5.22, 90누157).

## 016 법규명령과 행정규칙에 대한 설명으로 가장 옳은 것은? (판례에 의함) [2021 경간]

① 법령 규정이 특정 행정기관에 그 법령 내용의 구체적 사항을 정할 수 있는 권한을 부여하면서 그 권한 행사의 절차나 방법을 특정하고 있지 않아 수임행정기관이 행정규칙의 형식으로 그 내용을 구체적으로 정하고 있다면 그 행정규칙은 대외적 구속력이 있는 법규명령으로서의 효력을 가진다.

② 행정입법이란 행정부가 제정하는 법을 의미하며, 행정조직 내부의 사무처리기준에 관한 법규명령과 국민을 구속하는 효력이 있는 행정규칙으로 구분된다.

③ 법규명령의 제정에는 헌법 · 법률 또는 상위명령의 근거가 필요하지 않아 독자적인 행정입법 작용이 허용된다.

④ 법규명령은 특별한 규정이 없는 한 공포일로부터 30일이 경과해야 효력이 발생하나, 행정규칙은 공포를 요하지 않는다.

**정답 및 해설 | ①**

① [○]

> **요지판례 |**
>
> ■ 법령의 규정이 특정 행정기관에게 그 법령 내용의 구체적 사항을 정할 수 있는 권한을 부여하면서 그 권한 행사의 절차나 방법을 특정하고 있지 아니한 관계로 수임행정기관이 행정규칙의 형식으로 그 법령의 내용이 될 사항을 구체적으로 정하고 있는 경우, 그러한 행정규칙, 규정은 행정조직 내부에서만 효력을 가질 뿐 대외적인 구속력을 갖지 않는 행정규칙의 일반적 효력으로서가 아니라, 행정기관에 법령의 구체적 내용을 보충할 권한을 부여한 법령 규정의 효력에 의하여 그 내용을 보충하는 기능을 갖게 되고, 따라서 당해 법령의 위임한계를 벗어나지 아니하는 한 그것들과 결합하여 대외적인 구속력이 있는 법규명령으로서의 효력을 갖게 된다(대판 1998.6.9, 97누19915).
>
> ➜ 법령보충규칙에 대한 판결

② [×] 법규명령과 행정규칙이 반대로 설명되어 있다.

③ [×] 법규명령이 국민에 대한 대외적 구속력(법규성)을 가질 수 있는 이유가 바로 법규명령은 헌법, 법률 또는 상위명령에 근거를 두고 있기 때문이다.

④ [×] 30일이 아닌 20일이다. 행정규칙은 공포를 요하지 않는다는 부분은 옳다.

> **법령 등 공포에 관한 법률 제13조【시행일】** 대통령령, 총리령 및 부령은 특별한 규정이 없으면 공포한 날부터 20일이 경과함으로써 효력을 발생한다.

**017** 행정규칙에 대한 설명으로 가장 적절하지 <u>않은</u> 것은? (다툼이 있는 경우 판례에 의함) [2018 경행특채 2차]

① 행정규칙은 원칙적으로 그 성격상 대외적 효력을 갖는 것은 아니나, 예외적인 경우에 대외적으로 효력을 가질 수 있다.

② 이른바 법령보충적 행정규칙은 그 자체로서 직접적으로 대외적인 구속력을 갖는다.

③ 법령의 규정이 특정 행정기관에게 법령 내용의 구체적 사항을 정할 수 있는 권한을 부여하면서 권한행사의 절차나 방법을 특정하지 아니한 경우에는 수임 행정기관은 행정규칙이나 규정 형식으로 법령 내용이 될 사항을 구체적으로 정할 수 있다.

④ 고시가 일반 · 추상적 성격을 가질 때는 법규명령 또는 행정규칙에 해당하지만, 고시가 구체적인 규율의 성격을 갖는다면 행정처분에 해당한다.

**정답 및 해설 I ②**

② [×] 그 자체로 대외적 구속력을 가지는 것이 아니라, 상위법령과 결합하여 일체가 되는 한도 내에서 대외적 구속력을 가진다.

**요지판례 I**

■ 법령보충적 행정규칙이라도 그 자체로서 직접적으로 대외적인 구속력을 갖는 것은 아니다. 즉, 상위법령과 결합하여 일체가 되는 한도 내에서 상위법령의 일부가 됨으로써 대외적 구속력이 발생되는 것일 뿐 그 행정규칙 자체는 대외적 구속력을 갖는 것은 아니라 할 것이다(헌재결 2004.10.28, 99헌바91).

① [○] 행정규칙은 상급행정기관이 행정조직 내부에서 그 행정의 조직과 활동에 대해 사무처리기준으로서 하급행정기관에 발하는, 대외적 구속력이 없는 일반적 · 추상적 규율을 말한다. 단, 예외적으로 대외적 구속력, 즉 법규성을 가지는 경우도 있을 수 있다(재량준칙, 법령보충규칙).

③ [○]

**요지판례 I**

■ 법령의 규정이 특정 행정기관에게 법령 내용의 구체적 사항을 정할 수 있는 권한을 부여하면서 권한행사의 절차나 방법을 특정하지 아니한 경우에는 수임 행정기관은 행정규칙이나 규정 형식으로 법령 내용이 될 사항을 구체적으로 정할 수 있다(대판 2012.7.5, 2010다72076).

④ [○]

**요지판례 I**

■ 고시 또는 공고의 법적 성질은 일률적으로 판단될 것이 아니라 고시에 담겨진 내용에 따라 구체적인 경우마다 달리 결정된다고 보아야 한다. 즉, 고시가 일반 · 추상적 성격을 가질 때는 법규명령 또는 행정규칙에 해당하지만, 고시가 구체적인 규율의 성격을 갖는다면 행정처분에 해당한다(헌재 1998.4.30, 97헌마141).

**018** 행정입법에 관한 설명 중 가장 적절하지 <u>않은</u> 것은? (다툼이 있는 경우 판례에 의함) [2021 경행특채 2차]

① 지방자치단체의 조례가 규정하고 있는 사항이 근거 법령 등에 비추어 볼 때 자치사무나 단체위임사무에 관한 것이라면 위임조례와 같이 국가법에 적용되는 일반적인 위임입법의 한계가 적용될 여지는 없다.

② 일반적으로 법률의 위임에 따라 효력을 갖는 법규명령의 경우, 위임의 근거가 없어 무효였다고 하더라도 나중에 법률 개정을 통해 위임의 근거가 부여되었다면 그때부터는 유효한 법규명령으로 볼 수 있다.

③ 전결(專決)과 같은 행정권한의 내부위임은 법령상 처분권자인 행정관청이 내부적인 사무처리의 편의를 도모하기 위하여 그의 보조기관 또는 하급 행정관청으로 하여금 그의 권한을 사실상 행사하게 하는 것으로서 법률의 위임이 있어야 허용된다.

④ 헌법이 인정하고 있는 위임입법의 형식은 예시적인 것으로 보아야 할 것이고, 법률이 행정규칙에 위임하더라도 그 행정규칙은 위임된 사항만을 규율할 수 있으므로 국회입법의 원칙과 상치되지 않는다.

**정답 및 해설 | ③**

③ [×] 전결은 행정권한의 내부위임에 불과한 것으로서, 이러한 전결에 관한 사항을 규정하는 전결규정은 행정규칙으로서의 성격을 갖고, 따라서 법률의 위임이 반드시 필요한 것이 아니다.

> **요지판례 |**
>
> ■ 전결과 같은 행정권한의 내부위임은 법령상 처분권자인 행정관청이 내부적인 사무처리의 편의를 도모하기 위하여 그의 보조기관 또는 하급 행정관청으로 하여금 그의 권한을 사실상 행사하게 하는 것으로서 법률이 위임을 허용하지 않는 경우에도 인정되는 것이므로, 설사 행정관청 내부의 사무처리규정에 불과한 전결규정에 위반하여 원래의 전결권자 아닌 보조기관 등이 처분권자인 행정관청의 이름으로 행정처분을 하였다고 하더라도 그 처분이 권한 없는 자에 의하여 행하여진 무효의 처분이라고는 할 수 없다(대판 1998.2.27, 97누1105).

① [○]

> **요지판례 |**
>
> ■ 지방자치법 관련 규정에 의하면 지방자치단체는 원칙적으로 그 고유사무인 자치사무와 법령에 의하여 위임된 단체위임사무에 관하여 이른바 자치조례를 제정할 수 있는 외에, 개별 법령에서 특별히 위임하고 있을 경우에는 그러한 사무에 속하지 아니하는 기관위임사무에 관하여도 그 위임의 범위 내에서 이른바 위임조례를 제정할 수 있지만, 조례가 규정하고 있는 사항이 그 근거 법령 등에 비추어 볼 때 자치사무나 단체위임사무에 관한 것이라면 이는 자치조례로서 지방자치법 제15조가 규정하고 있는 '법령의 범위 안'이라는 사항적 한계가 적용될 뿐, 위임조례와 같이 국가법에 적용되는 일반적인 위임입법의 한계가 적용될 여지는 없다(대판 2000.11.24, 2000추29).

② [○]

> **요지판례 |**
>
> ■ 일반적으로 법률의 위임에 따라 효력을 갖는 법규명령의 경우에 위임의 근거가 없어 무효였더라도 나중에 법 개정으로 위임의 근거가 부여되면 그때부터는 유효한 법규명령으로 볼 수 있다. 그러나 법규명령이 개정된 법률에 규정된 내용을 함부로 유추 · 확장하는 내용의 해석규정이어서 위임의 한계를 벗어난 것으로 인정될 경우에는 법규명령은 여전히 무효이다(대판 2017.4.20, 2015두45700).

④ [○]

> **요지판례 |**
>
> ■ 헌법이 인정하고 있는 위임입법의 형식은 예시적인 것으로 보아야 할 것이고, 그것은 법률이 행정규칙에 위임하더라도 그 행정규칙은 위임된 사항만을 규율할 수 있으므로, 국회입법의 원칙과 상치되지도 않는다(헌재 2006.12.28, 2005헌바59).

## 019 법률과 법규명령의 공포 및 효력 발생시기에 관한 설명으로 가장 적절하지 않은 것은? [2023 승진]

① 국회에서 의결된 법률안은 정부에 이송되어 15일 이내에 대통령이 공포한다.

② 법률은 특별한 규정이 없는 한 공포한 날로부터 20일을 경과함으로써 효력을 발생한다.

③ 대통령령, 총리령 및 부령은 특별한 규정이 없으면 공포한 날부터 20일이 경과함으로써 효력을 발생한다.

④ 국민의 권리 제한 또는 의무 부과와 직접 관련되는 법률, 대통령령, 총리령 및 부령은 긴급히 시행하여야 할 특별한 사유가 있는 경우를 제외하고는 공포일로부터 적어도 20일이 경과한 날부터 시행되도록 하여야 한다.

**정답 및 해설 | ④**

④ [×] 적어도 30일이 경과한 날부터 시행되도록 하여야 한다

> **법령 등 공포에 관한 법률 제13조의2【법령의 시행유예기간】** 국민의 권리 제한 또는 의무 부과와 직접 관련되는 법률, 대통령령, 총리령 및 부령은 긴급히 시행하여야 할 특별한 사유가 있는 경우를 제외하고는 공포일부터 적어도 30일이 경과한 날부터 시행되도록 하여야 한다.

①②③ [○] 20일 경과함으로써 효력을 발생한다는 규정의 경우, '법률'은 헌법에, '대통령령 · 총리령 · 부령'은 법령 등 공포에 관한 법률에 규정되어 있다.

> **헌법 제53조** ① 국회에서 의결된 법률안은 정부에 이송되어 15일 이내에 대통령이 공포한다.
> ⑦ 법률은 특별한 규정이 없는 한 공포한 날로부터 20일을 경과함으로써 효력을 발생한다.
>
> 비교» **법령 등 공포에 관한 법률 제13조【시행일】** 대통령령, 총리령 및 부령은 특별한 규정이 없으면 공포한 날부터 20일이 경과함으로써 효력을 발생한다.

## 020 「법령 등 공포에 관한 법률」에 대한 설명 중 옳지 않은 것을 모두 고른 것은? (다툼이 있는 경우 판례에 의함)

[2018 경행특채 2차]

> ㉠ 헌법개정 · 법률 · 조약 · 대통령령 · 총리령 및 부령의 공포와 헌법개정안 · 예산 및 예산 외 국고부담계약의 공고는 관보(官報)에 게재함으로써 한다.
> ㉡ 관보의 내용 해석 및 적용 시기는 전자관보를 우선으로 하며, 종이관보는 부차적인 효력을 가진다.
> ㉢ 법률의 공포일은 해당 법률을 게재한 관보 또는 신문이 발행된 날로 한다.
> ㉣ 대통령령, 총리령 및 부령은 특별한 규정이 없으면 공포한 날부터 20일이 경과함으로써 효력을 발생한다.
> ㉤ 국민의 권리 제한 또는 의무 부과와 직접 관련되는 법률, 대통령령, 총리령 및 부령은 긴급히 시행하여야 할 특별한 사유가 있는 경우를 제외하고는 공포일부터 적어도 90일이 경과한 날부터 시행되도록 하여야 한다.

① ㉠, ㉣　　② ㉠, ㉢

③ ㉡, ㉤　　④ ㉡, ㉣

**정답 및 해설 I ③**

㉠ [○]

> **법령 등 공포에 관한 법률 제11조【공포 및 공고의 절차】** ① 헌법개정 · 법률 · 조약 · 대통령령 · 총리령 및 부령의 공포와 헌법개정안 · 예산 및 예산 외 국고부담계약의 공고는 관보에 게재함으로써 한다.

㉡ [×] 동일한 효력을 가진다.

> **법령 등 공포에 관한 법률 제11조【공포 및 공고의 절차】** ④ 관보의 내용 해석 및 적용 시기 등에 대하여 종이관보와 전자관보는 동일한 효력을 가진다.

㉢ [○]

> **법령 등 공포에 관한 법률 제12조【공포일 · 공고일】** 제11조의 법령 등의 공포일 또는 공고일은 해당 법령 등을 게재한 관보 또는 신문이 발행된 날로 한다.

㉣ [○]

> **법령 등 공포에 관한 법률 제13조【시행일】** 대통령령, 총리령 및 부령은 특별한 규정이 없으면 공포한 날부터 20일이 경과함으로써 효력을 발생한다.

㉤ [×] 적어도 30일이 경과한 날부터 시행되도록 하여야 한다.

> **법령 등 공포에 관한 법률 제13조의2【법령의 시행유예기간】** 국민의 권리 제한 또는 의무 부과와 직접 관련되는 법률, 대통령령, 총리령 및 부령은 긴급히 시행하여야 할 특별한 사유가 있는 경우를 제외하고는 공포일부터 적어도 30일이 경과한 날부터 시행되도록 하여야 한다.

**021** 법령 등 공포에 관한 법률에 대한 설명으로 가장 적절하지 않은 것은? [2020 경행특채 2차]

① 헌법개정 · 법률 · 조약 · 대통령령 · 총리령 및 부령의 공포와 헌법개정안 · 예산 및 예산 외 국고부담계약의 공고는 관보(官報)에 게재함으로써 한다.

② 국회법 제98조 제3항 전단에 따라 하는 국회의장의 법률 공포는 수도권에서 발행되는 둘 이상의 일간신문에 게재함으로써 한다.

③ 국민의 권리 제한 또는 의무 부과와 직접 관련되는 법률, 대통령령, 총리령 및 부령은 긴급히 시행하여야 할 특별한 사유가 있는 경우를 제외하고는 공포일부터 적어도 30일이 경과한 날부터 시행되도록 하여야 한다.

④ 헌법개정 공포문의 전문에는 헌법개정안이 대통령 또는 국회 재적의원 과반수의 발의로 제안되어 국회에서 재적의원 3분의 2 이상이 찬성하고 국민투표에서 국회의원 선거권자 과반수가 투표하여 투표자 과반수가 찬성한 사실을 적고, 대통령이 서명한 후 국새(國璽)와 대통령인을 찍고 그 공포일을 명기하여 국무총리와 각 국무위원이 부서한다.

**정답 및 해설 I ②**

② [×] 수도권이 아니라 서울특별시에서 발행되는 둘 이상의 일간신문이다. / ① [○]

> **법령 등 공포에 관한 법률 제11조【공포 및 공고의 절차】** ① 헌법개정 · 법률 · 조약 · 대통령령 · 총리령 및 부령의 공포와 헌법개정안 · 예산 및 예산 외 국고부담계약의 공고는 관보에 게재함으로써 한다. [2018 경행특채 2차]
> ② 「국회법」 제98조 제3항 전단(➜ 확정된 법률을 대통령이 공포하지 아니할 때)에 따라 하는 국회의장의 법률 공포는 서울특별시에서 발행되는 둘 이상의 일간신문에 게재함으로써 한다.

③ [○]

> **법령 등 공포에 관한 법률 제13조의2【법령의 시행유예기간】** 국민의 권리 제한 또는 의무 부과와 직접 관련되는 법률, 대통령령, 총리령 및 부령은 긴급히 시행하여야 할 특별한 사유가 있는 경우를 제외하고는 공포일부터 적어도 30일이 경과한 날부터 시행되도록 하여야 한다.

④ [○]

> **법령 등 공포에 관한 법률 제4조【헌법개정】** 헌법개정 공포문의 전문에는 헌법개정안이 대통령 또는 국회 재적의원 과반수의 발의로 제안되어 국회에서 재적의원 3분의 2 이상이 찬성하고 국민투표에서 국회의원 선거권자 과반수가 투표하여 투표자 과반수가 찬성한 사실을 적고, 대통령이 서명한 후 국새와 대통령인을 찍고 그 공포일을 명기하여 국무총리와 각 국무위원이 부서한다.

## 주제 3 경찰행정법의 여러 가지 일반원칙들

**022** 경찰비례의 원칙에 관한 설명으로 가장 적절하지 않은 것은?(다툼이 있는 경우 판례에 의함) [2023 채용 1차]

① 경찰비례의 원칙은 일반적 수권조항에 근거하여 경찰권을 발동하는 경우는 물론, 개별적 수권조항에 근거하여 경찰권을 발동하는 경우에도 적용된다.

② 적합성의 원칙은 경찰기관의 어떤 조치가 경찰목적 달성을 위해 필요한 경우라고 하여도 그 조치에 따른 불이익이그 조치로 인해 발생하는 이익보다 큰 경우에는 경찰권을 발동해서는 안 된다는 원칙이다.

③ 필요성의 원칙(최소침해의 원칙)은 목적을 달성할 수 있는 수단이 여러 가지가 있는 경우에 적합한 여러 가지 수단 중에서 가장 적게 침해를 가져오는 수단을 선택해야 한다는 원칙이다.

④ 경찰비례의 원칙은 「행정기본법」 제10조, 「경찰관 직무집행법」 제1조 제2항 등에서 근거를 찾아볼 수 있다.

**정답 및 해설 | ②**

② [×] **상당성의 원칙은** 경찰기관의 어떤 조치가 경찰목적 달성을 위해 필요한 경우라고 하여도 그 조치에 따른 불이익이 그 조치로 인해 발생하는 이익보다 큰 경우에는 경찰권을 발동해서는 안 된다는 원칙이다. **적합성의 원칙**은 경찰기관이 취한 조치 또는 수단이 목적을 이루는데 적합해야 한다는 원칙이다.

① [○] **경찰비례 원칙**은 **과잉금지 원칙**이라고도 하며, 행정작용에 있어 행정목적과 수단 사이에는 합리적인 비례관계가 유지되어야 한다는 원칙을 말한다. 이러한 경찰비례 원칙은 당해 경찰작용이 일반적 수권조항에 근거하여 이루어지든 개별적 수권조항에 근거하여 이루어지든 구분하지 않고 항상 적용되는 원칙이다.

④ [○] 이외에 헌법 제37조 제2항도 경찰비례 원칙의 법적 근거로 볼 수 있다.

## 023 경찰비례의 원칙에 대한 설명으로 가장 적절하지 않은 것은? [2022 승진]

① 행정영역에서 적용되는 원칙으로서, 일반적 수권조항에 근거하여 경찰권을 발동하는 경우는 물론, 개별적 수권조항에 근거하여 경찰권을 발동하는 경우에도 적용된다.

② 경찰행정관청의 특정행위가 공적 목적 달성을 위해 적합하고, 국민에게 가장 피해가 적으며, 달성되는 공익이 침해되는 사익보다 더 커야 적법한 행정작용이 될 수 있다.

③ 상당성의 원칙(협의의 비례원칙)은 경찰기관의 어떤 조치가 경찰목적 달성을 위해 필요한 경우라고 하여도 그 조치에 따른 불이익이 그 조치로 인해 발생하는 이익보다 큰 경우에는 경찰권을 발동해서는 안 된다는 원칙이다.

④ 경찰비례의 원칙은 법률에 명문의 규정은 존재하지 않지만 이를 위반한 경찰작용은 위법한 것으로 평가되어 행정소송의 대상이 되며, 국가배상청구의 대상이 될 수 있다.

**정답 및 해설 | ④**

④ [×] 경찰비례의 원칙은 「**헌법**」 **제37조 제2항**, 「**행정기본법**」 **제10조**, 「**경찰관 직무집행법**」 **제1조 제2항에 명문으로 규정**되어 있다. 따라서 이를 위반한 경찰작용은 위법이자 위헌으로서 행정소송의 대상도 되고 국가배상청구의 대상이 될 수도 있다.

② [○] 차례로 적합성, 필요성, 상당성 원칙에 대한 설명이다.

③ [○] 상당성 원칙은 협의의 비례원칙이라고도 하며, 경찰기관의 조치로 달성하려는 공익과 그로 인해 침해되는 사익이 균형을 이루어야 한다. 즉, 비례하여야 한다는 원칙을 말한다.

## 024 「행정기본법」상 신뢰보호의 원칙에 해당하는 것은? [2023 승진]

① 행정청은 권한 행사의 기회가 있음에도 불구하고 장기간 권한을 행사하지 아니하여 국민이 그 권한이 행사되지 아니할 것으로 믿을 만한 정당한 사유가 있는 경우에는 그 권한을 행사해서는 아니 된다. 다만, 공익 또는 제3자의 이익을 현저히 해칠 우려가 있는 경우는 예외로 한다.

② 행정청은 합리적 이유 없이 국민을 차별해서는 아니 된다.

③ 행정청의 행정작용은 행정목적을 달성하는 데 유효하고 적절해야 하며, 필요한 최소한도에 그칠 것이고, 행정작용으로 인한 국민의 이익 침해가 그 행정작용이 의도하는 공익보다 크지 아니해야 한다.

④ 행정청은 행정작용을 할 때 상대방에게 해당 행정작용과 실질적인 관련이 없는 의무를 부과해서는 아니 된다.

**정답 및 해설 I ①**

① [○] 행정기본법 제12조 제2항

② [×] 평등의 원칙에 대한 설명이다(행정기본법 제9조).

③ [×] 비례의 원칙에 대한 설명이다(행정기본법 제10조).

④ [×] 부당결부금지의 원칙에 대한 설명이다(행정기본법 제13조).



## 025 다음 <보기>의 내용 중 공통된 행정의 법 원칙은 무엇인가? [2022 채용 1차]

<보기>

- 행정기본법 제12조 제1항 "행정청은 공익 또는 제3자의 이익을 현저히 해칠 우려가 있는 경우를 제외하고는 행정에 대한 국민의 정당하고 합리적인 신뢰를 보호하여야 한다."
- 행정절차법 제4조 제2항 "행정청은 법령 등의 해석 또는 행정청의 관행이 일반적으로 국민들에게 받아들여졌을 때에는 공익 또는 제3자의 정당한 이익을 현저히 해칠 우려가 있는 경우를 제외하고는 새로운 해석 또는 관행에 따라 소급하여 불리하게 처리하여서는 아니 된다."

① 비례의 원칙
② 평등의 원칙
③ 신뢰보호의 원칙
④ 부당결부금지의 원칙

**정답 및 해설 I ③**

③ [○] <보기>는 행정청의 행위를 사인이 정당하게 신뢰한 경우, 그 신뢰는 보호되어야 한다는 신뢰보호원칙에 대한 실정법상의 근거이다.

## 026 법규명령과 행정규칙에 대한 설명 중 가장 적절하지 않은 것은? [2021 승진(실무종합)]

① 행정규칙에 따른 종래의 행정관행이 위법한 경우에는 행정청은 자기구속을 당하지 않는다.

② 법규명령이란 국회의 의결을 거치지 않고 행정기관에 의하여 제정된 성문법규를 말하며, 그 종류에는 위임명령과 집행명령이 있다.

③ 국민의 권리 제한 또는 의무 부과와 직접 관련되는 법률, 대통령령. 총리령 및 부령은 긴급히 시행하여야 할 특별한 사유가 있는 경우를 제외하고는 공포일로부터 적어도 30일이 경과한 날부터 시행되도록 하여야 한다.

④ 위임명령은 상위법령의 집행시 필요한 절차나 형식을 정하는 데 그쳐야 하며 새로운 법규사항을 정하여서는 안 된다.

**정답 및 해설 I ④**

④ [×] 집행명령은 법률 등을 현실적으로 집행하는 데 필요한 절차나 형식 등 세부적인 사항을 제외하고, 법률 등에 규정되지 않은 새로운 내용(법규사항)을 규정할 수는 없다.

| 구분 | 위임명령 | 집행명령 |
|---|---|---|
| 근거 | • 개별적 · 구체적 수권 필요<br>• 헌법 제75조 · 제95조 + 개별적 위임 | • 포괄적 근거만으로 성립 가능<br>• 헌법 제75조 · 제95조 |
| 본질 | 법률의 내용을 보충하는 보충명령 | 법률의 집행에 관한 시행세칙 |
| 범위 | 국민의 권리 · 의무에 관한 새로운 입법사항(법규사항) 규정 가능 | 국민의 권리 · 의무에 관한 새로운 입법사항(법규사항) 규정 불가 |
| 공통점 | • 법규명령이다(법규성을 갖는다).<br>• 문서 · 법조형식을 취한다.<br>• 공포를 요한다. | • 국민의 권리 · 의무사항을 규율할 수 있다.<br>• 헌법에 근거가 있다. |

① [○]

**요지판례 I**

■ 위법한 행정처분이 수차례에 걸쳐 반복적으로 행하여졌다 하더라도 그러한 처분이 위법한 것인 때에는 행정청에 대하여 자기구속력을 갖게 된다고 할 수 없다(대판 2009.6.25, 2008두13132).

③ [○]

**법령 등 공포에 관한 법률 제13조의2【법령의 시행유예기간】** 국민의 권리 제한 또는 의무 부과와 직접 관련되는 법률, 대통령령, 총리령 및 부령은 긴급히 시행하여야 할 특별한 사유가 있는 경우를 제외하고는 공포일부터 적어도 30일이 경과한 날부터 시행되도록 하여야 한다.

## 027 행정법의 일반원칙에 대한 설명으로 가장 적절하지 않은 것은? (다툼이 있는 경우 판례에 의함)

[2018 경행특채 2차]

① 수익적 행정행위에 있어서는 법령에 특별한 근거규정이 없다고 하더라도 그 부관으로서 부담을 붙일 수 있으나, 그러한 부담은 비례의 원칙, 부당결부금지의 원칙에 위반되지 않아야 적법하다.

② 과잉금지의 원칙이라 함은 국민의 기본권을 제한함에 있어서 국가작용의 한계를 명시한 것으로서 목적의 정당성 · 방법의 적정성 · 피해의 최소성 · 법익의 균형성 등을 의미하며 그 어느 하나에라도 저촉이 되면 위헌이 된다는 헌법상의 원칙을 말한다.

③ 운전면허 취소사유에 해당하는 음주운전을 적발한 경찰관의 소속 경찰서장이 사무착오로 위반자에게 운전면허정지처분을 한 상태에서 위반자의 주소지 관할 지방경찰청장이 위반자에게 운전면허취소처분을 한 것은 선행처분에 대한 당사자의 신뢰 및 법적 안정성을 저해하는 것으로 볼 수 없다.

④ 부당결부금지의 원칙이란 행정주체가 행정작용을 함에 있어서 상대방에게 이와 실질적인 관련이 없는 의무를 부과하거나 그 이행을 강제하여서는 아니 된다는 원칙을 말한다.

**정답 및 해설 | ③**

③ [×] 이는 당사자의 신뢰 및 법적 안정성을 저해하는 것이다.

> **요지판례 |**
>
> ■ 운전면허 취소사유에 해당하는 음주운전을 적발한 경찰관의 소속 경찰서장이 사무착오로 위반자에게 운전면허정지처분을 한 상태에서 위반자의 주소지 관할 지방경찰청장이 위반자에게 운전면허취소처분을 한 것은 선행처분에 대한 당사자의 신뢰 및 법적 안정성을 저해하는 것으로서 허용될 수 없다(대판 2000.2.25, 99두10520).

① [○]

> **요지판례 |**
>
> ■ 수익적 행정행위에 있어서는 법령에 특별한 근거규정이 없다고 하더라도 그 부관으로서 부담을 붙일 수 있으나, 그러한 부담은 비례의 원칙, 부당결부금지의 원칙에 위반되지 않아야만 적법하다(대판 1997.3.11, 96다49650).

② [○]

> **요지판례 |**
>
> ■ 헌법 제37조 제2항에 의하면 국민의 기본권을 법률로써 제한하는 것이 가능하다고 하더라도 그 본질적인 내용을 침해할 수 없고 또한 과잉금지의 원칙에도 위배되어서는 아니 되는바, 과잉금지의 원칙이라 함은 국민의 기본권을 제한함에 있어서 국가작용의 한계를 명시한 것으로서 목적의 정당성 · 방법의 적정성 · 피해의 최소성 · 법익의 균형성 등을 의미하며 그 어느 하나에라도 저촉이 되면 위헌이 된다는 헌법상의 원칙을 말한다(헌재 1997.3.27, 95헌가17).

④ [○] 행정청이 행정작용을 할 때 상대방에게 해당 행정작용과 실질적으로 관련이 없는 의무를 부과하거나 의무를 이행하도록 강제해서는 안 된다는 원칙을 말한다(대판 2009.2.12, 2005다65500).

## 028 부당결부금지의 원칙에 관한 설명으로 가장 적절한 것은? (다툼이 있는 경우 판례에 의함)

[2023 채용 2차]

① 행정청은 행정작용을 할 때 상대방에게 해당 행정작용과 실질적인 관련이 없는 의무를 부과해서는 아니 된다는 원칙이다.

② 현행법상 명시적인 규정은 없지만 법치국가의 원리와 자의금지의 원칙으로부터 도출되는 행정법의 일반원칙이다.

③ 지방자치단체장이 사업자에게 주택사업계획승인을 하면서 그 주택사업과는 아무런 관련이 없는 토지를 기부채납하도록 하는 부관을 붙인 경우에는, 기부채납한 토지 가액이 그 주택사업 계획의 100분의 1 상당의 금액에 불과하고 사업자가 이의를 제기하지 아니하다가 지방자치단체장이 업무착오로 기부채납한 토지에 대하여 보상협조요청서를 보내자 그 때서야 비로소 부관의 하자를 들고 나왔다고 하더라도 그 부관은 당연무효이다.

④ 甲이 혈중알코올농도 0.140%의 주취상태로 배기량 125cc 이륜 자동차를 운전하였다는 이유로 甲의 자동차운전면허[제1종 대형, 제1종 보통, 제1종 특수(대형견인 · 구난), 제2종 소형]를 취소한 것은 甲이 음주상태에서 운전을 하지 않으면 안 되는 부득이한 사정이 없었더라도 재량권을 일탈 · 남용한 것이다.

**정답 및 해설 | ①**

① [○] ② [×] 부당결부금지의 원칙은 **행정기본법 제13조에 규정**되어 있다. ➜ 행정기본법상 자기구속원칙만 명문규정 없음!

> **행정기본법 제13조【부당결부금지의 원칙】** 행정청은 행정작용을 할 때 상대방에게 해당 행정작용과 실질적인 관련이 없는 의무를 부과해서는 아니 된다.

③ [×] 사안의 경우 부당결부금지원칙에 위반되어 위법하지만, 그 하자가 중대명백하여 무효라고 볼 수는 없다고 하였다.

> **요지판례 |**
>
> ■ 지방자치단체장이 사업자에게 주택사업계획승인을 하면서 그 **주택사업과는 아무런 관련이 없는 토지를 기부채납하도록 하는 부관을 주택사업계획승인에 붙인 경우,** 그 부관은 부당결부금지의 원칙에 위반되어 위법하지만, 지방자치단체장이 승인한 사업자의 주택사업계획은 상당히 큰 규모의 사업임에 반하여, 사업자가 기부채납한 토지 가액은 그 100분의 1 상당의 금액에 불과한 데다가, 사업자가 그 동안 그 부관에 대하여 아무런 이의를 제기하지 아니하다가 지방자치단체장이 업무착오로 기부채납한 토지에 대하여 보상협조요청서를 보내자 그 때서야 비로소 부관의 하자를 들고 나온 사정에 비추어 볼 때 **부관의 하자가 중대하고 명백하여 당연무효라고는 볼 수 없다**(대판 1997.3.11, 96다49650).

④ [×] 복수의 운전면허 사이에 포함관계에 있는 경우에는 함께 취소하더라도 부당결부금지원칙 위반이 아니라는 것이 판례의 입장이다.

> **요지판례 |**
>
> ■ 甲이 **혈중알코올농도 0.140%의 주취상태로 배기량 125cc 이륜자동차를 운전**하였다는 이유로 관할 지방경찰청장이 甲의 자동차운전면허[제1종 대형, 제1종 보통, 제1종 특수(대형견인 · 구난), 제2종 소형]를 취소하는 처분을 한 사안에서, 甲에 대하여 제1종 대형, 제1종 보통, 제1종 특수(대형견인 · 구난) 운전면허를 취소하지 않는다면, 甲이 각 운전면허로 배기량 125cc 이하 이륜자동차를 계속 운전할 수 있어 실질적으로는 아무런 불이익을 받지 않게 되는 점 등에 비추어 볼 때, 처분이 사회통념상 현저하게 타당성을 잃어 재량권을 남용하거나 한계를 일탈한 것이라고 단정할 수 없다(대판 2018.2.28, 2017두67476).

## 029 행정의 법원칙에 관한 설명 중 가장 적절하지 않은 것은? (다툼이 있는 경우 판례에 의함)

[2021 경행특채 2차]

① 행정작용은 법률에 위반되어서는 아니 되며, 국민의 권리를 제한하거나 의무를 부과하는 경우와 그 밖에 국민생활에 중요한 영향을 미치는 경우에는 법률에 근거하여야 한다.

② 재량준칙은 일반적으로 행정조직 내부에서만 효력을 가질 뿐 대외적인 구속력을 갖는 것은 아니므로 행정처분이 이를 위반하였다고 하여 그러한 사정만으로 곧바로 위법하게 되는 것은 아니다. 다만, 그 재량준칙이 정한 바에 따라 되풀이 시행되어 행정관행이 이루어지게 되면 평등의 원칙이나 신뢰보호의 원칙에 따라 행정기관은 상대방에 대한 관계에서 그 규칙에 따라야 할 자기구속을 받는다.

③ 행정청은 공익 또는 제3자의 이익을 현저히 해칠 우려가 있는 경우를 제외하고는 행정에 대한 국민의 정당하고 합리적인 신뢰를 보호하여야 한다.

④ 고속국도의 관리청이 고속도로 부지와 접도구역에 송유관 매설을 허가하면서 상대방과 체결한 협약에 따라 송유관 시설을 이전하게 될 경우 상대방에게 그 비용을 부담하도록 한 부관은 행정작용과 실질적 관련성이 없는 의무를 부과하는 것으로서 부당결부금지 원칙에 위반된다.

**정답 및 해설 | ④**

④ [×]

**요지판례 |**

■ 고속국도 관리청이 고속도로 부지와 접도구역에 송유관 매설을 허가하면서 상대방과 체결한 협약에 따라 송유관 시설을 이전하게 될 경우 그 비용을 상대방에게 부담하도록 하였고, 그 후 도로법 시행규칙이 개정되어 접도구역에는 관리청의 허가 없이도 송유관을 매설할 수 있게 된 경우라도 위 협약은 효력을 상실하지 않으며 위 협약에 포함된 부관이 부당결부금지의 원칙에 위반되는 것도 아니다(대판 2009.2.12, 2005다65500).

① [○]

**행정기본법 제8조【법치행정의 원칙】** 행정작용은 법률에 위반되어서는 아니 되며, 국민의 권리를 제한하거나 의무를 부과하는 경우와 그 밖에 국민생활에 중요한 영향을 미치는 경우에는 법률에 근거하여야 한다.

② [○]

**요지판례 |**

■ 재량준칙은 일반적으로 행정조직 내부에서만 효력을 가질 뿐 대외적인 구속력을 갖는 것은 아니므로 행정처분이 이를 위반하였다고 하여 그러한 사정만으로 곧바로 위법하게 되는 것은 아니고, 다만 그 재량준칙이 정한 바에 따라 되풀이 시행되어 행정관행이 이루어지게 되면 평등의 원칙이나 신뢰보호의 원칙에 따라 행정기관은 상대방에 대한 관계에서 그 규칙에 따라야 할 자기구속을 받게 되므로, 이러한 경우에는 특별한 사정이 없는 한 그에 반하는 처분은 평등의 원칙이나 신뢰보호의 원칙에 어긋나 재량권을 일탈·남용한 위법한 처분이 된다(대판 2013.11.14, 2011두28783).

③ [○]

**행정기본법 제12조【신뢰보호의 원칙】** ① 행정청은 공익 또는 제3자의 이익을 현저히 해칠 우려가 있는 경우를 제외하고는 행정에 대한 국민의 정당하고 합리적인 신뢰를 보호하여야 한다.

## 030 행정법의 일반원칙에 관한 설명 중 가장 적절하지 않은 것은? (다툼이 있는 경우 판례에 의함)

[2022 채용 2차]

① 폐기물처리업에 대하여 사전에 관할 관청으로부터 적정통보를 받고 막대한 비용을 들여 허가요건을 갖춘 다음 허가신청을 하였음에도 관할 관청으로부터 "다수 청소업자의 난립으로 안정적이고 효율적인 청소업무의 수행에 지장이 있다."는 이유로 불허가처분을 받은 경우, 그 처분은 신뢰보호원칙 위반으로 인한 위법한 처분에 해당된다.

② 지방자치단체장이 사업자에게 주택사업계획승인을 하면서 그 주택사업과는 아무런 관련이 없는 토지를 기부채납하도록 하는 부관을 주택사업계획승인에 붙인 경우, 그 부관은 부당결부금지 원칙에 위반되어 위법하다.

③ 같은 정도의 비위를 저지른 자들 사이에 있어서도 그 직무의 특성, 비위의 성격 및 정도를 고려하여 징계종류의 선택과 양정을 차별적으로 취급하는 것은 합리적 차별로서 평등원칙에 반하지 아니한다.

④ 적법 및 위법을 불문하고 재량준칙에 따른 행정관행이 성립한 경우라면, 행정의 자기구속 원칙이 적용될 수 있다.

**정답 및 해설 I ④**

④ [×] 자기구속원칙이 성립하기 위해서는 ㉠ 당해 행정행위가 이루어지는 영역이 재량영역일 것, ㉡ 동일한 행정청의 동종 사안에 대한 것일 것, ㉢ 행정선례가 존재할 것, ㉣ 선례가 적법할 것의 요건이 필요하다. ➜ 《주의 선례가 위법하다면 자기구속 원칙이 적용되지 않는다(신뢰보호원칙과 비교).

> **요지판례 I**
>
> ■ 위법한 행정처분이 수차례에 걸쳐 반복적으로 행하여졌다 하더라도 그러한 처분이 위법한 것인 때에는 행정청에 대하여 자기구속력을 갖게 된다고 할 수 없다(대판 2009.6.25, 2008두13132). ➜ 날짜가 기재되지 않은 동의서를 효력이 없다고 간주한 선례가 위법하다면 행정청은 이러한 위법한 선례에 구속되지 않는다.

① [○]

> **요지판례 I**
>
> ■ 폐기물처리업에 대하여 사전에 관할 관청으로부터 적정통보를 받고 막대한 비용을 들여 허가요건을 갖춘 다음 허가신청을 하였음에도 다수 청소업자의 난립으로 안정적이고 효율적인 청소업무의 수행에 지장이 있다는 이유로 한 불허가처분은 신뢰보호의 원칙 및 비례의 원칙에 반하는 것으로서 재량권을 남용한 위법한 처분이다(대판 1998.5.8, 98두4061).

② [○]

> **요지판례 I**
>
> ■ 수익적 행정행위에 있어서는 법령에 특별한 근거규정이 없다고 하더라도 그 부관으로서 부담을 붙일 수 있으나, 그러한 부담은 비례의 원칙, 부당결부금지의 원칙에 위반되지 않아야만 적법하다. 지방자치단체장이 사업자에게 주택사업계획승인을 하면서 그 주택사업과는 아무런 관련이 없는 토지를 기부채납하도록 하는 부관을 주택사업계획승인에 붙인 경우, 그 부관은 부당결부금지의 원칙에 위반되어 위법하다(대판 1997.3.11, 96다49650).

③ [○]

> **요지판례 I**
>
> ■ 같은 정도의 비위를 저지른 자들 사이에 있어서도 그 직무의 특성 등에 비추어, 개전의 정이 있는지 여부에 따라 징계의 종류의 선택과 양정에 있어서 차별적으로 취급하는 것은, 사안의 성질에 따른 합리적 차별로서 이를 자의적 취급이라고 할 수 없는 것이어서 평등원칙 내지 형평에 반하지 아니한다(대판 1999.8.20, 99두2611).

## 031 경찰권의 발동과 한계에 대한 설명으로 가장 적절하지 <u>않은</u> 것은? (다툼 있는 경우 판례에 의함)

[2023 경간]

① 「경찰관 직무집행법」 제1조 제2항은 경찰비례의 원칙을 명시적으로 선언하고 있는 것이며, 이는 공공의 안녕과 질서유지라는 공익목적과 이를 실현하기 위하여 개인의 권리나 재산을 침해하는 수단 사이에는 합리적인 비례관계가 있어야 한다는 의미를 갖는다.

② 「경찰관 직무집행법」상 경찰장비 규정은 경찰관의 직무수행 중 경찰장비의 사용 여부, 용도, 방법 및 범위에 관하여 재량의 한계를 정한 것이라 할 수 있고, 특히 위해성 경찰장비는 그 사용의 위험성과 기본권 보호 필요성에 비추어 볼 때 본래의 사용방법에 따라 지정된 용도로 사용되어야 하며 다른 용도나 방법으로 사용하기 위해서는 반드시 법령에 근거가 있어야 한다.

③ 「형법」상 공무집행방해죄는 공무원의 직무집행이 적법한 경우에 한하여 성립하며, 이때 적법한 공무집행은 그 행위가 공무원의 추상적 권한이 아니라 구체적 직무집행에 관한 법률상 요건과 방식을 갖춘 경우를 가리키므로, 경찰관이 적법절차를 준수하지 않은 채 실력으로 현행범인을 연행하려 하였다면 적법한 공무집행이라고 할 수 없다.

④ 위법이나 비난의 정도가 미약한 사안을 포함한 모든 경우에 부정 취득하지 않은 운전면허까지 필요적으로 취소하고 이로 인해 2년 동안 해당 운전면허 역시 받을 수 없게 하는 것은, 공익의 중대성을 감안하더라도 지나치게 기본권을 제한하는 것이 아니므로 비례의 원칙에 위배되지 않는다.

**정답 및 해설 I ③, ④**

③ [×]

> **요지판례 I**
>
> ■ 공무집행방해죄는 공무원의 직무집행이 적법한 경우에 한하여 성립하는 것으로서 적법한 공무집행이라고 함은 그 행위가 공무원의 추상적 권한에 속할 뿐 아니라 구체적 직무집행에 관한 법률상 요건과 방식을 갖춘 것을 말하는 것이므로, 이러한 적법성이 결여된 직무행위를 하는 공무원에게 항거하였다고 하여도 그 항거행위가 폭력을 수반한 경우에 폭행죄 등의 죄책을 묻는 것은 별론으로 하고 공무집행방해죄로 다스릴 수는 없다(대판 1992.2.11, 91도2797).

④ [×] 헌법재판소는 해당 도로교통법 조항이 비례원칙에 위반된다고 판단하였다.

> **요지판례 I**
>
> ■ **거짓이나 그 밖의 부정한 수단으로 운전면허를 받은 경우 모든 범위의 운전면허를 필요적으로 취소하도록 한 구 도로교통법 규정이 '부정 취득하지 않은 운전면허'까지 필요적으로 취소하도록 한 것은**, 임의적 취소 · 정지 사유로 함으로써 구체적 사안의 개별성과 특수성을 고려하여 불법의 정도에 상응하는 제재수단을 선택하도록 하는 등 완화된 수단에 의해서도 입법목적을 같은 정도로 달성하기에 충분하므로, 피해의 최소성 원칙에 위배된다. 나아가, 위법이나 비난의 정도가 미약한 사안을 포함한 모든 경우에 부정 취득하지 않은 운전면허까지 필요적으로 취소하고 이로 인해 2년 동안 해당 운전면허 역시 받을 수 없게 하는 것은, 공익의 중대성을 감안하더라도 지나치게 기본권을 제한하는 것이므로, 법익의 균형성 원칙에도 위배된다(헌재 2020.6.25, 2019헌가9). ➜ 반면, **부정 취득한 운전면허를 필요적으로 취소하도록 한 부분은** 과잉금지원칙 위배하는 것이 아니다.

① [○] 경찰관 직무집행법 제1조 제2항은 비례원칙을 명시적으로 규정하고 있다.

> **경찰관 직무집행법 제1조 【목적】** ② 이 법에 규정된 경찰관의 직권은 그 직무 수행에 필요한 최소한도에서 행사되어야 하며 남용되어서는 아니 된다.

② [○]

> **요지판례 I**
>
> ■ 경찰관 직무집행법 제10조 제3항… 경찰장비의 사용기준 등에 관한 규정 제3조… 규정들은 경찰비례의 원칙에 따라 경찰관의 직무수행 중 경찰장비의 사용 여부, 용도, 방법 및 범위에 관하여 재량의 한계를 정한 것이라 할 수 있고, 특히 위해성 경찰장비는 그 사용의 위험성과 기본권 보호 필요성에 비추어 볼 때 본래의 사용방법에 따라 지정된 용도로 사용되어야 하며 다른 용도나 방법으로 사용하기 위해서는 반드시 법령에 근거가 있어야 한다(대판 2022.11.30, 2016다26662).

**032** 「행정기본법」에 관한 설명으로 가장 적절한 것은? [2023 채용 2차]

① 행정에 관한 나이는 다른 법령등에 특별한 규정이 있는 경우에도 출생일을 산입하지 않고 만(滿) 나이로 계산하고, 연수(年數)로 표시하되, 1세에 이르지 아니한 경우에는 월수(月數)로 표시할 수 있다.

② 행정작용은 그 행정작용이 의도하는 공익이 행정작용으로 인한 국민의 이익 침해보다 크지 않아야 한다.

③ 행정청은 법률로 정하는 바에 따라 완전히 자동화된 시스템(인공지능 기술을 적용한 시스템을 포함)으로 처분을 할 수 있으나, 처분에 재량이 있는 경우는 그러하지 아니하다.

④ 공익 또는 제3자의 이익을 현저히 해칠 우려가 있는 경우에도 행정청은 권한 행사의 기회가 있음에도 불구하고 장기간 권한을 행사하지 아니하여 국민이 그 권한이 행사되지 아니할 것으로 믿을 만한 정당한 사유가 있는 경우에는 그 권한을 행사해서는 아니 된다.

**정답 및 해설 I ③**

③ [○] 행정청의 재량판단이 필요한 영역을 자동화 시스템으로 대체할 수는 없다.

> **행정기본법 제20조 【자동적 처분】** 행정청은 법률로 정하는 바에 따라 완전히 자동화된 시스템(인공지능 기술을 적용한 시스템을 포함한다)으로 처분을 할 수 있다. 다만, **처분에 재량이 있는 경우는 그러하지 아니하다.**

① [×] 특정한 규정이 있는 경우 제외, 출생일을 산입하여(산입하지 않고 ×) 만(滿) 나이로 계산한다.

> **행정기본법 제7조의2 【행정에 관한 나이의 계산 및 표시】** 행정에 관한 나이는 다른 법령등에 특별한 규정이 있는 경우를 제외하고는 출생일을 산입하여 만(滿) 나이로 계산하고, 연수(年數)로 표시한다. 다만, 1세에 이르지 아니한 경우에는 월수(月數)로 표시할 수 있다.

② [×] 행정작용으로 인한 국민의 이익 침해가 그 행정작용이 의도하는 공익보다 크지 않아야 한다(공익 ≧ 사익).

> **행정기본법 제10조 【비례의 원칙】** 행정작용은 다음 각 호의 원칙에 따라야 한다.
> 1. 행정목적을 달성하는 데 유효하고 적절할 것
> 2. 행정목적을 달성하는 데 필요한 최소한도에 그칠 것
> 3. 행정작용으로 인한 국민의 이익 침해가 그 행정작용이 의도하는 공익보다 크지 아니할 것

④ [×] 공익 또는 제3자의 이익을 현저히 해치는 경우까지 사인의 신뢰를 보호해 줄 수는 없는 것이다.

> **행정기본법 제12조 【신뢰보호의 원칙】** ② 행정청은 권한 행사의 기회가 있음에도 불구하고 장기간 권한을 행사하지 아니하여 국민이 그 권한이 행사되지 아니할 것으로 믿을 만한 정당한 사유가 있는 경우에는 그 권한을 행사해서는 아니 된다. 다만, 공익 또는 제3자의 이익을 현저히 해칠 우려가 있는 경우는 예외로 한다.

## 033 행정에 관한 기간의 계산에 관한 설명 중 가장 적절하지 않은 것은? [2021 경행특채 2차]

① 행정에 관한 기간의 계산에 관하여는 행정기본법 또는 다른 법령 등에 특별한 규정이 있는 경우를 제외하고는 민법을 준용한다.

② 민원의 처리기간을 5일 이하로 정한 경우에는 민원의 접수시각부터 '시간' 단위로 계산하되, 공휴일과 토요일은 산입하지 아니한다.

③ 100일간 운전면허정지처분을 받은 사람의 경우, 100일째 되는 날이 공휴일인 경우에도 면허정지 기간은 그 날(공휴일 당일)로 만료한다.

④ 법령등(훈령 · 예규 · 고시 · 지침 등을 포함한다)의 시행일을 정하거나 계산할 때 법령등을 공포한 날부터 일정 기간이 경과한 날부터 시행하는 경우 법령등을 공포한 날을 첫날에 산입한다.

**정답 및 해설 I ④**

④ [×]

> **행정기본법 제7조 【법령등 시행일의 기간 계산】** 법령등(훈령 · 예규 · 고시 · 지침 등을 포함한다. 이하 이 조에서 같다)의 시행일을 정하거나 계산할 때에는 다음 각 호의 기준에 따른다.
> 1. 법령등을 공포한 날부터 시행하는 경우에는 공포한 날을 시행일로 한다.
> 2. 법령등을 공포한 날부터 일정 기간이 경과한 날부터 시행하는 경우 법령등을 공포한 날을 첫날에 산입하지 아니한다.
> 3. 법령등을 공포한 날부터 일정 기간이 경과한 날부터 시행하는 경우 그 기간의 말일이 토요일 또는 공휴일인 때에는 그 말일로 기간이 만료한다.

①③ [○]

> **행정기본법 제6조【행정에 관한 기간의 계산】** ① 행정에 관한 기간의 계산에 관하여는 이 법 또는 다른 법령등에 특별한 규정이 있는 경우를 제외하고는 「민법」을 준용한다.
> ② 법령등 또는 처분에서 국민의 권익을 제한하거나 의무를 부과하는 경우 권익이 제한되거나 의무가 지속되는 기간의 계산은 다음 각 호의 기준에 따른다. 다만, 다음 각 호의 기준에 따르는 것이 국민에게 불리한 경우에는 그러하지 아니하다.
> 1. 기간을 일, 주, 월 또는 연으로 정한 경우에는 기간의 첫날을 산입한다.
> 2. 기간의 말일이 토요일 또는 공휴일인 경우에도 기간은 그 날로 만료한다.

② [○]

> **민원 처리에 관한 법률 제19조【처리기간의 계산】** ① 민원의 처리기간을 5일 이하로 정한 경우에는 민원의 접수시각부터 "시간" 단위로 계산하되, 공휴일과 토요일은 산입(算入)하지 아니한다. 이 경우 1일은 8시간의 근무시간을 기준으로 한다.



## 주제 4 경찰조직법과 경찰행정의 주체

**034** 다음 설명 중 가장 옳은 것은? [2012 채용 2차]

① 경찰행정주체를 위하여 경찰에 관한 국가의 의사를 결정하여 외부에 표시하는 권한을 가진 경찰행정기관을 경찰행정관청이라 하며 경찰청장, 시 · 도경찰청장, 경찰서장, 지구대장이 이에 해당한다.

② 경찰행정에 관한 의사를 결정할 수 있지만 이를 자기의 명의로 표시할 권한이 없는 경찰행정기관을 경찰의 결기관이라 하며 국가경찰위원회, 경찰공무원인사위원회가 있다.

③ 경찰청장은 국가경찰위원회의 심의 · 의결 사항이 적정하지 아니하다고 판단할 때에는 재의를 요구할 수 있다.

④ 경찰서장은 경무관, 총경 또는 경정으로 보한다.

**정답 및 해설 | ④**

④ [○]

> **국가경찰과 자치경찰의 조직 및 운영에 관한 법률 제30조【경찰서장】** ① 경찰서에 경찰서장을 두며, 경찰서장은 경무관, 총경 또는 경정으로 보한다.

① [×] 지구대장은 행정관청이 아니라 보조기관에 해당한다.

| | | |
|---|---|---|
| **경찰행정관청** | • 외부적으로 행정주체의 의사를 결정하여 표시할 수 있는 권한을 가진 기관<br>• 국민에게 명령하여 그 권리 · 의무를 결정할 수 있다.<br>• 행정주체를 위한 계약체결을 위해 상대방에게 의사표시를 할 권한이 있다. | 경찰청장, 국가수사본부장, 시 · 도경찰청장, 경찰서장 |
| **경찰보조기관** | • 경찰행정관청의 직무를 보조하기 위하여 일상적인 직무를 수행하는 기관<br>• 경찰행정학상의 계선(line)기관 | 차장, 국장, 부장, 과장, 계장, 반장, 지구대장 등 |

② [×] 경찰공무원인사위원회는 경찰자문기관에 해당한다.

| | | |
|---|---|---|
| **경찰의결기관** | • 경찰행정관청의 의사를 구속하는 의결을 행하는 합의제 기관<br>• 법령상 경찰의결기관의 의결을 거쳐야 함에도 이를 거치지 아니한 경찰행정관청의 행위는 무권한의 행위로서 무효가 된다. | 국가경찰위원회, 경찰징계위원회, 경찰승진심사위원회 |
| **경찰자문기관** | • 경찰행정관청의 지문에 응하여 그 의견을 제시하는 기관<br>• 경찰자문기관의 의견이 경찰행정관청을 구속하지는 않는다. ➜ 의견에 따르지 않아도 된다. | 경찰공무원인사위원회(경찰청), 경찰청인권위원회 |

③ [×] 재의요구권자는 경찰청장이 아니라 행정안전부장관이다.

> **국가경찰과 자치경찰의 조직 및 운영에 관한 법률 제10조【국가경찰위원회의 심의 · 의결 사항 등】** ② 행정안전부장관은 제1항에 따라 심의 · 의결된 내용이 적정하지 아니하다고 판단할 때에는 재의를 요구할 수 있다.

## 주제 5 경찰관청의 권한행사

### <권한의 위임과 대리>

**035** 위임 · 대리 · 대결에 관한 설명으로 가장 적절하지 않은 것은? [2015 승진(경감)]

① 권한의 위임은 권한의 귀속이 변경되어 수임기관은 자기의 명의와 책임하에 권한을 행사하고 위임된 권한에 관한 쟁송을 할 때 수임관청 자신이 당사자가 된다.

② 권한의 위임시 위임기관은 수임기관의 수임사무 처리가 위법하거나 부당하다고 인정될 때에는 이를 취소하거나 정지시킬 수 있다.

③ 경찰청장이 부득이한 사유로 직무를 수행할 수 없을 때 차장이 직무를 대리하는 것은 지정대리에 해당한다.

④ 대결이란 행정기관의 결재권자가 휴가 · 출장 · 사고 등의 사유로 결재할 수 없을 때 그 직무를 대리하는 자가 결재하는 것을 뜻한다.

**정답 및 해설 | ③**

③ [×] 이미 대리자가 차장으로 정해져 있는 협의의 법정대리에 해당한다. 지정대리는 법정사실이 발생하였을 때에 일정한 자가 대리자를 지정함으로써 비로소 대리관계가 발생하는 경우를 말한다.

> **국가경찰과 자치경찰의 조직 및 운영에 관한 법률 제15조【경찰청 차장】** ② 차장은 경찰청장을 보좌하며, 경찰청장이 부득이한 사유로 직무를 수행할 수 없을 때에는 그 직무를 대행한다.

①② [○]

| 구분 | 권한의 위임 | 권한의 대리 | |
|---|---|---|---|
| | | 임의대리 | 법정대리 |
| 공통점 | 행정청의 권한을 다른 자가 대신하여 행사한다는 점에서 공통점이 있다. | | |
| 명의 | 수임청 명의 | 대리관청 명의(현명) | |
| 상대방 | (보통) 하급관청 | (보통) 보조기관 | |
| 법적 근거 | 필요 | 불필요 | 필요 |
| 권한이전 | 수임청으로 이전 | 권한이전 없음 | |
| 공시 | 공시 필요 | 공시 불필요 | |
| 권한범위 | 일부위임 | 일부대리 | 전부대리 |
| 효과귀속 | 수임청 | 피대리관청 | |
| 행정소송 피고 | 수임청 | 피대리관청 | |
| 책임귀속 | 수임청 | • 외부: 피대리관청<br>• 내부: 대리관청(징계책임) | |
| 지휘 · 감독 | 가능 | 가능 | 불가능 |
| 복대리 · 재위임 | 가능 (법령근거 필요) | 불가능(신임관계) | 가능 ➜ 복대리 자체는 임의대리 |

④ [○] 대결이란 행정관청 내부에서 결재권자의 휴가 · 출장 · 사고 등의 일시부재시 보조기관에게 사무처리에 대한 결재를 대신 맡기는 것을 말한다.

**036** 권한의 위임과 대리에 관한 설명으로 가장 적절하지 않은 것은? [2019 채용 1차]

① 임의대리는 복대리가 허용되지 않는 것이 원칙이다.

② 복대리의 성격은 임의대리에 해당한다.

③ 원칙적으로 대리관청이 대리행위에 대한 행정소송의 피고가 된다.

④ 수임관청이 권한의 위임에서 쟁송의 당사자가 된다.

**정답 및 해설 I ③**

③ [×] ④ [○] 권한의 대리관계에서는 권한이전이 없으므로(즉, 권한이 여전히 피대리관청에 남아있으므로) 다툼 발생시 피대리관청이 대리행위에 대한 행정소송의 피고가 되고, 권한의 위임관계에서는 권한이 수임관청으로 넘어가므로 다툼 발생시 수임관청이 행정소송의 피고가 된다.



## 037 경찰관청의 권한의 위임 · 대리에 대한 설명으로 가장 적절한 것은? [2019 승진(경위)]

① 권한의 위임은 보조기관, 권한의 대리는 하급관청이 주로 상대방이 된다.

② 권한의 위임으로 인한 사무처리에 소요되는 인력 · 예산 등은 수임자 부담이 원칙이다.

③ 권한의 위임시 수임기관의 사무처리가 위법 · 부당하다고 인정될 때에는 위임기관은 이를 취소 또는 정지할 수 있고, 수임기관에 대하여 사전승인을 받거나 협의할 것을 요구할 수 있다.

④ 임의대리는 원칙적으로 복대리가 허용되지 않으며 피대리관청은 대리자에 대한 지휘 · 감독이 가능하나, 법정대리는 복대리가 허용되며 피대리관청의 대리자에 대한 지휘 · 감독이 불가능하다.

**정답 및 해설 I ④**

④ [○] 임의대리는 신임관계에 기초하므로 복대리가 허용되지 않고, 피대리관청이 부재하는 것이 아니기 때문에 지휘 · 감독이 가능하다. 법정대리는 신임관계에 기초하는 것이 아니므로 복대리가 가능하나, 피대리관청이 부재하는 상황이므로 지휘 · 감독이 불가능하다.

① [×] 권한의 대리는 보통 보조기관이, 권한의 위임은 주로 하급관청이 된다.

② [×] 위임자 부담이 원칙이다.

> 대통령령 **행정권한의 위임 및 위탁에 관한 규정 제3조【위임 및 위탁의 기준 등】** ② 행정기관의 장은 행정권한을 위임 및 위탁할 때에는 위임 및 위탁하기 전에 수임기관의 수임능력 여부를 점검하고, 필요한 인력 및 예산을 이관하여야 한다.

③ [×] 사무처리의 위법 · 부당이 있을 때 위임기관이 취소 · 정지할 수 있는 것은 옳으나, 사전승인이나 협의를 요구할 수는 없다.

> 대통령령 **행정권한의 위임 및 위탁에 관한 규정 제6조【지휘 · 감독】** 위임 및 위탁기관은 수임 및 수탁기관의 수임 및 수탁사무 처리에 대하여 지휘 · 감독하고, 그 처리가 위법하거나 부당하다고 인정될 때에는 이를 취소하거나 정지시킬 수 있다.
>
> 대통령령 **행정권한의 위임 및 위탁에 관한 규정 제7조【사전승인 등의 제한】** 수임 및 수탁사무의 처리에 관하여 위임 및 위탁기관은 수임 및 수탁기관에 대하여 사전승인을 받거나 협의를 할 것을 요구할 수 없다.

## 038 행정관청의 권한의 대리에 대한 설명 중 가장 적절하지 않은 것은? [2020 승진(경위)]

① 권한의 대리에는 임의대리와 법정대리가 있는데, 보통 대리는 임의대리를 의미한다.

② 법정대리는 협의의 법정대리와 지정대리가 있는데, 협의의 법정대리는 일정한 법정 사유가 발생하면 당연히 대리권이 발생하는 경우를 말한다.

③ 권한의 대리는 피대리자의 권한의 전부 또는 일부를 대리자가 피대리자를 위한 것임을 표시하고 자기의 명의로 대행하는 것으로 그 행위는 대리자의 행위로서 효과가 발생한다.

④ 임의대리는 피대리관청의 대리자에 대한 지휘 · 감독이 가능하나, 법정대리는 원칙적으로 피대리관청의 대리자에 대한 지휘 · 감독이 불가능하다.

**정답 및 해설 I ③**

③ [×] 그 행위는 피대리자의 행위로서 효과가 발생한다.

**039** 경찰관청의 '권한의 대리'와 '권한의 위임'에 관한 설명 중 가장 적절하지 않은 것은? (다툼이 있는 경우 판례에 의함) [2022 채용 2차]

① 권한을 위임받은 수임청은 자기의 이름 및 자기의 책임으로 권한을 행사한다.

② 수임청 및 피대리관청은 항고소송에서 피고가 된다.

③ 법정대리의 경우 피대리관청이 사고 등으로 인해 공석이므로 대리의 법적 효과는 대리관청에 귀속된다.

④ 「국가경찰과 자치경찰의 조직 및 운영에 관한 법률」상 "경찰청장이 부득이한 사유로 직무를 수행할 수 없을 때에는 경찰청 차장이 그 직무를 대행한다."는 대리방식을 '협의의 법정대리'라고 한다.

**정답 및 해설 I ③**

③ [×] 법정대리의 경우 통상 피대리관청이 사고 등으로 인해 공석이라는 설명은 옳으나, 본질은 여전히 '대리'이므로 법적 효과는 **피대리관청에 귀속**된다(대리는 대리관청에 권한이전이 없다).

① [○] 위임은 수임청에 권한이전이 있다. 옳은 설명이다.

② [○] 위임은 수임청에 권한이전이 있으므로 권한을 가진 수임청이, 대리는 대리관청에 권한이전이 없으므로 권한을 가진 피대리관청이 항고소송의 피고가 된다.

④ [○] 법정사실이 발생하였을 때에 대리자가 법령의 규정에 의하여 직접 정하여져 있어 특별한 지정행위를 요하지 않고 법률상 당연히 대리관계가 발생하는 경우를 협의의 법정대리라고 하며, 지문의 경찰법 제15조가 전형적인 협의의 법정대리에 해당한다.

**040** 행정관청의 권한의 위임과 대리에 대한 설명이다. 아래 ㉠부터 ㉣까지의 설명 중 옳고 그름의 표시(○, ×)가 바르게 된 것은? [2019 승진(경감)]

| |
|---|
| ㉠ 권한의 위임이란 상급관청이 하급관청에 권한의 전부를 이전하여 수임기관의 권한으로 행하도록 하는 것으로 위임의 범위에는 제한이 없는 것이 원칙이다.<br>㉡ 권한의 위임은 수임관청에 권한이 이전되므로 수임관청에 효과가 귀속되나, 권한의 대리는 직무의 대행에 불과하므로 임의대리든 법정대리든 피대리관청에 효과가 귀속된다.<br>㉢ 원칙적으로 임의대리는 권한의 일부에 대해서만 가능하고 복대리가 불가능하나, 법정대리는 권한의 전부에 대해서 가능하고 복대리가 가능하다.<br>㉣ 임의대리의 경우 피대리관청은 대리기관의 행위에 대한 지휘 · 감독상의 책임을 지나, 법정대리의 경우 피대리관청은 원칙적으로 지휘 · 감독상의 책임을 지지 않는다. |

① ㉠(○) ㉡(○) ㉢(×) ㉣(○)

② ㉠(×) ㉡(○) ㉢(○) ㉣(×)

③ ㉠(×) ㉡(○) ㉢(○) ㉣(○)

④ ㉠(×) ㉡(×) ㉢(○) ㉣(×)

**정답 및 해설 I ③**

㉠ [×] 권한의 위임은 경찰관청의 **권한의 일부에 대해서만 가능**하고, 권한의 전부나 주요 부분에 대한 위임은 인정되지 않는다는 점에서 일정한 제한 내지 한계가 있다.

## 041 행정청의 권한의 위임과 대리에 대한 설명 중 가장 적절한 것은? [2018 경채]

① 권한의 위임은 상급관청이 하급관청에 권한의 전부 또는 주요 부분을 이전하여 수임관청의 권한으로 행하도록 하는 것이다.

② 권한의 위임의 효과는 수임관청에 귀속되고 권한의 대리의 효과는 대리기관에 귀속된다.

③ 권한의 위임은 수임관청이 자기명의로 권한을 행사하지만, 권한의 대리는 피대리관청을 위한 것임을 표시하여 대리기관 명의로 권한을 행사한다.

④ 원칙적으로 임의대리는 권한의 전부에 대해서 가능하고 복대리가 불가능하나, 법정대리는 권한의 일부에 대해서만 가능하고 복대리가 가능하다.

**정답 및 해설 I ③**

① [×] 권한의 위임은 권한 일부에 대해서만 가능하고, 전부나 주요 부분에 대한 위임은 인정되지 않는다.
② [×] 권한의 대리의 효과는 대리기관이 아닌 피대리기관에 귀속된다.
④ [×] 원칙적으로 임의대리는 권한의 일부에 대해서 가능하고 복대리가 불가능하나, 법정대리는 권한의 전부에 대해서만 가능하고 복대리가 가능하다.

## 042 「행정권한의 위임 및 위탁에 관한 규정」에 대한 내용으로 가장 적절하지 않은 것은? [2018 채용 1차]

① 위임이란 법률에 규정된 행정기관의 장의 권한 중 일부를 그 보조기관 또는 하급행정기관의 장이나 지방자치단체의 장에게 맡겨 그의 권한과 책임 아래 행사하도록 하는 것을 말한다.

② 위임 및 위탁기관은 수임 및 수탁기관의 수임 및 수탁사무 처리에 대하여 지휘·감독하고, 그 처리가 위법하거나 부당하다고 인정될 때에는 이를 취소하거나 정지시킬 수 있다.

③ 수임 및 수탁사무의 처리에 관한 책임은 수임 및 수탁기관에 있으므로, 위임 및 위탁기관의 장은 그에 대한 감독책임을 지지 않는다.

④ 위임 및 위탁기관은 위임 및 위탁사무 처리의 적정성을 확보하기 위하여 필요한 경우에는 수임 및 수탁기관의 수임 및 수탁사무 처리 상황을 수시로 감사할 수 있다.

**정답 및 해설 I ③**

③ [×]

> 대통령령 **행정권한의 위임 및 위탁에 관한 규정 제8조【책임의 소재 및 명의 표시】** ① 수임 및 수탁사무의 처리에 관한 책임은 수임 및 수탁기관에 있으며, 위임 및 위탁기관의 장은 그에 대한 감독책임을 진다.

① [○]

> 대통령령 **행정권한의 위임 및 위탁에 관한 규정 제2조【정의】** 이 영에서 사용하는 용어의 뜻은 다음과 같다.
> 1. "위임"이란 법률에 규정된 행정기관의 장의 권한 중 일부를 그 보조기관 또는 하급행정기관의 장이나 지방자치단체의 장에게 맡겨 그의 권한과 책임 아래 행사하도록 하는 것을 말한다.

② [○]

> 대통령령 **행정권한의 위임 및 위탁에 관한 규정 제6조【지휘·감독】** 위임 및 위탁기관은 수임 및 수탁기관의 수임 및 수탁사무 처리에 대하여 지휘·감독하고, 그 처리가 위법하거나 부당하다고 인정될 때에는 이를 취소하거나 정지시킬 수 있다.

④ [○]

> 대통령령 **행정권한의 위임 및 위탁에 관한 규정 제9조【권한의 위임 및 위탁에 따른 감사】** 위임 및 위탁기관은 위임 및 위탁사무 처리의 적정성을 확보하기 위하여 필요한 경우에는 수임 및 수탁기관의 수임 및 수탁사무 처리 상황을 수시로 감사할 수 있다.

**043** 「행정권한의 위임 및 위탁에 관한 규정」상 행정기관 간 위임 및 위탁에 대한 설명 중 옳지 않은 것은 모두 몇 개인가?

[2020 경간]

가. "위임"이란 법률에 규정된 행정기관의 장의 권한 중 일부를 그 보조기관 또는 하급행정기관의 장이나 지방자치단체의 장에게 맡겨 그의 권한과 책임 아래 행사하도록 하는 것을 말한다.
나. 행정기관의 장은 행정권한을 위임 및 위탁할 때에는 위임 및 위탁하기 전에 수임기관의 수임능력 여부를 점검하고, 필요한 인력 및 예산을 이관할 수 있다.
다. 위임 및 위탁기관은 수임 및 수탁기관의 수임 및 수탁사무 처리에 대하여 지휘·감독하고, 그 처리가 위법하거나 부당하다고 인정될 때에는 이를 취소하거나 정지시켜야 한다.
라. 수임 및 수탁사무의 처리에 관하여 위임 및 위탁기관은 수임 및 수탁기관에 대하여 사전승인을 받거나 협의를 할 것을 요구할 수 없다.
마. 수임 및 수탁사무의 처리에 관한 책임은 수임 및 수탁기관에 있으며, 위임 및 위탁기관의 장은 그에 대한 감독책임을 진다.
바. 위임 및 위탁기관은 위임 및 위탁사무 처리의 적정성을 확보하기 위하여 필요한 경우에는 수임 및 수탁기관의 수임 및 수탁사무 처리 상황을 수시로 감사할 수 있다.

① 1개 ② 2개
③ 3개 ④ 4개

**정답 및 해설 | ②**

가. [○]

대통령령 **행정권한의 위임 및 위탁에 관한 규정 제2조【정의】** 이 영에서 사용하는 용어의 뜻은 다음과 같다.
1. "위임"이란 법률에 규정된 행정기관의 장의 권한 중 일부를 그 보조기관 또는 하급행정기관의 장이나 지방자치단체의 장에게 맡겨 그의 권한과 책임 아래 행사하도록 하는 것을 말한다.

나. [×] 필요한 인력 및 예산을 이관'하여야 한다'.

대통령령 **행정권한의 위임 및 위탁에 관한 규정 제3조【위임 및 위탁의 기준 등】** ② 행정기관의 장은 행정권한을 위임 및 위탁할 때에는 위임 및 위탁하기 전에 수임기관의 수임능력 여부를 점검하고, 필요한 인력 및 예산을 이관하여야 한다.

다. [×] 취소하거나 정지시킬 수 있다.

대통령령 **행정권한의 위임 및 위탁에 관한 규정 제6조【지휘·감독】** 위임 및 위탁기관은 수임 및 수탁기관의 수임 및 수탁사무 처리에 대하여 지휘·감독하고, 그 처리가 위법하거나 부당하다고 인정될 때에는 이를 취소하거나 정지시킬 수 있다.

라. [○]

대통령령 **행정권한의 위임 및 위탁에 관한 규정 제7조【사전승인 등의 제한】** 수임 및 수탁사무의 처리에 관하여 위임 및 위탁기관은 수임 및 수탁기관에 대하여 사전승인을 받거나 협의를 할 것을 요구할 수 없다.

마. [○]

대통령령 **행정권한의 위임 및 위탁에 관한 규정 제8조【책임의 소재 및 명의 표시】** ① 수임 및 수탁사무의 처리에 관한 책임은 수임 및 수탁기관에 있으며, 위임 및 위탁기관의 장은 그에 대한 감독책임을 진다.

바. [○]

대통령령 **행정권한의 위임 및 위탁에 관한 규정 제9조【권한의 위임 및 위탁에 따른 감사】** 위임 및 위탁기관은 위임 및 위탁사무 처리의 적정성을 확보하기 위하여 필요한 경우에는 수임 및 수탁기관의 수임 및 수탁사무 처리 상황을 수시로 감사할 수 있다.

**044** 「행정권한의 위임 및 위탁에 관한 규정」에 대한 설명으로 가장 적절하지 않은 것은? [2021 승진(실무종합)]

① 위탁이란 법률에 규정된 행정기관의 장의 권한 중 일부를 다른 행정기관의 장에게 맡겨 그의 권한과 책임 아래 행사하도록 하는 것을 말한다.

② 수임 및 수탁사무의 처리에 관한 책임은 수임 및 수탁기관에 있으며, 수임 및 수탁사무에 관한 권한을 행사할 때에는 위임 및 위탁기관의 명의로 하여야 한다.

③ 위임 및 위탁기관은 수임 및 수탁기관의 수임 및 수탁사무 처리에 대하여 지휘 · 감독하고, 그 처리가 위법하거나 부당하다고 인정될 때에는 이를 취소하거나 정지시킬 수 있다.

④ 행정기관의 장은 행정권한을 위임 및 위탁할 때에는 위임 및 위탁하기 전에 수임기관의 수임능력 여부를 점검하고, 필요한 인력 및 예산을 이관하여야 한다.



**정답 및 해설 | ②**

② [×]

대통령령 **행정권한의 위임 및 위탁에 관한 규정 제8조【책임의 소재 및 명의 표시】** ① 수임 및 수탁사무의 처리에 관한 책임은 수임 및 수탁기관에 있으며, 위임 및 위탁기관의 장은 그에 대한 감독책임을 진다.
② 수임 및 수탁사무에 관한 권한을 행사할 때에는 수임 및 수탁기관의 명의로 하여야 한다.

① [○]

대통령령 **행정권한의 위임 및 위탁에 관한 규정 제2조【정의】** 이 영에서 사용하는 용어의 뜻은 다음과 같다.
2. "위탁"이란 법률에 규정된 행정기관의 장의 권한 중 일부를 다른 행정기관의 장에게 맡겨 그의 권한과 책임 아래 행사하도록 하는 것을 말한다.

③ [○]

대통령령 **행정권한의 위임 및 위탁에 관한 규정 제6조【지휘 · 감독】** 위임 및 위탁기관은 수임 및 수탁기관의 수임 및 수탁사무 처리에 대하여 지휘 · 감독하고, 그 처리가 위법하거나 부당하다고 인정될 때에는 이를 취소하거나 정지시킬 수 있다.

④ [○]

대통령령 **행정권한의 위임 및 위탁에 관한 규정 제3조【위임 및 위탁의 기준 등】** ② 행정기관의 장은 행정권한을 위임 및 위탁할 때에는 위임 및 위탁하기 전에 수임기관의 수임능력 여부를 점검하고, 필요한 인력 및 예산을 이관하여야 한다.
③ 행정기관의 장은 행정권한을 위임 및 위탁할 때에는 위임 및 위탁하기 전에 단순한 사무인 경우를 제외하고는 수임 및 수탁기관에 대하여 수임 및 수탁사무 처리에 필요한 교육을 하여야 하며, 수임 및 수탁사무의 처리지침을 통보하여야 한다.

**045** 「행정권한의 위임 및 위탁에 관한 규정」에 관한 설명으로 가장 적절하지 않은 것은? (다툼이 있는 경우 판례에 의함) [2023 채용 2차]

① "위임"이란 법률에 규정된 행정기관의 장의 권한 중 일부를 다른 행정기관의 장에게 맡겨 그의 권한과 책임 아래 행사하도록 하는 것을 말한다.

② 위임 및 위탁기관은 수임 및 수탁기관의 수임 및 수탁사무 처리에 대하여 지휘 · 감독하고, 그 처리가 위법하거나 부당하다고 인정될 때에는 이를 취소하거나 정지시킬 수 있다.

③ 행정기관의 장은 행정권한을 위임 및 위탁할 때에는 위임 및 위탁하기 전에 단순한 사무인 경우를 제외하고는 수임 및 수탁기관에 대하여 수임 및 수탁사무 처리에 필요한 교육을 하여야 하며, 수임 및 수탁사무의 처리지침을 통보하여야 한다.

④ 수임 및 수탁사무의 처리가 부당한지 여부의 판단은 위법성 판단과 달리 합목적적 · 정책적 고려도 포함되므로, 위임 및 위탁기관이 그 사무처리에 관하여 일반적인 지휘 · 감독을 하는 경우는 물론이고 나아가 수임 및 수탁사무의 처리가 부당하다는 이유로 그 사무처리를 취소하는 경우에도 광범위한 재량이 허용된다고 보아야 한다.

**정답 및 해설 I ①**

① [×] 위임이 아닌 위탁에 관한 설명이다.

> 대통령령 **행정권한의 위임 및 위탁에 관한 규정 제2조【정의】** 이 영에서 사용하는 용어의 뜻은 다음과 같다.
> 1. "위임"이란 법률에 규정된 행정기관의 장의 권한 중 일부를 그 보조기관 또는 하급행정기관의 장이나 지방자치단체의 장에게 맡겨 그의 권한과 책임 아래 행사하도록 하는 것을 말한다.
> 2. "위탁"이란 법률에 규정된 행정기관의 장의 권한 중 일부를 다른 행정기관의 장에게 맡겨 그의 권한과 책임 아래 행사하도록 하는 것을 말한다.

② [○]

> 대통령령 **행정권한의 위임 및 위탁에 관한 규정 제6조【지휘 · 감독】** 위임 및 위탁기관은 수임 및 수탁기관의 수임 및 수탁사무 처리에 대하여 지휘 · 감독하고, 그 처리가 위법하거나 부당하다고 인정될 때에는 이를 취소하거나 정지시킬 수 있다.

③ [○]

> 대통령령 **행정권한의 위임 및 위탁에 관한 규정 제3조【위임 및 위탁의 기준 등】** ③ 행정기관의 장은 행정권한을 위임 및 위탁할 때에는 위임 및 위탁하기 전에 단순한 사무인 경우를 제외하고는 수임 및 수탁기관에 대하여 수임 및 수탁사무 처리에 필요한 교육을 하여야 하며, 수임 및 수탁사무의 처리지침을 통보하여야 한다.

④ [○]

> **요지판례 I**
>
> ■ 수임 및 수탁사무의 처리가 부당한지 여부의 판단은 위법성 판단과 달리 합목적적 · 정책적 고려도 포함되므로, 위임 및 위탁기관이 그 사무처리에 관하여 일반적인 지휘 · 감독을 하는 경우는 물론이고 나아가 수임 및 수탁사무의 처리가 부당하다는 이유로 그 사무처리를 취소하는 경우에도 광범위한 재량이 허용된다고 보아야 한다(대판 2017.9.21, 2016두55629).

**046** 「행정권한의 위임 및 위탁에 관한 규정」에 대한 설명으로 가장 적절하지 않은 것은? (다툼이 있는 경우 판례에 의함) [2024 승진]

① 행정기관의 장은 허가 · 인가 · 등록 등 민원에 관한 사무, 정책의 구체화에 따른 집행사무 및 일상적으로 반복되는 사무로서 그가 직접 시행하여야 할 사무를 제외한 일부 권한을 그 보조기관 또는 하급행정기관의 장, 다른 행정기관의 장, 지방자치단체의 장에게 위임 및 위탁한다.

② 행정기관의 장은 행정권한을 위임 및 위탁할 때에는 위임 및 위탁하기 전에 수임기관의 수임능력 여부를 점검하고, 필요한 인력 및 예산을 이관하여야 한다.

③ 수임 및 수탁사무의 처리에 관하여 위임 및 위탁기관은 수임 및 수탁기관에 대하여 사전승인을 받거나 협의를 할 것을 요구할 수 있으나, 수임 및 수탁사무 처리상황은 감사할 수 없다.

④ 권한위임의 경우에는 수임관청이 자기의 이름으로 그 권한행사를 할 수 있지만 내부위임의 경우에는 수임관청은 위임관청의 이름으로만 그 권한을 행사할 수 있을 뿐 자기의 이름으로는 그 권한을 행사할 수 없다.

**정답 및 해설 | ③**

③ [×] 사전승인을 받거나 협의할 것을 요구할 수는 없다. 이는 권한을 이전하는 위임의 본질에 반하는 것이다. 반면, 위임기관은 위임사무에 관하여는 감독관청의 지위를 가지므로 사무감사는 당연히 가능하다.

> 대통령령 **행정권한의 위임 및 위탁에 관한 규정 제7조【사전승인 등의 제한】** 수임 및 수탁사무의 처리에 관하여 위임 및 위탁기관은 수임 및 수탁기관에 대하여 사전승인을 받거나 협의를 할 것을 요구할 수 없다.
>
> 대통령령 **행정권한의 위임 및 위탁에 관한 규정 제9조【권한의 위임 및 위탁에 따른 감사】** 위임 및 위탁기관은 위임 및 위탁사무 처리의 적정성을 확보하기 위하여 필요한 경우에는 수임 및 수탁기관의 수임 및 수탁사무 처리 상황을 수시로 감사할 수 있다.

① [○] 행정권한의 위임 및 위탁에 관한 규정은, 민원사무 · 집행사무 · 일상반복사무에 대해서는 '위임 및 위탁한다'고 규정하고 있음을 주의하여야 한다.

> 대통령령 **행정권한의 위임 및 위탁에 관한 규정 제3조【위임 및 위탁의 기준 등】** ① 행정기관의 장은 허가 · 인가 · 등록 등 민원에 관한 사무, 정책의 구체화에 따른 집행사무 및 일상적으로 반복되는 사무로서 그가 직접 시행하여야 할 사무를 제외한 일부 권한(이하 "행정권한"이라 한다)을 그 보조기관 또는 하급행정기관의 장, 다른 행정기관의 장, 지방자치단체의 장에게 위임 및 위탁한다.

② [○]

> 대통령령 **행정권한의 위임 및 위탁에 관한 규정 제3조【위임 및 위탁의 기준 등】** ② 행정기관의 장은 행정권한을 위임 및 위탁할 때에는 위임 및 위탁하기 전에 수임기관의 수임능력 여부를 점검하고, 필요한 인력 및 예산을 이관하여야 한다.

④ [○] 권한이전에 따라 대외적으로 권한이 위임기관으로부터 수임기관으로 변동되는 권한위임과 달리, **내부위임**은 조직 내부적인 사무처리 편의를 도모하기 위하여 결재권만 위임하거나(위임전결) 결재를 대행시키는 것(대결)에 불과하므로, 대외적인 권한행사 명의자는 모두 본래의 행정청(위임청)이 된다.

## 047 다음은 「행정권한의 위임 및 위탁에 관한 규정」에 대한 설명이다. 적절한 것만을 고른 것은 모두 몇 개인가?

[2021 채용 1차]

> ㉠ 위임 및 위탁기관은, 수임 및 수탁기관의 수임 및 수탁사무 처리에 대하여 지휘 · 감독하고, 그 처리가 위법하거나 부당하다고 인정될 때에는 이를 취소하거나 정지시킬 수 있다.
> ㉡ 수임 및 수탁사무의 처리에 관하여 위임 및 위탁기관은 수임 및 수탁기관에 대하여 사전승인을 받거나 협의를 할 것을 요구할 수 없다.
> ㉢ 수임 및 수탁사무의 처리에 관한 책임은 수임 및 수탁기관에 있으며, 위임 및 위탁기관의 장은 그에 대한 감독책임을 진다.
> ㉣ 수임 및 수탁사무에 관한 권한을 행사할 때에는 수임 및 수탁기관의 명의로 하여야 한다.

① 1개　　② 2개

③ 3개　　④ 4개

**정답 및 해설 I ④**

④ [○] 모두 옳은 지문이다.

## 048 훈령의 형식적 요건에 해당하지 않는 것은?

[2020 승진(경위)]

① 훈령권이 있는 상급관청이 발한 것일 것

② 내용이 적법하고 타당할 것

③ 하급관청의 권한 내의 사항에 관한 것일 것

④ 직무상 독립한 범위에 속하는 사항이 아닐 것

**정답 및 해설 I ②**

② [×] 내용이 적법하고 타당할 것은 실질적 요건에 해당한다.

<table>
<tr><th colspan="2">구분</th><th>훈령</th><th>직무명령</th></tr>
<tr><td rowspan="2">요건</td><td>형식적</td><td>• 정당한 권한을 가진 상급관청이<br>• 하급관청의 권한 내 사항에 관하여<br>• 하급관청의 직무상 독립이 보장되지 않은 사항에 대하여</td><td>• 권한 있는 상관이<br>• 부하의 직무범위 내 사항에 관하여<br>• 부하의 직무상 독립이 보장되지 않은 사항에 대해<br>• 법정 형식이나 절차가 있으면 이를 갖추어</td></tr>
<tr><td>실질적</td><td colspan="2">• 내용이 적법하고(법규에 저촉되지 않고)<br>• 타당하며<br>• 공익에 반하지 않고<br>• 실현 가능하고 명백할 것</td></tr>
</table>

## 049 훈령과 직무명령에 대한 설명으로 가장 옳지 않은 것은? [2021 경간]

① 훈령은 원칙적으로 일반적 · 추상적 사항에 대해서 발해지지만, 개별적 · 구체적 사항에 대해서도 발해질 수 있다.

② 훈령과 직무명령 모두 법령의 구체적 근거가 없어도 발할 수 있다.

③ 훈령은 법규의 성질을 갖지 않기에 하급경찰관청의 법적 행위가 훈령에 위반하여 행해진 경우에도 위법이 아니며 행위 자체의 효력에도 영향이 없다.

④ 훈령의 실질적 요건으로는 훈령이 법규에 저촉되지 않을 것, 공익에 반하지 않을 것, 실현 가능성이 있을 것, 훈령권이 있는 상급관청이 발할 것 등이 있다.

**정답 및 해설 I ④**

④ [×] 훈령권이 있는 상급관청이 발할 것은 형식적 요건에 해당한다.

①②③ [○]

| 구분 | 훈령 | 직무명령 |
|---|---|---|
| 주체 | 상급관청 ➔ 하급관청 | 상관 ➔ 부하공무원 |
| 성격 | • 원칙: 일반적 · 추상적<br>• 예외: 개별적 · 구체적 | 개별적 · 구체적 |
| 대상 | 하급행정청의 소관사무 | 부하직원의 소관사무 + 직무수행 관련활동(복장, 직무태도 등 직무관련 사생활 규율 가능) |
| 공통점 | • 구두 · 문서 어떤 형식도 취할 수 있다.<br>• 특별한 법적 근거 없이도 발할 수 있다.<br>• (일반국민에 대한) 대외적 구속력은 없다(= 법규성이 없다). ➔ 위반하여도 위법이라 할 수 없고, 행위 자체의 효력은 유효하다. [2016 채용 2차, 2021 경간]<br>• (조직 내부적으로) 대내적 구속력은 있다. ➔ 위반시 징계책임 발생 가능 | |

## 050 훈령에 대한 설명으로 가장 적절하지 않은 것은? [2017 승진(경위)]

① 훈령이란 상급관청이 하급관청의 권한행사를 지휘 · 감독하기 위해 발하는 명령이다.

② 내용이 실현 가능하고 명확할 것, 내용이 적법하고 타당할 것, 공익에 반하지 않을 것은 훈령의 실질적 요건이다.

③ 하급행정기관은 서로 모순되는 둘 이상의 상급관청의 훈령이 경합하는 때에는 주관 상급관청의 훈령에 따라야 하고, 주관 상급관청이 서로 상하관계에 있을 때에는 직근 상급관청의 훈령에 따라야 하며, 주관 상급관청이 불명확한 때에는 주관쟁의의 방법으로 해결하여야 한다.

④ 하급관청 구성원의 변동이 있으면 훈령은 그 효력에 영향을 받는다.

**정답 및 해설 I ④**

④ [×]

| 구분 | 훈령 | 직무명령 |
|---|---|---|
| 주체 | 상급관청 ➔ 하급관청 | 상관 ➔ 부하공무원 |
| 구성원 변경시 효력 | 기관의사를 구속하므로 기관구성원의 변동이 있어도 효력에 영향 × | 공무원 개개인을 구속하므로 수명공무원의 변동이 있으면 효력 상실 |

③ [○] 서로 모순되는 훈령이 서로 경합하는 경우, 다음과 같은 해결원칙을 따른다.

- **주관 상급관청의 훈령과 주관 아닌 상급관청의 훈령이 서로 모순**: 주관 상급관청의 훈령을 따른다.
- **상 · 하 관계에 있는 상급관청의 훈령이 서로 모순**: 직근 상급관청의 훈령을 따른다.
- **주관 상급관청이 불명확한 경우**: 주관쟁의의 방법으로 해결한다.

**051** 훈령과 직무명령에 대한 설명으로 옳지 않은 것은? [2020 경간]

① 상호 모순되는 둘 이상의 상급관청의 훈령이 경합할 경우 주관 상급관청이 불명확한 때에는 직근 상급행정관청의 훈령에 따른다.

② 훈령이란 상급관청이 하급관청의 권한행사를 지휘하기 위하여 발하는 명령으로 구성원의 변동이 있는 경우에도 효력에는 영향이 없다.

③ 훈령은 직무명령의 성격을 가지나 직무명령은 훈령의 성격을 갖지 못한다.

④ 훈령은 원칙적으로 일반적 · 추상적 사항에 대해서 발해야 하지만, 개별적 · 구체적 사항에 대해서도 발해질 수 있다.

**정답 및 해설 I ①**

① [×] **주관 상급관청이 불명확한 경우**: 주관쟁의의 방법으로 해결한다.

②③④ [○]

| 구분 | 훈령 | 직무명령 |
|---|---|---|
| 주체 | 상급관청 ➜ 하급관청 | 상관 ➜ 부하공무원 |
| 성격 | • 원칙: 일반적 · 추상적<br>• 예외: 개별적 · 구체적 | 개별적 · 구체적 |
| 구성원 변경시 효력 | 기관의사를 구속하므로 기관구성원의 변동이 있어도 **효력에 영향** × | 공무원 개개인을 구속하므로 수명공무원의 변동이 있으면 **효력 상실** |
| 양자의 관계 | 훈령은 직무명령을 겸할 수 있음 ➜ 이 경우의 훈령은 **개별적 · 구체적 사항**을 규율하는 것! | 직무명령은 훈령을 겸할 수 없음 |

**052** 훈령과 직무명령에 대한 설명으로 가장 적절하지 않은 것은? [2019 승진(경위)]

① 훈령이란 상급관청이 하급관청의 권한행사를 지휘하기 위하여 발하는 명령으로 구성원의 변동이 있는 경우에는 당연히 효력을 상실하게 된다.

② 직무명령이란 상관이 부하공무원에게 발하는 명령으로, 특별한 작용법적 근거 없이 발할 수 있다.

③ 훈령의 형식적 요건으로 훈령권이 있는 상급관청이 발한 것일 것, 하급관청의 권한 내의 사항에 관한 것일 것, 직무상 독립한 범위에 속하는 사항이 아닐 것을 들 수 있다.

④ 훈령은 원칙적으로 일반적 · 추상적 사항에 대해서 발해야 하지만, 개별적 · 구체적 사항에 대해서도 발해질 수 있다.

**정답 및 해설 I ①**

① [×] 훈령의 효력은 구성원의 변동에 영향을 받지 않는다.

## 053 훈령에 대한 설명으로 가장 적절하지 않은 것은? (단, 다툼이 있는 경우 통설 · 판례에 의함)

[2018 승진(경위)]

① 훈령은 원칙적으로 일반적 · 추상적 사항에 대해서 발해야 하지만, 개별적 · 구체적 사항에 대해서도 발해질 수 있다.

② '하급관청의 직무상 독립한 범위에 속하는 사항이 아닌 것'은 훈령의 형식적 요건에 해당한다.

③ 하급관청 구성원의 변동이 있더라도 훈령은 그 효력에 영향을 받지 않는다.

④ 훈령은 내부적 구속력을 갖고 있어, 훈령을 위반한 공무원의 행위는 징계의 사유가 되고, 무효 또는 취소사유에 해당한다.



**정답 및 해설 | ④**

④ [×] 훈령은 국민에 대한 대외적 구속력(법규성)이 없으므로, 훈령을 위반한 공무원의 행위는 내부적으로 징계의 사유가 되지만, 그 행위 자체의 무효 또는 취소사유에 해당하지 않는다.

| 구분 | 훈령 | 직무명령 |
|---|---|---|
| 성격 | • 원칙: 일반적 · 추상적<br>• 예외: 개별적 · 구체적 | 개별적 · 구체적 |
| 구성원 변경시 효력 | 기관의사를 구속하므로 기관구성원의 변동이 있어도 **효력에 영향 ×** | 공무원 개개인을 구속하므로 수명공무원의 변동이 있으면 **효력 상실** |
| 공통점 | • 구두 · 문서 어떤 형식도 취할 수 있다.<br>• 특별한 법적 근거 없이도 발할 수 있다.<br>• (일반국민에 대한) **대외적 구속력은** 없다(= **법규성이 없다**). ➔ 위반하여도 위법이라 할 수 없고, 행위 자체의 효력은 유효하다.<br>• (조직 내부적으로) **대내적 구속력은** 있다. ➔ 위반시 징계책임 발생 가능 | |

## 054 다음 훈령과 직무명령에 대한 설명 중 옳고 그름의 표시(○, ×)가 바르게 된 것은?

[2018 경채]

> ㉠ 훈령은 원칙적으로 일반적 · 추상적 사항에 대해서 발하지만, 개별적 · 구체적 사항에 대해서도 발해질 수 있다.
>
> ㉡ 직무명령은 직무에 관하여 상관이 그 소속 하급 공무원에게 발하는 명령으로 직무와 직접 관련 없는 사생활에는 효력이 미치지 않는다.
>
> ㉢ 훈령의 실질적 요건으로 내용이 실현 가능하고 명확할 것, 내용이 적법하고 타당할 것, 공익에 반하지 않을 것이 있다.
>
> ㉣ 훈령과 직무명령을 발하기 위해서는 국민의 권리와 의무에 영향을 미치지 않는 경우에도 법률상의 근거가 필요하다.

① ㉠(○) ㉡(×) ㉢(○) ㉣(○)

② ㉠(×) ㉡(○) ㉢(○) ㉣(×)

③ ㉠(○) ㉡(○) ㉢(○) ㉣(×)

④ ㉠(○) ㉡(○) ㉢(○) ㉣(○)

**정답 및 해설 | ③**

㉣ [×] 훈령과 직무명령은 대외적으로 국민의 권리와 의무에 영향을 미치지 않으므로(즉, 법규성이 없으므로) 구체적인 법적 근거가 필요하지 않다.

## 055 훈령과 직무명령에 관한 설명 중 옳지 않은 것을 모두 고른 것은? [2019 채용 2차]

㉠ 직무명령은 직무와 관련 없는 사생활에는 그 효력이 미치지 않는다.
㉡ 훈령은 일반적 · 추상적 사항에 대하여만 발할 수 있으며, 개별적 · 구체적 사항에 대해서는 발할 수 없다.
㉢ 훈령을 발하기 위해서는 법령의 구체적 근거를 요하나, 직무명령은 법령의 구체적 근거가 없이도 발할 수 있다.
㉣ 훈령의 종류에는 '협의의 훈령', '지시', '예규', '일일명령' 등이 있으며, 이 중 예규는 반복적 경찰사무의 기준을 제시하기 위하여 발하는 명령을 의미한다.
㉤ 훈령은 직무명령을 겸할 수 있으나, 직무명령은 훈령의 성질을 가질 수 없다.

① ㉠, ㉢
② ㉡, ㉢
③ ㉢, ㉤
④ ㉣, ㉤

**정답 및 해설 I ②**

㉡ [×] 훈령은 원칙적으로 일반적 · 추상적 사항에 대하여만 발해야 하지만, 개별적 · 구체적 사항에 대해서도 발할 수 있다.
㉢ [×] 훈령과 직무명령은 법령의 구체적 근거를 요하지 않는다.

## 056 다음 중 훈령에 대한 설명으로 옳은 것은 모두 몇 개인가? [2016 채용 2차]

㉠ 훈령은 구체적인 법령의 근거 없이도 발할 수 있다.
㉡ 훈령의 내용은 하급관청의 직무상 독립된 범위에 속하는 사항이여야 한다.
㉢ 하급경찰관청의 법적 행위가 훈령에 위반하여 행해진 경우 원칙적으로 위법이 아니며, 그 행위의 효력에는 영향이 없다.
㉣ 훈령은 원칙적으로 일반적 · 추상적 사항에 대해서 발해져야 하지만, 개별적 · 구체적 사항에 대해서도 발해질 수 있다.

① 1개
② 2개
③ 3개
④ 4개

**정답 및 해설 I ③**

㉡ [×] '하급관청의 직무상 독립이 보장되지 않은 사항일 것'은 훈령의 형식적 요건 중 하나이다.

## 057 훈령과 직무명령에 관한 다음 설명으로 옳은 것은 모두 몇 개인가? [2018 경간]

> 가. 훈령의 내용은 하급관청의 직무상 독립된 범위에 속하는 사항이여야 한다.
> 나. 직무명령은 상관이 직무에 관하여 부하에게 발하는 명령이다.
> 다. 직무명령은 직무와 관련 없는 사생활에는 효력이 미치지 않는다.
> 라. 훈령은 원칙적으로 일반적 · 추상적 사항에 대하여 발해져야 하지만, 개별적 · 구체적 사항에 대해서도 발해질 수 있다.
> 마. 직무명령의 형식적 요건으로는 권한이 있는 상관이 발할 것, 부하공무원의 직무범위 내의 사항일 것, 부하공무원의 직무상 독립이 보장된 것이 아닐 것, 법정의 형식이나 절차가 있으면 이를 갖출 것이다.

① 1개　　② 2개
③ 3개　　④ 4개

**정답 및 해설 | ④**

가. [×] 하급기관의 독립성이 보장되어 있는 사항에 대해서는 훈령을 발할 수 없다.
나. 다. 라. 마. [○]

<table>
<tr><th colspan="2">구분</th><th>훈령</th><th>직무명령</th></tr>
<tr><td colspan="2">주체</td><td>상급관청 ➔ 하급관청</td><td>상관 ➔ 부하공무원</td></tr>
<tr><td colspan="2">성격</td><td>• 원칙: 일반적 · 추상적<br>• 예외: 개별적 · 구체적</td><td>개별적 · 구체적</td></tr>
<tr><td colspan="2">대상</td><td>하급행정청의 소관사무</td><td>부하직원의 소관사무 + 직무수행 관련활동(복장, 직무태도 등 직무관련 사생활 규율 가능)</td></tr>
<tr><td rowspan="2">요건</td><td>형식적</td><td>• 정당한 권한을 가진 상급관청이<br>• 하급관청의 권한 내 사항에 관하여<br>• 하급관청의 직무상 독립이 보장되지 않은 사항에 대하여</td><td>• 권한 있는 상관이<br>• 부하의 직무범위 내 사항에 관하여<br>• 부하의 직무상 독립이 보장되지 않은 사항에 대해<br>• 법정 형식이나 절차가 있으면 이를 갖추어</td></tr>
<tr><td>실질적</td><td colspan="2">• 내용이 적법하고(법규에 저촉되지 않고)<br>• 타당하며<br>• 공익에 반하지 않고<br>• 실현 가능하고 명백할 것</td></tr>
</table>

## 058 훈령에 대한 설명으로 가장 적절하지 않은 것은? [2020 승진(경감)]

① 훈령의 형식적 요건으로는 훈령권이 있는 상급관청이 발한 것일 것, 하급관청의 권한 내의 사항에 관한 것일 것, 하급관청의 직무상 독립성이 보장된 사항일 것을 들 수 있다.
② 훈령의 실질적 요건으로는 내용이 실현 가능하고 명확할 것, 내용이 적법하고 타당할 것, 내용이 공익에 반하지 않을 것을 들 수 있다.
③ 훈령은 원칙적으로 일반적 · 추상적 사항에 대해서 발해야 하지만, 개별적 · 구체적 사항에 대해서도 발해질 수 있다.
④ 하급관청 구성원에 변동이 있더라도 훈령의 효력에는 영향이 없다.

**정답 및 해설 | ①**

① [×] '하급관청의 직무상 독립이 보장되지 않은 사항일 것'이 훈령의 형식적 요건 중 하나이다.

## 주제 6 경찰작용법과 경찰권의 발동

**059** 「경찰관 직무집행법」 제2조 제7호의 개괄적 수권조항 인정 여부에 있어 찬성 측의 논거로 가장 적절하지 않은 것은? [2016 채용 2차]

① 경찰권의 성질상 경찰권의 발동사태를 상정해서 경찰권 발동의 요건 · 한계를 입법기관이 일일이 규정한다는 것은 불가능하다.

② 개괄적 수권조항은 개별조항이 없는 경우에만 보충적으로 적용하면 된다.

③ 개괄적 수권조항으로 인한 경찰권 남용의 가능성은 조리상의 한계 등으로 충분히 통제가 가능하다.

④ 「경찰관 직무집행법」 제2조 제7호는 단지 경찰의 직무범위만을 정한 것으로서 본질적으로는 조직법적 성질의 규정이다.

**정답 및 해설 I ④**

④ [×] 개괄적 수권조항 부정설의 논거에 해당한다.

| 구분 | 근거 | 비판 |
|---|---|---|
| 긍정설 | • 복잡한 현대사회에서 입법부가 모든 경찰권 발동사태를 미리 예측하여 입법해 두는 것은 불가능하다.<br>• 일반적 수권조항을 인정하더라도 어차피 개별적 수권조항에 대해 보충적 · 예외적으로만 적용될 뿐이다.<br>• 경찰행정법의 여러 일반원칙(비례원칙 · 평등원칙 · 신뢰보호원칙 · 자기구속원칙 · 부당결부금지원칙 등)에 의해 통제가 가능하므로, 법치주의에 위반된다고 보기 어렵다. | 국민의 기본권 침해 가능성이 높아지게 된다. |
| 부정설 | • 경찰작용이 가지는 침해적 · 권력적 성질을 감안하면 개별적 수권조항이 없는 경찰권 발동은 인정할 수 없고, 이를 인정하는 것은 법치주의, 특히 명확성원칙에 위반된다.<br>• 경찰관 직무집행법 제2조 제7호는 그 자체로도 조직법적 성질을 가지고 있고, 이 규정이 경찰관 직무집행법에 규정되어 있다는 것만으로 수권조항, 특히 일반적 수권조항으로 보기는 어렵다. | 효율적 · 탄력적 경찰권 행사가 어렵게 될 수 있다. |

**060** 경찰비례의 원칙에 대한 설명으로 가장 적절하지 않은 것은? [2020 채용 2차]

① 독일에서 경찰법상의 판례를 중심으로 발달하여 왔고 오늘날에는 행정법의 모든 영역에서 적용되는 원칙으로 이해되고 있다.

② 최소침해의 원칙은 협의의 비례원칙이라고도 불린다.

③ 「경찰관 직무집행법」 제1조 제2항이 명문으로 규정하고 있을 뿐만 아니라 헌법 제37조 제2항으로부터도 도출된다.

④ 적합성, 필요성, 상당성의 원칙으로 이루어져 있다.

**정답 및 해설 I ②**

② [×] 경찰비례의 원칙은 사회공공의 안전과 질서유지를 위한 경찰작용은 그에 의하여 추구되는 공익목적과 그로 인하여 제한 · 침해되는 개인의 자유 · 권리와의 사이에는 적정한 비례관계가 형성되어야 한다는 것을 말하며, 구체적으로는 다음과 같은 3원칙으로 구성되어 있다.

| | |
|---|---|
| 적합성의 원칙 | 경찰권의 발동결정 내지는 그에 의한 조치는 공공의 안녕과 질서에 대한 위험방지라는 경찰목적에 적합한 것이어야 한다는 원칙이다. |
| 필요성의 원칙 | 경찰권의 발동은 당해 목적달성을 위한 필요 최소한도의 것이어야 한다는 원칙이다. 최소침해의 원칙이라고도 한다. |
| 상당성의 원칙 | 경찰권 발동으로 달성되는 공익이 그로 인한 상대방의 자유 · 권리에 대한 침해보다 큰 경우에만 허용된다는 원칙이다. 협의의 비례원칙이라고도 한다. |

③ [○] 경찰비례의 원칙은 헌법상 과잉금지원칙(헌법 제37조 제2항)에 헌법적 근거를 두고 있으며, 행정기본법 제10조와 경찰관 직무집행법 제1조 제2항에서도 명시적으로 규정되어 있다.



## 061 경찰권 발동의 조리상 한계에 대한 설명으로 가장 적절하지 않은 것은? [2021 경간]

① 경찰공공의 원칙이란 경찰권은 공공의 안녕 · 질서유지에 관계 없는 사적관계에 대해서 발동되어서는 안 된다는 원칙을 의미한다.

② 경찰비례의 원칙 중 필요성의 원칙은 협의의 비례원칙이라고도 불리며 경찰기관의 조치는 그 목적을 달성하는데 적합하여야 한다는 원칙이다.

③ 경찰책임의 원칙이란 경찰권은 원칙적으로 경찰위반상태를 야기한 자, 즉 공공의 안녕 질서의 위험에 대하여 행위책임 또는 상태책임을 질 자에게만 발동될 수 있다는 원칙이다.

④ 경찰평등의 원칙이란 경찰권은 그 대상이 되는 모든 사람에게 차별 없이 평등하게 행사되어야 한다는 것을 의미한다.

**정답 및 해설 I ②**

② [×] 경찰비례의 원칙 중 **상당성의 원칙이 협의의 비례원칙**이라고도 불리며, 경찰기관의 조치는 그 목적을 달성하는데 적합하여야 것은 **적합성 원칙**의 내용이다.

① [○] **경찰공공의 원칙**은 경찰권은 사회공공의 안녕 · 질서를 유지하기 위해서만 발동될 수 있고, 그와 직접 관계가 없는 사생활 · 사주소 및 민사상의 법률관계에는 원칙적으로 관여할 수 없다는 원칙을 말한다.

③ [○] **경찰책임의 원칙**은 경찰권 발동의 상대방(대상)은 **경찰책임자에 대해서만** 가능하고, 이와 관계없는 제3자에게는 발동할 수 없다는 원칙이다. 이때 경찰책임의 유형은 행위책임이든 상태책임이든 불문한다. ➜ **행위책임**: 사람의 행위(작위 · 부작위)를 매개로 하여 경찰위반상태가 발생하는 경우에 그에 대하여 지는 책임 / **상태책임**: 물건 · 동물의 소유자 · 점유자 등 사실상 관리자가 그 지배범위에 속하는 물건 · 동물로 인하여 경찰위반상태가 발생한 경우에 지는 책임

## 062 경찰권 발동의 조리상 한계에 대한 설명으로 가장 적절하지 않은 것은? [2019 채용 1차]

① 경찰비례의 원칙이란 경찰작용에 있어 목적 실현을 위한 수단과 당해 목적 사이에 합리적인 비례관계가 있어야 한다는 원칙이다.

② 경찰비례의 원칙의 내용 중 상당성의 원칙은 경찰권 발동에 따른 이익보다 사인의 피해가 더 큰 경우 경찰권을 발동해서는 안 된다는 원칙으로서 최소침해원칙이라고도 한다.

③ 경찰책임의 원칙이란 경찰권은 경찰위반상태에 책임이 있는 자에게만 발동되어야 한다는 원칙이다.

④ 경찰책임 원칙의 예외로서 긴급한 필요가 있는 경우 경찰책임 있는 자가 아닌 제3자에 대한 경찰권 발동이 허용되는 경우가 있다.

**정답 및 해설 I ②**

② [×] ① [○] 경찰비례의 원칙은 사회공공의 안전과 질서유지를 위한 경찰작용은 그에 의하여 추구되는 공익목적과 그로 인하여 제한 · 침해되는 개인의 자유 · 권리와의 사이에는 적정한 비례관계가 형성되어야 한다는 것을 말하며, 구체적으로는 다음과 같은 3원칙으로 구성되어 있다.

| | |
|---|---|
| 적합성의 원칙 | 경찰권의 발동결정 내지는 그에 의한 조치는 공공의 안녕과 질서에 대한 위험방지라는 경찰목적에 적합한 것이어야 한다는 원칙이다. |
| 필요성의 원칙 | 경찰권의 발동은 당해 목적달성을 위한 필요 최소한도의 것이어야 한다는 원칙이다. 최소침해의 원칙이라고도 한다. |
| 상당성의 원칙 | 경찰권 발동으로 달성되는 공익이 그로 인한 상대방의 자유 · 권리에 대한 침해보다 큰 경우에만 허용된다는 원칙이다. 협의의 비례원칙이라고도 한다. |

③④ [○] 경찰권의 행사는 경찰책임자에게 행사되어야 한다는 경찰책임의 원칙 및 이에 대한 예외로서 경찰비책임자에게 경찰권이 행사될 수 있는 경찰긴급권에 관한 옳은 설명이다.

## 063 크로이쯔베르크(Kreuzberg) 판결에 대한 설명으로 적절한 것을 모두 고른 것은? [2018 승진(경감)]

㉠ 1882년 프로이센 고등행정법원이 판시하였다.
㉡ 베를린 시민이 Kreuzberg 부근에서 국영 담배공장 운반차에 부상을 당하여 민사법원에 손해배상청구소송을 제기한 사실관계에 기초하여, 손해가 공무원에 의하여 발생한 것이라는 이유에서 관할이 행정재판소로 옮겨지게 된 판결이다.
㉢ 경찰권 발동의 조리상 한계로서 경찰소극목적의 원칙 확립의 계기가 되었다.
㉣ 독일에서 경찰개입청구권을 인정한 판결의 효시로 평가된다.

① ㉠, ㉡
② ㉠, ㉢
③ ㉡, ㉣
④ ㉠, ㉡, ㉢

**정답 및 해설 I ②**

㉠㉢ [○] ☑ 크로이츠베르크 판결(Kreuzberg Urteil, 1882)

> [1] **사건의 개요**
> • 나폴레옹에 대항해서 치러진 독일 해방전쟁의 승리를 기념하기 위해 베를린 크로이츠베르크에 세워진 전승기념탑의 조망을 확보 목적으로, 베를린 경찰청장은 1879년 3월 전승기념탑 주변 건물의 높이를 제한하는 내용의 경찰명령을 발령하였다.
> • 퇴직연금수급자였던 M은 인근에 4층 높이의 주거용 건물을 지으려고 했으나, 위 경찰명령에 의해 그 허가신청이 거부되었다.
>
> [2] **판시사항(프로이센 고등행정법원)**
> • 프로이센 일반란트법 제2장 제17절 제10조는 "공공의 평온과 안녕 및 질서를 유지하고 공중이나 그 개별 구성원에게 임박한 위험을 방지하기 위해 필요한 기관은 경찰관청이다."라고 규정하고 있다.
> • 그런데 위 경찰명령은 공공의 평온과 안녕 및 질서를 유지하기 위한 것이 아니라, 적극적인 복리증진의 목적으로 발령된 것이다.
> • 따라서 위 경찰명령은 법률에 근거가 없이 발령되어 무효이고, 이와 같이 무효인 경찰명령에 근거한 건축허가 거부처분도 위법하므로 취소되어야 한다.
>
> [3] **판결의 의미**
> • 경찰 권한은 위험방지에 국한되며, 복지증진과 같은 적극적 요소는 경찰 임무에서 제외되는 것으로 확인되었다.
> ➔ 경찰소극목적 확립의 계기!

㉡ [×] 블랑코 판결에 대한 설명이다.

> • **Blanco 판결(프랑스, 1873)**: Blanco라는 소년이 국립 연초공장 직원이 운전하던 담배운반차에 치여 상해를 입은 사건 / "국가 공공기관에 고용된 사람의 불법행위로 인해 사인에게 가해진 손해는 그 성질상 민사법원이 아닌 행정재판소의 관할에 속해야 한다." ➔ 국가배상책임을 보통의 민사책임과 다르게 보아 현재의 국가배상법리의 시초가 된 판결

㉣ [×] 띠톱 판결에 대한 설명이다.

> • **띠톱 판결(독일, 1960)**: "석탄제조업체에서 사용하는 띠톱에서 배출되는 공해로 피해를 보고있는 인근 주민들은 해당 업체의 조업금지를 청구할 수 있다." ➔ 반사적 이익론을 극복하고 행정개입청구권을 인정한 판결

## 주제 7 경찰책임의 원칙

**064** 경찰책임의 원칙에 대한 설명 중 가장 적절하지 않은 것은? [2014 실무 1]

① 경찰긴급권은 경찰책임의 원칙에 부합하는 대표적인 예로 볼 수 있다.

② 경찰권은 원칙적으로 경찰상의 장해에 책임이 있는 자에게 발동한다.

③ 경찰책임은 사회공공의 질서를 유지함에 있어서 장해의 상태가 존재하는 한 작위 · 부작위를 가리지 않는다.

④ 질서위반상태 야기자가 고의나 과실이 없더라도 책임을 물을 수 있다.

**정답 및 해설 I ①**

① [×] ② [○] 경찰책임의 원칙은 경찰권은 '경찰책임자(경찰위반상태 발생에 책임 있는 자)'에게 발동되어야 한다는 원칙인데, 경찰긴급권은 '경찰비책임자에 대한 경찰권발동'이라는 점에서 경찰책임원칙의 예외에 해당한다.

③④ [○] 경찰권은 경찰위반상태를 야기한 경찰책임자에게 행사되어야 하며, 그 위반상태 야기에 대해 고의 · 과실 내지 위법성의 유무, 위험에 대한 인식 여부, 행위자의 작위 · 부작위에 의한 것인지 여부 등은 고려하지 않는다.

## 065 경찰책임의 원칙에 관한 설명으로 가장 적절하지 않은 것은? [2016 승진(경감)]

① 경찰권은 원칙적으로 경찰위반상태에 대하여 책임이 있는 자에게 발동된다.

② 행위책임이 인정되기 위해서는 「민법」상의 행위능력이 요구된다.

③ 경찰책임은 경찰책임자의 고의 · 과실 여부와 무관하다.

④ 자신의 보호 · 감독하에 있는 자의 행위에 대해서도 책임을 진다.

**정답 및 해설 I ②**

② [×] ③ [○] 경찰책임의 원칙은 자기의 지배범위 안에서 객관적으로 경찰위반상태가 생긴 경우에는 그 위반상태의 발생에 대한 책임을 지도록 하는 원칙이다. 따라서 위험에 대한 인식 여부, 고의 · 과실 여부, 위법성의 유무, 행위자의 작위 · 부작위에 의한 것이지 여부, 행위능력이나 불법행위능력 유무, 형사책임능력자인지 여부, 국적 등을 불문한다.

① [○] 경찰책임의 원칙이란 경찰권은 사회공공의 안녕 · 질서에 대한 위험이 발생하거나 발생할 우려가 있는 경우 그러한 상태(경찰위반상태)의 발생에 책임이 있는 자(경찰책임자)에 대하여 행사되어야 한다는 원칙을 말한다.

④ [○] 타인을 보호 · 감독하는 자는 피보호자 또는 피감독자의 행위로 생긴 질서위반상태에 대하여 경찰상의 책임을 지는바, 자기의 보호 · 감독하에 있는 자의 행위로 인한 책임은 대위책임이 아니라 자기의 지배범위 내에서 경찰위반이 발생한 데 대한 '자기책임'이다. 예 친권자인 보호자의 자녀(피보호자) 행위에 대한 책임

## 066 경찰책임의 원칙에 관한 설명으로 가장 적절한 것은? [2014 승진(경감)]

① 자기 자신 이외의 자의 행위에 대해서는 일체 책임을 지지 않는다.

② 고의 · 과실이 없는 경우에는 언제나 경찰책임을 지지 않는다.

③ 경찰이 경찰긴급권에 의하여 예외적으로 경찰책임이 없는 자에게 경찰권을 발동한 경우, 긴급한 상황에 의한 것이므로 그로 인하여 제3자가 손실을 받더라도 보상할 필요가 없다.

④ 다수인의 행위 또는 다수인이 지배하는 물건의 상태로 인하여 하나의 질서위반상태가 발생한 경우, 일부 또는 전체에 대하여 경찰권 발동이 가능하다.

**정답 및 해설 I ④**

④ [○] 경찰책임의 종류 중 복합책임에 대한 설명이다.

① [×] 경찰권은 경찰위반사실에 대한 직접책임자에 대하여만 발동되는 것이 원칙이다. 그러나 이에 대한 예외로서 긴급한 필요가 있는 때에는 경찰책임이 없는 제3자에 대하여도 원조강제 · 토지나 물건 사용 등의 경찰권발동이 인정되는 경우가 있는바, 이와 관련한 논의가 비책임자에 대한 경찰권발동이다(경찰긴급권).

② [×] 경찰책임의 원칙이란 경찰권은 사회공공의 안녕 · 질서에 대한 위험이 발생하거나 발생할 우려가 있는 경우 그러한 상태(경찰위반상태)의 발생에 책임이 있는 자(경찰책임자)에 대하여 행사되어야 한다는 원칙을 말한다. 그 위반상태 야기에 대해 고의 · 과실 내지 위법성의 유무, 위험에 대한 인식 여부는 고려하지 않는다.

③ [×] 경찰비책임자는 경찰권 행사로 발생한 손실에 대해 국가에 손실보상을 청구할 수 있다.

> **경찰관 직무집행법 제11조의2【손실보상】** ① 국가는 경찰관의 적법한 직무집행으로 인하여 다음 각 호의 어느 하나에 해당하는 손실을 입은 자에 대하여 정당한 보상을 하여야 한다.
> 1. 손실발생의 원인에 대하여 책임이 없는 자가 생명 · 신체 또는 재산상의 손실을 입은 경우(손실발생의 원인에 대하여 책임이 없는 자가 경찰관의 직무집행에 자발적으로 협조하거나 물건을 제공하여 생명 · 신체 또는 재산상의 손실을 입은 경우를 포함한다)
> 2. 손실발생의 원인에 대하여 책임이 있는 자가 자신의 책임에 상응하는 정도를 초과하는 생명 · 신체 또는 재산상의 손실을 입은 경우

## 067 경찰책임의 원칙에 대한 설명 중 가장 옳지 않은 것은? [2017 경간]

① 경찰책임은 그 위해의 발생에 대한 고의 · 과실, 위법성의 유무, 위험에 대한 인식 여부 등을 묻지 않는다.

② 모든 자연인은 경찰책임자가 될 수 있으므로 행위능력, 불법행위능력, 형사책임능력, 국적 여부 등은 문제되지 않는다.

③ 사법인뿐만 아니라 권리능력 없는 사단도 경찰책임자가 될 수 있다.

④ 긴급한 필요가 있는 경우 예외적으로 경찰책임자가 아닌 자에 대해서 법령상 근거 없이 경찰권을 발동할 수 있다.

**정답 및 해설 I ④**

④ [×] 제3자에 대한 경찰권발동은 예외적인 것으로, 목전에 급박한 위해를 제거하기 위한 경우에 한하여, 법령상의 근거가 있는 경우에만 인정된다.

③ [○] 사법인도 당연히 경찰책임의 주체가 될 수 있으며, 또한 권리능력이 없는 경우(예 권리능력 없는 사단 · 재단 등)에도 경찰책임자가 될 수 있다.

## 068 경찰책임에 대한 설명으로 가장 적절하지 않은 것은? [2022 경간]

① 형사미성년자도 행위책임의 주체가 될 수 있다.

② 행위자의 고의나 과실에 무관하게 행위책임을 진다.

③ 행위자의 작위나 부작위에 상관없이 위험을 야기시키면 행위책임을 진다.

④ 경찰책임자에 대한 경찰의 경찰권발동으로 경찰책임자에게 재산적 손해가 발생한 경우, 그 경찰책임자에게 손실보상청구권이 인정된다.

**정답 및 해설 I ④**

④ [×] 경찰책임자에 대한 경찰의 경찰권발동으로 경찰책임자에게 재산적 손해가 발생한 경우, 그 **경찰책임자에게 손실보상청구권이 인정되지 않는다.** 다만, 손실발생의 원인에 대하여 책임이 있는 자가 자신의 책임에 상응하는 정도를 초과하는 생명 · 신체 또는 재산상의 손실을 입은 경우에는 손실을 보상하여야 한다(경찰관 직무집행법 제11조의2 제1항 제2호).

①②③ [○] 경찰책임의 원칙은 자기의 지배범위 안에서 객관적으로 경찰위반상태가 생긴 경우에는 그 위반상태의 발생에 대한 책임을 지도록 하는 원칙이다. 따라서 위험에 대한 인식 여부, 고의 · 과실 여부, 위법성의 유무, 행위자의 작위 · 부작위에 의한 것이지 여부, 행위능력이나 불법행위능력 유무, 형사책임능력자인지 여부, 국적 등을 불문한다.

**069** 다음 상황에 대한 설명으로 가장 적절하지 않은 것은? [2022 경간]

> A는 자신이 운영하는 옷가게에서 여자모델 B에게 수영복만을 입게 하여 쇼윈도우에 서 있도록 하였다. 지나가던 사람들이 이를 구경하기 위해 쇼윈도우 앞에 몰려들어 도로교통상의 심각한 장해가 발생하였다.

① 조건설에 의하면 군중, A, B 모두 경찰책임자가 된다.

② 의도적 간접원인제공자이론(목적적 원인제공자책임설)을 인정한다면 A에게 경찰권을 발동하여 A로 하여금 B를 쇼윈도우에서 나가도록 하라고 할 수 있다.

③ 직접원인설에 의할 때 경찰책임자는 B이다.

④ 교통장해가 그다지 중대하지 않다면 A를 경찰책임자로 보아서는 안 될 것이다.

**정답 및 해설 I ③**

③ [×] **직접원인설**에 의할 때 경찰책임자는 **군중**이다.

① [○] **조건설**에 의하면 도로교통상 위해발생이라는 경찰위반상태 발생에 있어 직접 위반상태를 야기한 군중은 물론, 군중이 모이도록 한 조건을 제공한 A, B 모두 경찰책임자가 된다.

② [○] **의도적 간접원인제공자이론**(목적적 원인제공자책임설) 의하면 A는 직접 도로교통상의 위해를 야기한 것은 아니지만, 군중이 모이도록 의도적으로 수영복을 입은 여자모델을 서 있도록 하는 원인을 제공하였으므로 예외적으로 A에게 위해제거를 위한 경찰명령을 발동할 수 있다고 보게 된다.

④ [○] 교통장해가 중대하다면 직접적으로 위해상태를 야기하고 있는 군중은 물론, 인과관계 이론을 통해 A 내지 B도 경찰책임자로 인정해야 할 필요가 있을 것이나, 중대하지 않다면 직접 위해상태를 야기하고 있는 군중만 경찰책임자로 인정하는 것이 바람직하다고 본다.

**☑ KEY POINT I 경찰책임의 원칙 인과관계이론**

경찰책임이 인정되기 위해서는 발생된 경찰상의 위해와 책임자의 행위(타인의 행위로 인한 책임의 경우에는 피감독자의 행위)사이에 인과관계가 존재하여야 하고 이에 대해 학설이 대립한다.

| | |
|---|---|
| 상당인과관계설 | 인과관계를 일반경험칙에 따라 피해자 구제의 견지에서 인과관계를 판단하는 견해이다. |
| 조건설 | 경찰위반상태의 조건이 된 모든 행위는 경찰위반상태의 원인이 된다는 견해이다. |
| 직접원인설 | 원칙적으로 경찰위반상태를 직접 야기한 행위자만이 경찰책임을 지고 간접적인 원인제공자는 경찰책임을 지지 않는다는 견해이다. |
| 의도적간접원인제공자이론 | 스스로 위험을 직접적으로 실현하지는 않았으나 행위책임을 지게 되는 제3자로 하여금 경찰법에 위반하는 행위를 하도록 한 자를 의도적 간접원인제공자라 하여 그를 예외적으로 행위책임자로 할 수 있다. |

## 070 경찰상 긴급상태(경찰비책임자에 대한 경찰권발동)에 대한 설명으로 가장 적절하지 않은 것은?

[2022 경간]

① 위험이 이미 현실화되었거나 위험의 현실화가 목전에 급박하여야 한다.

② 경찰상 긴급상태에 대한 일반적 근거는 「경찰관 직무집행법」에 규정되어 있다.

③ 경찰비책임자에 대한 경찰권발동을 위해서 보충성은 전제조건이므로 경찰책임자에 대한 경찰권발동 또는 경찰 자신의 고유한 수단으로는 위험방지가 불가능한지 여부를 먼저 심사하여야 한다.

④ 경찰권발동으로 인하여 손실을 입은 경찰비책임자에게는 정당한 보상이 행해져야 하며, 결과제거청구와 같은 구제수단이 마련되어야 한다.

**정답 및 해설 I ②**

② [×] 경찰긴급권에 대한 일반법적 근거는 없고 개별 법률(소방기본법 제24조, 경범죄 처벌법 제3조 제1항 제29호, 경찰관 직무집행법 제5조 제1항 제3호)에서 규정하고 있다.

①③④ [○] 경찰긴급권의 발동요건으로는 (i) 급박한 위험이 존재하고 법적 근거 있을 것(①), (ii) 다른 방법으로 위해방지가 불가능할 것(보충성)(③), (iii) 제3자에게 수인가능성이 있을 것, (iv) 제3자의 급박한 업무를 방해하지 않을 것, (v) 위해방지 위한 최소한도에 그칠 것, (vi) 제3자에게 손해가 발생한 경우에는 보상이 지급될 것(④) 등이 있다.

# 주제 8 개인적 공권과 반사적 이익

## 01 개설 – 반사적 이익과의 구분

## 02 개인적 공권의 성립

## 03 개인적 공권의 특징과 공권의 확대화 경향

## 071 개인적 공권에 대한 설명으로 가장 적절하지 않은 것은? (다툼이 있는 경우 판례에 의함)

[2018 경행특채 2차]

① 상수원보호구역 설정의 근거가 되는 규정이 보호하고자 하는 것은 상수원의 확보와 수질보전일 뿐이고, 그 상수원에서 급수를 받고 있는 지역주민들이 가지는 상수원의 오염을 막아 양질의 급수를 받을 이익은 상수원의 확보와 수질보호라는 공공의 이익이 달성됨에 따라 반사적으로 얻게 되는 이익에 불과하다.

② 공무원연금 수급권은 국가에 대하여 적극적으로 급부를 요구하는 것이므로 헌법규정만으로는 이를 실현할 수 없어 법률에 의한 형성이 필요하다.

③ 제소기간이 이미 도과하여 불가쟁력이 생긴 행정처분에 대하여는 개별 법규에서 그 변경을 요구할 신청권을 규정하고 있거나 관계 법령의 해석상 그러한 신청권이 인정될 수 있는 등 특별한 사정이 없는 한 국민에게 그 행정처분의 변경을 구할 신청권이 있다 할 수 없다.

④ 도시계획구역 내 토지 등을 소유하고 있는 주민은 입안권자에게 도시계획입안을 요구할 수 있는 법규상 또는 조리상의 신청권이 없다.

**정답 및 해설 I ④**

④ [×] 그러한 신청권이 있다는 것이 판례의 입장이다.

> **요지판례 I**
>
> ■ 도시계획의 입안제안을 받은 입안권자는 그 처리결과를 제안자에게 통보하도록 규정하고 있는 점 등과 헌법상 개인의 재산권 보장의 취지에 비추어 보면, 도시계획구역 내 토지 등을 소유하고 있는 주민으로서는 입안권자에게 도시계획입안을 요구할 수 있는 법규상 또는 조리상의 신청권이 있다고 할 것이고, 이러한 신청에 대한 거부행위는 항고소송의 대상이 되는 행정처분에 해당한다(대판 2004.4.28, 2003두1806).

① [○]

> **요지판례 I**
>
> ■ 상수원보호구역 설정의 근거가 되는 수도법 관련조항이 보호하고자 하는 것은 상수원의 확보와 수질보전일 뿐이고, 그 상수원에서 급수를 받고 있는 지역주민들이 가지는 상수원의 오염을 막아 양질의 급수를 받을 이익은 직접적이고 구체적으로는 보호하고 있지 않음이 명백하여 위 지역주민들이 가지는 이익은 상수원의 확보와 수질보호라는 공공의 이익이 달성됨에 따라 반사적으로 얻게 되는 이익에 불과하므로 지역주민들에 불과한 원고들에게는 위 상수원보호구역변경처분의 취소를 구할 법률상의 이익이 없다(대판 1995.9.26, 94누14544).

② [○]

> **요지판례 I**
>
> ■ 연금수급권과 같은 사회보장수급권은 헌법 제34조로부터 도출되는 사회적 기본권의 하나이다. 이와 같이 사회적 기본권의 성격을 가지는 연금수급권은 국가에 대하여 적극적으로 급부를 요구하는 것이므로 헌법규정만으로는 이를 실현할 수 없고, 법률에 의한 형성을 필요로 한다(헌재 1999.4.29, 97헌마333).

③ [○]

> **요지판례 I**
>
> ■ 제소기간이 이미 도과하여 불가쟁력이 생긴 행정처분에 대하여는 개별 법규에서 변경을 요구할 신청권을 규정하고 있거나 관계 법령의 해석상 그러한 신청권이 인정될 수 있는 등 특별한 사정이 없는 한 국민에게 행정처분의 변경을 구할 신청권이 있다고 할 수 없다(대판 2017.2.9, 2014두43264).

## 주제 9 무하자재량행사청구권과 경찰개입청구권

### 01 무하자재량행사청구권

### 02 경찰개입청구권

# 제2절 | 경찰행정작용

## 주제 1 행정행위와 처분

**072** 행정청이 행하는 구체적 사실에 관한 법 집행으로서 공권력의 행사 또는 그 거부와 그 밖에 이에 준하는 행정작용에 해당하는 것은 모두 몇 개인가? (다툼이 있는 경우 판례에 의함) [2022 채용 2차]

> ㉠ 도로점용허가
> ㉡ 주민등록번호 변경신청 거부
> ㉢ 교통경찰관의 수신호
> ㉣ 교통신호등에 의한 신호
> ㉤ 경찰청장의 횡단보도 설치 기본계획 수립

① 1개
② 2개
③ 3개
④ 4개

**정답 및 해설 | ④**

4개(㉠㉡㉢㉣)가 옳은 지문이다.

㉠ [O] 도로점용허가는 행정청이 직접 상대방을 위해 새로운 권리를 설정하는 설권행위로서 특허에 해당한다.

㉡ [O] 판례는 국민의 조리상 신청권을 인정함으로써 이에 대한 거부행위에 대해 '거부처분'으로서 처분성을 인정하였다.

> **요지판례 |**
> ■ 피해자의 의사와 무관하게 주민등록번호가 유출된 경우에는 조리상 주민등록번호의 변경을 요구할 신청권을 인정함이 타당하고, 구청장의 주민등록번호 변경신청 거부행위는 항고소송의 대상이 되는 행정처분에 해당한다(대판 2017.6.15, 2013두2945).

㉢㉣ [O] 모두 경찰목적의 달성을 위하여 국가의 일반통치권에 근거, 상대방에게 작위 · 부작위(중지), 급부 · 수인의 의무를 명하는 명령적 행정행위인 '**하명**'에 해당하며, 수신호는 물론, 자동화된 기계(교통신호기)에 의한 것이라도 명령적 요소가 인정되는 이상 당연히 하명에 해당한다.

㉤ [×] 횡단보도를 설치하는 것 자체는 '구체적 사실에 대한 법집행'이라는 요소 중 '누가'에 대한 부분만이 규율되지 않은 것으로서 일반처분에 해당하여 처분성이 인정될 수 있으나, 기본계획을 수립하는 정도에 불과한 경우에는 아직 행정청의 내부적 행위에 불과하여 처분성이 인정되지 않는다고 본다.

> **요지판례 |**
> ■ 이 사건 정부기본계획은 4대강 정비사업과 그 주변 지역의 관련 사업을 체계적으로 추진하기 위하여 수립한 종합계획이자 '4대강 살리기 사업'의 기본방향을 제시하는 계획으로서, 이는 행정기관 내부에서 사업의 기본방향을 제시하는 것일 뿐, 국민의 권리 · 의무에 직접 영향을 미치는 것은 아니라고 할 것이어서 행정처분에 해당하지 아니한다(대판 2015.12.10, 2012두7486).

**073** 「행정기본법」상 이의신청에 관한 설명으로 가장 적절하지 않은 것은? [2024 1차 채용]

① 행정청의 처분에 이의가 있는 당사자는 처분을 받은 날부터 30일 이내에 해당 행정청에 이의신청을 할 수 있다.

② 행정청은 이의신청을 받으면 부득이한 사유가 있는 경우를 제외하고는 그 이의신청을 받은 날부터 14일 이내에 그 이의신청에 대한 결과를 신청인에게 통지하여야 한다.

③ 이의신청을 한 경우에도 그 이의신청과 관계없이 「행정심판법」에 따른 행정심판 또는 「행정소송법」에 따른 행정소송을 제기할 수 있다.

④ 이의신청에 대한 결과를 통지받은 후 행정심판 또는 행정소송을 제기하려는 자는 그 결과를 통지받은 날부터 60일 이내에 행정심판 또는 행정소송을 제기하여야 한다.

**정답 및 해설 I ④**

④ [×] 90일 이내이다.

> **행정기본법 제36조【처분에 대한 이의신청】** ④ 이의신청에 대한 결과를 통지받은 후 행정심판 또는 행정소송을 제기하려는 자는 그 결과를 통지받은 날(제2항에 따른 통지기간 내에 결과를 통지받지 못한 경우에는 같은 항에 따른 통지기간이 만료되는 날의 다음 날을 말한다)부터 90일 이내에 행정심판 또는 행정소송을 제기할 수 있다.

①②③ [○]

> **행정기본법 제36조【처분에 대한 이의신청】** ① 행정청의 처분 … 에 이의가 있는 당사자는 처분을 받은 날부터 30일 이내에 해당 행정청에 이의신청을 할 수 있다.
> ② 행정청은 제1항에 따른 이의신청을 받으면 그 신청을 받은 날부터 14일 이내에 그 이의신청에 대한 결과를 신청인에게 통지하여야 한다. 다만, 부득이한 사유로 14일 이내에 통지할 수 없는 경우에는 그 기간을 만료일 다음 날부터 기산하여 10일의 범위에서 한 차례 연장할 수 있으며, 연장 사유를 신청인에게 통지하여야 한다.
> ③ 제1항에 따라 이의신청을 한 경우에도 그 이의신청과 관계없이 「행정심판법」에 따른 행정심판 또는 「행정소송법」에 따른 행정소송을 제기할 수 있다.

## 주제 2 행정행위의 종류

**074** 경찰재량에 관한 설명 중 가장 적절하지 않은 것은? (다툼이 있는 경우 판례에 의함) [2022 채용 2차]

① 「도로교통법」상 교통단속임무를 수행하는 경찰공무원을 폭행한 사람의 운전면허를 취소하는 것은 행정청이 재량여지가 없으므로 재량권의 일탈 · 남용과는 관련이 없다.

② 재량을 선택재량과 결정재량으로 나눌 경우, 경찰공무원의 비위에 대해 징계처분을 하는 결정과 그 공무원의 건강 등 제반사정을 고려하여 징계처분을 하지 않는 결정 사이에서 선택권을 갖는 것을 결정재량이라 한다.

③ 재량의 일탈 · 남용뿐만 아니라 단순히 재량권 행사에서 합리성을 결하는 등 재량을 그르친 경우에도 행정심판의 대상이 된다.

④ 재량권의 일탈이란 재량권의 내적 한계(재량권이 부여된 내재적 목적)를 벗어난 것을 말하며, 재량권의 남용이란 재량권의 외적 한계(법적 · 객관적 한계)를 벗어난 것을 의미한다.

**정답 및 해설 | ④**

④ [×] **재량권의 일탈**이란 재량권의 외적 한계(법적 · 객관적 한계)를 벗어난 것을 의미하고, **재량권의 남용**이란 재량권의 내적 한계(재량권이 부여된 내재적 목적)를 벗어난 것을 말한다.

**☑ 재량하자의 유형**

> - **재량권의 일탈**: 법률의 외적 한계, 법규상 한계, 수권규정의 한계를 넘어 재량권이 행사된 경우를 말한다. 예 6개월 이하의 영업정지를 할 수 있다고 규정되어 있는데 1년을 한 경우
> - **재량의 남용**: 재량권 범위 내에서 행사되었지만 입법목적 위배, 일반원칙(평등의 원칙 · 비례의 원칙) 위배, 사실의 오인이 있는 경우이다. ➜ 내적 한계, 조리상 한계 초과
> - **재량의 불행사**: 재량권을 행사함에 있어 고려하여야 할 구체적 사정을 전혀 고려하지 않은 경우를 말한다. ➜ 재량의 불행사는 그 자체로 재량권의 일탈 · 남용이다.

① [○] 도로교통법 제93조 제1항은 교통단속 임무수행 경찰공무원 폭행을 필요적 면허취소 사유로 규정하고 있으며, 비록 측정불응에 관한 판례이기는 하지만 판례 역시 같은 취지로 해석하고 있다.

> **도로교통법 제93조【운전면허의 취소 · 정지】** ① 시 · 도경찰청장은 운전면허 … 를 취소하거나 1년 이내의 범위에서 운전면허의 효력을 정지시킬 수 있다. 다만, 제2호 · 제3호 · 제7호 · 제8호 · 제8호의2, 제9호(정기 적성검사 기간이 지난 경우는 제외한다), 제14호 · 제16호 · 제17호 · 제20호의 규정에 해당하는 경우에는 운전면허를 취소하여야 하고 …
> 14. 이 법에 따른 교통단속 임무를 수행하는 경찰공무원등 및 시 · 군공무원을 폭행한 경우

> **요지판례 |**
>
> ■ 도로교통법 규정에 의하면, 술에 취한 상태에 있다고 인정할 만한 상당한 이유가 있음에도 불구하고 경찰공무원의 측정에 응하지 아니한 때에는 필요적으로 운전면허를 취소하도록 되어 있어 처분청이 그 취소 여부를 선택할 수 있는 재량의 여지가 없음이 그 법문상 명백하므로, 위 법조의 요건에 해당하였음을 이유로 한 운전면허취소처분에 있어서 재량권의 일탈 또는 남용의 문제는 생길 수 없다(대판 2004.11.12, 2003두12042).

② [○] 지문은 징계처분의 할지 안할지에 대한 문제를 말하는 것이므로 결정재량에 대한 설명이다. 만약 지문이 징계처분을 하기로 하되 파면 · 해임 · 강등 · 정직 · 감봉 · 견책 중 어떤 징계를 선택할지에 대한 것이라면 이는 선택재량에 대한 설명이 된다.

**☑ 결정재량과 선택재량**

> - **결정재량**: 법규가 허용한 조치를 행정청이 처분을 할 수도 안할 수도 있는 재량을 말한다.
> - **선택재량**: 법규가 허용한 다양한 처분방식 중에서 어느 방식으로 하느냐 또는 어떤 상대방을 선택하여 조치를 할 것인지의 재량을 말한다.

③ [○] 행정소송과 달리 행정심판법은 처분 등이 '부당'한 경우에도 행정심판의 대상이 될 수 있도록 규정하고 있으며, 여기서 말하는 '부당'이 재량권 일탈 · 남용과 같이 재량권 행사의 한계를 벗어나 '위법'한 정도는 아니더라도, 재량권 행사의 합리성을 결하는 등 재량을 그르친 경우를 말한다(최선은 아닌 상태).

> **행정심판법 제5조【행정심판의 종류】** 행정심판의 종류는 다음 각 호와 같다.
> 1. **취소심판**: 행정청의 위법 또는 부당한 처분을 취소하거나 변경하는 행정심판
> 2. **무효등확인심판**: 행정청의 처분의 효력 유무 또는 존재 여부를 확인하는 행정심판
> 3. **의무이행심판**: 당사자의 신청에 대한 행정청의 위법 또는 부당한 거부처분이나 부작위에 대하여 일정한 처분을 하도록 하는 행정심판 ➜ 부작위위법확인심판 ×

## 075 기속행위와 재량행위에 대한 설명으로 가장 적절하지 않은 것은? (다툼이 있는 경우 판례에 의함)

[2018 경행특채 2차]

① 기속행위에 대한 사법심사는 그 법규에 대한 원칙적인 기속성으로 인하여 법원이 사실인정과 관련 법규의 해석 · 적용을 통하여 일정한 결론을 도출한 후 그 결론에 비추어 행정청이 한 판단의 적법 여부를 독자의 입장에서 판정하는 방식에 의한다.

② 「식품위생법」상 일반음식점영업허가는 성질상 일반적 금지의 해제에 불과하므로 허가권자는 허가신청이 법에서 정한 요건을 구비한 때에는 원칙적으로 허가를 하여야 하나, 다만 예외적으로 관계 법령에서 정하는 제한사유 외에 공공복리 등의 사유를 들어 허가신청을 거부할 수 있다.

③ 「국토의 계획 및 이용에 관한 법률」에 의한 토지의 형질변경허가는 그 금지요건이 불확정개념으로 규정되어 있어 그 금지요건에 해당하는지 여부를 판단함에 있어서 행정청에게 재량권이 부여되어 있다고 할 것이므로, 같은 법에 의하여 지정된 도시지역 안에서 토지의 형질변경행위를 수반하는 건축허가는 결국 재량행위에 속한다.

④ 개발제한구역 내에서의 건축물의 건축 등에 대한 예외적 허가는 그 상대방에게 수익적인 것으로서 재량행위에 속하는 것이라고 할 것이므로 그에 관한 행정청의 판단이 사실오인, 비례 · 평등의 원칙 위배, 목적위반 등에 해당하지 아니하는 이상 재량권의 일탈 · 남용에 해당한다고 할 수 없다.

**정답 및 해설 I ②**

② [×] 거부할 수 없다.

> **요지판례 I**
>
> ■ 식품위생법상 일반음식점영업허가는 성질상 일반적 금지의 해제에 불과하므로 허가권자는 허가신청이 법에서 정한 요건을 구비한 때에는 허가하여야 하고 관계 법령에서 정하는 **제한사유 외에 공공복리 등의 사유를 들어 허가신청을 거부할 수는 없고**, 이러한 법리는 일반음식점 허가사항의 변경허가에 관하여도 마찬가지이다(대판 2000.3.24, 97누12532).
>
> ➜ 지하도로 대기오염의 심화를 방지한다는 공익을 이유로 지하도로가 설치된 지하상가 내 점포의 일반음식점허가사항 변경허가신청을 거부할 수 없다.

① [○] 기속행위에 대한 사법심사는 대체판단방식에 의해 이루어진다. 지문은 대체판단방식에 대한 옳은 설명이다.

③ [○]

> **요지판례 I**
>
> ■ **토지의 형질변경허가**는 그 금지요건이 불확정개념으로 규정되어 있어 그 금지요건에 해당하는지 여부를 판단함에 있어서 행정청에게 재량권이 부여되어 있다고 할 것이므로, 같은 법에 의하여 지정된 도시지역 안에서 토지의 형질변경행위를 수반하는 건축허가는 결국 재량행위에 속한다(대판 2005.7.14, 2004두6181).

④ [○]

> **요지판례 I**
>
> ■ **개발제한구역 내에서의 건축물의 건축 등에 대한 예외적 허가**는 그 상대방에게 수익적인 것으로서 재량행위에 속하는 것이라고 할 것이므로 그에 관한 행정청의 판단이 사실오인, 비례 · 평등의 원칙 위배, 목적위반 등에 해당하지 아니하는 이상 재량권의 일탈 · 남용에 해당한다고 할 수 없다(대판 2004.7.22, 2003두7606).

## 076 행정행위에 관한 설명 중 가장 적절하지 않은 것은? (다툼이 있는 경우 판례에 의함) [2021 경행특채 2차]

① 건축허가는 대물적 성질을 갖는 것이어서 행정청으로서는 그 허가를 할 때에 건축주 또는 토지소유자가 누구인지 등 인적 요소에 관하여는 형식적 심사만 한다.

② 횡단보도를 설치하여 보행자 통행방법 등을 규제하는 것은 특정사항에 대하여 의무의 부담을 명하는 행위이고, 이는 국민의 권리 · 의무에 직접 관계가 있는 행위로서 행정처분이다.

③ 국토의 계획 및 이용에 관한 법률이 정한 용도지역 안에서 토지의 형질변경(경작을 위한 경우로서 대통령령으로 정하는 토지의 형질변경은 제외)을 수반하는 건축허가는 건축법 제11조 제1항에 의한 건축허가와 국토의 계획 및 이용에 관한 법률상의 개발행위허가의 성질을 아울러 갖게 되므로 재량행위에 해당한다.

④ 건설업등록증 및 건설업등록수첩의 재발급은 건설업 등록을 하였다고 하는 사실을 특정인이나 불특정인에게 알리는 준법률행위적 행정행위인 통지행위에 해당한다.

**정답 및 해설 | ④**

④ [×] 준법률행위적 행정행위 중 공증에 해당한다.

**요지판례 |**

■ 건설업면허증 및 건설업면허수첩의 재교부는 그 면허증 등의 분실, 헐어 못쓰게 된 때, 건설업의 면허이전 등 면허증 및 면허수첩 그 자체의 관리상의 문제로 인하여 종전의 면허증 및 면허수첩과 동일한 내용의 면허증 및 면허수첩을 새로이 또는 교체하여 발급하여 주는 것으로서, 이는 건설업의 면허를 받았다고 하는 특정사실에 대하여 형식적으로 그것을 증명하고 공적인 증거력을 부여하는 행정행위(강학상의 공증행위)이므로, 그로 인하여 면허의 내용 등에는 아무런 영향이 없이 종전의 면허의 효력이 그대로 지속하고, 면허증 및 면허수첩의 재교부에 의하여 재교부 전의 면허는 실효되고 새로운 면허가 부여된 것이라고 볼 수 없다(대판 1994.10.25, 93누21231).

① [○]

**요지판례 |**

■ 건축허가는 대물적 성질을 갖는 것이어서 행정청으로서는 허가를 할 때에 건축주 또는 토지소유자가 누구인지 등 인적 요소에 관하여는 형식적 심사만 한다(대판 2017.3.15, 2014두41190).

② [○]

**요지판례 |**

■ 지방경찰청장이 횡단보도를 설치하여 보행자의 통행방법 등을 규제하는 것은, 행정청이 특정사항에 대하여 의무의 부담을 명하는 행위이고 이는 권리 · 의무에 직접 관계가 있는 행위로서 행정처분이라고 보아야 할 것이다(대판 2000.10.27, 99두1144).

③ [○]

**요지판례 |**

■ 국토의 계획 및 이용에 관한 법률 제56조에 따른 개발행위허가와 농지법 제34조에 따른 농지전용허가 · 협의는 금지요건 · 허가기준 등이 불확정개념으로 규정된 부분이 많아 그 요건 · 기준에 부합하는지의 판단에 관하여 행정청에 재량권이 부여되어 있으므로, 그 요건에 해당하는지 여부는 행정청의 재량판단의 영역에 속한다. 나아가 국토계획법이 정한 용도지역 안에서 토지의 형질변경행위 · 농지전용행위를 수반하는 건축허가는 건축법 제11조 제1항에 의한 건축허가와 위와 같은 개발행위허가 및 농지전용허가의 성질을 아울러 갖게 되므로 이 역시 재량행위에 해당한다(대판 2017.10.12, 2017두48956).

**077** 다음 준법률적 행정행위 중 통지행위에 해당하는 것만을 모두 고른 것은? (다툼이 있는 경우 판례에 의함)

[2020 경행특채 2차]

| |
|---|
| ㉠ 특허출원의 공고<br>㉡ 부동산등기부에의 등기<br>㉢ 귀화의 고시<br>㉣ 선거에 있어 당선인 결정<br>㉤ 대집행의 계고 |

① ㉠, ㉡, ㉢
② ㉢, ㉣, ㉤
③ ㉠, ㉢, ㉤
④ ㉡, ㉢, ㉣

**정답 및 해설 I ③**

㉡ [×] 강학상 공증에 해당한다.

㉣ [×] 강학상 확인에 해당한다.

## 주제 3 명령적 행정행위(경찰하명 · 경찰허가 · 경찰면제)

**078** 경찰하명에 대한 설명 중 가장 적절하지 않은 것은? [2020 승진(경위)]

① 경찰하명은 경찰목적을 위하여 국가의 일반통치권에 의거 개인에게 특정한 작위 · 부작위 · 수인 또는 급부의 의무를 명하는 행정행위이다.

② 부작위하명은 소극적으로 어떤 행위를 하지 말 것을 명하는 것으로 '금지'라 부르기도 한다.

③ 공공시설에서 공중의 건강을 위하여 흡연행위를 금지하는 것은 부작위하명이다.

④ 위법한 하명으로 인하여 권리 · 이익이 침해된 자는 손실보상을 청구할 수 있다.

**정답 및 해설 I ④**

④ [×] 위법한 하명에 대해서는 항고소송이나 손해배상청구를 통해 구제를 받을 수 있고, 적법한 하명에 의해 특별한 희생에 해당하는 손실을 입은 자는 손실보상을 통해 구제를 받을 수 있다.

① [○] 경찰하명은 경찰목적의 달성을 위하여 국가의 일반통치권에 근거, 상대방에게 작위 · 부작위(중지), 급부 · 수인의 의무를 명하는 행위로서 개인의 자유를 제한하고 의무를 부과하는 것을 내용으로 하는 법률행위적 행정행위를 말한다.

## 079 경찰하명에 관한 설명으로 가장 적절하지 않은 것은? (다툼이 있는 경우 판례에 의함) [2023 채용 1차]

① 경찰하명은 경찰상의 목적을 위하여 국가의 일반통치권에 의거, 개인에게 특정한 작위 · 부작위 · 수인 또는 급부의 의무를 명하는 행정행위이다.

② 부작위하명은 적극적으로 어떤 행위를 하지 말 것을 명하는 것으로 '면제'라 부르기도 한다.

③ 경찰하명에 위반한 행위는 강제집행이나 처벌의 대상이 되지만, 원칙적으로 사법(私法)상의 법률적 효력까지 부인하는 것은 아니다.

④ 위법한 경찰하명으로 인하여 권리 · 이익이 침해된 자는 행정쟁송 또는 손해배상을 청구할 수 있다.

**정답 및 해설 I ②**

② [×] 부작위하명은 **소극적**으로 어떤 행위를 하지 말 것을 명하는 것으로 '**금지**'라 부르기도 한다.

③ [○] 하명에 위반된 행위는 경찰상의 강제집행이나 경찰벌이 가해지나, 하명을 위반하여 이루어진 행위라 하더라도 사법상 효력은 유효하다. 즉, 거래행위의 효력이 부인되지 않는다.

④ [○] 위법한 하명에 대해서는 항고소송이나 손해배상청구를 통해 구제를 받을 수 있고, 적법한 하명에 의해 특별한 희생에 해당하는 손실을 입은 자는 손실보상을 통해 구제를 받을 수 있다.

## 080 경찰하명에 대한 설명으로 가장 적절하지 않은 것은? [2019 채용 1차]

① 경찰하명이란 경찰목적을 달성하기 위해 상대방에게 일정한 작위 · 부작위 · 수인 · 급부의 의무를 명하는 행정행위이다.

② 경찰하명 위반 시에는 경찰상 강제집행의 대상이 되거나 경찰벌이 과해질 수 있으나, 하명을 위반한 행위의 법적 효력에는 원칙적으로 영향을 미치지 않는다.

③ 경찰하명의 상대방인 수명자는 수인의무를 지므로 경찰하명이 위법하더라도 손해배상을 청구할 수 없다.

④ 경찰하명이 있는 경우, 상대방은 행정주체에 대하여만 의무를 이행할 책임이 있고 그 이외의 제3자에 대하여 법상 의무를 부담하는 것은 아니다.

**정답 및 해설 I ③**

③ [×] 위법한 하명에 대해서는 항고소송이나 손해배상청구를 통해 구제를 받을 수 있다.

② [○] 하명에 위반된 행위는 경찰상의 강제집행이나 경찰벌이 가해지나, 하명을 위반하여 이루어진 행위라 하더라도 사법상 효력은 유효하다. 즉, 거래행위의 효력이 부인되지 않는다.

## 081 경찰하명에 대한 설명으로 가장 적절한 것은 모두 몇 개인가? [2023 경간]

가. 「경찰관 직무집행법」 제4조의 강제보호조치 대상자에 대한 응급을 요하는 구호조치에 따른 수인의무는 하명이 아니다.
나. 대간첩 지역이나 국가중요시설에 대한 접근제한명령이나 통행제한명령은 수인의무를 명하는 행위로서 하명의 성질이 아니다.
다. 「경찰관 직무집행법」 제5조 제1항 제3호의 관계인에게 '필요한 조치를 하게 하는 것'은 상대방이 필요한 조치를 하도록 명하는 행위이더라도 하명의 성질은 아니다.
라. 도로교통법위반에 의한 과태료납부의무는 하명이 아니다.

① 없음
② 1개
③ 2개
④ 3개

**정답 및 해설 I ①**
가. [×] 수인의무를 명하는 명령적 행정행위로서 하명에 해당한다.
나. [×] 부작위의무를 명하는 명령적 행정행위로서 하명에 해당한다.
다. [×] 작위의무를 명하는 명령적 행정행위로서 하명에 해당한다.
라. [×] 급부의무를 명하는 명령적 행정행위로서 하명에 해당한다.

## 082 경찰작용에 관한 설명으로 가장 적절하지 않은 것은? [2023 승진]

① 행정목적을 위하여 국가의 일반통치권에 의거 개인에게 특정한 작위 · 부작위 · 수인 또는 급부의 의무를 명하는 행정행위, 개인에게 특정의무를 명하는 명령적 행정행위를 하명이라 한다.
② 법령에 의한 일반적 · 절대적 금지를 특정한 경우에 해제하여 적법하게 일정한 행위를 할 수 있게 하는 행정행위를 허가라 한다.
③ 부관은 조건 · 기한 · 부담 · 철회권의 유보 등과 같이 주된 처분에 부가되는 종된 규율로서, 주된 처분의 효과를 제한하거나 의무를 부과함으로써 국민의 권리 · 의무에 영향을 미치는 효과가 있다.
④ 행정지도는 일정한 행정목적을 달성하기 위해 상대방인 국민에게 임의적인 협력을 요청하는 비권력적 사실행위를 말한다.

**정답 및 해설 I ②**
② [×] 법령에 의한 일반적 · **상대적** 금지를 특정한 경우에 해제하여 적법하게 일정한 행위를 할 수 있게 하는 행정행위를 허가라 한다.

## 083 행정행위에 대한 설명으로 옳지 않는 것은? [2021 경간]

① 경찰하명이란 일반통치권에 기인하여 경찰목적을 달성하기 위해 국민에 대하여 작위 · 부작위 · 급부 · 수인 등 의무의 일체를 명하는 법률행위적 행정행위를 말하며 경찰관의 수신호나 교통신호 등의 신호도 의무를 부과하는 행위로서 경찰하명에 해당한다.

② 부작위 하명의 유형으로는 절대적 금지와 상대적 금지가 있으며, 청소년에게 술이나 담배 판매금지는 절대적 금지이고, 유흥업소의 영업금지는 상대적 금지에 해당한다.

③ 법률행위적 행정행위는 명령적 행정행위(하명 · 허가 · 면제 등)와 형성적 행정행위(특허 · 인가 · 대리)로 구분할 수 있고, 준법률행위적 행정행위는 확인, 공증, 통지, 수리 등으로 구분할 수 있다.

④ 경찰하명에 위반하여 이루어진 행위는 원칙적으로 그 법적 효력에는 아무런 영향을 받지 않는다. 그러나 영업정지 명령에 위반하여 영업을 계속하였을 경우는 당해 영업에 대한 거래행위의 효력이 부인된다.

**정답 및 해설 I ④**

④ [×] 하명에 위반된 행위는 경찰상의 강제집행이나 경찰벌이 가해지나, 하명을 위반하여 이루어진 행위라 하더라도 **사법상 효력은 유효**하다. 즉, 거래행위의 효력이 부인되지 않는다.

② [○] • **절대적 금지**: 어떤 행위 자체가 사회적 해악으로 인정되기 때문에 예외 없이 절대적으로 금지되는 것(예 살인, 인신매매, 청소년에게 술 · 담배 판매)

• **상대적 금지**: 행위 자체가 해악은 아니지만 그것을 행하는 방법에 따라 사회에 해악을 끼칠 수도 있기 때문에 일단 금지해 두는 것(예 자동차운전)

• **억제적 금지**: 행위 자체는 해악으로 인정되지만 예외적으로 특정한 경우 특정인에 한하여 그 행위를 허용하더라도 해악이 없을 것으로 인정되는 것(예 총포 · 도검의 사용)

## 084 허가에 대한 설명으로 가장 적절한 것은? [2019 승진(경위)]

① 허가란 법령에 의하여 과하여진 작위 · 급부 · 수인의무를 특정한 경우에 해제하여 주는 행정행위이다.

② 허가는 행위의 '적법요건'이지만 '유효요건'은 아니므로, 무허가 행위는 강제집행 또는 행정벌의 대상은 되지만, 행위 자체의 법적 효력은 영향을 받지 않는 것이 원칙이다.

③ 허가는 허가가 유보된 상대적 금지뿐만 아니라 절대적 금지의 경우에도 인정된다.

④ 허가는 상대방의 신청에 의하여 행하여지는 것으로 신청에 의하지 않고는 행하여질 수 없다.

**정답 및 해설 I ②**

② [○] 허가 대상행위를 허가 없이 행한 경우 **경찰상의 강제집행이나 경찰벌의 대상**이 된다. 다만, 무허가행위 자체의 사법적 효력에는 영향이 없다. 즉, 허가는 대상행위의 **적법요건이지 유효요건이 아니다**.

① [×] 인간의 본래 자유로운 활동에 대하여 공공질서의 유지를 위하여 미리 금지를 해두고 일정한 요건을 갖춘 경우 신청에 따라 일반적 · 상대적 금지를 **해제**하는 행정행위를 허가라 한다(부작위의무의 해제).

③ [×] 허가는 상대적 금지에 대해서만 가능하며, 절대적 금지의 경우에는 인정되지 않는다.

④ [×] 허가는 신청을 전제로 행해지는 것이 보통이나, 신청 없이 이루어지는 허가(일반처분)도 가능하다(예 도로통행금지해제, 입산금지해제).

## 085 허가에 대한 다음 설명 중 가장 적절한 것은? (다툼이 있는 경우 판례에 의함) [2018 채용 3차]

① 허가는 허가가 유보된 상대적 금지에 인정되며, 절대적 금지의 경우에는 인정되지 않는다.

② 허가는 행위의 유효요건일 뿐, 적법요건은 아니다.

③ 판례에 의하면 허가 여부의 결정기준은 특별한 사정이 없는 한 원칙적으로 신청 당시의 법령에 의한다.

④ 허가는 법령에 의하여 과하여진 작위 · 급부 · 수인의무를 특정한 경우에 해제하여 주는 경찰상의 행정행위이다.

**정답 및 해설 I ①**

① [○] 허가는 상대적 금지에 대해서만 가능하며, 절대적 금지의 경우에는 인정되지 않는다.

② [×] 무허가행위가 있다고 하더라도 그 행위 자체의 사법적 효력에는 영향이 없다. 즉, 허가는 대상 행위의 적법요건이지 유효요건이 아니다.

③ [×] 처분시의 법령에 의한다.

**요지판례 I**

■ 허가 등의 행정처분은 원칙적으로 처분시의 법령과 허가기준에 의하여 처리되어야 하고 허가신청 당시의 기준에 따라야 하는 것은 아니며, 비록 허가신청 후 허가기준이 변경되었다 하더라도 그 허가관청이 허가신청을 수리하고도 정당한 이유 없이 그 처리를 늦추어 그 사이에 허가기준이 변경된 것이 아닌 이상 변경된 허가기준에 따라서 처분을 하여야 한다 (대판 1996.8.20, 95누10877).

④ [×] 작위 · 급부 · 수인의무가 아닌 부작위의무의 해제이다.

## 086 강학상 경찰허가에 관한 설명 중 가장 적절한 것은? (다툼이 있는 경우 판례에 의함) [2022 채용 2차]

① 특별한 규정이 없는 한, 허가를 받게 되면 다른 법령상의 제한들도 모두 해제되는 것이 원칙이다.

② 특별한 규정이 없는 한, 허가는 법령이 부과한 작위의무, 부작위의무 및 급부의무를 모두 해제하는 것이다.

③ 강학상 허가와 강학상 특허는 당사자의 신청이 없어도 가능하다는 점에서 공통점이 있다.

④ 일반적으로 영업허가를 받지 아니한 상태에서 행한 사법상 법률행위는 유효하다.

**정답 및 해설 I ④**

④ [○] 허가 대상행위를 허가 없이 행한 경우 경찰상의 강제집행이나 경찰벌의 대상이 된다. 다만, 무허가행위 자체의 사법적 효력에는 영향이 없다. 즉, 허가는 대상 행위의 **적법요건이지 유효요건이 아니다.** 예 화약류 양도허가를 받지 않고 화약류를 판매한 경우 양도인은 무허가 판매행위로서 처벌을 받지만, 화약류 양도거래 자체는 유효하고 양수인은 소유권을 취득한다.

① [×] 경찰허가는 경찰금지를 해제하여 자연적 자유를 회복시켜 줄 뿐, 다른 법률상의 경찰금지 또는 경찰 외 목적상 제한까지 해제해 주는 것은 아니다. 예 주류판매허가는 주류를 판매할 수 있는 자유를 회복시켜 주는 것이지, 영업시간 제한과 같은 제한까지 해제해 주는 것이 아니다.

② [×] 경찰허가는 **부작위의무를 해제**시켜 주는 것이다(일반적 · 상대적 금지의 해제). 작위 · 급부 · 수인의무를 해제하는 행위는 경찰면제이다.

③ [×] 일부 예외가 있으나(신청 없이 이루어지는 허가, 예 도로통행금지해제, 입산금지해제), 일반적으로 허가와 특허 모두 당사자의 신청을 전제로 하는 것이다.

## 087 다음 강학상 허가에 대한 설명 중 옳고 그름의 표시(○, ×)가 모두 바르게 된 것은? (다툼이 있는 경우 판례에 의함)

[2020 경행특채 2차]

> ㉠ 국토의 계획 및 이용에 관한 법률상 용도지역 안에서 토지의 형질변경행위를 수반하는 건축허가는 재량행위에 속한다.
> ㉡ 한의사 면허는 경찰금지를 해제하는 명령적 행위인 강학상 허가에 해당한다.
> ㉢ 하천법상 하천의 점용허가는 일반인에게 하천이용권이라는 권리를 설정하여 주는 허가에 해당한다.
> ㉣ 민법 제45조와 제46조에서 말하는 재단법인의 정관변경 '허가'는 그 성질에 있어 일반적 금지를 해제하는 것으로 허가에 해당한다.

① ㉠(○) ㉡(×) ㉢(×) ㉣(○)
② ㉠(×) ㉡(○) ㉢(○) ㉣(×)
③ ㉠(○) ㉡(○) ㉢(×) ㉣(×)
④ ㉠(×) ㉡(×) ㉢(○) ㉣(○)

**정답 및 해설 I ③**

㉠ [○]

**요지판례 I**

■ 토지의 형질변경허가는 그 금지요건이 불확정개념으로 규정되어 있어 그 금지요건에 해당하는지 여부를 판단함에 있어서 행정청에게 재량권이 부여되어 있다고 할 것이므로, 같은 법에 의하여 지정된 도시지역 안에서 토지의 형질변경행위를 수반하는 건축허가는 결국 재량행위에 속한다(대판 2005.7.14, 2004두6181).

㉡ [○]

**요지판례 I**

■ 한의사 면허는 경찰금지를 해제하는 명령적 행위(강학상 허가)에 해당하고, 한약조제시험을 통하여 약사에게 한약조제권을 인정함으로써 한의사들의 영업상 이익이 감소되었다고 하더라도 이러한 이익은 사실상의 이익에 불과하고 약사법이나 의료법 등의 법률에 의하여 보호되는 이익이라고는 볼 수 없으므로, 한의사들이 한약조제시험을 통하여 한약조제권을 인정받은 약사들에 대한 합격처분의 무효확인을 구하는 당해 소는 원고적격이 없는 자들이 제기한 소로서 부적법하다(대판 1998.3.10, 97누4289).

㉢ [×]

**요지판례 I**

■ 하천의 점용허가권은 특허에 의한 공물사용권의 일종으로서 하천의 관리주체에 대하여 일정한 특별사용을 청구할 수 있는 채권에 지나지 아니하고 대세적 효력이 있는 물권이라 할 수 없다(대판 2015.1.29, 2012두27404).

㉣ [×]

**요지판례 I**

■ 민법 제45조와 제46조에서 규정한 재단법인의 정관변경 '허가'는 법률상의 표현이 허가로 되어 있기는 하나, 그 성질에 있어 법률행위의 효력을 보충해 주는 것이지 일반적 금지를 해제하는 것이 아니므로, 그 법적 성격은 인가라고 보아야 할 것이다(대판 1996.5.16, 95누4810).

## 주제 4 형성적 행정행위(특허 · 대리 · 인가)

**088** 아래 ㉠부터 ㉣까지의 행정행위 중 강학상 특허에 해당하는 것(○)과 아닌 것(×)의 표시가 바르게 된 것은? (다툼이 있는 경우 판례에 의함) [2018 경행특채 2차]

> ㉠ 「도시 및 주거환경정비법」에 따른 주택재건축사업조합의 설립인가
> ㉡ 「출입국관리법」에 따른 체류자격 변경허가
> ㉢ 「도로법」에 따른 도로점용허가
> ㉣ 「국적법」에 따른 귀화허가

① ㉠(○) ㉡(○) ㉢(○) ㉣(○)
② ㉠(×) ㉡(×) ㉢(○) ㉣(○)
③ ㉠(○) ㉡(×) ㉢(×) ㉣(×)
④ ㉠(○) ㉡(○) ㉢(○) ㉣(×)

**정답 및 해설 I ①**

㉠ [○] 행정청이 도시정비법 등 관련 법령에 근거하여 행하는 조합설립인가처분은 단순히 사인들의 조합설립행위에 대한 보충행위로서의 성질을 가지는 데 그치는 것이 아니라 법령상 요건을 갖출 경우 도시정비법상 주택재건축사업을 시행할 수 있는 권한을 가지는 행정주체(공법인)로서의 지위를 부여하는 일종의 설권적 처분의 성격을 가진다고 보아야 한다(대판 2009.9.24, 2008다60568).

㉡ [○] 체류자격 변경허가는 신청인에게 당초의 체류자격과 다른 체류자격에 해당하는 활동을 할 수 있는 권한을 부여하는 일종의 설권적 처분의 성격을 가진다(대판 2016.7.14, 2015두48846).

㉢ [○] 구 도로법 제61조 제1항에 의한 도로점용허가는 일반사용과 별도로 도로의 특정 부분에 대하여 특별사용권을 설정하는 설권행위이다(대판 2019.1.17, 2016두56721).

㉣ [○] 귀화허가의 설권적 성격, 이 사건 법률조항의 문언 내용 등을 종합하면, 거짓이나 그 밖의 부정한 방법으로 귀화허가를 받았더라도 무조건 귀화허가를 취소하여야 하는 것이 아니라, 귀화허가를 받을 당시의 위법의 정도, 귀화허가 후 형성된 생활관계, 귀화허가취소시 받게 될 당사자의 불이익 등 제반사정을 고려하여 귀화허가의 취소 여부를 결정할 수 있도록 법무부장관에게 일정한 재량을 인정하고 있다고 할 것이다(헌재 2015.9.24, 2015헌바26).

**089** 다음 행정행위 중 강학상 특허에 해당하는 것은? (다툼이 있는 경우 판례에 의함) [2022 채용 1차]

① 자동차운전면허
② 재단법인의 정관변경허가
③ 한의사 면허
④ 국유재산 등의 관리청이 행정재산의 사용 · 수익에 대하여 하는 허가

**정답 및 해설 I ④**

④ [○]

> **요지판례 I**
>
> ■ 행정재산의 사용 · 수익에 대한 허가는 강학상 특허에 해당한다(대판 2015.2.26, 2012두6612). ➜ 단, 행정재산이라 하더라도 공용폐지가 되면 행정재산으로서의 성질을 상실하여 일반재산이 되므로, 그에 대한 공유재산법상의 제한이 소멸되며, 강학상 특허에 해당하는 행정재산의 사용 · 수익에 대한 허가는 그 효력이 소멸된다.

① [×] 운전면허는 대표적인 대인적 허가의 예이다.

② [×] 인가에 해당한다.

> **요지판례 I**
>
> ■ 민법 제45조와 제46조에서 규정한 재단법인의 정관변경 '허가'는 법률상의 표현이 허가로 되어 있기는 하나, 그 성질에 있어 법률행위의 효력을 보충해 주는 것이지 일반적 금지를 해제하는 것이 아니므로, 그 법적 성격은 인가라고 보아야 할 것이다(대판 1996.5.16, 95누4810).

③ [×] 허가에 해당한다.

> **요지판례 I**
>
> ■ 한의사 면허는 경찰금지를 해제하는 명령적 행위(강학상 허가)에 해당한다(대판 1998.3.10, 97누4289).

## 090 강학상 허가 · 인가 · 특허 등에 관한 설명 중 가장 적절하지 않은 것은? (다툼이 있는 경우 판례에 의함)

[2021 경행특채 2차]

① 영업장 면적이 변경되었음에도 그에 관한 신고의무를 이행하지 않은 양도인으로부터 음식점 영업을 양수한 자가 그와 같은 신고의무를 이행하지 않은 채 영업을 계속한다면 식품위생법에 의한 영업허가취소나 영업정지의 대상이 될 수 있다.

② 공유재산 및 물품 관리법은 행정재산을 사용 · 수익허가의 대상으로 정하고 있으나, 행정재산이라 하더라도 공용폐지가 되면 행정재산으로서의 성질을 상실하여 일반재산이 되므로 강학상 특허에 해당하는 행정재산의 사용 · 수익에 대한 허가는 그 효력이 소멸된다.

③ 구 임대주택법상 분양전환승인 중 분양전환가격을 승인하는 부분은 분양전환에 따른 분양계약의 매매대금 산정의 기준이 되는 분양전환가격의 적정성을 심사하여 그 분양전환가격이 적법하게 산정된 것임을 확인하고 임대사업자로 하여금 승인된 분양전환 가격을 기준으로 분양전환을 하도록 하는 처분으로서 분양계약의 효력을 보충하여 그 효력을 완성시켜주는 강학상 인가에 해당한다.

④ 마을버스운송사업면허의 허용 여부는 사업구역의 교통수요, 노선결정, 운송업체의 수송능력, 공급능력 등에 관하여 기술적 · 전문적인 판단을 요하는 분야로서 이에 관한 행정처분은 운수행정을 통한 공익실현과 아울러 합목적성을 추구하기 위하여 보다 구체적 타당성에 적합한 기준에 의하여야 할 것이므로 그 범위 내에서는 법령이 특별히 규정한 바가 없으면 행정청의 재량에 속한다.

**정답 및 해설 I ③**

③ [×] 강학상 인가에 해당하지 않는다는 것이 판례의 입장이다.

> **요지판례 I**
>
> ■ 분양전환승인 중 분양전환가격을 승인하는 부분은 단순히 분양계약의 효력을 보충하여 그 효력을 완성시켜주는 강학상 '인가'에 해당한다고 볼 수 없다(대판 2020.7.23, 2015두48129). ➜ 분양전환승인 중 분양전환가격에 관한 부분은 시장 등이 분양전환에 따른 분양계약의 매매대금 산정의 기준이 되는 분양전환가격의 적정성을 심사하여 그 분양전환가격이 적법하게 산정된 것임을 확인하고 임대사업자로 하여금 승인된 분양전환가격을 기준으로 분양전환을 하도록 하는 처분이다.

① [○]

> **요지판례 I**
>
> ■ 영업장 면적이 변경되었음에도 그에 관한 신고의무가 이행되지 않은 영업을 양수한 자 역시 그와 같은 신고의무를 이행하지 않은 채 영업을 계속한다면 시정명령 또는 영업정지 등 제재처분의 대상이 될 수 있다(대판 2020.3.26, 2019두38830).

② [○]

> **요지판례 I**
>
> ■ 행정재산의 사용 · 수익에 대한 허가는 강학상 특허에 해당한다(대판 2015.2.26, 2012두6612). ➜ 단, 행정재산이라 하더라도 공용폐지가 되면 행정재산으로서의 성질을 상실하여 일반재산이 되므로, 그에 대한 공유재산법상의 제한이 소멸되며, 강학상 특허에 해당하는 행정재산의 사용 · 수익에 대한 허가는 그 효력이 소멸된다.

④ [○]

> **요지판례 I**
>
> ■ 마을버스운송사업면허의 허용 여부는 사업구역의 교통수요, 노선결정, 운송업체의 수송능력, 공급능력 등에 관하여 기술적 · 전문적인 판단을 요하는 분야로서 이에 관한 행정처분은 운수행정을 통한 공익실현과 아울러 합목적성을 추구하기 위하여 보다 구체적 타당성에 적합한 기준에 의하여야 할 것이므로 그 범위 내에서는 법령이 특별히 규정한 바가 없으면 행정청의 재량에 속하는 것이라고 보아야 할 것이고, 또한 마을버스 한정면허시 확정되는 마을버스 노선을 정함에 있어서도 기존 일반노선버스의 노선과의 중복 허용 정도에 대한 판단도 행정청의 재량에 속한다(대판 2001.1.19, 99두3812).

## 091 강학상 인가에 관한 ㉠~㉢의 설명으로 옳고 그름의 표시(○, ×)가 모두 바르게 된 것은? (다툼이 있는 경우 판례에 의함)

[2019 경행특채 2차]

> ㉠ 강학상 인가에 있어 기본행위에 하자가 있는 경우에는 그 기본행위의 하자를 다투어야 하며, 기본행위의 하자를 이유로 인가처분의 취소 또는 무효확인을 구할 수 없다.
>
> ㉡ 행정청이 「도시 및 주거환경정비법」 등 관련 법령에 근거하여 행하는 조합설립인가처분은 단순히 사인들의 조합설립행위에 대한 보충행위로서의 성질을 갖는 것에 그치는 것이 아니라 법령상 요건을 갖출 경우 「도시 및 주거환경정비법」상 주택재건축사업을 시행할 수 있는 권한을 갖는 행정주체(공법인)로서의 지위를 부여하는 일종의 설권적 처분의 성격을 갖는다고 보아야 한다.
>
> ㉢ 토지거래허가제에서의 토지거래허가는 유동적 무효 상태에 있는 법률행위의 효력을 완성시켜 주는 인가적 성질을 띤 것이라고 보는 것이 타당하다.

① ㉠(○) ㉡(○) ㉢(○)

② ㉠(○) ㉡(×) ㉢(○)

③ ㉠(○) ㉡(×) ㉢(×)

④ ㉠(×) ㉡(○) ㉢(○)

**정답 및 해설 | ①**

㉠ [○]

**요지판례 |**

■ 기본행위인 정관변경 결의가 적법 · 유효하고 보충행위인 인가처분 자체에만 하자가 있다면 그 인가처분의 무효나 취소를 주장할 수 있지만, 인가처분에 하자가 없다면 기본행위에 하자가 있다 하더라도 따로 그 기본행위의 하자를 다투는 것은 별론으로 하고 기본행위의 무효를 내세워 바로 그에 대한 행정청의 인가처분의 취소 또는 무효확인을 소구할 법률상의 이익이 없다(대판 1996.5.16, 95누4810).

㉡ [○]

**요지판례 |**

■ 조합설립인가처분은 단순히 사인들의 조합설립행위에 대한 보충행위로서의 성질을 갖는 것에 그치는 것이 아니라 법령상 요건을 갖출 경우 도시정비법상 주택재건축사업을 시행할 수 있는 권한을 갖는 행정주체(공법인)로서의 지위를 부여하는 일종의 설권적 처분의 성격을 갖는다고 보아야 한다(대판 2009.10.15, 2009다10638).

㉢ [○]

**요지판례 |**

■ 토지거래허가제에서의 토지거래허가가 규제지역 내의 모든 국민에게 전반적으로 토지거래의 자유를 금지하고 일정한 요건을 갖춘 경우에만 금지를 해제하여 계약체결의 자유를 회복시켜 주는 성질의 것이라고 보는 것은 위 법의 입법취지를 넘어선 지나친 해석이라고 할 것이고, 규제지역 내에서도 토지거래의 자유가 인정되나, 다만 위 허가를 허가 전의 유동적 무효 상태에 있는 법률행위의 효력을 완성시켜 주는 인가적 성질을 띤 것이라고 보는 것이 타당하다(대판 1991.12.24, 90다12243).

## 주제 5 행정행위의 성립과 효력

**092** 행정행위의 공정력과 선결문제에 대한 설명으로 가장 적절하지 않은 것은? (다툼이 있는 경우 판례에 의함)

[2019 경행특채 2차]

① 민사소송에 있어서 어느 행정처분의 당연무효 여부가 선결문제로 되는 때에는 이를 판단하여 당연무효임을 전제로 판결할 수 있고 반드시 행정소송 등의 절차에 의하여 그 취소나 무효확인을 받아야 하는 것은 아니다.

② 국민이 조세부과처분의 위법을 이유로 이미 납부한 세금의 반환을 청구하는 민사소송을 제기한 경우, 과세처분의 하자가 단지 취소할 수 있는 정도에 불과하더라도, 당해 민사법원은 위법한 과세처분의 효력을 직접 상실시켜 납부된 세금의 반환을 명할 수 있다.

③ 연령미달의 결격자 甲이 타인(자신의 형)의 이름으로 운전면허시험에 응시, 합격하여 교부받은 운전면허라 하더라도 당연무효는 아니고, 당해 면허가 취소되지 않는 한 유효하므로, 甲의 운전행위는 무면허운전죄에 해당하지 않는다.

④ 「개발제한구역의 지정 및 관리에 관한 특별조치법」에 따라 행정청으로부터 시정명령을 받은 자가 이를 이행하지 않은 경우, 당해 시정명령이 위법한 것으로 인정되는 한 죄가 성립하지 않는다.

**정답 및 해설 I ②**

② [×] 민사소송에서 판단의 전제가 되는 행정처분이 취소사유에 불과할 때에는 민사법원이 그 행정처분의 효력을 직접 부정할 수 없다.

> **요지판례 I**
>
> ■ 행정처분이 아무리 위법하다고 하여도 그 하자가 중대하고 명백하여 당연무효라고 보아야 할 사유가 있는 경우를 제외하고는 아무도 그 하자를 이유로 무단히 그 효과를 부정하지 못하는 것으로, 이러한 행정행위의 공정력은 판결의 기판력과 같은 효력은 아니지만 그 공정력의 객관적 범위에 속하는 행정행위의 하자가 취소사유에 불과한 때에는 그 처분이 취소되지 않는 한 처분의 효력을 부정하여 그로 인한 이득을 법률상 원인 없는 이득이라고 말할 수 없는 것이다(대판 1994.11.11, 94다28000).

① [○]

> **요지판례 I**
>
> ■ 국세 등의 부과 및 징수처분 등과 같은 행정처분이 당연무효임을 전제로 하여 민사소송을 제기한 때에는 그 행정처분의 당연무효인지의 여부가 선결문제이므로, 법원은 이를 심사하여 그 행정처분의 하자가 중대하고 명백하여 당연무효라고 인정될 경우에는 이를 전제로 하여 판단할 수 있다(대판 1973.7.13, 70다1439).

③ [○]

> **요지판례 I**
>
> ■ 연령미달의 결격자인 피고인이 소외인의 이름으로 운전면허시험에 응시, 합격하여 교부받은 운전면허는 당연무효가 아니고 취소되지 않는 한 유효하므로 피고인의 운전행위는 무면허운전에 해당하지 아니한다(대판 1982.6.8, 80도2646).

④ [○]

> **요지판례 I**
>
> ■ 개발제한구역의 지정 및 관리에 관한 특별조치법(이하 '개발제한구역법'이라 한다) 제30조 제1항에 의하여 행정청으로부터 시정명령을 받은 자가 이를 위반한 경우, 그로 인하여 개발제한구역법 제32조 제2호에 정한 처벌을 하기 위하여는 시정명령이 적법한 것이라야 하고, 시정명령이 당연무효가 아니더라도 위법한 것으로 인정되는 한 개발제한구역법 제32조 제2호 위반죄가 성립될 수 없다(대판 2017.9.21, 2017도7321).

## 주제 6 행정행위의 하자

### 093 행정행위의 하자에 대한 설명으로 가장 적절하지 않은 것은? (다툼이 있는 경우 판례에 의함)

[2018 경행특채 2차]

① 위헌법률에 기한 행정처분의 집행이나 집행력을 유지하기 위한 행위는 위헌결정의 기속력에 위반되어 허용되지 않는다.

② 절차상 또는 형식상 하자로 인하여 무효인 행정처분이 있은 후 행정청이 관계 법령에서 정한 절차 또는 형식을 갖추어 다시 동일한 행정처분을 하였다면 당해 행정처분은 종전의 무효인 행정처분과 관계없이 새로운 행정처분이라고 보아야 한다.

③ 민원사무를 처리하는 행정기관이 민원 1회방문 처리제를 시행하는 절차의 일환으로 민원사항의 심의·조정 등을 위한 민원조정위원회를 개최하면서 사전통지의 흠결로 민원인에게 의견진술의 기회를 주지 아니한 결과 민원조정위원회의 심의과정에서 고려대상에 마땅히 포함시켜야 할 사항을 누락하는 등 재량권의 불행사 또는 해태로 볼 수 있는 구체적 사정이 있다면, 그 거부처분은 재량권을 일탈·남용한 것으로서 위법하다.

④ 「경찰공무원법」에 규정되어 있는 경찰관임용 결격사유는 경찰관으로 임용되기 위한 절대적인 소극적 요건으로서 임용 당시 경찰관임용 결격사유가 있었다면 비록 임용권자의 과실에 의하여 임용결격자임을 밝혀내지 못하였다 하더라도 그 임용행위는 당연무효로 볼 수 없다.

**정답 및 해설 I ④**

④ [×]

**요지판례 I**

■ 경찰공무원법에 규정되어 있는 경찰관임용 결격사유는 경찰관으로 임용되기 위한 절대적인 소극적 요건으로서 임용 당시 경찰관임용 결격사유가 있었다면 비록 임용권자의 과실에 의하여 임용결격자임을 밝혀내지 못하였다 하더라도 그 임용행위는 당연무효로 보아야 한다(대판 2005.7.28, 2003두469).

① [○]

**요지판례 I**

■ 위헌법률에 기한 행정처분의 집행이나 집행력을 유지하기 위한 행위는 위헌결정의 기속력에 위반되어 허용되지 않는다고 보아야 할 것이다(대판 2002.8.23, 2001두2959).

② [○]

**요지판례 I**

■ 절차상 또는 형식상 하자로 인하여 무효인 행정처분이 있은 후 행정청이 관계 법령에서 정한 절차 또는 형식을 갖추어 다시 동일한 행정처분을 하였다면 당해 행정처분은 종전의 무효인 행정처분과 관계없이 새로운 행정처분이라고 보아야 한다(대판 2007.12.27, 2006두3933).

③ [○]

**요지판례 I**

■ 민원사무를 처리하는 행정기관이 민원 1회방문 처리제를 시행하는 절차의 일환으로 민원사항의 심의 · 조정 등을 위한 민원조정위원회를 개최하면서 민원인에게 회의일정 등을 사전에 통지하지 아니하였다 하더라도, 이러한 사정만으로 곧바로 민원사항에 대한 행정기관의 장의 거부처분에 취소사유에 이를 정도의 흠이 존재한다고 보기는 어렵다. 다만 행정기관의 장의 거부처분이 재량행위인 경우에, 위와 같은 사전통지의 흠결로 민원인에게 의견진술의 기회를 주지 아니한 결과 민원조정위원회의 심의과정에서 고려대상에 마땅히 포함시켜야 할 사항을 누락하는 등 재량권의 불행사 또는 해태로 볼 수 있는 구체적 사정이 있다면, 거부처분은 재량권을 일탈 · 남용한 것으로서 위법하다(대판 2015.8.27, 2013두1560).

## 주제 7 행정행위의 취소 · 철회 · 실효

**094** 행정처분의 취소와 철회에 관한 설명 중 가장 적절하지 <u>않은</u> 것은? (다툼이 있는 경우 판례에 의함)

[2021 경행특채 2차]

① 수익적 행정처분에 하자가 있음을 이유로 처분청이 이를 취소하는 경우, 그 처분의 하자가 당사자의 사실은폐나 기타 사위의 방법에 의한 신청행위에 기인한 것이라면, 처분의 상대방은 그 처분에 의한 이익이 위법하게 취득되었음을 알아 그 취소가능성도 예상하고 있었다고 할 것이므로 행정청이 당사자의 신뢰이익을 고려하지 아니하였다고 하여도 재량권의 남용이 되지 아니한다.

② 행정처분을 한 처분청은 처분의 성립에 하자가 있는 경우 별도의 법적 근거가 없더라도 직권으로 이를 취소할 수 있다고 봄이 원칙이므로, 국민연금법이 정한 수급요건을 갖추지 못하였음에도 연금 지급결정이 이루어진 경우에는 이미 지급된 급여부분에 대한 환수처분과 별도로 지급결정을 취소할 수 있다.

③ 과세관청은 과세처분의 취소처분이 당연무효의 하자가 없는 한 이를 다시 취소함으로써 원 과세처분을 소생시킬 수 있으며 새로이 법률에서 정한 절차에 따라 동일한 내용의 처분을 다시 할 필요는 없다.

④ 수익적 행정처분에 대한 취소권 등의 행사는 기득권의 침해를 정당화할 만한 중대한 공익상의 필요 또는 제3자의 이익보호의 필요가 있는 때에 한하여 허용될 수 있다는 법리는, 처분청이 수익적 행정처분을 직권으로 취소 · 철회하는 경우에 적용되는 법리일 뿐 쟁송취소의 경우에는 적용되지 않는다.

**정답 및 해설 | ③**

③ [×] 동일한 내용의 처분을 다시 하여야 한다.

> **요지판례 |**
>
> ■ 과세관청은 부과의 취소를 다시 취소함으로써 원부과처분을 소생시킬 수는 없고 납세의무자에게 종전의 과세대상에 대한 납부의무를 지우려면 다시 법률에서 정한 부과절차에 좇아 동일한 내용의 새로운 처분을 하는 수밖에 없다(대판 1995.3.10, 94누7027).

① [O]

> **요지판례 |**
>
> ■ 행정처분에 하자가 있음을 이유로 처분청이 이를 취소하는 경우에도 그 처분이 국민에게 권리나 이익을 부여하는 이른바 수익적 행정행위인 때에는 그 처분을 취소하여야 할 공익상 필요와 그 취소로 인하여 당사자가 입게 될 기득권과 신뢰보호 및 법률생활안정의 침해 등 불이익을 비교 교량한 후 공익상 필요가 당사자가 입을 불이익을 정당화 할 만큼 강한 경우에 한하여 취소할 수 있으나, 그 처분의 하자가 당사자의 사실은폐나 기타 사위의 방법에 의한 신청행위에 기인한 것이라면 당사자는 그 처분에 의한 이익이 위법하게 취득되었음을 알아 그 취소가능성도 예상하고 있었다고 할 것이므로 그 자신이 위 처분에 관한 신뢰의 이익을 원용할 수 없음은 물론 행정청이 이를 고려하지 아니하였다고 하여도 재량권의 남용이 되지 않는다(대판 1991.4.12, 90누9520).

② [O]

> **요지판례 |**
>
> ■ 행정처분을 한 처분청은 처분의 성립에 하자가 있는 경우 별도의 법적 근거가 없더라도 직권으로 이를 취소할 수 있다고 봄이 원칙이므로, 국민연금법이 정한 수급요건을 갖추지 못하였음에도 연금 지급결정이 이루어진 경우에는 이미 지급된 급여 부분에 대한 환수처분과 별도로 지급결정을 취소할 수 있다(대판 2017.3.30, 2015두43971).

④ [O]

> **요지판례 |**
>
> ■ **취소소송에 의한 행정처분 취소의 경우에도 수익적 행정처분의 취소 · 철회 제한에 관한 법리가 적용되는지 여부(소극)** 수익적 행정처분에 대한 취소권 등의 행사는 기득권의 침해를 정당화할 만한 중대한 공익상의 필요 또는 제3자의 이익보호의 필요가 있는 때에 한하여 허용될 수 있다는 법리는, 처분청이 수익적 행정처분을 직권으로 취소 · 철회하는 경우에 적용되는 법리일 뿐 쟁송취소의 경우에는 적용되지 않는다(대판 2019.10.17, 2018두104).

## 주제 8 하자승계

## 주제 9 행정행위의 부관

**095** 「행정기본법」상 부관에 관한 설명으로 가장 적절하지 않은 것은? [2023 채용 1차]

① 행정청은 처분에 재량이 있는 경우에는 부관을 붙일 수 있다.

② 행정청은 처분에 재량이 없는 경우에는 법률에 근거가 있는 경우에 부관을 붙일 수 있다.

③ 행정청은 부관을 붙일 수 있는 처분이 당사자의 동의가 있는 경우에는 그 처분을 한 후에도 부관을 새로 붙이거나 종전의 부관을 변경할 수 있다.

④ 부관은 해당 처분의 목적에 위배되지 아니하고, 실질적 관련이 없을 것을 요건으로 한다.

**정답 및 해설 | ④**

④ [×] 해당 처분과 **실질적인 관련이 있을 것**

> **행정기본법 제17조【부관】** ④ 부관은 다음 각 호의 요건에 적합하여야 한다.
> 1. 해당 처분의 목적에 위배되지 아니할 것
> 2. 해당 처분과 실질적인 관련이 있을 것
> 3. 해당 처분의 목적을 달성하기 위하여 필요한 최소한의 범위일 것

①② [○]

> **행정기본법 제17조【부관】** ① 행정청은 처분에 재량이 있는 경우에는 부관(조건, 기한, 부담, 철회권의 유보 등을 말한다)을 붙일 수 있다.
> ② 행정청은 처분에 재량이 없는 경우에는 법률에 근거가 있는 경우에 부관을 붙일 수 있다.

③ [○]

> **행정기본법 제17조【부관】** ③ 행정청은 부관을 붙일 수 있는 처분이 다음 각 호의 어느 하나에 해당하는 경우에는 그 처분을 한 후에도 부관을 새로 붙이거나 종전의 부관을 변경할 수 있다.
> 1. 법률에 근거가 있는 경우
> 2. 당사자의 동의가 있는 경우
> 3. 사정이 변경되어 부관을 새로 붙이거나 종전의 부관을 변경하지 아니하면 해당 처분의 목적을 달성할 수 없다고 인정되는 경우

**096** 경찰허가의 효과를 제한 또는 보충하기 위하여 주된 의사표시에 부가된 종된 의사표시를 부관이라고 한다. 부관에 대한 설명으로 옳지 <u>않은</u> 것은? [2021 경간]

① 법정부관의 경우 처분의 효과제한이 직접 법규에 의하여 부여되는 부관으로서 이는 행정행위 부관과는 구별되는 개념으로 원칙적으로 부관의 개념에 속하지 않는다.

② 부담은 그 자체가 하나의 행정행위이다. 즉, 하명으로서의 성격을 지니기 때문에 분리가 가능하지만, 그 자체가 독립적으로 행정쟁송 및 경찰강제의 대상이 될 수 없다.

③ 부담과 정지조건의 구분이 불분명한 경우에는 최소침해의 원칙에 따라 부담으로 보아야 한다.

④ 수정부담은 새로운 의무를 부가하는 것이 아니라 상대방이 신청한 것과 다르게 행정행위의 내용을 정하는 부관을 말하며 상대방의 동의가 있어야 효력이 발생한다.

**정답 및 해설 | ②**

② [×] 부담은 독립하여 소송의 대상도 되고 강제집행의 대상도 된다. 부담은 다른 부관과 달리 그 자체가 행정행위로서, 독립적으로 항고소송의 대상이 될 수 있는 것은 부담이 유일하다.

① [○] 법정부관은 허가기간이 법정되어 있는 경우와 같이 학문상 부관에 해당하는 내용이 법령에 직접 규정되어 있는 것을 말한다. 법정부관은 행정청의 의사에 따라 부가되는 것이 아니므로 강학상 부관에 해당하지 아니한다.

③ [○] 조건인지 부담인지 애매할 때에는 국민에게 유리하게 부담으로 본다.

④ [○] 상대방이 신청한 것과는 다르게 행정행위의 내용을 정하는 것을 말하며, 신청과 다른 내용이 정해진다는 점에서 상대방의 동의가 필요하다고 본다. 이러한 수정부담이 부관인지 여부에 대해서는 부관이 아니라고 보는 것이 일반적이나, 지문은 수정부담도 부관이라고 보는 소수견해 입장에서 출제된 것으로 보인다. 논란이 있을 수 있으나 ②번 지문이 명확히 틀린 지문이므로 출제오류로 단정하기는 어렵다.

[2017 지방직 9급] 학설의 다수견해는 수정부담의 성격을 부관으로 이해한다. (×)

**097** 부관에 대한 설명으로 가장 적절하지 않은 것은? (다툼이 있는 경우 판례에 의함) [2020 경행특채 2차]

① 행정처분과 부관 사이에 실제적 관련성이 있다고 볼 수 없는 경우 공무원이 공법상의 제한을 회피할 목적으로 행정처분의 상대방과 사이에 사법상 계약을 체결하는 형식을 취하였다면 이는 법치행정의 원리에 반하는 것으로서 위법하다.

② 기한이란 행정행위 효력의 발생 · 소멸을 장래에 발생 여부가 확실한 사실에 종속시키는 부관을 말한다.

③ 부담의 이행으로서 하게 된 사법상 매매 등의 법률행위는 그 부담을 붙인 행정처분과는 어디까지나 별개의 법률행위이므로 그 부담의 불가쟁력의 문제와는 별도로 그 법률행위가 사회질서 위반이나 강행규정에 위반되는지 여부 등을 따져보아 그 법률행위의 유효 여부를 판단하여야 한다.

④ 부담은 그 자체로서 행정쟁송의 대상이 될 수 없다.

**정답 및 해설 | ④**

④ [×] 부관 중 부담만이 독립하여 쟁송의 대상이 될 수 있다.

> **요지판례 |**
>
> ■ 행정행위의 부관 중에서도 행정행위에 부수하여 그 행정행위의 상대방에게 일정한 의무를 부과하는 행정청의 의사표시인 부담의 경우에는 다른 부관과는 달리 행정행위의 불가분적인 요소가 아니고 그 존속이 본체인 행정행위의 존재를 전제로 하는 것일 뿐이므로 부담 그 자체로서 행정쟁송의 대상이 될 수 있다(대판 1992.1.21, 91누1264).

① [○]

> **요지판례 |**
>
> ■ 행정처분과 부관 사이에 실제적 관련성이 있다고 볼 수 없는 경우 **공무원이 위와 같은 공법상의 제한을 회피할 목적으로 행정처분의 상대방과 사이에 사법상 계약을 체결하는 형식**을 취하였다면 이는 법치행정의 원리에 반하는 것으로서 위법하다(대판 2009.12.10, 2007다63966). ➜ 지방자치단체가 골프장사업계획승인과 관련하여 사업자로부터 기부금을 지급받기로 한 증여계약은, 공무수행과 결부된 금전적 대가로서 그 조건이나 동기가 사회질서에 반하므로 민법 제103조에 의해 무효라고 본 사례

③ [○]

> **요지판례 |**
>
> ■ 행정처분에 붙은 부담인 부관이 제소기간의 도과로 확정되어 이미 불가쟁력이 생겼다면 그 하자가 중대하고 명백하여 당연 무효로 보아야 할 경우 외에는 누구나 그 효력을 부인할 수 없을 것이지만, **부담의 이행으로서 하게 된 사법상 매매 등의 법률행위는 부담을 붙인 행정처분과는 어디까지나 별개의 법률행위이므로** 그 부담의 불가쟁력의 문제와는 별도로 법률행위가 사회질서 위반이나 강행규정에 위반되는지 여부 등을 따져보아 그 법률행위의 유효 여부를 판단하여야 한다(대판 2009.6.25, 2006다18174).

**098** 행정행위의 부관은 (　　)인 경우를 제외하고는 독립하여 행정소송의 대상이 될 수 없다. 빈칸에 들어갈 말로 가장 적절한 것은? (다툼이 있는 경우 판례에 의함) [2023 채용 2차]

① 부담　　② 조건

③ 기한　　④ 기간

**정답 및 해설 | ①**

① [○] 부담만이 그 자체가 독립하여 쟁송의 대상이 될 수 있고, 그 이외의 부관은 행정쟁송의 대상이 될 수 없으며 부관부 행정행위 전체를 소의 대상으로 하여야 한다(다수설 · 판례).

**099** 행정법상 부관에 관한 설명이다. 아래 ㉠부터 ㉤까지의 설명 중 옳은 것만을 모두 고른 것은? (다툼이 있는 경우 판례에 의함) [2021 경행특채 2차]

㉠ 행정청이 수익적 행정처분을 하면서 부가한 부담의 위법 여부는 처분 당시 법령을 기준으로 판단하여야 한다.
㉡ 면허발급 당시에 붙이는 부관뿐만 아니라 면허발급 이후에 붙이는 부관도 법률에 명문 규정이 있거나 변경이 미리 유보되어 있는 경우 또는 상대방의 동의가 있는 경우 등에는 특별한 사정이 없는 한 허용된다.
㉢ 공유재산에 대한 40년간의 사용허가신청에 대해 행정청이 20년간 사용허가한 경우에 사용허가 기간에 대해서 독립하여 행정소송을 제기할 수 있다.
㉣ 종전 허가의 유효기간이 지나서 신청한 기간연장신청은 별도의 새로운 허가를 내용으로 하는 행정처분을 구하는 것이라기 보다는 종전의 허가처분을 전제로 하여 단순히 그 유효기간을 연장하여 주는 행정처분을 구하는 것으로 보아야 한다.
㉤ 토지소유자가 토지형질변경행위허가에 붙은 기부채납의 부관에 따라 토지를 국가나 지방자치단체에 기부채납(증여)한 경우, 기부채납의 부관이 당연무효이거나 취소되지 아니한 이상 토지소유자는 그 부관으로 인하여 증여계약의 중요 부분에 착오가 있음을 이유로 증여계약을 취소할 수 없다.

① ㉠, ㉡, ㉢ ② ㉠, ㉡, ㉤ ③ ㉡, ㉢, ㉣ ④ ㉢, ㉣, ㉤

**정답 및 해설 | ②**

㉠ [○]

**요지판례 |**

■ 행정청이 수익적 행정처분을 하면서 부가한 부담의 위법 여부는 처분 당시 법령을 기준으로 판단하여야 하고, 부담이 처분 당시 법령을 기준으로 적법하다면 처분 후 부담의 전제가 된 주된 행정처분의 근거법령이 개정됨으로써 행정청이 더 이상 부관을 붙일 수 없게 되었다 하더라도 곧바로 위법하게 되거나 그 효력이 소멸하게 되는 것은 아니다(대판 2009.2.12, 2005다65500).

㉡ [○]

**요지판례 |**

■ 부관의 사후변경은, 법률에 명문의 규정이 있거나 그 변경이 미리 유보되어 있는 경우 또는 상대방의 동의가 있는 경우에 한하여 허용되는 것이 원칙이지만, 사정변경으로 인하여 당초에 부담을 부가한 목적을 달성할 수 없게 된 경우에도 그 목적달성에 필요한 범위 내에서 예외적으로 허용된다(대판 1997.5.30, 97누2627). ➜ 행정청의 동의 ×

㉢ [×] 부담 이외의 부관은 독립하여 행정소송의 대상이 될 수 없다는 것이 판례의 입장이다.

**요지판례 |**

■ 행정행위의 부관은 부담인 경우를 제외하고는 독립하여 행정소송의 대상이 될 수 없는바, 기부채납받은 행정재산에 대한 사용 · 수익허가에서 공유재산의 관리청이 정한 사용 · 수익허가의 기간은 그 허가의 효력을 제한하기 위한 행정행위의 부관으로서 이러한 사용 · 수익허가의 기간에 대해서는 독립하여 행정소송을 제기할 수 없다(대판 2001.6.15, 99두509).

㉣ [×] 유효기간 연장의 행정처분을 구하는 것이 아니라, 새로운 허가를 내용으로 하는 행정처분을 구하는 것이라고 보아야 한다.

**요지판례 |**

■ 종전의 허가가 기한의 도래로 실효한 이상 원고가 종전 허가의 유효기간이 지나서 신청한 이 사건 기간연장신청은 그에 대한 종전의 허가처분을 전제로 하여 단순히 그 유효기간을 연장하여 주는 행정처분을 구하는 것이라기 보다는 종전의 허가처분과는 별도의 새로운 허가를 내용으로 하는 행정처분을 구하는 것이라고 보아야 할 것이어서, 이러한 경우 허가권자는 이를 새로운 허가신청으로 보아 법의 관계 규정에 의하여 허가요건의 적합 여부를 새로이 판단하여 그 허가 여부를 결정하여야 할 것이다(대판 1995.11.10, 94누11866).

㉤ [○]

**요지판례 |**

■ 토지소유자가 토지형질변경행위허가에 붙은 기부채납의 부관에 따라 토지를 국가나 지방자치단체에 기부채납(증여)한 경우, 기부채납의 부관이 당연무효이거나 취소되지 아니한 이상 토지소유자는 위 부관으로 인하여 증여계약의 중요 부분에 착오가 있음을 이유로 증여계약을 취소할 수 없다(대판 1999.5.25, 98다53134).

## 주제 10 행정지도

**100** 「행정절차법」상 행정지도에 대한 설명으로 가장 적절하지 않은 것은? [2019 채용 1차]

① 반드시 문서의 형식으로 하여야만 한다.

② 임의성 원칙을 명문화하고 있다.

③ 행정기관이 그 소관 사무의 범위에서 일정한 행정목적을 실현하기 위하여 특정인에게 일정한 행위를 하거나 하지 아니하도록 지도, 권고, 조언 등을 하는 행정작용을 말한다.

④ 행정지도의 상대방은 해당 행정지도의 방식 · 내용 등에 관하여 행정기관에 의견제출을 할 수 있다.

**정답 및 해설 | ①**

① [×] 행정지도는 말로 이루어질 수도 있다.

> **행정절차법 제49조【행정지도의 방식】** ① 행정지도를 하는 자는 그 상대방에게 그 행정지도의 취지 및 내용과 신분을 밝혀야 한다. ➜ 행정지도 실명제
> ② 행정지도가 말로 이루어지는 경우에 상대방이 제1항의 사항을 적은 서면의 교부를 요구하면 그 행정지도를 하는 자는 직무 수행에 특별한 지장이 없으면 이를 교부하여야 한다. ➜ 서면교부 청구권

② [○]

> **행정절차법 제48조【행정지도의 원칙】** ① 행정지도는 그 목적 달성에 필요한 최소한도에 그쳐야 하며(➜ 과잉금지의 원칙), 행정지도의 상대방의 의사에 반하여 부당하게 강요하여서는 아니 된다(➜ 임의성의 원칙).
> ② 행정기관은 행정지도의 상대방이 행정지도에 따르지 아니하였다는 것을 이유로 불이익한 조치를 하여서는 아니 된다(➜ 불이익조치금지의 원칙).

③ [○]

> **행정절차법 제2조【정의】** 이 법에서 사용하는 용어의 뜻은 다음과 같다.
> 3. "행정지도"란 행정기관이 그 소관 사무의 범위에서 일정한 행정목적을 실현하기 위하여 특정인에게 일정한 행위를 하거나 하지 아니하도록 지도, 권고, 조언 등을 하는 행정작용을 말한다.

④ [○]

> **행정절차법 제50조【의견제출】** 행정지도의 상대방은 해당 행정지도의 방식 · 내용 등에 관하여 행정기관에 의견제출을 할 수 있다.

**101** 행정절차법상 행정지도에 관한 설명 중 가장 적절하지 않은 것은? [2022 채용 1차]

① 행정지도는 그 목적 달성에 필요한 최소한도에 그쳐야 하며, 행정지도의 상대방의 의사에 반하여 부당하게 강요하여서는 아니 된다.

② 행정기관은 행정지도의 상대방이 행정지도에 따르지 아니하였다는 것을 이유로 불이익한 조치를 하여서는 아니 된다.

③ 행정지도가 말로 이루어지는 경우에 상대방이 행정지도의 취지 및 내용과 신분의 사항을 적은 서면의 교부를 요구하면 그 행정지도를 하는 자는 직무 수행에 특별한 지장이 없으면 이를 교부하여야 한다.

④ 행정지도의 상대방은 해당 행정지도의 방식 · 내용 등에 관하여 행정기관에 의견제출을 할 수 없다.

**정답 및 해설 I ④**

④ [×] 의견제출을 할 수 있다.

> **행정절차법 제50조【의견제출】** 행정지도의 상대방은 해당 행정지도의 방식·내용 등에 관하여 행정기관에 의견제출을 할 수 있다.

①② [○]

> **행정절차법 제48조【행정지도의 원칙】** ① 행정지도는 그 목적 달성에 필요한 최소한도에 그쳐야 하며(➔ 과잉금지의 원칙), 행정지도의 상대방의 의사에 반하여 부당하게 강요하여서는 아니 된다(➔ 임의성의 원칙).
> ② 행정기관은 행정지도의 상대방이 행정지도에 따르지 아니하였다는 것을 이유로 불이익한 조치를 하여서는 아니 된다(➔ 불이익조치금지의 원칙).

③ [○]

> **행정절차법 제49조【행정지도의 방식】** ① 행정지도를 하는 자는 그 상대방에게 그 행정지도의 취지 및 내용과 신분을 밝혀야 한다. ➔ 행정지도 실명제
> ② 행정지도가 말로 이루어지는 경우에 상대방이 제1항의 사항을 적은 서면의 교부를 요구하면 그 행정지도를 하는 자는 직무 수행에 특별한 지장이 없으면 이를 교부하여야 한다. ➔ 서면교부 청구권



## 102 행정지도에 대한 설명으로 가장 적절한 것은? (다툼이 있는 경우 판례에 의함) [2020 경행특채 2차]

① 행정절차법상 행정지도는 의견제출과 사전통지절차에 대해 규정하고 있다.

② 행정절차법상 행정지도를 하는 자는 상대방이 서면의 교부를 요구하는 경우 그 행정지도의 내용과 신분을 적으면 되고 취지를 적을 필요는 없다.

③ 국가배상법상 직무행위에는 비권력적 사실행위가 포함되지 않으므로 행정지도는 직무행위에 포함되지 않는다.

④ 행정지도의 한계를 일탈하지 아니하였다면 그로 인하여 상대방에게 어떤 손해가 발생하였다 하더라도 행정기관은 그에 대한 손해배상책임이 없다.

**정답 및 해설 I ④**

④ [○]

> **요지판례 I**
> ■ 행정지도가 강제성을 띠지 않은 비권력적 작용으로서 행정지도의 한계를 일탈하지 아니하였다면, 그로 인하여 상대방에게 어떤 손해가 발생하였다 하더라도 행정기관은 그에 대한 손해배상책임이 없다(대판 2008.9.25, 2006다18228).

① [×] 의견제출제도에 대해서만 규정하고 있다.

> **행정절차법 제50조【의견제출】** 행정지도의 상대방은 해당 행정지도의 방식·내용 등에 관하여 행정기관에 의견제출을 할 수 있다.

② [×] 취지, 내용, 신분을 모두 서면에 적어야 한다.

> **행정절차법 제49조【행정지도의 방식】** ① 행정지도를 하는 자는 그 상대방에게 그 행정지도의 취지 및 내용과 신분을 밝혀야 한다. ➔ 행정지도 실명제
> ② 행정지도가 말로 이루어지는 경우에 상대방이 제1항의 사항을 적은 서면의 교부를 요구하면 그 행정지도를 하는 자는 직무 수행에 특별한 지장이 없으면 이를 교부하여야 한다. ➔ 서면교부 청구권

③ [×]

> **요지판례 I**
> ■ 국가배상법이 정한 배상청구의 요건인 '공무원의 직무'에는 권력적 작용만이 아니라 행정지도와 같은 비권력적 작용도 포함되며, 단지 행정주체가 사경제주체로서 하는 활동만 제외되는 것이다(대판 1998.7.10, 96다38971).

**103** 행정지도에 대한 설명으로 가장 적절한 것은? (다툼이 있는 경우 판례에 의함) [2018 경행특채 2차]

① 행정지도는 그 목적 달성에 필요한 최대한도의 조치를 할 수 있으나, 다만 행정지도의 상대방의 의사에 반하여 부당하게 강요하여서는 아니 된다.

② 행정지도가 말로 이루어지는 경우에 상대방이 서면의 교부를 요구하면 그 행정지도를 하는 자는 반드시 이를 교부하여야 한다.

③ 교육인적자원부장관(현, 교육부장관)의 학칙시정요구는 대학총장의 임의적인 협력을 통하여 사실상의 효과를 발생시키는 행정지도의 일종이며, 설령 단순한 행정지도로서의 한계를 넘어 규제적 · 구속적 성격을 갖는다 하더라도 공권력의 행사로 볼 수 없다.

④ 행정기관이 같은 행정목적을 실현하기 위하여 많은 상대방에게 행정지도를 하려는 경우에는 특별한 사정이 없으면 행정지도에 공통적인 내용이 되는 사항을 공표하여야 한다.

**정답 및 해설 I ④**

④ [○]

> **행정절차법 제51조【다수인을 대상으로 하는 행정지도】** 행정기관이 같은 행정목적을 실현하기 위하여 많은 상대방에게 행정지도를 하려는 경우에는 특별한 사정이 없으면 행정지도에 공통적인 내용이 되는 사항을 공표하여야 한다.

① [×] 목적 달성에 필요한 최소한도에 그쳐야 한다.

> **행정절차법 제48조【행정지도의 원칙】** ① 행정지도는 그 목적 달성에 필요한 최소한도에 그쳐야 하며(➜ 과잉금지의 원칙), 행정지도의 상대방의 의사에 반하여 부당하게 강요하여서는 아니 된다(➜ 임의성의 원칙).
> ② 행정기관은 행정지도의 상대방이 행정지도에 따르지 아니하였다는 것을 이유로 불이익한 조치를 하여서는 아니 된다(➜ 불이익조치금지의 원칙).

② [×] 특별한 사정이 있다면 교부하지 않을 수 있다.

> **행정절차법 제49조【행정지도의 방식】** ① 행정지도를 하는 자는 그 상대방에게 그 행정지도의 취지 및 내용과 신분을 밝혀야 한다. ➜ 행정지도 실명제
> ② 행정지도가 말로 이루어지는 경우에 상대방이 제1항의 사항을 적은 서면의 교부를 요구하면 그 행정지도를 하는 자는 직무 수행에 특별한 지장이 없으면 이를 교부하여야 한다. ➜ 서면교부 청구권

③ [×]

> **요지판례 I**
> ■ 교육인적자원부장관의 대학총장들에 대한 이 사건 학칙시정요구는 고등교육법 제6조 제2항, 동법 시행령 제4조 제3항에 따른 것으로서 그 법적 성격은 대학총장의 임의적인 협력을 통하여 사실상의 효과를 발생시키는 행정지도의 일종이지만, 그에 따르지 않을 경우 일정한 불이익조치를 예정하고 있어 사실상 상대방에게 그에 따를 의무를 부과하는 것과 다를 바 없으므로 단순한 행정지도로서의 한계를 넘어 규제적 · 구속적 성격을 상당히 강하게 갖는 것으로서 헌법소원의 대상이 되는 공권력의 행사라고 볼 수 있다(헌재결 2003.6.26, 2002헌마337).

# 제3절 | 경찰행정절차와 정보공개

## 주제 1 행정절차법



**104** 「행정절차법」상 행정청이 처분을 할 때 청문을 하여야 하는 경우가 <u>아닌</u> 것은? [2023 채용 1차]

① 다른 법령등에서 청문을 하도록 규정하고 있는 경우

② 해당 처분의 영향이 광범위하여 널리 의견을 수렴할 필요가 있다고 행정청이 인정하는 경우

③ 인허가 등의 취소의 처분을 하는 경우

④ 법인이나 조합 등의 설립허가의 취소의 처분을 하는 경우

**정답 및 해설 |** ②

② [×] **공청회를 개최**하는 경우에 해당한다.

> **행정절차법 제22조【의견청취】** ① 행정청이 처분을 할 때 다음 각 호의 어느 하나에 해당하는 경우에는 청문을 한다.
> 1. 다른 법령등에서 청문을 하도록 규정하고 있는 경우
> 2. 행정청이 필요하다고 인정하는 경우
> 3. 다음 각 목의 처분을 하는 경우
>   가. 인허가 등의 취소
>   나. 신분 · 자격의 박탈
>   다. 법인이나 조합 등의 설립허가의 취소
>
> ② 행정청이 처분을 할 때 다음 각 호의 어느 하나에 해당하는 경우에는 공청회를 개최한다.
> 1. 다른 법령등에서 공청회를 개최하도록 규정하고 있는 경우
> 2. 해당 처분의 영향이 광범위하여 널리 의견을 수렴할 필요가 있다고 행정청이 인정하는 경우
> 3. 국민생활에 큰 영향을 미치는 처분으로서 대통령령으로 정하는 처분에 대하여 대통령령으로 정하는 수 이상의 당사자등이 공청회 개최를 요구하는 경우

①③④ [○] 행정절차법 제22조 제1항

**105** 다음 행정절차법이 규정하고 있는 내용 중 적절하지 <u>않은</u> 것만을 고른 것은 모두 몇 개인가? [2020 경행특채 2차]

> ㉠ 행정청이 처분을 할 때에는 다른 법령등에 특별한 규정이 있는 경우를 제외하고는 당사자등의 동의를 얻어 문서 또는 전자문서로 한다.
> ㉡ 청문 주재자는 직권으로 또는 당사자의 신청에 따라 필요한 조사를 할 수 있으나 당사자등이 주장하지 아니한 사실에 대하여는 조사할 수 없다.
> ㉢ 행정청은 청문을 하려면 청문이 시작되는 날부터 7일 전까지 행정절차법 제21조 제1항 각 호의 사항을 당사자등에게 통지하여야 한다.
> ㉣ 행정청이 행하는 행정작용은 그 내용이 구체적이고 명확하여야 한다.
> ㉤ 행정절차법은 법령해석요청권과 부당결부금지의 원칙을 규정하고 있다.

① 2개 ② 3개

③ 4개 ④ 5개

**정답 및 해설 I ③**

㉠ [×] 원칙은 문서로 하되, 동의나 신청이 있으면 전자문서로 할 수 있다.

> **행정절차법 제24조【처분의 방식】** ① 행정청이 처분을 할 때에는 다른 법령등에 특별한 규정이 있는 경우를 제외하고는 문서로 하여야 하며, 다음 각 호의 어느 하나에 해당하는 경우에는 전자문서로 할 수 있다. <개정 2022.1.11, 시행 2022.7.12.>
> 1. 당사자등의 동의가 있는 경우
> 2. 당사자가 전자문서로 처분을 신청한 경우

㉡ [×]

> **행정절차법 제33조【증거조사】** ① 청문 주재자는 직권으로 또는 당사자의 신청에 따라 필요한 조사를 할 수 있으며, 당사자등이 주장하지 아니한 사실에 대하여도 조사할 수 있다.

㉢ [×] 10일 전까지 통지해야 한다.

> **행정절차법 제21조【처분의 사전 통지】** ② 행정청은 청문을 하려면 청문이 시작되는 날부터 10일 전까지 제1항 각 호의 사항을 당사자등에게 통지하여야 한다. 이 경우 제1항 제4호부터 제6호까지의 사항은 청문 주재자의 소속 · 직위 및 성명, 청문의 일시 및 장소, 청문에 응하지 아니하는 경우의 처리방법 등 청문에 필요한 사항으로 갈음한다.

㉣ [○]

> **행정절차법 제5조【투명성】** ① 행정청이 행하는 행정작용은 그 내용이 구체적이고 명확하여야 한다.

㉤ [×] 행정절차법은 부당결부금지원칙에 대해서는 명시적으로 규정하고 있지 않다. 부당결부금지의 원칙은 행정기본법에 명시되어 있다.

> **행정절차법 제4조【신의성실 및 신뢰보호】** ① 행정청은 직무를 수행할 때 신의에 따라 성실히 하여야 한다.
> ② 행정청은 법령등의 해석 또는 행정청의 관행이 일반적으로 국민들에게 받아들여졌을 때에는 공익 또는 제3자의 정당한 이익을 현저히 해칠 우려가 있는 경우를 제외하고는 새로운 해석 또는 관행에 따라 소급하여 불리하게 처리하여서는 아니 된다.
>
> **행정기본법 제13조【부당결부금지의 원칙】** 행정청은 행정작용을 할 때 상대방에게 해당 행정작용과 실질적인 관련이 없는 의무를 부과해서는 아니 된다.

## 106 행정절차에 대한 설명으로 가장 적절하지 않은 것은? (다툼이 있는 경우 판례에 의함) [2018 경행특채 2차]

① 「행정절차법」은 공법상 계약에 관해서는 별도의 규정이 없다.

② 「행정절차법」상 당사자등은 처분 전에 그 처분의 관할 행정청에 서면이나 정보통신망을 이용하여 의견을 제출할 수 있으나, 말로는 할 수 없다.

③ 「행정절차법」은 절차적 규정뿐만 아니라 신뢰보호원칙과 같이 실체적 규정을 포함하고 있다.

④ 행정청은 국내에 주소 · 거소 · 영업소 또는 사무소가 없는 외국사업자에 대하여 우편송달의 방법으로 문서를 송달할 수 있다.

**정답 및 해설 I ②**

② [×] 말로 하는 것도 가능하다.

> **행정절차법 제27조【의견제출】** ① 당사자등은 처분 전에 그 처분의 관할 행정청에 서면이나 말로 또는 정보통신망을 이용하여 의견제출을 할 수 있다.

① [○] 공법상 계약은 행정절차법 제3조의 적용범위, 즉 행정절차법이 적용되는 대상행위에 열거되어 있지 않다.

> **행정절차법 제3조【적용 범위】** ① 처분, 신고, 확약, 위반사실 등의 공표, 행정계획, 행정상 입법예고, 행정예고 및 행정지도의 절차(이하 "행정절차"라 한다)에 관하여 다른 법률에 특별한 규정이 있는 경우를 제외하고는 이 법에서 정하는 바에 따른다.

③ [○]

> **행정절차법 제4조【신의성실 및 신뢰보호】** ① 행정청은 직무를 수행할 때 신의에 따라 성실히 하여야 한다.
> ② 행정청은 법령등의 해석 또는 행정청의 관행이 일반적으로 국민들에게 받아들여졌을 때에는 공익 또는 제3자의 정당한 이익을 현저히 해칠 우려가 있는 경우를 제외하고는 새로운 해석 또는 관행에 따라 소급하여 불리하게 처리하여서는 아니 된다.

④ [○]

> **요지판례 |**
> ■ 행정절차법 제14조 제1항은 문서의 송달방법의 하나로 우편송달을 규정하고 있고, 같은 법 제16조 제2항은 외국에 거주 또는 체류하는 자에 대한 기간 및 기한은 행정청이 그 우편이나 통신에 소요되는 일수를 감안하여 정하여야 한다고 규정하고 있는 점 등에 비추어 보면, 공정거래위원회는 국내에 주소 · 거소 · 영업소 또는 사무소가 없는 외국사업자에 대하여도 우편송달의 방법으로 문서를 송달할 수 있다(대판 2006.3.24, 2004두11275).

**107** 「행정절차법」의 처분절차와 관련된 설명이다. 아래 ㉠부터 ㉣까지의 설명 중 옳고 그름의 표시(○, ×)가 바르게 된 것은? (다툼이 있는 경우 판례에 의함)

[2018 경행특채 2차]

> ㉠ 행정청이 신청 내용을 모두 그대로 인정하는 처분을 하는 경우 당사자에게 그 근거와 이유를 제시하여야 한다.
> ㉡ 퇴직연금의 환수결정은 관련 법령에 따라 당연히 환수금액이 정하여지는 것이므로 퇴직연금의 환수결정에 앞서 당사자에게 의견진술의 기회를 주지 아니하여도 「행정절차법」 규정이나 신의칙에 어긋나지 아니한다.
> ㉢ '고시' 등 불특정 다수인을 상대로 의무를 부과하거나 권익을 제한하는 처분은 성질상 상대방을 특정할 수 없으므로, 이와 같은 처분에 있어서는 그 상대방에게 의견제출의 기회를 주지 않았다고 하여 위법하다고 볼 수는 없다.
> ㉣ 신청에 따른 처분이 이루어지지 않은 경우에는 아직 당사자에게 권익이 부과되지 않았으므로 특별한 사정이 없는 한 신청에 대한 거부처분이라고 하더라도 직접 당사자의 권익을 제한하는 것은 아니라 할 것이므로 처분의 사전통지 대상이 되지 않는다.

① ㉠(×) ㉡(○) ㉢(○) ㉣(○)
② ㉠(○) ㉡(×) ㉢(×) ㉣(×)
③ ㉠(○) ㉡(○) ㉢(×) ㉣(×)
④ ㉠(×) ㉡(×) ㉢(○) ㉣(○)

**정답 및 해설 | ①**

㉠ [×]

> **행정절차법 제23조【처분의 이유 제시】** ① 행정청은 처분을 할 때에는 다음 각 호의 어느 하나에 해당하는 경우를 제외하고는 당사자에게 그 근거와 이유를 제시하여야 한다.
> 1. 신청 내용을 모두 그대로 인정하는 처분인 경우
> 2. 단순 · 반복적인 처분 또는 경미한 처분으로서 당사자가 그 이유를 명백히 알 수 있는 경우
> 3. 긴급히 처분을 할 필요가 있는 경우
> ② 행정청은 제1항 제2호 및 제3호의 경우에 처분 후 당사자가 요청하는 경우에는 그 근거와 이유를 제시하여야 한다.

㉡ [○]

> **요지판례 |**
> ■ 퇴직연금의 환수결정은 당사자에게 의무를 과하는 처분이기는 하나, 관련 법령에 따라 당연히 환수금액이 정하여지는 것이므로, 퇴직연금의 환수결정에 앞서 당사자에게 의견진술의 기회를 주지 아니하여도 행정절차법 제22조 제3항이나 신의칙에 어긋나지 아니한다(대판 2000.11.28, 99두5443).

ⓒ [O]

**요지판례 |**

■ 행정절차법 제22조 제3항에 따라 행정청이 의무를 부과하거나 권익을 제한하는 처분을 할 때 의견제출의 기회를 주어야 하는 '당사자'는 '행정청의 처분에 대하여 직접 그 상대가 되는 당사자'(구 행정절차법 제2조 제4호)를 의미한다. 그런데 '고시'의 방법으로 불특정 다수인을 상대로 의무를 부과하거나 권익을 제한하는 처분은 성질상 의견제출의 기회를 주어야 하는 상대방을 특정할 수 없으므로, 이와 같은 처분에 있어서까지 구 행정절차법 제22조 제3항에 의하여 그 상대방에게 의견제출의 기회를 주어야 한다고 해석할 것은 아니다(대판 2014.10.27, 2012두7745).

ⓓ [O]

**요지판례 |**

■ **거부처분은 당사자의 권익을 침해하는 처분이 아니므로 사전통지의 대상이 아니다.** 신청에 따른 처분이 이루어지지 아니한 경우에는 아직 당사자에게 권익이 부과되지 아니하였으므로 특별한 사정이 없는 한 신청에 대한 거부처분이라고 하더라도 직접 당사자의 권익을 제한하는 것은 아니어서 신청에 대한 거부처분을 여기에서 말하는 '당사자의 권익을 제한하는 처분'에 해당한다고 할 수 없는 것이어서 처분의 사전통지 대상이 된다고 할 수 없다(대판 2003.11.28, 2003두674).

**108** 「행정절차법」 제8조에 따른 행정응원에 관한 설명으로 가장 적절하지 않은 것은? [2024 1차 채용]

① 행정청은 다른 행정청의 응원을 받아 처리하는 것이 보다 능률적이고 경제적인 경우 다른 행정청에 행정응원을 요청할 수 있다.

② 행정응원을 요청받은 행정청은 행정응원으로 인하여 고유의 직무 수행이 현저히 지장받을 것으로 인정되는 명백한 이유가있는 경우에는 응원을 거부할 수 있다.

③ 행정응원을 위하여 파견된 직원은 다른 법령 등에 특별한 규정이 있는 경우를 제외하고는 원소속 행정청의 지휘 · 감독을 받는다.

④ 행정응원에 드는 비용은 응원을 요청한 행정청이 부담하며, 그 부담금액 및 부담방법은 응원을 요청한 행정청과 응원을 하는 행정청이 협의하여 결정한다.

**정답 및 해설 | ③**

③ [×] 원소속 행정청이 아닌, **응원을 요청한 행정청의 지휘** · 감독을 받는다.

**행정절차법 제8조【행정응원】** ⑤ 행정응원을 위하여 파견된 직원은 응원을 요청한 행정청의 지휘 · 감독을 받는다. 다만, 해당 직원의 복무에 관하여 다른 법령등에 특별한 규정이 있는 경우에는 그에 따른다.

① [O]

**행정절차법 제8조【행정응원】** ① 행정청은 다음 각 호의 어느 하나에 해당하는 경우에는 다른 행정청에 행정응원을 요청할 수 있다.
5. 다른 행정청의 응원을 받아 처리하는 것이 보다 능률적이고 경제적인 경우

② [O]

**행정절차법 제8조【행정응원】** ② 제1항에 따라 행정응원을 요청받은 행정청은 다음 각 호의 어느 하나에 해당하는 경우에는 응원을 거부할 수 있다.
1. **다른 행정청이 보다 능률적이거나 경제적으로 응원할 수 있는 명백한 이유**가 있는 경우
2. 행정응원으로 인하여 **고유의 직무 수행이 현저히 지장받을 것으로 인정되는 명백한 이유**가 있는 경우

④ [O]

**행정절차법 제8조【행정응원】** ⑥ 행정응원에 드는 비용은 **응원을 요청한 행정청이 부담**하며, 그 부담금액 및 부담방법은 응원을 요청한 행정청과 응원을 하는 행정청이 협의하여 결정한다.

## 주제 2 공공기관의 정보공개에 관한 법률

**109** 「공공기관의 정보공개에 관한 법률」에 관한 설명으로 가장 적절하지 않은 것은? [2023 채용 1차]

① 청구인은 이의신청 절차를 거치지 아니하고 행정심판을 청구할 수 없다.

② "정보"란 공공기관이 직무상 작성 또는 취득하여 관리하고 있는 문서(전자문서를 포함한다) 및 전자매체를 비롯한 모든 형태의 매체 등에 기록된 사항을 말한다.

③ 공공기관은 부득이한 사유로 법 제11조 제1항에 따른 기간 이내에 공개 여부를 결정할 수 없을 때에는 그 기간이 끝나는 날의 다음 날부터 기산(起算)하여 10일의 범위에서 공개 여부 결정 기간을 연장할 수 있다. 이 경우 공공기관은 연장된 사실과 연장 사유를 청구인에게 지체 없이 문서로 통지하여야 한다.

④ 공공기관은 청구인이 사본 또는 복제물의 교부를 원하는 경우에는 이를 교부하여야 한다.

**정답 및 해설 | ①**

① [×] 이의신청 절차를 거치지 아니하고 **행정심판을 청구할 수 있다.**

> 정보공개법 제19조 【행정심판】 ② 청구인은 제18조에 따른 이의신청 절차를 거치지 아니하고 행정심판을 청구할 수 있다.

② [○]

> 정보공개법 제2조 【정의】 1. "정보"란 공공기관이 직무상 작성 또는 취득하여 관리하고 있는 문서(전자문서를 포함한다) 및 전자매체를 비롯한 모든 형태의 매체 등에 기록된 사항을 말한다.

③ [○]

> 정보공개법 제11조 【정보공개 여부의 결정】 ② 공공기관은 부득이한 사유로 제1항에 따른 기간 이내에 공개 여부를 결정할 수 없을 때에는 그 기간이 끝나는 날의 다음 날부터 기산하여 10일의 범위에서 공개 여부 결정기간을 연장할 수 있다. 이 경우 공공기관은 연장된 사실과 연장 사유를 청구인에게 지체 없이 문서로 통지하여야 한다.

④ [○]

> 정보공개법 제13조 【정보공개 여부 결정의 통지】 ② 공공기관은 청구인이 사본 또는 복제물의 교부를 원하는 경우에는 이를 교부하여야 한다.

**110** '공공기관의 정보공개에 관한 법률'의 내용으로 틀린 것은? [2015 경간]

① 공공기관이 보유·관리하는 정보는 이 법이 정하는 바에 따라 공개할 수 있다.

② 외국인도 대통령령이 정하는 바에 의하여 정보공개 청구가 가능하다.

③ 공공기관은 청구인의 정보공개 청구가 있을 때에는 원칙적으로 청구를 받은 날부터 10일 이내에 공개 여부를 결정하여야 한다.

④ 정보공개 청구에 대하여 실시기관이 공개거부결정을 내린 경우, 청구인은 이 결정에 대하여 통지를 받은 날부터 30일 이내에 당해 공공기관에 이의신청을 할 수 있다.

**정답 및 해설 | ①**

① [×] 공개할 수 있는 것이 아니라 적극적으로 '공개하여야 한다'.

> 공공기관의 정보공개에 관한 법률(이하 '정보공개법'이라 한다) 제3조 【정보공개의 원칙】 공공기관이 보유·관리하는 정보는 국민의 알권리 보장 등을 위하여 이 법에서 정하는 바에 따라 적극적으로 공개하여야 한다.

② [○]

> **정보공개법 제5조【정보공개 청구권자】** ① 모든 국민은 정보의 공개를 청구할 권리를 가진다.
> ② 외국인의 정보공개 청구에 관하여는 대통령령으로 정한다.
>
> 대통령령 **정보공개법 시행령 제3조【외국인의 정보공개 청구】** 법 제5조 제2항에 따라 정보공개를 청구할 수 있는 외국인은 다음 각 호의 어느 하나에 해당하는 자로 한다.
> 1. 국내에 일정한 주소를 두고 거주하거나 학술 · 연구를 위하여 일시적으로 체류하는 사람
> 2. 국내에 사무소를 두고 있는 법인 또는 단체

③ [○]

> **정보공개법 제11조【정보공개 여부의 결정】** ① 공공기관은 제10조에 따라 정보공개의 청구를 받으면 그 청구를 받은 날부터 10일 이내에 공개 여부를 결정하여야 한다.
> ② 공공기관은 부득이한 사유로 제1항에 따른 기간 이내에 공개 여부를 결정할 수 없을 때에는 그 기간이 끝나는 날의 다음 날부터 기산하여 10일의 범위에서 공개 여부 결정기간을 연장할 수 있다. 이 경우 공공기관은 연장된 사실과 연장 사유를 청구인에게 지체 없이 문서로 통지하여야 한다.

④ [○]

> **정보공개법 제18조【이의신청】** ① 청구인이 정보공개와 관련한 공공기관의 비공개 결정 또는 부분 공개 결정에 대하여 불복이 있거나 정보공개 청구 후 20일이 경과하도록 정보공개 결정이 없는 때에는 공공기관으로부터 정보공개 여부의 결정 통지를 받은 날 또는 정보공개 청구 후 20일이 경과한 날부터 30일 이내에 해당 공공기관에 문서로 이의신청을 할 수 있다.

## 111 「공공기관의 정보공개에 관한 법률」에 대한 설명으로 가장 적절한 것은? [2019 승진(경감)]

① 모든 국민은 정보의 공개를 청구할 권리를 가지며, 공공기관이 보유 · 관리하는 정보는 국민의 알권리 보장 등을 위하여 이 법에서 정하는 바에 따라 적극적으로 공개할 수 있다.

② 공공기관은 공개 청구된 공개 대상 정보의 전부 또는 일부가 제3자와 관련이 있다고 인정할 때에는 그 사실을 제3자에게 지체 없이 통지하여야 하며, 그의 의견을 들어야 한다.

③ 정보의 공개를 청구하는 자는 해당 정보를 보유하거나 관리하고 있는 공공기관에 대하여 서면으로 정보공개를 청구하여야 한다.

④ 공개될 경우 국민의 생명 · 신체 및 재산의 보호에 현저한 지장을 초래할 우려가 있다고 인정되는 정보는 공개하지 아니할 수 있다.

**정답 및 해설 I ④**

④ [○]

> **정보공개법 제9조【비공개 대상 정보】** ① 공공기관이 보유 · 관리하는 정보는 공개 대상이 된다. 다만, 다음 각 호의 어느 하나에 해당하는 정보는 공개하지 아니할 수 있다.
> 3. 공개될 경우 국민의 생명 · 신체 및 재산의 보호에 현저한 지장을 초래할 우려가 있다고 인정되는 정보

① [×] 공개하여야 한다.

> **정보공개법 제5조【정보공개 청구권자】** ① 모든 국민은 정보의 공개를 청구할 권리를 가진다.
>
> **정보공개법 제3조【정보공개의 원칙】** 공공기관이 보유 · 관리하는 정보는 국민의 알권리 보장 등을 위하여 이 법에서 정하는 바에 따라 적극적으로 공개하여야 한다.

② [×] 의견을 들을 수 있다.

> **정보공개법 제11조【정보공개 여부의 결정】** ③ 공공기관은 공개 청구된 공개 대상 정보의 전부 또는 일부가 제3자와 관련이 있다고 인정할 때에는 그 사실을 제3자에게 지체 없이 통지하여야 하며, 필요한 경우에는 그의 의견을 들을 수 있다.

③ [×] 서면으로 하여야만 하는 것이 아니라 구두로도 할 수 있다.

> **정보공개법 제10조【정보공개의 청구방법】** ① 정보의 공개를 청구하는 자(이하 "청구인"이라 한다)는 해당 정보를 보유하거나 관리하고 있는 공공기관에 다음 각 호의 사항을 적은 정보공개 청구서를 제출하거나 말로써 정보의 공개를 청구할 수 있다. ➜ 구두(말)로 하는 것은 가능하나 익명으로는 불가능하다.



## 112 「공공기관의 정보공개에 관한 법률」상 비공개대상정보에 대한 설명으로 가장 적절하지 않은 것은? (다툼이 있는 경우 판례에 의함)

[2024 1차 채용]

① 직무를 수행한 공무원의 성명·직위 등 「개인정보 보호법」 제2조 제1호에 따른 개인정보로서 공개될 경우 사생활의 비밀 또는 자유를 침해할 우려가 있다고 인정되는 정보는 공개하지 않을 수 있다.

② 피의자신문조서 등 조서에 기재된 피의자 등의 인적사항 이외의 진술내용 역시 개인의 사생활의 비밀 또는 자유를 침해할 우려가 인정되는 경우에는 비공개대상정보에 해당한다.

③ 수사기록 중 의견서, 보고문서, 메모, 법률검토 등은 그 실질적인 내용을 구체적으로 살펴 수사의 방법 및 절차 등이 공개됨으로써 수사기관의 직무수행을 현저히 곤란하게 한다고 인정할 만한 상당한 이유가 있어야만 비공개대상정보에 해당한다.

④ 의사결정 과정에 있는 사항으로서 공개될 경우 업무의 공정한 수행에 현저한 지장을 초래한다고 인정할 만한 상당한 이유가 있는 정보는 공개하지 않을 수 있다.

**정답 및 해설 | ①**

① [×] 직무를 수행한 공무원의 성명·직위 등은 사생활 영역이 아닌 공적 영역에 대한 정보로서 정보공개법이 명시적으로 비공개사유에서 제외하고 있다.

> **정보공개법 제9조【비공개 대상 정보】** ① 공공기관이 보유·관리하는 정보는 공개 대상이 된다. 다만, 다음 각 호의 어느 하나에 해당하는 정보는 공개하지 아니할 수 있다.
> 6. 해당 정보에 포함되어 있는 성명·주민등록번호 등 「개인정보 보호법」 제2조 제1호에 따른 개인정보로서 공개될 경우 사생활의 비밀 또는 자유를 침해할 우려가 있다고 인정되는 정보. 다만, 다음 각 목에 열거한 사항은 제외한다.
> 라. 직무를 수행한 공무원의 성명·직위

② [○]

> **요지판례 |**
> ■ 불기소처분 기록 중 피의자신문조서 등에 기재된 피의자 등의 인적사항 이외의 진술내용 역시 개인의 사생활의 비밀 또는 자유를 침해할 우려가 인정되는 경우 정보공개법 제9조 제1항 제6호 본문 소정의 **비공개대상에 해당한다**(대판 2012.6.18, 2011두2361). ➜ '개인식별정보'뿐만 아니라 그 외에 정보의 내용을 구체적으로 살펴 '개인에 관한 사항의 공개로 개인의 내밀한 내용의 비밀 등이 알려지게 되고, 그 결과 인격적·정신적 내면생활에 지장을 초래하거나 자유로운 사생활을 영위할 수 없게 될 위험성이 있는 정보'도 포함된다고 새겨야 한다.

③ [○]

> **요지판례 |**
> ■ 공공기관의 정보공개에 관한 법률 제9조 제1항 제4호의 취지는 … 수사의 방법 및 절차 등이 공개되어 수사기관의 직무수행에 현저한 곤란을 초래할 위험을 막고자 하는 것이다. 수사기록 중의 의견서, 보고문서, 메모, 법률검토, 내사자료 등(이하 '의견서 등'이라고 한다)이 이에 해당하나, **공개청구대상인 정보가 의견서 등에 해당한다고 하여 곧바로 정보공개법 제9조 제1항 제4호에 규정된 비공개대상정보라고 볼 것은 아니고**, 의견서 등의 실질적인 내용을 구체적으로 살펴 수사의 방법 및 절차 등이 공개됨으로써 수사기관의 직무수행을 현저히 곤란하게 한다고 인정할 만한 상당한 이유가 있어야만 위 비공개대상정보에 해당한다(대판 2017.9.7, 2017두44558).

④ [○]

> 정보공개법 제9조 【비공개 대상 정보】 ① 공공기관이 보유 · 관리하는 정보는 공개 대상이 된다. 다만, 다음 각 호의 어느 하나에 해당하는 정보는 공개하지 아니할 수 있다.
> 5. 감사 · 감독 · 검사 · 시험 · 규제 · 입찰계약 · 기술개발 · 인사관리에 관한 사항이나 의사결정 과정 또는 내부검토 과정에 있는 사항 등으로서 공개될 경우 업무의 공정한 수행이나 연구 · 개발에 현저한 지장을 초래한다고 인정할 만한 상당한 이유가 있는 정보. 다만, 의사결정 과정 또는 내부검토 과정을 이유로 비공개할 경우에는 제13조 제5항에 따라 통지를 할 때 의사결정 과정 또는 내부검토 과정의 단계 및 종료 예정일을 함께 안내하여야 하며, 의사결정 과정 및 내부검토 과정이 종료되면 제10조에 따른 청구인에게 이를 통지하여야 한다.

## 113 「공공기관의 정보공개에 관한 법률」과 관련된 설명으로 가장 적절하지 않은 것은? [2021 승진(실무종합)]

① 민원인이 경찰관서에서 현재 수사 중인 '폭력단체 현황'에 대한 정보공개를 요청한 경우, 국민의 알 권리를 충족시킨다는 차원에서 해당 정보를 공개하여야 한다.

② 공공기관은 비공개 대상 정보가 기간의 경과 등으로 인하여 비공개의 필요성이 없어진 경우에는 그 정보를 공개 대상으로 하여야 한다.

③ 공공기관은 부득이한 사유로 정보공개의 청구를 받은 날부터 10일 이내 공개 여부를 결정할 수 없을 때에는 그 기간이 끝나는 날의 다음 날부터 기산(起算)하여 10일의 범위에서 공개 여부 결정기간을 연장할 수 있다.

④ 공공기관은 공개 청구된 공개 대상 정보의 전부 또는 일부가 제3자와 관련이 있다고 인정할 때에는 그 사실을 제3자에게 지체 없이 통지하여야 하며, 통지받은 제3자는 그 통지를 받은 날부터 3일 이내에 해당 공공기관에 자신과 관련된 정보를 공개하지 아니할 것을 요청할 수 있다.

**정답 및 해설 I ①**

① [×] 수사 중인 '폭력단체 현황'은 수사에 관한 사항으로서 공개될 경우 직무수행 곤란 등 우려가 있다고 볼 여지가 있으므로 공개하지 아니할 수 있다.

> 정보공개법 제9조 【비공개 대상 정보】 ① 공공기관이 보유 · 관리하는 정보는 공개 대상이 된다. 다만, 다음 각 호의 어느 하나에 해당하는 정보는 공개하지 아니할 수 있다.
> 4. 진행 중인 재판에 관련된 정보와 범죄의 예방, 수사, 공소의 제기 및 유지, 형의 집행, 교정, 보안처분에 관한 사항으로서 공개될 경우 그 직무수행을 현저히 곤란하게 하거나 형사피고인의 공정한 재판을 받을 권리를 침해한다고 인정할 만한 상당한 이유가 있는 정보

② [○]

> 정보공개법 제9조 【비공개 대상 정보】 ② 공공기관은 제1항 각 호의 어느 하나에 해당하는 정보가 기간의 경과 등으로 인하여 비공개의 필요성이 없어진 경우에는 그 정보를 공개 대상으로 하여야 한다.

③ [○]

> 정보공개법 제11조 【정보공개 여부의 결정】 ① 공공기관은 제10조에 따라 정보공개의 청구를 받으면 그 청구를 받은 날부터 10일 이내에 공개 여부를 결정하여야 한다.
> ② 공공기관은 부득이한 사유로 제1항에 따른 기간 이내에 공개 여부를 결정할 수 없을 때에는 그 기간이 끝나는 날의 다음 날부터 기산하여 10일의 범위에서 공개 여부 결정기간을 연장할 수 있다. 이 경우 공공기관은 연장된 사실과 연장 사유를 청구인에게 지체 없이 문서로 통지하여야 한다.

④ [○]

> 정보공개법 제11조 【정보공개 여부의 결정】 ③ 공공기관은 공개 청구된 공개 대상 정보의 전부 또는 일부가 제3자와 관련이 있다고 인정할 때에는 그 사실을 제3자에게 지체 없이 통지하여야 하며, 필요한 경우에는 그의 의견을 들을 수 있다.
>
> 정보공개법 제21조 【제3자의 비공개 요청 등】 ① 제11조 제3항에 따라 공개 청구된 사실을 통지받은 제3자는 그 통지를 받은 날부터 3일 이내에 해당 공공기관에 대하여 자신과 관련된 정보를 공개하지 아니할 것을 요청할 수 있다.

**114** 「공공기관의 정보공개에 관한 법률」상 정보공개의 절차상 내용으로 가장 적절하지 않은 것은?

[2023 승진]

① 공공기관은 비공개대상 정보에 해당하는 정보가 기간의 경과 등으로 인하여 비공개의 필요성이 없어진 경우에는 그 정보를 공개대상으로 하여야 한다.

② 정보의 공개를 청구하는 자는 해당 정보를 보유하거나 관리하고 있는 공공기관에 정보공개청구서를 제출하거나 말로써 정보의 공개를 청구할 수 있다.

③ 공공기관은 부득이한 사유로 정보공개의 청구를 받은 날부터 10일 이내에 공개 여부를 결정할 수 없을 때에는 그 기간이 끝나는 날부터 기산(起算)하여 10일의 범위에서 공개 여부 결정기간을 연장할 수 있다. 이 경우 공공기관은 연장된 사실과 연장사유를 청구인에게 지체 없이 문서로 통지하여야 한다.

④ 청구인이 공개청구한 정보가 비공개 대상정보에 해당하는 부분과 공개 가능한 부분이 혼합되어 있는 경우 공개청구의 취지에 어긋나지 아니하는 범위에서 두 부분을 분리할 수 있는 경우에는 비공개대상 정보에 해당하는 부분을 제외하고 공개하여야 한다.

**정답 및 해설 I ③**

③ [×] 끝나는 날의 다음 날부터 기산한다.

> **공공기관의 정보공개에 관한 법률 제11조【정보공개 여부의 결정】** ② 공공기관은 부득이한 사유로 제1항에 따른 기간 이내에 공개 여부를 결정할 수 없을 때에는 그 기간이 끝나는 날의 다음 날부터 기산하여 10일의 범위에서 공개 여부 결정기간을 연장할 수 있다. 이 경우 공공기관은 연장된 사실과 연장 사유를 청구인에게 지체 없이 문서로 통지하여야 한다.

① [○]

> **공공기관의 정보공개에 관한 법률 제9조【비공개 대상 정보】** ② 공공기관은 제1항 각 호의 어느 하나에 해당하는 정보가 기간의 경과 등으로 인하여 비공개의 필요성이 없어진 경우에는 그 정보를 공개 대상으로 하여야 한다.

② [○]

> **공공기관의 정보공개에 관한 법률 제10조【정보공개의 청구방법】** ① 정보의 공개를 청구하는 자(이하 "청구인"이라 한다)는 해당 정보를 보유하거나 관리하고 있는 공공기관에 다음 각 호의 사항을 적은 정보공개 청구서를 제출하거나 말로써 정보의 공개를 청구할 수 있다.

④ [○]

> **공공기관의 정보공개에 관한 법률 제14조【부분 공개】** 공개 청구한 정보가 제9조 제1항 각 호의 어느 하나에 해당하는 부분과 공개 가능한 부분이 혼합되어 있는 경우로서 공개 청구의 취지에 어긋나지 아니하는 범위에서 두 부분을 분리할 수 있는 경우에는 제9조 제1항 각 호의 어느 하나에 해당하는 부분을 제외하고 공개하여야 한다.

**115** 「공공기관의 정보공개에 관한 법률」에 관한 다음 설명 중 가장 적절하지 않은 것은? [2015 채용 2차]

① 모든 국민은 정보의 공개를 청구할 권리를 가진다.

② 공공기관이 보유 · 관리하는 정보는 국민의 알권리 보장 등을 위하여 이 법에서 정하는 바에 따라 적극적으로 공개하여야 한다.

③ 공공기관은 정보공개의 청구를 받으면 그 청구를 받은 날부터 10일 이내에 공개 여부를 결정하여야 한다.

④ 정보의 공개 및 우송 등에 드는 비용은 실비의 범위에서 공공기관이 부담한다.

**정답 및 해설 I ④**

④ [×] 청구인이 부담한다.

> **정보공개법 제17조【비용 부담】** ① 정보의 공개 및 우송 등에 드는 비용은 실비의 범위에서 청구인이 부담한다.

① [○]

> **정보공개법 제5조【정보공개 청구권자】** ① 모든 국민은 정보의 공개를 청구할 권리를 가진다.
> ② 외국인의 정보공개 청구에 관하여는 대통령령으로 정한다.

② [○]

> **정보공개법 제3조【정보공개의 원칙】** 공공기관이 보유 · 관리하는 정보는 국민의 알권리 보장 등을 위하여 이 법에서 정하는 바에 따라 적극적으로 공개하여야 한다.

③ [○]

> **정보공개법 제11조【정보공개 여부의 결정】** ① 공공기관은 제10조에 따라 정보공개의 청구를 받으면 그 청구를 받은 날부터 10일 이내에 공개 여부를 결정하여야 한다.
> ② 공공기관은 부득이한 사유로 제1항에 따른 기간 이내에 공개 여부를 결정할 수 없을 때에는 그 기간이 끝나는 날의 다음 날부터 기산하여 10일의 범위에서 공개 여부 결정기간을 연장할 수 있다. 이 경우 공공기관은 연장된 사실과 연장 사유를 청구인에게 지체 없이 문서로 통지하여야 한다.

## 116 공공기관의 정보공개에 관한 법률상 정보공개의 절차에 관한 설명 중 가장 적절한 것은? [2022 채용 1차]

① 정보의 공개를 청구하는 자는 해당 정보를 보유하거나 관리하고 있는 공공기관에 정보공개 청구서를 제출하여 정보의 공개를 청구할 수 있으나, 말로써 정보의 공개를 청구할 수 없다.

② 공공기관은 부득이한 사유로 공공기관의 정보공개에 관한 법률 제11조 제1항에 따른 기간 이내에 공개 여부를 결정할 수 없을 때에는 그 기간이 끝난 날부터 기산하여 10일의 범위에서 공개 여부 결정기간을 연장할 수 있다. 이 경우 공공기관은 연장된 사실과 연장 사유를 청구인에게 지체 없이 구두로 통지하여야 한다.

③ 공공기관은 전자적 형태로 보유 · 관리하는 정보에 대하여 청구인이 전자적 형태로 공개하여 줄 것을 요청하는 경우에는 그 정보의 성질상 현저히 곤란한 경우를 제외하고는 청구인의 요청에 따라야 한다.

④ 정보의 공개 및 우송 등에 드는 비용은 실비의 범위에서 공공기관이 부담한다.

**정답 및 해설 I ③**

③ [○]

> **정보공개법 제15조【정보의 전자적 공개】** ① 공공기관은 전자적 형태로 보유 · 관리하는 정보에 대하여 청구인이 전자적 형태로 공개하여 줄 것을 요청하는 경우에는 그 정보의 성질상 현저히 곤란한 경우를 제외하고는 청구인의 요청에 따라야 한다.
> ② 공공기관은 전자적 형태로 보유 · 관리하지 아니하는 정보에 대하여 청구인이 전자적 형태로 공개하여 줄 것을 요청한 경우에는 정상적인 업무수행에 현저한 지장을 초래하거나 그 정보의 성질이 훼손될 우려가 없으면 그 정보를 전자적 형태로 변환하여 공개할 수 있다.

① [×] 말로써 공개를 청구하는 것도 가능하다.

> **정보공개법 제10조【정보공개의 청구방법】** ① 정보의 공개를 청구하는 자(이하 "청구인"이라 한다)는 해당 정보를 보유하거나 관리하고 있는 공공기관에 다음 각 호의 사항을 적은 정보공개 청구서를 제출하거나 말로써 정보의 공개를 청구할 수 있다. ➜ 구두(말)로 하는 것은 가능하나 익명으로는 불가능하다.

② [×] 기간이 끝나는 날의 다음 날부터 기산하는 것이고, 구두가 아닌 문서로 통지해야 한다.

> **정보공개법 제11조【정보공개 여부의 결정】** ① 공공기관은 제10조에 따라 정보공개의 청구를 받으면 그 청구를 받은 날부터 10일 이내에 공개 여부를 결정하여야 한다.
> ② 공공기관은 부득이한 사유로 제1항에 따른 기간 이내에 공개 여부를 결정할 수 없을 때에는 그 기간이 끝나는 날의 다음 날부터 기산하여 10일의 범위에서 공개 여부 결정기간을 연장할 수 있다. 이 경우 공공기관은 연장된 사실과 연장 사유를 청구인에게 지체 없이 문서로 통지하여야 한다.

④ [×] 청구인이 부담한다.

> **정보공개법 제17조【비용 부담】** ① 정보의 공개 및 우송 등에 드는 비용은 실비의 범위에서 청구인이 부담한다.

**117** 「공공기관의 정보공개에 관한 법률」에 대한 설명으로 가장 적절한 것은? [2020 승진(경감)]

① 정보의 공개를 청구하는 자는 해당 정보를 보유하거나 관리하고 있는 공공기관에 대하여 서면으로만 정보공개를 청구할 수 있다.

② 정보의 공개 및 우송 등에 드는 비용은 실비의 범위에서 정보공개 청구를 받은 행정청이 부담한다.

③ 청구인이 정보공개와 관련한 공공기관의 결정에 대하여 불복하는 경우 이의신청 절차를 거치지 않아도 행정심판을 청구할 수 있다.

④ 공공기관은 정보공개 청구를 받으면 그 청구를 받은 날부터 7일 이내에 공개 여부를 결정하여야 한다.

**정답 및 해설 | ③**

③ [○]

> **정보공개법 제19조【행정심판】** ② 청구인은 제18조에 따른 이의신청 절차를 거치지 아니하고 행정심판을 청구할 수 있다.

① [×] 서면(정보공개 청구서)은 물론 말로도 가능하다.

> **정보공개법 제10조【정보공개의 청구방법】** ① 정보의 공개를 청구하는 자(이하 "청구인"이라 한다)는 해당 정보를 보유하거나 관리하고 있는 공공기관에 다음 각 호의 사항을 적은 정보공개 청구서를 제출하거나 말로써 정보의 공개를 청구할 수 있다. ➜ 구두(말)로 하는 것은 가능하나 익명으로는 불가능하다.

② [×] 청구인 부담이 원칙이다.

> **정보공개법 제17조【비용 부담】** ① 정보의 공개 및 우송 등에 드는 비용은 실비의 범위에서 청구인이 부담한다.

④ [×] 7일이 아니라 10일이다.

> **정보공개법 제11조【정보공개 여부의 결정】** ① 공공기관은 제10조에 따라 정보공개의 청구를 받으면 그 청구를 받은 날부터 10일 이내에 공개 여부를 결정하여야 한다.

**118** 「공공기관의 정보공개에 관한 법률」에 대한 설명으로 가장 적절하지 않은 것은? [2017 승진(경위)]

① 모든 국민은 정보의 공개를 청구할 권리를 가지며, 외국인의 정보공개 청구에 관하여는 대통령령으로 정한다.

② 정보의 공개 및 우송 등에 드는 비용은 실비의 범위에서 청구인이 부담한다.

③ 청구인은 이의신청 절차를 거치지 아니하고 행정심판을 청구할 수 없다.

④ 공공기관의 범위에는 지방자치단체가 포함된다.

**정답 및 해설 | ③**

③ [×] 이의신청 절차를 거치지 아니하고 행정심판을 청구할 수 있다.

> **정보공개법 제19조【행정심판】** ① 청구인이 정보공개와 관련한 공공기관의 결정에 대하여 불복이 있거나 정보공개 청구 후 20일이 경과하도록 정보공개 결정이 없는 때에는 「행정심판법」에서 정하는 바에 따라 행정심판을 청구할 수 있다. 이 경우 국가기관 및 지방자치단체 외의 공공기관의 결정에 대한 감독행정기관은 관계 중앙행정기관의 장 또는 지방자치단체의 장으로 한다.
> ② 청구인은 제18조에 따른 이의신청 절차를 거치지 아니하고 행정심판을 청구할 수 있다.

① [○]

> **정보공개법 제5조【정보공개 청구권자】** ① 모든 국민은 정보의 공개를 청구할 권리를 가진다.
> ② 외국인의 정보공개 청구에 관하여는 대통령령으로 정한다.

② [○]

> **정보공개법 제17조【비용 부담】** ① 정보의 공개 및 우송 등에 드는 비용은 실비의 범위에서 **청구인이 부담**한다.
> ② 공개를 청구하는 정보의 사용 목적이 공공복리의 유지 · 증진을 위하여 필요하다고 인정되는 경우에는 제1항에 따른 비용을 감면할 수 있다.

④ [○]

> **정보공개법 제2조【정의】** 이 법에서 사용하는 용어의 뜻은 다음과 같다.
> 3. "**공공기관**"이란 다음 각 목의 기관을 말한다.
> 가. 국가기관
> 1) 국회, 법원, 헌법재판소, 중앙선거관리위원회
> 2) 중앙행정기관(대통령 소속 기관과 국무총리 소속 기관을 포함한다) 및 그 소속 기관 ➜ **정부조직법 제34조**
> ⑤ 치안에 관한 사무를 관장하기 위하여 행정안전부장관 소속으로 경찰청을 둔다. / 경찰청은 중앙행정기관이다!
> 3) 「행정기관 소속 위원회의 설치 · 운영에 관한 법률」에 따른 위원회
> 나. **지방자치단체**
> 다. 「공공기관의 운영에 관한 법률」 제2조에 따른 **공공기관**
> 라. 「지방공기업법」에 따른 **지방공사 및 지방공단**
> 마. 그 밖에 대통령령으로 정하는 기관 ➜ 교육기관, 지자체 출자 · 출연기관, 보조금 받는 사회복지법인 등

**119** 「공공기관의 정보공개에 관한 법률」에 대한 설명으로 가장 적절하지 <u>않은</u> 것은? [2017 승진(경감)]

① 모든 국민은 정보의 공개를 청구할 권리를 가지며, 외국인의 정보공개 청구에 관하여는 대통령령으로 정한다.
② 정보의 공개를 청구하는 자는 해당 정보를 보유하거나 관리하고 있는 공공기관에 정보공개 청구서를 제출하거나 말로써 정보의 공개를 청구할 수 있다.
③ 정보의 공개 및 우송 등에 드는 비용은 실비의 범위에서 정보공개 청구를 받은 행정청이 부담한다.
④ 청구인은 이의신청 절차를 거치지 아니하고 행정심판을 청구할 수 있다.

**정답 및 해설 I ③**

③ [×]

> **정보공개법 제17조【비용 부담】** ① 정보의 공개 및 우송 등에 드는 비용은 실비의 범위에서 **청구인이 부담**한다.

① [○]

> **정보공개법 제5조【정보공개 청구권자】** ① **모든 국민**은 정보의 공개를 청구할 권리를 가진다.
> ② **외국인**의 정보공개 청구에 관하여는 대통령령으로 정한다.

② [○]

> **정보공개법 제10조【정보공개의 청구방법】** ① 정보의 공개를 청구하는 자(이하 "청구인"이라 한다)는 해당 정보를 보유하거나 관리하고 있는 공공기관에 다음 각 호의 사항을 적은 정보공개 청구서를 제출하거나 **말로써** 정보의 공개를 청구할 수 있다. ➜ 구두(말)로 하는 것은 가능하나 익명으로는 불가능하다.
> 1. 청구인의 성명 · 생년월일 · 주소 및 연락처 …
> 2. 청구인의 주민등록번호(본인임을 확인하고 공개 여부를 결정할 필요가 있는 정보를 청구하는 경우로 한정한다)
> 3. 공개를 청구하는 정보의 내용 및 공개방법

④ [○]

> **정보공개법 제19조【행정심판】** ① 청구인이 정보공개와 관련한 공공기관의 결정에 대하여 불복이 있거나 정보공개 청구 후 20일이 경과하도록 정보공개 결정이 없는 때에는 「행정심판법」에서 정하는 바에 따라 행정심판을 청구할 수 있다. 이 경우 국가기관 및 지방자치단체 외의 공공기관의 결정에 대한 감독행정기관은 관계 중앙행정기관의 장 또는 지방자치단체의 장으로 한다.
> ② 청구인은 제18조에 따른 **이의신청 절차를 거치지 아니하고 행정심판을 청구할 수 있다.**

## 120 「공공기관의 정보공개에 관한 법률」에 대한 설명으로 가장 적절하지 않은 것은? [2017 채용 1차]

① 공공기관이 보유 · 관리하는 정보는 국민의 알권리 보장 등을 위하여 이 법에서 정하는 바에 따라 적극적으로 공개하여야 한다.

② 청구인이 정보공개와 관련한 공공기관의 결정에 대하여 불복이 있거나 정보공개 청구 후 20일이 경과하도록 정보공개 결정이 없는 때에는 「행정심판법」에서 정하는 바에 따라 행정심판을 청구할 수 있다.

③ 공공기관은 청구인의 정보공개청구가 있을 때에는 원칙적으로 청구를 받은 날부터 10일 이내 공개 여부를 결정하여야 한다.

④ 공공기관은 이의신청을 받은 날부터 7일 이내에 그 이의신청에 대하여 결정하고 그 결과를 청구인에게 지체 없이 문서로 통지하여야 한다. 다만, 부득이한 사유로 정하여진 기간 이내에 결정할 수 없을 때에는 그 기간이 끝나는 날부터 기산하여 7일의 범위에서 연장할 수 있으며, 연장 사유를 청구인에게 통지하여야 한다.

**정답 및 해설 | ④**

④ [×] 끝나는 날의 '다음 날'부터 기산하여 7일이다.

> **정보공개법 제18조 【이의신청】** ③ 공공기관은 이의신청을 받은 날부터 7일 이내에 그 이의신청에 대하여 결정하고 그 결과를 청구인에게 지체 없이 문서로 통지하여야 한다. 다만, 부득이한 사유로 정하여진 기간 이내에 결정할 수 없을 때에는 그 기간이 끝나는 날의 다음 날부터 기산하여 7일의 범위에서 연장할 수 있으며, 연장 사유를 청구인에게 통지하여야 한다.

① [○]

> **정보공개법 제3조 【정보공개의 원칙】** 공공기관이 보유 · 관리하는 정보는 국민의 알권리 보장 등을 위하여 이 법에서 정하는 바에 따라 적극적으로 공개하여야 한다.

② [○]

> **정보공개법 제19조 【행정심판】** ① 청구인이 정보공개와 관련한 공공기관의 결정에 대하여 불복이 있거나 정보공개 청구 후 20일이 경과하도록 정보공개 결정이 없는 때에는 「행정심판법」에서 정하는 바에 따라 행정심판을 청구할 수 있다. 이 경우 국가기관 및 지방자치단체 외의 공공기관의 결정에 대한 감독행정기관은 관계 중앙행정기관의 장 또는 지방자치단체의 장으로 한다.

③ [○]

> **정보공개법 제11조 【정보공개 여부의 결정】** ① 공공기관은 제10조에 따라 정보공개의 청구를 받으면 그 청구를 받은 날부터 10일 이내에 공개 여부를 결정하여야 한다.

## 121 「공공기관의 정보공개에 관한 법률」에 대한 설명으로 가장 적절한 것은? [2019 승진(경위)]

① 공공기관이 보유 · 관리하는 정보는 국민의 알권리 보장 등을 위하여 공공기관의 정보공개에 관한 법률에서 정하는 바에 따라 적극적으로 공개하여야 한다.

② 공공기관은 공개 청구된 공개 대상 정보의 전부 또는 일부가 제3자와 관련이 있다고 인정할 때에는 그 사실을 제3자에게 3일 이내에 통지하여야 하며, 필요한 경우에는 그의 의견을 들을 수 있다.

③ 청구인이 정보공개와 관련한 공공기관의 부분 공개 결정에 대하여 불복이 있는 때에는 공공기관으로부터 정보공개 여부의 결정 통지를 받은 날부터 20일 이내에 이의신청을 할 수 있다.

④ 공공기관은 이의신청을 받은 날부터 7일 이내에 그 이의신청에 대하여 결정하고 그 결과를 청구인에게 3일 이내에 문서로 통지하여야 한다.

**정답 및 해설 I ①**

① [○]

> **정보공개법 제3조【정보공개의 원칙】** 공공기관이 보유·관리하는 정보는 국민의 알권리 보장 등을 위하여 이 법에서 정하는 바에 따라 적극적으로 공개하여야 한다.

② [×] 3일 이내 통지가 아니라 지체 없이 통지하여야 한다.

> **정보공개법 제11조【정보공개 여부의 결정】** ③ 공공기관은 공개 청구된 공개 대상 정보의 전부 또는 일부가 제3자와 관련이 있다고 인정할 때에는 그 사실을 제3자에게 지체 없이 통지하여야 하며, 필요한 경우에는 그의 의견을 들을 수 있다.

③ [×] 통지를 받은 날부터 '30일 이내'이다.

> **정보공개법 제18조【이의신청】** ① 청구인이 정보공개와 관련한 공공기관의 비공개 결정 또는 부분 공개 결정에 대하여 불복이 있거나 정보공개 청구 후 20일이 경과하도록 정보공개 결정이 없는 때에는 공공기관으로부터 정보공개 여부의 결정 통지를 받은 날 또는 정보공개 청구 후 20일이 경과한 날부터 30일 이내에 해당 공공기관에 문서로 이의신청을 할 수 있다.

④ [×] 지체 없이 통지하여야 한다.

> **정보공개법 제18조【이의신청】** ③ 공공기관은 이의신청을 받은 날부터 7일 이내에 그 이의신청에 대하여 결정하고 그 결과를 청구인에게 지체 없이 문서로 통지하여야 한다.

## 122 「공공기관의 정보공개에 관한 법률」상 불복절차에 관한 다음 설명 중 가장 적절하지 않은 것은?

[2016 채용 1차]

① 공공기관은 이의신청을 받은 날부터 10일 이내에 그 이의신청에 대하여 결정하고 그 결과를 청구인에게 지체 없이 문서로 통지하여야 한다. 다만, 부득이한 사유로 정하여진 기간 이내에 결정할 수 없을 때에는 그 기간이 끝나는 날의 다음 날부터 기산하여 10일의 범위에서 연장할 수 있으며, 연장 사유를 청구인에게 통지하여야 한다.

② 청구인이 정보공개와 관련한 공공기관의 결정에 대하여 불복이 있거나 정보공개 청구 후 20일이 경과하도록 정보공개 결정이 없는 때에는 「행정심판법」에서 정하는 바에 따라 행정심판을 청구할 수 있다.

③ 청구인은 이의신청 절차를 거치지 아니하고 행정심판을 청구할 수 있다.

④ 청구인이 정보공개와 관련한 공공기관의 결정에 대하여 불복이 있거나 정보공개 청구 후 20일이 경과하도록 정보공개 결정이 없는 때에는 「행정소송법」에서 정하는 바에 따라 행정소송을 제기할 수 있다.

**정답 및 해설 I ①**

① [×]

> **정보공개법 제18조【이의신청】** ③ 공공기관은 이의신청을 받은 날부터 7일 이내에 그 이의신청에 대하여 결정하고 그 결과를 청구인에게 지체 없이 문서로 통지하여야 한다. 다만, 부득이한 사유로 정하여진 기간 이내에 결정할 수 없을 때에는 그 기간이 끝나는 날의 다음 날부터 기산하여 7일의 범위에서 연장할 수 있으며, 연장 사유를 청구인에게 통지하여야 한다.

②③ [○]

> **정보공개법 제19조【행정심판】** ① 청구인이 정보공개와 관련한 공공기관의 결정에 대하여 불복이 있거나 정보공개 청구 후 20일이 경과하도록 정보공개 결정이 없는 때에는 「행정심판법」에서 정하는 바에 따라 행정심판을 청구할 수 있다. 이 경우 국가기관 및 지방자치단체 외의 공공기관의 결정에 대한 감독행정기관은 관계 중앙행정기관의 장 또는 지방자치단체의 장으로 한다.
> ② 청구인은 제18조에 따른 이의신청 절차를 거치지 아니하고 행정심판을 청구할 수 있다.

④ [○]

> 정보공개법 제20조 【행정소송】 ① 청구인이 정보공개와 관련한 공공기관의 결정에 대하여 불복이 있거나 정보공개 청구 후 20일이 경과하도록 정보공개 결정이 없는 때에는 「행정소송법」에서 정하는 바에 따라 행정소송을 제기할 수 있다.



**123** 「공공기관의 정보공개에 관한 법률」의 내용으로 가장 적절하지 <u>않은</u> 것은? [2018 승진(경위)]

① 모든 국민은 정보의 공개를 청구할 권리를 가진다.

② 공공기관은 정보공개의 청구를 받으면 그 청구를 받은 날부터 7일 이내에 공개 여부를 결정하여야 한다.

③ 정보의 공개 및 우송 등에 드는 비용은 실비(實費)의 범위에서 청구인이 부담하는 것이 원칙이다.

④ 청구인이 정보공개와 관련한 공공기관의 비공개 결정 또는 부분 공개 결정에 대하여 불복이 있거나 정보공개 청구 후 20일이 경과하도록 정보공개 결정이 없는 때에는 공공기관으로부터 정보공개 여부의 결정 통지를 받은 날 또는 정보공개 청구 후 20일이 경과한 날부터 30일 이내에 해당 공공기관에 문서로 이의신청을 할 수 있다.

**정답 및 해설 | ②**

② [×] 7일이 아니라 10일이다.

> 정보공개법 제11조 【정보공개 여부의 결정】 ① 공공기관은 제10조에 따라 정보공개의 청구를 받으면 그 청구를 받은 날부터 10일 이내에 공개 여부를 결정하여야 한다.

① [○]

> 정보공개법 제5조 【정보공개 청구권자】 ① 모든 국민은 정보의 공개를 청구할 권리를 가진다.

③ [○]

> 정보공개법 제17조 【비용 부담】 ① 정보의 공개 및 우송 등에 드는 비용은 실비의 범위에서 청구인이 부담한다.

④ [○]

> 정보공개법 제18조 【이의신청】 ① 청구인이 정보공개와 관련한 공공기관의 비공개 결정 또는 부분 공개 결정에 대하여 불복이 있거나 정보공개 청구 후 20일이 경과하도록 정보공개 결정이 없는 때에는 공공기관으로부터 정보공개 여부의 결정 통지를 받은 날 또는 정보공개 청구 후 20일이 경과한 날부터 30일 이내에 해당 공공기관에 문서로 이의신청을 할 수 있다.

**124** 공공기관의 정보공개에 관한 법률상 '불복 구제 절차'에 대한 내용으로 가장 적절하지 않은 것은?

[2018 승진(경감)]

① 청구인이 정보공개와 관련한 공공기관의 비공개 결정 또는 부분 공개 결정에 대하여 불복이 있거나 정보공개 청구 후 20일이 경과하도록 정보공개 결정이 없는 때에는 공공기관으로부터 정보공개 여부의 결정 통지를 받은 날 또는 정보공개 청구 후 20일이 경과한 날부터 60일 이내에 해당 공공기관에 문서로 이의신청을 할 수 있다.

② 공공기관은 이의신청을 받은 날부터 7일 이내에 그 이의신청에 대하여 결정하고 그 결과를 청구인에게 지체 없이 문서로 통지하여야 한다. 다만, 부득이한 사유로 정하여진 기간 이내에 결정할 수 없을 때에는 그 기간이 끝나는 날의 다음 날부터 기산하여 7일의 범위에서 연장할 수 있으며, 연장 사유를 청구인에게 통지하여야 한다.

③ 청구인이 정보공개와 관련한 공공기관의 결정에 대하여 불복이 있거나 정보공개 청구 후 20일이 경과하도록 정보공개 결정이 없는 때에는 행정심판법에서 정하는 바에 따라 행정심판을 청구할 수 있으며, 이 경우 이의신청 절차를 거치지 아니하고 행정심판을 청구할 수 있다.

④ 청구인이 정보공개와 관련한 공공기관의 결정에 대하여 불복이 있거나 정보공개 청구 후 20일이 경과하도록 정보공개 결정이 없는 때에는 「행정소송법」에서 정하는 바에 따라 행정소송을 제기할 수 있다.

**정답 및 해설 I ①**

① [×] 20일이 경과한 날부터 30일 이내에 이의신청할 수 있다.

> **정보공개법 제18조【이의신청】** ① 청구인이 정보공개와 관련한 공공기관의 비공개 결정 또는 부분 공개 결정에 대하여 불복이 있거나 정보공개 청구 후 20일이 경과하도록 정보공개 결정이 없는 때에는 공공기관으로부터 정보공개 여부의 결정 통지를 받은 날 또는 정보공개 청구 후 20일이 경과한 날부터 30일 이내에 해당 공공기관에 문서로 이의신청을 할 수 있다.

② [○]

> **정보공개법 제18조【이의신청】** ③ 공공기관은 이의신청을 받은 날부터 7일 이내에 그 이의신청에 대하여 결정하고 그 결과를 청구인에게 지체 없이 문서로 통지하여야 한다. 다만, 부득이한 사유로 정하여진 기간 이내에 결정할 수 없을 때에는 그 기간이 끝나는 날의 다음 날부터 기산하여 7일의 범위에서 연장할 수 있으며, 연장 사유를 청구인에게 통지하여야 한다. ➔ 7 + (다음 날) 7

③ [○]

> **정보공개법 제19조【행정심판】** ① 청구인이 정보공개와 관련한 공공기관의 결정에 대하여 불복이 있거나 정보공개 청구 후 20일이 경과하도록 정보공개 결정이 없는 때에는 「행정심판법」에서 정하는 바에 따라 행정심판을 청구할 수 있다. 이 경우 국가기관 및 지방자치단체 외의 공공기관의 결정에 대한 감독행정기관은 관계 중앙행정기관의 장 또는 지방자치단체의 장으로 한다.
> ② 청구인은 제18조에 따른 이의신청 절차를 거치지 아니하고 행정심판을 청구할 수 있다.

④ [○]

> **정보공개법 제20조【행정소송】** ① 청구인이 정보공개와 관련한 공공기관의 결정에 대하여 불복이 있거나 정보공개 청구 후 20일이 경과하도록 정보공개 결정이 없는 때에는 「행정소송법」에서 정하는 바에 따라 행정소송을 제기할 수 있다.

## 125 '공공기관의 정보공개에 관한 법률'상 불복구제절차를 설명한 것으로 가장 적절하지 않은 것은?

[2016 지능범죄]

① 청구인이 정보공개와 관련한 공공기관의 비공개 결정 또는 부분 공개 결정에 대하여 불복이 있거나 정보공개 청구 후 20일이 경과하도록 정보공개 결정이 없는 때에는 공공기관으로부터 정보공개 여부의 결정 통지를 받은 날 또는 정보공개 청구 후 20일이 경과한 날로부터 30일 이내에 해당 공공기관에 문서 또는 구두로 이의신청을 할 수 있다.

② 공공기관은 이의신청을 받은 날부터 7일 이내에 그 이의신청에 대하여 결정하고 그 결과를 청구인에게 지체 없이 문서로 통지하여야 한다. 다만, 부득이한 사유로 정하여진 기간 이내에 결정할 수 없을 때에는 그 기간이 끝나는 날의 다음 날부터 기산하여 7일의 범위에서 연장할 수 있으며, 연장 사유를 청구인에게 통지하여야 한다.

③ 청구인은 이의신청 절차를 거치지 아니하고 행정심판을 청구할 수 있다.

④ 청구인이 정보공개와 관련한 공공기관의 결정에 대하여 불복이 있거나 정보공개 청구 후 20일이 경과하도록 정보공개 결정이 없는 때에는 '행정소송법'에서 정하는 바에 따라 행정소송을 제기할 수 있다.

**정답 및 해설 I ①**

① [×] 구두로는 할 수 없다.

> **정보공개법 제18조【이의신청】** ① 청구인이 정보공개와 관련한 공공기관의 비공개 결정 또는 부분 공개 결정에 대하여 불복이 있거나 정보공개 청구 후 20일이 경과하도록 정보공개 결정이 없는 때에는 공공기관으로부터 정보공개 여부의 결정 통지를 받은 날 또는 정보공개 청구 후 20일이 경과한 날부터 30일 이내에 해당 공공기관에 문서로 이의신청을 할 수 있다.

② [○]

> **정보공개법 제18조【이의신청】** ③ 공공기관은 이의신청을 받은 날부터 7일 이내에 그 이의신청에 대하여 결정하고 그 결과를 청구인에게 지체 없이 문서로 통지하여야 한다. 다만, 부득이한 사유로 정하여진 기간 이내에 결정할 수 없을 때에는 그 기간이 끝나는 날의 다음 날부터 기산하여 7일의 범위에서 연장할 수 있으며, 연장 사유를 청구인에게 통지하여야 한다.

③ [○]

> **정보공개법 제19조【행정심판】** ② 청구인은 제18조에 따른 이의신청 절차를 거치지 아니하고 행정심판을 청구할 수 있다.

④ [○]

> **정보공개법 제20조【행정소송】** ① 청구인이 정보공개와 관련한 공공기관의 결정에 대하여 불복이 있거나 정보공개 청구 후 20일이 경과하도록 정보공개 결정이 없는 때에는 「행정소송법」에서 정하는 바에 따라 행정소송을 제기할 수 있다.

**126** 다음은 「공공기관의 정보공개에 관한 법률」상 이의신청에 대한 설명이다. ㉠부터 ㉤까지에 들어갈 숫자를 모두 합한 값은? [2018 채용 2차]

> - 청구인이 정보공개와 관련한 공공기관의 비공개 결정 또는 부분 공개 결정에 대하여 불복이 있거나 정보공개 청구 후 ( ㉠ )일이 경과하도록 정보공개 결정이 없는 때에는 공공기관으로부터 정보공개 여부의 결정 통지를 받은 날 또는 정보공개 청구 후 ( ㉡ )일이 경과한 날부터 ( ㉢ )일 이내에 해당 공공기관에 문서로 이의신청을 할 수 있다.
> - 공공기관은 이의신청을 받은 날부터 ( ㉣ )일 이내에 그 이의신청에 대하여 결정하고 그 결과를 청구인에게 지체 없이 문서로 통지하여야 한다. 다만, 부득이한 사유로 정하여진 기간 이내에 결정할 수 없을 때에는 그 기간이 끝나는 날의 다음 날부터 기산하여 ( ㉤ )일의 범위에서 연장할 수 있으며, 연장 사유를 청구인에게 통지하여야 한다.

① 84 ② 90

③ 94 ④ 100

**정답 및 해설 I ①**

① [○] 20 + 20 + 30 + 7 + 7 = 84

> **정보공개법 제18조【이의신청】** ① 청구인이 정보공개와 관련한 공공기관의 비공개 결정 또는 부분 공개 결정에 대하여 불복이 있거나 정보공개 청구 후 (㉠ 20 )일이 경과하도록 정보공개 결정이 없는 때에는 공공기관으로부터 정보공개 여부의 결정 통지를 받은 날 또는 정보공개 청구 후 (㉡ 20 )일이 경과한 날부터 (㉢ 30 )일 이내에 해당 공공기관에 문서로 이의신청을 할 수 있다.
> ③ 공공기관은 이의신청을 받은 날부터 (㉣ 7 )일 이내에 그 이의신청에 대하여 결정하고 그 결과를 청구인에게 지체 없이 문서로 통지하여야 한다. 다만, 부득이한 사유로 정하여진 기간 이내에 결정할 수 없을 때에는 그 기간이 끝나는 날의 다음 날부터 기산하여 (㉤ 7 )일의 범위에서 연장할 수 있으며, 연장 사유를 청구인에게 통지하여야 한다.

**127** 「공공기관의 정보공개에 관한 법률」에 대한 설명 중 옳은 것을 모두 고른 것은? [2018 경채]

> ㉠ 공공기관이 보유·관리하는 정보는 국민의 알권리 보장 등을 위하여 적극적으로 공개할 수 있다.
> ㉡ 모든 국민은 정보의 공개를 청구할 권리를 가지며 외국인의 정보공개 청구에 관하여는 대통령령으로 정한다.
> ㉢ 공공기관은 정보공개의 청구를 받으면 그 청구를 받은 날부터 7일 이내에 공개 여부를 결정하여야 한다.
> ㉣ 청구인이 정보공개와 관련한 공공기관의 비공개 결정 또는 부분 공개 결정에 대하여 불복이 있거나 정보공개 청구 후 20일이 경과하도록 정보공개 결정이 없는 때에는 공공기관으로부터 정보공개 여부의 결정 통지를 받은 날 또는 정보공개 청구 후 20일이 경과한 날부터 30일 이내에 해당 공공기관에 문서로 이의신청을 할 수 있다.

① ㉠, ㉡ ② ㉠, ㉢

③ ㉡, ㉣ ④ ㉢, ㉣

**정답 및 해설 | ③**

㉠ [×] 공개하여야 한다.

> **정보공개법 제3조【정보공개의 원칙】** 공공기관이 보유·관리하는 정보는 국민의 알권리 보장 등을 위하여 이 법에서 정하는 바에 따라 적극적으로 공개하여야 한다.

㉡ [○]

> **정보공개법 제5조【정보공개 청구권자】** ① 모든 국민은 정보의 공개를 청구할 권리를 가진다.
> ② 외국인의 정보공개 청구에 관하여는 대통령령으로 정한다.

㉢ [×] 10일 이내에 공개 여부를 결정하여야 한다.

> **정보공개법 제11조【정보공개 여부의 결정】** ① 공공기관은 제10조에 따라 정보공개의 청구를 받으면 그 청구를 받은 날부터 10일 이내에 공개 여부를 결정하여야 한다.

㉣ [○]

> **정보공개법 제18조【이의신청】** ① 청구인이 정보공개와 관련한 공공기관의 비공개 결정 또는 부분 공개 결정에 대하여 불복이 있거나 정보공개 청구 후 20일이 경과하도록 정보공개 결정이 없는 때에는 공공기관으로부터 정보공개 여부의 결정 통지를 받은 날 또는 정보공개 청구 후 20일이 경과한 날부터 30일 이내에 해당 공공기관에 문서로 이의신청을 할 수 있다.

**128** '공공기관의 정보공개에 관한 법률'에 대한 다음 설명 중 옳은 것은 모두 몇 개인가? [2017 경간]

> ㉠ 공공기관이 보유·관리하는 정보는 국민의 알권리 보장 등을 위하여 이 법에서 정하는 바에 따라 적극적으로 공개하여야 한다.
> ㉡ 공공기관은 정보공개의 청구를 받으면 그 청구를 받은 날부터 7일 이내에 공개 여부를 결정하여야 한다.
> ㉢ 공공기관은 공개 청구된 공개 대상 정보의 전부 또는 일부가 제3자와 관련이 있다고 인정할 때에는 그 사실을 제3자에게 지체 없이 통지하여야 하며, 필요한 경우에는 그의 의견을 들을 수 있다.
> ㉣ 청구인은 공공기관으로부터 정보공개 여부의 결정 통지를 받은 날 또는 정보공개 청구 후 20일이 경과한 날부터 30일 이내에 당해 공공기관에 문서로 이의신청을 할 수 있다.
> ㉤ 공공기관은 이의신청을 받은 날부터 10일 이내에 그 이의신청에 대하여 결정하고 그 결과를 청구인에게 지체 없이 문서로 통지하여야 한다.
> ㉥ 자기와 관련된 정보공개청구사실을 통지받은 제3자는 통지받은 날부터 3일 이내에 해당 공공기관에 대하여 자신과 관련된 정보를 공개하지 아니할 것을 요청할 수 있다.

① 1개 ② 2개
③ 3개 ④ 4개

**정답 및 해설 | ④**

㉠ [○]

> 정보공개법 제3조 【정보공개의 원칙】 공공기관이 보유·관리하는 정보는 국민의 알권리 보장 등을 위하여 이 법에서 정하는 바에 따라 적극적으로 공개하여야 한다.

㉡ [×] 7일이 아니라 10일이다.

> 정보공개법 제11조 【정보공개 여부의 결정】 ① 공공기관은 제10조에 따라 정보공개의 청구를 받으면 그 청구를 받은 날부터 10일 이내에 공개 여부를 결정하여야 한다.

㉢㉥ [○]

> 정보공개법 제11조 【정보공개 여부의 결정】 ③ 공공기관은 공개 청구된 공개 대상 정보의 전부 또는 일부가 제3자와 관련이 있다고 인정할 때에는 그 사실을 제3자에게 지체 없이 통지하여야 하며, 필요한 경우에는 그의 의견을 들을 수 있다.
>
> 정보공개법 제21조 【제3자의 비공개 요청 등】 ① 제11조 제3항에 따라 공개 청구된 사실을 통지받은 제3자는 그 통지를 받은 날부터 3일 이내에 해당 공공기관에 대하여 자신과 관련된 정보를 공개하지 아니할 것을 요청할 수 있다.

㉣ [○]

> 정보공개법 제18조 【이의신청】 ① 청구인이 정보공개와 관련한 공공기관의 비공개 결정 또는 부분 공개 결정에 대하여 불복이 있거나 정보공개 청구 후 20일이 경과하도록 정보공개 결정이 없는 때에는 공공기관으로부터 정보공개 여부의 결정 통지를 받은 날 또는 정보공개 청구 후 20일이 경과한 날부터 30일 이내에 해당 공공기관에 문서로 이의신청을 할 수 있다.

㉤ [×] 10일이 아니라 7일이다.

> 정보공개법 제18조 【이의신청】 ③ 공공기관은 이의신청을 받은 날부터 7일 이내에 그 이의신청에 대하여 결정하고 그 결과를 청구인에게 지체 없이 문서로 통지하여야 한다. 다만, 부득이한 사유로 정하여진 기간 이내에 결정할 수 없을 때에는 그 기간이 끝나는 날의 다음 날부터 기산하여 7일의 범위에서 연장할 수 있으며, 연장 사유를 청구인에게 통지하여야 한다.
> ➜ 7 + (다음 날) 7

## 129 「공공기관의 정보공개에 관한 법률」에 대한 설명으로 틀린 것은 모두 몇 개인가? [2015 채용 3차]

> ㉠ 공공기관이 보유·관리하는 정보는 국민의 알권리 보장 등을 위하여 이 법에서 정하는 바에 따라 적극적으로 공개하여야 한다.
>
> ㉡ 모든 국민은 정보의 공개를 청구할 권리를 가진다. 외국인의 정보공개 청구에 관하여는 대통령령으로 정한다.
>
> ㉢ 청구인이 정보공개와 관련한 공공기관의 비공개 결정 또는 부분 공개 결정에 대하여 불복이 있거나 정보공개 청구 후 20일이 경과하도록 정보공개 결정이 없는 때에는 공공기관으로부터 정보공개 여부의 결정 통지를 받은 날 또는 정보공개 청구 후 20일이 경과한 날부터 30일 이내에 해당 공공기관에 문서로 이의신청을 할 수 있다.
>
> ㉣ 정보공개위원회는 위원장과 부위원장 각 1명을 포함한 9명의 위원으로 구성한다. 이 경우 위원장을 포함한 7명은 공무원이 아닌 사람으로 위촉할 수 있다.
>
> ㉤ 행정안전부장관은 정보공개위원회가 정보공개제도의 효율적 운영을 위하여 필요하다고 요청하면 공공기관(국회·법원·헌법재판소 및 중앙선거관리위원회를 포함한다)의 정보공개제도 운영실태를 평가할 수 있다.

① 1개　　② 2개

③ 3개　　④ 4개

**정답 및 해설 I ②**

㉠ [○]

> **정보공개법 제3조 【정보공개의 원칙】** 공공기관이 보유 · 관리하는 정보는 국민의 알권리 보장 등을 위하여 이 법에서 정하는 바에 따라 적극적으로 공개하여야 한다.

㉡ [○]

> **정보공개법 제5조 【정보공개 청구권자】** ① 모든 국민은 정보의 공개를 청구할 권리를 가진다.
> ② 외국인의 정보공개 청구에 관하여는 대통령령으로 정한다.

㉢ [○]

> **정보공개법 제18조 【이의신청】** ① 청구인이 정보공개와 관련한 공공기관의 **비공개 결정 또는 부분 공개 결정**에 대하여 불복이 있거나 정보공개 청구 후 20일이 경과하도록 정보공개 결정이 없는 때에는 공공기관으로부터 정보공개 여부의 결정 통지를 받은 날 또는 정보공개 청구 후 20일이 경과한 날부터 30일 이내에 해당 공공기관에 문서로 이의신청을 할 수 있다.

㉣ [×] 11명의 위원으로 구성한다. 이 경우 위원장을 포함한 7명은 공무원이 아닌 사람으로 위촉하여야 한다.

> **정보공개법 제23조 【위원회의 구성 등】** ① 위원회는 성별을 고려하여 위원장과 부위원장 각 1명을 포함한 11명의 위원으로 구성한다. ➜ 위원장 1명(비공무원), 부위원장 1명, 일반위원 9명
> ② 위원회의 위원은 다음 각 호의 사람이 된다. 이 경우 위원장을 포함한 7명은 공무원이 아닌 사람으로 위촉하여야 한다.
> 1. 대통령령으로 정하는 관계 중앙행정기관의 **차관급 공무원이나 고위공무원단에** 속하는 일반직공무원
> 2. 정보공개에 관하여 **학식과 경험이 풍부한 사람**으로서 행정안전부장관이 위촉하는 사람
> 3. **시민단체**(「비영리민간단체 지원법」 제2조에 따른 비영리민간단체를 말한다)에서 추천한 사람으로서 행정안전부장관이 위촉하는 사람

㉤ [×] 국회 · 법원 · 헌법재판소 및 중앙선거관리위원회는 제외한다.

> **정보공개법 제24조 【제도 총괄 등】** ① **행정안전부장관**은 이 법에 따른 정보공개제도의 정책 수립 및 제도 개선 사항 등에 관한 기획 · 총괄 업무를 관장한다.
> ② 행정안전부장관은 위원회가 정보공개제도의 효율적 운영을 위하여 필요하다고 요청하면 공공기관(국회 · 법원 · 헌법재판소 및 중앙선거관리위원회는 **제외한다**)의 **정보공개제도 운영실태를 평가할 수 있다.**

**130** 「공공기관의 정보공개에 관한 법률」상 정보공개절차에 대한 설명으로 가장 적절하지 않은 것은? (다툼이 있는 경우 판례에 의함) [2018 경행특채 2차]

① 청구인이 정보공개와 관련하여 공공기관의 처분에 대하여 행정소송을 제기하고자 하는 때에는 먼저 이의신청 및 행정심판을 거치도록 하고 있다.

② 공개를 구하는 정보를 공공기관이 한때 보유 · 관리하였으나 후에 그 정보가 담긴 문서들이 폐기되어 존재하지 않게 된 것이라면 그 정보를 더 이상 보유 · 관리하고 있지 않다는 점에 대한 증명책임은 공공기관에 있다.

③ 정보공개에 관한 정책 수립 및 제도 개선에 관한 사항을 심의 · 조정하기 위하여 행정안전부장관 소속으로 정보공개위원회를 둔다.

④ 정보의 공개를 청구하는 자는 해당 정보를 보유하거나 관리하고 있는 공공기관에 정보공개 청구서를 제출하거나 말로써 정보의 공개를 청구할 수 있다.

**정답 및 해설 I ①**

① [×] 이의신청이나 행정심판을 필요적 전치로 규정하고 있지 않다. 따라서 이의신청이나 행정심판을 거치지 않고도 행정소송을 제기할 수 있다.

> **정보공개법 제20조【행정소송】** ① 청구인이 정보공개와 관련한 공공기관의 결정에 대하여 불복이 있거나 정보공개 청구 후 20일이 경과하도록 정보공개 결정이 없는 때에는 「행정소송법」에서 정하는 바에 따라 행정소송을 제기할 수 있다.

② [○]

> **요지판례 I**
>
> ■ 공개청구자는 그가 공개를 구하는 정보를 공공기관이 보유·관리하고 있을 상당한 개연성이 있다는 점에 대하여 입증할 책임이 있으나, 공개를 구하는 정보를 공공기관이 한때 보유·관리하였으나 후에 그 정보가 담긴 문서들이 폐기되어 존재하지 않게 된 것이라면 그 정보를 더 이상 보유·관리하고 있지 않다는 점에 대한 증명책임은 공공기관에 있다(대판 2013.1.24, 2010두18918).

③ [○]

> **정보공개법 제22조【정보공개위원회의 설치】** 다음 각 호의 사항을 심의·조정하기 위하여 행정안전부장관 소속으로 정보공개위원회(이하 "위원회"라 한다)를 둔다.
>
> 1. 정보공개에 관한 정책 수립 및 제도 개선에 관한 사항

④ [○]

> **정보공개법 제10조【정보공개의 청구방법】** ① 정보의 공개를 청구하는 자(이하 "청구인"이라 한다)는 해당 정보를 보유하거나 관리하고 있는 공공기관에 다음 각 호의 사항을 적은 정보공개 청구서를 제출하거나 말로써 정보의 공개를 청구할 수 있다. ➜ 구두(말)로 하는 것은 가능하나 익명으로는 불가능하다.
>
> 1. 청구인의 성명·생년월일·주소 및 연락처 …
> 2. 청구인의 주민등록번호(본인임을 확인하고 공개 여부를 결정할 필요가 있는 정보를 청구하는 경우로 한정한다)
> 3. 공개를 청구하는 정보의 내용 및 공개방법

**131** 공공기관의 정보공개에 관한 법률에 의한 정보공개에 관한 설명 중 가장 적절하지 않은 것은? (다툼이 있는 경우 판례에 의함)

[2021 경행특채 2차]

① 공공기관 중 중앙행정기관 및 대통령령으로 정하는 기관은 전자적 형태로 보유·관리하는 정보 중 공개대상으로 분류된 정보를 국민의 정보공개 청구가 없더라도 정보통신망을 활용한 정보공개시스템 등을 통하여 공개하여야 한다.

② 정당한 사유 없이 반복적으로 동일 대상에 대한 정보를 청구하거나 민원 처리에 관한 법률에 따른 민원으로 처리된 정보를 다시 청구하는 공개청구의 남용이 있는 경우 질서위반행위규제법에 따른 과태료 부과처분의 대상이 된다.

③ 공개청구를 받은 공공기관이 공개청구대상정보의 기초자료를 전자적 형태로 보유·관리하고 있고, 당해 기관에서 통상 사용되는 컴퓨터 하드웨어 및 소프트웨어와 기술적 전문지식을 사용하여 그 기초자료를 검색하여 청구인이 구하는 대로 편집할 수 있으며, 그러한 작업이 당해 기관의 컴퓨터 시스템 운용에 별다른 지장을 초래하지 아니한다면, 그 공공기관이 공개청구대상정보를 보유·관리하고 있는 것으로 볼 수 있다.

④ 정보공개청구인은 특정한 정보공개 방법을 지정하여 청구할 수 있는 법령상 신청권이 있다고 할 것이므로 공공기관이 공개청구의 대상이 된 정보를 정보공개청구인이 신청한 공개방법 이외의 방법으로 공개하기로 하는 결정을 하였다면, 이는 정보공개 방법에 관한 부분에 대하여 일부 거부처분을 한 것이고 정보공개청구인은 그에 대해 항고소송을 제기할 수 있다.

**정답 및 해설 | ②**

② [×] 종결 처리를 할 수 있을 뿐이다.

> 정보공개법 제11조의2【반복 청구 등의 처리】 ① 공공기관은 제11조에도 불구하고 제10조 제1항 및 제2항에 따른 정보공개 청구가 다음 각 호의 어느 하나에 해당하는 경우에는 정보공개 청구 대상 정보의 성격, 종전 청구와의 내용적 유사성·관련성, 종전 청구와 동일한 답변을 할 수밖에 없는 사정 등을 종합적으로 고려하여 해당 청구를 종결 처리할 수 있다. 이 경우 종결 처리 사실을 청구인에게 알려야 한다.
> 1. 정보공개를 청구하여 정보공개 여부에 대한 결정의 통지를 받은 자가 정당한 사유 없이 해당 정보의 공개를 다시 청구하는 경우
> 2. 정보공개 청구가 제11조 제5항에 따라 민원으로 처리되었으나 다시 같은 청구를 하는 경우

① [○]

> 정보공개법 제8조의2【공개대상 정보의 원문공개】 공공기관 중 중앙행정기관 및 대통령령으로 정하는 기관은 전자적 형태로 보유·관리하는 정보 중 공개대상으로 분류된 정보를 국민의 정보공개 청구가 없더라도 정보통신망을 활용한 정보공개시스템 등을 통하여 공개하여야 한다.

③ [○]

> **요지판례 |**
>
> ■ 공공기관의 정보공개에 관한 법률에 의한 정보공개제도는 공공기관이 보유·관리하는 정보를 그 상태대로 공개하는 제도이지만, 전자적 형태로 보유·관리되는 정보의 경우에는, 그 정보가 청구인이 구하는 대로는 되어 있지 않다고 하더라도, 공개청구를 받은 공공기관이 공개청구대상정보의 **기초자료를 전자적 형태로 보유·관리하고 있고, 당해 기관에서 통상 사용되는 컴퓨터 하드웨어 및 소프트웨어와 기술적 전문지식을 사용하여 그 기초자료를 검색하여 청구인이 구하는 대로 편집할 수 있으며, 그러한 작업이 당해 기관의 컴퓨터 시스템 운용에 별다른 지장을 초래하지 아니한다면,** 그 공공기관이 공개청구대상정보를 보유·관리하고 있는 것으로 볼 수 있고, 이러한 경우에 기초자료를 검색·편집하는 것은 새로운 정보의 생산 또는 가공에 해당한다고 할 수 없다(대판 2010.2.11, 2009두6001).

④ [○]

> **요지판례 |**
>
> ■ 공공기관의 정보공개에 관한 법률은 청구인이 정보공개방법도 아울러 지정하여 정보공개를 청구할 수 있도록 하고 있고, 전자적 형태의 정보를 전자적으로 공개하여 줄 것을 요청한 경우에는 공공기관은 원칙적으로 요청에 응할 의무가 있고, 나아가 비전자적 형태의 정보에 관해서도 전자적 형태로 공개하여 줄 것을 요청하면 재량판단에 따라 전자적 형태로 변환하여 공개할 수 있도록 하고 있다. 이는 정보의 효율적 활용을 도모하고 청구인의 편의를 제고함으로써 구 정보공개법의 목적인 국민의 알 권리를 충실하게 보장하려는 것이므로, **청구인에게는 특정한 공개방법을 지정하여 정보공개를 청구할 수 있는 법령상 신청권이 있다**(대판 2016.11.10, 2016두44674). ➜ 따라서 공공기관이 공개청구의 대상이 된 정보를 공개는 하되, 청구인이 신청한 공개방법 이외의 방법으로 공개하기로 하는 결정을 하였다면, 이는 정보공개청구 중 정보공개방법에 관한 부분에 대하여 일부 거부처분을 한 것이고, 청구인은 그에 대하여 항고소송으로 다툴 수 있다. [2021 경행특채 2차]

**132** 정보공개에 대한 설명으로 가장 적절하지 않은 것은? (다툼이 있는 경우 판례에 의함) [2020 경행특채 2차]

① 공공기관의 정보공개에 관한 법률상 공개청구의 대상이 되는 정보란 공공기관이 직무상 작성 또는 취득하여 현재 보유·관리하고 있는 문서에 한정되는 것이기는 하나, 그 문서가 반드시 원본일 필요는 없다.

② 법원이 행정기관의 정보공개거부처분의 위법 여부를 심리한 결과 공개를 거부한 정보에 비공개사유에 해당하는 부분과 그렇지 아니한 부분이 혼합되어 있고, 공개청구의 취지에 어긋나지 않는 범위 안에서 두 부분을 분리할 수 있음을 인정할 수 있다 하여도 공개가 가능한 정보에 국한하여 일부취소를 명할 수는 없다.

③ 공개를 구하는 정보를 공공기관이 한때 보유·관리하였으나 후에 그 정보가 담긴 문서 등이 폐기되어 존재하지 않게 된 것이라면 그 정보를 더 이상 보유·관리하고 있지 않다는 점에 대한 입증책임은 공공기관에게 있다.

④ 공개청구의 대상이 되는 정보가 이미 다른 사람에게 공개되어 널리 알려져 있다거나 인터넷 등을 통하여 공개되어 인터넷검색 등을 통하여 쉽게 알 수 있다는 사정만으로는 소의 이익이 없다거나 비공개결정이 정당화될 수 없다.

**정답 및 해설 I ②**

② [×]

**요지판례 I**

■ 법원이 행정기관의 정보공개거부처분의 위법 여부를 심리한 결과 공개를 거부한 정보에 비공개사유에 해당하는 부분과 그렇지 않은 부분이 혼합되어 있고, 공개청구의 취지에 어긋나지 않는 범위 안에서 두 부분을 분리할 수 있음을 인정할 수 있을 때에는 **공개가 가능한 정보에 국한하여 일부취소를 명할 수 있다**(대판 2009.12.10, 2009두12785). ➜ 이러한 정보의 부분 공개가 허용되는 경우란 그 정보의 공개방법 및 절차에 비추어 당해 정보에서 비공개대상정보에 관련된 기술 등을 제외 혹은 삭제하고 나머지 정보만을 공개하는 것이 가능하고 나머지 부분의 정보만으로도 공개의 가치가 있는 경우를 의미한다.

① [○]

**요지판례 I**

■ 공공기관의 정보공개에 관한 법률상 공개청구의 대상이 되는 정보란 공공기관이 직무상 작성 또는 취득하여 현재 보유·관리하고 있는 문서에 한정되는 것이기는 하나, 그 문서가 반드시 원본일 필요는 없다(대판 2006.5.25, 2006두3049).

③ [○]

**요지판례 I**

■ 공개청구자는 그가 공개를 구하는 정보를 공공기관이 보유·관리하고 있을 상당한 개연성이 있다는 점에 대하여 입증할 책임이 있으나, 공개를 구하는 정보를 공공기관이 한때 보유·관리하였으나 후에 그 정보가 담긴 문서들이 폐기되어 존재하지 않게 된 것이라면 **그 정보를 더 이상 보유·관리하고 있지 않다는 점에 대한 증명책임은 공공기관에 있다**(대판 2013.1.24, 2010두18918).

④ [○]

**요지판례 I**

■ 공개청구의 대상이 되는 정보가 이미 다른 사람에게 공개하여 널리 알려져 있다거나 인터넷이나 관보 등을 통하여 공개하여 인터넷검색이나 도서관에서의 열람 등을 통하여 쉽게 알 수 있다는 사정만으로는 소의 이익이 없다거나 비공개결정이 정당화될 수는 없다(대판 2008.11.27, 2005두15694).

# 제4절 | 경찰행정의 실효성 확보수단

## 주제 1 실효성 확보수단 개설

**133** 경찰상 의무이행 확보수단을 전통적 수단과 새로운 수단으로 구분할 때, 전통적 수단에 해당하지 않는 것은? [2020 경간]

① 대집행
② 집행벌
③ 과징금
④ 강제징수

**정답 및 해설 | ③**
③ [×] 과징금은 새로운 의무이행 확보수단 중 하나이다.

**134** 다음은 경찰상 의무이행 확보수단이다. 간접적인 의무이행 확보수단은 모두 몇 개인가? [2012 경간]

| | |
|---|---|
| ㉠ 경찰벌 | ㉡ 집행벌 |
| ㉢ 경찰상 즉시강제 | ㉣ 대집행 |
| ㉤ 강제징수 | ㉥ 공급거부 |
| ㉦ 명단공개 | ㉧ 관허사업의 제한 |

① 3개　② 4개
③ 5개　④ 6개

**정답 및 해설 | ③**
③ [○] 간접적인 의무이행 확보수단에 해당하는 것은 ㉠, ㉡, ㉥, ㉦, ㉧ 5개이다. 간접적 의무이행수단 중 전통적 실효성 확보수단은 ㉠ 경찰벌, ㉡ 집행벌 2개이고, 새로운 실효성 확보수단은 ㉥ 공급거부, ㉦ 명단공개, ㉧ 관허사업의 제한의 3개이다.

<table>
<tr><td rowspan="5">경찰강제</td><td colspan="2">즉시강제</td><td rowspan="4">직접적 의무이행 확보수단</td></tr>
<tr><td rowspan="4">강제집행</td><td>대집행</td></tr>
<tr><td>직접강제</td></tr>
<tr><td>강제징수</td></tr>
<tr><td>이행강제금(집행벌)</td><td rowspan="3">간접적 의무이행 확보수단</td></tr>
<tr><td rowspan="2">경찰벌</td><td colspan="2">경찰형벌</td></tr>
<tr><td colspan="2">경찰질서벌</td></tr>
</table>

## 주제 2 경찰강제 – 강제집행과 즉시강제

**135** 경찰상 강제집행의 수단에 대한 설명이다. ㉠부터 ㉣까지의 설명과 명칭이 가장 적절하게 연결된 것은?

[2018 승진(경위)]

> ㉠ 대체적 작위의무의 불이행이 있는 경우 행정청이 의무자의 작위의무를 스스로 행하거나 제3자로 하여금 이를 행하게 하고 그 비용을 의무자로부터 징수하는 행위
> ㉡ 경찰상 의무를 이행하지 않는 경우에 그 이행을 강제하기 위해 과하는 금전벌
> ㉢ 국민이 국가 또는 공공단체에 대해 부담하고 있는 공법상의 금전급부의무를 이행하지 않는 경우에 행정청이 강제적으로 의무가 이행된 것과 동일한 상태를 실현하는 작용
> ㉣ 경찰상 의무불이행에 대해 최후의 수단으로서 직접 의무자의 신체나 재산에 실력을 가하여 의무의 이행이 있었던 것과 동일한 상태를 실현하는 작용

| | ㉠ | ㉡ | ㉢ | ㉣ |
|---|---|---|---|---|
| ① | 대집행 | 집행벌 | 강제징수 | 직접강제 |
| ② | 집행벌 | 강제징수 | 대집행 | 직접강제 |
| ③ | 대집행 | 강제징수 | 직접강제 | 집행벌 |
| ④ | 강제징수 | 집행벌 | 직접강제 | 대집행 |

**정답 및 해설 I ①**

① [O] ㉠ 대집행, ㉡ 집행벌(이행강제금), ㉢ 강제징수, ㉣ 직접강제

**136** 경찰행정의 실효성 확보수단에 관한 설명으로 가장 적절하지 않은 것은? (다툼이 있는 경우 판례에 의함)

[2024 1차 채용]

① 행정대집행은 대체적 작위의무 불이행에 대하여 다른 수단으로는 그 이행을 확보하기 곤란하고 불이행을 방치하면 공익을 크게 해칠 것으로 인정될 때에 행정청이 의무자가 하여야 할 행위를 스스로 하거나 제3자에게 하게 하고 그 비용을 의무자로부터 징수하는 것을 말한다.

② 행정청은 의무자가 행정상 의무를 이행할 때까지 이행강제금을 반복하여 부과할 수 있으나, 의무자가 의무를 이행하면 이미 부과한 이행강제금을 징수하여서는 안 된다.

③ 직접강제는 행정대집행이나 이행강제금 부과로는 행정상 의무이행을 확보할 수 없거나 그 실현이 불가능한 경우에 실시하여야 한다.

④ 경찰행정상 즉시강제는 눈앞의 급박한 경찰상 장해를 제거하여야 할 필요가 있고 의무를 명할 시간적 여유가 없거나 의무를 명하는 방법으로는 그 목적을 달성하기 어려운 상황에서 의무불이행을 전제로 하지 않고 경찰이 직접 실력을 행사하여 경찰상 필요한 상태를 실현하는 권력적 사실행위이다.

**정답 및 해설 I ②**

② [×] 이행강제금은 장래 이행확보가 목적이므로 의무자가 이미 의무를 이행한 이후에는 부과가 불가능하다. 그러나 이미 부과된 이행강제금은 의무자가 그 이후 의무이행을 하였더라도 징수하여야 한다.

> **행정기본법 제31조【이행강제금의 부과】** ⑤ 행정청은 의무자가 행정상 의무를 이행할 때까지 이행강제금을 반복하여 부과할 수 있다. 다만, 의무자가 의무를 이행하면 새로운 이행강제금의 부과를 즉시 중지하되, 이미 부과한 이행강제금은 징수하여야 한다.

① [○]

> **행정기본법 제30조【행정상 강제】** ① 행정청은 행정목적을 달성하기 위하여 필요한 경우에는 법률로 정하는 바에 따라 필요한 최소한의 범위에서 다음 각 호의 어느 하나에 해당하는 조치를 할 수 있다.
> 1. **행정대집행**: 의무자가 행정상 의무(법령등에서 직접 부과하거나 행정청이 법령등에 따라 부과한 의무를 말한다. 이하 이 절에서 같다)로서 타인이 대신하여 행할 수 있는 의무를 이행하지 아니하는 경우 법률로 정하는 다른 수단으로는 그 이행을 확보하기 곤란하고 그 불이행을 방치하면 공익을 크게 해칠 것으로 인정될 때에 행정청이 의무자가 하여야 할 행위를 스스로 하거나 제3자에게 하게 하고 그 비용을 의무자로부터 징수하는 것

③ [○] 직접강제는 가장 강력한 수단이라는 점에서 명시적인 법적 근거가 필요함은 물론, 과잉금지원칙과 보충성 원칙(최후수단으로서의 직접강제)이 준수되어야 한다.

> **행정기본법 제32조【직접강제】** ① 직접강제는 행정대집행이나 이행강제금 부과의 방법으로는 행정상 의무 이행을 확보할 수 없거나 그 실현이 불가능한 경우에 실시하여야 한다. ➜ 보충성 원칙!

④ [○]

> **요지판례 I**
>
> ■ 경찰관 직무집행법 제6조는 "경찰관은 범죄행위가 목전에 행하여지려고 하고 있다고 인정될 때에는 이를 예방하기 위하여 관계인에게 필요한 경고를 하고, 그 행위로 인하여 사람의 생명 · 신체에 위해를 끼치거나 재산에 중대한 손해를 끼칠 우려가 있어 긴급한 경우에는 그 행위를 제지할 수 있다."라고 정하고 있다. 위 조항 중 경찰관의 제지에 관한 부분은 범죄 예방을 위한 경찰 행정상 즉시강제, 즉 눈앞의 급박한 경찰상 장해를 제거할 필요가 있고 의무를 명할 시간적 여유가 없거나 의무를 명하는 방법으로는 그 목적을 달성하기 어려운 상황에서 의무불이행을 전제로 하지 않고 경찰이 직접 실력을 행사하여 경찰상 필요한 상태를 실현하는 권력적 사실행위에 관한 근거조항이다(대판 2018.12.13, 2016도19417).

## 137 경찰상 강제집행의 수단에 대한 설명으로 가장 적절하지 않은 것은? [2020 승진(경감)]

① 직접강제란 의무의 불이행이 있는 경우 직접 의무자의 신체 · 재산에 실력을 가하여 의무의 이행이 있었던 것과 같은 상태를 실현하는 작용을 말한다.

② 강제징수의 일반법으로서 「국세징수법」이 있다.

③ 집행벌은 반복적으로 부과하는 것도 가능하다.

④ 대집행이란 비대체적 작위의무의 불이행이 있는 경우 행정청이 의무자의 작위의무를 스스로 행하거나 또는 제3자로 하여금 이를 행하게 하고 그 비용을 의무자로부터 징수하는 것을 말한다.

**정답 및 해설 I ④**

④ [×] 대집행이란 **대체적 작위의무** 위반이 있는 경우 행정청이 의무자가 해야 할 일을 스스로 행하거나(자기집행) 또는 제3자로 하여금 행하게 함으로써(타자집행) 의무의 이행이 있었던 것과 같은 상태를 실현하는 작용을 말한다.

② [○] 강제징수의 일반법으로 국세징수법이 있다. 여러 법률이 공법상 금전급부불이행에 대하여 국세징수법을 준용하고 있어 국세징수법이 행정상 강제징수의 일반법으로서 기능한다.

③ [○] 집행벌(이행강제금)은 처벌이 아니므로 법에 정한 범위 안에서 의무이행이 있기까지 반복적으로 부과할 수 있다.

## 138 경찰상 강제집행의 수단에 대한 설명이다. 다음 중 옳은 것은? [2021 경간]

① 대집행의 절차는 계고 → 통지 → 비용의 징수 → 실행 순이다.

② 집행벌은 경찰벌과 병과해서 행할 수 없다.

③ 강제징수 절차는 독촉 → 체납처분(압류 → 매각 → 청산) → 체납처분의 중지 → 결손처분 순으로 진행한다.

④ 강제집행과 즉시강제는 선행의무 불이행을 전제하지 않는다.

**정답 및 해설 I ③**

③ [○]

| 절차 | | 내용 | 법적 성격 |
|---|---|---|---|
| 독촉 | | 상당한 이행기간을 정하여 의무의 이행을 최고하고, 그 의무가 이행되지 않을 경우에는 강제징수할 뜻을 알리는 것 | 통지 |
| 체납 처분 절차 | 압류 | 체납자의 재산을 보전하는 강제적 행위(체납자 재산의 사실상 · 법률상 처분을 금지) | 권력적 사실행위 |
| | 매각 | 체납자의 재산을 금전으로 환가하는 행위 | 공법상 대리(공매) |
| | 청산 | 매각대금 등으로 받은 금전을 국세 · 가산금 · 체납처분비 등에 배분하는 것 | 처분성 인정 |
| 체납처분 중지 | | 매각대상의 추산가액이 체납처분비까지 충당하고 남을 여지가 없을 경우 | - |
| 결손처분 | | • 체납처분 결과 배분금액이 체납액에 부족할 때<br>• 결손처분을 하였더라도 새로 압류할 수 있는 다른 재산 발견시 결손처분 취소하고 체납처분을 하여야 한다. | • 체납처분절차의 종료로서의 의미<br>• 처분성 부정 |

① [×] 대집행의 절차는 계고 → 통지 → 실행 → 비용의 징수 순서로 이루어진다.

② [×] 집행벌(미래)은 경찰벌(과거)과 병과해서 행할 수 있다.

④ [×] **즉시강제**는 의무 존재와 불이행을 전제로 하지 않지만, **강제집행**은 의무 존재와 불이행을 전제로 한다.

## 139 경찰상 의무이행 확보수단에 대한 설명으로 가장 적절한 것은? [2021 승진(실무종합)]

① 경찰상 강제집행은 경찰하명에 따른 경찰의무의 불이행이 있는 경우에 상대방의 신체 또는 재산이나 주거 등에 실력을 행사하여 경찰상 필요한 상태를 실현하는 작용으로 간접적 의무이행 확보수단이다.

② 강제징수란 국민이 국가 또는 공공단체에 대해 부담하고 있는 공법상의 금전급부의무를 이행하지 않는 경우에 행정청이 강제적으로 의무가 이행된 것과 동일한 상태를 실현하는 작용으로 새로운 의무이행 확보수단이다.

③ 집행벌은 의무이행을 위한 강제집행이라는 점에서 의무위반에 대한 제재인 경찰벌과 구별되며, 경찰벌과 병과해서 행할 수 있고, 의무이행될 때까지 반복적으로 부과하는 것도 가능하다.

④ 해산명령 불이행에 따른 해산조치, 불법영업소의 폐쇄조치, 감염병 환자의 즉각적인 강제격리는 모두 즉시강제에 해당한다.

**정답 및 해설 I ③**

③ [○] 경찰벌(행정벌)은 과거에 대한 것이고, 이행강제금은 장래의 의무이행을 확보하기 위한 것이다. 따라서 양자는 **병과가 가능하다.**

| 경찰벌 | 이행강제금(집행벌) |
|---|---|
| • 과거의 의무위반에 대한 제재<br>• 반복하여 부과 불가(일사부재리) | • 장래의 의무를 심리적으로 강제하기 위한 것<br>• 의무이행이 있기까지 반복하여 부과 가능 |

① [×] 경찰상 강제집행(이행강제금 제외)은 직접적 의무이행 확보수단이다.

<table>
<tr><td rowspan="5">경찰강제</td><td colspan="2">즉시강제</td><td rowspan="4">직접적 의무이행 확보수단</td></tr>
<tr><td rowspan="4">강제집행</td><td>대집행</td></tr>
<tr><td>직접강제</td></tr>
<tr><td>강제징수</td></tr>
<tr><td>이행강제금(집행벌)</td><td rowspan="3">간접적 의무이행 확보수단</td></tr>
<tr><td rowspan="2">경찰벌</td><td colspan="2">경찰형벌</td></tr>
<tr><td colspan="2">경찰질서벌</td></tr>
</table>

② [×] 강제징수는 전통적 의무이행 확보수단이다.

④ [×] 해산명령 불이행에 따른 해산조치, 불법영업소의 폐쇄조치는 직접강제에 해당하고, 감염병 환자의 즉각적인 강제격리는 즉시강제에 해당한다.

## 140 경찰상 강제집행 및 그 수단에 대한 설명으로 가장 적절하지 않은 것은? [2021 채용 1차]

① 경찰상 강제집행은 경찰하명에 의한 의무의 존재 및 그 불이행을 전제로 한다는 점에서 의무불이행을 전제로 하지 않는 경찰상 즉시강제와 구별된다.

② 경찰상 강제집행은 장래에 향하여 의무이행을 강제한다는 점에서 과거의 의무위반에 대한 제재인 경찰벌과 구별된다.

③ 강제징수란 의무자가 관련 법령상의 대체적 작위의무를 이행하지 않을 경우, 당해 경찰관청이 스스로 행하거나 또는 제3자로 하여금 의무자가 하여야 할 행위를 하게 함으로써 의무의 이행이 있는 것과 같은 상태를 실현시킨 후 그 비용을 의무자로부터 징수하는 것이다.

④ 대집행의 근거가 되는 일반법으로는 「행정대집행법」이 있다.

**정답 및 해설 I ③**

③ [×] 강제징수란 **행정법상의 금전급부의무**를 불이행하고 있는 경우에 의무자의 재산에 실력을 가하여 의무의 이행이 있었던 것과 같은 상태를 직접적으로 실현하는 행정작용을 말한다. 지문은 대집행에 대한 설명이다.

① [○] **즉시강제는** 현재 목전의 급박한 장해상태에 대해 **별도의 의무부과 없이** 바로 실력을 행사하는 작용을 말하고, **강제집행은** 하명을 통해 의무를 부과하고 그 의무가 이행되지 않는 경우 이루어지는 작용을 말한다.

② [○] 경찰상 실효성 확보수단은, 과거의 의무위반에 대하여 제재를 가하는 **경찰벌**, 현재 벌어지고 있는 급박한 장해상태에 대해 직접 실력을 행사하여 그 장해를 제거하는 **즉시강제**(의무부과 · 의무위반을 전제로 하지 않음), 장래를 향하여 의무이행상태를 실현하는 **강제집행**으로 나누어 볼 수 있다.

④ [○] 대집행에 관한 일반법으로 행정대집행법이 있다.

> **행정대집행법 제1조【목적】** 행정의무의 이행확보에 관하여서는 따로 법률로써 정하는 것을 제외하고는 본법의 정하는 바에 의한다.

## 141 경찰의무의 이행확보수단에 대한 설명으로 가장 적절한 것은? [2022 경간]

① 형사처벌과 이행강제금을 병과하는 것은 헌법상의 이중처벌금지의 원칙에 위반된다.

② 경찰상의 강제집행의 실정법적 근거로는 「경찰관 직무집행법」이 유일하다.

③ 즉시강제는 경찰상의 이행을 확보하기 위한 가장 효과적인 수단이며, 공공의 안녕 또는 질서에 대한 급박한 위해가 존재하는 경우에는 국가는 그 위해를 제거하여 공공의 안녕과 질서를 유지할 자연법적 권리와 의무를 가지므로, 특별한 법률적 근거가 없다 하더라도 경찰상의 즉시강제가 가능하다.

④ 경찰상의 강제집행을 하기 위해서는 경찰의무를 부과하는 경찰하명의 근거가 되는 법률 이외에 경찰상의 강제집행을 위한 별도의 법적 근거가 있어야 한다.

**정답 및 해설 | ④**

④ [○] 행정청이 하명과 같은 특정한 조치를 위해 법적 근거가 필요함은 법치행정 원칙상 당연하다. 주의할 것은, 하명과 같은 특정한 조치를 하기 위한 법적 근거가 있다고 하여 그러한 하명 불이행에 대한 강제집행이 별도 법적 근거 없이 가능한 것이 아니라는 것이다. 즉, 하명 불이행에 대한 별도의 강제집행이 가능하기 위해서는 강제집행 자체만을 위한 별도의 법적 근거가 있어야 한다.

① [×] 이행강제금은 행정상 강제집행의 일종으로 장래를 향한 의무이행을 확보하기 위한 것인데 반해 형사처벌은 과거의 위반에 대한 제재를 주된 목적으로 하는 것으로서 병과될 수 있으며, 헌법상 이중처벌 금지의 원칙에 위반되지 않는다.

> **요지판례 |**
>
> ■ 이행강제금은 과거의 일정한 법률위반 행위에 대한 제재로서의 형벌이 아니라 장래의 의무이행의 확보를 위한 강제수단일 뿐이어서 범죄에 대하여 국가가 형벌권을 실행한다고 하는 과벌에 해당하지 아니하므로 **헌법 제13조 제1항이 금지하는 이중처벌금지의 원칙이 적용될 여지가 없다**(헌재 2011.10.25, 2009헌바140).

② [×] 일부 견해대립은 있으나, 통상 「경찰관 직무집행법」은 경찰상 즉시강제의 일반법의 지위를 갖는다고 본다. 강제집행(대집행 · 직접강제 · 이행강제금 · 강제징수)의 경우 대집행의 일반법은 행정대집행법, 강제징수의 일반법은 국세징수법이 있고, 개별법으로는 집회 및 시위에 관한 법률, 도로교통법, 출입국관리법, 식품위생법 등이 있다. 그리고 2023년 3월 24일부터 시행된 행정기본법 관련 규정을 통해 대집행 · 직접강제 · 이행강제금 · 강제징수는 물론 즉시강제에 대해서도 근거를 마련하였다.

③ [×] 즉시강제는 기본권 침해의 소지가 큰 권력작용이므로 엄격한 법령등의 근거가 있어야 하며, 법령등의 수권이 있는 경우에도 당해 법령등의 내용에 적합하도록 하여야 한다.

## 142 「행정대집행법」상 대집행에 대한 설명으로 가장 적절하지 않은 것은? (다툼이 있는 경우 판례에 의함)

[2019 경행특채 2차]

① 행정청의 명령에 의한 행위뿐만 아니라 법률에 의하여 직접 명령된 행위도 행정대집행의 대상이 된다.

② 도시공원시설인 매점에 대해서 관리청이 점유자에게 매점으로부터 퇴거하고 이에 부수하여 그 판매 시설물 및 상품을 반출하라고 명한 경우에 행정대집행을 할 수 있다.

③ 행정대집행의 절차가 인정되는 경우에 따로 민사소송의 방법으로 공작물의 철거를 구할 수는 없다.

④ 건물의 점유자가 철거의무자일 때에 행정청이 행정대집행의 방법으로 건물철거의무의 이행을 실현할 수 있는 경우에 건물철거 대집행 과정에서 부수적으로 그 건물의 점유자들에 대한 퇴거조치를 할 수 있다.

**정답 및 해설 | ②**

② [×] ④ [○] 퇴거의무는 대체적 작위의무가 아니어서 대집행의 대상이 될 수 없다. 반면, 대체적 작위의무인 건물철거의무를 대집행으로 실행하는 과정에서 부수적으로 퇴거조치를 하는 것은 가능하다.

> **요지판례 |**
>
> ■ 도시공원시설인 매점의 관리청이 그 공동점유자 중의 1인에 대하여 소정의 기간 내에 위 매점으로부터 퇴거하고 이에 부수하여 그 판매 시설물 및 상품을 반출하지 아니할 때에는 이를 대집행하겠다는 내용의 계고처분은 그 주된 목적이 매점의 원형을 보존하기 위하여 점유자가 설치한 불법 시설물을 철거하고자 하는 것이 아니라, 매점에 대한 점유자의 점유를 배제하고 그 점유이전을 받는 데 있다고 할 것인데, 이러한 의무는 그것을 강제적으로 실현함에 있어 직접적인 실력행사가 필요한 것이지 대체적 작위의무에 해당하는 것은 아니어서 직접강제의 방법에 의하는 것은 별론으로 하고 행정대집행법에 의한 대집행의 대상이 되는 것은 아니다(대판 1998.10.23, 97누157).
>
> ■ 건물의 점유자가 철거의무자일 때에는 건물철거의무에 퇴거의무도 포함되어 있는 것이어서 별도로 퇴거를 명하는 집행권원이 필요하지 않다. 행정청이 행정대집행의 방법으로 건물철거의무의 이행을 실현할 수 있는 경우에는 건물철거 대집행 과정에서 부수적으로 건물의 점유자들에 대한 퇴거조치를 할 수 있고, 점유자들이 적법한 행정대집행을 위력을 행사하여 방해하는 경우 형법상 공무집행방해죄가 성립하므로, 필요한 경우에는 '경찰관 직무집행법'에 근거한 위험발생 방지조치 또는 형법상 공무집행방해죄의 범행방지 내지 현행범체포의 차원에서 경찰의 도움을 받을 수도 있다(대판 2017.4.28, 2016다213916).

① [○]

> **행정대집행법 제2조【대집행과 그 비용징수】** 법률(법률의 위임에 의한 명령, 지방자치단체의 조례를 포함한다. 이하 같다)에 의하여 직접명령되었거나 또는 법률에 의거한 행정청의 명령에 의한 행위로서 타인이 대신하여 행할 수 있는 행위를 의무자가 이행하지 아니하는 경우 다른 수단으로써 그 이행을 확보하기 곤란하고 또한 그 불이행을 방치함이 심히 공익을 해할 것으로 인정될 때에는 당해 행정청은 스스로 의무자가 하여야 할 행위를 하거나 또는 제삼자로 하여금 이를 하게 하여 그 비용을 의무자로부터 징수할 수 있다.

③ [○]

> **요지판례 |**
>
> ■ 관계 법령상 행정대집행의 절차가 인정되어 행정청이 행정대집행의 방법으로 건물의 철거 등 대체적 작위의무의 이행을 실현할 수 있는 경우에는 따로 민사소송의 방법으로 그 의무의 이행을 구할 수 없다(대판 2017.4.28, 2016다213916).

## 143 행정대집행법상 대집행에 관한 설명 중 가장 적절하지 않은 것은? (다툼이 있는 경우 판례에 의함)

[2021 경행특채 2차]

① 적법한 건축물에 대한 철거명령은 그 하자가 중대하고 명백하여 당연무효이고, 그 후행행위인 건축물철거 대집행계고 역시 당연무효이다.

② 제1차로 철거명령 및 대집행계고를 한 데 이어 제2차로 대집행계고를 하였는데도 불응하여 대집행을 일부 실행한 후 철거의무자의 연기 요청을 받아들여 중단하였다가 그 기한이 지나 다시 제3차로 철거명령 및 대집행계고를 한 경우에 제3차로 한 철거명령 및 대집행계고는 항고소송의 대상이 되지 않는다.

③ 행정청이 행정대집행의 방법으로 건물의 철거 등 대체적 작위의무의 이행을 실현할 수 있는 경우에는 따로 민사소송의 방법으로 그 의무의 이행을 구할 수 없다.

④ 행정대집행을 실시하기 위하여 지출한 비용은 민사소송절차에 의하여 그 비용의 상환을 청구할 수 있다.

**정답 및 해설 | ④**

④ [×] 행정대집행법에 따른 비용납부명령 및 국세징수법의 예에 의한 징수로 한다.

> **요지판례 |**
>
> ■ 행정대집행법이 대집행비용의 징수에 관하여 민사소송절차에 의한 소송이 아닌 간이하고 경제적인 특별구제절차를 마련해 놓고 있으므로, 민사소송절차에 의하여 그 비용의 상환을 청구하는 것은 소의 이익이 없어 부적법하다(대판 2011.9.8, 2010다48240).

① [○] 건물철거명령인 하명과 대집행절차 사이에는 하자승계가 부정된다. 다만, 건물철거명령이 무효인 경우에는 하자승계가 긍정된다.

> **요지판례 |**
>
> ■ 적법한 건축물에 대한 철거명령은 그 하자가 중대하고 명백하여 당연무효라고 할 것이고, 그 후행행위인 건축물철거 대집행계고처분 역시 당연무효라고 할 것이다(대판 1999.4.27, 97누6780).

② [○]

> **요지판례 |**
>
> ■ 제1차로 철거명령 및 계고처분을 한 데 이어 제2차로 계고서를 송달하였음에도 불응함에 따라 대집행을 일부 실행한 후 철거의무자의 연기원을 받아들여 나머지 부분의 철거를 진행하지 않고 있다가 연기기한이 지나자 다시 제3차로 철거명령 및 대집행계고를 한 경우, 행정대집행법상의 철거의무는 제1차 철거명령 및 계고처분으로써 발생하였다고 할 것이고, 제3차 철거명령 및 대집행계고는 새로운 철거의무를 부과하는 것이라고는 볼 수 없으며, 단지 종전의 계고처분에 의한 건물철거를 독촉하거나 그 대집행기한을 연기한다는 통지에 불과하므로 취소소송의 대상이 되는 독립한 행정처분이라고 할 수 없다(대판 2000.2.22, 98두4665).

③ [○]

> **요지판례 |**
>
> ■ 관계 법령상 행정대집행의 절차가 인정되어 행정청이 행정대집행의 방법으로 건물의 철거 등 대체적 작위의무의 이행을 실현할 수 있는 경우에는 따로 민사소송의 방법으로 그 의무의 이행을 구할 수 없다(대판 2017.4.28, 2016다213916).

## 144 다음 이행강제금에 대한 설명 중 적절한 것만을 모두 고른 것은? (다툼이 있는 경우 판례에 의함)

[2020 경행특채 2차]

> ㉠ 건축법상 이행강제금은 시정명령의 위반이라는 과거의 위반행위에 대한 제재이다.
> ㉡ 이행강제금 부과처분에 대해 비송사건절차법에 의한 특별한 불복절차가 마련되어 있는 경우 이행강제금 부과처분은 항고소송의 대상이 되는 행정처분이 아니다.
> ㉢ 근로기준법상 이행강제금의 부과 예고는 '계고'에 해당한다.
> ㉣ 이행강제금은 대체적 작위의무의 위반에 대하여도 부과될 수 있다.
> ㉤ 이행강제금은 일정한 기한까지 의무를 이행하지 않았을 때에는 일정한 금전적 부담을 과하는 것으로서, 헌법 제13조 제1항이 금지하는 이중처벌금지의 원칙의 적용대상이 된다.

① ㉠, ㉡, ㉣　　② ㉠, ㉡, ㉤
③ ㉡, ㉢, ㉣　　④ ㉢, ㉣, ㉤

**정답 및 해설 | ③**

㉠ [×] 과거 위반에 대한 제재가 아니라 장래 의무이행에 대한 심리적 압박을 주는 간접강제 수단이다.

> **요지판례 |**
>
> ■ 건축법상의 이행강제금은 시정명령의 불이행이라는 과거의 위반행위에 대한 제재가 아니라, 의무자에게 시정명령을 받은 의무의 이행을 명하고 그 이행기간 안에 의무를 이행하지 않으면 이행강제금이 부과된다는 사실을 고지함으로써 의무자에게 심리적 압박을 주어 의무의 이행을 간접적으로 강제하는 행정상의 간접강제 수단에 해당한다(대판 2018.1.25, 2015두35116). ➜ 이러한 이행강제금의 본질상 시정명령을 받은 의무자가 **이행강제금이 부과되기 전에 그 의무를 이행한 경우**에는 비록 시정명령에서 정한 기간을 지나서 이행한 경우라도 **이행강제금을 부과할 수 없다.**

㉡ [○]

> **요지판례 |**
>
> ■ 농지법은 비송사건절차법에 따른 과태료 재판에 준하여 재판을 하도록 정하고 있으므로, 농지법에 따른 이행강제금 부과처분에 불복하는 경우에는 비송사건절차법에 따른 재판절차가 적용되어야 하고, 행정소송법상 항고소송의 대상은 될 수 없다(대판 2019.4.11, 2018두42955).

㉢ [○]

> **요지판례 |**
>
> ■ 이행강제금은 행정법상의 부작위의무 또는 비대체적 작위의무를 이행하지 않은 경우에 '일정한 기한까지 의무를 이행하지 않을 때에는 일정한 금전적 부담을 과할 뜻'을 미리 '계고'함으로써 의무자에게 심리적 압박을 주어 장래를 향하여 의무의 이행을 확보하려는 간접적인 행정상 강제집행 수단이고, 노동위원회가 근로기준법 제33조에 따라 이행강제금을 부과하는 경우 그 30일 전까지 하여야 하는 이행강제금 부과 예고는 이러한 '계고'에 해당한다(대판 2015.6.24, 2011두2170).

㉣ [○]

> **요지판례 |**
>
> ■ 전통적으로 행정대집행은 대체적 작위의무에 대한 강제집행수단으로, 이행강제금은 부작위의무나 비대체적 작위의무에 대한 강제집행수단으로 이해되어 왔으나, 이는 이행강제금제도의 본질에서 오는 제약은 아니며, **이행강제금은 대체적 작위의무의 위반에 대하여도 부과될 수 있다**(헌재 2004.2.26, 2001헌바80).

㉤ [×]

> **요지판례 |**
>
> ■ 이행강제금은 과거의 일정한 법률위반 행위에 대한 제재로서의 형벌이 아니라 장래의 의무이행의 확보를 위한 강제수단일 뿐이어서 범죄에 대하여 국가가 형벌권을 실행한다고 하는 과벌에 해당하지 아니하므로 **헌법 제13조 제1항이 금지하는 이중처벌금지의 원칙이 적용될 여지가 없다**(헌재 2011.10.25, 2009헌바140).

## 145 행정상 즉시강제에 해당하는 것을 모두 고른 것은? (다툼이 있는 경우 판례에 의함) [2022 채용 1차]

> ㉠ 경찰관 직무집행법 제6조 범죄의 예방을 위한 제지
> ㉡ 경찰관 직무집행법 제4조 제1항 제1호에서 규정하는 술에 취한 상태로 인하여 자기 또는 타인의 생명 신체와 재산에 위해를 미칠 우려가 있는 피구호자에 대한 보호조치
> ㉢ 행정대집행법 제2조 대집행
> ㉣ 국세징수법 제24조 강제징수

① ㉠, ㉢　　② ㉡, ㉢

③ ㉠, ㉡　　④ ㉡, ㉣

**정답 및 해설 | ③**

③ [○] 행정상 즉시강제의 수단으로는 대인적 즉시강제와 대물적 즉시강제가 있는데, 그중 경찰관 직무집행법상 대인적 즉시강제는 보호조치(㉡, 제4조), 범죄예방 · 제지(㉠, 제6조), 경찰장구의 사용(제10조의2), 분사기 등의 사용(제10조의3), 무기의 사용(제10조의4) 등이 있다. 경찰행정의 실효성 확보수단 중 경찰강제를 즉시강제와 강제집행으로 나누어 볼 때, ㉢ 대집행과 ㉣ 강제징수는 강제집행에 속한다.

**☑ 직접적 의무이행 확보수단과 간접적 의무이행 확보수단**

<table>
<tr><td rowspan="5">경찰강제</td><td colspan="2">즉시강제</td><td rowspan="4">직접적 의무이행 확보수단</td></tr>
<tr><td rowspan="4">강제집행</td><td>대집행</td></tr>
<tr><td>직접강제</td></tr>
<tr><td>강제징수</td></tr>
<tr><td>이행강제금(집행벌)</td><td rowspan="3">간접적 의무이행 확보수단</td></tr>
<tr><td rowspan="2">경찰법</td><td colspan="2">경찰형벌</td></tr>
<tr><td colspan="2">경찰질서벌</td></tr>
</table>

## 146 경찰상 즉시강제에 대한 설명으로 가장 적절하지 않은 것은?

[2020 채용 1차]

① 경찰상 즉시강제는 권력적 사실행위인 처분이기 때문에 행정쟁송이 가능하다.

② 즉시강제의 절차적 한계에 있어서 영장주의의 적용 여부에 대하여 영장필요설이 통설과 판례이다.

③ 경찰상 즉시강제시 필요 이상으로 실력을 행사하여 경찰책임자 이외의 자에게 유형력을 행사하는 것은 위법이 된다.

④ 적법한 즉시강제에 대한 구제로 손실보상을 청구할 수 있으며, 일정한 요건하에서 「형법」상 위법성조각사유에 해당하는 긴급피난도 가능하다.

**정답 및 해설 | ②**

② [×] 다수설 및 대법원은 영장제도가 적용되어야 하는 것이 원칙이나, 행정목적 달성을 위하여 불가피한 경우에는 영장주의에 대한 예외가 인정된다고 본다(절충설). 헌법재판소는 영장불요설의 입장이다(원칙적으로 영장주의 적용되지 않는다는 입장).

**요지판례 |**

- 영장주의가 행정상 즉시강제에도 적용되는지에 관하여는 논란이 있으나, 행정상 즉시강제는 상대방의 임의이행을 기다릴 시간적 여유가 없을 때 하명 없이 바로 실력을 행사하는 것으로서, 그 본질상 급박성을 요건으로 하고 있어 법관의 영장을 기다려서는 그 목적을 달성할 수 없다고 할 것이므로, **원칙적으로 영장주의가 적용되지 않는다고** 보아야 할 것이다(헌재결 2002.10.31, 2000헌가12).
- 사전영장주의는 인신보호를 위한 헌법상의 기속원리이기 때문에 인신의 자유를 제한하는 모든 국가작용의 영역에서 존중되어야 하지만, 헌법 제12조 제3항 단서도 사전영장주의의 예외를 인정하고 있는 것처럼 사전영장주의를 고수하다가는 도저히 행정목적을 달성할 수 없는 **지극히 예외적인 경우에는 형사절차에서와 같은 예외가 인정된다**(대판 1997.6.13, 96다56115).

① [○] 즉시강제는 권력적 사실행위로서 처분에 해당하므로 원칙적으로 행정쟁송의 대상이 될 수 있으나, 대부분 단기간에 종료되므로 협의의 소의 이익이 부정될 가능성이 높다.

③ [○] 행정상 즉시강제의 행사는 필요 최소한도에 그쳐야 하는 조리상의 한계에 기속된다는 비례의 원칙이 적용된다.

④ [○] 즉시강제가 법률에 근거하여 적법하게 행해졌으나 이로 인하여 수인한도를 넘는 특별한 희생이 발생한 경우에는 손실보상을 청구할 수 있다. 반면, 공무원의 직무상 위법한 즉시강제의 경우에는 정당방위나 긴급피난과 같은 자력구제를 할 수도 있다. 단, 긴급피난의 경우 위난의 원인은 적법 · 위법을 불문하므로, 결론적으로 적법한 즉시강제에 대해서는 손실보상이 가능함은 물론 긴급피난도 가능하다고 보아야 한다.

## 147 행정상 즉시강제에 대한 설명으로 가장 적절하지 않은 것은? (다툼이 있는 경우 판례에 의함)

[2019 경행특채 2차]

① 「경찰관 직무집행법」 제4조 제1항 제1호에서 규정하는 "술에 취하여 자신 또는 다른 사람의 생명 · 신체 · 재산에 위해를 끼칠 우려가 있는 사람"에 대한 보호조치는 행정상 즉시강제에 해당한다.

② 「경찰관 직무집행법」 제6조 제1항("경찰관은 범죄행위가 목전에 행하여지려고 하고 있다고 인정될 때에는 이를 예방하기 위하여 관계인에게 필요한 경고를 하고, 그 행위로 인하여 사람의 생명 · 신체에 위해를 끼치거나 재산에 중대한 손해를 끼칠 우려가 있는 긴급한 경우에는 그 행위를 제지할 수 있다.") 중 경찰관의 제지에 관한 부분은 범죄의 예방을 위한 행정상 즉시강제에 관한 근거조항이다.

③ 사전영장주의원칙은 인신보호를 위한 헌법상의 기속원리이기 때문에 인신의 자유를 제한하는 행정상 즉시강제에서도 존중되어야 하고, 다만 사전영장주의를 고수하다가는 도저히 그 목적을 달성할 수 없는 지극히 예외적인 경우에만 형사절차에서와 같은 예외가 인정된다.

④ 「출입국관리법」에 따른 강제퇴거명령을 받은 외국인의 '보호'(출국시키기 위하여 외국인보호실, 외국인보호소 또는 그 밖에 법무부장관이 지정하는 장소에 인치하고 수용하는 집행활동)는 행정상 즉시강제로서 그 기간의 상한을 법률에서 규정하지 않고 있다고 하더라도 합리적인 이유가 있어 과잉금지원칙을 위배하여 신체의 자유를 침해하는 것이라고 보기는 어렵다.

**정답 및 해설 I ④**

④ [×] 과거 헌법재판소는 과잉금지원칙 위반이 아니라고 보았으나(합헌), 최근 기존 결정을 변경하여 과잉금지원칙 등 위반으로 신체의 자유를 침해한다고 보았다.

> **요지판례 I**
>
> ■ 강제퇴거명령을 받은 사람을 즉시 대한민국 밖으로 송환할 수 없으면 송환할 수 있을 때까지 보호시설에 보호할 수 있도록 규정한 출입국관리법 규정의 경우, 보호기간의 상한이 존재하지 아니한 것이 과잉금지원칙에 위배되며 보호의 개시나 연장 단계에서 공정하고 중립적인 기관에 의한 통제절차가 없고, 행정상 인신구속을 함에 있어 의견제출의 기회도 전혀 보장하고 있지 아니한 것이 적법절차원칙에 위배되어 피보호자의 신체의 자유를 침해한다(헌재 2023.3.23, 2020헌가1).

① [○]

> **요지판례 I**
>
> ■ 경찰관 직무집행법 제4조 제1항 제1호(이하 '이 사건 조항'이라 한다)에서 규정하는 술에 취한 상태로 인하여 자기 또는 타인의 생명 · 신체와 재산에 위해를 미칠 우려가 있는 피구호자에 대한 보호조치는 경찰 행정상 즉시강제에 해당하므로, 그 조치가 불가피한 최소한도 내에서만 행사되도록 발동 · 행사 요건을 신중하고 엄격하게 해석하여야 한다(대판 2012.12.13, 2012도11162).

② [○]

> **요지판례 I**
>
> ■ 경찰관 직무집행법 제6조는 "경찰관은 범죄행위가 목전에 행하여지려고 하고 있다고 인정될 때에는 이를 예방하기 위하여 관계인에게 필요한 경고를 하고, 그 행위로 인하여 사람의 생명 · 신체에 위해를 끼치거나 재산에 중대한 손해를 끼칠 우려가 있어 긴급한 경우에는 그 행위를 제지할 수 있다."라고 정하고 있다. 위 조항 중 경찰관의 제지에 관한 부분은 범죄 예방을 위한 경찰 행정상 즉시강제, 즉 눈앞의 급박한 경찰상 장해를 제거할 필요가 있고 의무를 명할 시간적 여유가 없거나 의무를 명하는 방법으로는 그 목적을 달성하기 어려운 상황에서 의무불이행을 전제로 하지 않고 경찰이 직접 실력을 행사하여 경찰상 필요한 상태를 실현하는 권력적 사실행위에 관한 근거조항이다(대판 2018.12.13, 2016도19417).

③ [○] 대법원의 입장을 기반으로 한 지문이다. 반면 헌법재판소의 경우 행정상 즉시강제는 원칙적으로 영장주의가 적용되지 않는다는 입장이다.

> **요지판례 |**
>
> ■ 사전영장주의는 인신보호를 위한 헌법상의 기속원리이기 때문에 인신의 자유를 제한하는 모든 국가작용의 영역에서 존중되어야 하지만, 헌법 제12조 제3항 단서도 사전영장주의의 예외를 인정하고 있는 것처럼 사전영장주의를 고수하다가는 도저히 행정목적을 달성할 수 없는 지극히 예외적인 경우에는 형사절차에서와 같은 예외가 인정된다(대판 1997.6.13, 96다56115).

## 148 「경찰관 직무집행법」상 즉시강제에 해당하는 것은 모두 몇 개인가? (다툼이 있는 경우 판례에 의함)

[2022 채용 2차]

> ㉠ 주택가에서 흉기를 들고 난동을 부리며 경찰관의 중지명령에 항거하는 사람에 대해 전자충격기를 사용하여 강제로 제압하는 것
> ㉡ 음주운전 등 교통법규 위반자에 대해 운전면허를 취소하는 것
> ㉢ 불법집회로 인한 공공시설의 안전에 대한 위해를 억제하기 위해 최루탄을 사용하는 것
> ㉣ 위험물의 폭발로 인해 매우 긴급한 경우에 위해를 입을 우려가 있는 사람을 억류하거나 피난시키는 것
> ㉤ 지정된 기한까지 체납액을 완납하지 않은 국세체납자의 재산을 압류하는 것
> ㉥ 무허가건물의 철거 명령을 받고도 이를 불이행하는 사람의 불법건축물을 철거하는 것

① 3개　　② 4개
③ 5개　　④ 6개

**정답 및 해설 | ①**

① [○] 실효성 확보수단의 구분은 주로 '**직접강제**'와 '**즉시강제**'의 구분이 혼란이 있을 수 있는데, 수험적으로는 다음과 같은 기준으로 구분을 하면 대체로 정확하다.

> Rule 1. 경찰관 직무집행법상 표준조치는 모두 즉시강제로 처리한다(단, 제3조 불심검문의 경우 견해대립 有).
> Rule 2. 의무부과를 전제로 하면 직접강제, 의무부과를 전제로 하지 않으면 즉시강제로 저리한다.
> Rule 3. 의무부과가 가능한 그리 급박하지 않은 상황이면 **직접강제**, 의무부과가 불가능한 급박한 상황이면 **즉시강제**로 처리한다.

㉠ [○] **즉시강제**란 **급박한 위험 또는 장애를 제거하기 위하여** 미리 의무를 명할 시간적 여유가 없는 경우에 직접 개인의 신체 또는 재산에 실력을 가함으로써 행정목적을 실현하는 행정작용을 말한다. 관련하여 우선 지문은 경찰관 직무집행법상 제6조의 **범죄예방과 제지**에 해당하므로 즉시강제로 판단하면 된다. 한편, 의무 존재와 불이행을 전제로 하면 직접강제, 의무 존재와 불이행을 전제로 하지 않으면 즉시강제로 구분하는데, 지문의 경우 '중지명령'이 형식적으로는 제시되어 있으나 지문의 상황 자체가 흉기난동으로 '급박한 위험 또는 장애 제거'가 필요한 경우로서 의무이행을 기다릴 여유가 없는 상황으로 보아야 하기 때문에 즉시강제로 판단하는 것이 옳다.
㉡ [×] 이는 행정행위, 그 중에서도 강학상 철회에 해당한다(후발적 사유).
㉢ [○] 지문은 경찰관 직무집행법상 제6조의 **범죄예방과 제지**에 해당하므로 즉시강제로 판단하면 된다(경비경찰의 수단 중 제지). 또한 지문에서 해산명령이라는 의무부과를 전제하고 있지 않다는 점에서도 즉시강제로 판단할 수 있다. 반면, 같은 집회해산 상황이더라도 해산명령에도 불구하고 해산하지 않고 있는 군중에 대해 이루어지는 해산조치는 해산명령이라는 의무부과를 전제로 하는 것이므로 직접강제로 판단하여야 한다.
㉣ [○] 지문은 경찰관 직무집행법상 제5조의 **위험발생 방지조치**에 해당하므로 즉시강제로 판단하면 된다.
㉤ [×] 급부하명에 대하여 이행을 하지 아니하는 경우 이루어지는 강제집행의 일종으로서 **강제징수**에 해당한다.
㉥ [×] 철거명령으로 인해 발생하는 대체적 작위의무 불이행시 이루어지는 강제집행의 일종으로서 **대집행**에 해당한다.

## 주제 3 경찰벌 – 경찰형벌과 경찰질서벌

**149** 행정의 실효성 확보수단에 관한 설명 중 가장 적절한 것은? (다툼이 있는 경우 판례에 의함)

[2022 채용 2차]

① 통고처분은 형식적 의미의 행정이며 실질적 의미의 사법이다.

② 작위의무를 부과한 행정처분의 법적 근거가 있다면 행정대집행은 별도의 법적 근거를 요하지 아니하며, 즉시강제는 법률의 근거가 없더라도 일반긴급권에 기초하여 행사할 수 있다.

③ 행정대집행과 행정상 즉시강제는 제3자에 의해 집행될 수 없고 행정청이 직접 행사해야 한다.

④ 「관세법」상 통고처분 여부는 관세청장의 재량에 맡겨져 있지만, 「경범죄 처벌법」 및 「도로교통법」상 통고처분은 재량의 여지가 없다.

**정답 및 해설 | ①**

① [○] 통고처분은 형식적(껍데기)으로 보았을 때에는 경찰서장과 같은 행정기관이 하는 행위이므로 '형식적 의미의 행정'에 해당하지만, 실질적(내용물)으로 보았을 때에는 비록 경미하다고 하더라도 법 위반 행위에 대하여 과벌을 하기 위한 절차에 해당하므로 '실질적 의미의 사법'에 해당한다.

② [×] 권력적 성격을 가지는 즉시강제는 물론, **강제집행의 일종인 대집행 역시 그러한 작용을 가능하게 하는 명시적인 법적 근거가 있어야 한다.**

③ [×] 행정상 즉시강제는 반드시 행정청이 직접 하여야 하지만, 대집행은 행정청이 **제3에게 위탁하는 타자집행도 가능**하다. ➜ 제3자에게 위탁하는 타자집행의 경우 제3자는 대집행의 주체가 아니라 행정보조자에 해당한다.

④ [×] **모두 재량행위**에 해당한다.

> **요지판례 |**
>
> ■ 통고처분을 할 것인지의 여부는 관세청장 또는 세관장의 재량에 맡겨져 있다고 할 것이고, 따라서 관세청장 또는 세관장이 관세범에 대하여 통고처분을 하지 아니한 채 고발하였다는 것만으로는 그 고발 및 이에 기한 공소의 제기가 부적법하게 되는 것은 아니다(대판 2007.5.11, 2006도1993).

> 경범죄 처벌법 제7조 【통고처분】 ① 경찰서장, 해양경찰서장, 제주특별자치도지사 또는 철도특별사법경찰대장은 범칙자로 인정되는 사람에 대하여 그 이유를 명백히 나타낸 서면으로 범칙금을 부과하고 이를 납부할 것을 통고할 수 있다.
>
> 도로교통법 제163조 【통고처분】 ① 경찰서장이나 제주특별자치도지사 … 는 범칙자로 인정하는 사람에 대하여는 이유를 분명하게 밝힌 범칙금 납부통고서로 범칙금을 낼 것을 통고할 수 있다.

**150** 통고처분에 대한 설명으로 가장 적절하지 않은 것은? (다툼이 있는 경우 판례에 의함) [2018 경행특채 2차]

① 범칙자가 범칙금을 납부하면 과형절차는 종료되고, 범칙자는 다시 형사소추되지 아니한다.

② 「조세범 처벌절차법」에 따른 통고처분이 있는 경우 공소시효의 진행은 중단되지 아니한다.

③ 「도로교통법」에 따라 통고처분을 받은 사람은 그 통고처분에 대해 항고소송을 제기하지 못한다.

④ 헌법재판소는 행정심판이나 행정소송의 대상에서 통고처분을 제외하고 있는 「관세법」 조항은 법관에 의한 재판받을 권리를 침해하지 않는다고 하였다.

**정답 및 해설 I ②**

② [×] 통고처분은 공소시효가 중단되는 효력이 있다.

> **조세범 처벌절차법 제16조【공소시효의 중단】** 제15조 제1항에 따른 통고처분이 있는 경우에는 공소시효의 진행이 중단된다.

① [○] 통고처분을 이행한 경우(범칙금을 납부한 경우) 확정판결과 동일한 효력이 생긴다. 따라서 범칙행위와 동일성이 인정되는 범책행위에 대해서는 일사부재리의 효력에 의해 다시 형사소추되지 아니한다.

> **요지판례 I**
>
> ■ 범칙금의 납부에 따라 확정판결에 준하는 효력이 인정되는 범위는 범칙금 통고의 이유에 기재된 당해 범칙행위 자체 및 범칙행위와 동일성이 인정되는 범칙행위에 한정된다. 따라서 범칙행위와 같은 시간과 장소에서 이루어진 행위라 하더라도 범칙행위의 동일성을 벗어난 형사범죄행위에 대하여는 범칙금의 납부에 따라 확정판결에 준하는 일사부재리의 효력이 미치지 아니한다(대판 2012.9.13, 2012도6612).

③④ [○]

> **요지판례 I**
>
> ■ 통고처분은 상대방의 임의의 승복을 그 발효요건으로 하기 때문에 그 자체만으로는 통고이행을 강제하거나 상대방에게 아무런 권리 · 의무를 형성하지 않으므로 행정심판이나 행정소송의 대상으로서의 처분성을 부여할 수 없다(헌재 1998.5.28, 96헌바4).

## 주제 4 질서위반행위규제법

**151** 「질서위반행위규제법」 제3조 법 적용의 시간적 범위와 제4조 법 적용의 장소적 범위에 관한 내용으로 가장 적절하지 않은 것은? [2024 승진]

① 질서위반행위의 성립과 과태료 처분은 행위시의 법률에 따른다.

② 질서위반행위 후 법률이 변경되어 그 행위가 질서위반행위에 해당하지 아니하게 되거나 과태료가 변경되기 전의 법률보다 가볍게 된 때에는 법률에 특별한 규정이 없는 한 변경된 법률을 적용한다.

③ 이 법은 대한민국 영역 밖에 있는 대한민국의 선박 또는 항공기 안에서 질서위반행위를 한 외국인에게는 적용하지 아니한다.

④ 이 법은 대한민국 영역 안에서 질서위반행위를 한 자에게 적용한다.

**정답 및 해설 I ③**

③ [×] 대한민국 영역 밖이라도 국적선 · 국적항공기 안에서의 질서위반행위에 대해서는 외국인에게도 적용한다.

> **질서위반행위규제법 제4조【법 적용의 장소적 범위】** ③ 이 법은 대한민국 영역 밖에 있는 대한민국의 선박 또는 항공기 안에서 질서위반행위를 한 외국인에게 적용한다.

①② [○]

> **질서위반행위규제법 제3조【법 적용의 시간적 범위】** ① 질서위반행위의 성립과 과태료 처분은 행위시의 법률에 따른다.
>
> ② 질서위반행위 후 법률이 변경되어 그 행위가 질서위반행위에 해당하지 아니하게 되거나 과태료가 변경되기 전의 법률보다 가볍게 된 때에는 법률에 특별한 규정이 없는 한 변경된 법률을 적용한다.

④ [○]

> **질서위반행위규제법 제4조【법 적용의 장소적 범위】** ① 이 법은 대한민국 영역 안에서 질서위반행위를 한 자에게 적용한다.

## 152 「질서위반행위규제법」에 대한 설명으로 가장 적절한 것은? [2017 채용 1차]

① 질서위반행위의 성립과 과태료 처분은 처분시의 법률에 따른다.

② 고의 또는 과실이 없는 질서위반행위에도 과태료를 부과한다.

③ 2인 이상이 질서위반행위에 가담한 때에는 각자가 질서위반행위를 한 것으로 본다.

④ 과태료는 행정청의 과태료 부과 처분이나 법원의 과태료 재판이 확정된 후 3년간 징수하지 아니하거나 집행하지 아니하면 시효로 인하여 소멸한다.

**정답 및 해설 I ③**

③ [○]

> **질서위반행위규제법 제12조【다수인의 질서위반행위 가담】** ① 2인 이상이 질서위반행위에 가담한 때에는 각자가 질서위반행위를 한 것으로 본다.
> ② 신분에 의하여 성립하는 질서위반행위에 신분이 없는 자가 가담한 때에는 신분이 없는 자에 대하여도 질서위반행위가 성립한다. ➔ 신분범 성립: 비신분자에게도 신분 연결
> ③ 신분에 의하여 과태료를 감경 또는 가중하거나 과태료를 부과하지 아니하는 때에는 그 신분의 효과는 신분이 없는 자에게는 미치지 아니한다. ➔ 감경 · 가중 · 미부과: 신분 독립

① [×] 행위시의 법률에 따른다.

> **질서위반행위규제법 제3조【법 적용의 시간적 범위】** ① 질서위반행위의 성립과 과태료 처분은 행위시의 법률에 따른다.
> ② 질서위반행위 후 법률이 변경되어 그 행위가 질서위반행위에 해당하지 아니하게 되거나 과태료가 변경되기 전의 법률보다 가볍게 된 때에는 법률에 특별한 규정이 없는 한 변경된 법률을 적용한다.
> ③ 행정청의 과태료 처분이나 법원의 과태료 재판이 확정된 후 법률이 변경되어 그 행위가 질서위반행위에 해당하지 아니하게 된 때에는 변경된 법률에 특별한 규정이 없는 한 과태료의 징수 또는 집행을 면제한다.

② [×] 부과하지 아니한다.

> **질서위반행위규제법 제7조【고의 또는 과실】** 고의 또는 과실이 없는 질서위반행위는 과태료를 부과하지 아니한다. ➔ 경찰질서벌의 경우 고의 · 과실이 요구되지 않는다고 보나, 질서위반행위 규제법 대상은 고의 · 과실 필요하다.

④ [×] 5년간 징수하지 아니하거나 집행하지 아니하면 시효로 인하여 소멸한다.

> **질서위반행위규제법 제15조【과태료의 시효】** ① 과태료는 행정청의 과태료 부과처분이나 법원의 과태료 재판이 확정된 후 5년간 징수하지 아니하거나 집행하지 아니하면 시효로 인하여 소멸한다.

## 153 법률상 의무의 효율적인 이행을 확보하고 국민의 권리와 이익을 보호하기 위하여 질서위반행위의 성립요건과 과태료의 부과 · 징수 및 재판 등에 관한 사항을 규정하는 것을 목적으로 제정된 「질서위반행위규제법」의 내용으로 가장 적절하지 <u>않은</u> 것은? [2014 승진(경감)]

① 질서위반행위의 성립과 과태료 처분은 행위시의 법률에 따른다.

② 과태료 부과는 의견 제출 절차를 마친 후 서면 또는 구두로 한다.

③ 2인 이상이 질서위반행위에 가담한 때에는 각자가 질서위반행위를 한 것으로 본다.

④ 과태료는 행정청의 과태료 부과처분이나 법원의 과태료 재판이 확정된 후 5년간 징수하지 아니하거나 집행하지 아니하면 시효로 인하여 소멸한다.

**정답 및 해설 I ②**

② [×] 서면으로 하여야 하고, 당사자 동의가 있는 경우 전자문서로 할 수 있다.

> **질서위반행위규제법 제17조【과태료의 부과】** ① 행정청은 제16조의 의견 제출 절차를 마친 후에 서면(당사자가 동의하는 경우에는 전자문서를 포함한다. 이하 이 조에서 같다)으로 과태료를 부과하여야 한다.
> ② 제1항에 따른 서면에는 질서위반행위, 과태료 금액, 그 밖에 대통령령으로 정하는 사항을 명시하여야 한다.

① [○]

> **질서위반행위규제법 제3조【법 적용의 시간적 범위】** ① 질서위반행위의 성립과 과태료 처분은 행위시의 법률에 따른다.

③ [○]

> **질서위반행위규제법 제12조【다수인의 질서위반행위 가담】** ① 2인 이상이 질서위반행위에 가담한 때에는 각자가 질서위반행위를 한 것으로 본다.

④ [○]

> **질서위반행위규제법 제15조【과태료의 시효】** ① 과태료는 행정청의 과태료 부과처분이나 법원의 과태료 재판이 확정된 후 5년간 징수하지 아니하거나 집행하지 아니하면 시효로 인하여 소멸한다.
> ② 제1항에 따른 소멸시효의 중단 · 정지 등에 관하여는 「국세기본법」 제28조를 준용한다.

**154** 「질서위반행위규제법」에 대한 설명으로 가장 적절하지 않은 것은? [2019 승진(경위)]

① 고의 또는 과실이 없는 질서위반행위는 과태료를 부과하지 아니한다.

② 과태료는 행정청의 과태료 부과처분이나 법원의 과태료 재판이 확정된 후 3년간 징수하지 아니하거나 집행하지 아니하면 시효로 인하여 소멸한다.

③ 행정청이 질서위반행위에 대하여 과태료를 부과하고자 하는 때에는 미리 당사자에게 대통령령으로 정하는 사항을 통지하고, 10일 이상의 기간을 정하여 의견을 제출할 기회를 주어야 한다. 이 경우 지정된 기일까지 의견 제출이 없는 경우에는 의견이 없는 것으로 본다.

④ 행정청의 과태료 부과에 불복하는 당사자는 과태료 부과 통지를 받은 날로부터 60일 이내에 해당 행정청에 서면으로 이의제기를 할 수 있다.

**정답 및 해설 I ②**

② [×] 3년이 아닌 5년이다.

> **질서위반행위규제법 제15조【과태료의 시효】** ① 과태료는 행정청의 과태료 부과처분이나 법원의 과태료 재판이 확정된 후 5년간 징수하지 아니하거나 집행하지 아니하면 시효로 인하여 소멸한다.

① [○]

> **질서위반행위규제법 제7조【고의 또는 과실】** 고의 또는 과실이 없는 질서위반행위는 과태료를 부과하지 아니한다.
> ➜ 경찰질서벌의 경우 고의 · 과실이 요구되지 않는다고 보나, 질서위반행위규제법 대상은 고의 · 과실이 필요하다.

③ [○]

> **질서위반행위규제법 제16조【사전통지 및 의견 제출 등】** ① 행정청이 질서위반행위에 대하여 과태료를 부과하고자 하는 때에는 미리 당사자(제11조 제2항에 따른 고용주등을 포함한다. 이하 같다)에게 대통령령으로 정하는 사항을 통지하고, 10일 이상의 기간을 정하여 의견을 제출할 기회를 주어야 한다. 이 경우 지정된 기일까지 의견 제출이 없는 경우에는 의견이 없는 것으로 본다. [2019 승진(경위)]

④ [○]

> **질서위반행위규제법 제20조【이의제기】** ① 행정청의 과태료 부과에 불복하는 당사자는 제17조 제1항에 따른 과태료 부과 통지를 받은 날부터 60일 이내에 해당 행정청에 서면으로 이의제기를 할 수 있다.
> ② 제1항에 따른 이의제기가 있는 경우에는 행정청의 과태료 부과처분은 그 효력을 상실한다.

**155** 「질서위반행위규제법」에 대한 내용으로 가장 적절한 것은? [2018 채용 2차]

① 18세가 되지 아니한 자의 질서위반행위는 과태료를 부과하지 아니한다. 다만, 다른 법률에 특별한 규정이 있는 경우에는 그러하지 아니하다.

② 행정청이 질서위반행위에 대하여 과태료를 부과하고자 하는 때에는 미리 당사자에게 대통령령으로 정하는 사항을 통지하고, 7일 이상의 기간을 정하여 의견을 제출할 기회를 주어야 한다. 이 경우 지정된 기일까지 의견 제출이 없는 경우에는 의견이 없는 것으로 본다.

③ 과태료는 행정청의 과태료 부과처분이나 법원의 과태료 재판이 확정된 후 3년간 징수하지 아니하거나 집행하지 아니하면 시효로 인하여 소멸한다.

④ 고의 또는 과실이 없는 질서위반행위는 과태료를 부과하지 아니한다.



**정답 및 해설 | ④**

④ [○]

> **질서위반행위규제법 제7조 【고의 또는 과실】** 고의 또는 과실이 없는 질서위반행위는 과태료를 부과하지 아니한다.
> ➔ 경찰질서벌의 경우 고의 · 과실이 요구되지 않는다고 보나, 질서위반행위규제법 대상은 고의 · 과실이 필요하다.

① [×] 질서위반행위규제법상 책임연령은 14세이다.

> **질서위반행위규제법 제9조 【책임연령】** 14세가 되지 아니한 자의 질서위반행위는 과태료를 부과하지 아니한다. 다만, 다른 법률에 특별한 규정이 있는 경우에는 그러하지 아니하다.

② [×] 10일 이상 기간을 정해야 한다.

> **질서위반행위규제법 제16조 【사전통지 및 의견 제출 등】** ① 행정청이 질서위반행위에 대하여 과태료를 부과하고자 하는 때에는 미리 당사자(제11조 제2항에 따른 고용주등을 포함한다. 이하 같다)에게 대통령령으로 정하는 사항을 통지하고, 10일 이상의 기간을 정하여 의견을 제출할 기회를 주어야 한다. 이 경우 지정된 기일까지 의견 제출이 없는 경우에는 의견이 없는 것으로 본다.
> ② 당사자는 의견 제출 기한 이내에 대통령령으로 정하는 방법에 따라 행정청에 의견을 진술하거나 필요한 자료를 제출할 수 있다.
> ③ 행정청은 제2항에 따라 당사자가 제출한 의견에 상당한 이유가 있는 경우에는 과태료를 부과하지 아니하거나 통지한 내용을 변경할 수 있다.

③ [×] 5년간 징수하지 아니하거나 집행하지 아니하면 시효로 인하여 소멸한다.

> **질서위반행위규제법 제15조 【과태료의 시효】** ① 과태료는 행정청의 과태료 부과처분이나 법원의 과태료 재판이 확정된 후 5년간 징수하지 아니하거나 집행하지 아니하면 시효로 인하여 소멸한다.

**156** 「질서위반행위규제법」에 관한 다음 설명 중 가장 옳지 <u>않은</u> 것은? [2018 경간]

① 이 법은 법률상 의무의 효율적인 이행을 확보하고 국민의 권리와 이익을 보호하기 위하여 질서위반행위의 성립요건과 과태료의 부과 · 징수 및 재판 등에 관한 사항을 규정하는 것을 목적으로 한다.

② 질서위반행위 후 법률이 변경되어 그 행위가 질서위반행위에 해당하지 아니하게 되거나 과태료가 변경되기 전의 법률보다 가볍게 된 때에는 법률에 특별한 규정이 없는 한 변경된 법률을 적용한다.

③ 심신장애로 인하여 행위의 옳고 그름을 판단할 능력이 없거나 그 판단에 따른 행위를 할 능력이 없는 자의 질서위반행위는 과태료를 부과하지 아니한다.

④ 19세가 되지 아니한 자의 질서위반행위는 과태료를 부과하지 아니한다. 다만, 다른 법률에 특별한 규정이 있는 경우에는 그러하지 아니하다.

**정답 및 해설 I ④**

④ [×] 질서위반행위규제법상 책임연령은 14세이다.

> 질서위반행위규제법 제9조【책임연령】14세가 되지 아니한 자의 질서위반행위는 과태료를 부과하지 아니한다. 다만, 다른 법률에 특별한 규정이 있는 경우에는 그러하지 아니하다.

① [○]

> 질서위반행위규제법 제1조【목적】이 법은 법률상 의무의 효율적인 이행을 확보하고 국민의 권리와 이익을 보호하기 위하여 질서위반행위의 성립요건과 과태료의 부과·징수 및 재판 등에 관한 사항을 규정하는 것을 목적으로 한다.

② [○]

> 질서위반행위규제법 제3조【법 적용의 시간적 범위】② 질서위반행위 후 법률이 변경되어 그 행위가 질서위반행위에 해당하지 아니하게 되거나 과태료가 변경되기 전의 법률보다 가볍게 된 때에는 법률에 특별한 규정이 없는 한 변경된 법률을 적용한다.

③ [○]

> 질서위반행위규제법 제10조【심신장애】① 심신장애로 인하여 행위의 옳고 그름을 판단할 능력이 없거나 그 판단에 따른 행위를 할 능력이 없는 자의 질서위반행위는 과태료를 부과하지 아니한다.
> ② 심신장애로 인하여 제1항에 따른 능력이 미약한 자의 질서위반행위는 과태료를 감경한다. ➜ 형법과 다름! (형법: 감경할 수 있다)
> ③ 스스로 심신장애 상태를 일으켜 질서위반행위를 한 자에 대하여는 제1항 및 제2항을 적용하지 아니한다.

## 157 '질서위반행위규제법'에 대한 설명이다. 옳지 않은 것은? [2021 경간]

① 심신장애로 인하여 행위의 옳고 그름을 판단할 능력이 없거나 그 판단에 따른 행위를 할 능력이 없는 자의 질서위반행위는 그 과태료를 부과하지 아니한다.

② 2인 이상이 질서위반행위에 가담한 때에는 각자가 질서위반행위를 한 것으로 본다. 또한 신분에 의하여 성립하는 질서위반행위에 신분이 없는 자가 가담한 때에는 신분이 없는 자에 대해서도 질서위반행위가 성립한다.

③ 하나의 행위가 2 이상의 질서위반행위에 해당하는 경우에는 각 질서위반행위에 대하여 정한 과태료 중 가장 중한 과태료를 부과한다.

④ 과태료는 행정청의 과태료 부과처분이나 법원의 과태료 재판이 확정된 후 3년간 징수하지 아니하거나 집행하지 아니하면 시효로 인하여 소멸한다.

**정답 및 해설 I ④**

④ [×] 3년이 아닌 5년이다.

> 질서위반행위규제법 제15조【과태료의 시효】① 과태료는 행정청의 과태료 부과처분이나 법원의 과태료 재판이 확정된 후 5년간 징수하지 아니하거나 집행하지 아니하면 시효로 인하여 소멸한다.

① [○]

> 질서위반행위규제법 제10조【심신장애】① 심신장애로 인하여 행위의 옳고 그름을 판단할 능력이 없거나 그 판단에 따른 행위를 할 능력이 없는 자의 질서위반행위는 과태료를 부과하지 아니한다.

② [○]

> 질서위반행위규제법 제12조【다수인의 질서위반행위 가담】① 2인 이상이 질서위반행위에 가담한 때에는 각자가 질서위반행위를 한 것으로 본다. [2014 승진(경감), 2017 채용 1차]
> ② 신분에 의하여 성립하는 질서위반행위에 신분이 없는 자가 가담한 때에는 신분이 없는 자에 대하여도 질서위반행위가 성립한다. ➜ 신분범 성립: 비신분자에게도 신분 연결
> ③ 신분에 의하여 과태료를 감경 또는 가중하거나 과태료를 부과하지 아니하는 때에는 그 신분의 효과는 신분이 없는 자에게는 미치지 아니한다. ➜ 감경·가중·미부과: 신분 독립

③ [○]

> **질서위반행위규제법 제13조【수개의 질서위반행위의 처리】** ① 하나의 행위가 2 이상의 질서위반행위에 해당하는 경우에는 각 질서위반행위에 대하여 정한 과태료 중 가장 중한 과태료를 부과한다.
> ② 제1항의 경우를 제외하고 2 이상의 질서위반행위가 경합하는 경우에는 각 질서위반행위에 대하여 정한 과태료를 각각 부과한다. 다만, 다른 법령(지방자치단체의 조례를 포함한다. 이하 같다)에 특별한 규정이 있는 경우에는 그 법령으로 정하는 바에 따른다.



## 158 질서위반행위규제법에 관한 설명 중 가장 적절하지 않은 것은? [2022 채용 1차]

① 행정청의 과태료 처분이나 법원의 과태료 재판이 확정된 후 법률이 변경되어 그 행위가 질서위반행위에 해당하지 아니하게 된 때에는 변경된 법률에 특별한 규정이 없는 한 과태료의 징수 또는 집행을 면제한다.

② 고의 또는 과실이 없는 질서위반행위는 과태료를 부과하지 아니한다.

③ 자신의 행위가 위법하지 아니한 것으로 오인하고 행한 질서위반행위는 그 오인에 정당한 이유가 있는 때에도 과태료를 부과한다.

④ 과태료는 행정청의 과태료 부과처분이나 법원의 과태료 재판이 확정된 후 5년간 징수하지 아니하거나 집행하지 아니하면 시효로 인하여 소멸한다.

**정답 및 해설 | ③**

③ [×] 오인에 정당한 이유가 있으면 과태료를 부과하지 아니한다.

> **질서위반행위규제법 제8조【위법성의 착오】** 자신의 행위가 위법하지 아니한 것으로 오인하고 행한 질서위반행위는 그 오인에 정당한 이유가 있는 때에 한하여 과태료를 부과하지 아니한다.

① [○]

> **질서위반행위규제법 제3조【법 적용의 시간적 범위】** ① 질서위반행위의 성립과 과태료 처분은 행위 시의 법률에 따른다.
> ② 질서위반행위 후 법률이 변경되어 그 행위가 질서위반행위에 해당하지 아니하게 되거나 과태료가 변경되기 전의 법률보다 가볍게 된 때에는 법률에 특별한 규정이 없는 한 변경된 법률을 적용한다.
> ③ 행정청의 과태료 처분이나 법원의 과태료 재판이 확정된 후 법률이 변경되어 그 행위가 질서위반행위에 해당하지 아니하게 된 때에는 변경된 법률에 특별한 규정이 없는 한 과태료의 징수 또는 집행을 면제한다.

② [○]

> **질서위반행위규제법 제7조【고의 또는 과실】** 고의 또는 과실이 없는 질서위반행위는 과태료를 부과하지 아니한다.
> ➜ 경찰질서벌의 경우 고의 · 과실이 요구되지 않는다고 보나, 질서위반행위 규제법대상은 고의 · 과실이 필요하다.

④ [○]

> **질서위반행위규제법 제15조【과태료의 시효】** ① 과태료는 행정청의 과태료 부과처분이나 법원의 과태료 재판이 확정된 후 5년간 징수하지 아니하거나 집행하지 아니하면 시효로 인하여 소멸한다.

**159** 「질서위반행위규제법」상 행정청의 과태료 부과 및 징수에 관한 설명으로 가장 적절하지 않은 것은?

[2023 채용 1차]

① 행정청은 법 제16조 제2항에 따라 당사자가 제출한 의견에 상당한 이유가 있는 경우에는 과태료를 부과하지 아니하거나 통지한 내용을 변경할 수 있다.

② 법 제20조 제1항에 따른 이의제기가 있는 경우에는 행정청의 과태료 부과처분은 그 효력을 상실하지 않는다.

③ 당사자가 법 제18조 제1항에 따라 감경된 과태료를 납부한 경우에는 해당 질서위반행위에 대한 과태료 부과 및 징수절차는 종료한다.

④ 행정청은 당사자가 납부기한까지 과태료를 납부하지 아니한 때에는 납부기한을 경과한 날부터 체납된 과태료에 대하여 100분의 3에 상당하는 가산금을 징수한다.

**정답 및 해설 I ②**

② [×] 이의제기가 있는 경우에는 행정청의 과태료 부과처분은 그 **효력을 상실한다.**

> **질서위반행위규제법 제20조【이의제기】** ① 행정청의 과태료 부과에 불복하는 당사자는 제17조 제1항에 따른 과태료 부과 통지를 받은 날부터 60일 이내에 해당 행정청에 서면으로 이의제기를 할 수 있다.
> ② 제1항에 따른 이의제기가 있는 경우에는 행정청의 과태료 부과처분은 그 효력을 상실한다.

① [○]

> **질서위반행위규제법 제16조【사전통지 및 의견 제출 등】** ③ 행정청은 제2항에 따라 당사자가 제출한 의견에 상당한 이유가 있는 경우에는 과태료를 부과하지 아니하거나 통지한 내용을 변경할 수 있다.

③ [○]

> **질서위반행위규제법 제18조【자진납부자에 대한 과태료 감경】** ② 당사자가 제1항에 따라 감경된 과태료를 납부한 경우에는 해당 질서위반행위에 대한 과태료 부과 및 징수절차는 종료한다.

④ [○]

> **질서위반행위규제법 제24조【가산금 징수 및 체납처분 등】** ① 행정청은 당사자가 납부기한까지 과태료를 납부하지 아니한 때에는 납부기한을 경과한 날부터 체납된 과태료에 대하여 100분의 3에 상당하는 가산금을 징수한다.

**160** 행정상 의무이행 확보수단에 관한 설명으로 가장 적절하지 않은 것은? (다툼이 있는 경우 판례에 의함)

[2023 채용 2차]

① 질서위반행위에 대하여 과태료 부과의 근거 법률이 개정되어 행위시의 법률에 의하면 과태료 부과대상이었지만 재판시의 법률에 의하면 과태료 부과대상이 아니게 된 때에는 개정 법률의 부칙에서 종전 법률 시행 당시에 행해진 질서위반행위에 대해서는 행위시의 법률을 적용하도록 특별한 규정을 두지 않은 이상 재판시의 법률을 적용하여야 하므로 과태료를 부과할 수 없다.

② 경찰서장이 범칙행위에 대하여 통고처분을 한 이상 통고처분에서 정한 범칙금 납부기간까지는 원칙적으로 경찰서장은 즉결심판을 청구할 수 없다.

③ 피고인이 즉결심판에 대하여 제출한 정식재판청구서에 피고인의 자필로 보이는 이름이 기재되어 있고 그 옆에 서명이 되어 있어 위 서류가 작성자 본인인 피고인의 진정한 의사에 따라 작성되었다는 것을 명백하게 확인할 수 있더라도 피고인의 인장이나 지장이 찍혀있지 않다면 정식재판청구는 부적법하다고 보아야 한다.

④ 「질서위반행위규제법」에 따르면 고의 또는 과실이 없는 질서위반행위는 과태료를 부과하지 아니한다.

**정답 및 해설 I ③**

③ [×] 인장 · 지장이 없다라도 정식재판청구는 적법하다고 보았다.

> **요지판례 I**
>
> ■ 구 형사소송법 제59조에서 정한 기명날인의 의미, 이 규정이 개정되어 기명날인 외에 서명도 허용한 경위와 취지 등을 종합하면, 피고인이 즉결심판에 대하여 제출한 정식재판청구서에 피고인의 자필로 보이는 이름이 기재되어 있고 그 옆에 서명이 되어 있어 위 서류가 작성자 본인인 피고인의 진정한 의사에 따라 작성되었다는 것을 명백하게 확인할 수 있으며 형사소송절차의 명확성과 안정성을 저해할 우려가 없으므로, 정식재판청구는 적법하다고 보아야 한다. 피고인의 인장이나 지장이 찍혀 있지 않다고 해서 이와 달리 볼 것이 아니다(대결 2019.11.29, 2017모3458).

① [○]

> **요지판례 I**
>
> ■ 질서위반행위에 대하여 과태료 부과의 근거 법률이 개정되어 행위시의 법률에 의하면 과태료 부과대상이었지만 재판시의 법률에 의하면 과태료 부과대상이 아니게 된 때에는 개정 법률의 부칙에서 종전 법률 시행 당시에 행해진 질서위반행위에 대해서는 행위시의 법률을 적용하도록 특별한 규정을 두지 않은 이상 재판시의 법률을 적용하여야 하므로 과태료를 부과할 수 없다(대결 2020.11.3, 2020마5594).

② [○]

> **요지판례 I**
>
> ■ **경찰서장이 범칙행위에 대하여 통고처분을 하였는데 통고처분에서 정한 범칙금 납부기간이 경과하지 아니한 경우, 원칙적으로 즉결심판을 청구할 수 없고, 검사도 동일한 범칙행위에 대하여 공소를 제기할 수 없는지 여부(적극)**
> 경찰서장이 범칙행위에 대하여 통고처분을 한 이상, 범칙자의 위와 같은 절차적 지위를 보장하기 위하여 통고처분에서 정한 범칙금 납부기간까지는 원칙적으로 경찰서장은 즉결심판을 청구할 수 없고, 검사도 동일한 범칙행위에 대하여 공소를 제기할 수 없다고 보아야 한다(대판 2020.4.29, 2017도13409).

④ [○]

> 질서위반행위규제법 제7조 【고의 또는 과실】 고의 또는 과실이 없는 질서위반행위는 과태료를 부과하지 아니한다.
> ➜ 경찰질서벌의 경우 고의 · 과실이 요구되지 않는다고 보나, 질서위반행위 규제법 대상은 고의 · 과실이 필요하다.

**161** 다음 「질서위반행위규제법」 및 「질서위반행위규제법 시행령」에 대한 내용에서 괄호 안에 들어갈 숫자를 모두 더한 값은? [2021 승진(실무종합)]

> ㉠ 과태료는 행정청의 과태료 부과처분이나 법원의 과태료 재판이 확정된 후 (  )년간 징수하지 아니하거나 집행하지 아니하면 시효로 인하여 소멸한다.
> ㉡ 동법 제19조 제1항에 따라 행정청은 질서위반행위가 종료된날부터 (  )년이 경과한 경우에는 해당 질서위반행위에 대하여 과태료를 부과할 수 없다.
> ㉢ (  )세가 되지 아니한 자의 질서위반행위는 과태료를 부과하지 아니한다.
> ㉣ 행정청은 당사자가 동법 제24조의3 제1항에 따라 과태료를 납부하기가 곤란하다고 인정되면 (  )년의 범위에서 과태료의 분할납부나 납부기일의 연기를 결정할 수 있다.
> ㉤ 행정청은 ㉣에 따라 과태료의 분할납부나 납부기일의 연기(이하 '징수유예 등'이라 한다)를 결정하는 경우 그 기간을 그 징수유예 등을 결정한 날의 다음 날부터 (  )개월 이내로 하여야 한다.

① 26　　② 28
③ 33　　④ 34

**정답 및 해설 I ④**

④ [○] ㉠(5) + ㉡(5) + ㉢(14) + ㉣(1) + ㉤(9) = 34

㉠ [5] 소멸시효는 5년이다.

> **질서위반행위규제법 제15조【과태료의 시효】** ① 과태료는 행정청의 과태료 부과처분이나 법원의 과태료 재판이 확정된 후 5년간 징수하지 아니하거나 집행하지 아니하면 시효로 인하여 소멸한다.

㉡ [5] 제척기간도 5년이다.

> **질서위반행위규제법 제19조【과태료 부과의 제척기간】** ① 행정청은 질서위반행위가 종료된 날(다수인이 질서위반행위에 가담한 경우에는 최종행위가 종료된 날을 말한다)부터 5년이 경과한 경우에는 해당 질서위반행위에 대하여 과태료를 부과할 수 없다.

㉢ [14] 책임연령은 14세이다.

> **질서위반행위규제법 제9조【책임연령】** 14세가 되지 아니한 자의 질서위반행위는 과태료를 부과하지 아니한다. 다만, 다른 법률에 특별한 규정이 있는 경우에는 그러하지 아니하다.

㉣ [1] 징수유예기간의 범위는 최대 1년이다.

> **질서위반행위규제법 제24조의3【과태료의 징수유예 등】** ① 행정청은 당사자가 다음 각 호의 어느 하나에 해당하여 과태료(체납된 과태료와 가산금, 중가산금 및 체납처분비를 포함한다. 이하 이 조에서 같다)를 납부하기가 곤란하다고 인정되면 1년의 범위에서 대통령령으로 정하는 바에 따라 과태료의 분할납부나 납부기일의 연기(이하 "징수유예등"이라 한다)를 결정할 수 있다.

㉤ [9] 질서위반행위규제법 제24조의3에 따라 징수유예기간을 1년 이내 범위에서 대통령령으로 정하도록 하고 있는데, 이에 따라 질서위반행위규제법 시행령은 실제 징수유예기간을 9개월로 정하고 있다.

> **질서위반행위규제법 시행령 제7조의2【과태료의 징수유예등】** ① 행정청은 법 제24조의3 제1항에 따라 과태료의 분할납부나 납부기일의 연기(이하 "징수유예등"이라 한다)를 결정하는 경우 그 기간을 그 징수유예등을 결정한 날의 다음 날부터 9개월 이내로 하여야 한다. 다만, 그 기간이 만료될 때까지 법 제24조의3 제1항에 따른 징수유예등의 사유가 해소되지 아니하는 경우에는 1회에 한정하여 3개월의 범위에서 그 기간을 연장할 수 있다.

## 주제 5 경찰상 조사

### 162 행정조사에 관한 설명 중 가장 적절한 것은? (다툼이 있는 경우 판례에 의함) [2022 채용 2차]

① 「행정조사기본법」상 조사대상자의 자발적 협조를 얻어 조사를 실시하는 경우에는 법령의 근거를 요하지 아니하며 조직법상의 권한 범위 밖에서도 가능하다.

② 조사대상자의 자발적 협조로 조사가 이루어지는 경우일지라도 행정의 적법성 및 공공성 등을 높이기 위해서 조사목적 등을 반드시 서면으로 통보하여야 한다.

③ 경찰작용은 행정작용의 일환이므로 경찰의 수사에도 「행정조사기본법」이 적용되는 것이 원칙이다.

④ 행정조사는 행정기관이 향후 행정작용에 필요한 자료 및 정보를 얻기 위한 준비적 · 보조적 작용이다.

**정답 및 해설 I ④**

④ [○] 경찰상 조사(행정조사)란 경찰기관이 경찰작용을 적정하고 효과적으로 수행하기 위하여 필요한 자료나 정보를 수집 · 정리하는 준비적 · 보조적 수단으로서의 사실행위를 말한다.

> **행정조사기본법 제2조【정의】** 이 법에서 사용하는 용어의 정의는 다음과 같다.
> 1. "**행정조사**"란 행정기관이 정책을 결정하거나 직무를 수행하는 데 필요한 정보나 자료를 수집하기 위하여 현장조사 · 문서열람 · 시료채취 등을 하거나 조사대상자에게 보고요구 · 자료제출요구 및 출석 · 진술요구를 행하는 활동을 말한다.

① [×] **작용법적 근거**의 경우에는 권력적 행정조사에는 필요하고, 비권력적 행정조사에는 필요하지 않다고 본다. 다만 **조직법적 근거**의 경우에는 권력적 · 비권력적 행정조사 모두 필요하다고 본다. ➜ 비권력적 행정조사라 하더라도 당해 조직의 임무범위에도 속하지 않는 사항에 대해서 조사할 수 있다고 보기는 어렵기 때문이다.

② [×] 자발적 협조는 사전 서면통보 예외사유에 해당한다.

> **행정조사기본법 제17조【조사의 사전통지】** ① 행정조사를 실시하고자 하는 행정기관의 장은 제9조에 따른 출석요구서, 제10조에 따른 보고요구서 · 자료제출요구서 및 제11조에 따른 현장출입조사서(이하 "출석요구서등"이라 한다)를 조사개시 7일 전까지 조사대상자에게 서면으로 통지하여야 한다. 다만, 다음 각 호의 어느 하나에 해당하는 경우에는 행정조사의 개시와 동시에 출석요구서등을 조사대상자에게 제시하거나 행정조사의 목적 등을 조사대상자에게 구두로 통지할 수 있다.
> 1. 행정조사를 실시하기 전에 관련 사항을 미리 통지하는 때에는 증거인멸 등으로 행정조사의 목적을 달성할 수 없다고 판단되는 경우
> 2. 「통계법」 제3조 제2호에 따른 지정통계의 작성을 위하여 조사하는 경우
> 3. 제5조 단서에 따라 조사대상자의 자발적인 협조를 얻어 실시하는 행정조사의 경우

③ [×] 경찰의 수사는 행정작용이 아니라 형사사법작용의 일환이므로 행정조사기본법이 아닌 형사소송법이 적용된다.



## 163 행정조사기본법에 대한 설명으로 가장 적절한 것은?

[2020 경행특채 2차]

① 행정기관의 장은 매년 12월 말까지 다음 연도의 행정조사운영계획을 수립하여 국무총리에게 제출하여야 한다.

② 행정조사를 실시할 행정기관의 장은 행정조사를 실시하기 전에 다른 행정기관에서 동일한 조사대상자에게 동일하거나 유사한 사안에 대하여 행정조사를 실시하였는지 여부를 반드시 확인해야 한다.

③ 행정기관의 장은 법령 등에 특별한 규정이 있는 경우를 제외하고는 행정조사의 결과를 확정한 날부터 7일 이내에 그 결과를 조사대상자에게 통지하여야 한다.

④ 행정조사를 실시하고자 하는 행정기관의 장은 출석요구서, 보고요구서 · 자료제출요구서 및 현장출입조사서를 조사개시 7일 전까지 조사대상자에게 구두로 통지하여야 한다.

**정답 및 해설 | ③**

③ [○]

> **행정조사기본법 제24조【조사결과의 통지】** 행정기관의 장은 법령등에 특별한 규정이 있는 경우를 제외하고는 행정조사의 결과를 확정한 날부터 7일 이내에 그 결과를 조사대상자에게 통지하여야 한다.

① [×] 국무조정실장에게 제출하여야 한다.

> **행정조사기본법 제6조【연도별 행정조사운영계획의 수립 및 제출】** ① 행정기관의 장은 매년 12월말까지 다음 연도의 행정조사운영계획을 수립하여 국무조정실장에게 제출하여야 한다. 다만, 행정조사운영계획을 제출해야 하는 행정기관의 구체적인 범위는 대통령령으로 정한다.

② [×] 확인할 수 있다.

> **행정조사기본법 제15조【중복조사의 제한】** ② 행정조사를 실시할 행정기관의 장은 행정조사를 실시하기 전에 다른 행정기관에서 동일한 조사대상자에게 동일하거나 유사한 사안에 대하여 행정조사를 실시하였는지 여부를 확인할 수 있다.

④ [×] 서면으로 통지하여야 한다.

> **행정조사기본법 제17조【조사의 사전통지】** ① 행정조사를 실시하고자 하는 행정기관의 장은 제9조에 따른 출석요구서, 제10조에 따른 보고요구서 · 자료제출요구서 및 제11조에 따른 현장출입조사서(이하 "출석요구서등"이라 한다)를 조사개시 7일 전까지 조사대상자에게 서면으로 통지하여야 한다.

**164** 「행정조사기본법」에 대한 설명으로 가장 적절하지 않은 것은? (다툼이 있는 경우 판례에 의함)

[2019 경행특채 2차]

① 우편물 통관검사절차에서 이루어지는 우편물의 개봉, 시료채취, 성분분석 등의 검사는 수출입물품에 대한 적정한 통관 등을 목적으로 한 행정조사의 성격을 가지는 것으로서 압수·수색영장 없이 검사가 진행되었다 하더라도 특별한 사정이 없는 한 위법하다고 볼 수 없다.

② 「행정조사기본법」 제10조는 보고요구와 자료제출의 요구를 규정하고 있는데, 「행정조사기본법」은 이러한 요구에 불응한 자에 대해 과태료를 부과할 수 있는 근거를 두고 있다.

③ 세무조사가 과세자료의 수집 또는 신고내용의 정확성 검증이라는 본연의 목적이 아니라 부정한 목적을 위하여 행하여진 것이라면 이는 세무조사에 중대한 위법사유가 있는 경우에 해당하고 이러한 세무조사에 의하여 수집된 과세자료를 기초로 한 과세처분 역시 위법하다.

④ 세무조사결정은 납세의무자의 권리·의무에 직접 영향을 미치는 공권력의 행사에 따른 행정작용으로서 항고소송의 대상이 된다.

**정답 및 해설 I ②**

② [×] 행정조사기본법에서는 보고 및 자료제출 요구에 불응한 자에 대한 과태료부과규정을 따로 두고 있지 않다.

① [○]

**요지판례 I**

■ 우편물 통관검사절차에서 이루어지는 우편물의 개봉, 시료채취, 성분분석 등의 검사는 수출입물품에 대한 적정한 통관 등을 목적으로 한 행정조사의 성격을 가지는 것으로서 수사기관의 강제처분이라고 할 수 없으므로, 압수·수색영장 없이 우편물의 개봉, 시료채취, 성분분석 등 검사가 진행되었다 하더라도 특별한 사정이 없는 한 위법하다고 볼 수 없다(대판 2013.9.26, 2013도7718). ➜ 인천공항세관 우편검사과에서 이 사건 우편물 중에서 시료를 채취하고, 인천공항세관 분석실에서 성분분석을 하는 데에는 검사의 청구에 의하여 법관이 발부한 압수·수색영장이 필요하지 않다고 봄이 상당하다. 원심이 그 채택 증거들을 종합하여 이 사건 공소사실을 유죄로 인정한 것은 정당하다.

③ [○]

**요지판례 I**

■ 세무조사가 과세자료의 수집 또는 신고내용의 정확성 검증이라는 본연의 목적이 아니라 부정한 목적을 위하여 행하여진 것이라면 이는 세무조사에 중대한 위법사유가 있는 경우에 해당하고 이러한 세무조사에 의하여 수집된 과세자료를 기초로 한 과세처분 역시 위법하다(대판 2016.12.15, 2016두47659).

④ [○]

**요지판례 I**

■ 세무조사결정은 납세의무자의 권리·의무에 직접 영향을 미치는 공권력의 행사에 따른 행정작용으로서 항고소송의 대상이 된다(대판 2011.3.10, 2009두23617).

**165** 행정조사에 관한 설명으로 가장 적절한 것은? (다툼이 있는 경우 판례에 의함) [2024 승진]

① 「고용보험법」상 '실업인정대상 기간 중의 취업사실'에 대한 행정조사 절차에는 수사절차에서의 진술거부권 고지의무에 관한 「형사소송법」 규정이 준용되지 않는다.

② 경찰공무원이 「도로교통법」 규정에 따라 호흡측정 또는 혈액검사 등의 방법으로 운전자가 술에 취한 상태에서 운전하였는지를 조사하는 것은 수사로서의 성격을 갖지만, 행정조사의 성격을 가지는 것은 아니다.

③ 조사대상자의 자발적 협조로 조사가 이루어지는 경우일지라도 행정의 적법성 및 공공성 등을 높이기 위해서 조사목적 등을 반드시 서면으로 통보하여야 한다.

④ 「행정조사기본법」상 행정기관은 행정조사를 통하여 알게 된 정보를 어떠한 경우에도 원래의 조사목적 이외의 용도로 이용할 수 없다.



**정답 및 해설 I ①**

① [○]

**요지판례 I**

■ 고용보험법 제47조 제2항에 따른 실업인정대상기간 중의 취업 사실 여부를 확인하기 위한 조사는 행정청이 행정에 필요한 정보를 수집하기 위한 조사활동, 즉 행정조사에 해당한다. 이는 사법경찰관리의 직무를 수행할 자와 그 직무범위에 관한 법률에 따라 사법경찰관리의 직무를 수행할 자로 지정된 공무원이 행정법상의 의무 위반행위에 대한 제재로서 행정형벌을 부과하기 위하여 행하는 수사와는 법률적으로 명백히 구분되는 것이다. 따라서 고용보험법 제47조 제2항에 따른 행정조사 절차에는 수사 절차에서의 진술거부권 고지의무에 관한 형사소송법 규정이 준용되지 않는다는 원심 판단은 정당하다(대판 2020.5.14, 2020두31323).

② [×] 음주측정의 법적 성격에 대해 판례는 행정조사와 수사의 성격을 동시에 가지고 있다고 보았다.

**요지판례 I**

■ 경찰공무원이 도로교통법 규정에 따라 호흡측정 또는 혈액 검사 등의 방법으로 운전자가 술에 취한 상태에서 운전하였는지를 조사하는 것은, 수사기관과 경찰행정 조사자의 지위를 겸하는 주체가 형사소송에서 사용될 증거를 수집하기 위한 수사로서의 성격을 가짐과 아울러 교통상 위험의 방지를 목적으로 하는 운전면허 정지 · 취소의 행정처분을 위한 자료를 수집하는 행정조사의 성격을 동시에 가지고 있다고 볼 수 있다(대판 2016.12.27, 2014두46850).

③ [×]

**행정조사기본법 제17조【조사의 사전통지】** ① 행정조사를 실시하고자 하는 행정기관의 장은 … 조사개시 7일 전까지 조사대상자에게 서면으로 통지하여야 한다. 다만, 다음 각 호의 어느 하나에 해당하는 경우에는 행정조사의 개시와 동시에 출석요구서등을 조사대상자에게 제시하거나 행정조사의 목적 등을 조사대상자에게 구두로 통지할 수 있다.

1. 행정조사를 실시하기 전에 관련 사항을 미리 통지하는 때에는 증거인멸 등으로 행정조사의 목적을 달성할 수 없다고 판단되는 경우
2. 「통계법」 제3조 제2호에 따른 지정통계의 작성을 위하여 조사하는 경우
3. 제5조 단서에 따라 조사대상자의 자발적인 협조를 얻어 실시하는 행정조사의 경우

④ [×] 다른 법률에 따라 내부에서 이용하거나 다른 기관에 제공하는 경우에는 예외가 인정된다.

**행정조사기본법 제4조【행정조사의 기본원칙】** ⑥ 행정기관은 행정조사를 통하여 알게 된 정보를 다른 법률에 따라 내부에서 이용하거나 다른 기관에 제공하는 경우를 제외하고는 원래의 조사목적 이외의 용도로 이용하거나 타인에게 제공하여서는 아니 된다.

## 주제 6 새로운 실효성 확보수단

**166** 행정상 의무이행확보수단에 관한 설명으로 가장 적절하지 <u>않은</u> 것은? (다툼이 있는 경우 판례에 의함)

[2023 채용 1차]

① 과징금은 원칙적으로 행정법상의 의무를 위반한 자에 대하여 당해 위반행위로 얻게 된 경제적 이익을 박탈하기 위한 목적으로 부과하는 금전적인 제재이다.

② 「경찰관 직무집행법」 제6조 "경찰관은 범죄행위가 목전에 행하여지려고 하고 있다고 인정될 때에는 이를 예방하기 위하여 관계인에게 필요한 경고를 하고, 그 행위로 인하여 사람의 생명 · 신체에 위해를 끼치거나 재산에 중대한 손해를 끼칠 우려가 있는 긴급한 경우에는 그 행위를 제지할 수 있다" 규정은 행정상 즉시강제에 해당한다.

③ 「경찰관 직무집행법」 제4조 제1항 제1호에서 규정하는 술에 취한 상태로 인하여 자기 또는 타인의 생명 · 신체와 재산에 위해를 미칠 우려가 있는 피구호자에 대한 보호조치는 행정상 강제집행에 해당한다.

④ 가산세는 개별 세법이 과세의 적정을 기하기 위하여 정한 의무의 이행을 확보할 목적으로 그 의무 위반에 대하여 세금의 형태로 가하는 행정상 제재이다.

**정답 및 해설 I ③**

③ [×] 「경찰관 직무집행법」 제4조 제1항 제1호에서 규정하는 술에 취한 상태로 인하여 자기 또는 타인의 생명 · 신체와 재산에 위해를 미칠 우려가 있는 피구호자에 대한 보호조치는 **행정상 즉시강제**에 해당한다.

# 제5절 | 경찰구제

## 주제 1 행정심판법

**167** 행정심판에 대한 설명으로 가장 적절한 것은? (다툼이 있는 경우 판례에 의함) [2018 경행특채 2차]

① 「행정심판법」은 당사자심판을 청구할 수 있는 자는 행정소송의 경우와 동일하게 행정처분의 법률관계에 대한 법률상 이익이 있어야 한다고 규정하고 있다.

② 행정심판위원회는 당사자의 권리 및 권한의 범위에서 당사자의 동의를 받아 조정을 할 수 있다. 다만, 그 조정이 공공복리에 적합하지 아니하거나 해당 처분의 성질에 반하는 경우에는 그러하지 아니하다.

③ 개별 법률에 특별규정이 없는 경우에 행정심판 청구에 대한 재결이 있으면 그 재결 및 같은 처분 또는 부작위에 대하여 다시 행정심판을 청구할 수 있다.

④ 행정심판은 정당한 사유가 없는 경우 처분이 있었던 날부터 90일 이내에 청구하여야 하고, 처분이 있음을 알게 된 날부터 180일이 지나면 청구하지 못한다.

**정답 및 해설 | ②**

② [○]

> **행정심판법 제43조의2【조정】** ① 위원회는 당사자의 권리 및 권한의 범위에서 당사자의 동의를 받아 심판청구의 신속하고 공정한 해결을 위하여 조정을 할 수 있다. 다만, 그 조정이 공공복리에 적합하지 아니하거나 해당 처분의 성질에 반하는 경우에는 그러하지 아니하다.

① [×] 우리 행정심판법은 행정심판의 종류로 당사자심판은 규정하고 있지 않다.

> **행정심판법 제5조【행정심판의 종류】** 행정심판의 종류는 다음 각 호와 같다.
> 1. 취소심판: 행정청의 위법 또는 부당한 처분을 취소하거나 변경하는 행정심판
> 2. 무효등확인심판: 행정청의 처분의 효력 유무 또는 존재 여부를 확인하는 행정심판
> 3. 의무이행심판: 당사자의 신청에 대한 행정청의 위법 또는 부당한 거부처분이나 부작위에 대하여 일정한 처분을 하도록 하는 행정심판

③ [×] 다시 행정심판을 청구할 수 없다.

> **행정심판법 제51조【행정심판 재청구의 금지】** 심판청구에 대한 재결이 있으면 그 재결 및 같은 처분 또는 부작위에 대하여 다시 행정심판을 청구할 수 없다.

④ [×] 알게 된 날부터 90일, 처분이 있었던 날부터 180일이다.

> **행정심판법 제27조【심판청구의 기간】** ① 행정심판은 처분이 있음을 알게 된 날부터 90일 이내에 청구하여야 한다.
> ② 청구인이 천재지변, 전쟁, 사변(事變), 그 밖의 불가항력으로 인하여 제1항에서 정한 기간에 심판청구를 할 수 없었을 때에는 그 사유가 소멸한 날부터 14일 이내에 행정심판을 청구할 수 있다. 다만, 국외에서 행정심판을 청구하는 경우에는 그 기간을 30일로 한다.
> ③ 행정심판은 처분이 있었던 날부터 180일이 지나면 청구하지 못한다. 다만, 정당한 사유가 있는 경우에는 그러하지 아니하다.

**168** 「행정심판법」상 행정심판청구의 기간에 대한 설명으로 가장 적절하지 않은 것은? (다툼이 있는 경우 판례에 의함) [2019 경행특채 2차]

① 행정심판은 처분이 있음을 알게 된 날부터 90일 이내에 청구하여야 한다. 다만, 청구인이 불가항력으로 인하여 심판청구를 할 수 없었을 때에는 그 사유가 소멸한 날부터 14일 이내에 행정심판을 청구할 수 있다.

② 행정심판은 처분이 있었던 날부터 180일이 지나면 청구하지 못한다. 다만, 정당한 사유가 있는 경우에는 그러하지 아니하다.

③ 행정청이 심판청구의 기간을 알리지 아니한 경우에는 처분이 있었던 날부터 180일 이내에 행정심판을 청구할 수 있다.

④ 취소심판의 경우와 달리 무효등확인심판과 의무이행심판의 경우에는 심판청구의 기간에 제한이 없다.

**정답 및 해설 I ④**

④ [×] 부작위에 대한 의무이행심판은 청구기간의 제한이 없으나 거부처분에 대한 의무이행심판은 취소심판청구와 마찬가지로 심판청구기간이 적용된다.

| |
|---|
| **행정심판법 제27조 【심판청구의 기간】** ① 행정심판은 처분이 있음을 알게 된 날부터 90일 이내에 청구하여야 한다.<br>② 청구인이 천재지변, 전쟁, 사변, 그 밖의 불가항력으로 인하여 제1항에서 정한 기간에 심판청구를 할 수 없었을 때에는 그 사유가 소멸한 날부터 14일 이내에 행정심판을 청구할 수 있다. 다만, 국외에서 행정심판을 청구하는 경우에는 그 기간을 30일로 한다.<br>③ 행정심판은 처분이 있었던 날부터 180일이 지나면 청구하지 못한다. 다만, 정당한 사유가 있는 경우에는 그러하지 아니하다.<br>④ 제1항과 제2항의 기간은 불변기간으로 한다.<br>⑤ 행정청이 심판청구 기간을 제1항에 규정된 기간보다 긴 기간으로 잘못 알린 경우 **그 잘못 알린 기간에 심판청구가 있으면** 그 행정심판은 제1항에 규정된 기간에 청구된 것으로 본다.<br>⑥ 행정청이 심판청구 기간을 **알리지 아니한 경우**에는 제3항에 규정된 기간에 심판청구를 할 수 있다.<br>⑦ 제1항부터 제6항까지의 규정은 **무효등확인심판청구**와 **부작위에 대한 의무이행심판청구**에는 적용하지 아니한다. |

① [○] 행정심판법 제27조 제1항 · 제2항
② [○] 행정심판법 제27조 제3항
③ [○] 행정심판법 제27조 제3항 · 제6항

**169** 「행정심판법」상 행정심판에 관한 설명으로 가장 적절하지 않은 것은? [2024 1차 채용]

① 심판청구는 서면으로 하여야 하며, 심판청구서를 작성하여 피청구인 또는 행정심판위원회에 제출하여야 한다.

② 시 · 도경찰청장의 처분 또는 부작위에 대한 행정심판의 청구에 대해서는 경찰청에 두는 행정심판위원회에서 심리 · 재결한다.

③ 행정심판위원회는 처분, 처분의 집행 또는 절차의 속행 때문에 중대한 손해가 생기는 것을 예방할 필요성이 긴급하다고 인정할 때에는 직권으로 또는 당사자의 신청에 의하여 처분의 효력, 처분의 집행 또는 절차의 속행의 전부 또는 일부의 정지를 결정할 수 있다.

④ 행정심판위원회는 심판청구가 이유가 있다고 인정하는 경우에도 이를 인용하는 것이 공공복리에 크게 위배된다고 인정하면 심판청구를 기각하는 재결을 할 수 있다.

**정답 및 해설 I ②**

② [×] 국민권익위원회에 두는 중앙행정심판위원회에서 심리 · 재결한다. 경찰청에 두는 행정심판위원회는 없다.

> **행정심판법 제6조【행정심판위원회의 설치】** ② 다음 각 호의 행정청의 처분 또는 부작위에 대한 심판청구에 대하여는 「부패방지 및 국민권익위원회의 설치와 운영에 관한 법률」에 따른 국민권익위원회(이하 "국민권익위원회"라 한다)에 두는 중앙행정심판위원회에서 심리 · 재결한다.
> 1. 제1항에 따른 행정청 외의 국가행정기관의 장 또는 그 소속 행정청

① [○]

> **행정심판법 제28조【심판청구의 방식】** ① 심판청구는 서면으로 하여야 한다.
>
> **행정심판법 제23조【심판청구서의 제출】** ① 행정심판을 청구하려는 자는 제28조에 따라 심판청구서를 작성하여 피청구인이나 위원회에 제출하여야 한다. 이 경우 피청구인의 수만큼 심판청구서 부본을 함께 제출하여야 한다.

③ [○]

> **행정심판법 제30조【집행정지】** ① 심판청구는 처분의 효력이나 그 집행 또는 절차의 속행에 영향을 주지 아니한다.
> ➔ 원칙: 집행부(不)정지
> ② 위원회는 처분, 처분의 집행 또는 절차의 속행 때문에 중대한 손해가 생기는 것을 예방할 필요성이 긴급하다고 인정할 때에는 직권으로 또는 당사자의 신청에 의하여 처분의 효력, 처분의 집행 또는 절차의 속행의 전부 또는 일부의 정지(이하 "집행정지"라 한다)를 결정할 수 있다. 다만, 처분의 효력정지는 처분의 집행 또는 절차의 속행을 정지함으로써 그 목적을 달성할 수 있을 때에는 허용되지 아니한다. ➔ 예외: 집행정지

④ [○]

> **행정심판법 제44조【사정재결】** ① 위원회는 심판청구가 이유가 있다고 인정하는 경우에도 이를 인용하는 것이 공공복리에 크게 위배된다고 인정하면 그 심판청구를 기각하는 재결을 할 수 있다. 이 경우 위원회는 재결의 주문에서 그 처분 또는 부작위가 위법하거나 부당하다는 것을 구체적으로 밝혀야 한다.

## 170 「행정심판법」상 재결에 관한 설명으로 가장 적절하지 않은 것은?(다툼이 있는 경우 판례에 의함)

[2023 채용 1차]

① 재결은 서면으로 한다.

② 위원회는 심판청구가 이유가 없다고 인정하면 그 심판청구를 기각(棄却)한다.

③ 위원회는 지체 없이 당사자에게 재결서의 등본을 송달 하여야 하며, 재결서가 청구인에게 발송되었을 때에 그 효력이 생긴다.

④ 재결의 기속력은 재결의 주문 및 그 전제가 된 요건사실의 인정과 판단, 즉 처분 등의 구체적 위법사유에 관한 판단에만 미친다고 할 것이고, 종전 처분이 재결에 의하여 취소되었다 하더라도 종전 처분시와는 다른 사유를 들어서 처분을 하는 것은 기속력에 저촉되지 않는다.

**정답 및 해설 I ③**

③ [×] 재결서의 정본을 송달하여야 한다. 또한 재결도 행정심판위원회가 재결서를 통하여 하는 행정행위로서, '발송'이 아니라 '송달'에 의하여 효력이 생긴다.

> **행정심판법 제48조【재결의 송달과 효력 발생】** ① 위원회는 지체 없이 당사자에게 재결서의 정본을 송달하여야 한다. 이 경우 중앙행정심판위원회는 재결 결과를 소관 중앙행정기관의 장에게도 알려야 한다.
> ② 재결은 청구인에게 제1항 전단에 따라 송달되었을 때에 그 효력이 생긴다.

① [○]

> **행정심판법 제46조【재결의 방식】** ① 재결은 서면으로 한다.

② [○]

> **행정심판법 제43조【재결의 구분】** ② 위원회는 심판청구가 이유가 없다고 인정하면 그 심판청구를 기각한다.

④ [○]

**요지판례 |**

■ 재결의 기속력은 재결의 주문 및 그 전제가 된 요건사실의 인정과 판단, 즉 처분 등의 구체적 위법사유에 관한 판단에만 미친다고 할 것이고, 종전 처분이 재결에 의하여 취소되었다 하더라도 종전 처분시와는 다른 사유를 들어서 처분을 하는 것은 기속력에 저촉되지 않는다고 할 것이며, 여기에서 동일 사유인지 다른 사유인지는 종전 처분에 관하여 위법한 것으로 재결에서 판단된 사유와 기본적 사실관계에 있어 동일성이 인정되는 사유인지 여부에 따라 판단되어야 한다(대판 2005.12.9, 2003두7705).

## 171 행정심판법상 재결에 관한 설명 중 가장 적절한 것은? (다툼이 있는 경우 판례에 의함)

[2021 경행특채 2차]

① 피청구인이 거부처분을 취소하는 재결의 취지에 따라 다시 이전의 신청에 대한 처분을 하지 아니하는 경우에 행정심판위원회는 직접 처분을 할 수 있다.

② 피청구인이 당사자의 신청을 거부한 처분의 이행을 명하는 재결에도 불구하고 이전의 신청에 대하여 재결의 취지에 따라 처분을 하지 아니하는 경우에 행정심판위원회는 간접강제를 할 수 있다.

③ 재결이 확정되면 기판력이 인정되므로 처분의 기초가 된 사실관계나 법률적 판단이 확정되고 당사자들이나 법원은 이에 기속되어 모순되는 주장이나 판단을 할 수 없다.

④ 당사자가 합의한 사항을 조정서에 기재한 후 당사자가 서명 또는 날인하고 행정심판위원회가 이를 확인함으로써 성립하는 조정에 대하여는 제51조(행정심판 재청구의 금지)의 규정이 준용되지 않는다.

**정답 및 해설 | ②**

② [○] 재처분의무에 따른 처분을 해야 하는 경우는 (i) 거부처분에 대하여 취소 · 무효 · 부존재확인 · 이행명령재결이 있는 경우, (ii) 절차위법 · 부당으로 취소된 경우, (iii) 신청에 대해 부작위로 방치하는 경우로서 이행명령재결이 있는 경우이다.

**행정심판법 제50조의2【위원회의 간접강제】** ① 위원회는 피청구인이 제49조 제2항(제49조 제4항에서 준용하는 경우를 포함한다) 또는 제3항에 따른 처분(➜ 재처분의무에 따른 처분)을 하지 아니하면 청구인의 신청에 의하여 결정으로 상당한 기간을 정하고 피청구인이 그 기간 내에 이행하지 아니하는 경우에는 그 지연기간에 따라 일정한 배상을 하도록 명하거나 즉시 배상을 할 것을 명할 수 있다.

① [×] 직접처분은 의무이행심판에 따른 의무이행재결의 경우에만 인정된다.

**행정심판법 제50조【위원회의 직접 처분】** ① 위원회는 피청구인이 제49조 제3항(➜ 이행명령재결)에도 불구하고 처분을 하지 아니하는 경우에는 당사자가 신청하면 기간을 정하여 서면으로 시정을 명하고 그 기간에 이행하지 아니하면 직접 처분을 할 수 있다. 다만, 그 처분의 성질이나 그 밖의 불가피한 사유로 위원회가 직접 처분을 할 수 없는 경우에는 그러하지 아니하다.

③ [×] 재결에는 기판력이 인정되지 않는다.

**요지판례 |**

■ 행정심판의 재결은 피청구인인 행정청을 기속하는 효력을 가지므로 재결청이 취소심판의 청구가 이유 있다고 인정하여 처분청에 처분을 취소할 것을 명하면 처분청으로서는 재결의 취지에 따라 처분을 취소하여야 하지만, 나아가 재결에 판결에서와 같은 기판력이 인정되는 것은 아니어서 재결이 확정된 경우에도 처분의 기초가 된 사실관계나 법률적 판단이 확정되고 당사자들이나 법원이 이에 기속되어 모순되는 주장이나 판단을 할 수 없게 되는 것은 아니다(대판 2015.11.27, 2013다6759).

④ [×]

> 행정심판법 제43조의2【조정】 ① 위원회는 당사자의 권리 및 권한의 범위에서 당사자의 동의를 받아 심판청구의 신속하고 공정한 해결을 위하여 조정을 할 수 있다. 다만, 그 조정이 공공복리에 적합하지 아니하거나 해당 처분의 성질에 반하는 경우에는 그러하지 아니하다.
> ② 위원회는 제1항의 조정을 함에 있어서 심판청구된 사건의 법적 · 사실적 상태와 당사자 및 이해관계자의 이익 등 모든 사정을 참작하고, 조정의 이유와 취지를 설명하여야 한다.
> ③ 조정은 당사자가 합의한 사항을 조정서에 기재한 후 당사자가 서명 또는 날인하고 위원회가 이를 확인함으로써 성립한다.
> ④ 제3항에 따른 조정에 대하여는 제48조부터 제50조까지, 제50조의2, 제51조의 규정을 준용한다.



**172** 「행정심판법」상 사정재결에 관한 설명 중 가장 적절하지 않은 것은? (다툼이 있는 경우 판례에 의함)

[2022 채용 2차]

① 사정재결은 인용재결의 일종이다.

② 무효등확인심판에서는 사정재결을 할 수 없다.

③ 사정재결을 하는 경우 반드시 재결주문에 그 처분 또는 부작위가 위법하다는 것을 명시해야 한다.

④ 사정재결 이후에도 행정심판의 대상인 처분등의 효력은 유지된다.

**정답 및 해설 | ①**

① [×] 행정심판위원회는 심판청구가 이유 있다고 인정할 경우 인용하는 것이 원칙이나, 이를 인용하는 것이 공공복리에 크게 위배된다고 인정하면 그 심판청구를 기각하는 재결을 할 수 있는데, 이를 사정재결이라 하며 기각재결의 일종이다.

②③ [○]

> 행정심판법 제44조【사정재결】 ① 위원회는 심판청구가 이유가 있다고 인정하는 경우에도 이를 인용하는 것이 공공복리에 크게 위배된다고 인정하면 그 심판청구를 기각하는 재결을 할 수 있다. 이 경우 위원회는 재결의 주문에서 그 처분 또는 부작위가 위법하거나 부당하다는 것을 구체적으로 밝혀야 한다.
> ③ 제1항과 제2항은 무효등확인심판에는 적용하지 아니한다.

④ [○] 사정재결은 비록 위법 · 부당한 처분이지만 공익과 사익의 합리적인 조정을 도모하기 위해 예외적으로 기각재결을 하는 것으로서 본질이 기각재결임에 따라 당해 처분의 효력은 유지된다.

**173** 「행정심판법」에 관한 설명으로 가장 적절한 것은? [2023 채용 2차]

① 대통령의 처분 또는 부작위에 대하여는 다른 법률에서 행정심판을 청구할 수 있도록 정한 경우 외에는 행정심판을 청구할 수 없다.

② 취소심판은 당사자의 신청에 대한 행정청의 위법 또는 부당한 거부처분이나 부작위에 대하여 일정한 처분을 하도록 하는 행정심판이다.

③ 처분 또는 부작위에 대한 행정심판은 청구서를 제출하거나 말로써 청구할 수 있다.

④ 행정심판위원회는 심판청구가 이유가 있다고 인정하는 경우에도 이를 인용(認容)하는 것이 공공복리에 크게 위배된다고 인정하면 그 심판청구를 기각하는 재결을 하여야 한다.

**정답 및 해설 I ①**

① [○] 이 외에도 재결 및 같은 처분 또는 부작위도 행정심판의 대상이 될 수 없음을 유의해야 한다.

> **행정심판법 제3조【행정심판의 대상】** ② 대통령의 처분 또는 부작위에 대하여는 다른 법률에서 행정심판을 청구할 수 있도록 정한 경우 외에는 행정심판을 청구할 수 없다.
>
> **행정심판법 제51조【행정심판 재청구의 금지】** 심판청구에 대한 재결이 있으면 그 재결 및 같은 처분 또는 부작위에 대하여 다시 행정심판을 청구할 수 없다.

② [×] 의무이행심판에 대한 설명이다.

> **행정심판법 제5조【행정심판의 종류】** 행정심판의 종류는 다음 각 호와 같다.
> 1. **취소심판**: 행정청의 위법 또는 부당한 처분을 취소하거나 변경하는 행정심판
> 2. **무효등확인심판**: 행정청의 처분의 효력 유무 또는 존재 여부를 확인하는 행정심판
> 3. **의무이행심판**: 당사자의 신청에 대한 행정청의 위법 또는 부당한 거부처분이나 부작위에 대하여 일정한 처분을 하도록 하는 행정심판 ➜ 부작위위법확인심판 ×

③ [×] 심판청구는 서면으로 하여야 한다. 단, 판례에 의해 서면주의가 일부 완화되어 있다(완화된 서면주의).

> **행정심판법 제28조【심판청구의 방식】** ① 심판청구는 서면으로 하여야 한다.

④ [×] 심판청구를 기각하는 재결을 하여야 하는 것이 아니라 할 수 있는 것이다.

> **행정심판법 제44조【사정재결】** ① 위원회는 심판청구가 이유가 있다고 인정하는 경우에도 이를 인용하는 것이 공공복리에 크게 위배된다고 인정하면 그 심판청구를 기각하는 재결을 할 수 있다. …

## 174 「행정심판법」상 의무이행심판에 대한 설명으로 가장 적절하지 않은 것은? (다툼이 있는 경우 판례에 의함)

[2019 경행특채 2차]

① 당사자의 신청에 대한 행정청의 위법 또는 부당한 거부처분이나 부작위에 대하여 일정한 처분을 하도록 하는 행정심판을 말한다.

② 당사자의 신청을 거부하거나 부작위로 방치한 처분의 이행을 명하는 재결이 있으면 행정청은 지체 없이 이전의 신청에 대하여 재결의 취지에 따라 처분을 하여야 한다.

③ 행정심판위원회는 처분의 이행을 명하는 재결에도 불구하고 처분을 하지 아니하는 피청구인에게 배상을 할 것을 명할 수 있다.

④ 피청구인이 처분의 이행을 명하는 재결에도 불구하고 처분을 하지 않는다고 해서 행정심판위원회가 직접 처분을 할 수는 없다.

**정답 및 해설 I ④**

④ [×] ② [○] 직접 처분을 할 수도 있다.

> **행정심판법 제49조【재결의 기속력 등】** ③ 당사자의 신청을 거부하거나 부작위로 방치한 처분의 이행을 명하는 재결이 있으면 행정청은 지체 없이 이전의 신청에 대하여 재결의 취지에 따라 처분을 하여야 한다.
>
> **행정심판법 제50조【위원회의 직접 처분】** ① 위원회는 피청구인이 제49조 제3항(➜ 이행명령재결)에도 불구하고 처분을 하지 아니하는 경우에는 당사자가 신청하면 기간을 정하여 서면으로 시정을 명하고 그 기간에 이행하지 아니하면 직접 처분을 할 수 있다. 다만, 그 처분의 성질이나 그 밖의 불가피한 사유로 위원회가 직접 처분을 할 수 없는 경우에는 그러하지 아니하다.

① [○]

> **행정심판법 제5조【행정심판의 종류】** 행정심판의 종류는 다음 각 호와 같다.
> 3. 의무이행심판: 당사자의 신청에 대한 행정청의 위법 또는 부당한 거부처분이나 부작위에 대하여 일정한 처분을 하도록 하는 행정심판

③ [○]

> 행정심판법 제50조의2 【위원회의 간접강제】 ① 위원회는 피청구인이 제49조 제2항(제49조 제4항에서 준용하는 경우를 포함한다) 또는 제3항에 따른 처분(➜ 재처분의무에 따른 처분)을 하지 아니하면 청구인의 신청에 의하여 결정으로 상당한 기간을 정하고 피청구인이 그 기간 내에 이행하지 아니하는 경우에는 그 지연기간에 따라 일정한 배상을 하도록 명하거나 즉시 배상을 할 것을 명할 수 있다.



## 주제 2 행정소송법 1 - 취소소송의 요건

### 175 행정소송법상 항고소송에 해당하지 않는 것은? [2022 채용 1차]

① 국가 또는 공공단체의 기관이 법률에 위반되는 행위를 한 때에 직접 자기의 법률상 이익과 관계없이 그 시정을 구하기 위하여 제기하는 민중소송

② 행정청의 처분등의 효력 유무 또는 존재 여부를 확인하는 무효등확인소송

③ 행정청의 부작위가 위법하다는 것을 확인하는 부작위위법확인소송

④ 행정청의 위법한 처분등을 취소 또는 변경하는 취소소송

**정답 및 해설 | ①**

① [×] 민중소송은 행정소송의 종류 중 하나이고, 행정소송 중 항고소송의 종류는 취소소송, 무효등확인소송, 부작위위법확인소송이 있다.

> **행정소송법 제3조 【행정소송의 종류】** 행정소송은 다음의 네가지로 구분한다.
> 1. **항고소송**: 행정청의 처분등이나 부작위에 대하여 제기하는 소송
> 2. **당사자소송**: 행정청의 처분등을 원인으로 하는 법률관계에 관한 소송 그 밖에 공법상의 법률관계에 관한 소송으로서 그 법률관계의 한쪽 당사자를 피고로 하는 소송
> 3. **민중소송**: 국가 또는 공공단체의 기관이 법률에 위반되는 행위를 한 때에 직접 자기의 법률상 이익과 관계없이 그 시정을 구하기 위하여 제기하는 소송
> 4. **기관소송**: 국가 또는 공공단체의 기관상호간에 있어서의 권한의 존부 또는 그 행사에 관한 다툼이 있을 때에 이에 대하여 제기하는 소송. 다만, 헌법재판소법 제2조의 규정에 의하여 헌법재판소의 관장사항으로 되는 소송은 제외한다.
>
> **행정소송법 제4조 【항고소송】** 항고소송은 다음과 같이 구분한다.
> 1. **취소소송**: 행정청의 위법한 처분등을 취소 또는 변경하는 소송
> 2. **무효등 확인소송**: 행정청의 처분등의 효력 유무 또는 존재여부를 확인하는 소송
> 3. **부작위위법확인소송**: 행정청의 부작위가 위법하다는 것을 확인하는 소송

### 176 다음 빈칸에 들어갈 말로 가장 적절한 것은? (다툼이 있는 경우 판례에 의함) [2023 채용 2차]

> 명예퇴직한 법관이 미지급 명예퇴직수당액에 대하여 가지는 권리는 명예퇴직수당 지급대상자 결정 절차를 거쳐 명예퇴직 수당규칙에 의하여 확정된 공법상 법률관계에 관한 권리로서, 그 지급을 구하는 소송은 「행정소송법」의 (　　)에 해당하며, 그 법률관계의 당사자인국가를 상대로 제기하여야 한다.

① 취소소송

② 부작위위법확인소송

③ 기관소송

④ 당사자소송

**정답 및 해설 | ④**

④ [○] 지방소방공무원이 초과근무수당 지급을 청구하는 것이나 법관이 명예퇴직수당 지급을 청구하는 것은 공법상 당사자소송에 해당한다.

> **요지판례 |**
>
> ■ 명예퇴직한 법관이 이미 수령한 수당액이 위 규정에서 정한 정당한 명예퇴직수당액에 미치지 못한다고 주장하며 차액의 지급을 신청함에 대하여 법원행정처장이 거부하는 의사를 표시했더라도, 그 의사표시는 명예퇴직수당액을 형성·확정하는 행정처분이 아니라 공법상의 법률관계의 한쪽 당사자로서 지급의무의 존부 및 범위에 관하여 자신의 의견을 밝힌 것에 불과하므로 행정처분으로 볼 수 없다. 결국 명예퇴직한 법관이 미지급 명예퇴직수당액에 대하여 가지는 권리는 명예퇴직수당 지급대상자 결정 절차를 거쳐 명예퇴직수당규칙에 의하여 확정된 공법상 법률관계에 관한 권리로서, 그 지급을 구하는 소송은 행정소송법의 당사자소송에 해당하며, 그 법률관계의 당사자인 국가를 상대로 제기하여야 한다(대판 2016.5.24, 2013두14863).

## 177 항고소송의 소송요건에 대한 설명으로 가장 적절하지 않은 것은? (다툼이 있는 경우 판례에 의함)

[2018 경행특채 2차]

① 지방의회 의장에 대한 불신임의결은 행정처분으로 볼 수 없으므로 항고소송의 대상이 되지 아니한다.

② 현역병입영대상자로 병역처분을 받은 자가 그 취소소송 도중에 모병에 응하여 현역병으로 자진 입대한 경우에는 권리보호의 필요가 없는 경우로서 소의 이익을 인정할 수 없다.

③ 검사의 공소에 대하여는 형사소송절차에 의하여서만 다툴 수 있고 행정소송의 방법으로 공소의 취소를 구할 수는 없다.

④ 행정심판전치주의의 요건을 충족하였는지의 여부는 사실심 변론종결시를 기준으로 한다.

**정답 및 해설 | ①**

① [×] 항고소송의 대상이 된다.

> **요지판례 |**
>
> ■ 지방의회를 대표하고 의사를 정리하며 회의장 내의 질서를 유지하고 의회의 사무를 감독하며 위원회에 출석하여 발언할 수 있는 등의 직무권한을 가지는 지방의회 의장에 대한 불신임의결은 의장으로서의 권한을 박탈하는 행정처분의 일종으로서 항고소송의 대상이 된다(대결 1994.10.11, 94두23).

② [○]

> **요지판례 |**
>
> ■ 현역병입영대상자로 병역처분을 받은 자가 그 취소소송 중 모병에 응하여 현역병으로 자진 입대한 경우, 그 처분의 위법을 다툴 실제적 효용 내지 이익이 없으므로 소의 이익이 없다(대판 1998.9.8, 98두9165).

③ [○]

> **요지판례 |**
>
> ■ 형사소송법에 의하면 검사가 공소를 제기한 사건은 기본적으로 법원의 심리대상이 되고 피의자 및 피고인은 수사의 적법성 및 공소사실에 대하여 형사소송절차를 통하여 불복할 수 있는 절차와 방법이 따로 마련되어 있으므로 검사의 공소제기가 적법절차에 의하여 정당하게 이루어진 것이냐의 여부에 관계없이 검사의 공소에 대하여는 형사소송절차에 의하여서만 이를 다툴 수 있고 행정소송의 방법으로 공소의 취소를 구할 수는 없다(대판 2000.3.28, 99두11264).

④ [○]

> **요지판례 |**
>
> ■ 산업재해보상보험법상의 보험급여처분에 대한 행정소송은 심사 및 재심사의 2단계 전심절차를 거친 연후에 제기하도록 되어 있으나 행정심판전치주의의 근본취지가 행정청에게 반성의 기회를 부여하고 행정청의 전문지식을 활용하는 데 있는 것이므로 제소 당시에 비록 전치요건을 구비하지 못한 위법이 있다 하여도 사실심 변론종결 당시까지 그 전치요건을 갖추었다면 그 흠결의 하자는 치유되었다고 볼 것이다(대판 1987.9.22, 87누176).

**178** 행정상 법률관계에 관한 설명으로 가장 적절하지 않은 것은? (다툼이 있는 경우 판례에 의함)

[2023 채용 2차]

① 국유재산의 관리청이 그 무단점유자에 대하여 하는 변상금부과 처분은 순전히 사경제 주체로서 행하는 사법상의 법률행위이다.

② 국가나 지방자치단체에 근무하는 청원경찰은 「국가공무원법」이나 「지방공무원법」상의 공무원은 아니지만 그 근무관계를 사법상의 고용계약관계로 보기는 어렵다.

③ 원천징수의무자가 비록 과세관청과 같은 행정청이라 하더라도 그의 원천징수행위는 법령에서 규정된 징수 및 납부의무를 이행하기 위한 것에 불과한 것이지, 공권력의 행사로서의 행정처분을 한 경우에 해당되지 아니한다.

④ 국립 교육대학 학생에 대한 퇴학처분은 행정처분이다.



**정답 및 해설 | ①**

① [×] 사법상의 법률행위라 할 수 없고 행정소송 대상이 되는 행정처분에 해당한다.

**요지판례 |**

■ 국유재산의 관리청이 그 무단점유자에 대하여 하는 변상금부과처분은 순전히 사경제 주체로서 행하는 사법상의 법률행위라고 할 수 없고 이는 관리청이 공권력을 가진 우월적 지위에서 행한 것으로서 행정소송의 대상이 되는 행정처분이라고 보아야 할 것이다(대판 1988.2.23, 87누1046).

② [○]

**요지판례 |**

■ 국가나 지방자치단체에서 근무하는 청원경찰은 국가공무원법이나 지방공무원법상 공무원은 아니지만 다른 청원경찰과는 달리 임용권자가 행정기관의 장이고, 국가나 지방자치단체에게서 보수를 받으며, 산업재해보상보험법이나 근로기준법이 아닌 공무원연금법에 따른 재해보상과 퇴직급여를 지급받고, 직무상 불법행위에 대하여도 민법이 아닌 국가배상법이 적용되는 등 특징이 있으며, 그 외 임용자격, 직무, 복무의무 내용 등을 종합하여 볼 때, 그 근무관계를 사법상 고용계약관계로 보기는 어렵다(대판 1993.7.13, 92다47564).

③ [○]

**요지판례 |**

■ 원천징수하는 소득세에 있어서는 납세의무자의 신고나 과세관청의 부과결정이 없이 법령이 정하는 바에 따라 그 세액이 자동적으로 확정되고, 원천징수의무자는 소득세법 규정에 의하여 이와 같이 자동적으로 확정되는 세액을 수급자로부터 징수하여 과세관청에 납부하여야 할 의무를 부담하고 있으므로, 원천징수의무자가 비록 과세관청과 같은 행정청이더라도 그의 원천징수행위는 법령에서 규정된 징수 및 납부의무를 이행하기 위한 것에 불과한 것이지, 공권력의 행사로서의 행정처분을 한 경우에 해당되지 아니한다(대판 1990.3.23, 89누4789).

④ [○]

**요지판례 |**

■ 행정소송의 대상이 되는 행정처분이란 행정청이 행하는 구체적 사실에 관한 법집행으로서의 공권력의 행사 또는 그 거부와 그 밖에 이에 준하는 행정작용을 말하는 것인바, 국립 교육대학 학생에 대한 퇴학처분은, 국가가 설립 · 경영하는 교육기관인 동 대학의 교무를 통할하고 학생을 지도하는 지위에 있는 학장이 교육목적실현과 학교의 내부질서유지를 위해 학칙 위반자인 재학생에 대한 구체적 법집행으로서 국가공권력의 하나인 징계권을 발동하여 학생으로서의 신분을 일방적으로 박탈하는 국가의 교육행정에 관한 의사를 외부에 표시한 것이므로, 행정처분임이 명백하다(대판 1991.11.22, 91누2144).

**179** 「행정소송법」상 항고소송의 대상에 대한 설명으로 가장 적절하지 않은 것은? (다툼이 있는 경우 판례에 의함)

[2019 경행특채 2차]

① 징계혐의자에 대한 감봉 1월의 징계처분을 견책으로 변경한 소청결정 중 그를 견책에 처한 조치가 재량권의 남용 또는 일탈로서 위법하다는 사유는 소청결정 자체에 고유한 위법을 주장하는 것으로 볼 수 없어 소청결정의 취소사유가 될 수 없다.

② 변경처분에 의하여 유리하게 변경된 내용의 행정제재가 위법하다는 이유로 그 취소를 구하는 경우 취소소송의 대상은 변경된 내용의 당초처분이지 변경처분은 아니고, 제소기간의 준수 여부도 변경처분이 아닌 변경된 내용의 당초처분을 기준으로 판단하여야 한다.

③ 선행처분의 주요 부분을 실질적으로 변경하는 내용으로 후행처분을 한 경우에 선행처분은 특별한 사정이 없는 한 그 효력을 상실하지만, 후행처분이 있었다고 하여 일률적으로 선행처분이 존재하지 않게 되는 것은 아니다.

④ 후속처분이 종전처분의 유효를 전제로 그 내용 중 일부만을 추가 · 철회 · 변경하는 것이고 그 추가 · 철회 · 변경된 부분이 나머지 부분과 불가분적인 것인 경우에는 후속처분에도 불구하고 종전처분이 여전히 항고소송의 대상이 된다고 보아야 한다.

**정답 및 해설 | ④**

④ [×] 추가 · 철회 · 변경된 부분이 선행처분과 '가분적인 경우'이어야 한다.

**요지판례 |**

■ 기존의 행정처분(0시부터 8시까지 제한)을 변경하는 내용의 행정처분이 뒤따르는 경우(0시부터 10시까지 제한), 후속처분이 종전처분을 완전히 대체하는 것이거나 주요 부분을 실질적으로 변경하는 내용인 경우에는 특별한 사정이 없는 한 종전처분은 효력을 상실하고 후속처분만이 항고소송의 대상이 되지만, **후속처분의 내용이 종전처분의 유효를 전제로 내용 중 일부만을 추가 · 철회 · 변경하는 것이고 추가 · 철회 · 변경된 부분이 내용과 성질상 나머지 부분과 불가분적인 것이 아닌 경우(= 가분적인 경우)에는,** 후속처분에도 불구하고 종전처분이 여전히 항고소송의 대상이 된다(대판 2015.11.19, 2015두295). ➜ 종전처분이 소멸하여 그 효력을 다툴 법률상 이익이 없게 되었다는 취지의 피고 동대문구청장의 항변은 이유 없다.

① [○]

**요지판례 |**

■ 항고소송은 원칙적으로 당해 처분을 대상으로 하나, 당해 처분에 대한 재결 자체에 고유한 주체, 절차, 형식 또는 내용상의 위법이 있는 경우에 한하여 그 재결을 대상으로 할 수 있다고 해석되므로, **징계혐의자에 대한 감봉 1월의 징계처분을 견책으로 변경한 소청결정 중 그를 견책에 처한 조치는 재량권의 남용 또는 일탈로서 위법하다는 사유는** 소청결정 자체에 고유한 위법을 주장하는 것으로 볼 수 없어 소청결정의 취소사유가 될 수 없다(대판 1993.8.24, 93누5673).

② [○]

**요지판례 |**

■ 행정청이 식품위생법령에 따라 영업자에게 행정제재처분을 한 후 그 처분을 영업자에게 유리하게 변경하는 처분을 한 경우, 변경처분에 의하여 당초 처분은 소멸하는 것이 아니고 당초부터 유리하게 변경된 내용의 처분으로 존재하는 것이므로, 변경처분에 의하여 유리하게 변경된 내용의 행정제재가 위법하다 하여 그 취소를 구하는 경우 그 취소소송의 대상은 **변경된 내용의 당초 처분이지 변경처분은 아니고,** 제소기간의 준수 여부도 변경처분이 아닌 변경된 내용의 당초처분을 기준으로 판단하여야 한다(대판 2007.4.27, 2004두9302).

③ [○]

**요지판례 |**

■ 선행처분의 주요 부분을 실질적으로 변경하는 내용으로 후행처분을 한 경우에 선행처분은 특별한 사정이 없는 한 그 효력을 상실하지만, 후행처분이 있었다고 하여 일률적으로 선행처분이 존재하지 않게 되는 것은 아니고 **선행처분의 내용 중 일부만을 소폭 변경하는 정도에 불과한 경우에는** 선행처분이 소멸한다고 볼 수 없다(대판 2012.12.13, 2010두20782).

**180** 행정소송법상 항고소송의 제소기간에 대한 설명으로 가장 적절한 것은? (다툼이 있는 경우 판례에 의함)

[2020 경행특채 2차]

① 취소소송은 처분 등이 있음을 안 날부터 90일 이내에 제기하여야 하는데, 행정심판청구를 할 수 있는 경우에 행정심판청구가 있은 때의 기간은 재결서의 정본을 송달받은 날부터 기산하며, 여기서 말하는 '행정심판'은 행정심판법에 따른 일반행정심판만을 의미한다.

② 처분이 있음을 안 날부터 90일을 넘겨 청구한 부적법한 행정심판청구에 대한 재결이 있은 후 재결서를 송달받은 날부터 90일 이내에 원래의 처분에 대하여 취소소송을 제기하면 취소소송은 제소기간을 준수한 것으로 본다.

③ 무효등확인소송의 경우에도 취소소송과 같이 제소기간에 제한이 있다.

④ 처분 당시에는 취소소송의 제기가 법제상 허용되지 않아 소송을 제기할 수 없다가 위헌결정으로 인하여 비로소 취소소송을 제기할 수 있게 된 경우에는 객관적으로는 '위헌결정이 있은 날', 주관적으로는 '위헌결정이 있음을 안 날' 비로소 취소소송을 제기할 수 있게 되어 이때를 제소기간의 기산점으로 삼아야 한다.

**정답 및 해설 I ④**

④ [○]

**요지판례 I**

■ 행정소송법 제20조가 제소기간을 규정하면서 '처분 등이 있은 날' 또는 '처분 등이 있음을 안 날'을 각 제소기간의 기산점으로 삼은 것은 그때 비로소 적법한 취소소송을 제기할 객관적 또는 주관적 여지가 발생하기 때문이므로, 처분 당시에는 취소소송의 제기가 법제상 허용되지 않아 소송을 제기할 수 없다가 위헌결정으로 인하여 비로소 취소소송을 제기할 수 있게 된 경우, 객관적으로는 **'위헌결정이 있은 날'**, 주관적으로는 **'위헌결정이 있음을 안 날'** 비로소 취소소송을 제기할 수 있게 되어 이때를 제소기간의 기산점으로 삼아야 한다(대판 2008.2.1, 2007두20997).

① [×] 행정심판법에 따른 일반행정심판과 다른 법률에 의한 특별행정심판을 모두 말한다.

**요지판례 I**

■ 행정소송법 제20조 제1항에서 말하는 '행정심판'은 **행정심판법에 따른 일반행정심판**과 이에 대한 특례로서 다른 법률에서 사안의 전문성과 특수성을 살리기 위하여 특히 필요하여 일반행정심판을 갈음하는 특별한 행정불복절차를 정한 경우의 **특별행정심판**(행정심판법 제4조)을 뜻한다(대판 2014.4.24, 2013두10809).

② [×]

**요지판례 I**

■ 행정처분이 있음을 안 날부터 90일을 넘겨 행정심판을 청구하였다가 부적법하다는 이유로 각하재결을 받은 후 재결서를 송달받은 날부터 90일 내에 원래의 처분에 대하여 취소소송을 제기한 경우, 취소소송의 제소기간을 준수한 것으로 볼 수 없다(대판 2011.11.24, 2011두18786).

③ [×] 애초에 처분 자체가 무효이므로 제소기간의 제한을 받지 않는다.

## 181 행정소송법상 제소기간에 관한 설명 중 가장 적절하지 않은 것은? (다툼이 있는 경우 판례에 의함)

[2021 경행특채 2차]

① 동일한 행정처분에 대하여 무효확인소송을 제기하였다가 그 후 그 처분의 취소를 구하는 소송을 추가적으로 병합한 경우에 주된 청구인 무효확인소송이 적법한 제소기간 내에 제기되었다면 추가로 병합된 취소소송도 적법하게 제기된 것으로 보아야 한다.

② 국세기본법상 심판청구에 대한 재조사 결정에 따른 처분청의 처분에 대해서 심판청구를 거쳐서 그 결정의 통지를 받은 경우에 그 통지를 받은 날부터 90일 이내에 행정소송을 제기하여야 한다.

③ 행정청이 불가쟁력이 발생한 당초처분에 대해 양적 일부취소로서의 감액처분을 하면서 행정심판을 청구할 수 있다고 잘못 알린 경우에는 그에 따라 청구된 행정심판재결서 정본을 송달받은 날부터 90일 이내에 당초처분 중 감액처분에 의하여 취소되지 않고 남은 부분의 취소를 구하는 소송을 제기하여야 한다.

④ 부작위위법확인소송도 행정심판 등 전심절차를 거친 경우에는 제20조(제소기간)의 규정이 적용된다.

**정답 및 해설 | ③**

③ [×] 이미 불가쟁력이 발생한 경우라면 행정청이 행정심판이 가능하다는 취지로 잘못 알렸고 이에 따라 행정심판을 거쳤더라도, 재결서 정본 송달일로부터 제소기간이 다시 기산되는 것이 아니다.

**요지판례 |**

■ 행정소송법 제20조 제1항은 '취소소송은 처분 등이 있음을 안 날부터 90일 이내에 제기하여야 하나 행정청이 행정심판청구를 할 수 있다고 잘못 알린 경우에 행정심판청구가 있은 때의 기간은 재결서의 정본을 송달받은 날부터 기산한다'고 규정하고 있는데, 위 규정의 취지는 불가쟁력이 발생하지 않아 적법하게 불복청구를 할 수 있었던 처분 상대방에 대하여 **행정청이 법령상 행정심판청구가 허용되지 않음에도 행정심판청구를 할 수 있다고 잘못 알린 경우에, 잘못된 안내를 신뢰하여 부적법한 행정심판을 거치느라 본래 제소기간 내에 취소소송을 제기하지 못한 자를 구제하려는** 데에 있다(대판 2012.9.27, 2011두27247). ➜ 이미 제소기간이 지남으로써 불가쟁력이 발생하여 불복청구를 할 수 없었던 경우라면 그 이후에 행정청이 행정심판청구를 할 수 있다고 잘못 알렸다고 하더라도 그 때문에 처분 상대방이 적법한 제소기간 내에 취소소송을 제기할 수 있는 기회를 상실하게 된 것은 아니므로 이러한 경우에 잘못된 안내에 따라 청구된 행정심판 재결서 정본을 송달받은 날부터 다시 취소소송의 제소기간이 기산되는 것은 아니다.

① [○]

**요지판례 |**

■ 하자 있는 행정처분을 놓고 이를 무효로 볼 것인지 아니면 단순히 취소할 수 있는 처분으로 볼 것인지는 동일한 사실관계를 토대로 한 법률적 평가의 문제에 불과하고, 행정처분의 무효확인을 구하는 소에는 특단의 사정이 없는 한 그 취소를 구하는 취지도 포함되어 있다고 보아야 하는 점 등에 비추어 볼 때, 동일한 **행정처분에 대하여 무효확인의 소를 제기하였다가 그 후 그 처분의 취소를 구하는 소를 추가적으로 병합한 경우,** 주된 청구인 무효확인의 소가 적법한 제소기간 내에 제기되었다면 추가로 병합된 취소청구의 소도 적법하게 제기된 것으로 봄이 상당하다(대판 2005.12.23, 2005두3554).

② [○]

**국세기본법 제56조 【다른 법률과의 관계】** ② 제55조에 규정된 위법한 처분에 대한 행정소송은 행정소송법 제18조 제1항 본문, 제2항 및 제3항에도 불구하고 이 법에 따른 심사청구 또는 심판청구와 그에 대한 결정을 거치지 아니하면 제기할 수 없다. 다만, 심사청구 또는 심판청구에 대한 제65조 제1항 제3호 단서(제81조에서 준용하는 경우를 포함한다)의 재조사 결정에 따른 처분청의 처분에 대한 행정소송은 그러하지 아니하다.
③ 제2항 본문에 따른 행정소송은 행정소송법 제20조에도 불구하고 심사청구 또는 심판청구에 대한 결정의 통지를 받은 날부터 90일 이내에 제기하여야 한다. (생략)

④ [○]

**요지판례 |**

■ 부작위위법확인의 소는 부작위상태가 계속되는 한 그 위법의 확인을 구할 이익이 있다고 보아야 하므로 원칙적으로 제소기간의 제한을 받지 않는다. 그러나 **행정심판 등 전심절차를 거친 경우에는 행정소송법 제20조가 정한 제소기간 내에 부작위위법확인의 소를 제기하여야 한다**(대판 2009.7.23, 2008두10560).

**182** 경찰작용에 있어서 행정소송에 대한 설명으로 가장 적절한 것은 모두 몇 개인가? (다툼이 있는 경우 판례에 의함) [2023 경간]

> 가. 관할 경찰청장은 운전면허와 관련된 처분권한을 각 경찰서장에게 위임하였고, 이에 따라 A경찰서장은 자신의 명의로 甲에게 운전면허정지처분을 하였다면, 甲의 운전면허정지 처분 취소소송의 피고적격자는 A경찰서장이 아니라 관할 경찰청장이다.
> 나. 혈중알콜농도 0.13%의 주취상태에서 차량을 운전하다가 적발된 乙에게 관할 경찰청장이 「도로교통법」에 의거 운전면허취소처분을 하였을 경우, 乙은 행정심판을 거치지 않고 바로 행정소송을 제기할 수 있다.
> 다. 도로 외의 곳에서의 음주운전 · 음주측정거부 등에 대해서는 형사처벌도 가능하고 운전면허취소처분도 부과할 수 있다.
> 라. 경찰청장을 피고로 하여 취소소송을 제기하는 경우, 대법원 소재지를 관할하는 행정법원이 제1심 관할 법원으로 될 수 있다.

① 1개　　② 2개
③ 3개　　④ 4개

**정답 및 해설 | ①**

가. [×] 처분권한이 A경찰서장에게 위임되었다면, 甲의 운전면허정지 처분 취소소송의 피고적격자는 위임에 따라 처분권한을 보유하게 된 A경찰서장이다.

> **행정소송법 제13조【피고적격】** ① 취소소송은 다른 법률에 특별한 규정이 없는 한 그 처분등을 행한 행정청을 피고로 한다. 다만, 처분등이 있은 뒤에 그 처분등에 관계되는 권한이 다른 행정청에 승계된 때에는 이를 승계한 행정청을 피고로 한다.

나. [×] 乙은 행정심판을 거치지 않고 바로 행정소송을 제기할 수 없다. ➜ 도로교통법상 처분, 공무원 징계처분, 과세처분 등은 필요적 행정심판 전치주의가 적용된다.

> **도로교통법 제142조【행정소송과의 관계】** 이 법에 따른 처분으로서 해당 처분에 대한 행정소송은 행정심판의 재결(裁決)을 거치지 아니하면 제기할 수 없다.

다. [×] 도로가 아닌 곳이라면 형사처벌은 가능하지만, 행정처분(운전면허의 취소 · 정지처분)은 부과할 수 없다.

> **요지판례 |**
> ■ 도로 외의 곳에서의 음주운전 · 음주측정거부 등에 대해서는 형사처벌만 가능하고 운전면허의 취소 · 정지 처분은 부과할 수 없다(대판 2021.12.10, 2018두42771).

라. [○] 중앙행정기관은 정부조직법에 의해 설치된 부 · 처 · 청을 말하므로 경찰청장은 중앙행정기관에 해당하고, 따라서 대법원의 소재지인 서울을 관할하는 서울행정법원이 제1심 관할 법원이 된다.

> **행정소송법 제9조【재판관할】** ① 취소소송의 제1심관할법원은 피고의 소재지를 관할하는 행정법원으로 한다.
> ② 제1항에도 불구하고 다음 각 호의 어느 하나에 해당하는 피고에 대하여 취소소송을 제기하는 경우에는 대법원소재지를 관할하는 행정법원에 제기할 수 있다.
> 1. 중앙행정기관, 중앙행정기관의 부속기관과 합의제행정기관 또는 그 장
> 2. 국가의 사무를 위임 또는 위탁받은 공공단체 또는 그 장

## 주제 3 행정소송법 2 - 취소소송의 본안

**183** 「행정소송법」상 집행정지에 대한 설명으로 가장 적절하지 않은 것은? (다툼이 있는 경우 판례에 의함)

[2018 경행특채 2차]

① 행정처분에 대한 효력정지신청을 구함에 있어서도 이를 구할 법률상 이익이 있어야 한다.

② 집행정지결정을 한 후에라도 행정사건의 본안소송이 취하되어 그 소송이 계속하지 아니한 것으로 되면 이에 따라 집행정지결정은 당연히 그 효력이 소멸되며 별도의 취소조치가 필요한 것은 아니다.

③ 집행정지는 행정처분의 집행부정지원칙의 예외로 인정되는 것이므로 본안청구의 적법과는 상관이 없기 때문에 적법한 본안소송의 계속을 요건으로 하지 않는다.

④ 집행정지의 요건으로 규정하고 있는 '공공복리에 중대한 영향을 미칠 우려'가 없을 것이라고 할 때의 '공공복리'는 그 처분의 집행과 관련된 구체적이고 개별적인 공익을 말한다.

**정답 및 해설 I ③**

③ [×] ② [○] 본안소송이 적법하게 계속되고 있을 것도 집행정지의 요건 중 하나이다.

**요지판례 I**

■ 행정처분의 집행정지는 행정처분 집행부정지의 원칙에 대한 예외로서 인정되는 일시적인 응급처분이라 할 것이므로 집행정지결정을 하려면 이에 대한 본안소송이 법원에 제기되어 계속 중임을 요건으로 하는 것이므로 집행정지결정을 한 후에라도 본안소송이 취하되어 소송이 계속하지 아니한 것으로 되면 집행정지결정은 당연히 그 효력이 소멸되는 것이고 별도의 취소조치를 필요로 하는 것이 아니다(대판 1975.11.11, 75누97).

① [○]

**요지판례 I**

■ 행정처분에 대한 효력정지신청을 구함에 있어서도 이를 구할 법률상 이익이 있어야 하는바, 이 경우 법률상 이익이라 함은 그 행정처분으로 인하여 발생하거나 확대되는 손해가 당해 처분의 근거 법률에 의하여 보호되는 직접적이고 구체적인 이익과 관련된 것을 말하는 것이고 단지 간접적이거나 사실적 · 경제적 이해관계를 가지는 데 불과한 경우는 여기에 포함되지 않는다(대결 2000.10.10, 2000무17).

④ [○]

**요지판례 I**

■ 행정소송법 제23조 제3항에서 집행정지의 요건으로 규정하고 있는 '공공복리에 중대한 영향을 미칠 우려'가 없을 것이라고 할 때의 '공공복리'는 그 처분의 집행과 관련된 구체적이고도 개별적인 공익을 말하는 것으로서 이러한 집행정지의 소극적 요건에 대한 주장 · 소명책임은 행정청에게 있다(대결 1999.12.20, 99무42).

**184** 「행정소송법」상 가구제에 대한 설명으로 가장 적절하지 <u>않은</u> 것은? (다툼이 있는 경우 판례에 의함)

[2019 경행특채 2차]

① 집행정지를 결정하기 위해서는 본안으로 취소소송 · 무효등확인소송 · 부작위위법확인소송이 계속 중이어야 한다.

② 거부처분은 그 효력이 정지되더라도 그 처분이 없었던 것과 같은 상태를 만드는 것에 지나지 아니하는 것이므로 정지할 필요성이 없다.

③ 항고소송의 대상이 되는 행정처분의 효력이나 집행 혹은 절차속행 등의 정지를 구하는 신청은 「행정소송법」상 집행정지신청의 방법으로만 가능할 뿐 「민사소송법」상 가처분의 방법으로는 허용될 수 없다.

④ 당사자소송에 대하여는 「행정소송법」 제23조 제2항의 집행정지에 관한 규정이 준용되지 아니하므로, 이를 본안으로 하는 가처분에 대하여는 「민사집행법」상의 가처분에 관한 규정이 준용되어야 한다.

**정답 및 해설 I ①**

① [×] 부작위위법확인소송은 집행정지 규정을 준용하고 있지 않다.

> **행정소송법 제23조 【집행정지】** ① 취소소송의 제기는 처분등의 효력이나 그 집행 또는 절차의 속행에 영향을 주지 아니한다.
> ② 취소소송이 제기된 경우에 처분등이나 그 집행 또는 절차의 속행으로 인하여 생길 회복하기 어려운 손해를 예방하기 위하여 긴급한 필요가 있다고 인정할 때에는 본안이 계속되고 있는 법원은 당사자의 신청 또는 직권에 의하여 처분등의 효력이나 그 집행 또는 절차의 속행의 전부 또는 일부의 정지(이하 "집행정지"라 한다)를 결정할 수 있다. 다만, 처분의 효력정지는 처분등의 집행 또는 절차의 속행을 정지함으로써 목적을 달성할 수 있는 경우에는 허용되지 아니한다.
>
> **행정소송법 제38조 【준용규정】** ② 제9조, 제10조, 제13조 내지 제19조, 제20조, 제25조 내지 제27조, 제29조 내지 제31조, 제33조 및 제34조의 규정은 부작위위법확인소송의 경우에 준용한다. ➜ 제23조 준용 ×

② [○]

> **요지판례 I**
>
> ■ 신청에 대한 거부처분의 효력을 정지하더라도 거부처분이 없었던 것과 같은 상태, 즉 거부처분이 있기 전의 신청시의 상태로 되돌아가는 데에 불과하고 행정청에게 신청에 따른 처분을 하여야 할 의무가 생기는 것이 아니므로, 거부처분의 효력정지는 그 거부처분으로 인하여 신청인에게 생길 손해를 방지하는 데 아무런 보탬이 되지 아니하여 그 효력정지를 구할 이익이 없다(대결 1995.6.21, 95두26).

③④ [○]

> **요지판례 I**
>
> ■ 항고소송의 대상이 되는 행정처분의 효력이나 집행 혹은 절차속행 등의 정지를 구하는 신청은 행정소송법상 집행정지신청의 방법으로서만 가능할 뿐 민사소송법상 가처분의 방법으로는 허용될 수 없다(대결 2009.11.2, 2009마596).
>
> ■ 당사자소송에 대하여는 행정소송법 제23조 제2항의 집행정지에 관한 규정이 준용되지 아니하므로(행정소송법 제44조 제1항 참조), 이를 본안으로 하는 가처분에 대하여는 행정소송법 제8조 제2항에 따라 민사집행법상 가처분에 관한 규정이 준용되어야 한다(대결 2015.8.21, 2015무26).

## 주제 4 행정소송법 3 - 취소소송의 판결

**185** 행정소송법상 취소판결의 기속력에 관한 설명 중 가장 적절하지 않은 것은? (다툼이 있는 경우 판례에 의함)

[2021 경행특채 2차]

① 거부처분을 취소하는 판결이 확정된 경우에 행정청은 사실심 변론종결 이후 발생한 새로운 사유를 내세워 다시 이전의 신청에 대한 거부처분을 할 수 있지만, 재처분을 부당하게 지연하면서 확정판결의 기속력을 잠탈하기 위하여 인위적으로 새 거부처분 사유를 만들어 낸 것이라면 유효한 재처분이 아니다.

② 새로운 처분의 처분사유가 종전 처분의 처분사유와 기본적 사실관계에서 동일하지 않은 다른 사유에 해당하는 이상, 처분사유가 종전 처분 당시 이미 존재하고 있었고 당사자가 이를 알고 있었더라도 이를 내세워 새로이 처분을 하는 것은 확정판결의 기속력에 저촉되지 않는다.

③ 어떤 행정처분을 위법하다고 판단하여 취소하는 판결이 확정되면 행정청은 취소판결의 기속력에 따라 그 판결에서 확인된 위법사유를 배제한 상태에서 다시 처분을 하거나 그 밖에 위법한 결과를 제거하는 조치를 할 의무가 있다.

④ 수익적 행정처분을 신청한 여러 사람이 서로 경원관계에 있어서 한 사람에 대한 허가처분이 다른 사람에 대한 불허가로 귀결될 수밖에 없을 때 허가처분을 받지 못한 사람의 신청에 대한 거부처분의 취소판결이 확정되는 경우 행정청은 취소판결의 기속력에 따라 경원자에 대한 수익적 처분을 취소하여야 할 의무가 있다.

**정답 및 해설 | ④**

④ [×]

**요지판례 |**

■ 인가 · 허가 등 수익적 행정처분을 신청한 여러 사람이 서로 경원관계에 있어서 한 사람에 대한 허가 등 처분이 다른 사람에 대한 불허가 등으로 귀결될 수밖에 없을 때 허가 등 처분을 받지 못한 사람은 신청에 대한 거부처분의 직접 상대방으로서 원칙적으로 자신에 대한 거부처분의 취소를 구할 원고적격이 있고, (허가거부처분에 대한) 취소판결이 확정되는 경우 판결의 직접적인 효과로 경원자에 대한 허가 등 처분이 취소되거나 효력이 소멸되는 것은 아니더라도 행정청은 취소판결의 기속력에 따라 판결에서 확인된 위법사유를 배제한 상태에서 취소판결의 원고와 경원자의 각 신청에 관하여 처분요건의 구비 여부와 우열을 다시 심사하여야 할 의무가 있다(대판 2015.10.29, 2013두27517).

① [○]

**요지판례 |**

■ 행정소송법 제30조 제2항의 규정에 의하면 행정청의 거부처분을 취소하는 판결이 확정된 경우에는 그 처분을 행한 행정청이 판결의 취지에 따라 이전의 신청에 대하여 재처분할 의무가 있으나, 이때 확정판결의 당사자인 처분 행정청은 그 행정소송의 사실심 변론종결 이후 발생한 새로운 사유를 내세워 다시 이전의 신청에 대한 거부처분을 할 수 있고 그러한 처분도 위 조항에 규정된 재처분에 해당된다고 할 것이다. … 피신청인이 재처분을 부당하게 지연하면서 확정판결의 기속력을 잠탈하기 위하여 인위적으로 새 거부처분 사유를 만들어 낸 것은 아니라면, 결국 새 거부처분은 행정소송법 제30조 제2항에 규정된 유효한 재처분에 해당한다 할 것이다(대결 2004.1.15, 2002무30).

② [○]

**요지판례 |**

■ 행정처분의 위법 여부는 행정처분이 행하여진 때의 법령과 사실을 기준으로 판단하므로, 확정판결의 당사자인 처분 행정청은 종전 처분 후에 발생한 새로운 사유를 내세워 다시 처분을 할 수 있고, 새로운 처분의 처분사유가 종전 처분의 처분사유와 기본적 사실관계에서 동일하지 않은 다른 사유에 해당하는 이상, 처분사유가 종전 처분 당시 이미 존재하고 있었고 당사자가 이를 알고 있었더라도 이를 내세워 새로이 처분을 하는 것은 확정판결의 기속력에 저촉되지 않는다(대판 2016.3.24, 2015두48235).

③ [O]

**요지판례 |**

■ 어떤 행정처분을 위법하다고 판단하여 취소하는 판결이 확정되면 행정청은 취소판결의 기속력에 따라 그 판결에서 확인된 위법사유를 배제한 상태에서 다시 처분을 하거나 그 밖에 위법한 결과를 제거하는 조치를 할 의무가 있다(대판 2020.6.25, 2019두57404).



## 주제 5 행정소송법 4 – 다른 유형의 행정소송

## 주제 6 행정상 손해전보

**186** 국가배상에 관한 설명 중 가장 적절하지 않은 것은? (다툼이 있는 경우 판례에 의함) [2022 채용 2차]

① 일반적으로 공무원이 직무를 집행함에 있어서 법령에 대한 해석이 그 문언 자체만으로는 명백하지 아니하여 여러 견해가 있을 수 있는 데다가 이에 대한 선례나 학설, 판례 등도 귀일된 바 없어 이의(異義)가 없을 수 없는 경우, 관계 국가공무원이 그 나름대로 신중을 다하여 합리적인 근거를 찾아 그중 어느 한 견해를 따라 내린 해석이 후에 대법원이 내린 입장과 같지 않아 결과적으로 잘못된 해석에 돌아가고, 이에 따른 처리가 역시 결과적으로 위법하게 되어 그 법령의 부당집행이라는 결과를 가져오게 되었다고 하더라도 「국가배상법」상 공무원의 과실을 인정할 수는 없다.

② 국가공무원이 고의 또는 과실로 직무상 의무를 위반하였을 경우라고 하더라도 국가는 그러한 직무상의 의무 위반과 피해자가 입은 손해 사이에 상당인과관계가 인정되는 범위 내에서만 배상책임을 지는 것이고, 이 경우 상당인과관계가 인정되기 위하여는 공무원에게 부과된 직무상 의무의 내용이 단순히 공공 일반의 이익을 위한 것이거나 행정기관 내부의 질서를 규율하기 위한 것이 아니고 전적으로 또는 부수적으로 사회구성원 개인의 안전과 이익을 보호하기 위하여 설정된 것이어야 한다.

③ 외국인이 피해자인 경우 국가배상청구권은 해당 국가와 상호 보증이 있을 때에만 인정되므로, 그 상호 보증은 외국의 법령, 판례 및 관례 등에 의한 발생요건을 비교하여 인정되는 것이 아니라 반드시 당사국과의 조약이 체결되어 있어야 한다.

④ 국민의 생명, 신체 및 재산의 보호, 범죄의 예방 · 진압 및 수사, 기타 공공의 안녕과 질서유지 등의 직무를 수행하는 경찰은 「경찰관 직무집행법」, 「형사소송법」 등 관련 법령에서 부여한 여러 권한을 제반 상황에 대응하여 적절하게 행사하여 필요한 조치를 취할 수 있고, 그 권한은 일반적으로 경찰관의 전문적 판단에 기한 합리적인 재량에 위임되어 있지만, 경찰관에게 권한을 부여한 취지와 목적에 비추어 볼 때 구체적인 사정에 따라 경찰관이 그 권한을 행사하여 필요한 조치를 취하지 아니하는 것이 현저하게 불합리하다고 인정되는 경우에는 그러한 권한의 불행사는 직무상의 의무를 위반한 것이 되어 위법하게 된다.

**정답 및 해설 | ③**

③ [×] 반드시 조약에 체결되어 있을 필요는 없다는 것이 판례의 입장이다.

**요지판례 |**

■ 우리나라와 외국 사이에 국가배상청구권의 발생요건이 현저히 균형을 상실하지 아니하고 외국에서 정한 요건이 우리나라에서 정한 그것보다 전체로서 과중하지 아니하여 중요한 점에서 실질적으로 거의 차이가 없는 정도라면 국가배상법 제7조가 정하는 상호 보증의 요건을 구비하였다고 봄이 타당하다. 그리고 상호 보증은 외국의 법령, 판례 및 관례 등에 의하여 발생요건을 비교하여 인정되면 충분하고 반드시 당사국과의 조약이 체결되어 있을 필요는 없으며, 당해 외국에서 구체적으로 우리나라 국민에게 국가배상청구를 인정한 사례가 없더라도 실제로 인정될 것이라고 기대할 수 있는 상태이면 충분하다(대판 2015.6.11, 2013다208388).

① [○] 우리 판례는 행위위법설의 입장을 취하고 있다.

**요지판례 |**

■ 법령 해석에 여러 견해가 있어 관계 공무원이 나름대로 신중을 다하여 합리적인 근거를 찾아 그중 어느 한 견해를 따라 직무를 집행하였으나 결과적으로 법령의 부당집행이 된 경우, 공무원의 과실을 인정할 수는 없다(대판 2020.5.14, 2019다277126).

② [○]

**요지판례 |**

■ 공무원에게 부과된 직무상 의무의 내용이 단순히 공공일반의 이익을 위한 것이거나 행정기관의 내부의 질서를 규율하기 위한 것이 아니고, 전적으로 또는 부수적으로 사회구성원 개인의 안전과 이익을 보호하기 위하여 설정된 것이라면, 공무원이 그와 같은 직무상 의무를 위반함으로 인하여 피해자가 입은 손해에 대하여는 상당인과관계가 인정되는 범위 내에서 국가나 지방자치단체가 손해배상책임을 지는 것이다(대판 2012.5.24, 2012다11297).

**KEY POINT | 공권과 반사적 이익의 비교**

| 구분 | 공권 | 반사적 이익 |
|---|---|---|
| 구별기준(법규) | 사익 / 사익 + 공익보호 | 공익보호 |
| 원고적격 | 긍정 | 부정 |
| 손해배상 | 긍정 | 부정 |

④ [○]

**요지판례 |**

■ 경찰관 직무집행법은 형식상 경찰관에게 재량에 의한 직무수행권한을 부여한 것처럼 되어 있으나, 구체적인 사정에 따라 경찰관이 그 권한을 행사하여 필요한 조치를 취하지 아니하는 것이 현저하게 불합리하다고 인정되는 경우에는 그러한 권한의 불행사는 직무상의 의무를 위반한 것이 되어 위법하게 된다(대판 1998.8.25, 98다16890).

**187** 「국가배상법」상 경찰공무원의 배상책임에 대한 설명으로 가장 적절하지 않은 것은? (다툼이 있는 경우 판례에 의함) [2023 경간]

① 경찰공무원이 공무를 수행하는 과정에서 위법행위로 타인에게 손해를 가한 경우에 국가 등이 손해배상책임을 지는 것 외에 그 개인은 고의 또는 중과실이 있는 경우에는 손해배상책임을 진다.

② 경찰공무원의 중과실이란 공무원에게 통상 요구되는 정도의 상당한 주의를 하지 않더라도 약간의 주의를 한다면 손쉽게 위법 · 위해한 결과를 예견할 수 있는 경우임에도 만연히 이를 간과한 경우와 같이, 거의 고의에 가까운 현저한 주의를 결여한 상태를 의미한다.

③ 경찰공무원이 직무를 수행함에 있어 경과실로 타인에게 손해를 입힌 경우에는 그로 인하여 발생한 손해에 대하여 경찰공무원 개인에게 배상책임을 부담시키지 아니하는 것은 공무원의 공무집행의 안정성을 확보하려는 데 있다.

④ 국민의 생명 · 신체 · 재산 등을 보호하는 것을 본래의 사명으로 하는 국가는 형식적 의미의 법령에 근거가 없다면 경찰공무원에 대하여 위험을 배제할 작위의무를 인정할 수 없으므로, 경찰공무원의 부작위를 이유로 국가배상책임을 인정할 수 없다.

**정답 및 해설 I ④**

④ [×] 형식적 의미의 법령에 근거가 없더라도 국가나 관련 공무원에 대하여 그러한 위험을 배제할 작위의무를 인정할 수 있다.

**요지판례 I**

■ 국민의 생명 · 신체 · 재산 등에 관하여 절박하고 중대한 위험상태가 발생하였거나 발생할 우려가 있어서 국민의 생명 · 신체 · 재산 등을 보호하는 것을 본래적 사명으로 하는 국가가 초법규적, 일차적으로 그 위험 배제에 나서지 않으면 국민의 생명 · 신체 · 재산 등을 보호할 수 없는 경우에는 형식적 의미의 법령에 근거가 없더라도 국가나 관련 공무원에 대하여 그러한 위험을 배제할 작위의무를 인정할 수 있다(대판 2022.7.14, 2017다290538).

① [○]

**요지판례 I**

■ 공무원이 직무수행 중 불법행위로 타인에게 손해를 입힌 경우에 국가 등이 국가 배상책임을 부담하는 외에 공무원 개인도 고의 또는 중과실이 있는 경우에는 손해배상책임을 진다고 할 것이지만, 공무원에게 경과실뿐인 경우에는 공무원 개인은 손해배상책임을 부담하지 아니한다(대판 1996.2.15, 95다38677).

② [○]

**요지판례 I**

■ 공무원의 중과실이란 공무원에게 통상 요구되는 정도의 상당한 주의를 하지 않더라도 약간의 주의를 한다면 손쉽게 위법 · 유해한 결과를 예견할 수 있는 경우임에도 만연히 이를 간과함과 같은 거의 고의에 가까운 현저한 주의를 결여한 상태를 의미한다(대판 2011.9.8, 2011다34521).

③ [○]

**요지판례 I**

■ 국가배상법 제2조의 입법 취지는 공무원의 직무상 위법행위로 타인에게 손해를 끼친 경우에는 변제자력이 충분한 국가 등에게 선임감독상 과실 여부에 불구하고 손해배상책임을 부담시켜 국민의 재산권을 보장하되, 공무원이 직무를 수행함에 있어 경과실로 타인에게 손해를 입힌 경우에는 그로 인하여 발생한 손해에 대하여 공무원 개인에게는 배상책임을 부담시키지 아니하여 공무원의 공무집행의 안정성을 확보하려는 데에 있다(대판 1996.2.15, 95다38677).

**188** 국가배상에 대한 설명으로 가장 적절하지 않은 것은? (다툼이 있는 경우 판례에 의함) [2018 경행특채 2차]

① 「국가배상법」 제5조 소정의 '공공의 영조물'은 국가 또는 지방자치단체가 소유권, 임차권 그 밖의 권한에 기하여 관리하고 있는 경우뿐만 아니라 사실상의 관리를 하고 있는 경우도 포함된다.

② 「국가배상법」 제2조 제1항을 적용할 때 피해자가 손해를 입은 동시에 이익을 얻은 경우에는 손해배상액에서 그 이익에 상당하는 금액을 빼야 한다.

③ 국가나 지방자치단체는 공무원 또는 공무를 위탁받은 사인이 직무를 집행하면서 고의 또는 과실로 법령을 위반하여 타인에게 손해를 입히거나, 「자동차손해배상 보장법」에 따라 손해배상의 책임이 있을 때에는 「국가배상법」에 따라 그 손해를 배상하여야 한다.

④ 공무원이 직무수행 중 불법행위로 타인에게 손해를 입힌 경우에 국가 등이 국가배상책임을 부담하는 외에 공무원 개인도 고의가 있는 경우에만 불법행위로 인한 손해배상책임을 부담한다.

**정답 및 해설 | ④**

④ [×] 고의뿐만 아니라 중과실이 있는 경우에도 공무원 개인은 손해배상책임을 부담한다.

> **요지판례 |**
> ■ **공무원이 직무수행 중 불법행위로 타인에게 손해를 입힌 경우, 공무원 개인의 손해배상책임 유무(= 제한적 긍정설)**
> 공무원이 직무수행 중 불법행위로 타인에게 손해를 입힌 경우에 국가 등이 국가 배상책임을 부담하는 외에 공무원 개인도 고의 또는 중과실이 있는 경우에는 손해배상책임을 진다고 할 것이지만, 공무원에게 경과실뿐인 경우에는 공무원 개인은 손해배상책임을 부담하지 아니한다(대판 1996.2.15, 95다38677).

① [○]

> **요지판례 |**
> ■ 국가배상법 제5조 제1항 소정의 '공공의 영조물'이라 함은 국가 또는 지방자치단체에 의하여 특정 공공의 목적에 공여된 유체물 내지 물적 설비를 말하며, 국가 또는 지방자치단체가 소유권, 임차권 그 밖의 권한에 기하여 관리하고 있는 경우뿐만 아니라 사실상의 관리를 하고 있는 경우도 포함된다(대판 1998.10.23, 98다17381).

② [○]

> **국가배상법 제3조의2 【공제액】** ① 제2조 제1항을 적용할 때 피해자가 손해를 입은 동시에 이익을 얻은 경우에는 손해배상액에서 그 이익에 상당하는 금액을 빼야 한다.

③ [○]

> **국가배상법 제2조 【배상책임】** ① 국가나 지방자치단체는 공무원 또는 공무를 위탁받은 사인(이하 "공무원"이라 한다)이 직무를 집행하면서 고의 또는 과실로 법령을 위반하여 타인에게 손해를 입히거나, 자동차손해배상 보장법에 따라 손해배상의 책임이 있을 때에는 이 법에 따라 그 손해를 배상하여야 한다. 다만, …

**189** 국가배상에 관한 설명으로 가장 적절하지 않은 것은? (다툼이 있는 경우 판례에 의함) [2024 1차 채용]

① 경찰관의 부작위를 이유로 한 국가배상책임을 인정하기 위한 요건으로서의 '법령 위반'이란 형식적 의미의 법령에 명시적으로 공무원의 작위의무가 규정되어 있는데도 이를 위반하는 경우를 의미하며, 인권존중 · 권력남용금지 · 신의성실과 같이 공무원으로서 마땅히 지켜야 할 준칙이나 규범을 지키지 않고 위반한 경우는 포함하지 않는다.

② 경찰관의 직무집행이 법령이 정한 요건과 절차에 따라 이루어진 것이라면 특별한 사정이 없는 한 이는 법령에 적합한 것이고 그 과정에서 개인의 권리가 침해되었다고 하여 그 법령적합성이 곧바로 부정되는 것은 아니다.

③ 공무원에게 부과된 직무상 의무의 내용이 전적으로 또는 부수적으로 사회구성원 개인의 구체적 안전과 이익을 보호하기 위하여 설정된 것이라면, 공무원이 그와 같은 직무상 의무를 위반함으로써 개인이 입게 된 손해는 상당인과관계가 인정되는 범위 안에서 국가가 그에 대한 배상책임을 부담하여야 한다.

④ 시위진압이 불필요하거나 또는 불법시위의 태양 및 시위 장소의 상황 등에서 예측되는 피해 발생의 구체적 위험성의 내용에 비추어 시위진압의 계속 수행 내지 그 방법 등이 현저히 합리성을 결하였다면 경찰관의 직무집행이 법령에 위반한 것이라고 할 수 있다

**정답 및 해설 I ①**

① [×]

**요지판례 I**

■ 공무원의 부작위를 이유로 국가배상책임을 인정하기 위해서는 공무원의 작위로 국가배상책임을 인정하는 경우와 마찬가지로 '공무원이 직무를 집행하면서 고의 또는 과실로 법령을 위반하여 타인에게 손해를 입힌 때'라는 국가배상법 제2조 제1항의 요건이 충족되어야 한다. 여기서 '법령 위반'이란 엄격하게 형식적 의미의 법령에 명시적으로 공무원의 작위의무가 규정되어 있는데도 이를 위반하는 경우만을 의미하는 것은 아니고, 인권존중 · 권력남용금지 · 신의성실과 같이 공무원으로서 마땅히 지켜야 할 준칙이나 규범을 지키지 않고 위반한 경우를 포함하여 널리 객관적인 정당성이 없는 행위를 한 경우를 포함한다(대판 2022.7.14, 2017다290538).

②④ [○]

**요지판례 I**

■ 국가배상책임은 공무원의 직무집행이 법령에 위반한 것임을 요건으로 하는 것으로서, 공무원의 직무집행이 법령이 정한 요건과 절차에 따라 이루어진 것이라면 특별한 사정이 없는 한 이는 법령에 적합한 것이고 그 과정에서 개인의 권리가 침해되는 일이 생긴다고 하여 그 법령적합성이 곧바로 부정되는 것은 아니라고 할 것이다(대판 1997.7.25, 94다2480). → 불법시위를 진압하는 경찰관들의 직무집행이 법령에 위반한 것이라고 하기 위하여는 그 시위진압이 불필요하거나 또는 불법시위의 태양 및 시위 장소의 상황 등에서 예측되는 피해 발생의 구체적 위험성의 내용에 비추어 시위진압의 계속 수행 내지 그 방법 등이 현저히 합리성을 결하여 이를 위법하다고 평가할 수 있는 경우이어야 할 것이다.

③ [○]

**요지판례 I**

■ 공무원에게 부과된 직무상 의무의 내용이 단순히 공공일반의 이익을 위한 것이거나 행정기관의 내부의 질서를 규율하기 위한 것이 아니고, 전적으로 또는 부수적으로 사회구성원 개인의 안전과 이익을 보호하기 위하여 설정된 것이라면, 공무원이 그와 같은 직무상 의무를 위반함으로 인하여 피해자가 입은 손해에 대하여는 상당인과관계가 인정되는 범위 내에서 국가나 지방자치단체가 손해배상책임을 지는 것이다(대판 2012.5.24, 2012다11297).

**190** 국가배상법 제5조에 관한 설명 중 가장 적절하지 않은 것은? (다툼이 있는 경우 판례에 의함)

[2021 경행특채 2차]

① 도로의 설치 및 관리에 있어 완전무결한 상태를 유지할 정도의 고도의 안전성을 갖추지 아니하였다고 해서 하자가 있다고 단정할 수는 없다.

② 하천정비기본계획 등에서 정한 계획홍수량 및 계획홍수위를 충족하여 하천이 관리되고 있다면 특별한 사정이 없는 한, 그 하천은 용도에 따라 통상 갖추어야 할 안전성을 갖추고 있다고 볼 수 있다.

③ 영조물의 물적 시설 자체의 물리적 흠결 등으로 이용자에게 위해를 끼칠 위험성이 있는 경우뿐만 아니라 영조물이 공공의 목적에 이용됨에 있어 그 이용 상태 및 정도가 일정한 한도를 초과하여 이용자에게 사회통념상 수인할 것이 기대되는 한도를 넘는 피해를 입히는 경우도 영조물의 설치 또는 관리의 하자에 포함된다.

④ 위험의 존재를 인식하면서 그로 인한 피해를 용인하며 접근한 것으로 볼 수 있고 나아가 그 피해가 정신적 고통이나 생활방해의 정도에 그치며 그 침해행위에 고도의 공공성이 인정되는 때에는 위험에 접근한 후에 그 위험이 특별히 증대하였다는 등의 특별한 사정이 없는 이상 가해자의 면책을 인정하여야 하는 경우가 있다.

**정답 및 해설 | ③**

③ [×] 이용자에게 수인한도를 넘는 피해를 입히는 경우가 아니라, 제3자에게 수인한도를 넘는 피해를 입히는 경우이다(기능적 하자).

**요지판례 |**

■ 국가배상법 제5조 제1항에 정하여진 '영조물의 설치 또는 관리의 하자'라 함은 공공의 목적에 공여된 영조물이 그 용도에 따라 갖추어야 할 안전성을 갖추지 못한 상태에 있음을 말하고, 안전성을 갖추지 못한 상태, 즉 타인에게 위해를 끼칠 위험성이 있는 상태라 함은 당해 영조물을 구성하는 물적 시설 그 자체에 있는 물리적·외형적 흠결이나 불비로 인하여 그 이용자에게 위해를 끼칠 위험성이 있는 경우뿐만 아니라, 그 영조물이 공공의 목적에 이용됨에 있어 그 이용상태 및 정도가 일정한 한도를 초과하여 제3자에게 사회통념상 수인할 것이 기대되는 한도를 넘는 피해를 입히는 경우까지 포함된다고 보아야 한다(대판 2005.1.27, 2003다49566).

① [○]

**요지판례 |**

■ 영조물의 설치 및 관리에 있어서 항상 완전무결한 상태를 유지할 정도의 고도의 안전성을 갖추지 아니하였다고 하여 영조물의 설치 또는 관리에 하자가 있다고 단정할 수 없는 것이고, 영조물의 설치자 또는 관리자에게 부과되는 방호조치의무는 영조물의 위험성에 비례하여 사회통념상 일반적으로 요구되는 정도의 것을 의미하므로 영조물인 도로의 경우도 다른 생활필수시설과의 관계나 그것을 설치하고 관리하는 주체의 재정적·인적·물적 제약 등을 고려하여 그것을 이용하는 자의 상식적이고 질서 있는 이용방법을 기대한 상대적인 안전성을 갖추는 것으로 족하다(대판 2002.8.23, 2002다9158).

② [○]

**요지판례 |**

■ 하천정비기본계획 등에서 정한 계획홍수량 및 계획홍수위를 충족하여 하천이 관리되고 있다면 당초부터 계획홍수량 및 계획홍수위를 잘못 책정하였다거나 그 후 이를 시급히 변경해야 할 사정이 생겼음에도 불구하고 이를 해태하였다는 등의 특별한 사정이 없는 한, 그 하천은 용도에 따라 통상 갖추어야 할 안전성을 갖추고 있다고 봄이 상당하다(대판 2007.9.21, 2005다65678).

④ [○]

**요지판례 |**

■ 소음 등을 포함한 공해 등의 위험지역으로 이주하여 들어가서 거주하는 경우와 같이 위험의 존재를 인식하면서 그로 인한 피해를 용인하며 접근한 것으로 볼 수 있는 경우에, 그 피해가 직접 생명이나 신체에 관련된 것이 아니라 정신적 고통이나 생활방해의 정도에 그치고 그 침해행위에 고도의 공공성이 인정되는 때에는, 위험에 접근한 후 실제로 입은 피해 정도가 위험에 접근할 당시에 인식하고 있었던 위험의 정도를 초과하는 것이거나 위험에 접근한 후에 그 위험이 특별히 증대하였다는 등의 특별한 사정이 없는 한 가해자의 면책을 인정하여야 하는 경우도 있을 수 있을 것이다(대판 2005.1.27, 2003다49566). ➜ 일반인이 공해 등의 위험지역으로 이주하여 거주하는 경우라고 하더라도 위험에 접근할 당시에 그러한 위험이 존재하는 사실을 정확하게 알 수 없는 경우가 많고, 그 밖에 위험에 접근하게 된 경위와 동기 등의 **여러 가지 사정을 종합하여 그와 같은 위험의 존재를 인식하면서 굳이 위험으로 인한 피해를 용인하였다고 볼 수 없는 경우**에는 손해배상책임을 부정할 것이 아니라 손해배상액의 산정에 있어 형평의 원칙상 과실상계에 준하여 감액사유로 고려하는 것이 상당하다.



**191** 국토교통부장관이 관리하는 국가하천(이하 A)의 유지 · 보수사무가 지방자치단체(이하 B)의 장에게 위임되고, B가 A의 유지 · 보수에 필요한 비용을 부담하며 이에 관한 국가의 보조금을 받아오던 중에, A의 관리상 하자로 인하여 그 이용자가 사망하는 사고가 발생하였다. 이에 관한 설명 중 가장 적절하지 않은 것은? (다툼이 있는 경우 판례에 의함) [2021 경행특채 2차]

① 국가는 A의 설치 · 관리 사무의 귀속주체로서 배상책임을 진다.

② 국가는 A의 설치 · 관리 비용을 부담하는 자로서 배상책임을 진다.

③ B는 A의 설치 · 관리 사무의 귀속주체로서 배상책임을 진다.

④ B는 A의 설치 · 관리 비용을 부담하는 자로서 배상책임을 진다.

**정답 및 해설 | ③**

③ [×] 해당 사무는 기관위임사무이므로 해당 사무의 귀속주체로서 책임주체는 국가이고, 비용부담은 국가와 지방자치단체(B)가 공동으로 하였으므로, 해당 사무의 비용부담자로서의 책임주체는 국가와 지방자치단체(B) 모두가 된다.

**요지판례 |**

■ 국가가 국가하천의 유지 · 보수비용의 일부를 해당 시 · 도에 보조금으로 지급하였다면, 국가와 해당 시 · 도는 각각 국가배상법 제6조 제1항에 규정된 영조물의 설치 · 관리 비용을 부담하는 자로서 손해를 배상할 책임이 있다. 이와 같이 국가가 사무의 귀속주체 및 보조금 지급을 통한 실질적 비용부담자로서, 해당 시 · 도가 구 하천법 제59조 단서에 따른 법령상 비용부담자로서 각각 책임을 중첩적으로 지는 경우에는 국가와 해당 시 · 도 모두가 국가배상법 제6조 제2항 소정의 궁극적으로 손해를 배상할 책임이 있는 자에 해당한다(대판 2015.4.23, 2013다211834). ➜ 국가하천의 유지 · 보수 사무가 지방자치단체의 장에게 위임된 경우, 지방자치단체의 장은 국가기관의 지위에서 그 사무를 처리하는 것이므로, 국가는 국가배상법 제5조 제1항에 따라 영조물의 **설치 · 관리 사무의 귀속주체로서 국가하천의 관리상 하자로 인한 손해를 배상하여야 한다.**

**192** 「국가배상법」 제2조의 '군인 · 군무원 · 경찰공무원 또는 예비군대원이 전투 · 훈련 등 직무 집행과 관련하여 전사(戰死) · 순직(殉職)하거나 공상(公傷)을 입은 경우'에 대한 설명으로 가장 적절하지 않은 것은? (다툼이 있는 경우 판례에 의함)

[2019 경행특채 2차]

① 현역병으로 입영하여 소정의 군사교육을 마치고 전임되어 법무부장관에 의하여 경비교도로 임용된 자는 「국가배상법」 제2조 제1항 단서에 따라 손해배상청구가 제한되는 군인 · 군무원 · 경찰공무원 또는 예비군대원에 해당한다고 할 수 없다.

② 전투경찰순경은 「국가배상법」 제2조 제1항 단서에 따라 손해배상청구가 제한되는 군인 · 군무원 · 경찰공무원 또는 예비군대원에 해당한다고 보아야 한다.

③ 전투 · 훈련 등 직무집행과 관련하여 공상을 입은 군인이 「국가배상법」에 따라 손해배상금을 지급받은 다음에 「국가유공자 등 예우 및 지원에 관한 법률」이 정한 보훈급여금의 지급을 청구하는 경우, 국가는 「국가배상법」에 따라 손해배상을 받았다는 사정을 들어 보훈급여금의 지급을 거부할 수 있다.

④ 경찰공무원이 전투 · 훈련 등 직무집행과 관련하여 순직을 한 경우에는 전투 · 훈련 또는 이에 준하는 직무집행뿐만 아니라 일반 직무집행에 관하여도 국가나 지방자치단체의 배상책임이 제한된다.

**정답 및 해설 | ③**

③ [×] 보훈급여금의 지급을 받을 수 있을 때에는 국가배상청구를 할 수 없다. 다만, 먼저 국가배상법에 따른 손해배상금을 받은 경우에는 이후 보훈급여금을 청구하더라도 손해배상을 받았다는 이유로 보훈급여금 지급을 거부할 수 없다는 것이 판례이다.

> **요지판례 |**
>
> ■ 군인 · 군무원 · 경찰공무원 또는 향토예비군대원이 전투 · 훈련 등 직무집행과 관련하여 공상을 입는 등의 이유로 보훈보상자법이 정한 보훈보상대상자 요건에 해당하여 보상금 등 보훈급여금을 지급받을 수 있을 때에는 국가배상법 제2조 제1항 단서에 따라 국가를 상대로 국가배상을 청구할 수 없다(대판 2017.2.3, 2015두60075).
>
> ■ 전투 · 훈련 등 직무집행과 관련하여 공상을 입은 군인 등이 먼저 국가배상법에 따라 손해배상금을 지급받은 다음 구 국가유공자법이 정한 보상금 등 보훈급여금의 지급을 청구하는 경우 피고로서는 다음과 같은 사정에 비추어 국가배상법에 따라 손해배상을 받았다는 사정을 들어 보상금 등 보훈급여금의 지급을 거부할 수 없다고 보아야 한다(대판 2017.2.3, 2014두40012).

① [○]

> **요지판례 |**
>
> ■ 현역병으로 입영하여 경비교도로 전임 임용된 자는 국가배상법 제2조 제1항 단서의 군인 등에 해당하지 않는다(대판 1998.2.10, 97다45914).

② [○]

> **요지판례 |**
>
> ■ 전투경찰순경은 헌법 제29조 제2항 및 제2조 제1항 단서 중의 '경찰공무원'에 해당한다(헌재 1996.6.13, 94헌마118).

④ [○]

> **요지판례 |**
>
> ■ 경찰공무원이 낙석사고 현장 주변 교통정리를 위하여 사고현장 부근으로 순찰차를 운전하고 가다가 산에서 떨어진 대형 낙석이 순찰차를 덮쳐 사망하자 지방자치단체가 국가배상법 제2조 제1항 단서에 따른 면책을 주장한 사안에서, 전투 · 훈련 또는 이에 준하는 직무집행뿐만 아니라 '일반 직무집행'에 관하여도 국가나 지방자치단체의 배상책임을 제한하는 것이라고 해석하여, 위 면책 주장을 받아들인 원심판단은 정당하다(대판 2011.3.10, 2010다85942).

**193** 「국가배상법」에 대한 설명으로 적절한 것은 모두 몇 개인가? (다툼이 있는 경우 판례에 따름)

[2022 경간]

가. 경찰관들의 시위진압에 대항하여 시위자들이 던진 화염병에 의하여 발생한 화재로 인하여 손해를 입은 주민이 국가를 상대로 국가배상을 청구한 경우에는 국가의 배상책임이 인정되지 않는다.
나. 시위진압 과정에서 가해공무원인 전투경찰이 특정되지 않더라도 손해배상책임이 인정된다.
다. 전투경찰순경은 「국가배상법」 제2조 제1항 단서에 따라 손해배상청구가 제한되는 군인 · 군무원 · 경찰공무원 또는 예비군대원에 해당한다.
라. 경찰공무원이 전투 · 훈련 등 직무집행과 관련하여 순직한 경우에는 전투 · 훈련 또는 이에 준하는 직무집행뿐만 아니라 일반 직무집행에 관하여도 국가나 지방자치단체의 배상책임이 제한된다.
마. 「국가배상법」 제5조에 따라 도로나 하천은 물론 경찰견도 영조물에 포함된다.

① 2개 ② 3개
③ 4개 ④ 5개

**정답 및 해설 I ④**

가. [○]

**요지판례 I**

■ **경찰관들의 시위진압에 대항하여 시위자들이 던진 화염병에 의하여 발생한 화재로 인하여 손해를 입은 주민의 국가배상청구를 인정한 원심판결을 법리오해를 이유로 파기한 사례**
만약의 화재에 대비하여 소방차를 주변에 대기시키지 않았다고 할지라도, 그러한 사정만으로 이 사건 시위진압을 위한 경찰관들의 직무집행이 그 시위의 태양 및 시위 장소의 상황 등에서 예측되는 피해 발생의 구체적 위험성의 내용에 비추어 시위진압의 방법 등이 현저히 합리성을 결한 것으로서 위법한 것이라고는 볼 수 없다(대판 1997.7.25, 94다2480).

나. [○]

**요지판례 I**

■ 전투경찰대원이 시위진압 과정에서 최루탄사용에 대한 안전수칙을 지키지 아니하고 시위대 정면을 향하여 최루탄을 발사하여 불법시위 참가자가 실명하였다면, 전투경찰대원의 직무집행상의 과실로 인한 국가배상책임이 인정된다(광주지법 1999.7.1, 98가합6079). ➜ 최루탄을 발사한 전투경찰대원이 특정되지 아니하였으나 국가배상책임을 인정한 사례

다. [○]

**요지판례 I**

■ 국가배상법 제2조 제1항 단서 소정의 "경찰공무원"이 "경찰공무원법상 경찰공무원"에 한정된다고 단정하기 어렵고, 오히려 경찰업무의 위험성을 고려하여 "경찰조직의 구성원을 이루는 공무원"을 특별취급하려는 것으로 보아야 할 것이므로 **전투경찰순경은 국가배상법 제2조 제1항 단서 소정의"경찰공무원"에 해당한다**(대판 1995.3.24, 94다25414).

라. [○]

**요지판례 I**

■ 국가배상법 제2조 제1항 단서의 면책조항은 전투 · 훈련 또는 이에 준하는 직무집행뿐만 아니라 '일반 직무집행'에 관하여도 국가나 지방자치단체의 배상책임을 제한하는 것이다(대판 2011.3.10, 2010다85942). ➜ 경찰공무원이 낙석사고 현장 주변 교통정리를 위하여 사고현장 부근으로 순찰차를 운전하고 가다가 산에서 떨어진 대형 낙석이 순찰차를 덮쳐 사망한 사안에서, ① 사망이 지방자치단체의 도로에 관한 **설치 · 관리상 하자로 인하여 발생하였음은 인정**되었으나, ② **이중배상금지원칙의 적용은 긍정**하여 결과적으로 당해 지방자치단체(경상북도)는 면책되었다.

마. [○] 국가배상법 제5조에서 말하는 '**영조물**'은 행정주체가 공적 목적으로 제공한 '공물'을 의미하는 것으로서, 도로와 같은 인공공물뿐 아니라 하천과 같은 자연공물도 영조물이다. 건물과 같은 부동산뿐 아니라 동산도 영조물이고, 경찰견 · 경찰마와 같은 동물도 영조물이다.

# 제2장 I 경찰행정법 각론



## 제1절 I 국가경찰과 자치경찰의 조직 및 운영에 관한 법률

### 주제 1 경찰의 기본조직과 직무범위

**001** 「국가경찰과 자치경찰의 조직 및 운영에 관한 법률」상 자치경찰사무에 대한 설명으로 가장 적절하지 않은 것은? [2023 경간]

① 국가는 지방자치단체가 이관받은 사무를 원활히 수행할 수 있도록 인력, 장비 등에 소요되는 비용에 대하여 재정적 지원을 하여야 한다.

② 자치경찰사무의 수행에 필요한 예산은 관할 시 · 도경찰청장의 의견을 들어 시 · 도자치경찰위원회의 심의 · 의결을 거쳐 시 · 도지사가 수립한다.

③ 시 · 도지사는 자치경찰사무 담당 공무원에게 조례에서 정하는 예산의 범위에서 재정적 지원 등을 할 수 있다.

④ 시 · 도의회는 관련 예산의 효율적인 관리를 위하여 의결로써 자치경찰사무에 대해 시 · 도자치경찰위원장의 출석 및 자료 제출을 요구할 수 있다.

**정답 및 해설 I ②**

② [×] 시 · 도경찰청장의 의견을 듣는 것이 아니라 경찰청장의 의견을 듣는 것이다.

> **경찰법 제35조【예산】** ① 자치경찰사무의 수행에 필요한 예산은 시 · 도자치경찰위원회의 심의 · 의결을 거쳐 시 · 도지사가 수립한다. 이 경우 시 · 도자치경찰위원회는 경찰청장의 의견을 들어야 한다.

① [○]

> **경찰법 제34조【자치경찰사무에 대한 재정적 지원】** 국가는 지방자치단체가 이관받은 사무를 원활히 수행할 수 있도록 인력, 장비 등에 소요되는 비용에 대하여 재정적 지원을 하여야 한다.

③④ [○]

> **경찰법 제35조【예산】** ② 시 · 도지사는 자치경찰사무 담당 공무원에게 조례에서 정하는 예산의 범위에서 재정적 지원 등을 할 수 있다.
> ③ 시 · 도의회는 관련 예산의 효율적인 관리를 위하여 의결로써 자치경찰사무에 대해 시 · 도자치경찰위원장의 출석 및 자료 제출을 요구할 수 있다.

**002** 「국가경찰과 자치경찰의 조직 및 운영에 관한 법률」상 자치경찰사무에 관한 내용 중 가장 적절하지 않은 것은? [2022 채용 2차]

① 생활안전을 위한 순찰 및 시설의 운영, 주민참여 방범활동의 지원 및 지도, 주민의 일상생활과 관련된 사회질서의 유지 및 그 위반행위의 지도 · 단속 등 지역 내 주민의 생활안전 활동에 관한 사무는 자치경찰의 사무에 포함된다.

② 교통법규 위반에 대한 지도 · 단속, 교통안전시설 및 무인 교통단속용 장비의 심의 · 설치 · 관리 등 지역 내 교통활동에 관한 사무는 자치경찰사무에 포함된다.

③ 학교폭력 등 소년범죄, 가정폭력, 아동학대 범죄, 「형법」 제245조에 따른 공연음란 및 「성폭력범죄의 처벌 등에 관한 특례법」 제11조에 따른 공중밀집 장소에서의 추행행위에 관한 범죄는 자치경찰사무에 포함된다.

④ 지역 내 주민의 생활안전 활동에 관한 사무, 지역 내 교통활동에 관한 사무, 지역 내 다중운집 행사 관련 혼잡 교통 및 안전 관리의 자치경찰사무에 관한 구체적인 사항 및 범위 등은 대통령령으로 정하는 기준에 따라 시 · 도조례로 정한다.



**정답 및 해설 | ③**

③ [×] 「성폭력범죄의 처벌 등에 관한 특례법」 제11조에 따른 공중밀집 장소에서의 추행행위가 아니라, 「성폭력범죄의 처벌 등에 관한 특례법」 제12조에 따른 성적 목적을 위한 다중이용장소 침입행위에 관한 범죄이다.

> **경찰법 제4조【경찰의 사무】** ① 경찰의 사무는 다음 각 호와 같이 구분한다.
> 2. 자치경찰사무: 제3조에서 정한 경찰의 임무 범위에서 관할 지역의 생활안전 · 교통 · 경비 · 수사 등에 관한 다음 각 목의 사무
>    라. 다음의 어느 하나에 해당하는 수사사무
>       4) 「형법」 제245조에 따른 공연음란 및 「성폭력범죄의 처벌 등에 관한 특례법」 제12조에 따른 성적 목적을 위한 다중이용장소 침입행위에 관한 범죄

① [○]

> **경찰법 제4조【경찰의 사무】** ① 경찰의 사무는 다음 각 호와 같이 구분한다.
> 2. 자치경찰사무: 제3조에서 정한 경찰의 임무 범위에서 관할 지역의 생활안전 · 교통 · 경비 · 수사 등에 관한 다음 각 목의 사무
>    가. 지역 내 주민의 생활안전 활동에 관한 사무
>       1) 생활안전을 위한 순찰 및 시설의 운영
>       2) 주민참여 방범활동의 지원 및 지도
>       3) 안전사고 및 재해 · 재난시 긴급구조지원
>       4) 아동 · 청소년 · 노인 · 여성 · 장애인 등 사회적 보호가 필요한 사람에 대한 보호 업무 및 가정폭력 · 학교폭력 · 성폭력 등의 예방
>       5) 주민의 일상생활과 관련된 사회질서의 유지 및 그 위반행위의 지도 · 단속. 다만, 지방자치단체 등 다른 행정청의 사무는 제외한다.
>       6) 그 밖에 지역주민의 생활안전에 관한 사무

② [○]

> **경찰법 제4조【경찰의 사무】** ① 경찰의 사무는 다음 각 호와 같이 구분한다.
> 2. 자치경찰사무: 제3조에서 정한 경찰의 임무 범위에서 관할 지역의 생활안전 · 교통 · 경비 · 수사 등에 관한 다음 각 목의 사무
>    나. 지역 내 교통활동에 관한 사무
>       1) 교통법규 위반에 대한 지도 · 단속
>       2) 교통안전시설 및 무인 교통단속용 장비의 심의 · 설치 · 관리
>       3) 교통안전에 대한 교육 및 홍보
>       4) 주민참여 지역 교통활동의 지원 및 지도
>       5) 통행 허가, 어린이 통학버스의 신고, 긴급자동차의 지정 신청 등 각종 허가 및 신고에 관한 사무
>       6) 그 밖에 지역 내의 교통안전 및 소통에 관한 사무

④ [○] 라목(수사사무)의 구체적인 사항 및 범위는 대통령령으로, 가목에서 다목까지(생활안전 · 교통활동 · 다중운집 행사)는 대통령령으로 정하는 기준에 따라 시 · 도조례로 정한다.

> **경찰법 제4조【경찰의 사무】** ① 경찰의 사무는 다음 각 호와 같이 구분한다.
> 2. 자치경찰사무: 제3조에서 정한 경찰의 임무 범위에서 관할 지역의 생활안전 · 교통 · 경비 · 수사 등에 관한 다음 각 목의 사무
>    가. 지역 내 주민의 생활안전 활동에 관한 사무
>    나. 지역 내 교통활동에 관한 사무
>    다. 지역 내 다중운집 행사 관련 혼잡 교통 및 안전 관리
>    라. 다음의 어느 하나에 해당하는 수사사무
>
> ② 제1항 제2호 가목부터 다목까지의 자치경찰사무에 관한 구체적인 사항 및 범위 등은 대통령령으로 정하는 기준에 따라 시 · 도조례로 정한다.
> ③ 제1항 제2호 라목의 자치경찰사무에 관한 구체적인 사항 및 범위 등은 대통령령으로 정한다.

## 주제 2 경찰청과 국가수사본부

**003** 「국가경찰과 자치경찰의 조직 및 운영에 관한 법률」상 경찰조직에 대한 설명이다. ㉠부터 ㉣까지의 설명 중 옳고 그름의 표시(○, ×)가 바르게 된 것은? [2018 승진(경위) 변형]

> ㉠ 경찰청장은 국회의 동의를 받아 행정안전부장관의 제청으로 국무총리를 거쳐 대통령이 임명한다.
> ㉡ 경찰청장은 국가경찰사무를 총괄하고 경찰청 업무를 관장하며 소속 공무원 및 각급 경찰기관의 장을 지휘 · 감독한다.
> ㉢ 경찰청장의 임기는 2년으로 하고, 중임할 수 없다.
> ㉣ 경찰청장이 헌법이나 법률을 위반했을 때 국회에서 탄핵 소추를 의결할 수 있다고 인정되나, 현행 「국가경찰과 자치경찰의 조직 및 운영에 관한 법률」에는 국회의 탄핵소추 의결권이 명기되어 있지 아니하다.

① ㉠(×) ㉡(○) ㉢(○) ㉣(×)
② ㉠(×) ㉡(○) ㉢(×) ㉣(○)
③ ㉠(○) ㉡(×) ㉢(○) ㉣(○)
④ ㉠(○) ㉡(○) ㉢(○) ㉣(×)

**정답 및 해설 |** ①

㉠ [×] 국가경찰위원회의 동의를 받아야 한다.

> 국가경찰과 자치경찰의 조직 및 운영에 관한 법률(이하 '경찰법'이라 한다) 제14조【경찰청장】 ② 경찰청장은 국가경찰위원회의 동의를 받아 행정안전부장관의 제청으로 국무총리를 거쳐 대통령이 임명한다. 이 경우 국회의 인사청문을 거쳐야 한다.

㉡㉢ [○] ㉣ [×]

> 경찰법 제14조【경찰청장】 ③ 경찰청장은 국가경찰사무를 총괄하고 경찰청 업무를 관장하며 소속 공무원 및 각급 경찰기관의 장을 지휘 · 감독한다.
> ④ 경찰청장의 임기는 2년으로 하고, 중임할 수 없다.
> ⑤ 경찰청장이 직무를 집행하면서 헌법이나 법률을 위배하였을 때에는 국회는 탄핵 소추를 의결할 수 있다.

**004** 「국가경찰과 자치경찰의 조직 및 운영에 관한 법률」에 대한 설명으로 가장 적절하지 않은 것은?

[2015 채용 3차 변형]

① 이 법은 경찰의 민주적인 관리 · 운영과 효율적인 임무수행을 위하여 경찰의 기본조직 및 직무 범위와 그 밖에 필요한 사항을 규정함을 목적으로 한다.

② 치안에 관한 사무를 관장하게 하기 위하여 행정안전부장관 소속으로 경찰청을 둔다.

③ 경찰의 사무를 지역적으로 분담하여 수행하게 하기 위하여 특별시 · 광역시 · 특별자치시 · 도 · 특별자치도에 시 · 도경찰청을 두고, 시 · 도경찰청장 소속으로 경찰서를 둔다.

④ 경찰청장은 국가경찰위원회의 추천을 받아 행정안전부장관을 거쳐 대통령이 임명한다.



**정답 및 해설 | ④**

④ [×] 국가경찰위원회의 동의를 받아야 한다.

> **경찰법 제14조【경찰청장】** ② 경찰청장은 국가경찰위원회의 동의를 받아 행정안전부장관의 제청으로 국무총리를 거쳐 대통령이 임명한다. 이 경우 국회의 인사청문을 거쳐야 한다.

① [○]

> **경찰법 제1조【목적】** 이 법은 경찰의 민주적인 관리 · 운영과 효율적인 임무수행을 위하여 경찰의 기본조직 및 직무 범위와 그 밖에 필요한 사항을 규정함을 목적으로 한다.

② [○]

> **경찰법 제12조【경찰의 조직】** 치안에 관한 사무를 관장하게 하기 위하여 행정안전부장관 소속으로 경찰청을 둔다.

③ [○]

> **경찰법 제13조【경찰사무의 지역적 분장기관】** 경찰의 사무를 지역적으로 분담하여 수행하게 하기 위하여 특별시 · 광역시 · 특별자치시 · 도 · 특별자치도(이하 "**시 · 도**"라 한다)에 시 · 도경찰청을 두고, 시 · 도경찰청장 소속으로 경찰서를 둔다. 이 경우 인구, 행정구역, 면적, 지리적 특성, 교통 및 그 밖의 조건을 고려하여 시 · 도에 2개의 시 · 도경찰청을 둘 수 있다.

**005** 「국가경찰과 자치경찰의 조직 및 운영에 관한 법률」상 경찰청장에 관한 다음 설명 중 틀린 것은 모두 몇 개인가?

[2015 채용 2차 변형]

> ㉠ 경찰청장은 국가경찰위원회의 동의를 받아 국무총리의 제청으로 대통령이 임명한다. 이 경우 국회의 인사청문을 거쳐야 한다.
> ㉡ 경찰청장은 국가경찰사무를 총괄하고 경찰청 업무를 관장하며 소속 공무원 및 각급 경찰기관의 장을 지휘 · 감독한다.
> ㉢ 경찰청장이 직무를 집행하면서 대통령의 지시를 위배하였을 때에는 국회는 탄핵 소추를 의결할 수 있다.
> ㉣ 경찰청장의 임기는 2년으로 하고, 중임할 수 없다.

① 1개
② 2개
③ 3개
④ 4개

**정답 및 해설 I ②**

㉠ [×] 행정안전부장관의 제청이다.

> **경찰법 제14조【경찰청장】** ① 경찰청에 경찰청장을 두며, 경찰청장은 치안총감으로 보한다.
> ② 경찰청장은 국가경찰위원회의 동의를 받아 행정안전부장관의 제청으로 국무총리를 거쳐 대통령이 임명한다. 이 경우 국회의 인사청문을 거쳐야 한다.

㉡ [○]

> **경찰법 제14조【경찰청장】** ③ 경찰청장은 국가경찰사무를 총괄하고 경찰청 업무를 관장하며 소속 공무원 및 각급 경찰기관의 장을 지휘·감독한다.

㉢ [×] '헌법이나 법률을 위배'하였어야 한다.

> **경찰법 제14조【경찰청장】** ⑤ 경찰청장이 직무를 집행하면서 헌법이나 법률을 위배하였을 때에는 국회는 탄핵 소추를 의결할 수 있다.

㉣ [○]

> **경찰법 제14조【경찰청장】** ④ 경찰청장의 임기는 2년으로 하고, 중임할 수 없다.

## 006 「국가경찰과 자치경찰의 조직 및 운영에 관한 법률」에 대한 내용으로 가장 적절하지 않은 것은?

[2018 채용 2차 변형]

① 이 법은 경찰의 민주적인 관리·운영과 효율적인 임무수행을 위하여 경찰의 기본조직 및 직무 범위와 그 밖에 필요한 사항을 규정함을 목적으로 한다.

② 경찰의 사무를 지역적으로 분담하여 수행하게 하기 위하여 특별시·광역시·특별자치시·도·특별자치도에 시·도경찰청을 두고, 시·도경찰청장 소속으로 경찰서를 둔다. 이 경우 인구, 행정구역, 면적, 지리적 특성, 교통 및 그 밖의 조건을 고려하여 시·도에 2개의 시·도경찰청을 둘 수 있다.

③ 경찰청장은 행정안전부장관의 동의를 받아 국무총리를 거쳐 대통령이 임명한다. 이 경우 국회의 인사청문을 거쳐야 한다.

④ 경찰청장의 임기는 2년으로 하고, 중임할 수 없다.

**정답 및 해설 I ③**

③ [×] 국가경찰위원회의 동의를 받아 행정안전부장관의 제청으로 국무총리를 거쳐 대통령이 임명한다.

① [○]

> **경찰법 제1조【목적】** 이 법은 경찰의 민주적인 관리·운영과 효율적인 임무수행을 위하여 경찰의 기본조직 및 직무 범위와 그 밖에 필요한 사항을 규정함을 목적으로 한다.

② [○]

> **경찰법 제13조【경찰사무의 지역적 분장기관】** 경찰의 사무를 지역적으로 분담하여 수행하게 하기 위하여 특별시·광역시·특별자치시·도·특별자치도(이하 "**시·도**"라 한다)에 시·도경찰청을 두고, 시·도경찰청장 소속으로 경찰서를 둔다. 이 경우 인구, 행정구역, 면적, 지리적 특성, 교통 및 그 밖의 조건을 고려하여 시·도에 2개의 시·도경찰청을 둘 수 있다.

④ [○]

> **경찰법 제14조【경찰청장】** ② 경찰청장은 국가경찰위원회의 동의를 받아 행정안전부장관의 제청으로 국무총리를 거쳐 대통령이 임명한다. 이 경우 국회의 인사청문을 거쳐야 한다.
> ④ 경찰청장의 임기는 2년으로 하고, 중임할 수 없다.

## 007 「국가경찰과 자치경찰의 조직 및 운영에 관한 법률」상 경찰청장에 대한 설명 중 틀린 것은 모두 몇 개인가?

[2016 경간]

| |
|---|
| ㉠ 경찰청에 경찰청장을 두며, 경찰청장은 치안총감으로 보한다.<br>㉡ 경찰청장은 국가경찰위원회의 동의를 받아 행정안전부장관의 제청으로 국무총리를 거쳐 대통령이 임명한다. 이 경우 국회의 인사청문을 거쳐야 한다.<br>㉢ 경찰청장이 직무를 집행하면서 헌법이나 법률을 위배하였을 때에는 국회는 탄핵소추를 의결할 수 있다.<br>㉣ 경찰청장의 임기는 2년으로 하고, 중임할 수 없다.<br>㉤ 차장은 경찰청장을 보좌하며, 경찰청장이 부득이한 사유로 직무를 수행할 수 없을 때에는 그 직무를 대행한다. |

① 0개
② 1개
③ 2개
④ 3개

**정답 및 해설 I ①**

㉠㉡㉢㉣ [○]

| |
|---|
| **경찰법 제14조【경찰청장】** ① 경찰청에 경찰청장을 두며, 경찰청장은 치안총감으로 보한다.<br>② 경찰청장은 국가경찰위원회의 동의를 받아 행정안전부장관의 제청으로 국무총리를 거쳐 대통령이 임명한다. 이 경우 국회의 인사청문을 거쳐야 한다.<br>④ 경찰청장의 임기는 2년으로 하고, 중임할 수 없다.<br>⑤ 경찰청장이 직무를 집행하면서 헌법이나 법률을 위배하였을 때에는 국회는 탄핵 소추를 의결할 수 있다. |

㉤ [○]

| |
|---|
| **경찰법 제15조【경찰청 차장】** ② 차장은 경찰청장을 보좌하며, 경찰청장이 부득이한 사유로 직무를 수행할 수 없을 때에는 그 직무를 대행한다. |

## 008 「국가경찰 및 자치경찰의 조직 및 운영에 관한 법률」상 비상사태 등 전국적 치안유지에 대한 설명으로 가장 적절하지 않은 것은?

[2023 경간]

① 경찰청장은 비상사태 등 전국적 치안유지를 위한 지휘 · 명령이 필요한 경우에는 시 · 도자치경찰위원회에 자치경찰사무를 담당하는 경찰공무원을 직접 지휘 · 명령하려는 사유 및 내용 등을 구체적으로 제시하여 통보하여야 한다.

② 경찰청장이 비상사태 등 전국적 치안유지를 위한 지휘 · 명령을 하는 경우에는 국가경찰위원회에 즉시 보고하여야 하지만, 국민안전에 중대한 영향을 미치는 사안에 대하여 다수의 시 · 도에 동일하게 적용되는 치안정책을 시행할 필요가 있다고 인정할 만한 충분한 사유가 있는 경우에는 미리 국가경찰위원회의 의결을 거쳐야 하며 긴급한 경우에는 우선 조치 후 지체 없이 국가경찰위원회의 의결을 거쳐야 한다.

③ 경찰청장은 비상사태 등 전국적 치안유지를 위한 지휘 · 명령할 수 있는 사유가 해소된 때에는 경찰공무원에 대한 지휘 · 명령을 즉시 중단하여야 한다.

④ 시 · 도자치경찰위원회는 자치경찰사무와 관련하여 해당 시 · 도의 경찰력으로는 국민의 생명 · 신체 · 재산의 보호 및 공공의 안녕과 질서유지가 어려워 경찰청장의 지원 · 조정이 필요하다고 인정할 만한 충분한 사유가 있는 경우 의결로 지원 · 조정의 범위 · 기간 등을 정하여 경찰청장에게 지원 · 조정을 요청할 수 있다.

**정답 및 해설 I ②**

② [×] 경찰청장이 미리 국가경찰위원회 의결을 거쳐야 하나, 긴급한 경우 먼저 조치하고 국경위 의결을 거쳐야 하는 경우는 지문의 제2호 사유(**국민안전에 중대한 영향을 미치는 사안에 대하여 다수의 시 · 도에 동일하게 적용되는 치안정책을 시행할 필요가 있다고 인정할 만한 충분한 사유가 있는 경우**)가 아닌 제3호 사유(**자치경찰사무와 관련하여 해당 시 · 도의 경찰력으로는 국민의 생명 · 신체 · 재산의 보호 및 공공의 안녕과 질서유지가 어려워 경찰청장의 지원 · 조정이 필요하다고 인정할 만한 충분한 사유가 있는 경우**)이다.

> **경찰법 제32조【비상사태 등 전국적 치안유지를 위한 경찰청장의 지휘 · 명령】** ① 경찰청장은 다음 각 호의 경우에는 제2항에 따라 자치경찰사무를 수행하는 경찰공무원(제주특별자치도의 자치경찰공무원을 포함한다)을 직접 지휘 · 명령할 수 있다.
> 1. 전시 · 사변, 천재지변, 그 밖에 이에 준하는 국가 비상사태, 대규모의 테러 또는 소요사태가 발생하였거나 발생할 우려가 있어 전국적인 치안유지를 위하여 긴급한 조치가 필요하다고 인정할 만한 충분한 사유가 있는 경우
> 2. 국민안전에 중대한 영향을 미치는 사안에 대하여 다수의 시 · 도에 동일하게 적용되는 치안정책을 시행할 필요가 있다고 인정할 만한 충분한 사유가 있는 경우
> 3. 자치경찰사무와 관련하여 해당 시 · 도의 경찰력으로는 국민의 생명 · 신체 · 재산의 보호 및 공공의 안녕과 질서유지가 어려워 경찰청장의 지원 · 조정이 필요하다고 인정할 만한 충분한 사유가 있는 경우
>
> ④ 경찰청장이 제1항에 따라 지휘 · 명령을 하는 경우에는 국가경찰위원회에 즉시 보고하여야 한다. 다만, 제1항 제3호의 경우에는 미리 국가경찰위원회의 의결을 거쳐야 하며 긴급한 경우에는 우선 조치 후 지체 없이 국가경찰위원회의 의결을 거쳐야 한다.

① [○]

> **경찰법 제32조【비상사태 등 전국적 치안유지를 위한 경찰청장의 지휘 · 명령】** ① 경찰청장은 다음 각 호의 경우에는 제2항에 따라 자치경찰사무를 수행하는 경찰공무원(제주특별자치도의 자치경찰공무원을 포함한다)을 직접 지휘 · 명령할 수 있다.
> ② 경찰청장은 제1항에 따른 조치가 필요한 경우에는 시 · 도자치경찰위원회에 자치경찰사무를 담당하는 경찰공무원을 직접 지휘 · 명령하려는 사유 및 내용 등을 구체적으로 제시하여 통보하여야 한다.

③ [○]

> **경찰법 제32조【비상사태 등 전국적 치안유지를 위한 경찰청장의 지휘 · 명령】** ⑥ 경찰청장은 제1항에 따라 지휘 · 명령할 수 있는 사유가 해소된 때에는 경찰공무원에 대한 지휘 · 명령을 즉시 중단하여야 한다.

④ [○]

> **경찰법 제32조【비상사태 등 전국적 치안유지를 위한 경찰청장의 지휘 · 명령】** ⑦ 시 · 도자치경찰위원회는 제1항 제3호에 해당하는 경우 의결로 지원 · 조정의 범위 · 기간 등을 정하여 경찰청장에게 지원 · 조정을 요청할 수 있다.

## 009 「국가경찰과 자치경찰의 조직 및 운영에 관한 법률」에 대한 설명으로 가장 적절하지 않은 것은?

[2022 승진]

① 시 · 도경찰청장은 경찰청장이 시 · 도자치경찰위원회와 협의하여 추천한 사람 중에서 행정안전부장관의 제청으로 국무총리를 거쳐 대통령이 임용한다.

② 시 · 도경찰청 차장은 시 · 도경찰청장을 보좌하여 소관 사무를 처리하고, 시 · 도경찰청장이 부득이한 사유로 직무를 수행할 수 없을 때에는 그 직무를 대행한다.

③ 국가수사본부장은 「형사소송법」에 따른 경찰의 수사에 관하여 각 시 · 도경찰청장과 경찰서장 및 수사부서 소속 공무원을 지휘 · 감독한다.

④ 국가수사본부장이 직무를 집행하면서 헌법이나 법률을 위배하였더라도 국회는 탄핵 소추를 의결할 수 없다.

**정답 및 해설 I ④**

④ [×] 경찰법상 탄핵대상이 되는 자는 경찰청장과 국가수사본부장이 있다.

> **경찰법 제16조【국가수사본부장】** ⑤ 국가수사본부장이 직무를 집행하면서 헌법이나 법률을 위배하였을 때에는 국회는 탄핵 소추를 의결할 수 있다.

① [○]

> **경찰법 제28조【시 · 도경찰청장】** ② 「경찰공무원법」 제7조에도 불구하고 시 · 도경찰청장은 경찰청장이 시 · 도자치경찰위원회와 협의하여 추천한 사람 중에서 행정안전부장관의 제청으로 국무총리를 거쳐 대통령이 임용한다.

② [○]

> **경찰법 제29조【시 · 도경찰청 차장】** ① 시 · 도경찰청에 차장을 둘 수 있다.
> ② 차장은 시 · 도경찰청장을 보좌하여 소관 사무를 처리하고 시 · 도경찰청장이 부득이한 사유로 직무를 수행할 수 없을 때에는 그 직무를 대행한다.

③ [○]

> **경찰법 제16조【국가수사본부장】** ② 국가수사본부장은 「형사소송법」에 따른 경찰의 수사에 관하여 각 시 · 도경찰청장과 경찰서장 및 수사부서 소속 공무원을 지휘 · 감독한다.

**010** 「국가경찰과 자치경찰의 조직 및 운영에 관한 법률」상 국가수사본부장에 관한 설명으로 가장 적절하지 않은 것은? [2023 채용 2차]

① 국가수사본부장은 치안정감으로 보한다.

② 국가수사본부장을 경찰청 외부를 대상으로 모집하여 임용하는 경우 정당의 당원이거나 당적을 이탈한 날부터 3년이 지나지 아니한 사람은 국가수사본부장이 될 수 없다.

③ 국가수사본부장이 직무를 집행하면서 헌법이나 법률을 위배하였을 때에는 국회는 대통령에게 해임을 건의할 수 있다.

④ 국가수사본부장의 임기는 2년으로 하며, 중임할 수 없다.

**정답 및 해설 I ③**

③ [×] 국회는 탄핵 소추를 의결할 수 있다.

> **경찰법 제16조【국가수사본부장】** ⑤ 국가수사본부장이 직무를 집행하면서 헌법이나 법률을 위배하였을 때에는 국회는 탄핵 소추를 의결할 수 있다.

① [○]

> **경찰법 제16조【국가수사본부장】** ① 경찰청에 국가수사본부를 두며, 국가수사본부장은 치안정감으로 보한다.

② [○]

> **경찰법 제16조【국가수사본부장】** ⑦ 국가수사본부장을 경찰청 외부를 대상으로 모집하여 임용하는 경우 다음 각 호의 어느 하나에 해당하는 사람은 국가수사본부장이 될 수 없다.
> 1. 「경찰공무원법」 제8조 제2항 각 호의 결격사유에 해당하는 사람
> 2. 정당의 당원이거나 당적을 이탈한 날부터 3년이 지나지 아니한 사람
> 3. 선거에 의하여 취임하는 공직에 있거나 그 공직에서 퇴직한 날부터 3년이 지나지 아니한 사람
> 4. 제6항 제1호에 해당하는 공무원 또는 제6항 제2호의 판사 · 검사의 직에서 퇴직한 날로부터 1년이 지나지 아니한 사람
> 5. 제6항 제3호에 해당하는 사람으로서 국가기관등에서 퇴직한 날로부터 1년이 지나지 아니한 사람

④ [○]

> **경찰법 제16조【국가수사본부장】** ③ 국가수사본부장의 임기는 2년으로 하며, 중임할 수 없다.

## 주제 3 시 · 도경찰청 및 경찰서

**011** 「국가경찰과 자치경찰의 조직 및 운영에 관한 법률」 및 「지역경찰의 조직 및 운영에 관한 규칙」상 우리나라 경찰조직에 관한 설명으로 가장 적절하지 않은 것은? [2014 승진(경위) 변형]

① 경찰의 사무를 지역적으로 분담하여 수행하게 하기 위하여 특별시 · 광역시 · 특별자치시 · 도 · 특별자치도(이하 "시 · 도"라 한다)에 시 · 도경찰청을 두고, 시 · 도경찰청장 소속으로 경찰서를 둔다.

② 경찰서에 경찰서장을 두며, 경찰서장은 경무관, 총경 또는 경정으로 보한다.

③ 지구대장은 경정 또는 경감, 파출소장은 경정 · 경감 또는 경위로 한다.

④ 경찰서장은 인구, 면적, 행정구역, 교통 · 지리적 여건, 각종 사건사고 발생 등을 고려하여 경찰서의 관할구역을 나누어 지역경찰관서(지구대 및 파출소)를 설치한다.

**정답 및 해설 | ④**

④ [×]

> 예규 **지역경찰의 조직 및 운영에 관한 규칙 제4조【설치 및 폐지】** ① 시 · 도경찰청장은 인구, 면적, 행정구역, 교통 · 지리적 여건, 각종 사건사고 발생 등을 고려하여 경찰서의 관할구역을 나누어 지역경찰관서를 설치한다.

① [○]

> **경찰법 제13조【경찰사무의 지역적 분장기관】** 경찰의 사무를 지역적으로 분담하여 수행하게 하기 위하여 특별시 · 광역시 · 특별자치시 · 도 · 특별자치도(이하 "**시 · 도**"라 한다)에 시 · 도경찰청을 두고, 시 · 도경찰청장 소속으로 경찰서를 둔다. 이 경우 인구, 행정구역, 면적, 지리적 특성, 교통 및 그 밖의 조건을 고려하여 시 · 도에 2개의 시 · 도경찰청을 둘 수 있다.

②③ [○]

> **경찰법 제30조【경찰서장】** ① 경찰서에 경찰서장을 두며, 경찰서장은 경무관, 총경 또는 경정으로 보한다.
>
> 예규 **지역경찰의 조직 및 운영에 관한 규칙 제5조【지역경찰관서장】** ① 지역경찰관서의 사무를 통할하고 소속 지역경찰을 지휘 · 감독하기 위해 지역경찰관서에 지구대장 및 파출소장(이하 "지역경찰관서장"이라 한다)을 둔다.
>
> 훈령 **경찰청과 그 소속기관 조직 및 정원관리 규칙 제10조【지구대, 파출소 및 출장소】** ② 지구대장은 경정 또는 경감, 파출소장은 경정 · 경감 또는 경위로 한다.
> ④ 출장소장은 경위 또는 경사로 한다.

**012** 「국가경찰과 자치경찰의 조직 및 운영에 관한 법률」에 대한 설명으로 가장 적절하지 않은 것은? [2024 승진]

① 경찰의 민주적인 관리 · 운영과 효율적인 임무수행을 위하여 경찰의 기본조직 및 직무 범위와 그 밖에 필요한 사항을 규정함을 목적으로 한다.

② 국가와 지방자치단체는 국민의 생명 · 신체 및 재산을 보호하고 공공의 안녕과 질서유지에 필요한 시책을 수립 · 시행하여야 한다.

③ 국가는 지방자치단체가 이관받은 사무를 원활히 수행할 수 있도록 인력, 장비 등에 소요되는 비용에 대하여 재정적 지원을 하여야 한다.

④ 시 · 도자치경찰위원회는 자치경찰사무에 대해 심의 · 의결을 통하여 시 · 도경찰청장을 지휘 · 감독한다. 다만, 시 · 도자치경찰위원회가 심의 · 의결할 시간적 여유가 없거나 심의 · 의결이 곤란한 경우 대통령령으로 정하는 바에 따라 시 · 도자치경찰위원회의 지휘 · 감독권을 경찰청장에게 위임한 것으로 본다.

**정답 및 해설 | ④**

④ [×] 자치경찰사무의 최고 지휘감독권자는 시 · 도자치경찰위원회이나, 자치경찰위원회는 7명의 위원으로 구성된 회의체이므로 긴급한 자치경찰사무 지휘 · 감독에는 한계가 있다. 따라서 경찰법은 심의 · 의결에 시간적 여유가 없는 경우 등을 대비하여 지휘 · 감독권을 위임한 것으로 보는 규정을 두고 있는데, 이 경우 수임기관은 경찰청장이 아니라 시 · 도경찰청장에게 위임한 것으로 본다.

> **경찰법 제28조【시 · 도경찰청장】** ④ 제3항 본문의 경우 시 · 도자치경찰위원회는 자치경찰사무에 대해 심의 · 의결을 통하여 시 · 도경찰청장을 지휘 · 감독한다. 다만, 시 · 도자치경찰위원회가 심의 · 의결할 시간적 여유가 없거나 심의 · 의결이 곤란한 경우 대통령령으로 정하는 바에 따라 시 · 도자치경찰위원회의 지휘 · 감독권을 시 · 도경찰청장에게 위임한 것으로 본다.

① [○]

> **경찰법 제1조【목적】** 이 법은 경찰의 민주적인 관리 · 운영과 효율적인 임무수행을 위하여 경찰의 기본조직 및 직무 범위와 그 밖에 필요한 사항을 규정함을 목적으로 한다. ➜ 비교 경찰관 직무집행법은 '직무수행'!

② [○]

> **경찰법 제2조【국가와 지방자치단체의 책무】** 국가와 지방자치단체는 국민의 생명 · 신체 및 재산을 보호하고 공공의 안녕과 질서유지에 필요한 시책을 수립 · 시행하여야 한다.

③ [○] 반면 시 · 도지사는 자치경찰사무 담당 공무원에게 재정지원 등을 할 수 있다는 것과 구분하여야 한다.

> **경찰법 제34조【자치경찰사무에 대한 재정적 지원】** 국가는 지방자치단체가 이관받은 사무를 원활히 수행할 수 있도록 인력, 장비 등에 소요되는 비용에 대하여 재정적 지원을 하여야 한다.



## 013 「경찰청과 그 소속기관 직제」에 대한 설명으로 가장 적절한 것은? [2020 실무 1]

① 경찰청장의 관장사무를 지원하기 위하여 경찰청장 소속하에 경찰대학, 경찰인재개발원, 중앙경찰학교, 경찰수사연수원 및 국립과학수사연구원을 둔다.

② 지구대 · 파출소 및 출장소의 명칭 · 위치 및 관할구역과 기타 필요한 사항은 관할 경찰서장이 정한다.

③ 경찰서장은 자신의 소관사무를 분장하기 위하여 행정안전부령이 정하는 바에 따라 시 · 도경찰청장의 승인을 얻어 지구대 또는 파출소를 둘 수 있다.

④ 시 · 도경찰청장은 임시로 필요한 때에는 출장소를 둘 수 있다.

**정답 및 해설 | ④**

④ [○]

> 대통령령 **경찰청과 그 소속기관 직제 제43조【지구대 등】** ① 시 · 도경찰청장은 경찰서장의 소관사무를 분장하기 위하여 행정안전부령으로 정하는 바에 따라 경찰청장의 승인을 받아 지구대 또는 파출소를 둘 수 있다.
> ② 시 · 도경찰청장은 제1항에 따른 사무분장이 임시로 필요한 경우에는 출장소를 둘 수 있다.
> ③ 지구대 · 파출소 및 출장소의 명칭 · 위치 및 관할구역과 그 밖에 필요한 사항은 시 · 도경찰청장이 정한다.

① [×] 국립과학수사연구권은 행정안전부 소속기관이다.

> 대통령령 **경찰청과 그 소속기관 직제 제2조【소속기관】** ① 경찰청장의 관장사무를 지원하기 위하여 경찰청장 소속으로 경찰대학 · 경찰인재개발원 · 중앙경찰학교 및 경찰수사연수원을 둔다.

② [×] 시 · 도경찰청장이 정한다.

③ [×] 시 · 도경찰청장이 경찰청장의 승인을 받아 지구대 또는 파출소를 둘 수 있다.

> 대통령령 **경찰청과 그 소속기관 직제 제43조【지구대 등】** ① 시 · 도경찰청장은 경찰서장의 소관사무를 분장하기 위하여 행정안전부령으로 정하는 바에 따라 경찰청장의 승인을 받아 지구대 또는 파출소를 둘 수 있다.

## 주제 4 경찰위원회

### 01 국가경찰위원회

**014** 「국가경찰과 자치경찰의 조직 및 운영에 관한 법률」에 관한 설명으로 가장 적절한 것은? [2019 채용 2차]

① 1991년 「경찰법」 제정으로 내무부 치안국장이 경찰청장으로 변경되었고, 경찰청장은 행정관청으로 승격되었다.

② 「국가경찰과 자치경찰의 조직 및 운영에 관한 법률」 제8조에 따를 때 국가경찰위원회 위원은 「국가공무원법」상 비밀엄수의무와 정치운동금지의무를 진다.

③ 경찰서장 소속으로 지구대 또는 파출소를 두고, 그 설치기준은 치안수요 · 교통 · 지리 등 관할구역의 특성을 고려하여 대통령령으로 정한다.

④ 경찰청의 사무를 지역적으로 분담하여 수행하게 하기 위해 경찰청장 소속으로 시 · 도경찰청을 두고, 시 · 도경찰청장 소속으로 경찰서를 둔다.

**정답 및 해설 I ②**

② [○]

> **경찰법 제8조 【국가경찰위원회 위원의 임명 및 결격사유 등】** ⑥ 위원에 대해서는 「국가공무원법」 제60조(➔ 비밀엄수의무) 및 제65조(➔ 정치운동금지)를 준용한다.

① [×] 1991년 경찰법의 제정으로 내무부 치안본부장이 경찰청장으로 변경되었다.

③ [×] 대통령령이 아닌 행정안전부령으로 정한다.

> **경찰법 제30조 【경찰서장】** ③ 경찰서장 소속으로 지구대 또는 파출소를 두고, 그 설치기준은 치안수요 · 교통 · 지리 등 관할구역의 특성을 고려하여 행정안전부령으로 정한다. 다만, 필요한 경우에는 출장소를 둘 수 있다.

④ [×] '경찰청의 사무를'이라는 표현은 자치경찰제가 도입되기 전 경찰법상의 표현이었다. 또한 당시에도 지방경찰청(현재의 시 · 도경찰청)은 시 · 도지사 소속이었다.

> **경찰법 제13조 【경찰사무의 지역적 분장기관】** 경찰의 사무를 지역적으로 분담하여 수행하게 하기 위하여 특별시 · 광역시 · 특별자치시 · 도 · 특별자치도(이하 "시 · 도"라 한다)에 시 · 도경찰청을 두고, 시 · 도경찰청장 소속으로 경찰서를 둔다.

**015** 「국가경찰과 자치경찰의 조직 및 운영에 관한 법률」상 다음 (　　) 안에 들어갈 숫자의 합은? [2020 채용 1차]

> ㉠ 국가경찰위원회는 위원장 1명을 포함한 (　)명의 위원으로 구성한다.
> ㉡ 국가경찰위원회 위원 중 (　)명은 법관의 자격이 있는 사람이어야 한다.
> ㉢ 국가경찰위원회 위원의 임기는 (　)년으로 하며, 연임할 수 없다.
> ㉣ 경찰청장의 임기는 (　)년으로 하고, 중임할 수 없다.

① 13　　② 14
③ 15　　④ 16

**정답 및 해설 I ②**

② [○] 7 + 2 + 3 + 2 = 14

㉠ 7

> 경찰법 제7조 【국가경찰위원회의 설치】 ② 국가경찰위원회는 위원장 1명을 포함한 7명의 위원으로 구성하되, 위원장 및 5명의 위원은 비상임으로 하고, 1명의 위원은 상임으로 한다.

㉡ 2

> 경찰법 제8조 【국가경찰위원회 위원의 임명 및 결격사유 등】 ③ 위원 중 2명은 법관의 자격이 있는 사람이어야 한다.

㉢ 3

> 경찰법 제9조 【국가경찰위원회 위원의 임기 및 신분보장】 ① 위원의 임기는 3년으로 하며, 연임할 수 없다. 이 경우 보궐위원의 임기는 전임자 임기의 남은 기간으로 한다.

㉣ 2

> 경찰법 제14조 【경찰청장】 ④ 경찰청장의 임기는 2년으로 하고, 중임할 수 없다.



## 016 '국가경찰위원회'에 대한 설명으로 가장 적절하지 않은 것은? [2018 승진(경위)]

① 「국가경찰과 자치경찰의 조직 및 운영에 관한 법률」에 근거를 두고 설치된 기관으로, 행정안전부 소속 합의제 심의 · 의결기관이다.

② 위원회는 위원장 1명을 포함한 7명의 위원으로 구성하되, 위원장 및 5명의 위원은 비상임으로 하고, 1명의 위원은 상임으로 한다.

③ 위원은 경찰청장의 제청으로 행정안전부장관을 거쳐 대통령이 임명한다.

④ 경찰, 검찰, 국가정보원 직원 또는 군인의 직에서 퇴직한 날부터 3년이 지나지 아니한 사람은 위원이 될 수 없다.

**정답 및 해설 I ③**

③ [×] 행정안전부장관이 제청으로 국무총리를 거쳐 대통령이 임명한다.

> 경찰법 제8조 【국가경찰위원회 위원의 임명 및 결격사유 등】 ① 위원은 행정안전부장관의 제청으로 국무총리를 거쳐 대통령이 임명한다.

①② [○]

> 경찰법 제7조 【국가경찰위원회의 설치】 ① 국가경찰행정에 관하여 제10조 제1항 각 호의 사항을 심의 · 의결하기 위하여 행정안전부에 국가경찰위원회를 둔다.
> ② 국가경찰위원회는 위원장 1명을 포함한 7명의 위원으로 구성하되, 위원장 및 5명의 위원은 비상임으로 하고, 1명의 위원은 상임으로 한다.

④ [○]

> 경찰법 제8조 【국가경찰위원회 위원의 임명 및 결격사유 등】 ⑤ 다음 각 호의 어느 하나에 해당하는 사람은 위원이 될 수 없으며, 위원이 다음 각 호의 어느 하나에 해당하는 경우에는 당연퇴직한다.
> 1. 정당의 당원이거나 당적을 이탈한 날부터 3년이 지나지 아니한 사람
> 2. 선거에 의하여 취임하는 공직에 있거나 그 공직에서 퇴직한 날부터 3년이 지나지 아니한 사람
> 3. 경찰, 검찰, 국가정보원 직원 또는 군인의 직에 있거나 그 직에서 퇴직한 날부터 3년이 지나지 아니한 사람
> 4. 「국가공무원법」 제33조 각 호(➜ 국가공무원법상의 결격사유)의 어느 하나에 해당하는 사람. 다만, 「국가공무원법」 제33조 제2호 및 제5호에 해당하는 경우에는 같은 법 제69조 제1호 단서에 따른다.

**017** 「국가경찰과 자치경찰의 조직 및 운영에 관한 법률」상 국가경찰위원회에 대한 규정이다. 아래 ㉠부터 ㉣까지의 설명 중 옳고 그름의 표시(○, ×)가 바르게 된 것은? [2017 채용 1차]

> ㉠ 국가경찰위원회는 위원장 1명을 포함한 7명의 위원으로 구성하되, 위원장 및 5명의 위원은 상임으로 하고, 1명의 위원은 비상임으로 한다.
> ㉡ 위원 중 3명은 법관의 자격이 있는 사람이어야 한다.
> ㉢ 위원은 행정안전부장관의 제청으로 국무총리를 거쳐 대통령이 임명한다.
> ㉣ 위원의 임기는 3년으로 하며, 연임할 수 있다. 이 경우 보궐위원의 임기는 전임자 임기의 남은 기간으로 한다.

① ㉠(×) ㉡(×) ㉢(○) ㉣(×)
② ㉠(○) ㉡(×) ㉢(×) ㉣(○)
③ ㉠(×) ㉡(○) ㉢(○) ㉣(○)
④ ㉠(○) ㉡(○) ㉢(○) ㉣(×)

**정답 및 해설 I ①**

㉠ [×] 위원장 및 5명의 위원(총 6명)이 비상임이고, 1명의 위원은 상임으로 한다.

> 경찰법 제7조 【국가경찰위원회의 설치】 ② 국가경찰위원회는 위원장 1명을 포함한 7명의 위원으로 구성하되, 위원장 및 5명의 위원은 비상임으로 하고, 1명의 위원은 상임으로 한다.

㉡ [×]

> 경찰법 제8조 【국가경찰위원회 위원의 임명 및 결격사유 등】 ③ 위원 중 2명은 법관의 자격이 있는 사람이어야 한다.

㉢ [○]

> 경찰법 제8조 【국가경찰위원회 위원의 임명 및 결격사유 등】 ① 위원은 행정안전부장관의 제청으로 국무총리를 거쳐 대통령이 임명한다.

㉣ [×] 연임할 수 없다.

> 경찰법 제9조 【국가경찰위원회 위원의 임기 및 신분보장】 ① 위원의 임기는 3년으로 하며, 연임할 수 없다. 이 경우 보궐위원의 임기는 전임자 임기의 남은 기간으로 한다.

**018** 국가경찰위원회에 대한 설명 중 가장 적절하지 않은 것은? [2020 승진(경위)]

① 위원회는 위원장 1명을 포함한 7명의 위원으로 구성하되, 위원장 및 5명의 위원은 비상임으로 하고, 1명의 위원은 상임으로 하며, 위원장은 정무직으로 한다.
② 위원 중 2명은 법관의 자격이 있는 사람이어야 한다.
③ 당적을 이탈한 날부터 3년이 지나지 아니한 사람, 선거에 의하여 취임하는 공직에서 퇴직한 날부터 3년이 지나지 아니한 사람은 위원이 될 수 없다.
④ 위원은 행정안전부장관의 제청으로 국무총리를 거쳐 대통령이 임명한다.

**정답 및 해설 I ①**

① [×] 상임위원이 정무직이며, 위원장은 비상임위원 중에서 호선한다.

> 경찰법 제7조【국가경찰위원회의 설치】② 국가경찰위원회는 위원장 1명을 포함한 7명의 위원으로 구성하되, 위원장 및 5명의 위원은 비상임으로 하고, 1명의 위원은 상임으로 한다.
>
> 대통령령 국가경찰위원회 규정 제3조【위원의 예우등】② 상임위원은 정무직으로 한다.

② [○]

> 경찰법 제8조【국가경찰위원회 위원의 임명 및 결격사유 등】③ 위원 중 2명은 법관의 자격이 있는 사람이어야 한다.

③ [○]

> 경찰법 제8조【국가경찰위원회 위원의 임명 및 결격사유 등】③ 위원 중 2명은 법관의 자격이 있는 사람이어야 한다. [2012 채용 1차, 2018 · 2020 승진(경위)]
>
> ④ 위원은 특정 성(性)이 10분의 6을 초과하지 아니하도록 노력하여야 한다.
>
> ⑤ 다음 각 호의 어느 하나에 해당하는 사람은 위원이 될 수 없으며, 위원이 다음 각 호의 어느 하나에 해당하는 경우에는 당연퇴직한다.
>
> 1. 정당의 당원이거나 당적을 이탈한 날부터 3년이 지나지 아니한 사람
> 2. 선거에 의하여 취임하는 공직에 있거나 그 공직에서 퇴직한 날부터 3년이 지나지 아니한 사람
> 3. 경찰, 검찰, 국가정보원 직원 또는 군인의 직에 있거나 그 직에서 퇴직한 날부터 3년이 지나지 아니한 사람
> 4. 「국가공무원법」 제33조 각 호(➜ 국가공무원법상의 결격사유)의 어느 하나에 해당하는 사람. 다만, 「국가공무원법」 제33조 제2호 및 제5호에 해당하는 경우에는 같은 법 제69조 제1호 단서에 따른다.

④ [○]

> 경찰법 제8조【국가경찰위원회 위원의 임명 및 결격사유 등】① 위원은 행정안전부장관의 제청으로 국무총리를 거쳐 대통령이 임명한다.

## 019 「국가경찰과 자치경찰의 조직 및 운영에 관한 법률」상 국가경찰위원회에 대한 설명으로 가장 적절한 것은?

[2020 승진(경감)]

① 위원장은 정무직으로 한다.

② 위원회는 위원장 1명을 포함한 7명의 위원으로 구성하되, 위원장 및 5명의 위원은 상임으로 하고, 1명의 의원은 비상임으로 한다.

③ 위원은 경찰청장의 제청으로 행정안전부장관을 거쳐 대통령이 임명한다.

④ 위원의 임기는 3년으로 하며, 연임할 수 없다. 이 경우 보궐위원의 임기는 전임자 임기의 남은 기간으로 한다.

**정답 및 해설 I ④**

④ [○]

> 경찰법 제9조【국가경찰위원회 위원의 임기 및 신분보장】① 위원의 임기는 3년으로 하며, 연임할 수 없다. 이 경우 보궐위원의 임기는 전임자 임기의 남은 기간으로 한다.

① [×] 상임위원은 정무직으로 한다.

> 대통령령 국가경찰위원회 규정 제3조【위원의 예우등】② 상임위원은 정무직으로 한다.

② [×] 위원장 및 5명의 위원은 비상임으로 하고, 1명의 위원은 상임으로 한다.

> 경찰법 제7조【국가경찰위원회의 설치】② 국가경찰위원회는 위원장 1명을 포함한 7명의 위원으로 구성하되, 위원장 및 5명의 위원은 비상임으로 하고, 1명의 위원은 상임으로 한다.

③ [×] 위원은 행정안전부장관의 제청으로 국무총리을 거쳐 대통령이 임명한다.

> 경찰법 제8조【국가경찰위원회 위원의 임명 및 결격사유 등】① 위원은 행정안전부장관의 제청으로 국무총리를 거쳐 대통령이 임명한다.

**020** 「국가경찰과 자치경찰의 조직 및 운영에 관한 법률」상 국가경찰위원회에 관한 다음 설명 중 가장 적절하지 않은 것은? [2014 채용 2차]

① 위원과 위원장은 행정안전부장관의 제청으로 국무총리를 거쳐 대통령이 임명한다.

② 행정안전부장관은 심의 · 의결 내용이 적정하지 아니하다고 판단할 때에는 재의를 요구할 수 있다.

③ 위원은 중대한 신체상 또는 정신상의 장애로 직무를 수행할 수 없게 된 경우를 제외하고는 그 의사에 반하여 면직되지 아니한다.

④ 경찰, 검찰, 국가정보원 직원 또는 군인의 직(職)에서 퇴직한 날부터 3년이 지나지 아니한 사람은 위원이 될 수 없다.

**정답 및 해설 I ①**

① [×] 위원장은 호선한다.

> 경찰법 제8조【국가경찰위원회 위원의 임명 및 결격사유 등】① 위원은 행정안전부장관의 제청으로 국무총리를 거쳐 대통령이 임명한다.
>
> 대통령령 국가경찰위원회 규정 제2조【위원장】② 위원장은 비상임위원중에서 호선한다.

② [○]

> 경찰법 제10조【국가경찰위원회의 심의 · 의결 사항 등】② 행정안전부장관은 제1항에 따라 심의 · 의결된 내용이 적정하지 아니하다고 판단할 때에는 재의를 요구할 수 있다.

③ [○]

> 경찰법 제9조【국가경찰위원회 위원의 임기 및 신분보장】② 위원은 중대한 신체상 또는 정신상의 장애로 직무를 수행할 수 없게 된 경우를 제외하고는 그 의사에 반하여 면직되지 아니한다.

④ [○]

> 경찰법 제8조【국가경찰위원회 위원의 임명 및 결격사유 등】⑤ 다음 각 호의 어느 하나에 해당하는 사람은 위원이 될 수 없으며, 위원이 다음 각 호의 어느 하나에 해당하는 경우에는 당연퇴직한다.
> 1. 정당의 당원이거나 당적을 이탈한 날부터 3년이 지나지 아니한 사람
> 2. 선거에 의하여 취임하는 공직에 있거나 그 공직에서 퇴직한 날부터 3년이 지나지 아니한 사람
> 3. 경찰, 검찰, 국가정보원 직원 또는 군인의 직에 있거나 그 직에서 퇴직한 날부터 3년이 지나지 아니한 사람
> 4. 「국가공무원법」 제33조 각 호(➔ 국가공무원법상의 결격사유)의 어느 하나에 해당하는 사람. 다만, 「국가공무원법」 제33조 제2호 및 제5호에 해당하는 경우에는 같은 법 제69조 제1호 단서에 따른다.

**021** 「국가경찰과 자치경찰의 조직 및 운영에 관한 법률」상 국가경찰위원회에 대한 설명으로 가장 적절하지 않은 것은? [2018 채용 3차 변형]

① 위원의 임기는 3년으로 하며, 연임할 수 없다.

② 경찰, 검찰, 법관, 국가정보원 직원 또는 군인의 직에서 퇴직한 날부터 3년이 지나지 아니한 사람은 위원이 될 수 없다.

③ 위원은 중대한 신체상 또는 정신상의 장애로 직무를 수행할 수 없게 된 경우를 제외하고는 그 의사에 반하여 면직되지 아니한다.

④ 심의 · 의결사항에는 국가경찰사무 외에 다른 국가기관으로부터의 업무협조 요청에 관한 사항도 포함된다.

**정답 및 해설 I ②**

② [×] 법관은 포함되지 아니한다.

> 경찰법 제8조【국가경찰위원회 위원의 임명 및 결격사유 등】⑤ 다음 각 호의 어느 하나에 해당하는 사람은 위원이 될 수 없으며, 위원이 다음 각 호의 어느 하나에 해당하는 경우에는 당연퇴직한다.
> 3. 경찰, 검찰, 국가정보원 직원 또는 군인의 직에 있거나 그 직에서 퇴직한 날부터 3년이 지나지 아니한 사람

①③ [○]

> 경찰법 제9조【국가경찰위원회 위원의 임기 및 신분보장】① 위원의 임기는 3년으로 하며, 연임할 수 없다. 이 경우 보궐위원의 임기는 전임자 임기의 남은 기간으로 한다.
> ② 위원은 중대한 신체상 또는 정신상의 장애로 직무를 수행할 수 없게 된 경우를 제외하고는 그 의사에 반하여 면직되지 아니한다.

④ [○]

> 경찰법 제10조【국가경찰위원회의 심의 · 의결 사항 등】① 다음 각 호의 사항은 국가경찰위원회의 심의 · 의결을 거쳐야 한다.
> 1. 국가경찰사무에 관한 인사, 예산, 장비, 통신 등에 관한 주요정책 및 경찰 업무 발전에 관한 사항
> 2. 국가경찰사무에 관한 인권보호와 관련되는 경찰의 운영 · 개선에 관한 사항
> 3. 국가경찰사무 담당 공무원의 부패 방지와 청렴도 향상에 관한 주요 정책사항
> 4. 국가경찰사무 외에 다른 국가기관으로부터의 업무협조 요청에 관한 사항 [2018 채용 3차]
> 5. 제주특별자치도의 자치경찰에 대한 경찰의 지원 · 협조 및 협약체결의 조정 등에 관한 주요 정책사항
> 6. 제18조에 따른 시 · 도자치경찰위원회 위원 추천, 자치경찰사무에 대한 주요 법령 · 정책 등에 관한 사항, 제25조 제4항에 따른 시 · 도자치경찰위원회 의결에 대한 재의 요구에 관한 사항
> 7. 제2조에 따른 시책 수립에 관한 사항
> 8. 제32조에 따른 비상사태 등 전국적 치안유지를 위한 경찰청장의 지휘 · 명령에 관한 사항
> 9. 그 밖에 행정안전부장관 및 경찰청장이 중요하다고 인정하여 국가경찰위원회의 회의에 부친 사항

## 022 「국가경찰과 자치경찰의 조직 및 운영에 관한 법률」 제10조에 따른 국가경찰위원회의 심의 · 의결 사항에 관한 내용으로 가장 적절하지 <u>않은</u> 것은? [2023 채용 1차]

① 국가경찰사무에 관한 인사, 예산, 장비, 통신 등에 관한 주요 정책 및 경찰 업무 발전에 관한 사항

② 국가경찰사무에 관한 인권보호와 관련되는 경찰의 운영 · 개선에 관한 사항

③ 지방행정과 치안행정의 업무조정에 관한 사항

④ 제주특별자치도의 자치경찰에 대한 경찰의 지원 · 협조 및 협약 체결의 조정 등에 관한 주요 정책사항

**정답 및 해설 I ③**

③ [×] **시 · 도자치경찰위원회 소관사무**에 해당한다.

> 경찰법 제10조【국가경찰위원회의 심의 · 의결 사항 등】① 다음 각 호의 사항은 국가경찰위원회의 심의 · 의결을 거쳐야 한다.
> 1. 국가경찰사무에 관한 인사, 예산, 장비, 통신 등에 관한 주요정책 및 경찰 업무 발전에 관한 사항
> 2. 국가경찰사무에 관한 인권보호와 관련되는 경찰의 운영 · 개선에 관한 사항
> 3. 국가경찰사무 담당 공무원의 부패 방지와 청렴도 향상에 관한 주요 정책사항
> 4. 국가경찰사무 외에 다른 국가기관으로부터의 업무협조 요청에 관한 사항
> 5. 제주특별자치도의 자치경찰에 대한 경찰의 지원 · 협조 및 협약체결의 조정 등에 관한 주요 정책사항
> 6. 제18조에 따른 시 · 도자치경찰위원회 위원 추천, 자치경찰사무에 대한 주요 법령 · 정책 등에 관한 사항, 제25조 제4항에 따른 시 · 도자치경찰위원회 의결에 대한 재의 요구에 관한 사항
> 7. 제2조에 따른 시책 수립에 관한 사항
> 8. 제32조에 따른 비상사태 등 전국적 치안유지를 위한 경찰청장의 지휘 · 명령에 관한 사항
> 9. 그 밖에 행정안전부장관 및 경찰청장이 중요하다고 인정하여 국가경찰위원회의 회의에 부친 사항

①②④ [○] 경찰법 제10조 제1항

## 023 「국가경찰과 자치경찰의 조직과 운영에 관한 법률」상 국가경찰위원회에 대한 설명으로 적절한 것은 모두 몇 개인가?

[2023 경간]

가. 국가 경찰위원회는 위원장 1명을 포함한 7명의 위원으로 구성하되, 위원장은 당연직 상임이며, 5명의 위원은 비상임으로 하고, 1명의 위원은 상임으로 한다.
나. 위원의 임기는 3년으로 하며, 연임할 수 있다. 이 경우 보궐위원의 임기는 전임자 임기의 남은 기간으로 한다.
다. 국가경찰위원회의 사무는 자체에서 수행한다.
라. 국가경찰위원회의 회의는 재적위원 과반수의 출석과 출석위원 과반수의 찬성으로 의결한다.

① 0개　② 1개
③ 2개　④ 3개

**정답 및 해설 I ②**

가. [×] 국가경찰위원회는 위원장 1명을 포함한 7명의 위원으로 구성하되, **위원장 및 5명의 위원은 비상임**으로 하고, 1명의 위원은 상임(**정무직**)으로 한다(경찰법 제7조 제2항).
나. [×] 위원의 임기는 3년으로 하며, **연임할 수 없다**. 이 경우 보궐위원의 임기는 전임자 임기의 남은 기간으로 한다(경찰법 제9조 제1항).
다. [×] 국가경찰위원회의 사무는 **경찰청**에서 수행한다(경찰법 제11조 제1항).
라. [○] 경찰법 제11조 제2항

## 024 「국가경찰과 자치경찰의 조직 및 운영에 관한 법률」상 국가경찰위원회에 대한 다음 설명 중 옳은 것은 모두 몇 개인가?

[2016 경간]

㉠ 국가경찰위원회는 위원장 1명을 포함한 7명의 위원으로 구성하되. 위원장 및 5명의 위원은 상임으로 하고, 1명의 위원은 비상임으로 한다.
㉡ 위원은 행정안전부장관의 제청으로 국무총리를 거쳐 대통령이 임명한다.
㉢ 경찰, 검찰, 국가정보원 직원 또는 군인의 직에서 퇴직한 날부터 3년이 지나지 아니한 사람은 위원이 될 수 없다.
㉣ 위원의 임기는 3년으로 하며, 연임할 수 있다.
㉤ 위원회의 회의는 재적위원 과반수의 출석과 출석위원 과반수의 찬성으로 의결한다.
㉥ 위원은 중대한 신체상 또는 정신상의 장애로 직무를 수행할 수 없게 된 경우를 제외하고는 그 의사에 반하여 면직되지 아니한다.

① 2개　② 3개
③ 4개　④ 5개

**정답 및 해설 I ③**

㉠ [×] 위원장 및 5명의 위원(총 6명 비상임)은 비상임으로 하고, 1명의 위원이 상임이다.

> 경찰법 제7조 **【국가경찰위원회의 설치】** ② 국가경찰위원회는 위원장 1명을 포함한 7명의 위원으로 구성하되, 위원장 및 5명의 위원은 비상임으로 하고, 1명의 위원은 상임으로 한다.

Ⓛ [○]

> 경찰법 제8조 【국가경찰위원회 위원의 임명 및 결격사유 등】 ① 위원은 행정안전부장관의 제청으로 국무총리를 거쳐 대통령이 임명한다.

ⓒ [○]

> 경찰법 제8조 【국가경찰위원회 위원의 임명 및 결격사유 등】 ⑤ 다음 각 호의 어느 하나에 해당하는 사람은 위원이 될 수 없으며, 위원이 다음 각 호의 어느 하나에 해당하는 경우에는 당연퇴직한다.
> 3. 경찰, 검찰, 국가정보원 직원 또는 군인의 직에 있거나 그 직에서 퇴직한 날부터 3년이 지나지 아니한 사람

ⓔ [×] 연임할 수 없다.

> 경찰법 제9조 【국가경찰위원회 위원의 임기 및 신분보장】 ① 위원의 임기는 3년으로 하며, 연임할 수 없다. 이 경우 보궐위원의 임기는 전임자 임기의 남은 기간으로 한다.

ⓜ [○]

> 경찰법 제11조 【국가경찰위원회의 운영 등】 ② 국가경찰위원회의 회의는 재적위원 과반수의 출석과 출석위원 과반수의 찬성으로 의결한다.

ⓑ [○]

> 경찰법 제9조 【국가경찰위원회 위원의 임기 및 신분보장】 ② 위원은 중대한 신체상 또는 정신상의 장애로 직무를 수행할 수 없게 된 경우를 제외하고는 그 의사에 반하여 면직되지 아니한다.

## 025 「국가경찰과 자치경찰의 조직 및 운영에 관한 법률」상 국가경찰위원회에 대한 설명으로 가장 적절한 것은?

[2017 채용 2차]

① 국가경찰위원회는 경찰의 민주주의와 정치적 중립성을 보장하기 위하여 경찰청에 설치한 독립적 심의 · 의결 기구이다.

② 국가경찰위원회는 위원장 1명을 포함한 7명의 위원으로 구성되며, 위원장 및 1명의 위원은 상임으로 하고, 5명의 위원은 비상임으로 한다.

③ 국가경찰사무 담당 공무원의 부패 방지와 청렴도 향상에 관한 주요 정책사항은 국가경찰위원회의 심의 · 의결을 거쳐야 한다.

④ 국가경찰위원회의 회의는 재적위원 과반수의 출석과 재적위원 과반수의 찬성으로 의결한다.

**정답 및 해설 I ③**

③ [○]

> 경찰법 제10조 【국가경찰위원회의 심의 · 의결 사항 등】 ① 다음 각 호의 사항은 국가경찰위원회의 심의 · 의결을 거쳐야 한다.
> 3. 국가경찰사무 담당 공무원의 부패 방지와 청렴도 향상에 관한 주요 정책사항

① [×] 행정안전부에 두는 독립적 심의 · 의결 기구이다.

② [×] 위원장 및 5명의 위원(6명)은 비상임으로 하고, 1명의 위원은 상임으로 한다.

> 경찰법 제7조 【국가경찰위원회의 설치】 ① 국가경찰행정에 관하여 제10조 제1항 각 호의 사항을 심의 · 의결하기 위하여 행정안전부에 국가경찰위원회를 둔다.
> ② 국가경찰위원회는 위원장 1명을 포함한 7명의 위원으로 구성하되, 위원장 및 5명의 위원은 비상임으로 하고, 1명의 위원은 상임으로 한다.

④ [×] 재적위원이 아닌 '출석위원' 과반수의 찬성으로 의결한다.

> 경찰법 제11조 【국가경찰위원회의 운영 등】 ② 국가경찰위원회의 회의는 재적위원 과반수의 출석과 출석위원 과반수의 찬성으로 의결한다.

## 026 「국가경찰과 자치경찰의 조직 및 운영에 관한 법률」상 국가경찰위원회에 대한 설명으로 가장 적절한 것은?

[2018 승진(경감)]

① 국가경찰위원회는 경찰의 정치적 중립 보장과 중요 정책에 대한 민주적 결정을 위해 설치된 기구로서 행정안전부에 두고, 위원회의 사무도 행정안전부에서 수행한다.

② 경찰, 검찰, 국가정보원 직원 또는 군인의 직에서 퇴직한 날부터 3년이 지나지 아니한 사람은 위원으로 선임될 수 없다.

③ 위원의 임기는 3년으로 하며, 연임할 수 있다.

④ 국가경찰 임무와 관련된 다른 국가기관으로부터의 업무협조 요청에 관한 사항은 국가경찰위원회의 심의·의결을 거쳐야 한다.

**정답 및 해설 | ②**

② [○]

> **경찰법 제8조【국가경찰위원회 위원의 임명 및 결격사유 등】** ⑤ 다음 각 호의 어느 하나에 해당하는 사람은 위원이 될 수 없으며, 위원이 다음 각 호의 어느 하나에 해당하는 경우에는 당연퇴직한다.
> 3. 경찰, 검찰, 국가정보원 직원 또는 군인의 직에 있거나 그 직에서 퇴직한 날부터 3년이 지나지 아니한 사람

① [×] 국가경찰위원회의 사무는 경찰청에서 수행한다.

> **경찰법 제7조【국가경찰위원회의 설치】** ① 국가경찰행정에 관하여 제10조 제1항 각 호의 사항을 심의·의결하기 위하여 행정안전부에 국가경찰위원회를 둔다.
> **경찰법 제11조【국가경찰위원회의 운영 등】** ① 국가경찰위원회의 사무는 경찰청에서 수행한다.

③ [×] 연임할 수 없다.

> **경찰법 제9조【국가경찰위원회 위원의 임기 및 신분보장】** ① 위원의 임기는 3년으로 하며, 연임할 수 없다. 이 경우 보궐위원의 임기는 전임자 임기의 남은 기간으로 한다.

④ [×] 국가경찰사무 '외' 다른 국가기관으로부터 업무협조 요청에 관한 사항이어야 한다.

> **경찰법 제10조【국가경찰위원회의 심의·의결 사항 등】** ① 다음 각 호의 사항은 국가경찰위원회의 심의·의결을 거쳐야 한다.
> 4. 국가경찰사무 외에 다른 국가기관으로부터의 업무협조 요청에 관한 사항

**027** 다음은 「국가경찰과 자치경찰의 조직 및 운영에 관한 법률」상 국가경찰위원회에 대한 규정이다. 아래 ㉠부터 ㉤까지의 설명으로 옳고 그름의 표시(○, ×)가 바르게 된 것은? [2017 승진(경위)]

| |
|---|
| ㉠ 국가경찰위원회는 위원장 1명을 포함한 7명의 위원으로 구성하되, 6명의 위원은 비상임으로 하고, 위원장은 상임으로 한다.<br>㉡ 국가경찰위원회 위원은 중대한 신체상 또는 정신상의 장애로 직무를 수행할 수 없게 된 경우를 제외하고는 그 의사에 반하여 면직되지 아니한다.<br>㉢ 경찰, 검찰, 법관, 국가정보원 직원 또는 군인의 직에서 퇴직한 날부터 3년이 지나지 아니한 사람은 국가경찰위원회의 위원이 될 수 없다.<br>㉣ 국가경찰위원회의 사무는 경찰청에서 수행하고, 국가경찰위원회의 회의는 재적위원 과반수의 출석과 재적위원 과반수의 찬성으로 의결한다.<br>㉤ 국가경찰사무와 관련하여 다른 국가기관으로부터 업무협조 요청에 관한 사항은 국가경찰위원회의 심의·의결 사항이다. |

① ㉠(○) ㉡(×) ㉢(○) ㉣(○) ㉤(×)
② ㉠(×) ㉡(○) ㉢(×) ㉣(×) ㉤(○)
③ ㉠(×) ㉡(○) ㉢(×) ㉣(×) ㉤(×)
④ ㉠(×) ㉡(×) ㉢(○) ㉣(○) ㉤(○)

**정답 및 해설 I** ③

㉠ [×] 6명이 비상임이고 1명이 상임인 것은 옳으나, 위원장은 비상임이다.

> 경찰법 제7조 【국가경찰위원회의 설치】 ② 국가경찰위원회는 위원장 1명을 포함한 7명의 위원으로 구성하되, 위원장 및 5명의 위원은 비상임으로 하고, 1명의 위원은 상임으로 한다.

㉡ [○]

> 경찰법 제9조 【국가경찰위원회 위원의 임기 및 신분보장】 ② 위원은 중대한 신체상 또는 정신상의 장애로 직무를 수행할 수 없게 된 경우를 제외하고는 그 의사에 반하여 면직되지 아니한다.

㉢ [×] 법관은 포함되지 않는다.

> 경찰법 제8조 【국가경찰위원회 위원의 임명 및 결격사유 등】 ⑤ 다음 각 호의 어느 하나에 해당하는 사람은 위원이 될 수 없으며, 위원이 다음 각 호의 어느 하나에 해당하는 경우에는 당연퇴직한다.
> 3. 경찰, 검찰, 국가정보원 직원 또는 군인의 직에 있거나 그 직에서 퇴직한 날부터 3년이 지나지 아니한 사람

㉣ [×]

> 경찰법 제11조 【국가경찰위원회의 운영 등】 ① 국가경찰위원회의 사무는 경찰청에서 수행한다.
> ② 국가경찰위원회의 회의는 재적위원 과반수의 출석과 출석위원 과반수의 찬성으로 의결한다.

㉤ [×]

> 경찰법 제10조 【국가경찰위원회의 심의·의결 사항 등】 ① 다음 각 호의 사항은 국가경찰위원회의 심의·의결을 거쳐야 한다.
> 4. 국가경찰사무 외에 다른 국가기관으로부터의 업무협조 요청에 관한 사항

**028** 「국가경찰과 자치경찰의 조직 및 운영에 관한 법률」상 국가경찰위원회에 대한 설명으로 가장 적절하지 않은 것은? [2018 실무 1]

① 국가경찰위원회는 위원장 1명을 포함한 7명의 위원으로 구성하되, 위원장 및 5명의 위원은 비상임(非常任)으로 하고, 1명의 위원은 상임(常任)으로 한다.

② 위원장이 사고가 있을 때에는 상임위원, 위원 중 연장자순으로 위원장의 직무를 대리한다.

③ 제주특별자치도의 자치경찰에 대한 국가경찰의 지원 · 협조 및 협약체결의 조정 등에 관한 주요 정책사항은 국가경찰위원회의 심의 · 의결을 거쳐야 한다.

④ 상임위원은 별정직으로 한다.

**정답 및 해설 I ④**

④ [×] 상임위원은 정무직으로 한다.

> 대통령령 **국가경찰위원회 규정 제3조【위원의 예우등】** ① 위원중 상임이 아닌 위원에게는 예산의 범위안에서 수당과 여비를 지급할 수 있다.
> ② 상임위원은 정무직으로 한다.

① [○]

> **경찰법 제7조【국가경찰위원회의 설치】** ② 국가경찰위원회는 위원장 1명을 포함한 7명의 위원으로 구성하되, 위원장 및 5명의 위원은 비상임으로 하고, 1명의 위원은 상임으로 한다.

② [○]

> 대통령령 **국가경찰위원회 규정 제2조【위원장】** ③ 위원장이 사고가 있을 때에는 상임위원, 위원중 연장자순으로 위원장의 직무를 대리한다.

③ [○] 제5호에 규정되어 있다.

> **경찰법 제10조【국가경찰위원회의 심의 · 의결 사항 등】** ① 다음 각 호의 사항은 국가경찰위원회의 심의 · 의결을 거쳐야 한다.
> 1. 국가경찰사무에 관한 인사, 예산, 장비, 통신 등에 관한 주요정책 및 경찰 업무 발전에 관한 사항
> 2. 국가경찰사무에 관한 인권보호와 관련되는 경찰의 운영 · 개선에 관한 사항
> 3. 국가경찰사무 담당 공무원의 부패 방지와 청렴도 향상에 관한 주요 정책사항
> 4. 국가경찰사무 외에 다른 국가기관으로부터의 업무협조 요청에 관한 사항
> 5. 제주특별자치도의 자치경찰에 대한 경찰의 지원 · 협조 및 협약체결의 조정 등에 관한 주요 정책사항
> 6. 제18조에 따른 시 · 도자치경찰위원회 위원 추천, 자치경찰사무에 대한 주요 법령 · 정책 등에 관한 사항, 제25조 제4항에 따른 시 · 도자치경찰위원회 의결에 대한 재의 요구에 관한 사항
> 7. 제2조에 따른 시책 수립에 관한 사항
> 8. 제32조에 따른 비상사태 등 전국적 치안유지를 위한 경찰청장의 지휘 · 명령에 관한 사항
> 9. 그 밖에 행정안전부장관 및 경찰청장이 중요하다고 인정하여 국가경찰위원회의 회의에 부친 사항

**029** '국가경찰과 자치경찰의 조직 및 운영에 관한 법률'과 대통령령인 '국가경찰위원회 규정'상 국가경찰위원회에 대한 다음 설명 중 가장 옳지 않은 것은? [2017 경간]

① 정기회의는 특별한 사유가 있는 경우를 제외하고는 매월 2회 위원장이 소집한다.

② 위원장은 필요한 경우 임시회의를 소집할 수 있으며, 위원 3인 이상과 행정안전부장관 또는 경찰청장은 위원장에게 임시회의의 소집을 요구할 수 있다.

③ 위원장이 사고가 있을 때에는 상임위원, 위원 중 연장자순으로 위원장의 직무를 대리한다.

④ 경찰청장은 위원회에서 심의 · 의결된 내용이 적정하지 아니하다고 판단할 때에는 재의를 요구할 수 있다.

**정답 및 해설 I ④**

④ [×] 재의요구를 할 수 있는 사람은 행정안전부장관이다.

> **경찰법 제10조【국가경찰위원회의 심의·의결 사항 등】** ② 행정안전부장관은 제1항에 따라 심의·의결된 내용이 적정하지 아니하다고 판단할 때에는 재의를 요구할 수 있다.

①② [○]

> 대통령령 **국가경찰위원회 규정 제7조【회의】** ① 위원회의 회의는 정기회의와 임시회의로 구분한다.
> ② 정기회의는 특별한 사유가 있는 경우를 제외하고는 매월 2회 위원장이 소집한다.
> ③ 위원장은 필요한 경우 임시회의를 소집할 수 있으며, 위원 3인이상과 행정안전부장관 또는 경찰청장은 위원장에게 임시회의의 소집을 요구할 수 있다. ➜ 임시회의 소집권: 위원장 / 위원장에 대한 임시회의 소집요구권: 위원 3인 이상, 행정안전부장관, 경찰청장

③ [○]

> 대통령령 **국가경찰위원회 규정 제2조【위원장】** ③ 위원장이 사고가 있을 때에는 상임위원, 위원중 연장자순으로 위원장의 직무를 대리한다.



## 030 국가경찰위원회에 대한 설명으로 적절하지 않은 것을 모두 고른 것은? [2017 실무 1]

> ㉠ 국가경찰과 자치경찰의 조직 및 운영에 관한 법률에 설치근거를 두고 있다.
> ㉡ 경찰청장은 국가경찰위원회의 의결사항이 부적당하다고 판단될 때에는 재의를 요구할 수 있다.
> ㉢ 위원회 회의는 재적위원 과반수의 출석과 출석위원 과반수의 찬성으로 의결한다.
> ㉣ 위원의 임기는 3년으로 하며, 연임할 수 있다.
> ㉤ 위원회는 위원장 1인을 포함한 7인의 위원으로 구성되며, 모두 비상임위원이다.

① ㉠, ㉡, ㉣ ② ㉠, ㉢, ㉤
③ ㉡, ㉢, ㉣ ④ ㉡, ㉣, ㉤

**정답 및 해설 I ④**

㉠ [○] ㉤ [×] 6명은 비상임, 1명은 상임이다.

> **경찰법 제7조【국가경찰위원회의 설치】** ① 국가경찰행정에 관하여 제10조 제1항 각 호의 사항을 심의·의결하기 위하여 행정안전부에 국가경찰위원회를 둔다.
> ② 국가경찰위원회는 위원장 1명을 포함한 7명의 위원으로 구성하되, 위원장 및 5명의 위원은 비상임으로 하고, 1명의 위원은 상임으로 한다.

㉡ [×]

> **경찰법 제10조【국가경찰위원회의 심의·의결 사항 등】** ② 행정안전부장관은 제1항에 따라 심의·의결된 내용이 적정하지 아니하다고 판단할 때에는 재의를 요구할 수 있다.

㉢ [○]

> **경찰법 제11조【국가경찰위원회의 운영 등】** ② 국가경찰위원회의 회의는 재적위원 과반수의 출석과 출석위원 과반수의 찬성으로 의결한다.

㉣ [×] 연임할 수 없다.

> **경찰법 제9조【국가경찰위원회 위원의 임기 및 신분보장】** ① 위원의 임기는 3년으로 하며, 연임할 수 없다. 이 경우 보궐위원의 임기는 전임자 임기의 남은 기간으로 한다.

**031** 「국가경찰과 자치경찰의 조직 및 운영에 관한 법률」과 「국가경찰위원회 규정」상 국가경찰위원회에 대한 설명으로 가장 적절한 것은? [2021 승진(실무종합)]

① 행정안전부장관은 위원 임명을 동의할 때, 경찰의 정치적 중립이 보장되도록 하여야 한다.

② 위원장은 필요한 경우 임시회의를 소집할 수 있으며, 위원 3인 이상과 행정안전부장관 또는 경찰청장은 위원장에게 임시회의의 소집을 요구할 수 있다.

③ 경찰, 검찰, 법관, 군인의 직에서 퇴직한 날부터 3년이 지나지 아니한 사람은 위원으로 선임될 수 없다.

④ 국가경찰위원회 규정에 규정된 사항 외에 위원회의 운영을 위하여 필요한 사항은 위원회의 의결을 거쳐 행정안전부장관이 정한다.

**정답 및 해설 I ②**

② [○]

> 대통령령 **국가경찰위원회 규정 제7조【회의】** ③ 위원장은 필요한 경우 임시회의를 소집할 수 있으며, 위원 3인이상과 행정안전부장관 또는 경찰청장은 위원장에게 임시회의의 소집을 요구할 수 있다.

① [×] 위원 임명 '동의'가 아닌 위원 임명을 '제청'할 때이다.

> **경찰법 제8조【국가경찰위원회 위원의 임명 및 결격사유 등】** ① 위원은 행정안전부장관의 제청으로 국무총리를 거쳐 대통령이 임명한다.
> ② 행정안전부장관은 위원 임명을 제청할 때 경찰의 정치적 중립이 보장되도록 하여야 한다.

③ [×] 법관이었던 사람은 결격사유에 해당하지 않는다.

> **경찰법 제8조【국가경찰위원회 위원의 임명 및 결격사유 등】** ⑤ 다음 각 호의 어느 하나에 해당하는 사람은 위원이 될 수 없으며, 위원이 다음 각 호의 어느 하나에 해당하는 경우에는 당연퇴직한다.
> 3. 경찰, 검찰, 국가정보원 직원 또는 군인의 직에 있거나 그 직에서 퇴직한 날부터 3년이 지나지 아니한 사람

④ [×] 위원회 의결을 거쳐 위원장이 정한다.

> 대통령령 **국가경찰위원회 규정 제11조【운영세칙】** 이 영에 규정된 사항 외에 위원회의 운영을 위하여 필요한 사항은 위원회의 의결을 거쳐 위원장이 정한다.

## 02 시 · 도자치경찰위원회

**032** 국가경찰과 자치경찰의 조직 및 운영에 관한 법률상 시 · 도자치경찰위원회의 설명에 관한 내용 중 가장 적절하지 않은 것은? [2022 채용 1차]

① 공무원이 아닌 위원에 대해서는 국가공무원법 제55조 및 제57조를 준용한다.

② 위원 중 1명은 인권문제에 관하여 전문적인 지식과 경험이 있는 사람이 임명될 수 있도록 노력하여야 한다.

③ 위원은 정치적 중립을 지켜야 하며, 권한을 남용하여서는 아니 된다.

④ 시 · 도자치경찰위원회는 합의제 행정기관으로서 그 권한에 속하는 업무를 독립적으로 수행한다.

**정답 및 해설 I ①**

① [×] 시 · 도자치경찰위원회 위원은 시 · 도지사가 임명하고, 위원장과 상임위원은 지방자치단체 공무원이며 공무원 아닌 위원도 일정한 경우 공무원으로 의제된다. 같은 맥락에서 공무원 아닌 위원에 대해서도 국가공무원법이 아닌 지방공무원법상의 비밀엄수의무(제52조)와 정치운동금지의무(제57조)가 준용되는 것이다.

> **경찰법 제20조【시 · 도자치경찰위원회 위원의 임명 및 결격사유】** ③ 시 · 도자치경찰위원회 위원장은 위원 중에서 시 · 도지사가 임명하고, 상임위원은 시 · 도자치경찰위원회의 의결을 거쳐 위원 중에서 위원장의 제청으로 시 · 도지사가 임명한다. 이 경우 위원장과 상임위원은 지방자치단체의 공무원으로 한다.
> ⑤ 공무원이 아닌 위원에 대해서는 「지방공무원법」 제52조(➜ 비밀엄수의무) 및 제57조(➜ 정치운동금지)를 준용한다.
> ⑥ 공무원이 아닌 위원은 그 소관 사무와 관련하여 형법이나 그 밖의 법률에 따른 벌칙을 적용할 때에는 공무원으로 본다.

② [○]

> **경찰법 제19조【시 · 도자치경찰위원회의 구성】** ① 시 · 도자치경찰위원회는 위원장 1명을 포함한 7명의 위원으로 구성하되, 위원장과 1명의 위원은 상임으로 하고, 5명의 위원은 비상임으로 한다. [2021 채용 1차] ➜ 즉, 2명은 상임, 5명은 비상임 비교» 국가경찰위원회: 위원장 비상임 / 상임 1명, 비상임 6명
> ② 위원은 특정 성(性)이 10분의 6을 초과하지 아니하도록 노력하여야 한다.
> ③ 위원 중 1명은 인권문제에 관하여 전문적인 지식과 경험이 있는 사람이 임명될 수 있도록 노력하여야 한다.

③ [○]

> **경찰법 제20조【시 · 도자치경찰위원회 위원의 임명 및 결격사유】** ④ 위원은 정치적 중립을 지켜야 하며, 권한을 남용하여서는 아니 된다.

④ [○]

> **경찰법 제18조【시 · 도자치경찰위원회의 설치】** ② 시 · 도자치경찰위원회는 합의제 행정기관으로서 그 권한에 속하는 업무를 독립적으로 수행한다.

## 033 「국가경찰과 자치경찰의 조직과 운영에 관한 법률」상 다음 (　　) 안에 들어갈 숫자의 합은? [2021 경간]

> 가. 시 · 도자치경찰위원회는 위원장 1명을 포함한 (　　)명의 위원으로 구성하되, 위원장과 (　　)명의 위원은 상임으로 하고, (　　)명의 위원은 비상임으로 한다.
> 나. 시 · 도자치경찰위원회 위원 중 (　　)명은 인권문제에 관하여 전문적인 지식과 경험이 있는 사람이 임명될 수 있도록 노력하여야 한다.
> 다. 시 · 도자치경찰위원회 위원장과 위원의 임기는 (　　)년으로 하며, 연임할 수 없다.

① 17　　② 18　　③ 19　　④ 20

**정답 및 해설 I ①**

가. 시 · 도자치경찰위원회는 위원장 1명을 포함한 ( 7 )명의 위원으로 구성하되, 위원장과 ( 1 )명의 위원은 상임으로 하고, ( 5 )명의 위원은 비상임으로 한다

나. 시 · 도자치경찰위원회 위원 중 ( 1 )명은 인권문제에 관하여 전문적인 지식과 경험이 있는 사람이 임명될 수 있도록 노력하여야 한다

다. 시 · 도자치경찰위원회 위원장과 위원의 임기는 ( 3 )년으로 하며, 연임할 수 없다.

> **경찰법 제19조【시 · 도자치경찰위원회의 구성】** ① 시 · 도자치경찰위원회는 위원장 1명을 포함한 7명의 위원으로 구성하되, 위원장과 1명의 위원은 상임으로 하고, 5명의 위원은 비상임으로 한다. ➜ 즉 2명은 상임, 5명은 비상임 비교 국가경찰위원회: 위원장 비상임 / 상임 1명, 비상임 6명
> ② 위원은 특정 성(性)이 10분의 6을 초과하지 아니하도록 노력하여야 한다.
>
> **경찰법 제23조【시 · 도자치경찰위원회 위원의 임기 및 신분보장】** ① 시 · 도자치경찰위원회 위원장과 위원의 임기는 3년으로 하며, 연임할 수 없다.

**034** 「국가경찰과 자치경찰의 조직 및 운영에 관한 법률」상 시 · 도자치경찰위원회에 대한 설명으로 가장 적절하지 않은 것은? [2024 1차 채용]

① 합의제 행정기관으로서 그 권한에 속하는 업무를 독립적으로 수행한다.

② 위원은 시 · 도의회가 추천하는 2명, 국가경찰위원회가 추천하는 1명, 해당 시 · 도 교육감이 추천하는 1명, 시 · 도자치경찰위원회 위원추천위원회가 추천하는 2명, 시 · 도지사가 지명하는 1명의 사람을 시 · 도지사가 임명한다.

③ 시 · 도지사는 시 · 도자치경찰위원회의 의결이 적정하지 아니하다고 판단할 때에는 재의를 요구할 수 있다.

④ 경찰청장은 시 · 도자치경찰위원회의 의결이 적정하지 아니하다고 판단되면 국가경찰위원회와 행정안전부장관을 거쳐 시 · 도지사에게 재의를 요구하게 할 수 있다.

**정답 및 해설 I ④**

④ [×] ③ [○] 지역행정기관인 시도지사가 적정하지 아니할 때 재의를 요구할 수 있는 것과 달리, 중앙행정기관인 경찰청장이나 행정안전부장관이 시도지사에게 재의를 요구하게 할 수 있는 사유는 "법령에 위반되거나 공익을 현저히 해친다고 판단"되는 경우이다.

> **경찰법 제25조【시 · 도자치경찰위원회의 심의 · 의결사항 등】** ③ 시 · 도지사는 제1항에 관한 시 · 도자치경찰위원회의 의결이 적정하지 아니하다고 판단할 때에는 재의를 요구할 수 있다.
> ④ 위원회의 의결이 법령에 위반되거나 공익을 현저히 해친다고 판단되면 행정안전부장관은 미리 경찰청장의 의견을 들어 국가경찰위원회를 거쳐 시 · 도지사에게 제3항의 재의를 요구하게 할 수 있고, 경찰청장은 국가경찰위원회와 행정안전부장관을 거쳐 시 · 도지사에게 재의를 요구하게 할 수 있다.

① [○]

> **경찰법 제18조【시 · 도자치경찰위원회의 설치】** ② 시 · 도자치경찰위원회는 합의제 행정기관으로서 그 권한에 속하는 업무를 독립적으로 수행한다.

② [○]

> **경찰법 제20조【시 · 도자치경찰위원회 위원의 임명 및 결격사유】** ① 시 · 도자치경찰위원회 위원은 다음 각 호의 사람을 시 · 도지사가 임명한다.
> 1. 시 · 도의회가 추천하는 2명
> 2. 국가경찰위원회가 추천하는 1명
> 3. 해당 시 · 도 교육감이 추천하는 1명
> 4. 시 · 도자치경찰위원회 위원추천위원회가 추천하는 2명
> 5. 시 · 도지사가 지명하는 1명

**035** 「국가경찰과 자치경찰의 조직 및 운영에 관한 법률」상 시 · 도자치경찰위원회의 소관사무에 관한 설명으로 가장 적절하지 않은 것은? [2023 승진]

① 자치경찰사무 담당 공무원의 고충심사 및 사기진작

② 국가경찰사무 · 자치경찰사무의 협력 · 조정과 관련하여 시 · 도경찰청장과 협의

③ 국가경찰위원회에 대한 심의 · 조정 요청

④ 그 밖에 시 · 도지사, 시 · 도경찰청장이 중요하다고 인정하여 시 · 도자치경찰위원회의 회의에 부친 사항에 대한 심의 · 의결

**정답 및 해설 I ②**

② [×] 국가경찰사무 · 자치경찰사무의 협력 · 조정과 관련하여 경찰청장과 협의

①③④ [○]국가경찰과 자치경찰의 조직 및 운영에 관한 법률 제24조 제1항

**☑ 시 · 도자치경찰위원회의 소관사무**

> 경찰법 제24조【시 · 도자치경찰위원회의 소관 사무】① 시 · 도자치경찰위원회의 소관 사무는 다음 각 호로 한다.
> 1. 자치경찰사무에 관한 목표의 수립 및 평가
> 2. 자치경찰사무에 관한 인사, 예산, 장비, 통신 등에 관한 주요정책 및 그 운영지원
> 3. 자치경찰사무 담당 공무원의 임용, 평가 및 인사위원회 운영
> 4. 자치경찰사무 담당 공무원의 부패 방지와 청렴도 향상에 관한 주요 정책 및 인권침해 또는 권한남용 소지가 있는 규칙, 제도, 정책, 관행 등의 개선
> 5. 제2조에 따른 시책 수립
> 6. 시 · 도경찰청장의 임용과 관련한 경찰청장과의 협의, 제30조 제4항에 따른 평가 및 결과 통보
> 7. 자치경찰사무 감사 및 감사의뢰
> 8. 자치경찰사무 담당 공무원의 주요 비위사건에 대한 감찰요구
> 9. 자치경찰사무 담당 공무원에 대한 징계요구
> 10. 자치경찰사무 담당 공무원의 고충심사 및 사기진작
> 11. 자치경찰사무와 관련된 중요사건 · 사고 및 현안의 점검
> 12. 자치경찰사무에 관한 규칙의 제정 · 개정 또는 폐지
> 13. 지방행정과 치안행정의 업무조정과 그 밖에 필요한 협의 · 조정
> 14. 제32조에 따른 비상사태 등 전국적 치안유지를 위한 경찰청장의 지휘 · 명령에 관한 사무
> 15. 국가경찰사무 · 자치경찰사무의 협력 · 조정과 관련하여 경찰청장과 협의
> 16. 국가경찰위원회에 대한 심의 · 조정 요청



**036** 「국가경찰과 자치경찰의 조직 및 운영에 관한 법률」상 시 · 도자치경찰위원회에 관한 설명으로 가장 적절한 것은? [2023 채용 1차]

① 동법 제18조 제1항 단서에 따라 2개의 시 · 도자치경찰위원회를 두는 경우 해당 시 · 도자치경찰위원회의 명칭, 관할구역, 사무분장, 그 밖에 필요한 사항은 행정안전부령으로 정한다.

② 시 · 도자치경찰위원회 비상임 위원은 특정 성(性)이 10분의 6을 초과하지 아니해야 한다.

③ 시 · 도자치경찰위원회 위원장과 위원의 임기는 3년으로 하되, 위원만 한 차례 연임할 수 있다.

④ 시 · 도자치경찰위원회의 회의는 정기적으로 개최하여야 한다. 다만 위원장이 필요하다고 인정하는 경우, 위원 2명 이상이 요구하는 경우 및 시 · 도지사가 필요하다고 인정하는 경우에는 임시회의를 개최할 수 있다.

**정답 및 해설 I ④**

④ [○]

> 경찰법 제26조【시 · 도자치경찰위원회의 운영 등】① 시 · 도자치경찰위원회의 회의는 정기적으로 개최하여야 한다. 다만 위원장이 필요하다고 인정하는 경우, 위원 2명 이상이 요구하는 경우 및 시 · 도지사가 필요하다고 인정하는 경우에는 임시회의를 개최할 수 있다.

① [×] 그 밖에 필요한 사항은 **대통령령**으로 정한다.

> 경찰법 제18조【시 · 도자치경찰위원회의 설치】③ 제1항 단서에 따라 2개의 시 · 도자치경찰위원회를 두는 경우 해당 시 · 도자치경찰위원회의 명칭, 관할구역, 사무분장, 그 밖에 필요한 사항은 대통령령으로 정한다.

② [×] 노력하여야 한다.

> 경찰법 제19조【시 · 도자치경찰위원회의 구성】② 위원은 특정 성(性)이 10분의 6을 초과하지 아니하도록 노력하여야 한다.

③ [×] 연임할 수 없다.

> **경찰법 제23조【시 · 도자치경찰위원회 위원의 임기 및 신분보장】** ① 시 · 도자치경찰위원회 위원장과 위원의 임기는 3년으로 하며, 연임할 수 없다.

## 037 「국가경찰과 자치경찰의 조직 및 운영에 관한 법률」상 시 · 도 자치경찰위원회에 대한 설명으로 적절한 것만 모두 고른 것은?

[2021 채용 1차]

> ㉠ 위원장 1명을 포함한 7명의 위원으로 구성하되, 위원장과 1명의 위원은 상임으로 하고 5명의 위원은 비상임으로 한다.
> ㉡ 위원 중 2명은 법관의 자격이 있는 사람이어야 한다.
> ㉢ 위원은 시 · 도의회가 추천하는 2명, 국가경찰위원회가 추천하는 1명, 해당 시 · 도 교육감이 추천하는 1명, 시 · 도자치경찰위원회 위원추천위원회가 추천하는 2명, 시 · 도지사가 지명하는 1명을 시 · 도지사가 임명한다.
> ㉣ 위원장은 비상임위원 중에서 호선하고, 상임위원은 시 · 도자치경찰위원회의 의결을 거쳐 위원 중에서 위원장의 제청으로 시 · 도지사가 임명한다. 이 경우 위원장과 상임위원은 지방자치단체의 공무원으로 한다.

① ㉠, ㉡　　② ㉠, ㉢
③ ㉡, ㉢　　④ ㉢, ㉣

**정답 및 해설 | ②**

㉠ [○]

> **경찰법 제19조【시 · 도자치경찰위원회의 구성】** ① 시 · 도자치경찰위원회는 위원장 1명을 포함한 7명의 위원으로 구성하되, 위원장과 1명의 위원은 상임으로 하고, 5명의 위원은 비상임으로 한다. ➜ 즉, 2명은 상임, 5명은 비상임

㉡ [×] 위원 중 2명에게 법관의 자격을 요구하는 것은 국가경찰위원회에 대한 설명이다.

> **경찰법 제8조【국가경찰위원회 위원의 임명 및 결격사유 등】** ③ 위원 중 2명은 법관의 자격이 있는 사람이어야 한다.
> **경찰법 제20조【시 · 도자치경찰위원회 위원의 임명 및 결격사유】** ② 시 · 도자치경찰위원회 위원은 다음 각 호의 어느 하나에 해당하는 자격을 갖추어야 한다.
> 1. 판사 · 검사 · 변호사 또는 경찰의 직에 5년 이상 있었던 사람
> 2. 변호사 자격이 있는 사람으로서 국가기관등에서 법률에 관한 사무에 5년 이상 종사한 경력이 있는 사람
> 3. 대학이나 공인된 연구기관에서 법률학 · 행정학 또는 경찰학 분야의 조교수 이상의 직이나 이에 상당하는 직에 5년 이상 있었던 사람
> 4. 그 밖에 관할 지역주민 중에서 지방자치행정 또는 경찰행정 등의 분야에 경험이 풍부하고 학식과 덕망을 갖춘 사람

㉢ [○]

> **경찰법 제20조【시 · 도자치경찰위원회 위원의 임명 및 결격사유】** ① 시 · 도자치경찰위원회 위원은 다음 각 호의 사람을 시 · 도지사가 임명한다.
> 1. 시 · 도의회가 추천하는 2명
> 2. 국가경찰위원회가 추천하는 1명
> 3. 해당 시 · 도 교육감이 추천하는 1명
> 4. 시 · 도자치경찰위원회 위원추천위원회가 추천하는 2명
> 5. 시 · 도지사가 지명하는 1명

㉣ [×] 국가경찰위원회 위원장은 비상임위원 중에서 호선하나, 자치경찰위원회 위원장은 시 · 도지사가 임명한다.

> **경찰법 제20조【시 · 도자치경찰위원회 위원의 임명 및 결격사유】** ① 시 · 도자치경찰위원회 위원은 다음 각 호의 사람을 시 · 도지사가 임명한다.
> 1. 시 · 도의회가 추천하는 2명
> 2. 국가경찰위원회가 추천하는 1명
> 3. 해당 시 · 도 교육감이 추천하는 1명
> 4. 시 · 도자치경찰위원회 위원추천위원회가 추천하는 2명
> 5. 시 · 도지사가 지명하는 1명
>
> ③ 시 · 도자치경찰위원회 위원장은 위원 중에서 시 · 도지사가 임명하고, 상임위원은 시 · 도자치경찰위원회의 의결을 거쳐 위원 중에서 위원장의 제청으로 시 · 도지사가 임명한다. 이 경우 위원장과 상임위원은 지방자치단체의 공무원으로 한다.



**038** 「국가경찰과 자치경찰의 조직 및 운영에 관한 법률」 제20조 시 · 도자치경찰위원회 위원의 임명 및 결격사유에 대한 설명으로 옳지 않은 것을 모두 고른 것은? [2024 승진]

> ㉠ 시 · 도자치경찰위원회 위원장은 위원 중에서 시 · 도지사가 임명하고, 상임위원은 시 · 도자치경찰위원회의 의결을 거쳐 위원 중에서 시 · 도경찰청장의 제청으로 시 · 도지사가 임명한다.
> ㉡ 경찰, 검찰, 국가정보원직원 또는 군인의 직에 있거나 그 직에서 퇴직한 날부터 3년이 지나지 아니한 사람은 위원이 될 수 없다.
> ㉢ 공무원이 아닌 위원에 대해서는 「국가공무원법」 제52조 및 제57조를 준용한다.
> ㉣ 공무원이 아닌 위원은 그 소관 사무와 관련하여 형법이나 그 밖의 법률에 따른 벌칙을 적용할 때에는 공무원으로 본다.

① ㉠, ㉡
② ㉠, ㉢
③ ㉡, ㉢
④ ㉢, ㉣

**정답 및 해설 | ②**

㉠ [×] 자치경찰위원회 상임위원의 경우 시도경찰청장이 아닌 위원장이 임명를 제청한다.

> **경찰법 제20조【시 · 도자치경찰위원회 위원의 임명 및 결격사유】** ③ 시 · 도자치경찰위원회 위원장은 위원 중에서 시 · 도지사가 임명하고, 상임위원은 시 · 도자치경찰위원회의 의결을 거쳐 위원 중에서 위원장의 제청으로 시 · 도지사가 임명한다. 이 경우 위원장과 상임위원은 지방자치단체의 공무원으로 한다.

㉡ [○]

> **경찰법 제20조【시 · 도자치경찰위원회 위원의 임명 및 결격사유】** ⑦ 다음 각 호의 어느 하나에 해당하는 사람은 위원이 될 수 없다. 위원이 각 호의 어느 하나에 해당한 경우에는 당연퇴직한다.
> 3. 경찰, 검찰, 국가정보원 직원 또는 군인의 직에 있거나 그 직에서 퇴직한 날부터 3년이 지나지 아니한 사람

㉢ [×] 국가공무원법이 아닌, 지방공무원법상의 비밀엄수 · 정치운동 금지의무가 준용된다.

> **경찰법 제20조【시 · 도자치경찰위원회 위원의 임명 및 결격사유】** ⑤ 공무원이 아닌 위원에 대해서는 「지방공무원법」 제52조(➔ 비밀엄수의무) 및 제57조(➔ 정치운동금지)를 준용한다.

㉣ [○]

> **경찰법 제20조【시 · 도자치경찰위원회 위원의 임명 및 결격사유】** ⑥ 공무원이 아닌 위원은 그 소관 사무와 관련하여 형법이나 그 밖의 법률에 따른 벌칙을 적용할 때에는 공무원으로 본다.

**039** 「국가경찰과 자치경찰의 조직 및 운영에 관한 법률」상 국가경찰위원회와 시 · 도자치경찰위원회에 공통적으로 적용되는 규정 중 가장 적절한 것은? [2022 채용 2차]

① 위원장 및 1명의 위원은 상임위원으로 하고 나머지 5명의 위원은 비상임으로 한다.

② 경찰의 직에서 퇴직한 날로부터 3년이 지나지 아니한 사람은 위원이 될 수 없다.

③ 위원 2명이 회의를 요구하는 경우 임시회의를 개최할 수 있다.

④ 보궐위원은 전임자의 남은 임기가 1년 미만인 경우 한 차례에 한해서 연임할 수 있다.

**정답 및 해설 I ②**

② [○] 국가경찰위원회 위원의 결격사유와 자치경찰위원회 위원의 결격사유는 거의 유사하다. 다만, **기본결격사유**에서 국가경찰위원회 위원의 경우 국가공무원법상 결격사유 · 자치경찰위원회 위원의 경우 지방공무원법상 결격사유를 요구하는 것, 그리고 자치경찰위원회 위원의 경우 현직 공무원 · 공무원 퇴직일로부터 3년 지나지 않은 자의 결격사유(제2조 제7항 제4호)가 추가되어 있는 것 정도가 다를 뿐이다.

<국가경찰위원회의 경우>

**경찰법 제8조【국가경찰위원회 위원의 임명 및 결격사유 등】** ⑤ 다음 각 호의 어느 하나에 해당하는 사람은 위원이 될 수 없으며, 위원이 다음 각 호의 어느 하나에 해당하는 경우에는 당연퇴직한다.
1. 정당의 당원이거나 당적을 이탈한 날부터 3년이 지나지 아니한 사람
2. 선거에 의하여 취임하는 공직에 있거나 그 공직에서 퇴직한 날부터 3년이 지나지 아니한 사람
3. 경찰, 검찰, 국가정보원 직원 또는 군인의 직에 있거나 그 직에서 퇴직한 날부터 3년이 지나지 아니한 사람
4. 「국가공무원법」 제33조 각 호(➜ 국가공무원법상의 결격사유)의 어느 하나에 해당하는 사람. 다만, 「국가공무원법」 제33조 제2호 및 제5호에 해당하는 경우에는 같은 법 제69조 제1호 단서에 따른다.

<자치경찰위원회의 경우>

**경찰법 제20조【시 · 도자치경찰위원회 위원의 임명 및 결격사유】** ⑦ 다음 각 호의 어느 하나에 해당하는 사람은 위원이 될 수 없다. 위원이 각 호의 어느 하나에 해당한 경우에는 당연퇴직한다.
1. 정당의 당원이거나 당적을 이탈한 날부터 3년이 지나지 아니한 사람
2. 선거에 의하여 취임하는 공직에 있거나 그 공직에서 퇴직한 날부터 3년이 지나지 아니한 사람
3. 경찰, 검찰, 국가정보원 직원 또는 군인의 직에 있거나 그 직에서 퇴직한 날부터 3년이 지나지 아니한 사람
4. 국가 및 지방자치단체의 공무원(국립 또는 공립대학의 조교수 이상의 직에 있는 사람은 제외한다. 이하 이 조에서 같다)이거나 공무원이었던 사람으로서 퇴직한 날부터 3년이 지나지 아니한 사람. 다만, 제20조 제3항 후단에 따라 위원장과 상임위원이 지방자치단체의 공무원이 된 경우에는 당연퇴직하지 아니한다.
5. 「지방공무원법」 제31조 각 호(➜ 지방공무원법상의 결격사유)의 어느 하나에 해당하는 사람. 다만, 「지방공무원법」 제31조 제2호 및 제5호에 해당하는 경우에는 같은 법 제61조 제1호 단서에 따른다.

① [×] 서로 다르다(자치경찰위원회에 대한 설명).

<국가경찰위원회의 경우>

**경찰법 제7조【국가경찰위원회의 설치】** ② 국가경찰위원회는 위원장 1명을 포함한 7명의 위원으로 구성하되, 위원장 및 5명의 위원은 비상임으로 하고, 1명의 위원은 상임으로 한다.

<자치경찰위원회의 경우>

**경찰법 제19조【시 · 도자치경찰위원회의 구성】** ① 시 · 도자치경찰위원회는 위원장 1명을 포함한 7명의 위원으로 구성하되, 위원장과 1명의 위원은 상임으로 하고, 5명의 위원은 비상임으로 한다.

③ [×] 서로 다르다(자치경찰위원회에 대한 설명).

<국가경찰위원회의 경우>
대통령령 국가경찰위원회 규정 제7조【회의】 ③ 위원장은 필요한 경우 임시회의를 소집할 수 있으며, 위원 3인이상과 행정안전부장관 또는 경찰청장은 위원장에게 임시회의의 소집을 요구할 수 있다.
<자치경찰위원회의 경우>
경찰법 제26조【시 · 도자치경찰위원회의 운영 등】 ① 시 · 도자치경찰위원회의 회의는 정기적으로 개최하여야 한다. 다만 위원장이 필요하다고 인정하는 경우, 위원 2명 이상이 요구하는 경우 및 시 · 도지사가 필요하다고 인정하는 경우에는 임시회의를 개최할 수 있다.

④ [×] 서로 다르다(자치경찰위원회에 대한 설명).

<국가경찰위원회의 경우>
경찰법 제9조【국가경찰위원회 위원의 임기 및 신분보장】 ① 위원의 임기는 3년으로 하며, 연임할 수 없다. 이 경우 보궐위원의 임기는 전임자 임기의 남은 기간으로 한다.
<자치경찰위원회의 경우>
경찰법 제23조【시 · 도자치경찰위원회 위원의 임기 및 신분보장】 ① 시 · 도자치경찰위원회 위원장과 위원의 임기는 3년으로 하며, 연임할 수 없다.
② 보궐위원의 임기는 전임자 임기의 남은 기간으로 하되, 전임자의 남은 임기가 1년 미만인 경우 그 보궐위원은 제1항에도 불구하고 한 차례만 연임할 수 있다.



**040** 「국가경찰과 자치경찰의 조직 및 운영에 관한 법률」상 국가수사본부장 및 시 · 도자치경찰위원회에 대한 설명으로 적절하지 않은 것은 모두 몇 개인가? [2023 경간]

가. 대학이나 공인된 연구기관에서 법률학 · 경찰학 분야에서 조교수 이상의 직이나 이에 상당하는 직에 10년 이상 있었던 사람은 국가수사본부장의 자격이 있다.
나. 국가수사본부장이 직무를 진행하면서 헌법이나 법률을 위배하였을 때에는 국회는 탄핵 소추를 의결할 수 있다.
다. 국가수사본부장의 임기는 2년으로 하며 중임할 수 없고, 임기가 끝나면 당연히 퇴직한다.
라. 시 · 도자치경찰위원회는 위원장 1명을 포함한 7명의 위원으로 구성하되, 위원장은 상임으로 하고, 나머지 위원은 비상임으로 한다.
마. 시 · 도자치경찰위원회 위원은 시 · 도의회가 추천하는 2명, 국가경찰위원회가 추천하는 2명, 해당 시 · 도 교육감이 추천하는 1명, 시 · 도자치경찰위원회 위원추천위원회가 추천하는 1명, 시 · 도지사가 지명하는 1명을 시 · 도지사가 임명한다.
바. 대학이나 공인된 연구기관에서 법률학 · 행정학 또는 경찰학 분야의 조교수 이상의 직이나 이에 상당하는 직에 5년 이상 있었던 사람은 시 · 도자치경찰위원회 위원의 자격이 있다.

① 1개 ② 2개
③ 3개 ④ 4개

**정답 및 해설 I ②**

가. [○]

> **경찰법 제16조【국가수사본부장】** ⑥ 국가수사본부장을 경찰청 외부를 대상으로 모집하여 임용할 필요가 있는 때에는 다음 각 호의 자격을 갖춘 사람 중에서 임용한다.
> 4. 대학이나 공인된 연구기관에서 법률학 · 경찰학 분야에서 조교수 이상의 직이나 이에 상당하는 직에 10년 이상 있었던 사람

나. [○]

> **경찰법 제16조【국가수사본부장】** ⑤ 국가수사본부장이 직무를 집행하면서 헌법이나 법률을 위배하였을 때에는 국회는 탄핵 소추를 의결할 수 있다.

다. [○]

> **경찰법 제16조【국가수사본부장】** ③ 국가수사본부장의 임기는 2년으로 하며, 중임할 수 없다.
> ④ 국가수사본부장은 임기가 끝나면 당연히 퇴직한다.

라. [×] 위원장과 1명의 위원은 상임으로 하고, 5명의 위원은 비상임

> **경찰법 제19조【시 · 도자치경찰위원회의 구성】** ① 시 · 도자치경찰위원회는 위원장 1명을 포함한 7명의 위원으로 구성하되, 위원장과 1명의 위원은 상임으로 하고, 5명의 위원은 비상임으로 한다.

마. [×] 국가경찰위원회가 추천하는 1명, 시 · 도자치경찰위원회 위원추천위원회가 추천하는 2명

> **경찰법 제20조【시 · 도자치경찰위원회 위원의 임명 및 결격사유】** ① 시 · 도자치경찰위원회 위원은 다음 각 호의 사람을 시 · 도지사가 임명한다.
> 1. 시 · 도의회가 추천하는 2명
> 2. 국가경찰위원회가 추천하는 1명
> 3. 해당 시 · 도 교육감이 추천하는 1명
> 4. 시 · 도자치경찰위원회 위원추천위원회가 추천하는 2명
> 5. 시 · 도지사가 지명하는 1명

바. [○]

> **경찰법 제20조【시 · 도자치경찰위원회 위원의 임명 및 결격사유】** ② 시 · 도자치경찰위원회 위원은 다음 각 호의 어느 하나에 해당하는 자격을 갖추어야 한다.
> 3. 대학이나 공인된 연구기관에서 법률학 · 행정학 또는 경찰학 분야의 조교수 이상의 직이나 이에 상당하는 직에 5년 이상 있었던 사람

# 제2절 | 경찰공무원법

## 주제 1 경찰공무원 개설

**041** '수사경찰 인사운영규칙'이 적용되는 수사경찰의 근무부서로 옳지 않은 것은? [2021 경간 변형]

① 경찰청 사이버수사국장의 업무지휘를 받고 있는 경찰관서의 수사부서

② 경찰청 과학수사관리관의 업무지휘를 받고 있는 경찰관서의 수사부서

③ 경찰청 교통국장의 업무지휘를 받고 있는 경찰관서의 교통사고사범 수사부서

④ 경찰청 수사국장의 업무지휘를 받고 있는 경찰관서의 유치장과 호송출장소



**정답 및 해설 | ③, ④(복수정답)**

③ [×] 출제 당시에는 수사경찰의 근무부서에 해당하였으나, 수사경찰 인사운영규칙 개정으로 현재는 수사경찰 근무부서에 해당하지 않는다.

④ [×] 수사경찰 근무부서에 해당하지 않는다. 참고로 개정 전에는 '1. 경찰청 수사국장의 업무지휘를 받고 있는 경찰관서의 수사부서(유치장과 호송출장소는 제외한다)'라고 하여 유치장과 호송출장소는 명시적으로 제외되어 있었다.

훈령 **수사경찰 인사운영규칙 제3조【수사경찰 근무부서 등】** ① 이 규칙이 적용되는 수사경찰의 근무부서는 다음 각 호와 같다. [2021 경간]

1. 경찰청 수사기획조정관의 업무지휘를 받고 있는 경찰관서의 수사부서
2. 경찰청 수사국장의 업무지휘를 받고 있는 경찰관서의 수사부서
3. 경찰청 형사국장의 업무지휘를 받고 있는 경찰관서의 수사부서
4. 경찰청 사이버수사국장의 업무지휘를 받고 있는 경찰관서의 수사부서
5. 경찰청 과학수사관리관의 업무지휘를 받고 있는 경찰관서의 수사부서
6. 경찰청 안보수사국장의 업무지휘를 받고 있는 경찰관서의 수사부서
7. 경찰청 생활안전국장의 업무지휘를 받고 있는 경찰관서의 지하철범죄 및 생활질서사범 수사부서
8. 경찰교육기관의 수사직무 관련 학과
9. 국립과학수사연구원 등 직제상 정원에 경찰공무원이 포함되어 있는 정부기관내 수사관련 부서
10. 「국가공무원법」 제32조의4 및 「경찰공무원임용령」 제30조 규정에 따른 파견부서 중 수사직무관련 부서
11. 기타 경찰청장이 특별한 필요에 따라 지정하는 부서

**042** 「수사경찰 인사운영규칙」상 수사경과에 대한 설명으로 가장 적절하지 않은 것은? [2020 승진(경감)]

① 직무와 관련한 청렴의무 위반 · 인권침해 또는 부정청탁에 따른 직무수행으로 징계처분을 받는 경우 수사경과를 해제하여야 한다.

② 인권침해, 편파수사를 이유로 다수의 진정을 받는 등 공정한 수사업무 수행을 기대하기 곤란한 경우 수사경과를 해제하여야 한다.

③ 5년간 연속으로 비수사부서에 근무하는 경우 수사경과를 해제하여야 한다.

④ 2년간 연속으로 수사부서 전입을 기피하는 경우 수사경과를 해제할 수 있다.

**정답 및 해설 I ②**

② [×] 해당 사유는 임의적 수사경과 해제사유에 해당한다(해제할 수 있다).

> 훈령 **수사경찰 인사운영규칙 제15조【해제사유 등】** ① 다음 각 호의 어느 하나에 해당하는 경우에는 수사경과를 해제하여야 한다.
> 1. 직무와 관련한 청렴의무위반 · 인권침해 또는 부정청탁에 따른 직무수행으로 징계처분을 받은 경우
> 2. 5년간 연속으로 제3조 제1항 외의 부서에서 근무하는 경우
> 3. 제14조에 따른 유효기간 내에 갱신이 되지 않은 경우
>
> ② 다음 각 호의 어느 하나에 해당하는 경우에는 수사경과를 해제할 수 있다.
> 1. 제1항 제1호 외의 사유로 징계처분을 받은 경우
> 2. 인권침해, 편파수사를 이유로 다수의 진정을 받는 등 공정한 수사업무 수행을 기대하기 곤란한 경우
> 3. 수사업무 능력 · 의욕이 현저하게 부족한 경우
> 4. 수사경과 해제를 희망하는 경우
>
> ④ 제2항 제3호의 '수사업무 능력 · 의욕이 현저하게 부족한 경우'에는 다음 각 호의 어느 하나에 해당하는 사유를 포함한다.
> 1. 2년간 연속으로 정당한 사유없이 제3조 제1항 외의 부서에서 근무하는 경우(… 파견기간 및 … 휴직의 기간은 위 기간에 산입하지 아니한다)
> 2. 제6조 제1항 본문에 따라 수사부서 근무자로 선발되었음에도 정당한 사유없이 수사부서 전입을 기피하는 경우
> 3. 제6조 제2항에 따른 인사내신서를 제출하지 않거나 부실기재하여 제출한 경우

## 043 「수사경찰 인사운영규칙」상 수사경과에 대한 설명으로 가장 적절한 것은? [2019 승진(경위)]

① 수사경과 부여일로부터 5년이 되는 날이 전년도 11월 1일부터 해당 연도 4월 30일까지의 사이이 있는 경우에는 해당 연도 4월 30일까지 유효한 것으로 본다.

② 2년간 연속으로 수사부서 전입을 기피하는 경우 수사경과를 해제하여야 한다.

③ 인권침해, 편파수사 등에 관한 시비로 사건관계인으로부터 수시로 진정을 받는 경우 수사경과를 해제하여야 한다.

④ 수사경과자는 수사경과 유효기간 내에 경찰청장이 지정하는 수사 관련 직무교육을 이수(이 경우 사이버교육을 포함한다)하는 방법으로 언제든지 수사경과를 갱신할 수 있다. 다만, 휴직 등 경찰청장이 정하는 사유로 수사경과 갱신을 할 수 없는 경우에는 그 연기를 받을 수 있다.

**정답 및 해설 I ④**

④ [O]

> 훈령 **수사경찰 인사운영규칙 제14조【수사경과의 유효기간 및 갱신】** ② 수사경과자는 수사경과 유효기간 내에 다음 각 호의 어느 하나에 해당하는 방법으로 언제든지 수사경과를 갱신할 수 있다. 다만, 휴직 등 경찰청장이 정하는 사유로 수사경과 갱신을 할 수 없는 경우에는 그 연기를 받을 수 있다.
> 1. 경찰청장이 지정하는 수사 관련 직무교육 이수. 이 경우 사이버교육을 포함한다.
> 2. 수사경과 갱신을 위한 시험에 합격

① [×]

> 훈령 **수사경찰 인사운영규칙 제14조【수사경과의 유효기간 및 갱신】** ① 수사경과 유효기간은 수사경과를 부여일 또는 갱신일로부터 5년으로 한다.
> ④ 수사경과 유효기간은 별표 2에 따른다.
>
> [별표 2]
>
> 수사경과 유효기간 산정방법
>
> | 구분 | 산정 방법 |
> |---|---|
> | 수사경과 유효기간 | 수사경과 부여일 또는 갱신일로부터 5년이 되는 날이,<br>1. 전년도 10월 1일부터 해당 연도 3월 31일까지의 사이에 있는 경우에는 해당 연도 3월 31일까지 수사경과가 유효한 것으로 본다.<br>2. 해당 연도 4월 1일부터 9월 30일까지의 사이에 있는 경우에는 해당 연도 9월 30일까지 수사경과가 유효한 것으로 본다. |

②③ [×] 모두 임의적 해제사유에 해당한다(해제할 수 있다).

> 훈령 **수사경찰 인사운영규칙 제15조【해제사유 등】** ① 다음 각 호의 어느 하나에 해당하는 경우에는 수사경과를 해제하여야 한다.
> 1. 직무와 관련한 청렴의무위반 · 인권침해 또는 부정청탁에 따른 직무수행으로 징계처분을 받은 경우
> 2. 5년간 연속으로 제3조 제1항 외의 부서에서 근무하는 경우
> 3. 제14조에 따른 유효기간 내에 갱신이 되지 않은 경우
>
> ② 다음 각 호의 어느 하나에 해당하는 경우에는 수사경과를 해제할 수 있다.
> 1. 제1항 제1호 외의 사유로 징계처분을 받은 경우
> 2. 인권침해, 편파수사를 이유로 다수의 진정을 받는 등 공정한 수사업무 수행을 기대하기 곤란한 경우
> 3. 수사업무 능력 · 의욕이 현저하게 부족한 경우
> 4. 수사경과 해제를 희망하는 경우
>
> ④ 제2항 제3호의 '수사업무 능력 · 의욕이 현저하게 부족한 경우'에는 다음 각 호의 어느 하나에 해당하는 사유를 포함한다.
> 1. 2년간 연속으로 정당한 사유없이 제3조 제1항 외의 부서에서 근무하는 경우(… 파견기간 및 … 휴직의 기간은 위 기간에 산입하지 아니한다)
> 2. 제6조 제1항 본문에 따라 수사부서 근무자로 선발되었음에도 정당한 사유없이 수사부서 전입을 기피하는 경우
> 3. 제6조 제2항에 따른 인사내신서를 제출하지 않거나 부실기재하여 제출한 경우

## 주제 2 경찰공무원 근무관계의 발생

### 01 개설

### 02 임용의 요건

**044** 「경찰공무원법」상 경찰공무원의 임용결격사유에 관한 설명으로 옳은 것은 모두 몇 개인가?

[2016 채용 1차]

> ㉠ 피성년후견인 또는 피한정후견인
> ㉡ 파산선고를 받고 복권되지 아니한 사람
> ㉢ 자격정지 이상의 형을 선고받은 사람
> ㉣ 자격정지 이상의 형의 선고유예를 선고받고 그 유예기간 중에 있는 사람
> ㉤ 징계에 의하여 파면 또는 해임처분을 받은 사람

① 2개　　② 3개
③ 4개　　④ 5개

**정답 및 해설 | ④**

모두 임용결격사유에 해당한다.

> 경찰공무원 임용결격자는 다음과 같은 사람들이다.
> - **제1유형(제1호~제2호)**: 국적 관련 문제가 있는 자들 / 외국인, 복수국적자
> - **제2유형(제3호~제4호)**: 자유로운 법률행위에 제한이 걸린 자들 / 피성년후견인, 피한정후견인, 파산선고
> - **제3유형(제5호~제6호)**: 일반범죄를 저지른 자 / 자격정지 이상 형 선고 or 유예기간 중 → 따라서 벌금 · 구류 · 과료는 괜찮다!
> - **제4유형(제7호~제9호)**: 비난가능성이 매우 높은 특수한 범죄를 저지른 자 / 공무원범죄, 성폭력범죄, 미성년자성범죄
> - **제5유형(제10호)**: 파면 · 해임된 전직 공무원

**045** 다음은 경찰공무원법 제8조에서 규정하는 '경찰공무원 임용결격사유'이다. ㉠~㉤ 내용 중 옳고 그름의 표시(○, ×)가 모두 바르게 된 것은? [2020 채용 2차]

㉠ 미성년자에 대한 다음 각 목의 어느 하나에 해당하는 죄를 저질러 형 또는 치료감호가 확정된 사람(집행유예를 선고받은 후 그 집행유예기간이 경과한 사람을 포함한다)
　가. 「성폭력범죄의 처벌 등에 관한 특례법」 제2조에 따른 성폭력범죄
　나. 「아동·청소년의 성보호에 관한 법률」 제2조 제2호에 따른 아동·청소년대상 성범죄
㉡ 벌금의 형을 선고받은 사람
㉢ 대한민국 국적을 가지지 아니한 사람
㉣ 공무원으로 재직기간 중 직무와 관련하여 「형법」 제355조(횡령, 배임) 및 제356조(업무상의 횡령과 배임)에 규정된 죄를 범한 사람으로서 300만원 이상의 벌금형을 선고받고 그 형이 확정된 후 2년이 지난 사람
㉤ 징계에 의하여 파면 또는 해임처분을 받은 사람

① ㉠(○) ㉡(○) ㉢(○) ㉣(×) ㉤(○)
② ㉠(○) ㉡(×) ㉢(○) ㉣(○) ㉤(×)
③ ㉠(×) ㉡(○) ㉢(×) ㉣(○) ㉤(×)
④ ㉠(○) ㉡(×) ㉢(○) ㉣(×) ㉤(○)

**정답 및 해설 I ④**

㉡ [×] 자격정지 이상의 형을 선고받은 사람이 임용결격사유에 해당한다(제5호).
㉣ [×] 2년이 지나지 아니한 사람이 임용결격사유에 해당한다(제7호).

**경찰공무원법 제8조 【임용자격 및 결격사유】** ② 다음 각 호의 어느 하나에 해당하는 사람은 경찰공무원으로 임용될 수 없다. [2012 · 2016 채용 1차, 2020 채용 2차]
1. 대한민국 국적을 가지지 아니한 사람 ➜ 외국인
5. 자격정지 이상의 형을 선고받은 사람 ➜ 사형 · 징역 · 금고 · 자격상실
7. 공무원으로 재직기간 중 직무와 관련하여 「형법」 제355조 및 제356조에 규정된 죄(➜ 횡령 · 배임)를 범한 자로서 300만원 이상의 벌금형을 선고받고 그 형이 확정된 후 2년이 지나지 아니한 사람 ➜ 공 · 삼 · 이
9. 미성년자에 대한 다음 각 목의 어느 하나에 해당하는 죄를 저질러 형 또는 치료감호가 확정된 사람(집행유예를 선고받은 후 그 집행유예기간이 경과한 사람을 포함한다) ➜ 이 자는 아예 불가능!
　가. 「성폭력범죄의 처벌 등에 관한 특례법」 제2조에 따른 성폭력범죄
　나. 「아동 · 청소년의 성보호에 관한 법률」 제2조 제2호에 따른 아동 · 청소년대상 성범죄
10. 징계에 의하여 파면 또는 해임처분을 받은 사람

## 046 경찰공무원법상 경찰공무원의 임용결격사유는 모두 몇 개인가? [2021 경간]

| |
|---|
| ㉠ '국적법'에 따른 복수국적자<br>㉡ 피한정후견인<br>㉢ 파산선고를 받고 복권된 사람<br>㉣ '도로교통법'에 따른 음주운전 후 300만원 벌금형을 선고받고 그 형이 확정된 후 6개월이 지난 사람<br>㉤ '성폭력범죄의 처벌 등에 관한 특례법'에 규정된 죄를 범한 후 100만원의 벌금형을 선고받고 그 형이 확정된 후 2년이 지난 사람<br>㉥ 징계로 해임처분을 받은 때로부터 3년이 지난 사람 |

① 2개 ② 3개
③ 4개 ④ 5개

**정답 및 해설 I ③**
㉠ [○] '「국적법」 제11조의2 제1항에 따른 복수국적자'는 경찰공무원 임용결격자이다(제2호).
㉡ [○] '피성년후견인 또는 피한정후견인'은 경찰공무원 임용결격자이다(제3호).
㉢ [×] '파산선고를 받고 복권되지 아니한 사람'이 경찰공무원 임용결격자이고(제4호), 파산선고를 받았더라도 복권되었다면 임용결격자가 아니다.
㉣ [×] '공무원으로 재직기간 중 직무와 관련하여 「형법」 제355조 및 제356조에 규정된 죄(➔ 횡령 · 배임)를 범한 자로서 300만원 이상의 벌금형을 선고받고 그 형이 확정된 후 2년이 지나지 아니한 사람'이 경찰공무원 임용결격자이다(제7호). 도로교통법에 따른 음주운전은 제7호 대상범죄에 해당하지 않는다.
㉤ [○] '「성폭력범죄의 처벌 등에 관한 특례법」 제2조에 규정된 죄를 범한 사람으로서 100만원 이상의 벌금형을 선고받고 그 형이 확정된 후 3년이 지나지 아니한 사람'이 임용결격자이다(제8호). 지문의 경우는 2년이 지났으므로 아직 3년이 지나지 않은 것이어서 여전히 임용결격자이다.
㉥ [○] '징계에 의하여 파면 또는 해임처분을 받은 사람'은 임용결격자로서(제10호), 몇 년이 지나든 파면 또는 해임처분을 받은 사실 자체로 추후 임용이 불가능하다.

# 03 임용권자

## 047 「경찰공무원법」 제7조에 따른 임용권자에 관한 설명으로 가장 적절하지 않은 것은? [2023 채용 1차]

① 총경 이상 경찰공무원은 경찰청장 또는 해양경찰청장의 추천을 받아 행정안전부장관 또는 해양수산부장관의 제청으로 국무총리를 거쳐 대통령이 임용한다.
② 총경의 전보, 휴직, 직위해제, 강등, 정직 및 복직은 행정안전부장관 또는 해양수산부장관이 임용한다.
③ 경정 이하의 경찰공무원은 경찰청장 또는 해양경찰청장이 임용한다. 다만, 경정으로의 신규채용, 승진임용 및 면직은 경찰청장 또는 해양경찰청장의 제청으로 국무총리를 거쳐 대통령이 한다.
④ 경찰청장은 대통령령으로 정하는 바에 따라 경찰공무원의 임용에 관한 권한의 일부를 특별시장 · 광역시장 · 도지사 · 특별자치시장 또는 특별자치도지사, 국가수사본부장, 소속 기관의 장, 시 · 도경찰청장에게 위임할 수 있다.

**정답 및 해설 I ②**

② [×] 총경의 강등 · 정직 · 복직 · 전보 · 휴직 · 직위해제는 경찰청장 또는 해양경찰청장이 한다.

> **경찰공무원법 제7조【임용권자】** ① 총경 이상 경찰공무원은 … 대통령이 임용한다. 다만, 총경의 전보, 휴직, 직위해제, 강등, 정직 및 복직은 경찰청장 또는 해양경찰청장이 한다.

① [○]

> **경찰공무원법 제7조【임용권자】** ① 총경 이상 경찰공무원은 경찰청장 또는 해양경찰청장의 추천을 받아 행정안전부장관 또는 해양수산부장관의 제청으로 국무총리를 거쳐 대통령이 임용한다. 다만, …

③ [○]

> **경찰공무원법 제7조【임용권자】** ② 경정 이하의 경찰공무원은 경찰청장 또는 해양경찰청장이 임용한다. 다만, 경정으로의 신규채용, 승진임용 및 면직은 경찰청장 또는 해양경찰청장의 제청으로 국무총리를 거쳐 대통령이 한다.

④ [○]

> **경찰공무원법 제7조【임용권자】** ③ 경찰청장은 대통령령으로 정하는 바에 따라 경찰공무원의 임용에 관한 권한의 일부를 특별시장 · 광역시장 · 도지사 · 특별자치시장 또는 특별자치도지사(이하 "시 · 도지사"라 한다), 국가수사본부장, 소속 기관의 장, 시 · 도경찰청장에게 위임할 수 있다. 이 경우 시 · 도지사는 위임받은 권한의 일부를 대통령령으로 정하는 바에 따라 「국가경찰과 자치경찰의 조직 및 운영에 관한 법률」 제18조에 따른 시 · 도자치경찰위원회(이하 "시 · 도자치경찰위원회"라 한다), 시 · 도경찰청장에게 다시 위임할 수 있다.

## 048 경찰공무원법상 경찰의 인사권자에 대한 설명으로 틀린 것은? [2015 경간]

① 총경의 전보 · 휴직 · 직위해제 · 정직 및 복직은 경찰청장이 행한다.

② 경정 이하의 신규채용 · 승진임용 및 면직은 경찰청장이 행한다.

③ 경찰청장은 경찰공무원의 임용에 관한 권한의 일부를 소속기관의 장, 시 · 도경찰청장에게 위임할 수 있다.

④ 경찰청장은 '소속기관장에 대한 위임규정'에도 불구하고, 경찰공무원의 정원의 조정 · 인사교류 또는 파견을 위하여 필요한 때에는 임용권을 행사할 수 있다.

**정답 및 해설 I ②**

① [○] ② [×] '경정으로의' 신규채용, 승진임용 및 면직은 경찰청장의 제청으로 국무총리를 거쳐 대통령이 한다.

> **경찰공무원법 제7조【임용권자】** ① 총경 이상 경찰공무원은 경찰청장 또는 해양경찰청장의 추천을 받아 행정안전부장관 또는 해양수산부장관의 제청으로 국무총리를 거쳐 대통령이 임용한다. 다만, 총경의 전보, 휴직, 직위해제, 강등, 정직 및 복직은 경찰청장 또는 해양경찰청장이 한다.
> ② 경정 이하의 경찰공무원은 경찰청장 또는 해양경찰청장이 임용한다. 다만, 경정으로의 신규채용, 승진임용 및 면직은 경찰청장 또는 해양경찰청장의 제청으로 국무총리를 거쳐 대통령이 한다.

③④ [○]

> **경찰공무원법 제7조【임용권자】** ③ 경찰청장은 대통령령으로 정하는 바에 따라 경찰공무원의 임용에 관한 권한의 일부를 특별시장 · 광역시장 · 도지사 · 특별자치시장 또는 특별자치도지사(이하 "시 · 도지사"라 한다), 국가수사본부장, 소속 기관의 장, 시 · 도경찰청장에게 위임할 수 있다. 이 경우 시 · 도지사는 위임받은 권한의 일부를 대통령령으로 정하는 바에 따라 「국가경찰과 자치경찰의 조직 및 운영에 관한 법률」 제18조에 따른 시 · 도자치경찰위원회(이하 "시 · 도자치경찰위원회"라 한다), 시 · 도경찰청장에게 다시 위임할 수 있다.
>
> 대통령령 **경찰공무원 임용령 제4조【임용권의 위임 등】** ⑪ 제1항부터 제6항까지의 규정에도 불구하고 경찰청장은 경찰공무원의 정원 조정, 승진임용, 인사교류 또는 파견을 위하여 필요한 경우에는 임용권을 행사할 수 있다.

**KEY POINT | 경찰공무원의 임용권 행사모습**

1 기본모습

| 구분 | 원칙 | 예외 |
|---|---|---|
| 총경 이상 | 경찰청장 추천 ➜ 행정안전부장관 제청 ➜ 국무총리 거쳐 ➜ 대통령이 함 | 총경의 강 · 정 · 복 · 전 · 휴 · 직: 경찰청장이 함 |
| 경정 이하 | 경찰청장이 함 | 경정으로의 신 · 승 · 면: 경찰청장 제청 ➜ 국무총리 거쳐 ➜ 대통령이 함 |

2 위임의 형태

- (1차) 경찰청장은 / 임용권 일부를 / 위임할 수 있다 / 누구에게?
  - 소속 기관의 장
  - 시 · 도지사
  - 시 · 도경찰청장
  - 국가수사본부장
- (2차) 시 · 도지사는 / 위임받은 권한 일부를 / 다시 위임할 수 있다 / 누구에게?
  - 시 · 도자치경찰위원회
  - 시 · 도경찰청장



## 049 '경찰공무원법'상 경찰공무원의 임용권자가 바르게 연결된 것은 모두 몇 개인가? [2017 경간]

㉠ 총경의 휴직 – 경찰청장
㉡ 총경의 강등 – 대통령
㉢ 총경의 복직 – 경찰청장
㉣ 경정의 면직 – 대통령
㉤ 경정으로의 승진 – 경찰청장
㉥ 총경의 정직 – 대통령

① 1개
② 2개
③ 3개
④ 4개

**정답 및 해설 | ③**

③ [○] 총경의 강등 · 정직 · 복직 · 전보 · 휴직 · 직위해제는 경찰청장이 한다. 따라서 우선 ㉡, ㉥이 틀렸다(㉠, ㉢은 옳다). 다음 경정으로의 신규채용 · 승진임용 · 면직(면직은 문맥상 경정의 면직)은 경찰청장 제청 ➜ 국무총리 거쳐 ➜ 대통령이 한다. 따라서 ㉤도 틀렸다(㉣은 옳다). 결국 옳은 것은 ㉠, ㉢, ㉣ 3개이다.

## 050 '경찰공무원법'상 임용권자를 설명한 것으로 가장 적절한 것은? [2016 지능범죄]

① 경찰청 소속 총경 이상의 경찰공무원은 행정안전부장관의 추천으로 국무총리를 거쳐 대통령이 임용한다.
② 해양경찰청 소속 총경 이상의 경찰공무원은 해양경찰청장의 추천을 받아 해양수산부장관의 제청으로 국무총리를 거쳐 대통령이 임용한다.
③ 경정 이하 경찰공무원은 경찰청장이 임용한다. 다만, 경정으로의 신규채용, 승진임용 및 면직은 경찰청장의 제청으로 행정안전부장관을 거쳐 대통령이 한다.
④ 경찰청장은 대통령령으로 정하는 바에 따라 경찰공무원의 임용에 관한 권한의 전부를 소속 기관의 장, 시 · 도경찰청장 또는 지방해양경찰관서의 장에게 위임해야만 한다.

**정답 및 해설 I ②**

② [○] ③ [×] 경정으로의 신규채용, 승진임용 및 면직은 경찰청장의 제청으로 '국무총리를 거쳐' 대통령이 한다.

> **경찰공무원법 제7조【임용권자】** ① 총경 이상 경찰공무원은 경찰청장 또는 해양경찰청장의 추천을 받아 행정안전부장관 또는 해양수산부장관의 제청으로 국무총리를 거쳐 대통령이 임용한다. 다만, 총경의 전보, 휴직, 직위해제, 강등, 정직 및 복직은 경찰청장 또는 해양경찰청장이 한다.
> ② 경정 이하의 경찰공무원은 경찰청장 또는 해양경찰청장이 임용한다. 다만, 경정으로의 신규채용, 승진임용 및 면직은 경찰청장 또는 해양경찰청장의 제청으로 국무총리를 거쳐 대통령이 한다.

① [×] 경찰청장 추천 ➜ 행정안전부장관 제청 ➜ 국무총리 거쳐 ➜ 대통령이 임용한다.

④ [×] '권한의 일부를', '시 · 도지사, 국가수사본부장, 소속 기관의 장, 시 · 도경찰청장'에게 '위임할 수 있다.'

> **경찰공무원법 제7조【임용권자】** ③ 경찰청장은 대통령령으로 정하는 바에 따라 경찰공무원의 임용에 관한 권한의 일부를 특별시장 · 광역시장 · 도지사 · 특별자치시장 또는 특별자치도지사(이하 "시 · 도지사"라 한다), 국가수사본부장, 소속 기관의 장, 시 · 도경찰청장에게 위임할 수 있다. 이 경우 시 · 도지사는 위임받은 권한의 일부를 대통령령으로 정하는 바에 따라 「국가경찰과 자치경찰의 조직 및 운영에 관한 법률」 제18조에 따른 시 · 도자치경찰위원회(이하 "시 · 도자치경찰위원회"라 한다), 시 · 도경찰청장에게 다시 위임할 수 있다.

## 051 「경찰공무원법」 및 「경찰공무원 임용령」상 경찰공무원의 임용에 대한 설명으로 가장 적절하지 않은 것은?

[2017 승진(경감)]

① 경찰청 소속 총경 이상의 경찰공무원은 경찰청장의 추천을 받아 행정안전부장관의 제청으로 국무총리를 거쳐 대통령이 임용한다.

② 경정 이하의 경찰공무원은 경찰청장이 임용한다. 다만, 경정으로의 신규채용 · 승진임용 · 면직은 경찰청장의 제청으로 국무총리를 거쳐 대통령이 한다.

③ 경찰공무원은 임용장 또는 임용통지서에 기재된 일자에 임용된 것으로 본다. 다만, 사망으로 인한 면직은 사망한 날에 면직된 것으로 본다.

④ 경찰공무원법상 경찰청장은 대통령령으로 정하는 바에 따라 경찰공무원의 임용에 관한 권한의 일부를 특별시장 · 광역시장 · 도지사 · 특별자치시장 또는 특별자치도지사(이하 "시 · 도지사"라 한다), 국가수사본부장, 소속 기관의 장, 시 · 도경찰청장에게 위임할 수 있다.

**정답 및 해설 I ③**

③ [×]

> 대통령령 **경찰공무원 임용령 제5조【임용시기】** ① 경찰공무원은 임용장이나 임용통지서에 적힌 날짜에 임용된 것으로 보며, 임용일자를 소급해서는 아니 된다.
> ② 사망으로 인한 면직은 사망한 다음 날에 면직된 것으로 본다.

①②④ [○]

> **경찰공무원법 제7조【임용권자】** ① 총경 이상 경찰공무원은 경찰청장 또는 해양경찰청장의 추천을 받아 행정안전부장관 또는 해양수산부장관의 제청으로 국무총리를 거쳐 대통령이 임용한다. 다만, 총경의 전보, 휴직, 직위해제, 강등, 정직 및 복직은 경찰청장 또는 해양경찰청장이 한다.
> ② 경정 이하의 경찰공무원은 경찰청장 또는 해양경찰청장이 임용한다. 다만, 경정으로의 신규채용, 승진임용 및 면직은 경찰청장 또는 해양경찰청장의 제청으로 국무총리를 거쳐 대통령이 한다.
> ③ 경찰청장은 대통령령으로 정하는 바에 따라 경찰공무원의 임용에 관한 권한의 일부를 특별시장 · 광역시장 · 도지사 · 특별자치시장 또는 특별자치도지사(이하 "시 · 도지사"라 한다), 국가수사본부장, 소속 기관의 장, 시 · 도경찰청장에게 위임할 수 있다. 이 경우 시 · 도지사는 위임받은 권한의 일부를 대통령령으로 정하는 바에 따라 「국가경찰과 자치경찰의 조직 및 운영에 관한 법률」 제18조에 따른 시 · 도자치경찰위원회(이하 "시 · 도자치경찰위원회"라 한다), 시 · 도경찰청장에게 다시 위임할 수 있다.

## 052 경찰청장에 대한 설명으로 가장 적절한 것은? [2020 채용 2차]

① 징계위원회의 의결을 거친 경무관 이상의 강등 및 정직과 경정 이상의 파면 및 해임을 한다.

② 임기는 2년이 보장되나, 직무 수행 중 헌법이나 법률을 위배하였을 때에는 국회는 탄핵할 수 있다.

③ 소속 공무원뿐만 아니라 제주특별자치도의 자치경찰공무원도 언제나 직접 지휘 · 명령할 수 있다.

④ 대통령령으로 정하는 바에 따라 경찰공무원의 임용에 관한 권한의 일부를 소속 기관의 장, 시 · 도경찰청장에게 위임할 수 있다.





**정답 및 해설 I ④**

④ [○]

> **경찰공무원법 제7조【임용권자】** ③ 경찰청장은 대통령령으로 정하는 바에 따라 경찰공무원의 임용에 관한 권한의 일부를 특별시장 · 광역시장 · 도지사 · 특별자치시장 또는 특별자치도지사(이하 "시 · 도지사"라 한다), 국가수사본부장, 소속 기관의 장, 시 · 도경찰청장에게 위임할 수 있다. 이 경우 시 · 도지사는 위임받은 권한의 일부를 대통령령으로 정하는 바에 따라 「국가경찰과 자치경찰의 조직 및 운영에 관한 법률」 제18조에 따른 시 · 도자치경찰위원회(이하 "시 · 도자치경찰위원회"라 한다), 시 · 도경찰청장에게 다시 위임할 수 있다.

① [×] 경찰청장의 제청으로 행정안전부장관과 국무총리를 거쳐 대통령이 한다.

> **경찰공무원법 제33조【징계의 절차】** 경찰공무원의 징계는 징계위원회의 의결을 거쳐 징계위원회가 설치된 소속 기관의 장이 하되, 「국가공무원법」에 따라 국무총리 소속으로 설치된 징계위원회에서 의결한 징계는 경찰청장 또는 해양경찰청장이 한다. 다만, 파면 · 해임 · 강등 및 정직은 징계위원회의 의결을 거쳐 해당 경찰공무원의 임용권자가 하되, 경무관 이상의 강등 및 정직과 경정 이상의 파면 및 해임은 경찰청장 또는 해양경찰청장의 제청으로 행정안전부장관 또는 해양수산부장관과 국무총리를 거쳐 대통령이 하고, 총경 및 경정의 강등 및 정직은 경찰청장 또는 해양경찰청장이 한다.

② [×] 국회가 할 수 있는 것은 탄핵 소추의 의결이고, 탄핵결정은 헌법재판소가 하게 된다.

> **경찰법 제14조【경찰청장】** ⑤ 경찰청장이 직무를 집행하면서 헌법이나 법률을 위배하였을 때에는 국회는 탄핵 소추를 의결할 수 있다.

③ [×] 경찰청장이 자치경찰공무원에 대한 지휘 · 명령을 할 수 있는 것은 비상사태가 발생하여 전국적 치안유지가 필요한 경우에 예외적으로 인정되는 것이다.

> **경찰법 제32조【비상사태 등 전국적 치안유지를 위한 경찰청장의 지휘 · 명령】** ① 경찰청장은 다음 각 호의 경우에는 제2항에 따라 자치경찰사무를 수행하는 경찰공무원(제주특별자치도의 자치경찰공무원을 포함한다)을 직접 지휘 · 명령할 수 있다.
> 1. 전시 · 사변, 천재지변, 그 밖에 이에 준하는 국가 비상사태, 대규모의 테러 또는 소요사태가 발생하였거나 발생할 우려가 있어 전국적인 치안유지를 위하여 긴급한 조치가 필요하다고 인정할 만한 충분한 사유가 있는 경우
> 2. 국민안전에 중대한 영향을 미치는 사안에 대하여 다수의 시 · 도에 동일하게 적용되는 치안정책을 시행할 필요가 있다고 인정할 만한 충분한 사유가 있는 경우
> 3. 자치경찰사무와 관련하여 해당 시 · 도의 경찰력으로는 국민의 생명 · 신체 · 재산의 보호 및 공공의 안녕과 질서유지가 어려워 경찰청장의 지원 · 조정이 필요하다고 인정할 만한 충분한 사유가 있는 경우

**053** 「경찰공무원 임용령」상 임용권의 위임에 대한 설명 중 가장 적절하지 않은 것은? [2020 채용 1차]

① 임용권을 위임받은 소속 기관 등의 장은 경감 또는 경위를 신규채용하거나 경사 또는 경장을 승진시키려면 미리 경찰청장의 승인을 받아야 한다.

② 시 · 도경찰청장은 소속 경감 이하 경찰공무원에 대한 해당 경찰서 안에서의 전보권을 경찰서장에게 다시 위임할 수 있다.

③ 경찰청장은 경찰대학 · 경찰인재개발원 · 중앙경찰학교 · 경찰수사연수원 · 경찰병원 및 시 · 도경찰청(이하 "소속기관 등"이라 한다)의 장에게 그 소속 경찰공무원 중 경정의 전보 · 파견 · 휴직 · 직위해제 및 복직에 관한 권한과 경감 이하의 임용권을 위임한다.

④ 임용권의 위임에도 불구하고 경찰청장은 경찰공무원의 정원 조정, 인사교류 또는 파견을 위하여 필요한 경우에는 임용권을 행사할 수 있다.

**정답 및 해설 I ①**

① [×] ③ [○]

> **대통령령** **경찰공무원 임용령 제4조【임용권의 위임 등】** ③ 경찰청장은 법 제7조 제3항 전단에 따라 경찰대학 · 경찰인재개발원 · 중앙경찰학교 · 경찰수사연수원 · 경찰병원 및 시 · 도경찰청(이하 "소속기관등"이라 한다)의 장에게 그 소속 경찰공무원 중 경정의 전보 · 파견 · 휴직 · 직위해제 및 복직에 관한 권한과 경감 이하의 임용권을 위임한다.
> ⑩ 소속기관등의 장은 경감 또는 경위를 신규채용하거나 경위 또는 경사를 승진시키려면 미리 경찰청장의 승인을 받아야 한다.

② [○]

> **대통령령** **경찰공무원 임용령 제4조【임용권의 위임 등】** ① 경찰청장은 법 제7조 제3항 전단에 따라 특별시장 · 광역시장 · 특별자치시장 · 도지사 또는 특별자치도지사(이하 "시 · 도지사"라 한다)에게 해당 특별시 · 광역시 · 특별자치시 · 도 또는 특별자치도(이하 "시 · 도"라 한다)의 자치경찰사무를 담당하는 경찰공무원[「국가경찰과 자치경찰의 조직 및 운영에 관한 법률」 제18조 제1항에 따른 시 · 도자치경찰위원회(이하 "시 · 도자치경찰위원회"라 한다), 시 · 도경찰청 및 경찰서(지구대 및 파출소는 제외한다)에서 근무하는 경찰공무원을 말한다] 중 경정의 전보 · 파견 · 휴직 · 직위해제 및 복직에 관한 권한과 경감 이하의 임용권(신규채용 및 면직에 관한 권한은 제외한다)을 위임한다.
> ④ 제1항에 따라 임용권을 위임받은 시 · 도지사는 법 제7조 제3항 후단에 따라 경감 또는 경위로의 승진임용에 관한 권한을 제외한 임용권을 시 · 도자치경찰위원회에 다시 위임한다.
> ⑤ 제4항에 따라 임용권을 위임받은 시 · 도자치경찰위원회는 시 · 도지사와 시 · 도경찰청장의 의견을 들어 그 권한의 일부를 시 · 도경찰청장에게 다시 위임할 수 있다.
> ⑥ 제3항 및 제5항에 따라 임용권을 위임받은 시 · 도경찰청장은 소속 경감 이하 경찰공무원에 대한 해당 경찰서 안에서의 전보권을 경찰서장에게 다시 위임할 수 있다.
> ⑧ 시 · 도자치경찰위원회는 임용권을 행사하는 경우에는 시 · 도경찰청장의 추천을 받아야 한다.
> ⑨ 시 · 도경찰청장 및 경찰서장은 지구대장 및 파출소장을 보직하는 경우에는 시 · 도자치경찰위원회의 의견을 사전에 들어야 한다.

**☑ KEY POINT I 자치경찰사무를 담당하는 경찰공무원에 대한 임용권의 위임**

**1 자치경찰사무를 담당하는 경찰공무원의 범위**
- 시 · 도자치경찰위원회에서 근무하는 경찰공무원
- 시 · 도경찰청에서 근무하는 경찰공무원
- 경찰서에서 근무하는 경찰공무원
- 지구대 및 파출소에서 근무하는 경찰공무원은 제외!

2 위임의 모습

| 위임자 | 수임자 | 위임대상<br>(자치경찰사무를 담당하는<br>경찰공무원의 임용권 중) | 기속성 |
|---|---|---|---|
| 경찰청장이 | 시 · 도지사에게 | • 경정의 견 · 복 · 전 · 휴 · 직<br>• 경감 이하 임용권(신 · 면 제외) | 위임한다. |
| 시 · 도지사가 | 시 · 도자치경찰위원회에 | (위임받은 임용권 중) 경감 · 경위로의 승진임용권을 제외한 나머지 임용권을 | 위임한다. |
| 시 · 도자치경찰위원회가 | 시 · 도경찰청장에게 | (위임받은 임용권 중) 일부를<br>➔ 시 · 도지사 및 시 · 도경찰청장 의견을 들어야 함! | 위임할 수 있다. |
| 시 · 도경찰청장은 | 경찰서장에게 | 경감 이하의 해당 경찰서 안에서의 전보권을 | 위임할 수 있다. |

④ [○]

대통령령 **경찰공무원 임용령 제4조【임용권의 위임 등】** ⑪ 제1항부터 제6항까지의 규정에도 불구하고 경찰청장은 경찰공무원의 정원 조정, 승진임용, 인사교류 또는 파견을 위하여 필요한 경우에는 임용권을 행사할 수 있다.

## 04 임명절차

**054** 「경찰공무원 임용령」에서 규정한 채용후보자의 자격상실사유로 가장 적절하지 <u>않은</u> 것은?

[2018 승진(경위)]

① 채용후보자가 질병 등 교육훈련을 계속할 수 없는 불가피한 사정으로 퇴학처분을 받은 경우

② 채용후보자가 임용 또는 임용제청에 응하지 아니한 경우

③ 채용후보자로서 받아야 할 교육훈련에 응하지 아니한 경우

④ 채용후보자로서 받은 교육훈련성적이 수료점수에 미달되는 경우

**정답 및 해설 I ①**

① [×] 퇴학처분 자체는 자격상실사유에 해당하지만, 그 퇴학처분이 질병 등으로 교육훈련을 계속할 수 없는 불가피한 사정으로 인한 경우에는 자격상실사유에 해당하지 않는다.

대통령령 **경찰공무원 임용령 제19조【채용후보자의 자격상실】** 채용후보자가 다음 각 호의 어느 하나에 해당하는 경우에는 채용후보자로서의 자격을 상실한다.

1. 채용후보자가 임용 또는 임용제청에 응하지 아니한 경우
2. 채용후보자로서 받아야 할 교육훈련에 응하지 아니한 경우
3. 채용후보자로서 받은 교육훈련성적이 수료점수에 미달되는 경우
4. 채용후보자로서 교육훈련을 받는 중에 퇴학처분을 받은 경우. 다만, 질병 등 교육훈련을 계속할 수 없는 불가피한 사정으로 퇴학처분을 받은 경우는 제외한다.

**055** 「경찰공무원 임용령」 및 「경찰공무원 임용령 시행규칙」상 시보임용 경찰공무원에 관한 설명으로 옳은 것을 모두 고른 것은? [2024 승진]

> ㉠ 임용권자 또는 임용제청권자는 시보임용 경찰공무원의 근무사항을 항상 지도 · 감독하여야 한다.
> ㉡ 임용권자 또는 임용제청권자는 시보임용 경찰공무원의 교육훈련성적이 만점의 60퍼센트 미만 또는 근무성적 평정 제2평정 요소의 평정점이 만점의 50퍼센트 미만에 해당하여 정규 경찰공무원으로 임용하는 것이 부적당하다고 인정되는 경우 정규임용심사위원회의 심사를 거쳐 해당 시보임용 경찰공무원을 면직시키거나 면직을 제청하여야 한다.
> ㉢ 임용권자 또는 임용제청권자는 시보임용 경찰공무원이 징계사유에 해당하여 정규 경찰공무원으로 임용하는 것이 부적당하다고 인정되는 경우 정규임용심사위원회의 심사를 거쳐 해당 시보임용경찰공무원을 면직시키거나 면직을 제청할 수 있다.
> ㉣ 「경찰공무원 임용령 시행규칙」 제10조 제3항에서는 "시보임용 경찰공무원의 면직 또는 면직제청에 따른 동의의 절차는 해당 징계위원회의 해임 의결에 관한 절차를 준용한다."고 규정되어 있다.

① ㉠, ㉡  ② ㉠, ㉢
③ ㉡, ㉣  ④ ㉢, ㉣

**정답 및 해설 I ②**

㉠ [○]

> **경찰공무원 임용령 제20조【시보임용경찰공무원】** ① 임용권자 또는 임용제청권자는 시보임용 기간 중에 있는 경찰공무원(이하 "시보임용경찰공무원"이라 한다)의 근무사항을 항상 지도 · 감독하여야 한다.

㉢ [○] ㉡ [×] 교육훈련성적이나 제2평정 평정점이 기준 미달이라고 하더라도, 반드시 면직하여야 하는 것이 아니라 면직할 수도 있는 것이다.

> **경찰공무원 임용령 제20조【시보임용경찰공무원】** ② 임용권자 또는 임용제청권자는 시보임용경찰공무원이 다음 각 호의 어느 하나에 해당하여 정규 경찰공무원으로 임용하는 것이 부적당하다고 인정되는 경우에는 제3항에 따른 정규임용심사위원회의 심사를 거쳐 해당 시보임용경찰공무원을 면직시키거나 면직을 제청할 수 있다.
> 1. 징계사유에 해당하는 경우
> 2. 제21조 제1항에 따른 교육훈련성적이 만점의 60퍼센트 미만이거나 생활기록이 극히 불량한 경우
> 3. 「경찰공무원 승진임용 규정」 제7조 제2항에 따른 제2 평정 요소의 평정점이 만점의 50퍼센트 미만인 경우

㉣ [×] 해임이 아니라 파면 의결에 관한 절차를 준용한다.

> **경찰공무원 임용령 제10조【정규임용심사】** ③시보임용경찰공무원의 면직 또는 면직제청에 따른 동의의 절차는 해당 징계위원회의 파면 의결에 관한 절차를 준용한다.

## 056 다음은 시보임용에 대한 설명이다. 가장 적절하지 않은 것은? [2016 채용 2차]

① 경정 이하의 경찰공무원을 신규채용하는 경우에는 1년의 기간 시보로 임용하고, 그 기간이 만료되는 날에 정규 경찰공무원으로 임용한다.

② 시보임용기간 중에 있는 경찰공무원이 근무성적 또는 교육훈련성적이 불량한 때에는 면직시키거나 면직을 제청할 수 있다.

③ 휴직기간 · 직위해제기간 및 징계에 의한 정직 또는 감봉처분을 받은 기간은 시보임용기간에 산입하지 아니한다.

④ 경찰대학을 졸업한 사람 또는 경위공개경쟁채용시험 합격자로서 정하여진 교육훈련을 마친 사람을 경위로 임용하는 경우에는 시보임용을 거치지 아니한다.

**정답 및 해설 I ①**

① [×] ③ [○] 만료된 날이 아니라 만료된 다음 날이다.

> **경찰공무원법 제13조【시보임용】** ① 경정 이하의 경찰공무원을 신규 채용할 때에는 1년간 시보로 임용하고, 그 기간이 만료된 다음 날에 정규 경찰공무원으로 임용한다.
> ② 휴직기간, 직위해제기간 및 징계에 의한 정직처분 또는 감봉처분을 받은 기간은 제1항에 따른 시보임용기간에 산입하지 아니한다.

② [○]

> **경찰공무원법 제13조【시보임용】** ③ 시보임용기간 중에 있는 경찰공무원이 근무성적 또는 교육훈련성적이 불량할 때에는 「국가공무원법」 제68조 및 이 법 제28조(➜ 신규채용)에도 불구하고 면직시키거나 면직을 제청할 수 있다.
> ➜ 즉, 시보임용기간 중에는 신분보장이 되지 않는다.

④ [○]

> **경찰공무원법 제13조【시보임용】** ④ 다음 각 호의 어느 하나에 해당하는 경우에는 시보임용을 거치지 아니한다.
> 1. 경찰대학을 졸업한 사람 또는 경위공개경쟁채용시험 합격자로서 정하여진 교육훈련을 마친 사람을 경위로 임용하는 경우

## 057 경찰공무원 임용에 관한 다음 설명 중 가장 적절한 것은? [2014 채용 2차]

① 총경 이상의 경찰공무원은 경찰청장의 제청으로 국무총리를 거쳐 대통령이 임명한다. 다만, 총경의 전보, 휴직, 직위해제, 강등 및 정직은 경찰청장이 한다.

② 경정 이하의 경찰공무원을 신규채용할 때에는 1년간 시보로 임용하고, 그 기간이 만료된 날에 정규 경찰공무원으로 임용한다.

③ 경정으로의 신규채용, 승진임용 및 면직은 경찰청장의 제청으로 국무총리를 거쳐 대통령이 한다.

④ 휴직기간, 직위해제기간 및 징계에 의한 정직처분 또는 견책처분을 받은 기간은 시보임용기간에 산입하지 아니한다.

**정답 및 해설 I ③**

③ [○] ① [×] 총경 이상은 경찰청장 추천 ➜ 행정안전부장관 제청 ➜ 국무총리 거쳐 ➜ 대통령이 임용한다.

> **경찰공무원법 제7조 【임용권자】** ① 총경 이상 경찰공무원은 경찰청장 또는 해양경찰청장의 추천을 받아 행정안전부장관 또는 해양수산부장관의 제청으로 국무총리를 거쳐 대통령이 임용한다. 다만, 총경의 전보, 휴직, 직위해제, 강등, 정직 및 복직은 경찰청장 또는 해양경찰청장이 한다.
> ② 경정 이하의 경찰공무원은 경찰청장 또는 해양경찰청장이 임용한다. 다만, 경정으로의 신규채용, 승진임용 및 면직은 경찰청장 또는 해양경찰청장의 제청으로 국무총리를 거쳐 대통령이 한다.

② [×] 그 기간이 만료된 '다음 날'이다.

④ [×] 견책처분은 포함되지 않는다.

> **경찰공무원법 제13조 【시보임용】** ① 경정 이하의 경찰공무원을 신규 채용할 때에는 1년간 시보로 임용하고, 그 기간이 만료된 다음 날에 정규 경찰공무원으로 임용한다.
> ② 휴직기간, 직위해제기간 및 징계에 의한 정직처분 또는 감봉처분을 받은 기간은 제1항에 따른 시보임용기간에 산입하지 아니한다.

## 058 「경찰공무원법」상 시보임용에 대한 설명 중 가장 적절하지 않은 것은? [2017 채용 1차]

① 퇴직한 경찰공무원으로서 퇴직시에 재직하였던 계급의 채용시험에 합격한 사람을 재임용하는 경우에는 시보임용을 거치지 아니한다.

② 경정 이하의 경찰공무원을 신규채용할 때에는 1년간 시보로 임용하고, 그 기간이 만료된 다음 날에 정규 경찰공무원으로 임용한다.

③ 경찰대학을 졸업한 사람 또는 경위공개경쟁채용시험 합격자로서 정하여진 교육훈련을 마친 사람을 경위로 임용하는 경우에는 시보임용을 거치지 아니한다.

④ 자치경찰공무원을 그 계급에 상응하는 경찰공무원으로 임용하는 경우에는 시보임용을 거쳐야 한다.

**정답 및 해설 I ④**

④ [×] 시보임용을 거치지 아니한다.

> **경찰공무원법 제13조 【시보임용】** ④ 다음 각 호의 어느 하나에 해당하는 경우에는 시보임용을 거치지 아니한다.
> 1. 경찰대학을 졸업한 사람 또는 경위공개경쟁채용시험 합격자로서 정하여진 교육훈련을 마친 사람을 경위로 임용하는 경우
> 3. 퇴직한 경찰공무원으로서 퇴직 시에 재직하였던 계급의 채용시험에 합격한 사람을 재임용하는 경우
> 4. 자치경찰공무원을 그 계급에 상응하는 경찰공무원으로 임용하는 경우

① [○] 제13조 제4항 제3호

② [○]

> **경찰공무원법 제13조 【시보임용】** ① 경정 이하의 경찰공무원을 신규 채용할 때에는 1년간 시보로 임용하고, 그 기간이 만료된 다음 날에 정규 경찰공무원으로 임용한다.

③ [○] 제13조 제4항 제1호

**059** '경찰공무원임용령'상 시보임용경찰공무원을 설명한 것으로 가장 적절한 것은? [2016 지능범죄]

① 임용권자 또는 임용제청권자는 시보임용기간 중의 경찰공무원에 대하여 근무사항을 항상 지도 · 감독할 수 있다.

② 시보임용경찰공무원을 정규 경찰공무원으로 임용함에 있어서 그 적부를 심사하게 하기 위하여 임용권자 또는 임용제청권자 소속하에 정규임용심사위원회를 둔다.

③ 정규임용심사위원회의 구성 및 운영에 관하여 필요한 사항은 경찰청 훈령으로 정한다.

④ 임용권자 또는 임용제청권자는 시보임용경찰공무원이 징계사유에 해당하는 경우에만 정규 경찰공무원으로 임용함이 부적당하다고 인정되므로 정규임용심사위원회의 심사를 거쳐 당해 시보임용경찰공무원을 면직시키거나 면직을 제청할 수 있다.

**정답 및 해설 I ②**

② [○] ③ [×] 경찰청 훈령이 아닌 행정안전부령으로 정한다.

> 대통령령 **경찰공무원 임용령 제20조【시보임용경찰공무원】** ③ 시보임용경찰공무원을 정규 경찰공무원으로 임용하는 경우 그 적부를 심사하게 하기 위하여 임용권자 또는 임용제청권자 소속으로 정규임용심사위원회를 둔다.
> ④ 정규임용심사위원회의 구성 및 운영에 필요한 사항은 **행정안전부령**으로 정한다.

① [×] 지도감독하여야 한다.

> 대통령령 **경찰공무원 임용령 제20조【시보임용경찰공무원】** ① 임용권자 또는 임용제청권자는 시보임용 기간 중에 있는 경찰공무원(이하 "시보임용경찰공무원"이라 한다)의 근무사항을 항상 지도 · 감독하여야 한다.

④ [×] 징계사유에 해당하는 경우 외에도, 교육훈련성적이나 제2평정 요소의 평정점이 기준 미달시 면직 · 면직제청을 할 수 있다.

> 대통령령 **경찰공무원 임용령 제20조【시보임용경찰공무원】** ② 임용권자 또는 임용제청권자는 시보임용경찰공무원이 다음 각 호의 어느 하나에 해당하여 정규 경찰공무원으로 임용하는 것이 부적당하다고 인정되는 경우에는 제3항에 따른 정규임용심사위원회의 심사를 거쳐 해당 시보임용경찰공무원을 면직시키거나 면직을 제청할 수 있다.
> 1. 징계사유에 해당하는 경우
> 2. 제21조 제1항에 따른 교육훈련성적이 만점의 60퍼센트 미만이거나 생활기록이 극히 불량한 경우
> 3. 「경찰공무원 승진임용 규정」 제7조 제2항에 따른 제2 평정 요소의 평정점이 만점의 50퍼센트 미만인 경우

**060** 「경찰공무원법」 및 「경찰공무원 임용령」상 시보임용에 대한 ㉠부터 ㉤까지의 설명 중 옳고 그름의 표시(○, ×)가 바르게 된 것은? [2018 실무 1]

> ㉠ 신규채용되는 경정 이하의 경찰공무원이 적용대상이다.
> ㉡ 시보(試補)로 임용하는 기간은 1년(단, 휴직기간, 직위해제기간 및 징계에 의한 감봉처분 또는 견책처분을 받은 기간 제외)으로 하고, 그 기간이 만료된 다음 날에 정규 경찰공무원으로 임용한다.
> ㉢ 제2평정 요소의 근무성적평정점이 만점의 50퍼센트 이하인 경우 시보임용경찰공무원을 정규임용심사위원회의 심사를 거쳐 면직시키거나 면직을 제청할 수 있다.
> ㉣ 교육훈련성적이 만점의 60퍼센트 미만이거나 생활기록이 극히 불량한 경우 시보임용경찰공무원을 정규임용심사위원회의 심사를 거쳐 면직시키거나 면직을 제청할 수 있다.
> ㉤ 경찰대학을 졸업한 사람 또는 경위공개경쟁채용시험 합격자로서 정하여진 교육훈련을 마친 사람을 경위로 임용하는 경우 시보임용을 거치지 아니한다.

① ㉠(○) ㉡(○) ㉢(×) ㉣(○) ㉤(○)
② ㉠(○) ㉡(×) ㉢(×) ㉣(○) ㉤(○)
③ ㉠(×) ㉡(○) ㉢(○) ㉣(×) ㉤(×)
④ ㉠(○) ㉡(×) ㉢(○) ㉣(○) ㉤(○)

**정답 및 해설 I ②**

㉠ [○]

> **경찰공무원법 제13조【시보임용】** ① 경정 이하의 경찰공무원을 신규 채용할 때에는 1년간 시보로 임용하고, 그 기간이 만료된 다음 날에 정규 경찰공무원으로 임용한다.

㉡ [×] 견책은 포함되지 않는다.

> **경찰공무원법 제13조【시보임용】** ① 경정 이하의 경찰공무원을 신규 채용할 때에는 1년간 시보로 임용하고, 그 기간이 만료된 다음 날에 정규 경찰공무원으로 임용한다.
> ② 휴직기간, 직위해제기간 및 징계에 의한 정직처분 또는 감봉처분을 받은 기간은 제1항에 따른 시보임용기간에 산입하지 아니한다.

㉢ [×] ㉣ [○] '이하'가 아니라 '미만'이다.

> 대통령령 **경찰공무원 임용령 제20조【시보임용경찰공무원】** ② 임용권자 또는 임용제청권자는 시보임용경찰공무원이 다음 각 호의 어느 하나에 해당하여 정규 경찰공무원으로 임용하는 것이 부적당하다고 인정되는 경우에는 제3항에 따른 정규임용심사위원회의 심사를 거쳐 해당 시보임용경찰공무원을 면직시키거나 면직을 제청할 수 있다.
> 1. **징계사유**에 해당하는 경우
> 2. 제21조 제1항에 따른 교육훈련성적이 만점의 **60퍼센트 미만**이거나 생활기록이 극히 불량한 경우
> 3. 「경찰공무원 승진임용 규정」 제7조 제2항에 따른 제2 평정 요소의 평정점이 만점의 **50퍼센트 미만**인 경우

㉤ [○]

> **경찰공무원법 제13조【시보임용】** ④ 다음 각 호의 어느 하나에 해당하는 경우에는 시보임용을 거치지 아니한다.
> 1. 경찰대학을 졸업한 사람 또는 경위공개경쟁채용시험 합격자로서 정하여진 교육훈련을 마친 사람을 경위로 임용하는 경우

## 061 「경찰공무원법」상 경찰공무원의 임용에 대한 설명으로 가장 적절한 것은? [2019 채용 1차]

① 총경 이상의 경찰공무원은 경찰청장의 제청으로 국무총리를 거쳐 대통령이 임용한다.

② 퇴직한 경찰공무원으로서 퇴직시에 재직하였던 계급의 채용시험에 합격한 사람을 재임용하는 경우 시보임용을 거치지 않는다.

③ 경찰청장 또는 해양경찰청장은 경찰공무원의 신규채용시험(경위공개경쟁채용시험을 포함한다), 승진시험 또는 그 밖의 시험에서 다른 사람에게 대신하여 응시하게 하는 행위 등 대통령령으로 정하는 부정행위를 한 사람에 대하여 해당 시험의 정지 · 무효 또는 합격 취소 처분을 할 수 있고, 3년간 시험응시자격을 정지한다.

④ 경찰청장은 경찰공무원의 임용에 관한 권한의 일부를 소속 기관 등의 장에게 위임할 수 없다.



**정답 및 해설 | ②**

② [○]

> **경찰공무원법 제13조【시보임용】** ④ 다음 각 호의 어느 하나에 해당하는 경우에는 시보임용을 거치지 아니한다.
> 3. 퇴직한 경찰공무원으로서 퇴직 시에 재직하였던 계급의 채용시험에 합격한 사람을 재임용하는 경우

① [×] 경찰청장 추천 ➜ 행정안전부장관의 제청 ➜ 국무총리 거쳐 ➜ 대통령이 임용한다.

> **경찰공무원법 제7조【임용권자】** ① 총경 이상 경찰공무원은 경찰청장 또는 해양경찰청장의 추천을 받아 행정안전부장관 또는 해양수산부장관의 제청으로 국무총리를 거쳐 대통령이 임용한다. 다만, 총경의 전보, 휴직, 직위해제, 강등, 정직 및 복직은 경찰청장 또는 해양경찰청장이 한다.
> ② 경정 이하의 경찰공무원은 경찰청장 또는 해양경찰청장이 임용한다. 다만, 경정으로의 신규채용, 승진임용 및 면직은 경찰청장 또는 해양경찰청장의 제청으로 국무총리를 거쳐 대통령이 한다.

③ [×] 5년간 시험응시자격을 정지한다.

> **경찰공무원법 제11조【부정행위자에 대한 제재】** ① 경찰청장 또는 해양경찰청장은 경찰공무원의 신규채용시험(경위공개경쟁채용시험을 포함한다.), 승진시험 또는 그 밖의 시험에서 다른 사람에게 대신하여 응시하게 하는 행위 등 대통령령으로 정하는 부정행위를 한 사람에 대하여 대통령령으로 정하는 바에 따라 해당 시험의 정지 · 무효 또는 합격 취소 처분을 할 수 있다. <개정 2024.2.13.>
> ② 제1항에 따른 처분을 받은 사람에 대해서는 처분이 있은 날부터 5년의 범위에서 대통령령으로 정하는 기간 동안 신규채용시험, 승진시험 또는 그 밖의 시험의 응시자격을 정지한다. <신설 2024.2.13.>
> ③ 경찰청장 또는 해양경찰청장은 제1항에 따른 처분(시험의 정지는 제외한다)을 할 때에는 미리 그 처분 내용과 사유를 당사자에게 통지하여 소명할 기회를 주어야 한다.

④ [×]

> **경찰공무원법 제7조【임용권자】** ③ 경찰청장은 대통령령으로 정하는 바에 따라 경찰공무원의 임용에 관한 권한의 일부를 특별시장 · 광역시장 · 도지사 · 특별자치시장 또는 특별자치도지사(이하 "시 · 도지사"라 한다), 국가수사본부장, 소속 기관의 장, 시 · 도경찰청장에게 위임할 수 있다. 이 경우 시 · 도지사는 위임받은 권한의 일부를 대통령령으로 정하는 바에 따라 「국가경찰과 자치경찰의 조직 및 운영에 관한 법률」 제18조에 따른 시 · 도자치경찰위원회(이하 "시 · 도자치경찰위원회"라 한다), 시 · 도경찰청장에게 다시 위임할 수 있다.
> ④ 해양경찰청장은 대통령령으로 정하는 바에 따라 경찰공무원의 임용에 관한 권한의 일부를 소속 기관의 장, 지방해양경찰관서의 장에게 위임할 수 있다.
> ⑤ 경찰청장, 해양경찰청장 또는 제3항 및 제4항에 따라 임용권을 위임받은 자는 행정안전부령 또는 해양수산부령으로 정하는 바에 따라 소속 경찰공무원의 인사기록을 작성 · 보관하여야 한다.

## 05 임용의 형식 및 효력발생시기

**062** 경찰공무원의 임용에 대한 설명으로 가장 적절하지 않은 것은? [2015 채용 1차]

① 경찰공무원은 임용장 또는 임용통지서에 기재된 일자에 임용된 것으로 보지만, 사망으로 인한 면직은 사망한 다음 날에 면직된 것으로 본다고 경찰공무원법에 명시되어 있다.

② 경찰청장 또는 해양경찰청장은 경찰공무원의 신규채용시험(경위공개경쟁채용시험을 포함한다), 승진시험 또는 그 밖의 시험에서 다른 사람에게 대신하여 응시하게 하는 행위 등 대통령령으로 정하는 부정행위를 한 사람에 대하여 해당 시험의 정지 · 무효 또는 합격 취소 처분을 할 수 있고, 5년간 시험응시자격을 정지한다.

③ 경찰청장은 순경에서 4년 이상 근속자를 경장으로, 경장에서 5년 이상 근속자를 경사로, 경사에서 6년 6개월 이상 근속자를 경위로, 경위에서 8년 이상 근속자를 경감으로 각각 근속승진임용할 수 있다.

④ 경정 이하의 경찰공무원을 신규채용할 때에는 1년간 시보(試補)로 임용하고, 그 기간이 만료된 다음 날에 정규 경찰공무원으로 임용한다.

**정답 및 해설 I ①**

① [×] 이 내용은 대통령령인 경찰공무원 임용령에 명시되어 있다.

> 대통령령 **경찰공무원 임용령 제5조【임용시기】** ① 경찰공무원은 임용장이나 임용통지서에 적힌 날짜에 임용된 것으로 보며, 임용일자를 소급해서는 아니 된다.
> ② 사망으로 인한 면직은 사망한 다음 날에 면직된 것으로 본다.

② [○]

> **경찰공무원법 제11조【부정행위자에 대한 제재】** ① 경찰청장 또는 해양경찰청장은 경찰공무원의 신규채용시험(경위공개경쟁채용시험을 포함한다.), 승진시험 또는 그 밖의 시험에서 다른 사람에게 대신하여 응시하게 하는 행위 등 대통령령으로 정하는 부정행위를 한 사람에 대하여 대통령령으로 정하는 바에 따라 해당 시험의 정지 · 무효 또는 합격 취소 처분을 할 수 있다. <개정 2024.2.13.>
> ② 제1항에 따른 처분을 받은 사람에 대해서는 처분이 있은 날부터 5년의 범위에서 대통령령으로 정하는 기간 동안 신규채용시험, 승진시험 또는 그 밖의 시험의 응시자격을 정지한다. <신설 2024. 2. 13.>
> ③ 경찰청장 또는 해양경찰청장은 제1항에 따른 처분(시험의 정지는 제외한다)을 할 때에는 미리 그 처분 내용과 사유를 당사자에게 통지하여 소명할 기회를 주어야 한다.

③ [○]

> **경찰공무원법 제16조【근속승진】** ① 경찰청장 또는 해양경찰청장은 제15조 제2항에도 불구하고 해당 계급에서 다음 각 호의 기간 동안 재직한 사람을 경장, 경사, 경위, 경감으로 각각 근속승진임용할 수 있다. 다만, 인사교류 경력이 있거나 주요 업무의 추진 실적이 우수한 공무원 등 경찰행정 발전에 기여한 공이 크다고 인정되는 경우에는 대통령령으로 정하는 바에 따라 그 기간을 단축할 수 있다.
> 1. 순경을 경장으로 근속승진임용하려는 경우: 해당 계급에서 4년 이상 근속자
> 2. 경장을 경사로 근속승진임용하려는 경우: 해당 계급에서 5년 이상 근속자
> 3. 경사를 경위로 근속승진임용하려는 경우: 해당 계급에서 6년 6개월 이상 근속자
> 4. 경위를 경감으로 근속승진임용하려는 경우: 해당 계급에서 8년 이상 근속자

④ [○]

> **경찰공무원법 제13조【시보임용】** ① 경정 이하의 경찰공무원을 신규 채용할 때에는 1년간 시보로 임용하고, 그 기간이 만료된 다음 날에 정규 경찰공무원으로 임용한다.

**063** 「경찰공무원 임용령」상 임용시기에 대한 설명으로 가장 적절하지 않은 것은? [2023 경간]

① 경찰공무원은 임용장이나 임용통지서에 적힌 날짜에 임용된 것으로 보며, 임용일자를 원칙적으로 소급할 수 없다.

② 경찰공무원의 사망으로 인한 면직은 사망한 다음 날에 면직된 것으로 본다.

③ 경찰공무원이 재직 중 전사하거나 순직한 경우로서 특별승진 임용하는 경우에는 사망한 날을 임용일자로 본다.

④ 휴직 기간이 끝나거나 휴직 사유가 소멸된 후에도 직무에 복귀하지 아니하거나 직무를 감당할 수 없어 직권으로 면직시키는 경우 휴직기간의 만료일 또는 휴직사유의 소멸일을 임용일자로 본다.



**정답 및 해설 | ③**

③ [×] **사망일의 전날**을 임용일자로 본다.

> 대통령령 **경찰공무원 임용령 제6조【임용시기의 특례】** 제5조 제1항에도 불구하고 다음 각 호의 어느 하나에 해당하는 경우에는 다음 각 호의 구분에 따른 일자에 임용된 것으로 본다.
> 1. 법 제19조 제1항 제2호에 따라 **전사하거나 순직한 사람**을 다음 각 목의 어느 하나에 해당하는 날을 임용일자로 하여 특별승진임용하는 경우
>    가. 재직 중 사망한 경우: 사망일의 전날
>    나. 퇴직 후 사망한 경우: 퇴직일의 전날
> 2. 삭제<2023.6.7.>

①② [○]

> 대통령령 **경찰공무원 임용령 제5조【임용시기】** ① 경찰공무원은 임용장이나 임용통지서에 적힌 날짜에 임용된 것으로 보며, 임용일자를 소급해서는 아니 된다.
> ② 사망으로 인한 면직은 사망한 다음 날에 면직된 것으로 본다.

④ [○]

> 대통령령 **경찰공무원 임용령 제6조【임용시기의 특례】** 제5조 제1항에도 불구하고 다음 각 호의 어느 하나에 해당하는 경우에는 다음 각 호의 구분에 따른 일자에 임용된 것으로 본다.
> 3. 「국가공무원법」 제70조 제1항 제4호에 따라 **직권으로 면직**시키는 경우: 휴직기간의 만료일 또는 휴직사유의 소멸일

**064** 「경찰공무원 임용령」에 관한 설명으로 옳은 것을 모두 고른 것은? [2023 승진]

> ㉠ 경찰공무원은 임용장이나 임용통지서에 적힌 날짜에 임용된 것으로 보며, 임용일자를 소급해서는 아니된다. 사망으로 인한 면직은 사망한 날에 면직된 것으로 본다.
> ㉡ 「경찰공무원법」 제10조 제3항 제1호에 따라 재임용된 경찰공무원의 계급정년 연한은 재임용 전에 해당 계급의 경찰공무원으로 근무한 연수를 합하여 계산한다.
> ㉢ 종전의 재직기관에서 감봉 이상의 징계처분을 받은 사람은 경력경쟁채용등의 대상이 될 수 없다.
> ㉣ 임용권자 또는 임용제청권자는 채용후보자 명부에 등재된 채용후보자가 학업을 계속하는 경우 채용후보자 명부의 유효기간의 범위에서 기간을 정하여 임용 또는 임용제청을 유예할 수 있다. 다만, 유예기간 중이라도 그 사유가 소멸한 경우에는 임용 또는 임용제청을 할 수 있다.

① ㉠, ㉡ ② ㉡, ㉢

③ ㉡, ㉢, ㉣ ④ ㉠, ㉢, ㉣

**정답 및 해설 I ③**

㉠ [×] 사망으로 인한 면직은 사망한 다음날에 면직된 것으로 본다.

> 대통령령 **경찰공무원 임용령 제5조【임용시기】** ① 경찰공무원은 임용장이나 임용통지서에 적힌 날짜에 임용된 것으로 보며, 임용일자를 소급해서는 아니 된다.
> ② 사망으로 인한 면직은 사망한 다음 날에 면직된 것으로 본다.

㉡ [○] 경찰공무원법상 퇴직한 경찰공무원을 퇴직한 날부터 3년 이내(공상 등의 경우 5년) 퇴직시 계급으로 재임용(경력채용)하는 경우, 당해 재임용 계급이 계급정년 대상이 되는 계급(경정 · 총경 · 경무관 · 치안감)이면 퇴직 전 근무연수가 계급정년 기간에 합산된다는 의미이다.

> 대통령령 **경찰공무원 임용령 제8조【계급정년 연한의 계산】** 법 제10조 제3항 제1호에 따라 재임용된 경찰공무원의 계급정년 연한은 재임용 전에 해당 계급의 경찰공무원으로 근무한 연수를 합하여 계산한다.

㉢ [○]

> 대통령령 **경찰공무원 임용령 제16조【경력경쟁채용등의 요건】** ① 다음 각 호의 어느 하나에 해당하는 사람은 경력경쟁채용등의 대상이 될 수 없다.
> 1. 종전의 재직기관에서 감봉 이상의 징계처분을 받은 사람
> 2. 법 제30조 제1항 제2호에 따라 정년퇴직한 사람

㉣ [○]

> 대통령령 **경찰공무원 임용령 제18조의2【임용 또는 임용제청의 유예】** ① 임용권자 또는 임용제청권자는 채용후보자 명부에 등재된 채용후보자가 다음 각 호의 어느 하나에 해당하는 경우에는 채용후보자 명부의 유효기간의 범위에서 기간을 정하여 임용 또는 임용제청을 유예할 수 있다. 다만, 유예기간 중이라도 그 사유가 소멸한 경우에는 임용 또는 임용제청을 할 수 있다.
> 1. 「병역법」에 따른 병역복무를 위하여 징집 또는 소집되는 경우
> 2. 학업을 계속하는 경우
> 3. 6개월 이상의 장기요양이 필요한 질병이 있는 경우
> 4. 임신하거나 출산한 경우
> 5. 그 밖에 임용 또는 임용제청의 유예가 부득이하다고 인정되는 경우

## 065 경찰공무원 임용에 대한 설명으로 적절하지 않은 것은 모두 몇 개인가? [2021 경간]

> 가. 채용후보자 명부의 유효기간은 2년으로 하되, 경찰청장은 필요에 따라 1년의 범위에서 그 기간을 연장할 수 있다.
> 나. 임용권자 또는 임용제청권자는 채용후보자 명부에 등재된 채용후보자가 학업을 계속하는 경우 채용후보자 명부의 유효기간의 범위에서 기간을 정하여 임용 또는 임용제청을 유예할 수 있다. 다만, 유예기간 중이라도 그 사유가 소멸한 경우에는 임용 또는 임용제청을 할 수 있다.
> 다. 신규채용시험에 합격한 사람이 채용후보자 명부에 등재된 이후 그 유효기간 내에 「병역법」에 따른 병역복무를 위하여 군에 입대한 경우(대학생 군사훈련 과정 이수자를 포함한다)의 의무복무 기간은 채용후보자 명부의 유효기간에 넣어 계산하지 아니한다.
> 라. 채용후보자가 임용 또는 임용제청에 응하지 아니한 경우에는 채용후보자로서의 자격을 상실한다.

① 없음　② 1개
③ 2개　④ 3개

**정답 및 해설 I ①**

가. [○]

> 경찰공무원법 제12소 【채용후보자 명부 등】 ③제1항에 따른 채용후보자 명부의 유효기간은 2년의 범위에서 대통령령으로 정한다. 다만, 경찰청장 또는 해양경찰청장은 필요에 따라 1년의 범위에서 그 기간을 연장할 수 있다.

나. [○]

> 대통령령 경찰공무원 임용령 제18조의2 【임용 또는 임용제청의 유예】 ① 임용권자 또는 임용제청권자는 채용후보자 명부에 등재된 채용후보자가 다음 각 호의 어느 하나에 해당하는 경우에는 채용후보자 명부의 유효기간의 범위에서 기간을 정하여 임용 또는 임용제청을 유예할 수 있다. 다만, 유예기간 중이라도 그 사유가 소멸한 경우에는 임용 또는 임용제청을 할 수 있다.
> 2. 학업을 계속하는 경우

다. [○]

> 경찰공무원법 제12조 【채용후보자 명부 등】 ④신규채용시험에 합격한 사람이 채용후보자 명부에 등재된 이후 그 유효기간 내에 「병역법」에 따른 병역 복무를 위하여 군에 입대한 경우(대학생 군사훈련 과정 이수자를 포함한다)의 의무복무 기간은 제3항에 따른 기간에 넣어 계산하지 아니한다.

라. [○]

> 대통령령 경찰공무원 임용령 제19조 【채용후보자의 자격상실】 채용후보자가 다음 각 호의 어느 하나에 해당하는 경우에는 채용후보자로서의 자격을 상실한다.
> 1. 채용후보자가 임용 또는 임용제청에 응하지 아니한 경우
> 2. 채용후보자로서 받아야 할 교육훈련에 응하지 아니한 경우
> 3. 채용후보자로서 받은 교육훈련성적이 수료점수에 미달되는 경우
> 4. 채용후보자로서 교육훈련을 받는 중에 퇴학처분을 받은 경우. 다만, 질병 등 교육훈련을 계속할 수 없는 불가피한 사정으로 퇴학처분을 받은 경우는 제외한다.

## 주제 3 경찰공무원 근무관계의 변동

### 01 승진

**066** 경찰공무원 승진임용 규정상 승진에 관한 설명 중 가장 적절하지 않은 것은? [2022 채용 1차]

① 경찰공무원의 승진임용은 심사승진임용 · 시험승진임용 및 특별승진임용으로 구분한다.

② 경찰공무원 승진임용 규정 제6조 제1항 제2호에 따르면 소극행정으로 감봉에 해당하는 징계처분을 받은 경찰공무원은 징계처분의 집행이 끝난 날부터 18개월이 지나지 아니하면 심사승진임용될 수 없다.

③ 임용권자나 임용제청권자는 시험승진후보자 명부에 기록된 사람이 승진임용되기 전에 감봉 이상의 징계처분을 받은 경우에는 시험승진후보자 명부에서 그 사람을 제외하여야 한다.

④ 총경 이하의 경찰공무원에 대해서는 매년 근무성적을 평정하여야 하나 휴직 · 직위해제 등의 사유로 해당 연도의 평정기관에서 6개월 이상 근무하지 아니한 경찰공무원에 대해서는 근무성적을 평정하지 아니한다.

**정답 및 해설 I ③**

③ [×] 정직 이상의 징계처분을 받은 경우이다.

> 대통령령 경찰공무원 승진임용규정 제36조 【시험승진후보자 명부의 작성 등】 ③ 임용권자나 임용제청권자는 시험승진후보자 명부에 기록된 사람이 승진임용되기 전에 정직 이상의 징계처분을 받은 경우에는 시험승진후보자 명부에서 그 사람을 제외하여야 한다.

① [○]

> 대통령령 경찰공무원 승진임용 규정 제3조 【승진임용의 구분】 경찰공무원의 승진임용은 심사승진임용 · 시험승진임용 및 특별승진임용으로 구분한다.

② [○] 감봉의 경우 기본 12개월에, 소극행정으로 인한 6개월 가산기간이 추가되어 총 18개월간 승진임용이 제한된다.

대통령령 **경찰공무원 승진임용 규정 제6조【승진임용의 제한】** ① 다음 각 호의 어느 하나에 해당하는 경찰공무원은 승진임용될 수 없다.
1. 징계의결 요구, 징계처분, 직위해제, 휴직(… 생략 …) 또는 시보임용 기간 중에 있는 사람
2. 징계처분의 집행이 끝난 날부터 다음 각 목의 구분에 따른 기간[… 생략 …]이 지나지 않은 사람
   가. **강등 · 정직**: 18개월
   나. **감봉**: 12개월
   다. **견책**: 6개월

☑ 제2호의 기간에 6개월이 추가되는 경우
- 국가공무원법상 **징계부가금 부가대상**이 되는 사유(금품 · 향응수수)로 인한 징계처분을 받은 경우
- **소극행정**에 따른 징계처분을 받은 경우
- **음주운전**(측정불응 포함)에 따른 징계처분을 받은 경우
- **성폭력, 성희롱 및 성매매**에 따른 징계처분을 받은 경우

④ [○]

대통령령 **경찰공무원 승진임용 규정 제7조【근무성적 평정】** ① 총경 이하의 경찰공무원에 대해서는 매년 근무성적을 평정하여야 하며, 근무성적 평정의 결과는 승진 등 인사관리에 반영하여야 한다.

대통령령 **경찰공무원 승진임용 규정 제8조【근무성적 평정의 예외】** ① 휴직 · 직위해제 등의 사유로 해당 연도의 평정기관에서 6개월 이상 근무하지 아니한 경찰공무원에 대해서는 근무성적을 평정하지 아니한다.

## 067 「경찰공무원법」, 「경찰공무원 임용령」, 「경찰공무원 승진임용 규정」상 시보임용 및 승진에 대한 설명으로 가장 적절하지 않은 것은?

[2020 실무 1 변형]

① 모든 경찰관의 귀감이 되는 공을 세우고 전사하거나 순직한 경위 이하 경찰공무원은 2계급 특별승진시킬 수 있다.

② 임용권자는 경감으로의 근속승진임용을 위한 심사를 할 때에는 연도별로 합산하여 해당 기관의 근속승진 대상자의 100분의 50에 해당하는 인원수(소수점 이하가 있는 경우에는 1명을 가산한다)를 초과하여 근속승진임용 할 수 없다.

③ 경정 이하 경사 이상 계급으로의 승진은 심사승진과 시험승진을 병행할 수 있다.

④ 임용권자 또는 임용제청권자는 시보임용경찰공무원이 제2평정 요소에 대한 근무성적 평정점이 만점의 60퍼센트 미만일 경우 해당 시보임용경찰공무원을 면직시키거나 면직을 제청할 수 있다.

**정답 및 해설 | ④**

④ [×] 제2평정 요소의 평정점이 만점의 50퍼센트 미만인 경우 면직 · 면직제청이 가능하다.

대통령령 **경찰공무원 임용령 제20조【시보임용경찰공무원】** ② 임용권자 또는 임용제청권자는 시보임용경찰공무원이 다음 각 호의 어느 하나에 해당하여 정규 경찰공무원으로 임용하는 것이 부적당하다고 인정되는 경우에는 제3항에 따른 정규임용심사위원회의 심사를 거쳐 해당 시보임용경찰공무원을 면직시키거나 면직을 제청할 수 있다.
1. 징계사유에 해당하는 경우
2. 제21조 제1항에 따른 교육훈련성적이 만점의 60퍼센트 미만이거나 생활기록이 극히 불량한 경우
3. 「경찰공무원 승진임용 규정」 제7조 제2항에 따른 제2 평정 요소의 평정점이 만점의 50퍼센트 미만인 경우

① [○] 경찰공무원법 제19조【특별유공자 등의 특별승진】 ① 경찰공무원으로서 다음 각 호의 어느 하나에 해당되는 사람에 대하여는 제15조에도 불구하고 1계급 특별승진시킬 수 있다. 다만, 경위 이하의 경찰공무원으로서 모든 경찰공무원의 귀감이 되는 공을 세우고 전사하거나 순직한 사람에 대하여는 2계급 특별승진 시킬 수 있다.

1. 「국가공무원법」 제40조의4 제1항 제1호부터 제4호까지의 규정 중 어느 하나에 해당되는 사람
2. 전사하거나 순직한 사람
3. 직무 수행 중 현저한 공적을 세운 사람

② [○] 대통령령 경찰공무원 승진임용 규정 제26조【근속승진】 ④ 임용권자는 경감으로의 근속승진임용을 위한 심사를 할 때에는 연도별로 합산하여 해당 기관의 근속승진 대상자의 100분의 50에 해당하는 인원수(소수점 이하가 있는 경우에는 1명을 가산한다)를 초과하여 근속승진임용 할 수 없다.

③ [○] 대통령령 경찰공무원 승진임용규정 제4조【승진임용 예정 인원 결정】 ④ 「경찰공무원법」 제15조 제2항 단서에 따라 경정 이하 경사 이상 계급으로의 승진은 심사승진과 시험승진을 병행할 수 있다. 이 경우 승진임용 예정 인원은 다음 각 호의 방법에 따라 정한다. <2023.8.22. 시행>

1. 계급별로 전체 승진임용 예정 인원에서 제3항에 따른 특별승진임용 예정 인원을 뺀 인원의 70퍼센트를 심사승진임용 예정 인원으로, 30퍼센트를 시험승진임용 예정 인원으로 한다. 다만, 제1항 단서에 따라 특수분야의 승진임용 예정 인원을 정하는 경우에는 본문에 따른 심사승진임용 예정 인원의 비율과 시험승진임용 예정 인원의 비율을 다르게 정할 수 있다
2. 제1호에도 불구하고 승진심사를 하기 전에 승진시험을 실시한 경우에 그 최종합격자 수가 시험승진임용 예정 인원보다 적을 때에는 심사승진임용 예정 인원에 그 부족한 인원을 더하여 심사승진임용 예정 인원을 산정한다.



**068** 경찰공무원 관련 법령에 따를 때, 승진에 관한 설명 중 가장 적절하지 않은 것은? (다툼이 있는 경우 판례에 의함) [2022 채용 2차]

① ○○지구대에 근무하는 순경 甲이 승진후보자명부에 등재된 후 경장으로 승진임용되기 전에 정직 3개월의 징계처분을 받아 임용권자가 순경 甲을 승진후보자명부에서 삭제함으로써 순경 甲이 승진임용의 대상에서 제외되었다면, 임용권자의 승진후보자명부에서의 삭제 행위 그 자체는 행정처분에 해당한다.

② 만 7세인 초등학교 1학년 외동딸을 양육하기 위하여 1년간 휴직한 경사 乙의 위 휴직기간 1년은 승진소요 최저근무연수에 포함된다.

③ 통상적인 근무시간보다 짧은 시간을 근무하는 시간선택제전환경찰공무원으로 경위 계급에서 1년간 근무한 경위 丙의 위 근무기간 1년은 승진소요 최저근무연수에 포함된다.

④ 위법 · 부당한 처분과 직접적 관계없이 50만원의 향응을 받아 감봉 1개월의 징계처분을 받은 경감 丁이 그 징계처분을 받은 후 해당 계급에서 경찰청장 표창을 받은 경우(그 외 일체의 포상을 받은 사실 없음)에는 징계처분의 집행이 끝난 날부터 18개월이 지나면 승진임용될 수 있다.

**정답 및 해설 I ①**

① [×] 이는 행정기관의 내부행위에 불과하여 행정처분에 해당하지 않는다.

**요지판례 I**

■ 경찰공무원법, 경찰공무원 승진임용규정 등에 의하면 시험승진후보자명부에 등재된 자가 승진임용되기 전에 정직 이상의 징계처분을 받은 경우에는 임용권자 또는 임용제청권자가 위 징계처분을 받은 자를 시험승진후보자명부에서 삭제하도록 되어 있는바, 이처럼 시험승진후보자명부에서의 삭제행위는 결국 그 명부에 등재된 자에 대한 승진 여부를 결정하기 위한 행정청 내부의 준비과정에 불과하고, 그 자체가 어떠한 권리나 의무를 설정하거나 법률상 이익에 직접적인 변동을 초래하는 별도의 행정처분이 된다고 할 수 없다(대판 1997.11.14, 97누7325).

② [○] 지문은 만 8세 이하 자녀 1명인 경우이므로 최초 1년은 승진소요 최저근무연수에 포함된다.

> **대통령령** **경찰공무원 승진임용 규정 제5조【승진소요 최저근무연수】** ① 경찰공무원이 승진하려면 다음 각 호의 구분에 따른 기간 동안 해당 계급에 재직하여야 한다. <시행 2023.7.4.>
> 1. 총경: **3년** 이상
> 2. 경정 및 경감: **2년** 이상
> 3. 경위, 경사, 경장 및 순경: **1년** 이상
>
> ② **휴직 기간, 직위해제 기간, 징계처분 기간** 및 제6조 제1항 제2호에 따른 **승진임용 제한기간**은 제1항의 기간에 포함하지 않는다. 다만, 다음 각 호의 기간은 제1항의 기간에 포함한다.
> 1. 「국가공무원법」 제71조에 따른 휴직 기간 중 다음 각 목의 기간
>    라. 「국가공무원법」 제71조 제2항 제4호에 따라 휴직한 경우에 그 휴직 기간. 다만, 자녀 1명에 대하여 총 휴직 기간이 1년을 넘는 경우에는 최초의 1년으로 하되, 다음의 어느 하나에 해당하는 경우에는 그 휴직 기간 전부로 한다.
>       1) 첫째 자녀에 대하여 부모가 모두 휴직을 하는 경우로서 각 휴직 기간이 「공무원임용령」 제31조 제2항 제1호 다목1)에 따라 인사혁신처장이 정하는 기간 이상인 경우
>       2) 둘째 자녀 이후에 대하여 휴직을 하는 경우
>
> **국가공무원법 제71조【휴직】** ② 임용권자는 공무원이 다음 각 호의 어느 하나에 해당하는 사유로 휴직을 원하면 휴직을 명할 수 있다. 다만, 제4호의 경우에는 대통령령으로 정하는 특별한 사정이 없으면 휴직을 명하여야 한다.
> 4. 만 8세 이하 또는 초등학교 2학년 이하의 자녀를 양육하기 위하여 필요하거나 여성공무원이 임신 또는 출산하게 된 때

③ [○]

> **대통령령** **경찰공무원 승진임용 규정 제5조【승진소요 최저근무연수】** ⑥ 「국가공무원법」 제26조의2 및 「공무원임용령」 제57조의3에 따라 통상적인 근무시간보다 짧은 시간을 근무하는 경찰공무원(이하 "시간선택제전환경찰공무원"이라 한다)의 근무기간은 다음 각 호의 기준에 따라 제1항의 기간에 포함한다.
> 1. 해당 계급에서 시간선택제전환경찰공무원으로 근무한 1년 이하의 기간은 그 기간 전부

④ [○] 경감 丁은 금품 · 향응수수로 감봉 1개월의 징계처분을 받은 경우이므로 징계처분 집행이 끝난 날부터 기본 자숙기간 12개월에 6개월이 추가된 18개월간 승진임용이 제한된다. 한편, 경찰청장 표창은 승진임용 제한기간의 임의적 2분의 1 단축사유에 해당하지 않는다.

> **대통령령** **경찰공무원 승진임용 규정 제6조【승진임용의 제한】** ① 다음 각 호의 어느 하나에 해당하는 경찰공무원은 승진임용될 수 없다.
> 2. 징계처분의 집행이 끝난 날부터 다음 각 목의 구분에 따른 기간[…]이 지나지 않은 사람
>    가. **강등 · 정직**: 18개월
>    나. **감봉**: 12개월
>    다. **견책**: 6개월
>
> > ☑ 제2호의 기간에 6개월이 추가되는 경우
> > ① 국가공무원법상 **징계부가금 부가대상**이 되는 사유(금품 · 향응수수)로 인한 징계처분을 받은 경우
> > ② **소극행정**에 따른 징계처분을 받은 경우
> > ③ **음주운전**(측정불응 포함)에 따른 징계처분을 받은 경우
> > ④ **성폭력, 성희롱 및 성매매**에 따른 징계처분을 받은 경우
>
> ③ 경찰공무원이 징계처분을 받은 후 해당 계급에서 다음 각 호의 포상을 받은 경우에는 제1항 제2호 및 제3호에 따른 승진임용 제한기간의 2분의 1을 단축할 수 있다.
> 1. 훈장
> 2. 포장
> 3. 모범공무원 포상
> 4. 대통령표창 또는 국무총리표창
> 5. 제안이 채택 · 시행되어 받은 포상

## 069 경찰의 대우공무원제도에 대한 다음 설명 중 틀린 것은 모두 고른 것은? [2016 경간]

> ㉠ 대우공무원에게는 「공무원수당 등에 관한 규정」에서 정하는 바에 따라 수당을 지급할 수 있다.
> ㉡ 대우공무원은 총경 이하의 경찰공무원으로서 해당 계급에서 5년 이상 근무한 사람을 대상으로 선발한다.
> ㉢ 징계 또는 직위해제 처분을 받은 경우 대우공무원 수당을 감액하여 지급하나, 휴직한 경우에는 지급하지 아니한다.
> ㉣ 대우공무원이 상위계급으로 승진임용되거나 강등되는 경우 그 해당 일에 대우공무원의 자격은 별도 조치없이 당연히 상실된다.
> ㉤ 임용권자나 임용제청권자는 매월 말 5일 전까지 대우공무원 발령일을 기준으로 하여 대우공무원 선발요건을 충족하는 대상자를 결정하여야 하고, 그 다음 달 1일에 일괄하여 대우공무원으로 발령하여야 한다.

① ㉠, ㉡　　② ㉡, ㉢
③ ㉢, ㉣　　④ ㉡, ㉤

**정답 및 해설 I ②**

㉠ [○]

> 대통령령 **경찰공무원 승진임용 규정 제43조【대우공무원의 선발 등】** ③ 대우공무원에게는 「공무원수당 등에 관한 규정」에서 정하는 바에 따라 수당을 지급할 수 있다.
>
> 행정안전부령 **경찰공무원 승진임용 규정 시행규칙 제37조【대우공무원수당의 지급】** ① 대우공무원으로 선발된 경찰공무원에게는 「공무원수당 등에 관한 규정」에 따라 대우공무원수당을 지급한다.

㉡ [×]

> 행정안전부령 **경찰공무원 승진임용 규정 시행규칙 제35조【대우공무원 선발을 위한 근무기간】** ① 영 제43조 제1항에 따라 대우공무원으로 선발되기 위해서는 영 제5조 제1항에 따른 승진소요 최저근무연수가 지난 총경 이하 경찰공무원으로서 해당 계급에서 다음 각 호의 구분에 따른 기간 동안 근무하여야 한다. 다만, 국정과제를 담당하여 높은 성과를 내거나 적극적인 업무수행으로 경찰공무원의 업무행태 개선에 기여하는 등 직무수행능력이 탁월하고 경찰행정 발전에 공헌을 했다고 경찰청장 또는 소속기관등의 장이 인정하는 경우에는 그 기간을 1년 단축할 수 있다.
> 1. 총경 · 경정: 7년 이상
> 2. 경감 이하: 4년 이상

㉢ [×]

> 행정안전부령 **경찰공무원 승진임용 규정 시행규칙 제37조【대우공무원수당의 지급】** ② 대우공무원이 징계 또는 직위해제 처분을 받거나 휴직하여도 대우공무원수당은 계속 지급한다. 다만, 「공무원수당 등에 관한 규정」에서 정하는 바에 따라 대우공무원수당을 줄여 지급한다.

㉣ [○]

> 행정안전부령 **경찰공무원 승진임용 규정 시행규칙 제38조【대우공무원의 자격 상실】** 대우공무원이 다음 각 호의 어느 하나에 해당하는 경우 그 해당일에 대우공무원의 자격은 별도 조치 없이 당연히 상실된다.
> 1. 상위계급으로 승진임용되는 경우: 승진임용일
> 2. 강등되는 경우: 강등일

㉤ [○]

> 행정안전부령 **경찰공무원 승진임용 규정 시행규칙 제36조【대우공무원의 선발 절차 및 시기】** ① 임용권자나 임용제청권자는 매월 말 5일 전까지 대우공무원 발령일을 기준으로 대우공무원 선발요건을 충족하는 대상자를 결정하여야 하고, 그 다음 달 1일에 일괄하여 대우공무원으로 발령하여야 한다.

## 02 휴직

**070** 「국가공무원법」상 휴직사유와 휴직기간을 연결한 것으로 가장 적절하지 않은 것은? [2018 승진(경감)]

① 「병역법」에 따른 병역 복무를 마치기 위하여 징집 또는 소집된 때 - 그 복무기간이 끝날 때까지

② 국외 유학을 하게 된 때 - 3년 이내(다만, 부득이한 경우에는 2년의 범위에서 연장할 수 있다)

③ 중앙인사관장기관의 장이 지정하는 연구기관이나 교육기관 등에서 연수하게 된 때 - 2년 이내

④ 대통령령 등으로 정하는 기간 동안 재직한 공무원이 직무 관련 연구과제 수행 또는 자기개발을 위하여 학습 · 연구 등을 하게 된 때 - 2년 이내

**정답 및 해설 I ④**

④ [×] 1년 이내 의원휴직이 가능하다.

**국가공무원법 제71조【휴직】** ① 공무원이 다음 각 호의 어느 하나에 해당하면 임용권자는 본인의 의사에도 불구하고 휴직을 명하여야 한다.

1. 신체 · 정신상의 장애로 장기 요양이 필요할 때 ➜ 휴직기간은 1년 이내로 하되, 부득이한 경우 1년의 범위에서 연장할 수 있다.
   단, 다음과 같은 공무상 질병 또는 부상으로 인한 휴직기간은 3년 이내로 하되, 의학적 소견 등을 고려하여 대통령령등으로 정하는 바에 따라 2년의 범위에서 연장할 수 있다.
   (i) 공무원 재해보상법 제22조 제1항에 따른 요양급여 지급 대상 부상 또는 질병
   (ii) 산업재해보상보험법 제40조에 따른 요양급여 결정 대상 질병 또는 부상
2. 삭제 <1978.12.5.>
3. 「병역법」에 따른 병역 복무를 마치기 위하여 징집 또는 소집된 때 ➜ 휴직 기간은 그 복무 기간이 끝날 때까지로 한다.
4. 천재지변이나 전시 · 사변, 그 밖의 사유로 생사 또는 소재가 불명확하게 된 때 ➜ 휴직 기간은 3개월 이내로 한다.
5. 그 밖에 법률의 규정에 따른 의무를 수행하기 위하여 직무를 이탈하게 된 때 ➜ 휴직 기간은 그 복무 기간이 끝날 때까지로 한다.
6. 「공무원의 노동조합 설립 및 운영 등에 관한 법률」 제7조에 따라 노동조합 전임자로 종사하게 된 때 ➜ 휴직 기간은 그 전임 기간으로 한다.

② 임용권자는 공무원이 다음 각 호의 어느 하나에 해당하는 사유로 휴직을 원하면 휴직을 명할 수 있다. 다만, 제4호의 경우에는 대통령령으로 정하는 특별한 사정이 없으면 휴직을 명하여야 한다. [2015 경간]

1. 국제기구, 외국 기관, 국내외의 대학 · 연구기관, 다른 국가기관 또는 대통령령으로 정하는 민간기업, 그 밖의 기관에 임시로 채용될 때 ➜ 휴직 기간은 그 채용 기간으로 한다. 다만, 민간기업이나 그 밖의 기관에 채용되면 3년 이내로 한다.
2. 국외 유학을 하게 된 때 ➜ 3년 이내로 하되, 부득이한 경우에는 2년의 범위에서 연장할 수 있다.
3. 중앙인사관장기관의 장이 지정하는 연구기관이나 교육기관 등에서 연수하게 된 때 ➜ 휴직 기간은 2년 이내로 한다.
4. 만 8세 이하 또는 초등학교 2학년 이하의 자녀를 양육하기 위하여 필요하거나 여성공무원이 임신 또는 출산하게 된 때 ➜ 휴직 기간은 자녀 1명에 대하여 3년 이내로 한다.
5. 조부모, 부모(배우자의 부모를 포함한다), 배우자, 자녀 또는 손자녀를 부양하거나 돌보기 위하여 필요한 경우. 다만, 조부모나 손자녀의 돌봄을 위하여 휴직할 수 있는 경우는 본인 외에 돌볼 사람이 없는 등 대통령령등으로 정하는 요건을 갖춘 경우로 한정한다. ➜ 휴직 기간은 1년 이내로 하되, 재직 기간 중 총 3년을 넘을 수 없다.
6. 외국에서 근무 · 유학 또는 연수하게 되는 배우자를 동반하게 된 때 ➜ 3년 이내로 하되, 부득이한 경우에는 2년의 범위에서 연장할 수 있다.
7. 대통령령등으로 정하는 기간 동안 재직한 공무원이 직무 관련 연구과제 수행 또는 자기개발을 위하여 학습 · 연구 등을 하게 된 때 ➜ 휴직 기간은 1년 이내로 한다.

## 071 「국가공무원법」상 휴직사유와 휴직기간에 대한 설명으로 가장 적절하지 않은 것은? [2019 승진(경위)]

① 중앙인사관장기관의 장이 지정하는 연구기관이나 교육기관 등에서 연수하게 된 때 휴직기간은 3년 이내로 한다.

② 병역법에 따른 병역 복무를 마치기 위하여 징집 또는 소집된 때 휴직기간은 그 복무기간이 끝날 때까지로 한다.

③ 만 8세 이하 또는 초등학교 2학년 이하의 자녀를 양육하기 위하여 필요하거나 여성공무원이 임신 또는 출산하게 된 때 휴직기간은 자녀 1명에 대하여 3년 이내로 한다.

④ 외국에서 근무 유학 또는 연수하게 되는 배우자를 동반하게 된 때 휴직기간은 3년 이내로 하되, 부득이한 경우에는 2년의 범위에서 연장할 수 있다.



**정답 및 해설 I ①**

① [×] 2년 이내로 한다.

| 구분 | 직권휴직 | | 의원휴직 | |
|---|---|---|---|---|
| 성격 | 사유 발생시 임용권자가 직무담임 일시해제 | | 사유 발생시 본인 의사에 따라 직무담임 일시해제 | |
| 사유 및 기간 | 노동조합 전임자 | 그 기간 | 외국 근무 배우자 동반 | 3년 + 2년 |
| | 병역 복무 | 그 기간 | 국외 유학 | 3년 + 2년 |
| | 법률상 의무수행 | 그 기간 | 8세 이하 · 초2 이하 양육 또는 임신 · 출산 | 3년(1명당) |
| | 신체 · 정신 장애로 장기요양 | • 1년<br>• 공상 3년(요양 + 2년) | 국제기구 등 임시채용 | • 채용기간<br>• 민간 3년 |
| | 천재지변 등으로 생사불명 | • 3개월<br>• 경찰은 실종선고를 받는 날 | 교육기관 등 연수 | 2년 |
| | | | 가족부양 · 돌봄 | 1년(총 3년) |
| | | | 자기개발 위한 학습 · 연수 | 1년 |

## 072 「국가공무원법」상 휴직에 대한 설명으로 가장 적절하지 않은 것은? [2020 승진(경감)]

① 공무원이 천재지변이나 전시 · 사변, 그 밖의 사유로 생사 또는 소재가 불명확하게 된 때의 휴직기간은 3개월 이내로 한다.

② 공무원이 국외 유학을 하게 된 때 휴직을 원하면 임용권자는 휴직을 명할 수 있으며, 휴직기간은 3년 이내로 하되, 부득이한 경우에는 2년의 범위에서 연장할 수 있다.

③ 휴직기간 중 그 사유가 없어지면 지체 없이 임용권자 또는 임용제청권자에게 신고하여야 하며, 임용권자는 30일 이내에 복직을 명하여야 한다.

④ 대통령령 등으로 정하는 기간 동안 재직한 공무원이 직무 관련 연구과제 수행 또는 자기개발을 위하여 학습 · 연구 등을 하게 된 때 휴직기간은 1년 이내로 한다.

**정답 및 해설 I ③**

③ [×] 30일 내에 신고하여야 하고, 지체 없이 복직을 명하여야 한다.

> **국가공무원법 제73조【휴직의 효력】** ① 휴직 중인 공무원은 신분은 보유하나 직무에 종사하지 못한다.
> ② 휴직 기간 중 그 사유가 없어지면 30일 이내에 임용권자 또는 임용제청권자에게 신고하여야 하며, 임용권자는 지체 없이 복직을 명하여야 한다.
> ③ 휴직 기간이 끝난 공무원이 30일 이내에 복귀 신고를 하면 당연히 복직된다.

## 073 경찰공무원의 임용에 대한 설명으로 가장 적절하지 않은 것은? [2022 승진]

① 「경찰공무원 임용령」상 시 · 도경찰청장 및 경찰서장은 지구대장 및 파출소장을 보직하는 경우에는 시 · 도자치경찰위원회의 의견을 사전에 들어야 한다.

② 「국가공무원법」상 임용권자는 공무원이 중앙인사관장기관의 장이 지정하는 연구기관이나 교육기관 등에서 연수하게 된 때에는 공무원의 의사에도 불구하고 휴직을 명하여야 한다.

③ 「경찰공무원 임용령」상 임용권자 또는 임용제청권자는 경찰공무원을 신규채용 할 때에 경과를 부여해야 한다.

④ 「경찰공무원법」상 총경 이상 경찰공무원은 경찰청장 또는 해양경찰청장의 추천을 받아 행정안전부장관 또는 해양수산부장관의 제청으로 국무총리를 거쳐 대통령이 임용한다. 다만, 총경의 전보, 휴직, 직위해제, 강등, 정직 및 복직은 경찰청장 또는 해양경찰청장이 한다.

**정답 및 해설 I ②**

② [×] 해당 사유는 임용권자가 휴직을 명할 수 있는 **임의휴직 사유**에 해당한다.

> **국가공무원법 제71조【휴직】** ② 임용권자는 공무원이 다음 각 호의 어느 하나에 해당하는 사유로 휴직을 원하면 휴직을 명할 수 있다. 다만, 제4호의 경우에는 대통령령으로 정하는 특별한 사정이 없으면 휴직을 명하여야 한다.
> 3. 중앙인사관장기관의 장이 지정하는 연구기관이나 교육기관 등에서 연수하게 된 때 ➜ 휴직 기간은 2년 이내로 한다.

① [○]

> 대통령령 **경찰공무원 임용령 제4조【임용권의 위임 등】** ⑧ 시 · 도자치경찰위원회는 임용권을 행사하는 경우에는 시 · 도경찰청장의 추천을 받아야 한다.
> ⑨ 시 · 도경찰청장 및 경찰서장은 지구대장 및 파출소장을 보직하는 경우에는 시 · 도자치경찰위원회의 의견을 사전에 들어야 한다.

③ [○] 한편, 신규채용시 부여되는 경과는 일반경과이다(경찰공무원 임용령 시행규칙 제22조).

> 대통령령 **경찰공무원 임용령 제3조【경과】** ② 임용권자 … 또는 임용제청권자 … 는 경찰공무원을 신규채용 할 때에 경과를 부여해야 한다.

④ [○]

> **경찰공무원법 제7조【임용권자】** ① 총경 이상 경찰공무원은 경찰청장 또는 해양경찰청장의 추천을 받아 행정안전부장관 또는 해양수산부장관의 제청으로 국무총리를 거쳐 **대통령이 임용**한다. 다만, 총경의 전보, 휴직, 직위해제, 강등, 정직 및 복직은 경찰청장 또는 해양경찰청장이 한다.
> ② 경정 이하의 경찰공무원은 경찰청장 또는 해양경찰청장이 임용한다. 다만, 경정으로의 신규채용, 승진임용 및 면직은 경찰청장 또는 해양경찰청장의 제청으로 국무총리를 거쳐 대통령이 한다.

## 03 직위해제

**074** 「국가공무원법」상 직위해제에 관한 설명으로 가장 적절하지 않은 것은? [2023 채용 1차]

① 임용권자는 직무수행 능력이 부족하거나 근무성적이 극히 나쁜 자에게 직위를 부여하지 아니할 수 있다.

② 형사사건으로 기소된 자(약식명령이 청구된 자는 제외한다)에게는 직위를 부여하지 아니할 수 있다.

③ 제73조의3 제1항에 따라 직위를 부여하지 아니한 경우에 그 사유가 소멸되면 임용권자는 7일 이내에 직위를 부여할 수 있다.

④ 임용권자는 제1항 제2호에 따라 직위해제된 자에게 3개월의 범위에서 대기를 명한다.



**정답 및 해설 | ③**

③ [×] 그 사유가 소멸되면 임용권자는 지체 없이 직위를 부여하여야 한다.

> **국가공무원법 제73조의3【직위해제】** ② 제1항에 따라 직위를 부여하지 아니한 경우에 그 사유가 소멸되면 임용권자는 지체 없이 직위를 부여하여야 한다.

①② [○]

> **국가공무원법 제73조의3【직위해제】** ① 임용권자는 다음 각 호의 어느 하나에 해당하는 자에게는 직위를 부여하지 아니할 수 있다.
> 1. 삭제 <1973.2.5.>
> 2. 직무수행 능력이 부족하거나 근무성적이 극히 나쁜 자
> 3. 파면 · 해임 · 강등 또는 정직(➜ 중징계)에 해당하는 징계 의결이 요구 중인 자
> 4. 형사 사건으로 기소된 자(약식명령이 청구된 자는 제외한다)
> 5. 고위공무원단에 속하는 일반직공무원으로서 제70조의2 제1항 제2호부터 제5호까지의 사유로 적격심사를 요구받은 자
> 6. 금품비위, 성범죄 등 대통령령으로 정하는 비위행위로 인하여 감사원 및 검찰 · 경찰 등 수사기관에서 조사나 수사 중인 자로서 비위의 정도가 중대하고 이로 인하여 정상적인 업무수행을 기대하기 현저히 어려운 자

④ [○]

> **국가공무원법 제73조의3【직위해제】** ③ 임용권자는 제1항 제2호에 따라 직위해제된 자에게 3개월의 범위에서 대기를 명한다.

**075** 다음 중 「국가공무원법」상 직위해제의 사유는 모두 몇 개인가? [2015 채용 2차]

> ㉠ 직무수행 능력이 부족하거나 근무성적이 극히 나쁜 자
> ㉡ 휴직기간이 끝나거나 휴직사유가 소멸된 후에도 직무에 복귀하지 아니하거나 직무를 감당할 수 없을 때
> ㉢ 형사 사건으로 기소된 자(약식명령이 청구된 자는 제외한다)
> ㉣ 파면 · 해임 · 강등 또는 정직에 해당하는 징계 의결이 요구 중인 자
> ㉤ 직제와 정원의 개폐 또는 예산의 감소 등에 따라 폐직 또는 과원이 되었을 때

① 2개 ② 3개

③ 4개 ④ 5개

**정답 및 해설 I ②**

㉠ [○] 제2호

㉢ [○] 제4호

㉣ [○] 제3호

> **국가공무원법 제73조의3【직위해제】** ① 임용권자는 다음 각 호의 어느 하나에 해당하는 자에게는 직위를 부여하지 아니할 수 있다.
> 1. 삭제 <1973.2.5.>
> 2. 직무수행 능력이 부족하거나 근무성적이 극히 나쁜 자
> 3. 파면 · 해임 · 강등 또는 정직(➜ 중징계)에 해당하는 징계 의결이 요구 중인 자
> 4. 형사 사건으로 기소된 자(약식명령이 청구된 자는 제외한다)
> 5. 고위공무원단에 속하는 일반직공무원으로서 제70조의2 제1항 제2호부터 제5호까지의 사유로 적격심사를 요구받은 자
> 6. 금품비위, 성범죄 등 대통령령으로 정하는 비위행위로 인하여 감사원 및 검찰 · 경찰 등 수사기관에서 조사나 수사 중인 자로서 비위의 정도가 중대하고 이로 인하여 정상적인 업무수행을 기대하기 현저히 어려운 자

㉡㉤ [×] 나머지는 직권면직사유에 해당한다.

## 076 「국가공무원법」상 직권휴직과 직위해제사유를 설명한 것이다. 아래 ㉠부터 ㉥까지의 설명 중 직권휴직 사유를 모두 고른 것은?

[2017 승진(경감)]

> ㉠ 직무수행 능력이 부족하거나 근무성적이 극히 나쁜 자
> ㉡ 파면 · 해임 · 강등 또는 정직에 해당하는 징계 의결이 요구 중인 자
> ㉢ 신체 · 정신상의 장애로 장기 요양이 필요할 때
> ㉣ 「병역법」에 따른 병역 복무를 마치기 위하여 징집 또는 소집된 때
> ㉤ 형사 사건으로 기소된 자(약식명령이 청구된 자 제외)
> ㉥ 천재지변이나 전시 · 사변, 그 밖의 사유로 생사 또는 소재가 불명확하게 된 때

① ㉠, ㉡, ㉤
② ㉠, ㉢, ㉣
③ ㉢, ㉣, ㉥
④ ㉢, ㉤, ㉥

**정답 및 해설 I ③**

③ [○] 직권휴직사유에 해당하는 것은 ㉢, ㉣, ㉥이다.

| 구분 | 직권휴직 | 의원휴직 | 직위해제 |
|---|---|---|---|
| 성격 | • 근무관계 변동사유<br>• 사유 발생시 임용권자가 직무담임 일시해제 | • 근무관계 변동사유<br>• 사유 발생시 본인 의사에 따라 직무담임 일시해제 | • 근무관계 변동사유<br>• 사유 발생시 임용권자가 직무담임 일시해제 + 제재적 의미 |
| 사유 | • (㉢) 신체 · 정신 장애로 장기요양<br>• (㉣) 병역 복무<br>• (㉥) 천재지변 등으로 생사불명<br>• 노동조합 전임자 | • 국제기구 등 임시채용<br>• 국외유학<br>• 교육기관 등 연수<br>• 8세 이하 · 초2 이하 양육 또는 임신 · 출산<br>• 가족부양 · 돌봄<br>• 외국 근무 배우자 동반<br>• 자기개발 위한 학습 · 연수 | • (㉠) 직무수행 능력부족 · 근무성적 불량<br>• (㉡) 중징계 의결요구 중<br>• (㉤) 형사 사건 기소<br>• 고위공무원 적격심사<br>• 금품비위 · 성범죄 등 감사원 · 수사기관 조사 · 수사 |
| 효과 | • 신분보유<br>• 직무종사 불가<br>• 복직보장 | | • 신분보유<br>• 직무종사 불가<br>• 복직보장 × |

## 077 다음 중 각 사유의 연결로 바르게 된 것은?

[2015 경간]

가. 직무수행 능력이 부족하거나 근무성적이 극히 나쁜 자(3개월 범위 내)
나. 국제기구 등 임시채용
다. 병역 징집 · 소집
라. 파면 · 해임 · 강등 또는 정직에 해당하는 징계 의결이 요구 중인 자
마. 형사 사건으로 기소된 자(약식명령 제외)
바. 신체 · 정신상 장애로 장기요양
사. 연구기관 · 교육기관 연수
아. 장기요양 부모 등 간호
자. 노동조합 전임자 종사
차. 외국 근무 · 유학 · 연수하는 배우자 동반

① 직권휴직 - 3개, 의원휴직 - 4개, 직위해제 - 3개
② 직권휴직 - 4개, 의원휴직 - 2개, 직위해제 - 4개
③ 직권휴직 - 3개, 의원휴직 - 3개, 직위해제 - 4개
④ 직권휴직 - 2개, 의원휴직 - 5개. 직위해제 - 3개

**정답 및 해설 I ①**

다. 바. 자. 직권휴직사유에 해당한다.
나. 사. 아. 차. 의원휴직사유에 해당한다.
가. 라. 마. 직위해제사유에 해당한다.

| 구분 | 직권휴직 | 의원휴직 | 직위해제 |
|---|---|---|---|
| 성격 | • 근무관계 변동사유<br>• 사유 발생시 임용권자가 직무담임 일시해제 | • 근무관계 변동사유<br>• 사유 발생시 본인 의사에 따라 직무담임 일시해제 | • 근무관계 변동사유<br>• 사유 발생시 임용권자가 직무담임 일시해제 + 제재적 의미 |
| 사유 | • (바) 신체 · 정신 장애로 장기요양<br>• (다) 병역 복무<br>• 천재지변 등으로 생사불명<br>• (자) 노동조합 전임자 | • (나) 국제기구 등 임시채용<br>• 국외유학<br>• (사) 교육기관 등 연수<br>• 8세 이하 · 초2 이하 양육 또는 임신 · 출산<br>• (아) 가족부양 · 돌봄<br>• (차) 외국 근무 배우자 동반<br>• 자기개발 위한 학습 · 연수 | • (가) 직무수행 능력부족 · 근무성적 불량<br>• (라) 중징계 의결요구 중<br>• (마) 형사 사건 기소<br>• 고위공무원 적격심사<br>• 금품비위 · 성범죄 등 감사원 · 수사기관 조사 · 수사 |
| 효과 | • 신분보유<br>• 직무종사 불가<br>• 복직보장 | | • 신분보유<br>• 직무종사 불가<br>• 복직보장 × |

**078** 「국가공무원법」상 직위해제에 대한 설명으로 가장 적절한 것은? [2021 채용 1차]

① 임용권자는 형사 사건으로 기소된 자(약식명령이 청구된 자를 포함한다)에게 직위를 부여하지 아니할 수 있다.

② 임용권자는 신체 · 정신상의 장애로 장기요양이 필요한 자에게 직위를 부여하지 아니할 수 있다.

③ 임용권자는 직무수행 능력이 부족하거나 근무성적이 극히 나빠 직위해제된 자에게 3개월의 범위에서 대기를 명한다.

④ 국가공무원법 제73조의3 제1항에 따라 직위를 부여하지 아니한 경우에 그 직위해제사유가 소멸되면 임용권자는 직위를 부여할 수 있다.

**정답 및 해설 I ③**

③ [O]

> **국가공무원법 제73조의3【직위해제】** ① 임용권자는 다음 각 호의 어느 하나에 해당하는 자에게는 직위를 부여하지 아니할 수 있다.
> 2. **직무수행 능력이 부족**하거나 근무성적이 극히 나쁜 자
> 4. **형사 사건으로 기소된 자**(약식명령이 청구된 자는 제외한다)
>
> ② 제1항에 따라 직위를 부여하지 아니한 경우에 그 사유가 소멸되면 임용권자는 지체 없이 직위를 부여하여야 한다.
> ③ 임용권자는 제1항 제2호에 따라 직위해제된 자에게 3개월의 범위에서 대기를 명한다.

① [×] 약식명령이 청구된 자는 제외한다.
② [×] 직권휴직사유에 해당한다.
④ [×] 직위를 부여하여야 한다.

**079** 「국가공무원법」상 직위해제에 대한 설명 중 가장 적절하지 않은 것은? [2020 승진(경위)]

① 임용권자는 직무수행 능력이 부족하거나 근무성적이 극히 나쁜 사유로 직위해제된 자에게 3개월 범위에서 대기를 명한다.

② 파면 · 해임 · 강등 · 정직 또는 감봉에 해당하는 징계 의결이 요구 중인 자는 직위해제 대상이다.

③ 직위해제사유가 소멸한 때에는 임용권자는 지체 없이 직위를 부여하여야 한다.

④ 직위해제는 휴직과 달리 제재적 성격을 가지는 보직의 해제이며 복직이 보장되지 않는다.

**정답 및 해설 I ②**

② [×] 감봉에 해당하는 징계 의결이 요구 중인 자는 직위해제 대상이 아니다.

> **국가공무원법 제73조의3【직위해제】** ① 임용권자는 다음 각 호의 어느 하나에 해당하는 자에게는 직위를 부여하지 아니할 수 있다.
> 2. **직무수행 능력이 부족**하거나 근무성적이 극히 나쁜 자
> 3. **파면 · 해임 · 강등 또는 정직**(➜ 중징계)에 해당하는 징계 의결이 요구 중인 자

① [O]

> **국가공무원법 제73조의3【직위해제】** ③ 임용권자는 제1항 제2호에 따라 직위해제된 자에게 3개월의 범위에서 대기를 명한다.

③④ [○] 직위해제사유가 소멸하면 지체 없이 직위를 부여해야 한다는 것이 직위해제에 있어 복직이 보장된다는 뜻은 아니다. 직위해제는 국가공무원법 제73조 제3항과 같이 '신고'에 의해 당연히 복직된다는 규정이 없기 때문이다.

> **국가공무원법 제73조의3【직위해제】** ② 제1항에 따라 직위를 부여하지 아니한 경우에 그 사유가 소멸되면 임용권자는 지체 없이 직위를 부여하여야 한다.
>
> **국가공무원법 제73조【휴직의 효력】** ② 휴직 기간 중 그 사유가 없어지면 30일 이내에 임용권자 또는 임용제청권자에게 신고하여야 하며, 임용권자는 지체 없이 복직을 명하여야 한다.
> ③ 휴직 기간이 끝난 공무원이 30일 이내에 복귀 신고를 하면 당연히 복직된다.



## 080 직위해제에 대한 설명으로 가장 적절하지 않은 것은? [2020 실무 1]

① 임용권자 또는 임용제청권자는 직무수행 능력이 부족하거나 근무성적이 극히 나빠 직위해제되어 대기명령을 받은 자에게 능력 회복이나 근무성적의 향상을 위한 교육훈련 또는 특별한 연구과제의 부여 등 필요한 조치를 하여야 한다.

② 「국가공무원법」 제73조의3 제1항 제3호 · 제4호 또는 제6호에 따라 직위해제된 사람에게는 봉급의 50퍼센트를 지급하고, 다만 직위해제일로부터 3개월이 지나도 직위를 부여받지 못한 경우에는 그 3개월이 지난 후의 기간 중에는 봉급의 40퍼센트를 지급한다.

③ 직위해제의 사유가 소멸하면 임용권자는 지체 없이 직위를 부여하여야 한다.

④ 임용권자는 형사 사건으로 기소된 자(약식명령이 청구된 자는 제외한다)에게 직위를 부여하지 아니할 수 있다.

**정답 및 해설 | ②**

② [×] 3개월 지난 후의 기간 중에는 봉급의 30퍼센트를 지급한다.

> **공무원보수규정 제29조【직위해제기간 중의 봉급 감액】** 직위해제된 사람에게는 다음 각 호의 구분에 따라 봉급(외무공무원의 경우에는 직위해제 직전의 봉급을 말한다. 이하 이 조에서 같다)의 일부를 지급한다.
> 1. 「국가공무원법」 제73조의3 제1항 제2호(➜ 직무수행 능력부족 · 근무성적 불량) … 에 따라 직위해제된 사람: 봉급의 80퍼센트
> 2. 「국가공무원법」 제73조의3 제1항 제5호(➜ 고위공무원단 적격심사)에 따라 직위해제된 사람: 봉급의 70퍼센트. 다만, 직위해제일부터 3개월이 지나도 직위를 부여받지 못한 경우에는 그 3개월이 지난 후의 기간 중에는 봉급의 40퍼센트를 지급한다.
> 3. 「국가공무원법」 제73조의3 제1항 제3호(➜ 중징계) · 제4호(➜ 형사 사건 기소) · 제6호(➜ 금품비위 · 성범죄 등 수사 · 조사) … 의 규정에 따라 직위해제된 사람: 봉급의 50퍼센트. 다만, 직위해제일부터 3개월이 지나도 직위를 부여받지 못한 경우에는 그 3개월이 지난 후의 기간 중에는 봉급의 30퍼센트를 지급한다.

①④ [○]

> **국가공무원법 제73조의3【직위해제】** ① 임용권자는 다음 각 호의 어느 하나에 해당하는 자에게는 직위를 부여하지 아니할 수 있다.
> 2. 직무수행 능력이 부족하거나 근무성적이 극히 나쁜 자
> 4. 형사 사건으로 기소된 자(약식명령이 청구된 자는 제외한다)
>
> **국가공무원법 제73조의3【직위해제】** ③ 임용권자는 제1항 제2호에 따라 직위해제된 자에게 3개월의 범위에서 대기를 명한다.
> ④ 임용권자 또는 임용제청권자는 제3항에 따라 대기 명령을 받은 자에게 능력 회복이나 근무성적의 향상을 위한 교육훈련 또는 특별한 연구과제의 부여 등 필요한 조치를 하여야 한다.

③ [○]

> **국가공무원법 제73조의3【직위해제】** ② 제1항에 따라 직위를 부여하지 아니한 경우에 그 사유가 소멸되면 임용권자는 지체 없이 직위를 부여하여야 한다.

**081** 직위해제에 대한 설명으로 가장 적절하지 않은 것은? [2021 승진(실무종합)]

① 직위해제는 휴직과 달리 제재적 성격을 가지는 보직의 해제이다.

② 직무수행능력이 부족하여 직위해제를 한 경우 대기명령기간 중 근무성적의 향상을 기대하기 어렵다고 인정될 때에는 징계위원회의 동의를 얻어 임용권자가 직권면직시킬 수 있다.

③ 직위해제기간은 원칙적으로 승진소요 최저근무연수에 포함되지 않으나, 파면 · 해임 · 강등 또는 정직에 해당하는 징계 의결 요구로 직위해제된 사람에 대하여 관할 징계위원회가 징계하지 아니하기로 의결한 경우 등은 승진소요 최저근무연수에 포함된다.

④ 국가공무원법 제73조의3 제1항 제5호(고위공무원단에 속하는 일반직공무원으로서 제70조의2 제1항 제2호부터 제5호까지의 사유로 적격심사를 요구받은 자)에 따라 직위해제된 사람이 직위해제일부터 3개월이 지나도 직위를 부여받지 못한 경우에는 그 3개월이 지난 후의 기간 중에는 봉급의 50퍼센트를 지급한다.

**정답 및 해설 I ④**

④ [×] 50퍼센트가 아니라 40퍼센트이다.

> **공무원보수규정 제29조【직위해제기간 중의 봉급 감액】** 직위해제된 사람에게는 다음 각 호의 구분에 따라 봉급(외무공무원의 경우에는 직위해제 직전의 봉급을 말한다. 이하 이 조에서 같다)의 일부를 지급한다.
> 2. 「국가공무원법」 제73조의3 제1항 제5호(➜ 고위공무원단 적격심사)에 따라 직위해제된 사람: 봉급의 **70퍼센트**. 다만, 직위해제일부터 3개월이 지나도 직위를 부여받지 못한 경우에는 그 3개월이 지난 후의 기간 중에는 봉급의 **40퍼센트**를 지급한다.

① [○] 직위해제란 공무원에게 직무를 수행할 수 없는 사유가 발생한 경우 공무원의 신분은 보유하나 직위를 부여하지 않음으로써 직무담당을 하지 못하게 하는, 제재적 의미를 가지는 보직의 해제로서, 휴직과는 달리 복직이 보장되지 않는다.

② [○]

> **국가공무원법 제73조의3【직위해제】** ① 임용권자는 다음 각 호의 어느 하나에 해당하는 자에게는 직위를 부여하지 아니할 수 있다.
> 2. 직무수행 능력이 부족하거나 근무성적이 극히 나쁜 자
> ③ 임용권자는 제1항 제2호에 따라 직위해제된 자에게 3개월의 범위에서 대기를 명한다.
>
> **국가공무원법 제70조【직권 면직】** ① 임용권자는 공무원이 다음 각 호의 어느 하나에 해당하면 직권으로 면직시킬 수 있다.
> 5. 제73조의3 제3항에 따라 대기 명령을 받은 자가 그 기간에 능력 또는 근무성적의 향상을 기대하기 어렵다고 인정된 때

③ [○]

> 대통령령 **경찰공무원 승진임용 규정 제5조【승진소요 최저근무연수】** ② 휴직 기간, 직위해제 기간, 징계처분 기간 및 제6조 제1항 제2호에 따른 **승진임용 제한기간**은 제1항의 기간(➜ 승진소요 최저근무연수)에 포함하지 않는다. 다만, 다음 각 호의 기간은 제1항의 기간에 포함한다.
> 2. 다음 각 목의 어느 하나에 해당하는 경우에 그 직위해제 기간
> 가. 「국가공무원법」 제73조의3 제1항 제3호(➜ 중징계 의결 요구)에 따라 직위해제처분을 받은 사람에 대한 징계 의결 요구에 대하여 관할 징계위원회가 징계하지 아니하기로 의결한 경우와 해당 직위해제처분의 사유가 된 징계처분이 소청심사위원회의 결정 또는 법원의 판결에 따라 무효 또는 취소로 확정된 경우

## 04 전보

**082** 현행 「경찰공무원 임용령」상 경찰공무원 전보제한의 예외사유로 가장 적절하지 않은 것은? [2012 실무 1]

① 직제상 최저단위 보조기관 내에서의 전보

② 정보담당 경찰공무원 가운데 부적격자로 인정되는 경우

③ 교육훈련기관의 교수요원으로 보직하는 경우

④ 기구의 개편, 직제 또는 정원의 변경으로 인한 해당 경찰공무원의 전보



**정답 및 해설 I ②**

② [×] 전보제한 예외사유(즉, 전보가 가능한 사유)에 해당하는 것은 '정보담당'이 아니라 '감사담당' 경찰공무원 가운데 부적격자로 인정된 경우이다(제13호).

> 대통령령 **경찰공무원 임용령 제27조【전보의 제한】** ① 임용권자 또는 임용제청권자는 소속 경찰공무원이 해당 직위에 임용된 날부터 1년 이내(감사업무를 담당하는 경찰공무원의 경우에는 2년 이내)에 다른 직위에 전보할 수 없다. 다만, 다음 각 호의 어느 하나에 해당하는 경우에는 그러하지 아니하다. ➜ 아래 각 호의 경우에는 전보가 가능하다.
> 1. 직제상 최저단위인 보조기관 또는 보좌기관 내에서 전보하는 경우
> 2. 경찰청과 소속기관등 또는 소속기관등 상호 간의 교류를 위하여 전보하는 경우
> 3. 기구의 개편, 직제 또는 정원의 변경으로 해당 경찰공무원을 전보하는 경우
> 4. 승진임용된 경찰공무원을 전보하는 경우
> 5. 전문직위로 경찰공무원을 전보하는 경우
> 6. 징계처분을 받은 경우
> 7. 형사사건에 관련되어 수사기관에서 조사를 받고 있는 경우
> 8. 경찰공무원으로서의 품위를 크게 손상하는 비위로 인한 감사 또는 조사가 진행 중이어서 해당 직위를 유지하는 것이 부적절하다고 판단되는 경찰공무원을 전보하는 경우
> 9. 경찰기동대 등 경비부서에서 정기적으로 교체하는 경우
> 10. 교육훈련기관의 교수요원으로 보직하는 경우
> 11. 시보임용 중인 경우
> 12. 신규채용된 경찰공무원을 해당 계급의 보직관리기준에 따라 전보하는 경우 및 이와 관련한 전보의 경우
> 13. 감사담당 경찰공무원 가운데 부적격자로 인정되는 경우
> 14. 경정 이하의 경찰공무원을 배우자 또는 직계존속이 거주하는 시 · 군 · 자치구 지역의 경찰기관으로 전보하는 경우
> 15. 임신 중인 경찰공무원 또는 출산 후 1년이 지나지 않은 경찰공무원의 모성보호, 육아 등을 위하여 필요한 경우

## 05 기타 근무관계 변동사유

# 주제 4 경찰공무원 근무관계의 소멸

## 01 당연퇴직

**083** 「경찰공무원법」상 규정이다. (　　) 안에 들어갈 숫자를 모두 더한 값은? [2017 채용 1차]

> 경찰공무원의 정년은 다음과 같다.
> 1. 연령정년: 60세
> 2. 계급정년
>    치안감: (　　)년
>    경무관: (　　)년
>    총경: (　　)년
>    경정: (　　)년

① 35　　② 34
③ 33　　④ 32

**정답 및 해설 I ①**

① [○] 4 + 6 + 11 + 14 = 35

> **경찰공무원법 제30조【정년】** ① 경찰공무원의 정년은 다음과 같다.
> 1. 연령정년: 60세
> 2. 계급정년
>    치안감: 4년
>    경무관: 6년
>    총경: 11년
>    경정: 14년

## 084 「경찰공무원법」에 대한 설명으로 가장 적절하지 않은 것은? [2023 경간]

① 경위 이하의 경찰공무원으로서 모든 경찰공무원의 귀감이 되는 공을 세우고 전사하거나 순직한 사람에 대하여는 2계급 특별승진시킬 수 있다.

② 경찰청장은 전시 · 사변이나 그 밖에 이에 준하는 비상사태에서는 2년의 범위에서 동법에 따른 계급정년을 연장할 수 있고, 이 경우 총경 이상의 경찰공무원에 대하여는 행정안전부장관과 국무총리를 거쳐 대통령의 승인을 받아야 한다.

③ 경찰청 소속 경무관 이상의 강등 및 정직과 경정 이상의 파면 및 해임은 경찰청장의 제청으로 행정안전부장관과 국무총리를 거쳐 대통령이 한다.

④ 경무관 이상의 경찰공무원에 대한 징계의결은 「국가공무원법」에 따라 국무총리 소속으로 설치된 징계위원회에서 한다.



**정답 및 해설 | ②**

② [×] 이 경우 경무관 이상(즉 치안감 · 경무관)의 경찰공무원에 대해서는 행정안전부장관과 국무총리를 거쳐 대통령의 승인을 받아야 하고, 총경 · 경정의 경찰공무원에 대해서는 국무총리를 거쳐 대통령의 승인을 받아야 한다.

> **경찰공무원법 제30조【정년】** ③ 수사, 정보, 외사, 안보, 자치경찰사무 등 특수 부문에 근무하는 경찰공무원으로서 대통령령으로 정하는 바에 따라 지정을 받은 사람은 총경 및 경정의 경우에는 4년의 범위에서 대통령령으로 정하는 바에 따라 제1항 제2호에 따른 계급정년을 연장할 수 있다.
> ④ 경찰청장 또는 해양경찰청장은 전시 · 사변이나 그 밖에 이에 준하는 비상사태에서는 2년의 범위에서 제1항 제2호에 따른 계급정년을 연장할 수 있다. 이 경우 경무관 이상의 경찰공무원에 대해서는 행정안전부장관 또는 해양수산부장관과 국무총리를 거쳐 대통령의 승인을 받아야 하고, 총경 · 경정의 경찰공무원에 대해서는 국무총리를 거쳐 대통령의 승인을 받아야 한다.

① [○]

> **경찰공무원법 제19조【특별유공자 등의 특별승진】** ① 경찰공무원으로서 다음 각 호의 어느 하나에 해당되는 사람에 대하여는 제15조에도 불구하고 1계급 특별승진시킬 수 있다. 다만, 경위 이하의 경찰공무원으로서 모든 경찰공무원의 귀감이 되는 공을 세우고 전사하거나 순직한 사람에 대하여는 2계급 특별승진시킬 수 있다.
> 1. 「국가공무원법」 제40조의4 제1항 제1호부터 제4호까지의 규정 중 어느 하나에 해당되는 사람
> 2. 전사하거나 순직한 사람
> 3. 직무 수행 중 현저한 공적을 세운 사람

③ [○]

> **경찰공무원법 제33조【징계의 절차】** 경찰공무원의 징계는 징계위원회의 의결을 거쳐 징계위원회가 설치된 소속 기관의 장이 하되, 「국가공무원법」에 따라 국무총리 소속으로 설치된 징계위원회에서 의결한 징계는 경찰청장 또는 해양경찰청장이 한다. 다만, 파면 · 해임 · 강등 및 정직은 징계위원회의 의결을 거쳐 해당 경찰공무원의 임용권자가 하되, 경무관 이상의 강등 및 정직과 경정 이상의 파면 및 해임은 경찰청장 또는 해양경찰청장의 제청으로 행정안전부장관 또는 해양수산부장관과 국무총리를 거쳐 대통령이 하고, 총경 및 경정의 강등 및 정직은 경찰청장 또는 해양경찰청장이 한다.

④ [○]

> **경찰공무원법 제32조【징계위원회】** ① 경무관 이상의 경찰공무원에 대한 징계의결은 「국가공무원법」에 따라 국무총리 소속으로 설치된 징계위원회에서 한다.
> ② 총경 이하의 경찰공무원에 대한 징계의결을 하기 위하여 대통령령으로 정하는 경찰기관 및 해양경찰관서에 경찰공무원 징계위원회를 둔다.

**085** 다음은 「경찰공무원법」에 대한 설명이다. ㉠~㉤의 내용 중 옳고 그름의 표시(○, ×)가 모두 바르게 된 것은?

[2020 채용 1차]

> ㉠ 경찰청장 또는 해양경찰청장은 경찰공무원의 신규채용시험(경위공개경쟁채용시험을 포함한다), 승진시험 또는 그 밖의 시험에서 다른 사람에게 대신하여 응시하게 하는 행위 등 대통령령으로 정하는 부정행위를 한 사람에 대하여 해당 시험의 정지 · 무효 또는 합격 취소 처분을 할 수 있고, 5년간 시험응시자격을 정지한다.
> ㉡ 총경 이상 경찰공무원은 경찰청장 또는 해양경찰청장의 추천을 받아 행정안전부장관 또는 해양수산부장관의 제청으로 국무총리를 거쳐 대통령이 임용한다. 다만, 총경의 전보, 휴직, 직위해제, 강등, 정직 및 복직은 경찰청장 또는 해양경찰청장이 한다.
> ㉢ 경찰청장 또는 해양경찰청장은 전시 · 사변이나 그 밖에 이에 준하는 비상사태에서는 2년의 범위에서 계급정년을 연장할 수 있다. 이 경우 치안감의 경찰공무원에 대하여는 행정안전부장관 또는 해양수산부장관과 국무총리를 거쳐 대통령의 승인을 받아야 하고, 경무관 · 총경 · 경정의 경찰공무원에 대하여는 국무총리를 거쳐 대통령의 승인을 받아야 한다.
> ㉣ 경장을 경사로 근속승진임용하려는 경우에는 해당 계급에서 6년 이상 근속자이어야 한다.
> ㉤ 경찰공무원은 그 정년이 된 날이 1월에서 6월 사이에 있으면 6월 30일에 당연퇴직하고, 7월에서 12월 사이에 있으면 12월 31일에 당연퇴직한다.

① ㉠(○) ㉡(○) ㉢(○) ㉣(×) ㉤(○)
② ㉠(○) ㉡(×) ㉢(○) ㉣(○) ㉤(×)
③ ㉠(×) ㉡(○) ㉢(×) ㉣(○) ㉤(×)
④ ㉠(○) ㉡(○) ㉢(×) ㉣(×) ㉤(○)

**정답 및 해설 I ④**

㉠ [○]

> **경찰공무원법 제11조【부정행위자에 대한 제재】** ① 경찰청장 또는 해양경찰청장은 경찰공무원의 신규채용시험(경위공개경쟁채용시험을 포함한다.), 승진시험 또는 그 밖의 시험에서 다른 사람에게 대신하여 응시하게 하는 행위 등 대통령령으로 정하는 부정행위를 한 사람에 대하여 대통령령으로 정하는 바에 따라 해당 시험의 정지 · 무효 또는 합격 취소 처분을 할 수 있다. <개정 2024.2.13.>
> ② 제1항에 따른 처분을 받은 사람에 대해서는 처분이 있은 날부터 5년의 범위에서 대통령령으로 정하는 기간 동안 신규채용시험, 승진시험 또는 그 밖의 시험의 응시자격을 정지한다. <신설 2024.2.13.>
> ③ 경찰청장 또는 해양경찰청장은 제1항에 따른 처분(시험의 정지는 제외한다)을 할 때에는 미리 그 처분 내용과 사유를 당사자에게 통지하여 소명할 기회를 주어야 한다.

㉡ [○]

> **경찰공무원법 제7조【임용권자】** ① 총경 이상 경찰공무원은 경찰청장 또는 해양경찰청장의 추천을 받아 행정안전부장관 또는 해양수산부장관의 제청으로 국무총리를 거쳐 대통령이 임용한다. 다만, 총경의 전보, 휴직, 직위해제, 강등, 정직 및 복직은 경찰청장 또는 해양경찰청장이 한다.
> ② 경정 이하의 경찰공무원은 경찰청장 또는 해양경찰청장이 임용한다. 다만, 경정으로의 신규채용, 승진임용 및 면직은 경찰청장 또는 해양경찰청장의 제청으로 국무총리를 거쳐 대통령이 한다.

ⓒ [×] ⓜ [○]

> **경찰공무원법 제30조【정년】** ① 경찰공무원의 정년은 다음과 같다.
> 1. 연령정년: 60세
> 2. 계급정년
>    치안감: 4년
>    경무관: 6년
>    총경: 11년
>    경정: 14년
>
> ③ 수사, 정보, 외사, 안보, 자치경찰사무 등 특수 부문에 근무하는 경찰공무원으로서 대통령령으로 정하는 바에 따라 지정을 받은 사람은 총경 및 경정의 경우에는 4년의 범위에서 대통령령으로 정하는 바에 따라 제1항 제2호에 따른 계급정년을 연장할 수 있다.
> ④ 경찰청장 또는 해양경찰청장은 전시 · 사변이나 그 밖에 이에 준하는 비상사태에서는 2년의 범위에서 제1항 제2호에 따른 계급정년을 연장할 수 있다. 이 경우 경무관 이상의 경찰공무원에 대해서는 행정안전부장관 또는 해양수산부장관과 국무총리를 거쳐 대통령의 승인을 받아야 하고, 총경 · 경정의 경찰공무원에 대해서는 국무총리를 거쳐 대통령의 승인을 받아야 한다.
> ⑤ 경찰공무원은 그 정년이 된 날이 1월에서 6월 사이에 있으면 6월 30일에 당연퇴직하고, 7월에서 12월 사이에 있으면 12월 31일에 당연퇴직한다.

ⓡ [×] 5년 이상 근속자이어야 한다.

> **경찰공무원법 제16조【근속승진】** ① 경찰청장 또는 해양경찰청장은 제15조 제2항에도 불구하고 해당 계급에서 다음 각 호의 기간 동안 재직한 사람을 경장, 경사, 경위, 경감으로 각각 근속승진임용할 수 있다. 다만, 인사교류 경력이 있거나 주요 업무의 추진 실적이 우수한 공무원 등 경찰행정 발전에 기여한 공이 크다고 인정되는 경우에는 대통령령으로 정하는 바에 따라 그 기간을 단축할 수 있다.
> 1. 순경을 경장으로 근속승진임용하려는 경우: 해당 계급에서 4년 이상 근속자
> 2. 경장을 경사로 근속승진임용하려는 경우: 해당 계급에서 5년 이상 근속자
> 3. 경사를 경위로 근속승진임용하려는 경우: 해당 계급에서 6년 6개월 이상 근속자
> 4. 경위를 경감으로 근속승진임용하려는 경우: 해당 계급에서 8년 이상 근속자

## 086 「경찰공무원법」상 당연퇴직사유에 해당하지 않는 것은? [2018 실무 1]

① 피성년후견인 또는 피한정후견인

② 자격정지 이상의 형(刑)을 선고받은 사람

③ 파산선고를 받은 사람으로서 「채무자 회생 및 파산에 관한 법률」에 따라 신청기한 내에 면책신청한 사람

④ 징계에 의하여 해임처분을 받은 사람

**정답 및 해설 I ③**

③ [×] 파산선고를 받았더라도 신청기한 내 면책신청을 하였다면 당연퇴직사유에 해당하지 않는다.

> **경찰공무원법 제27조【당연퇴직】** 경찰공무원이 제8조 제2항 각 호의 어느 하나(➜ 임용결격사유)에 해당하게 된 경우에는 당연히 퇴직한다. 다만, 제8조 제2항 제4호는 파산선고를 받은 사람으로서 「채무자 회생 및 파산에 관한 법률」에 따라 신청기한 내에 면책신청을 하지 아니하였거나 면책불허가 결정 또는 면책 취소가 확정된 경우만 해당하고, 제8조 제2항 제6호는 「형법」 제129조부터 제132조까지, 「성폭력범죄의 처벌 등에 관한 특례법」 제2조, 「아동 · 청소년의 성보호에 관한 법률」 제2조 제2호 및 직무와 관련하여 「형법」 제355조 또는 제356조에 규정된 죄를 범한 사람으로서 자격정지 이상의 형의 선고유예를 받은 경우만 해당한다.

**KEY POINT | 경찰공무원의 임용결격과 당연퇴직의 비교**

| 구분 | 임용결격 | 당연퇴직 |
| --- | --- | --- |
| 제1유형<br>(국적 관련) | 외국인 | 좌동 |
| | 복수국적자 | 좌동 |
| 제2유형<br>(능력 관련) | 피성년후견인 · 피한정후견인 | 좌동 |
| | 파산선고를 받고 복권되지 않은 자 | 파산선고를 받았더라도,<br>• 신청기한 내 면책신청을 안했거나<br>• 면책불허가 · 면책취소 확정의 경우에만 해당 |
| 제3유형<br>(일반범죄) | 자격정지 이상 형선고 | 좌동 |
| | 자격정지 이상 형 선고유예기간 중 | 선고유예를 받았더라도 해당 범죄가<br>• 뇌물범죄<br>• 성폭력범죄<br>• 아동 · 청소년대상 성범죄<br>• 재직 중 공금횡령 · 배임의 경우에만 해당 |
| 제4유형<br>(특수범죄) | • 공무원 재직 중 횡령 · 배임으로<br>• 300만원 이상 벌금형을 선고받고<br>• 확정 후 2년 미경과자 | 좌동 |
| | • 성폭력범죄로<br>• 100만원 이상 벌금형을 선고받고<br>• 확정 후 3년 미경과자 | 좌동 |
| | 미성년자 대상 성범죄, 아동 · 청소년대상 성범죄 | 좌동 |
| 제5유형<br>(징계처분) | 파면 · 해임 | 좌동 |

## 087 경찰공무원 근무관계의 성립 · 변동 · 소멸에 대한 설명으로 적절한 것을 모두 고른 것은? [2018 승진(경감)]

㉠ 징계에 의하여 해임의 처분을 받았더라도 그 후 3년이 경과하였다면 경찰공무원에 임용될 수 있다.
㉡ 「국가공무원법」상 강임은 하위 직급에의 임용으로서 경찰공무원에게도 적용된다.
㉢ 감사업무를 담당하는 경찰공무원은 부적격자로 인정되는 경우가 아닌 한 해당 직위에 임용된 날부터 3년 이내에는 다른 직위에 전보할 수 없다.
㉣ 경찰공무원으로서 자격정지 이상의 형의 선고유예를 받고 그 선고유예기간 중에 있는 자는 당연퇴직된다.

① 없음　② ㉡
③ ㉢　④ ㉠, ㉣

**정답 및 해설 | ①**

㉠ [×] 징계에 의하여 해임처분을 받은 사람은 기간이 얼마가 경과하든 경찰공무원에 임용될 수 없다.

> **경찰공무원법 제8조 【임용자격 및 결격사유】** ② 다음 각 호의 어느 하나에 해당하는 사람은 경찰공무원으로 임용될 수 없다.
> 10. 징계에 의하여 **파면** 또는 **해임처분**을 받은 사람

㉡ [×] 강임은 경찰공무원에게는 적용하지 아니한다.

> **경찰공무원법 제36조 【「국가공무원법」과의 관계】** ① 경찰공무원에 대해서는 「국가공무원법」 제73조의4(➜ 강임), 제76조 제2항부터 제5항(➜ 후임자 보충발령 유예)까지의 규정을 적용하지 아니하며, 치안총감과 치안정감에 대해서는 「국가공무원법」 제68조 본문(➜ 의사에 반한 신분조치 금지)을 적용하지 아니한다.

㉢ [×] 감사담당 경찰공무원이 부적격자로 인정되지 않는 한 전보가 제한되는 기간은 2년이다.

> 대통령령 **경찰공무원 임용령 제27조【전보의 제한】** ① 임용권자 또는 임용제청권자는 소속 경찰공무원이 해당 직위에 임용된 날부터 1년 이내(감사업무를 담당하는 경찰공무원의 경우에는 2년 이내)에 다른 직위에 전보할 수 없다. 다만, 다음 각 호의 어느 하나에 해당하는 경우에는 그러하지 아니하다. ➔ 아래 각 호의 경우에는 전보가 가능하다.
> 13. 감사담당 경찰공무원 가운데 부적격자로 인정되는 경우

㉣ [×] 자격정지 이상 형 선고유예를 받았더라도 해당 범죄가 뇌물범죄, 성폭력범죄, 아동 · 청소년대상 성범죄, 재직 중 공금횡령 · 배임에 해당하여야 당연퇴직사유에 해당한다.

> **경찰공무원법 제27조【당연퇴직】** 경찰공무원이 제8조 제2항 각 호의 어느 하나(➔ 임용결격사유)에 해당하게 된 경우에는 당연히 퇴직한다. 다만, 제8조 제2항 제4호는 파산선고를 받은 사람으로서 「채무자 회생 및 파산에 관한 법률」에 따라 신청기한 내에 면책신청을 하지 아니하였거나 면책불허가 결정 또는 면책 취소가 확정된 경우만 해당하고, 제8조 제2항 제6호(➔ 자격정지 이상 형 선고유예)는 「형법」 제129조부터 제132조까지, 「성폭력범죄의 처벌 등에 관한 특례법」 제2조, 「아동 · 청소년의 성보호에 관한 법률」 제2조 제2호 및 직무와 관련하여 「형법」 제355조 또는 제356조에 규정된 죄를 범한 사람으로서 자격정지 이상의 형의 선고유예를 받은 경우만 해당한다.



**088** 다음은 경찰공무원 근무관계의 발생, 변동, 소멸에 대한 설명이다. 아래 ㉠부터 ㉣까지의 설명 중 옳고 그름의 표시(○, ×)가 바르게 된 것은? [2022 승진]

> ㉠ 「경찰공무원법」상 자치경찰공무원을 그 계급에 상응하는 경찰공무원으로 임용할 때에는 시보임용을 거친다.
> ㉡ 「경찰공무원 승진임용규정」상 임용권자나 임용제청권자는 심사승진후보자 명부에 기록된 사람이 승진임용되기 전에 정직 이상의 징계처분을 받은 경우에는 심사승진후보자 명부에서 그 사람을 제외하여야 한다.
> ㉢ 「국가공무원법」상 임용권자는 금품비위, 성범죄 등 대통령령으로 정하는 비위행위로 인하여 감사원 및 검찰 · 경찰 등 수사기관에서 조사나 수사 중인 자로서 비위의 정도가 중대하고 이로 인하여 정상적인 업무수행을 기대하기 현저히 어려운 자는 직위해제할 수 있다.
> ㉣ 「경찰공무원법」상 임용권자는 경찰공무원이 경찰공무원으로는 부적합할 정도로 직무 수행능력이나 성실성이 현저하게 결여된 사람으로서 대통령령으로 정하는 사유에 해당된다고 인정되는 사람을 직권으로 면직시킬 수 있다.

① ㉠ [×] ㉡ [○] ㉢ [×] ㉣ [○]
② ㉠ [○] ㉡ [×] ㉢ [○] ㉣ [○]
③ ㉠ [×] ㉡ [○] ㉢ [○] ㉣ [○]
④ ㉠ [×] ㉡ [○] ㉢ [○] ㉣ [×]

**정답 및 해설 | ③**

㉠ [×] 시보임용을 거치지 않는 사유에 해당한다.

> **경찰공무원법 제13조【시보임용】** ④ 다음 각 호의 어느 하나에 해당하는 경우에는 시보임용을 거치지 아니한다.
> 1. 경찰대학을 졸업한 사람 또는 경찰간부후보생으로서 정하여진 교육을 마친 사람을 경위로 임용하는 경우
> 2. 경찰공무원으로서 대통령령으로 정하는 상위계급으로의 승진에 필요한 자격 요건을 갖추고 임용예정 계급에 상응하는 공개경쟁 채용시험에 합격한 사람을 해당 계급의 경찰공무원으로 임용하는 경우
> 3. 퇴직한 경찰공무원으로서 퇴직시에 재직하였던 계급의 채용시험에 합격한 사람을 재임용하는 경우
> 4. 자치경찰공무원을 그 계급에 상응하는 경찰공무원으로 임용하는 경우

㉡ [○]

대통령령 **경찰공무원 승진임용 규정 제24조【심사승진후보자 명부의 작성】** ③ 임용권자나 임용제청권자는 심사승진후보자 명부에 기록된 사람이 승진임용되기 전에 정직 이상의 징계처분을 받은 경우에는 심사승진후보자 명부에서 그 사람을 제외하여야 한다.

㉢ [○]

**국가공무원법 제73조의3【직위해제】** ① 임용권자는 다음 각 호의 어느 하나에 해당하는 자에게는 직위를 부여하지 아니할 수 있다.
6. 금품비위, 성범죄 등 대통령령으로 정하는 비위행위로 인하여 감사원 및 검찰·경찰 등 수사기관에서 조사나 수사 중인 자로서 비위의 정도가 중대하고 이로 인하여 정상적인 업무수행을 기대하기 현저히 어려운 자

㉣ [○]

**경찰공무원법 제28조【직권면직】** ① 임용권자는 경찰공무원이 다음 각 호의 어느 하나에 해당될 때에는 직권으로 면직시킬 수 있다.
2. 경찰공무원으로는 부적합할 정도로 **직무 수행능력이나 성실성이 현저하게** 결여된 사람으로서 대통령령으로 정하는 사유에 해당된다고 인정될 때

## 02 면직

**089** 경찰공무원의 직권면직사유 가운데, 직권면직 처분을 위해서 징계위원회의 동의가 필요한 경우가 아닌 것은?

[2019 승진(경위)]

① 휴직기간이 끝나거나 휴직사유가 소멸된 후에도 직무에 복귀하지 아니하거나 직무를 감당할 수 없을 때
② 경찰공무원으로서 부적합할 정도로 직무수행 능력 또는 성실성이 현저하게 결여된 사람으로서 대통령령이 정하는 사유에 해당한다고 인정될 때
③ 국가공무원법 제73조의3 제3항에 따라 대기 명령을 받은 자가 그 기간에 능력 또는 근무성적의 향상을 기대하기 어렵다고 인정된 때
④ 직무를 수행하는 데에 위험을 일으킬 우려가 있을 정도의 성격적 또는 도덕적 결함이 있는 사람으로서 대통령령이 정하는 사유에 해당한다고 인정될 때

**정답 및 해설 | ①**

① [×] 경찰공무원법 제28조 제1항 제1호 사유 중 국가공무원법 제70조 제1항 제3호(**폐직 또는 과원**), 제4호(**휴직기간 종료 후 미복귀**)는 징계위원회 동의가 필요없으나, 제5호(직위해제 대기명령자 능력 등 향상 기대불가)는 징계위원회 동의가 필요하다.

**경찰공무원법 제28조【직권면직】** ① 임용권자는 경찰공무원이 다음 각 호의 어느 하나에 해당될 때에는 직권으로 면직시킬 수 있다.
1. 「국가공무원법」 제70조 제1항 제3호부터 제5호까지의 규정 중 어느 하나에 해당될 때
2. 경찰공무원으로는 부적합할 정도로 **직무 수행능력이나 성실성이 현저하게** 결여된 사람으로서 대통령령으로 정하는 사유에 해당된다고 인정될 때
3. 직무를 수행하는 데에 위험을 일으킬 우려가 있을 정도의 **성격적 또는 도덕적 결함**이 있는 사람으로서 대통령령으로 정하는 사유에 해당된다고 인정될 때
4. 해당 경과에서 직무를 수행하는 데 필요한 **자격증의 효력이 상실되거나 면허가 취소**되어 담당 직무를 수행할 수 없게 되었을 때

② 제1항 제2호·제3호 또는 「국가공무원법」 제70조 제1항 제5호의 사유로 면직시키는 경우에는 제32조에 따른 **징계위원회의 동의**를 받아야 한다.

**국가공무원법 제70조【직권 면직】** ① 임용권자는 공무원이 다음 각 호의 어느 하나에 해당하면 직권으로 면직시킬 수 있다.
1. 삭제 <1991.5.31.>
2. 삭제 <1991.5.31.>
3. 직제와 정원의 개폐 또는 예산의 감소 등에 따라 폐직(廢職) 또는 과원(過員)이 되었을 때
4. 휴직 기간이 끝나거나 휴직 사유가 소멸된 후에도 직무에 복귀하지 아니하거나 직무를 감당할 수 없을 때
5. 제73조의3 제3항에 따라 대기 명령을 받은 자가 그 기간에 능력 또는 근무성적의 향상을 기대하기 어렵다고 인정된 때

## 090 경찰공무원법상 경찰공무원의 직권면직사유 중 직권면직처분을 위해 징계위원회의 동의가 필요한 사유로 옳은 것은 모두 몇 개인가? [2022 채용 1차]

> ㉠ 해당 경과에서 직무를 수행하는 데 필요한 자격증의 효력이 상실되거나 면허가 취소되어 담당 직무를 수행할 수 없게 되었을 때
> ㉡ 직무를 수행하는 데에 위험을 일으킬 우려가 있을 정도의 성격적 또는 도덕적 결함이 있는 사람으로서 대통령령으로 정하는 사유에 해당된다고 인정될 때
> ㉢ 경찰공무원으로는 부적합할 정도로 직무수행 능력이나 성실성이 현저하게 결여된 사람으로서 대통령령으로 정하는 사유에 해당된다고 인정될 때
> ㉣ 휴직기간이 끝나거나 휴직사유가 소멸된 후에도 직무에 복귀하지 아니하거나 직무를 감당할 수 없을 때

① 1개 ② 2개
③ 3개 ④ 4개

**정답 및 해설 I ②**
② [○] **징계위원회의 동의가 필요한 사유**는 ㉡ 성격적 · 도덕적 결함, ㉢ 직무수행 능력 · 성실성 결여와 같은 **주관적 사유**이다. 반면 ㉠ 필수자격이나 면허가 취소되거나, ㉣ 휴직 후 미복귀와 같은 객관적 사유는 징계위원회의 동의가 필요하지 않다.

## 091 「경찰공무원법」상 경찰공무원의 직권면직사유로 가장 적절하지 않은 것은? [2017 실무 1]

① 직제와 정원의 개폐 또는 예산의 감소로 폐직 또는 과원이 되었을 때
② 「병역법」에 따른 병역 복무를 마치기 위하여 징집 또는 소집된 때
③ 휴직기간이 끝나거나 휴직사유가 소멸된 후에도 직무에 복귀하지 아니하거나 직무를 감당할 수 없을 때
④ 직무수행하는 데에 있어서 위험을 일으킬 우려가 있을 정도의 성격적 또는 도덕적 결함이 있는 사람으로서 대통령령으로 정하는 사유에 해당된다고 인정될 때

**정답 및 해설 I ②**
② [×] 직권휴직사유에 해당한다.

| 구분 | 직권휴직 | 직위해제 | 직권면직 |
|---|---|---|---|
| 성격 | • 근무관계 변동사유<br>• 사유 발생시 임용권자가 직무담임 일시해제 | • 근무관계 변동사유<br>• 사유 발생시 임용권자가 직무담임 일시해제 + 제재적 의미 | • 근무관계 소멸사유<br>• 임용권자 의사에 의해 공무원관계 소멸 |
| 사유 | • 노동조합 전임자<br>• 병역 복무<br>• 법률상 의무수행<br>• 신체 · 정신 장애로 장기 요양<br>• 천재지변 등으로 생사불명 | • 중징계 의결요구 중<br>• 고위공무원 적격심사<br>• 직무수행 능력부족 · 근무성적 불량<br>• 금품비위 · 성범죄 등 감사원 · 수사기관 조사 · 수사<br>• 형사 사건 기소(약식제외) | • 폐직 · 과원<br>• 휴직 종료 후 미복귀<br>• 직무필요 자격증 효력상실 · 면허취소<br>• 성격 또는 도덕적 결함<br>• 직위해제 대기 중 근무성적 향상 기대 ×<br>• 직무수행 능력 · 성실성 현저한 결여 |
| 효과 | • 신분보유<br>• 직무종사 불가<br>• 복직보장 | • 신분보유<br>• 직무종사 불가<br>• 복직보장 × | 신분박탈 |

## 092 「국가공무원법」 제70조에 따른 직권 면직 요건으로 가장 적절한 것은?

[2024 승진]

① 전직시험에서 세 번 이상 불합격한 자로서 직무수행 능력이 부족하다고 인정된 때

② 직무수행 능력이 부족하거나 근무성적이 극히 나쁜 자

③ 파면 · 해임 · 강등 또는 정직에 해당하는 징계 의결이 요구 중인 자

④ 형사 사건으로 기소된 자(약식명령이 청구된 자는 제외한다)

**정답 및 해설 I ①**

① [○] 제6호 직권면직 사유이다. 주의할 것은, 경찰공무원법상 준용되는 직권면직사유는 제3호부터 제5호까지라는 점이다(제6호는 준용되지 않는다).

> **국가공무원법 제70조【직권 면직】** ①임용권자는 공무원이 다음 각 호의 어느 하나에 해당하면 직권으로 면직시킬 수 있다.
> 3. 직제와 정원의 개폐 또는 예산의 감소 등에 따라 폐직(廢職) 또는 과원(過員)이 되었을 때
> 4. 휴직 기간이 끝나거나 휴직 사유가 소멸된 후에도 직무에 복귀하지 아니하거나 직무를 감당할 수 없을 때
> 5. 제73조의3 제3항에 따라 대기 명령을 받은 자가 그 기간에 능력 또는 근무성적의 향상을 기대하기 어렵다고 인정된 때
> 6. 전직시험에서 세 번 이상 불합격한 자로서 직무수행 능력이 부족하다고 인정된 때

②③④ [×] 해당 사유들은 직위해제 사유에 해당한다.

> **국가공무원법 제73조의3【직위해제】** ① 임용권자는 다음 각 호의 어느 하나에 해당하는 자에게는 직위를 부여하지 아니할 수 있다.
> 2. 직무수행 능력이 부족하거나 근무성적이 극히 나쁜 자
> 3. 파면 · 해임 · 강등 또는 정직에 해당하는 징계 의결이 요구 중인 자
> 4. 형사 사건으로 기소된 자(약식명령이 청구된 자는 제외한다)

## 093 「국가공무원법」에 규정된 직권휴직과 직권면직의 사유에 대한 내용이다. 각 사유를 바르게 나열한 것은?

[2020 실무 1]

> ㉠ 해당 직급 · 직위에서 직무를 수행하는 데 필요한 자격증의 효력이 없어지거나 면허가 취소되어 담당 직무를 수행할 수 없게 된 때
> ㉡ 「병역법」에 따른 병역 복무를 마치기 위하여 징집 또는 소집된 때
> ㉢ 신체 · 정신상의 장애로 장기 요양이 필요할 때
> ㉣ 직제와 정원의 개폐 또는 예산의 감소 등에 따라 폐직 또는 과원이 되었을 때

① 직권면직 - ㉠, ㉡ 직권휴직 - ㉢, ㉣

② 직권면직 - ㉡, ㉢ 직권휴직 - ㉠, ㉣

③ 직권면직 - ㉠, ㉣ 직권휴직 - ㉡, ㉢

④ 직권면직 - ㉠, ㉢ 직권휴직 - ㉡, ㉣

**정답 및 해설 I ③**

③ [○] ㉠㉣은 직권면직사유(폐 · 휴 · 취/성 · 대 · 결)이고, ㉡㉢은 직권휴직사유(노 · 병 · 의 · 장 · 천)에 해당한다.

## 094 「경찰공무원법」에 대한 설명으로 가장 적절한 것은? [2023 경간]

① 경정 이하의 경찰공무원을 신규 채용할 때에는 1년간 시보로 임용하고, 그 기간이 만료된 날에 정규 경찰공무원으로 임용한다.

② 경찰공무원의 복제에 관한 사항은 대통령령으로 정한다.

③ 임용권자는 경찰공무원이 해당 경과에서 직무를 수행하는 데 필요한 자격증의 효력이 상실되거나 면허가 취소되어 담당 직무를 수행할 수 없게 되었을 때에는 직권으로 면직시킬 수 있으며, 이 경우에는 징계위원회의 동의를 받아야 한다.

④ 징계처분, 휴직처분, 면직처분, 그 밖에 의사에 반하여 불리한 처분에 대한 행정소송은 경찰청장을 피고로 하는 것이 원칙이며, 예외도 있다.



**정답 및 해설 | ④**

④ [○]

> **경찰공무원법 제34조【행정소송의 피고】** 징계처분, 휴직처분, 면직처분, 그 밖에 의사에 반하는 불리한 처분에 대한 행정소송은 경찰청장 또는 해양경찰청장을 피고로 한다. 다만, 제7조 제3항 및 제4항에 따라 임용권을 위임한 경우에는 그 위임을 받은 자를 피고로 한다.

① [×] 그 기간이 만료된 다음 날에 정규 경찰공무원으로 임용한다.

> **경찰공무원법 제13조【시보임용】** ① 경정 이하의 경찰공무원을 신규 채용할 때에는 1년간 시보로 임용하고, 그 기간이 만료된 다음 날에 정규 경찰공무원으로 임용한다.

② [×] 행정안전부령 또는 해양수산부령으로 정한다.

> **경찰공무원법 제26조【복제 및 무기 휴대】** ③ 경찰공무원의 복제에 관한 사항은 행정안전부령(➔ 경찰복제에 관한 규칙) 또는 해양수산부령으로 정한다.

③ [×] 징계위원회의 동의를 요하지 않는다(경찰공무원법 제28조).

| 구분 | 사유 |
|---|---|
| 객관적 사유<br>(징계위원회 동의 불필요) | • 폐직 또는 과원(제1호~제3호)<br>• 휴직 후 직무 미복귀(제1호~제4호)<br>• 필수자격 · 면허취소(제5호) |
| 주관적 사유<br>(징계위원회 동의 필요) | • 성격적 · 도덕적 결함(제3호)<br>- 인격장애, 알코올 중독 등<br>- 도박 · 이성문제<br>• 직위해제 대기명령자 능력 등 향상 기대불가(제1호~제5호)<br>• 능력 · 성실성 결여(제2호)<br>- 지능저하 · 판단력 부족<br>- 직무수행 성의 ×, 위험직무 고의기피 · 포기 |

## 주제 5 경찰공무원의 권리

### 01 기본적 인권

### 02 신분상 권리

**095** 경찰공무원의 권리와 의무에 대한 설명으로 가장 적절하지 <u>않은</u> 것은? [2022 승진]

① 「경찰공무원법」상 모든 계급의 경찰공무원은 형의 선고, 징계처분 또는 「국가공무원법」 및 「경찰공무원법」에 정하는 사유에 따르지 아니하고는 본인의 의사에 반하여 휴직·강임 또는 면직을 당하지 아니한다.

② 「경찰공무원 복무규정」상 경찰공무원은 직위 또는 직권을 이용하여 부당하게 타인의 민사분쟁에 개입하여서는 아니 된다.

③ 「경찰공무원법」상 경찰공무원을 지휘하는 사람은 전시·사변, 그 밖에 이에 준하는 비상사태이거나 작전수행 중인 경우 또는 많은 인명손상이나 국가재산 손실의 우려가 있는 위급한 사태가 발생한 경우, 정당한 사유 없이 그 직무수행을 거부 또는 유기하거나 경찰공무원을 지정된 근무지에서 진출·퇴각 또는 이탈하게 하여서는 아니 된다.

④ 「공직자윤리법」은 총경(자치총경 포함)이상의 경찰공무원을 재산등록의무자로 규정하고 있고, 「공직자윤리법 시행령」은 경찰공무원 중 경정, 경감, 경위, 경사와 자치경찰공무원 중 자치경정, 자치경감, 자치경위, 자치경사를 재산등록의무자로 규정하고 있다.

**정답 및 해설 | ①**

① [×] 「경찰공무원법」상 **치안총감과 치안정감을 제외한**(모든X) 경찰공무원은 형의 선고, 징계처분 또는 「**국가공무원법**」에서 정하는 사유에 따르지 아니하고는 본인의 의사에 반하여 휴직·강임 또는 면직을 당하지 아니한다(국가공무원법 제68조).

> **경찰공무원법 제36조【「국가공무원법」과의 관계】** 치안총감과 치안정감에 대해서는 「국가공무원법」 제68조 본문을 적용하지 아니한다.
>
> **국가공무원법 제68조【의사에 반한 신분 조치】** 공무원은 형의 선고, 징계처분 또는 국가공무원법에서 정하는 사유에 따르지 아니하고는 본인의 의사에 반하여 휴직·강임또는 면직을 당하지 아니한다.

② [○]

> 대통령령 **경찰공무원 복무규정 제10조【민사분쟁에의 부당개입금지】** 경찰공무원은 직위 또는 직권을 이용하여 부당하게 타인의 민사분쟁에 개입하여서는 아니된다.

③ [○]

> **경찰공무원법 제25조【지휘권 남용 등의 금지】** 전시·사변, 그 밖에 이에 준하는 비상사태이거나 작전수행 중인 경우 또는 많은 인명 손상이나 국가재산 손실의 우려가 있는 위급한 사태가 발생한 경우, 경찰공무원을 지휘·감독하는 사람은 정당한 사유 없이 그 직무 수행을 거부 또는 유기하거나 경찰공무원을 지정된 근무지에서 진출·퇴각 또는 이탈하게 하여서는 아니 된다.

④ [○]

> **공직자윤리법 제3조【등록의무자】** ① 다음 각 호의 어느 하나에 해당하는 공직자(이하 "등록의무자"라 한다)는 이 법에서 정하는 바에 따라 재산을 등록하여야 한다.
> 9. 총경(자치총경을 포함한다) 이상의 경찰공무원과 소방정 이상의 소방공무원
> 13. 그 밖에 … 대통령령으로 정하는 특정 분야의 공무원과 공직유관단체의 직원
>
> 대통령령 **공직자윤리법 시행령 제3조【등록의무자】** ⑤ 법 제3조 제1항 제13호에서 "대통령령으로 정하는 특정 분야의 공무원과 공직유관단체의 직원"이란 다음 각 호의 사람을 말한다.
> 6. 경찰공무원 중 경정, 경감, 경위, 경사와 자치경찰공무원 중 자치경정, 자치경감, 자치경위, 자치경사

## 096 경찰공무원의 무기 휴대 및 사용에 대한 근거로서 가장 적절한 것은? [2015 채용 3차]

① 경찰공무원법(무기 휴대) - 경찰관 직무집행법(무기 사용)
② 경찰관 직무집행법(무기 휴대) - 국가경찰과 자치경찰의 조직 및 운영에 관한 법률(무기 사용)
③ 경찰공무원법(무기 휴대) - 국가경찰과 자치경찰의 조직 및 운영에 관한 법률(무기 사용)
④ 국가경찰과 자치경찰의 조직 및 운영에 관한 법률(무기 휴대) - 경찰관 직무집행법(무기 사용)

**정답 및 해설 I ①**

① [O]

> **경찰공무원법 제26조【복제 및 무기 휴대】** ② 경찰공무원은 직무 수행을 위하여 필요하면 무기를 휴대할 수 있다.
> ➜ 무기 '휴대'의 법적 근거
> **경찰관 직무집행법 제10조의4【무기의 사용】** ① 경찰관은 범인의 체포, 범인의 도주 방지, 자신이나 다른 사람의 생명·신체의 방어 및 보호, 공무집행에 대한 항거의 제지를 위하여 필요하다고 인정되는 상당한 이유가 있을 때에는 그 사태를 합리적으로 판단하여 필요한 한도에서 무기를 사용할 수 있다. ➜ 무기 '사용'의 법적 근거
> ② 제1항에서 "무기"란 사람의 생명이나 신체에 위해를 끼칠 수 있도록 제작된 권총·소총·도검 등을 말한다.



# 03 재산상 권리

## 097 경찰공무원의 권리와 의무를 규정하는 법령에 대한 설명으로 가장 적절하지 않은 것은? [2021 승진(실무종합)]

① 「공직자윤리법」상 공무원 또는 공직유관단체의 임직원은 외국으로부터 선물(대가 없이 제공되는 물품 및 그 밖에 이에 준하는 것을 말하되, 현금은 제외한다. 이하 같다)을 받거나 그 직무와 관련하여 외국인(외국단체 포함)에게 선물을 받으면 지체 없이 소속 기관·단체의 장에게 신고하고 그 선물을 인도하여야 한다.
② ①에 따라 「공직자윤리법 시행령」상 신고하여야 할 선물은 그 선물 수령 당시 증정한 국가 또는 외국인이 속한 국가의 시가로 미국화폐 100달러 이상이거나 국내 시가로 10만원 이상인 선물로 한다.
③ 「공직자윤리법」상 취업심사대상자는 퇴직일부터 3년간 취업심사대상기관에 취업할 수 없다. 다만, 관할 공직자윤리위원회로부터 취업심사대상자가 퇴직 전 5년 동안 소속하였던 부서 또는 기관의 업무와 취업심사대상기관간에 밀접한 관련성이 없다는 확인을 받으면 취업할 수 있다.
④ 「공무원 재해보상법」에 따른 급여를 받을 권리는 그 급여의 사유가 발생한 날부터 요양급여·재활급여·간병급여·부조급여는 5년간, 그 밖의 급여는 3년간 행사하지 아니하면 시효로 인하며 소멸한다.

**정답 및 해설 I ④**

④ [×] 요양·재활·간병·부조급여는 3년, 그 밖의 급여는 5년의 소멸시효에 걸린다.

> **공무원 재해보상법 제54조【시효】** ① 이 법에 따른 급여를 받을 권리는 그 급여의 사유가 발생한 날부터 요양급여·재활급여·간병급여·부조급여는 3년간, 그 밖의 급여는 5년간 행사하지 아니하면 시효로 인하여 소멸한다.

①② [○]

공직자윤리법 제15조 【외국 정부 등으로부터 받은 선물의 신고】 ① 공무원(지방의회의원을 포함한다. 이하 제22조에서 같다) 또는 공직유관단체의 임직원은 외국으로부터 선물(대가 없이 제공되는 물품 및 그 밖에 이에 준하는 것을 말하되, 현금은 제외한다. 이하 같다)을 받거나 그 직무와 관련하여 외국인(외국단체를 포함한다. 이하 같다)에게 선물을 받으면 지체 없이 소속 기관·단체의 장에게 신고하고 그 선물을 인도하여야 한다. 이들의 가족이 외국으로부터 선물을 받거나 그 공무원이나 공직유관단체 임직원의 직무와 관련하여 외국인에게 선물을 받은 경우에도 또한 같다.
② 제1항에 따라 신고할 선물의 가액은 대통령령으로 정한다.

대통령령 공직자윤리법 시행령 제28조 【선물의 가액】 ① 법 제15조 제1항에 따라 신고하여야 할 선물은 그 선물 수령 당시 증정한 국가 또는 외국인이 속한 국가의 시가로 미국화폐 100달러 이상이거나 국내 시가로 10만원 이상인 선물로 한다.

③ [○]

공직자윤리법 제17조 【퇴직공직자의 취업제한】 ① 제3조 제1항 제1호부터 제12호까지의 어느 하나에 해당하는 공직자(➡ 제9호에 총경 이상의 경찰공무원이 포함)와 부당한 영향력 행사 가능성 및 공정한 직무수행을 저해할 가능성 등을 고려하여 국회규칙, 대법원규칙, 헌법재판소규칙, 중앙선거관리위원회규칙 또는 대통령령으로 정하는 공무원과 공직유관단체의 직원(이하 이 장에서 "취업심사대상자"라 한다)은 퇴직일부터 3년간 다음 각 호의 어느 하나에 해당하는 기관(이하 "취업심사대상기관"이라 한다)에 취업할 수 없다. 다만, 관할 공직자윤리위원회로부터 취업심사대상자가 퇴직 전 5년 동안 소속하였던 부서 또는 기관의 업무와 취업심사대상기관 간에 밀접한 관련성이 없다는 확인을 받거나 취업승인을 받은 때에는 취업할 수 있다.

# 주제 6 경찰공무원의 의무

## 01 일반적 의무

### 098 「국가공무원법」상 경찰공무원의 의무에 대한 설명으로 가장 적절한 것은? [2018 채용 3차]

① 공무원이 외국 정부로부터 증여를 받을 경우에는 소속 기관장의 허가를 받아야 한다.

② 공무원은 취임할 때에 소속 기관장 앞에서 대통령령 등으로 정하는 바에 따라 선서하여야 한다. 다만, 불가피한 사유가 있으면 취임 후에 선서하게 할 수 있다.

③ 공무원은 소속 기관장의 허가 또는 정당한 사유가 없으면 직장을 이탈하지 못한다.

④ 공무원은 직무와 관련하여 직접적인 경우(간접적인 경우 제외) 사례·증여 또는 향응을 주거나 받을 수 없다.

**정답 및 해설 | ②**

② [○]

국가공무원법 제55조 【선서】 공무원은 취임할 때에 소속 기관장 앞에서 대통령령등으로 정하는 바에 따라 선서하여야 한다. 다만, 불가피한 사유가 있으면 취임 후에 선서하게 할 수 있다.

① [×] '대통령'의 허가를 받아야 한다.

국가공무원법 제62조 【외국 정부의 영예 등을 받을 경우】 공무원이 외국 정부로부터 영예나 증여를 받을 경우에는 대통령의 허가를 받아야 한다.

③ [×] 소속 기관장의 허가가 아니라 '소속 상관'의 허가이다.

국가공무원법 제58조 【직장 이탈 금지】 ① 공무원은 소속 상관의 허가 또는 정당한 사유가 없으면 직장을 이탈하지 못한다.
② 수사기관이 공무원을 구속하려면 그 소속 기관의 장에게 미리 통보하여야 한다. 다만, 현행범은 그러하지 아니하다.

④ [×] 간접적인 경우도 포함한다.

국가공무원법 제61조 【청렴의 의무】 ① 공무원은 직무와 관련하여 직접적이든 간접적이든 사례·증여 또는 향응을 주거나 받을 수 없다.
② 공무원은 직무상의 관계가 있든 없든 그 소속 상관에게 증여하거나 소속 공무원으로부터 증여를 받아서는 아니 된다.

## 02 직무상 의무

**099** 「국가공무원법」상 공무원의 의무에 대한 설명으로 가장 적절하지 않은 것은? [2018 실무 1]

① 청렴의 의무 - 공무원은 직무상의 관계가 있든 없든 그 소속 상관에게 증여하거나 소속 공무원으로부터 증여를 받아서는 아니 된다.

② 외국 정부의 영예 등을 받을 경우 - 공무원이 외국 정부로부터 영예나 증여를 받을 경우에는 대통령의 허가를 받아야 한다.

③ 영리 업무 및 겸직 금지 - 공무원은 공무 외에 영리를 목적으로 하는 업무에 종사하지 못하며 소속 상관의 허가 없이 다른 직무를 겸할 수 없다.

④ 직장 이탈 금지 - 공무원은 소속 상관의 허가 또는 정당한 사유가 없으면 직장을 이탈하지 못한다.

**정답 및 해설 I ③**

③ [×] 소속 상관이 아니라 '소속 기관장'의 허가가 필요하다.

> **국가공무원법 제64조【영리 업무 및 겸직 금지】** ① 공무원은 공무 외에 영리를 목적으로 하는 업무에 종사하지 못하며 소속 기관장의 허가 없이 다른 직무를 겸할 수 없다.

① [○]

> **국가공무원법 제61조【청렴의 의무】** ① 공무원은 직무와 관련하여 직접적이든 간접적이든 사례·증여 또는 향응을 주거나 받을 수 없다.
> ② 공무원은 직무상의 관계가 있든 없든 그 소속 상관에게 증여하거나 소속 공무원으로부터 증여를 받아서는 아니 된다.

② [○]

> **국가공무원법 제62조【외국 정부의 영예 등을 받을 경우】** 공무원이 외국 정부로부터 영예나 증여를 받을 경우에는 대통령의 허가를 받아야 한다.

④ [○] 직장이탈은 '소속 상관'의 허가가 있으면 가능하다.

> **국가공무원법 제58조【직장 이탈 금지】** ① 공무원은 소속 상관의 허가 또는 정당한 사유가 없으면 직장을 이탈하지 못한다.
> ② 수사기관이 공무원을 구속하려면 그 소속 기관의 장에게 미리 통보하여야 한다. 다만, 현행범은 그러하지 아니하다.

**100** 경찰공무원의 의무에 대한 설명으로 가장 적절하지 않은 것은? [2018 경채]

① 「국가공무원법」상 공무원이 외국 정부로부터 영예나 증여를 받을 경우에는 대통령의 허가를 받아야 한다.

② 「국가공무원법」상 공무원은 종교에 따른 차별 없이 직무를 수행하여야 하며, 소속 상관이 종교중립의무에 위배되는 직무상 명령을 한 경우에는 이를 따르지 아니하여야 한다.

③ 「국가경찰과 자치경찰의 조직 및 운영에 관한 법률」상 경찰공무원은 구체적 사건수사와 관련된 상관의 지휘·감독의 적법성 또는 정당성에 대하여 이견이 있을 때에는 이의를 제기할 수 있다.

④ 「경찰공무원 복무규정」상 경찰공무원은 휴무일 또는 근무시간 외에 2시간 이내에 직무에 복귀하기 어려운 지역으로 여행을 하고자 할 때에는 소속 경찰기관의 장에게 신고를 하여야 한다. 다만, 치안상 특별한 사정이 있어 경찰청장, 해양경찰청장 또는 경찰기관의 장이 지정하는 기간 중에는 소속 경찰기관의 장의 허가를 받아야 한다.

**정답 및 해설 I ②**

② [×] 따르지 아니할 수 있다.

> 국가공무원법 제59조의2【종교중립의 의무】① 공무원은 종교에 따른 차별 없이 직무를 수행하여야 한다.
> ② 공무원은 소속 상관이 제1항에 위배되는 직무상 명령을 한 경우에는 이에 따르지 아니할 수 있다.

① [○]

> 국가공무원법 제62조【외국 정부의 영예 등을 받을 경우】공무원이 외국 정부로부터 영예나 증여를 받을 경우에는 대통령의 허가를 받아야 한다.

③ [○]

> 국가공무원법 제57조【복종의 의무】공무원은 직무를 수행할 때 소속 상관의 직무상 명령에 복종하여야 한다.
> 경찰법 제6조【직무수행】① 경찰공무원은 상관의 지휘 · 감독을 받아 직무를 수행하고, 그 직무수행에 관하여 서로 협력하여야 한다.
> ② 경찰공무원은 구체적 사건수사와 관련된 제1항의 지휘 · 감독의 적법성 또는 정당성에 대하여 이견이 있을 때에는 이의를 제기할 수 있다.

④ [○]

> 대통령령 경찰공무원 복무규정 제13조【여행의 제한】경찰공무원은 휴무일 또는 근무시간외에 2시간 이내에 직무에 복귀하기 어려운 지역으로 여행을 하고자 할 때에는 소속 경찰기관의 장에게 신고를 하여야 한다. 다만, 치안상 특별한 사정이 있어 경찰청장, 해양경찰청장 또는 경찰기관의 장이 지정하는 기간중에는 소속경찰기관의 장의 허가를 받아야 한다.

**101** 「경찰공무원 복무규정」상 기본강령과 그에 대한 내용으로 가장 적절하게 연결된 것은? [2018 채용 2차]

① 경찰사명: 경찰공무원은 주어진 사명을 다하기 위하여 긍지를 가지고 한마음 한뜻으로 굳게 뭉쳐 임무수행에 모든 역량을 기울여야 한다.

② 경찰정신: 경찰공무원은 국가와 민족을 위하여 충성과 봉사를 다하며, 국민의 생명 · 신체 및 재산을 보호하고, 공공의 안녕과 질서를 유지함을 그 사명으로 한다.

③ 규율: 경찰공무원은 성실하고 청렴한 생활태도로써 국민의 모범이 되어야 한다.

④ 책임: 경찰공무원은 창의와 노력으로써 소임을 완수하여야 하며. 직무수행의 결과에 대하여 책임을 진다.

**정답 및 해설 I ④**

④ [○] 책임에 대한 옳은 설명이다.

① [×] 단결, ② [×] 경찰사명, ③ [×] 성실 · 청렴에 해당한다.

| | |
|---|---|
| 대통령령 경찰공무원 복무규정 제3조【기본강령】경찰공무원은 다음의 기본강령에 따라 복무해야 한다.<br>1. **경찰사명**: 경찰공무원은 국가와 민족을 위하여 충성과 봉사를 다하며, 국민의 생명 · 신체 및 재산을 보호하고, 공공의 안녕과 질서를 유지함을 그 사명으로 한다.<br>2. **경찰정신**: 경찰공무원은 국민의 수임자로서 일상의 직무수행에 있어서 국민의 자유와 권리를 존중하는 호국 · 봉사 · 정의의 정신을 그 바탕으로 삼는다.<br>3. **규율**: 경찰공무원은 법령을 준수하고 직무상의 명령에 복종하며, 상사에 대한 존경과 부하에 대한 존중으로써 규율을 지켜야 한다.<br>4. **단결**: 경찰공무원은 주어진 사명을 다하기 위하여 긍지를 가지고 한마음 한뜻으로 굳게 뭉쳐 임무수행에 모든 역량을 기울여야 한다.<br>5. **책임**: 경찰공무원은 창의와 노력으로써 소임을 완수하여야 하며, 직무수행의 결과에 대하여 책임을 진다.<br>6. **성실 · 청렴**: 경찰공무원은 성실하고 청렴한 생활태도로써 국민의 모범이 되어야 한다. | **경찰공무원 복무규정 기본강령**<br>• **사명**: 공공안녕 질서유지<br>• **성실 · 청렴**: 성실 · 청렴<br>• **단결**: 긍지 · 한마음 한뜻<br>• **규율**: 준수 · 복종 · 존경 · 존중<br>• **정신**: 호국 · 봉사 · 정의<br>• **책임**: 소임완수 · 결과책임 |

**102** 「경찰공무원 복무규정」의 내용이다. 아래 ㉠부터 ㉣까지의 설명으로 옳고 그름의 표시(○, ×)가 바르게 된 것은? [2017 승진(경위)]

> ㉠ 경찰공무원의 기본강령으로 제1호에 경찰사명, 제2호에 경찰정신, 제3호에 규율, 제4호에 책임, 제5호에 단결, 제6호에 성실 · 청렴을 규정하고 있다.
> ㉡ 경찰공무원은 직위 또는 직권을 이용하여 부당하게 타인의 민사분쟁에 개입하여서는 아니 된다.
> ㉢ 경찰기관의 장은 근무성적이 탁월하거나 다른 경찰공무원의 모범이 될 공적이 있는 경찰공무원에 대하여 1회 10일 이내의 포상휴가를 허가할 수 있다. 이 경우의 포상휴가기간은 연가일수에 산입하지 아니한다.
> ㉣ 경찰기관의 장은 특별한 사정이 없는 한, 연일근무자 및 공휴일근무자에 대하여는 그 다음 날 1일의 휴무, 당직 또는 철야근무자에 대하여는 다음 날 오후 2시를 기준으로 하여 오전 또는 오후의 휴무를 허가할 수 있다.

① ㉠(○) ㉡(○) ㉢(○) ㉣(○)
② ㉠(○) ㉡(×) ㉢(○) ㉣(×)
③ ㉠(×) ㉡(○) ㉢(○) ㉣(×)
④ ㉠(×) ㉡(○) ㉢(×) ㉣(○)

**정답 및 해설 I ③**

㉠ [×] 제4호에 단결, 제5호에 책임을 규정하고 있다.

㉡ [○]

> 대통령령 **경찰공무원 복무규정 제10조【민사분쟁에의 부당개입금지】** 경찰공무원은 직위 또는 직권을 이용하여 부당하게 타인의 민사분쟁에 개입하여서는 아니된다.

㉢ [○]

> 대통령령 **경찰공무원 복무규정 제18조【포상휴가】** 경찰기관의 장은 근무성적이 탁월하거나 다른 경찰공무원의 모범이 될 공적이 있는 경찰공무원에 대하여 1회 10일이내의 포상휴가를 허가할 수 있다. 이 경우의 포상휴가기간은 연가일수에 산입하지 아니한다.

㉣ [×] 허가하여야 한다.

> 대통령령 **경찰공무원 복무규정 제19조【연일근무자 등의 휴무】** 경찰기관의 장은 특별한 사정이 없는 한 다음과 같이 휴무를 허가하여야 한다.
> 1. 연일근무자 및 공휴일근무자에 대하여는 그 다음날 1일의 휴무
> 2. 당직 또는 철야근무자에 대하여는 다음 날 오후 2시를 기준으로 하여 오전 또는 오후의 휴무

**103** 「경찰공무원 복무규정」상 경찰공무원의 의무에 대한 설명으로 가장 적절하지 않은 것은? [2021 채용 1차]

① 경찰공무원은 상사의 허가를 받거나 그 명령에 의한 경우를 제외하고는 직무와 관계없는 장소에서 직무수행을 하여서는 아니 된다.
② 경찰공무원은 신규채용 · 승진 · 전보 · 파견 · 출장 · 연가 · 교육훈련기관에의 입교, 기타 신분관계 또는 근무관계 또는 근무관계의 변동이 있는 때에는 소속 상관에게 신고를 하여야 한다.
③ 경찰공무원은 직위 또는 직권을 이용하여 부당하게 타인의 민사분쟁에 개입하여서는 아니 된다.
④ 경찰공무원은 휴무일 또는 근무시간 외에 2시간 이내에 직무에 복귀하기 어려운 지역으로 여행을 하고자 할 때에는 소속 상관의 허가를 받아야 한다.

**정답 및 해설 I ④**

①②③ [○] ④ [×] '소속 경찰기관장'에 대하여 '신고'를 하여야 한다.

**KEY POINT I 경찰공무원 복무규정상 신고나 허가의 대상**

| 의무 | 신고대상 | 허가대상 | 비고 |
|---|---|---|---|
| 근무시간 음주금지 | - | - | 특별한 사정 있으면 ○ |
| 민사개입금지 | - | - | 직권이용, 부당한 개입금지 |
| 지정장소 외 근무수행금지 | - | 상사의 허가 | 상사 명령도 가능 |
| 여행제한 | 소속 경찰기관장에게 신고<br>➜ 2시간 내 복귀 어려울 때 | 소속 경찰기관장의 허가<br>➜ 경찰청장 등 지정기간 | - |
| 비상소집 | - | - | 비상사태 대처 |
| 보고 · 통보 | - | - | 치안상 필요상황 |
| 상관에 대한 신고 | 소속 상관에게 신고 | - | 신분관계나 근무관계 변동시 |

## 104 「경찰공무원 복무규정」에 관한 다음 설명 중 가장 적절하지 않은 것은? [2015 채용 2차]

① 경찰공무원은 상사의 허가를 받거나 그 명령에 의한 경우를 제외하고는 직무와 관계없는 장소에서 직무수행을 하여서는 아니 된다.

② 경찰공무원은 휴무일 또는 근무시간 외에 2시간 이내에 직무에 복귀하기 어려운 지역으로 여행을 하고자 할 때에는 소속 상관에게 신고를 하여야 한다.

③ 경찰공무원은 근무시간 중 음주를 하여서는 아니 된다. 다만, 특별한 사정이 있는 경우에는 예외로 하되, 이 경우 주기가 있는 상태에서 직무를 수행하여서는 아니 된다.

④ 경찰기관의 장은 근무성적이 탁월하거나 다른 경찰공무원의 모범이 될 공적이 있는 경찰공무원에 대하여 1회 10일 이내의 포상휴가를 허가할 수 있다. 이 경우의 포상휴가기간은 연가일수에 산입하지 아니한다.

**정답 및 해설 I ②**

② [×] 소속 경찰기관의 장에게 신고를 하여야 한다.

대통령령 **경찰공무원 복무규정 제13조【여행의 제한】** 경찰공무원은 휴무일 또는 근무시간외에 2시간 이내에 직무에 복귀하기 어려운 지역으로 여행을 하고자 할 때에는 소속 경찰기관의 장에게 신고를 하여야 한다. 다만, 치안상 특별한 사정이 있어 경찰청장, 해양경찰청장 또는 경찰기관의 장이 지정하는 기간중에는 소속경찰기관의 장의 허가를 받아야 한다.

① [○]

대통령령 **경찰공무원 복무규정 제8조【지정장소외에서의 직무수행금지】** 경찰공무원은 상사의 허가를 받거나 그 명령에 의한 경우를 제외하고는 직무와 관계없는 장소에서 직무수행을 하여서는 아니된다.

③ [○]

대통령령 **경찰공무원 복무규정 제9조【근무시간중 음주금지】** 경찰공무원은 근무시간중 음주를 하여서는 아니된다. 다만, 특별한 사정이 있는 경우에는 예외로 하되, 이 경우 주기가 있는 상태에서 직무를 수행하여서는 아니된다.

④ [○]

대통령령 **경찰공무원 복무규정 제18조【포상휴가】** 경찰기관의 장은 근무성적이 탁월하거나 다른 경찰공무원의 모범이 될 공적이 있는 경찰공무원에 대하여 1회 10일이내의 포상휴가를 허가할 수 있다. 이 경우의 포상휴가기간은 연가일수에 산입하지 아니한다.

## 105 '경찰공무원 복무규정'상 가장 적절하지 않은 것은? [2016 지능범죄]

① 경찰공무원은 휴무일 또는 근무시간 외에 2시간 이내에 복귀하기 어려운 지역으로 여행을 하고자 할 때에는 소속 경찰기관의 장에게 신고를 하여야 한다. 다만, 치안상 특별한 사정이 있어 경찰청장 또는 경찰기관의 장이 지정하는 기간 중에는 소속 경찰기관장의 허가를 받아야 한다.

② 경찰기관의 장은 비상사태에 대처하기 위하여 필요하다고 인정할 때에는 소속 경찰공무원을 긴급히 소집하거나 일정한 장소에 대기하게 할 수 있다.

③ 경찰기관의 장은 근무성적이 탁월하거나 다른 경찰공무원의 모범이 될 공적이 있는 경찰공무원에 대하여 1회 10일 이내의 포상휴가를 허가할 수 있다. 이 경우의 포상휴가기간은 연가일수에 산입하지 아니한다.

④ 경찰기관의 장은 특별한 사정이 없는 한 연일근무자 및 공휴일근무자에 대하여는 그 다음 날 1일의 휴무를 허가할 수 있다.



**정답 및 해설 | ④**

④ [×] 허가하여야 한다.

> 대통령령 **경찰공무원 복무규정 제19조【연일근무자 등의 휴무】** 경찰기관의 장은 특별한 사정이 없는 한 다음과 같이 휴무를 허가하여야 한다.
> 1. 연일근무자 및 공휴일근무자에 대하여는 그 다음날 1일의 휴무
> 2. 당직 또는 철야근무자에 대하여는 다음 날 오후 2시를 기준으로 하여 오전 또는 오후의 휴무

① [○]

> 대통령령 **경찰공무원 복무규정 제13조【여행의 제한】** 경찰공무원은 휴무일 또는 근무시간외에 2시간 이내에 직무에 복귀하기 어려운 지역으로 여행을 하고자 할 때에는 소속 경찰기관의 장에게 신고를 하여야 한다. 다만, 치안상 특별한 사정이 있어 경찰청장, 해양경찰청장 또는 경찰기관의 장이 지정하는 기간중에는 소속경찰기관의 장의 허가를 받아야 한다.

② [○]

> 대통령령 **경찰공무원 복무규정 제14조【비상소집】** ① 경찰기관의 장은 비상사태에 대처하기 위하여 필요하다고 인정할 때에는 소속경찰공무원을 긴급히 소집(이하 "비상소집"이라 한다)하거나 일정한 장소에 대기하게 할 수 있다.

③ [○]

> 대통령령 **경찰공무원 복무규정 제18조【포상휴가】** 경찰기관의 장은 근무성적이 탁월하거나 다른 경찰공무원의 모범이 될 공적이 있는 경찰공무원에 대하여 1회 10일이내의 포상휴가를 허가할 수 있다. 이 경우의 포상휴가기간은 연가일수에 산입하지 아니한다.

## 106 「국가공무원 복무규정」상 공가의 사유로 가장 적절하지 않은 것은? [2023 승진]

① 원격지(遠隔地)로 전보(轉補) 발령을 받고 부임할 때

② 천재지변, 교통 차단 또는 그 밖의 사유로 출근이 불가능할 때

③ 신체 · 정신상의 장애로 장기 요양이 필요할 때

④ 「혈액관리법」에 따라 헌혈에 참가할 때

**정답 및 해설 I ③**

③ [×] '신체 · 정신상의 장애로 장기 요양이 필요할 때'는 「국가공무원법」상 직권휴직사유이다(국가공무원법 제71조 제1항 제1호).

①②④ [○] **공가**란 공무원이 일반국민의 자격으로 국가기관의 업무수행에 협조하거나 법령상 의무의 이행이 필요한 경우에 부여받는 휴가를 말한다. 사유는 국가공무원 복무규정에 상세히 규정되어 있다(국가공무원 복무규정 제19조 제5호 · 제7호 · 제10호).

> 대통령령 **국가공무원 복무규정 제19조 【공가】** 행정기관의 장은 소속 공무원이 다음 각 호의 어느 하나에 해당하는 경우에는 이에 직접 필요한 기간 또는 시간을 공가로 승인해야 한다.
> 1. 「병역법」이나 그 밖의 다른 법령에 따른 병역판정검사 · 소집 · 검열점호 등에 응하거나 동원 또는 훈련에 참가할 때
> 2. 공무와 관련하여 국회, 법원, 검찰, 경찰 또는 그 밖의 국가기관에 소환되었을 때
> 3. 법률에 따라 투표에 참가할 때
> 4. 승진시험 · 전직시험에 응시할 때
> 5. **원격지(遠隔地)로 전보(轉補) 발령을 받고 부임할 때**
> 6. 「산업안전보건법」 제129조부터 제131조까지의 규정에 따른 건강진단, 「국민건강보험법」 제52조에 따른 건강검진 또는 「결핵예방법」 제11조 제1항에 따른 결핵검진등을 받을 때
> 7. **「혈액관리법」에 따라 헌혈에 참가할 때**
> 8. 「공무원 인재개발법 시행령」 제32조 제5호에 따른 외국어능력에 관한 시험에 응시할 때
> 9. 올림픽, 전국체전 등 국가적인 행사에 참가할 때
> 10. **천재지변, 교통 차단 또는 그 밖의 사유로 출근이 불가능할 때**
> 11. 「공무원의 노동조합 설립 및 운영 등에 관한 법률」 제9조에 따른 교섭위원으로 선임(選任)되어 단체교섭 및 단체협약 체결에 참석하거나 … 대의원회( … 연 1회로 한정한다)에 참석할 때
> 12. 공무국외출장등을 위하여 「검역법」 제5조 제1항에 따른 검역관리지역 또는 중점검역관리지역으로 가기 전에 같은 법에 따른 검역감염병의 예방접종을 할 때
> 13. 「감염병의 예방 및 관리에 관한 법률」에 따른 제1급감염병에 대하여 같은 법 제24조 또는 제25조에 따라 필수예방접종 또는 임시예방접종을 받거나 같은 법 제42조 제2항 제3호에 따라 감염 여부 검사를 받을 때

## 03 신분상 의무

**107** 「국가공무원법」상 공무원의 의무에 관한 설명으로 가장 적절하지 않은 것은? [2023 승진]

① 공무원은 재직 중은 물론 퇴직 후에도 직무상 알게 된 비밀을 엄수(嚴守)하여야 한다.

② 공무원은 직무와 관련하여 간접적인 사례 · 증여 또는 향응을 주거나 받을 수 있다.

③ 공무원이 외국 정부로부터 영예나 증여를 받을 경우에는 대통령의 허가를 받아야 한다.

④ 공무원은 종교에 따른 차별 없이 직무를 수행하여야 한다.

**정답 및 해설 I ②**

② [×] 공무원은 직무와 관련하여 직접적이든 간접적이든 사례 · 증여 또는 향응을 주거나 받을 수 없다.

> **국가공무원법 제61조 【청렴의 의무】** ① 공무원은 직무와 관련하여 직접적이든 간접적이든 사례 · 증여 또는 향응을 주거나 받을 수 없다.
> ② 공무원은 직무상의 관계가 있든 없든 그 소속 상관에게 증여하거나 소속 공무원으로부터 증여를 받아서는 아니 된다.

① [○]

> **국가공무원법 제60조 【비밀 엄수의 의무】** 공무원은 재직 중은 물론 퇴직 후에도 직무상 알게 된 비밀을 엄수하여야 한다.

③ [○]

> **국가공무원법 제62조 【외국 정부의 영예 등을 받을 경우】** 공무원이 외국 정부로부터 영예나 증여를 받을 경우에는 대통령의 허가를 받아야 한다.

④ [○]

> **국가공무원법 제59조의2 【종교중립의 의무】** ① 공무원은 종교에 따른 차별 없이 직무를 수행하여야 한다.
> ② 공무원은 소속 상관이 제1항에 위배되는 직무상 명령을 한 경우에는 이에 따르지 아니할 수 있다.

## 108 「국가공무원법」상 공무원의 의무에 대한 설명으로 가장 적절하지 않은 것은? [2020 실무 1]

① 공무원은 소속 상관의 허가 또는 정당한 사유가 없으면 직장을 이탈하지 못한다.

② 공무원은 직무의 내외를 불문하고 그 품위가 손상되는 행위를 하여서는 아니 된다.

③ 공무원은 재직 중에 직무상 지득한 비밀을 엄수하여야 하나, 퇴직 후에는 그러한 의무가 없다.

④ 공무원은 정당이나 그 밖의 정치단체의 결성에 관여하거나 이에 가입할 수 없으며, 선거에서 특정 정당 또는 특정인을 지지 또는 반대하기 위해 투표를 하거나 하지 아니하도록 권유 운동을 하여서는 아니 된다.



**정답 및 해설 | ③**

③ [×] 비밀엄수의무는 퇴직 후에도 부담한다.

> **국가공무원법 제60조【비밀 엄수의 의무】** 공무원은 재직 중은 물론 퇴직 후에도 직무상 알게 된 비밀을 엄수하여야 한다.

① [○]

> **국가공무원법 제58조【직장 이탈 금지】** ① 공무원은 소속 상관의 허가 또는 정당한 사유가 없으면 직장을 이탈하지 못한다.
> ② 수사기관이 공무원을 구속하려면 그 소속 기관의 장에게 미리 통보하여야 한다. 다만, 현행범은 그러하지 아니하다.

② [○]

> **국가공무원법 제63조【품위 유지의 의무】** 공무원은 직무의 내외를 불문하고 그 품위가 손상되는 행위를 하여서는 아니 된다.

④ [○]

> **국가공무원법 제65조【정치 운동의 금지】** ① 공무원은 정당이나 그 밖의 정치단체의 결성에 관여하거나 이에 가입할 수 없다.
> ② 공무원은 선거에서 특정 정당 또는 특정인을 지지 또는 반대하기 위한 다음의 행위를 하여서는 아니 된다.
> 1. 투표를 하거나 하지 아니하도록 권유 운동을 하는 것
> 2. 서명 운동을 기도 · 주재하거나 권유하는 것
> 3. 문서나 도서를 공공시설 등에 게시하거나 게시하게 하는 것
> 4. 기부금을 모집 또는 모집하게 하거나, 공공자금을 이용 또는 이용하게 하는 것
> 5. 타인에게 정당이나 그 밖의 정치단체에 가입하게 하거나 가입하지 아니하도록 권유 운동을 하는 것

## 109 「공직자윤리법」 및 동법 시행령의 내용으로 가장 적절한 것은? [2018 승진(경위)]

① 「공직자윤리법」에서는 경정 이상의 경찰공무원을 재산등록의무자로 규정하고 있고, 동법 시행령에서는 경사 이상을 재산등록의무자로 규정하고 있다.

② 등록재산의 공개 대상자는 경무관 이상의 경찰공무원 및 특별시 · 광역시 · 특별자치시 · 도 · 특별 자치도의 시 · 도경찰청장이다.

③ 공무원(지방의회의원을 포함한다) 또는 공직유관단체의 임직원은 외국으로부터 선물을 받거나 그 직무와 관련하여 외국인(외국단체를 포함한다)에게 선물을 받으면 지체 없이 소속 기관 · 단체의 장에게 신고하고 그 선물을 인도하여야 한다. 이들의 가족이 외국으로부터 선물을 받거나 그 공무원이나 공직유관단체 임직원의 직무와 관련하여 외국인에게 선물을 받은 경우에도 또한 같다.

④ 위 '③'에 따라 신고하여야 할 선물은 그 선물 수령 당시 증정한 국가 또는 외국인이 속한 국가의 시가로 미국화폐 1,000달러 이상이거나 국내 시가로 100만원 이상인 선물로 한다.

**정답 및 해설 I ③**

③ [○]

> **공직자윤리법 제15조 【외국 정부 등으로부터 받은 선물의 신고】** ① 공무원(지방의회의원을 포함한다. 이하 제22조에서 같다) 또는 공직유관단체의 임직원은 외국으로부터 선물(대가 없이 제공되는 물품 및 그 밖에 이에 준하는 것을 말하되, 현금은 제외한다. 이하 같다)을 받거나 그 직무와 관련하여 외국인(외국단체를 포함한다. 이하 같다)에게 선물을 받으면 지체 없이 소속 기관·단체의 장에게 신고하고 그 선물을 인도하여야 한다. 이들의 가족이 외국으로부터 선물을 받거나 그 공무원이나 공직유관단체 임직원의 직무와 관련하여 외국인에게 선물을 받은 경우에도 또한 같다.
> ② 제1항에 따라 신고할 선물의 가액은 대통령령으로 정한다.
>
> 대통령령 **공직자윤리법 시행령 제28조 【선물의 가액】** ① 법 제15조 제1항에 따라 신고하여야 할 선물은 그 선물 수령 당시 증정한 국가 또는 외국인이 속한 국가의 시가로 미국화폐 100달러 이상이거나 국내 시가로 10만원 이상인 선물로 한다.

① [×] 공직자윤리법은 총경 이상을 재산등록의무자로 하고 있다.

> **공직자윤리법 제3조 【등록의무자】** ① 다음 각 호의 어느 하나에 해당하는 공직자(이하 "등록의무자"라 한다)는 이 법에서 정하는 바에 따라 재산을 등록하여야 한다.
> 9. 총경(자치총경을 포함한다) 이상의 경찰공무원과 소방정 이상의 소방공무원
> 13. 그 밖에 … 대통령령으로 정하는 특정 분야의 공무원과 공직유관단체의 직원
>
> 대통령령 **공직자윤리법 시행령 제3조 【등록의무자】** ⑤ 법 제3조 제1항 제13호에서 "대통령령으로 정하는 특정 분야의 공무원과 공직유관단체의 직원"이란 다음 각 호의 사람을 말한다.
> 6. 경찰공무원 중 경정, 경감, 경위, 경사와 자치경찰공무원 중 자치경정, 자치경감, 자치경위, 자치경사

② [×] 공개 대상자는 경무관 이상이 아니라 치안감 이상이다.

> **공직자윤리법 제10조 【등록재산의 공개】** ① 공직자윤리위원회는 관할 등록의무자 중 다음 각 호의 어느 하나에 해당하는 공직자 본인과 배우자 및 본인의 직계존속·직계비속의 재산에 관한 등록사항과 제6조에 따른 변동사항 신고내용을 등록기간 또는 신고기간 만료 후 1개월 이내에 관보 또는 공보에 게재하여 공개하여야 한다.
> 8. 치안감 이상의 경찰공무원 및 특별시·광역시·특별자치시·도·특별자치도의 시·도경찰청장

④ [×] 미국화폐 100달러 이상이거나 국내 시가로 10만원 이상인 선물로 한다.

> 대통령령 **공직자윤리법 시행령 제28조 【선물의 가액】** ① 법 제15조 제1항에 따라 신고하여야 할 선물은 그 선물 수령 당시 증정한 국가 또는 외국인이 속한 국가의 시가로 미국화폐 100달러 이상이거나 국내 시가로 10만원 이상인 선물로 한다.

## 110 다음은 甲총경과 친족의 재산 현황이다. 「공직자윤리법」을 기준으로 甲총경이 등록해야 하는 재산의 총액으로 가장 적절한 것은? (단, 제시한 자료 이외의 친족 및 재산은 없음)

[2023 경간]

> 가. 甲총경이 소유한 미국에 있는 5천만원 상당의 아파트
> 나. 甲총경의 성년아들이 소유한 합계액 500만원의 예금
> 다. 甲총경의 배우자가 소유한 합계액 2천만원의 채권
> 라. 甲총경의 부친이 소유한 합계액 500만원의 현금
> 마. 甲총경의 외조모가 소유한 합계액 3천만원의 주식
> 바. 甲총경의 혼인한 딸이 소유한 합계액 5천만원의 현금

① 7천만원
② 7천 500만원
③ 8천만원
④ 8천 500만원

**정답 및 해설 I ①**

> **공직자윤리법 제3조 【등록의무자】** ① 다음 각 호의 어느 하나에 해당하는 공직자(이하 "등록의무자"라 한다)는 이 법에서 정하는 바에 따라 재산을 등록하여야 한다.
> 9. 총경(자치총경을 포함한다) 이상의 경찰공무원과 소방정 이상의 소방공무원
> 13. 그 밖에 … 대통령령으로 정하는 특정 분야의 공무원과 공직유관단체의 직원
>
> **공직자윤리법 제4조 【등록대상재산】** ① 등록의무자가 등록할 재산은 다음 각 호의 어느 하나에 해당하는 사람의 재산(소유 명의와 관계없이 사실상 소유하는 재산, 비영리법인에 출연한 재산과 외국에 있는 재산을 포함한다. 이하 같다)으로 한다.
> 1. 본인
> 2. 배우자(사실상의 혼인관계에 있는 사람을 포함한다. 이하 같다)
> 3. 본인의 직계존속 · 직계비속. 다만, 혼인한 직계비속인 여성과 외증조부모, 외조부모, 외손자녀 및 외증손자녀는 제외한다.

가. [○] 甲총경 본인의 재산이므로 등록대상이 된다.
나. [×] 甲총경의 직계비속의 재산이긴 하나, 예금은 1천만원 이상인 경우 등록대상이 된다.
다. [○] 甲총경의 배우자의 재산으로서, 1천만원 이상의 채권이므로 등록대상이 된다.
라. [×] 甲총경의 직계존속의 재산이긴 하나, 예금은 1천만원 이상인 경우 등록대상이 된다.
마. [×] 甲총경의 외조모 명의 재산은 등록대상에서 제외된다.
바. [×] 甲총경의 혼인한 직계비속인 여성 명의의 재산은 등록대상에서 제외된다.

## 111 경찰공무원의 의무에 대한 다음 설명 중 가장 옳지 않은 것은? [2017 경간]

① 소속 상관의 허가 또는 정당한 사유가 없으면 직장을 이탈하지 못한다.
② 외국 정부로부터 영예나 증여를 받을 경우에는 대통령의 허가를 받아야 한다.
③ '공직자윤리법'에서는 총경 이상의 경찰공무원을, '공직자윤리법 시행령'에서는 경위 이상의 경찰공무원을 각각 재산등록의무자로 규정하고 있다.
④ 친절 · 공정의 의무는 국가공무원법에서 규정된 법적인 의무이다.

**정답 및 해설 I ③**

③ [×] 경사 이상이 재산등록의무자가 되며, 경사부터 경정까지는 대통령령인 공직자윤리법 시행령에, 총경 이상은 법률인 공직자윤리법에 규정되어 있다.

> **공직자윤리법 제3조 【등록의무자】** ① 다음 각 호의 어느 하나에 해당하는 공직자(이하 "등록의무자"라 한다)는 이 법에서 정하는 바에 따라 재산을 등록하여야 한다.
> 9. 총경(자치총경을 포함한다) 이상의 경찰공무원과 소방정 이상의 소방공무원
> 13. 그 밖에 … 대통령령으로 정하는 특정 분야의 공무원과 공직유관단체의 직원
>
> 대통령령 **공직자윤리법 시행령 제3조 【등록의무자】** ⑤ 법 제3조 제1항 제13호에서 "대통령령으로 정하는 특정 분야의 공무원과 공직유관단체의 직원"이란 다음 각 호의 사람을 말한다.
> 6. 경찰공무원 중 경정, 경감, 경위, 경사와 자치경찰공무원 중 자치경정, 자치경감, 자치경위, 자치경사

① [○]

> **국가공무원법 제58조 【직장 이탈 금지】** ① 공무원은 소속 상관의 허가 또는 정당한 사유가 없으면 직장을 이탈하지 못한다.

② [○]

> **국가공무원법 제62조 【외국 정부의 영예 등을 받을 경우】** 공무원이 외국 정부로부터 영예나 증여를 받을 경우에는 대통령의 허가를 받아야 한다.

④ [○] 친절 · 공정의 의무는 단순한 윤리적 · 도덕적 의무가 아니라 법적 의무이다.

> **국가공무원법 제59조 【친절 · 공정의 의무】** 공무원은 국민 전체의 봉사자로서 친절하고 공정하게 직무를 수행하여야 한다.

## 112 「국가공무원법」상 공무원의 의무에 관한 다음 설명 중 가장 적절하지 않은 것은? [2015 채용 2차]

① 공무원이 외국 정부로부터 영예나 증여를 받을 경우에는 소속 기관장의 허가를 받아야 한다.

② 공무원은 재직 중은 물론 퇴직 후에도 직무상 알게 된 비밀을 엄수하여야 한다.

③ 공무원은 직무상의 관계가 있든 없든 그 소속 상관에게 증여하거나 소속 공무원으로부터 증여를 받아서는 아니 된다.

④ 공무원은 소속 상관의 허가 또는 정당한 사유가 없으면 직장을 이탈하지 못한다.

**정답 및 해설 I ①**

① [×] 대통령의 허가를 받아야 한다.

> **국가공무원법 제62조 【외국 정부의 영예 등을 받을 경우】** 공무원이 외국 정부로부터 영예나 증여를 받을 경우에는 **대통령의** 허가를 받아야 한다.

② [○]

> **국가공무원법 제60조 【비밀 엄수의 의무】** 공무원은 재직 중은 물론 퇴직 후에도 직무상 알게 된 비밀을 엄수하여야 한다.

③ [○]

> **국가공무원법 제61조 【청렴의 의무】** ① 공무원은 직무와 관련하여 직접적이든 간접적이든 사례·증여 또는 향응을 주거나 받을 수 없다.
> ② 공무원은 직무상의 관계가 있든 없든 그 소속 상관에게 증여하거나 소속 공무원으로부터 증여를 받아서는 아니 된다.

④ [○]

> **국가공무원법 제58조 【직장 이탈 금지】** ① 공무원은 소속 상관의 허가 또는 정당한 사유가 없으면 직장을 이탈하지 못한다.
> ② 수사기관이 공무원을 구속하려면 그 소속 기관의 장에게 미리 통보하여야 한다. 다만, **현행범은 그러하지 아니하다.**

## 113 「국가공무원법」상 의무의 내용으로 가장 적절하지 않은 것은? [2016 실무 1]

① 선서의무 - 공무원은 취임할 때 소속 기관장 앞에서 대통령령 등으로 정하는 바에 따라 선서하여야 한다. 다만, 불가피한 사유가 있으면 취임 후에 선서하게 할 수 있다.

② 비밀엄수의무 - 공무원은 재직 중은 물론 퇴직 후에도 직무상 알게 된 비밀을 엄수하여야 한다.

③ 외국 정부의 영예수여 - 공무원이 외국 정부로부터 영예·증여를 받을 경우에는 소속 기관장에게 신고하여야 한다.

④ 영리 업무 및 겸직 금지 - 공무원은 공무 외에 영리를 목적으로 하는 업무에 종사하지 못하며 소속 기관장의 허가 없이 다른 직무를 겸할 수 없다.

**정답 및 해설 I ③**

③ [×] 대통령의 허가를 받아야 한다.

> **국가공무원법 제62조 【외국 정부의 영예 등을 받을 경우】** 공무원이 외국 정부로부터 영예나 증여를 받을 경우에는 **대통령의** 허가를 받아야 한다.

① [○]

> **국가공무원법 제55조 【선서】** 공무원은 취임할 때에 소속 기관장 앞에서 대통령령등으로 정하는 바에 따라 선서하여야 한다. 다만, 불가피한 사유가 있으면 취임 후에 선서하게 할 수 있다.

② [○]

> **국가공무원법 제60조 【비밀 엄수의 의무】** 공무원은 재직 중은 물론 퇴직 후에도 직무상 알게 된 비밀을 엄수하여야 한다.

④ [○]

> 국가공무원법 제64조【영리 업무 및 겸직 금지】 ① 공무원은 공무 외에 영리를 목적으로 하는 업무에 종사하지 못하며 소속 기관장의 허가 없이 다른 직무를 겸할 수 없다.
> ② 제1항에 따른 영리를 목적으로 하는 업무의 한계는 대통령령등으로 정한다.



## 114 「국가공무원법」상 공무원의 복무에 관한 다음 설명 중 가장 적절하지 않은 것은? [2016 채용 1차]

① 공무원은 노동운동이나 그 밖에 공무 외의 일을 위한 집단 행위를 하여서는 아니 된다. 또한, 사실상 노무에 종사하는 공무원도 포함한다.

② 공무원이 외국 정부로부터 영예나 증여를 받을 경우에는 대통령의 허가를 받아야 한다.

③ 공무원은 공무 외에 영리를 목적으로 하는 업무에 종사하지 못하며 소속 기관장의 허가 없이 다른 직무를 겸할 수 없다.

④ 공무원은 정당이나 그 밖의 정치단체의 결성에 관여하거나 이에 가입할 수 없다.

**정답 및 해설 |** ①

① [×]

> 국가공무원법 제66조【집단 행위의 금지】 ① 공무원은 노동운동이나 그 밖에 공무 외의 일을 위한 집단 행위를 하여서는 아니 된다. 다만, 사실상 노무에 종사하는 공무원은 예외로 한다.

② [○]

> 국가공무원법 제62조【외국 정부의 영예 등을 받을 경우】 공무원이 외국 정부로부터 영예나 증여를 받을 경우에는 대통령의 허가를 받아야 한다.

③ [○]

> 국가공무원법 제64조【영리 업무 및 겸직 금지】 ① 공무원은 공무 외에 영리를 목적으로 하는 업무에 종사하지 못하며 소속 기관장의 허가 없이 다른 직무를 겸할 수 없다.

④ [○]

> 국가공무원법 제65조【정치 운동의 금지】 ① 공무원은 정당이나 그 밖의 정치단체의 결성에 관여하거나 이에 가입할 수 없다.

## 115 경찰공무원의 권리와 의무에 대한 설명으로 가장 적절하지 않은 것은? [2017 채용 2차]

① 「국가공무원법」상 공무원은 소속 상관의 허가 또는 정당한 사유가 없으면 직장을 이탈하지 못한다.

② 복종의 의무와 관련하여, 「경찰공무원법」은 경찰공무원이 구체적 사건수사와 관련된 상관의 적법성 또는 정당성에 대하여 이견이 있을 때에는 이의를 제기할 수 있다고 규정하고 있다.

③ 「국가공무원법」상 공무원은 공무 외에 영리를 목적으로 하는 업무에 종사하지 못하며 소속 기관장의 허가 없이 다른 직무를 겸할 수 없다.

④ 「공직자윤리법」상 등록의무자(취업심사대상자)는 퇴직일부터 3년간 퇴직 전 5년 동안 부서 또는 기관의 업무와 밀접한 관련성이 있는 취업제한기관에 취업할 수 없다. 다만, 관할 공직자윤리위원회의 승인을 받은 때에는 그러하지 아니하다.

**정답 및 해설 I ②**

② [×] 이러한 내용은 경찰법(국가경찰과 자치경찰의 조직 및 운영에 관한 법률)에 규정되어 있다.

> **경찰법 제6조【직무수행】** ① 경찰공무원은 상관의 지휘 · 감독을 받아 직무를 수행하고, 그 직무수행에 관하여 서로 협력하여야 한다.
> ② 경찰공무원은 구체적 사건수사와 관련된 제1항의 지휘 · 감독의 적법성 또는 정당성에 대하여 이견이 있을 때에는 이의를 제기할 수 있다.

① [○]

> **국가공무원법 제58조【직장 이탈 금지】** ① 공무원은 소속 상관의 허가 또는 정당한 사유가 없으면 직장을 이탈하지 못한다.

③ [○]

> **국가공무원법 제64조【영리 업무 및 겸직 금지】** ① 공무원은 공무 외에 영리를 목적으로 하는 업무에 종사하지 못하며 소속 기관장의 허가 없이 다른 직무를 겸할 수 없다.

④ [○]

> **공직자윤리법 제17조【퇴직공직자의 취업제한】** ① 제3조 제1항 제1호부터 제12호까지의 어느 하나에 해당하는 공직자(➜ 제9호에 총경 이상의 경찰공무원이 포함)와 부당한 영향력 행사 가능성 및 공정한 직무수행을 저해할 가능성 등을 고려하여 국회규칙, 대법원규칙, 헌법재판소규칙, 중앙선거관리위원회규칙 또는 대통령령으로 정하는 공무원과 공직유관단체의 직원(이하 이 장에서 "취업심사대상자"라 한다)은 퇴직일부터 3년간 다음 각 호의 어느 하나에 해당하는 기관(이하 "취업심사대상기관"이라 한다)에 취업할 수 없다. 다만, 관할 공직자윤리위원회로부터 취업심사대상자가 퇴직 전 5년 동안 소속하였던 부서 또는 기관의 업무와 취업심사대상기관 간에 밀접한 관련성이 없다는 확인을 받거나 취업승인을 받은 때에는 취업할 수 있다.

## 116 '국가공무원법'에서 규정하고 있는 신분상의 의무에 해당하는 것은 몇 개인가?

[2015 경간]

| | |
|---|---|
| 가. 선서의 의무 | 나. 법령준수의무 |
| 다. 정치운동의 금지 | 라. 집단행위의 금지 |
| 마. 거짓 보고 등의 금지 | 바. 복종의무 |
| 사. 종교중립의 의무 | 아. 지휘권 남용 등의 금지 |
| 자. 청렴의 의무 | |

① 3개
② 4개
③ 5개
④ 6개

**정답 및 해설 I ①**

① [×] 국가공무원법상 신분상 의무는 라. 집단행위의 금지, 자. 청렴의 의무, 다. 정치운동의 금지의 3개이다(집 · 외 · 청 · 운 · 비 · 품).

## 117 경찰공무원의 의무와 근거법령이다. 옳지 않은 것은?

[2021 경간]

| | | |
|---|---|---|
| ① | 경찰공무원법 | - 거짓보고 및 직무유기금지의무<br>- 지휘권남용금지의무<br>- 제복착용의무 |
| ② | 국가공무원법 | - 법령준수의무<br>- 친절 · 공정의무<br>- 종교중립의무 |
| ③ | 경찰공무원 복무규정 | - 근무시간 중 음주금지의무<br>- 품위유지의무(직무 내외 불문)<br>- 민사분쟁에 부당개입금지의무 |
| ④ | 공직자윤리법 | - 재산의 등록과 공개의무<br>- 선물신고의무<br>- 취업금지의무(퇴직공직자 취업제한) |

**정답 및 해설 | ③**

③ [×] 품위유지의무는 국가공무원법상의 신분상 의무에 해당한다(집 · 외 · 청 · 운 · 비 · 품).

## 118 「국가공무원법」과 「경찰공무원법」상 경찰공무원의 의무에 대한 설명 중 가장 적절한 것은?

[2020 승진(경위)]

① '성실 의무'는 공무원의 기본적 의무로서 모든 의무의 원천이 되므로 법률에 명시적 규정이 없다.

② '비밀엄수의 의무', '청렴의 의무', '친절 · 공정의 의무'는 신분상의 의무에 해당한다.

③ '거짓 보고 등의 금지', '지휘권 남용 등의 금지', '제복착용'은 「경찰공무원법」에 규정되어 있다.

④ 「국가공무원법」상 수사기관이 현행범으로 체포한 공무원을 구속하려면 그 소속 기관의 장에게 미리 통보하여야 한다.

**정답 및 해설 | ③**

③ [○] 경찰공무원법상 직무상 의무인 **거** · **지** · 제로서 옳은 설명이다.

① [×] 국가공무원법에 규정되어 있다.

> **국가공무원법 제56조 【성실 의무】** 모든 공무원은 법령을 준수하며 성실히 직무를 수행하여야 한다.

② [×] 국가공무원법상 신분상 의무는 집 · 외 · **청** · 운 · **비** · 품이므로 청렴의 의무와 비밀엄수의 의무는 신분상 의무에 해당하지만, 친절 · 공정의무는 국가공무원법상 직무상 의무에 해당한다(종 · **친** · 복 · 직 · 법).

④ [×] 현행범인 공무원은 소속 기관의 장에게 미리 통보 없이 구속할 수 있다.

> **국가공무원법 제58조 【직장 이탈 금지】** ① 공무원은 소속 상관의 허가 또는 정당한 사유가 없으면 직장을 이탈하지 못한다.
> ② 수사기관이 공무원을 구속하려면 그 소속 기관의 장에게 미리 통보하여야 한다. 다만, 현행범은 그러하지 아니하다.

**119** 경찰공무원의 의무 중 그 근거 법령이 나머지 셋과 <u>다른</u> 하나는? [2019 채용 2차]

① 법령을 준수하며 성실히 직무를 수행하여야 한다.

② 직무를 수행할 때 소속 상관의 직무상 명령에 복종하여야 한다.

③ 직무에 관하여 거짓으로 보고나 통보를 하여서는 아니 된다.

④ 소속 상관의 허가 또는 정당한 사유가 없으면 직장을 이탈하지 못한다.

**정답 및 해설 I ③**

③ 거짓보고금지의 의무는 경찰공무원법상 직무상 의무 중 하나이다(거 · 지 · 제). 나머지는 국가공무원법상 직무상 의무(종 · 친 · 복 · 직 · 법 - ② 복종의무, ④ 직무전념 중 직장이탈금지, ① 법령준수)에 해당한다.

**120** 「국가공무원법」상 국가공무원의 의무 중 신분상 의무에 해당하지 <u>않는</u> 것은? [2018 승진(경감)]

① 공무원은 재직 중은 물론 퇴직 후에도 직무상 알게 된 비밀을 엄수하여야 한다.

② 공무원이 외국 정부로부터 영예나 증여를 받을 경우 대통령의 허가를 받아야 한다.

③ 공무원은 종교에 따른 차별 없이 직무를 수행하여야 하며, 소속 상관이 이에 위배되는 직무상 명령을 한 경우에는 따르지 아니할 수 있다.

④ 공무원은 직무와 관련 없는 경우에도 그 소속 상관에게 증여하거나 소속 공무원으로부터 증여를 받아서는 아니 된다.

**정답 및 해설 I ③**

③ [×] 국가공무원법상 의무 중 신분상 의무는 집 · 외 · 청 · 운 · 비 · 품으로서, 위 보기 중 ② 외국 정부로부터의 영예 제한, ④ 청렴의무, ① 비밀엄수의무가 여기에 해당한다. ③은 종교중립의무로서 국가공무원법상 의무 중 직무상 의무(종 · 친 · 복 · 직 · 법) 중 하나에 해당한다.

**121** 경찰공무원의 「국가공무원법」상 의무에 대한 설명으로 가장 적절한 것은? [2019 승진(경감)]

① 공무원의 직무상 의무로서 직무전념의 의무, 친절 · 공정의 의무, 법령준수의 의무, 종교중립의 의무, 비밀엄수의 의무, 복종의 의무를 규정하고 있다.

② 복종의 의무와 관련하여 경찰공무원은 구체적 사건수사와 관련하여 상관의 지휘 · 감독의 적법성 또는 정당성에 대하여 이견이 있을 때에는 이의를 제기할 수 있다.

③ 공무원은 공무 외에 영리를 목적으로 하는 업무에 종사하지 못하며 소속 기관장의 허가 없이 다른 직무를 겸할 수 없다.

④ 공무원은 종교에 따른 차별 없이 직무를 수행하여야 하며, 소속 상관이 종교중립의 의무에 위배되는 직무상 명령을 한 경우에는 이에 따르지 아니하여야 한다.

**정답 및 해설 I ③**

③ [○]

> **국가공무원법 제64조【영리 업무 및 겸직 금지】** ① 공무원은 공무 외에 영리를 목적으로 하는 업무에 종사하지 못하며 소속 기관장의 허가 없이 다른 직무를 겸할 수 없다.
> ② 제1항에 따른 영리를 목적으로 하는 업무의 한계는 대통령령등으로 정한다.

① [×] 국가공무원법상의 직무상 의무는 종 · 친 · 복 · 직 · 법이고, 비밀엄수의무는 신분상 의무에 해당한다(집 · 외 · 청 · 운 · 비 · 품).

② [×] 국가공무원법은 일반적 복종의무에 관하여 규정하고 있을 뿐이고, 경찰법(국가경찰과 자치경찰의 조직 및 운영에 관한 법률)에서 구체적인 사건수사와 관련된 이의제기에 관하여 규정하고 있으므로 틀린 설명으로 보아야 한다.

> **국가공무원법 제57조【복종의 의무】** 공무원은 직무를 수행할 때 소속 상관의 직무상 명령에 복종하여야 한다.
> **경찰법 제6조【직무수행】** ① 경찰공무원은 상관의 지휘 · 감독을 받아 직무를 수행하고, 그 직무수행에 관하여 서로 협력하여야 한다.
> ② 경찰공무원은 구체적 사건수사와 관련된 제1항의 지휘 · 감독의 적법성 또는 정당성에 대하여 이견이 있을 때에는 이의를 제기할 수 있다.

④ [×] 따르지 아니할 수 있다.

> **국가공무원법 제59조의2【종교중립의 의무】** ① 공무원은 종교에 따른 차별 없이 직무를 수행하여야 한다.
> ② 공무원은 소속 상관이 제1항에 위배되는 직무상 명령을 한 경우에는 이에 따르지 아니할 수 있다.

# 주제 7 경찰공무원의 책임

## 01 징계책임

**122** 「경찰공무원법」 및 「국가공무원법」상 경찰공무원 징계의 종류와 효력에 대한 설명으로 가장 적절하지 않은 것은? [2017 실무 1]

① 파면을 당한 경찰공무원은 향후 경찰관 임용이 불가능하다.

② 해임을 당한 경찰공무원은 향후 경찰관 임용이 가능하다.

③ 정직의 기간은 1월 이상 3월 이하이다.

④ 감봉의 기간은 1월 이상 3월 이하이다.

**정답 및 해설 I ②**

② [×] 징계에 의하여 파면 또는 해임처분을 받은 사람은 얼마의 기간이 지나든 경찰공무원으로 임용될 수 없다.

**☑ KEY POINT I 배제징계와 교정징계의 효력**

1 배제징계의 효력

| 구분 | 인사 · 신분 | 보수 | 퇴직급여 5년 미만 | 퇴직급여 5년 이상 | 퇴직수당 |
|---|---|---|---|---|---|
| 파면 | • 공무원 신분 배제<br>• 5년간 일반공무원 임용결격사유<br>• 경찰공무원 재임용 불가 | - | 1/4 감액 | 1/2 감액 | 1/2 감액 |
| 해임 | • 공무원 신분 배제<br>• 3년간 일반공무원 임용결격사유<br>• 경찰공무원 재임용 불가 | - | • 원칙은 감액 없음<br>• 금품 · 향응수수, 공금횡령 · 유용 해임<br>1/8 감액 | 1/4 감액 | 1/4 감액 |

2 교정징계의 효력

| 구분 | 인사 · 신분 | | | 보수 | 퇴직급여<br>퇴직수당 |
|---|---|---|---|---|---|
| | 직무정지 | 승진제한<br>승진소요최저연수 제외* | 기간 가산** | | |
| 강등 | 3개월 | 18개월 | 6개월 | 기간(3개월) 중 전액 감액 | - |
| 정직 | 1~3개월 | 18개월 | 6개월 | 기간(1~3개월) 중 전액 감액 | - |
| 감봉 | - | 12개월 | 6개월 | 기간(1~3개월) 중 1/3 감액 | - |
| 견책 | - | 6개월 | 6개월 | - | - |

*승진소요최저연수 제외
해당 기간(18, 18, 12, 6) 외에 징계처분기간 자체도 제외된다.

**기간 가산사유(공무원보수규정 제14조 제1항 제2호, 경찰공무원 승진임용 규정 제6조 제1항 제2호)
- 징계부가금 부과 대상이 되는 재산상 이익 취득(금품 · 향응 수수)이나 국가예산 · 기금 횡령 · 유용 등
- 소극행정
- 음주운전(측정불응 포함)
- 성폭력 · 성희롱 · 성매매

**123** 「국가공무원법」, 「공무원연금법」 및 동법 시행령상 경찰공무원의 징계의 종류와 효과에 대한 설명 중 가장 적절하지 않은 것은? [2020 승진(경위)]

① 공무원의 징계는 파면 · 해임 · 강등 · 정직 · 감봉 · 견책으로 구분한다.

② 강등은 1계급 아래로 직급을 내리고 공무원신분은 보유하나 3개월간 직무에 종사하지 못하며 기간 중 보수는 전액을 감한다.

③ 징계에 의하여 파면된 경우, 재직기간이 5년 이상인 사람의 퇴직급여는 2분의 1을 감액하고, 재직기간이 5년 미만인 사람의 퇴직급여는 3분의 1을 감액한다.

④ 금품 및 향응 수수로 징계 해임된 자의 경우 재직기간이 5년 이상인 사람의 퇴직급여는 4분의 3을 지급하고, 재직기간이 5년 미만인 사람의 퇴직급여는 8분의 7을 지급한다.

**정답 및 해설 I ③**

③ [×] 파면의 경우 퇴직급여는 5년 미만인 경우 4분의 1을 감액하고, 5년 이상인 경우 2분의 1을 감액한다.

① [○]

> **국가공무원법 제79조 【징계의 종류】** 징계는 파면 · 해임 · 강등 · 정직 · 감봉 · 견책으로 구분한다.

② [○] 강등은 직무정지 3개월 및 해당 기간동안 보수가 전액 감액된다.

④ [○] 해임의 경우 원칙적으로는 퇴직급여의 감액이 없다. 단, 해임 원인이 금품 · 향응 수수나 공금 횡령 · 유용인 경우에는 퇴직급여는 5년 미만의 경우 8분의 1을 감액(=8분의 7 지급)하고, 5년 이상의 경우 4분의 1을 감액(=4분의 3 지급)한다.

**124** 경찰공무원의 징계에 대한 설명으로 가장 적절하지 않은 것은? [2019 채용 1차]

① 파면 징계처분을 받은 자(재직기간 5년 미만)의 퇴직급여는 1/4을 감액한 후 지급한다.

② 성폭력, 성희롱 및 성매매에 따른 강등 징계처분을 받은 자는 그 처분의 집행이 끝난 날부터 24개월이 지나지 않은 경우 승진임용될 수 없다.

③ 정직 징계처분을 받은 자는 1개월 이상 3개월 이하의 기간 동안 직무에 종사하지 못하며, 정직기간 중 보수는 1/3을 감한다.

④ 임용(제청)권자는 승진후보자 명부에 기록된 사람이 승진임용되기 전에 정직 이상 징계처분을 받은 경우에는 승진후보자 명부에서 그 후보자를 제외하여야 한다.



**정답 및 해설 | ③**

③ [×] 정직의 경우 그 기간 중에는 보수를 전액 감액한다(보수지급 ×).

① [○] 파면의 경우 퇴직급여는 5년 미만의 경우 1/4을 감액하고, 5년 이상의 경우 1/2을 감액한다.

② [○] 강등처분의 경우 집행이 끝난 날부터 기본적으로 18개월간의 승진임용 제한기간에 걸리고, 여기서 성폭력 · 성희롱 · 성매매 등 사유가 원인이 된 경우 6개월이 가산된다. 따라서 총 24개월이 승진임용 제한기간이 된다. 한편, 승진소요 최저근무연수 산정에 있어서는, 제외되는 기간에 징계처분기간도 포함이 되므로 강등에 따라 직무에 종사하지 못한 3개월이 추가되므로, 총 27개월이 제외된다.

> 대통령령 **경찰공무원 승진임용 규정 제6조【승진임용의 제한】** ① 다음 각 호의 어느 하나에 해당하는 경찰공무원은 승진임용될 수 없다.
> 1. 징계의결 요구, 징계처분, 직위해제, 휴직(··· 생략 ···) 또는 시보임용 기간 중에 있는 사람
> 2. 징계처분의 집행이 끝난 날부터 다음 각 목의 구분에 따른 기간[··· 생략 ···]이 지나지 않은 사람
>    가. **강등 · 정직**: 18개월
>    나. **감봉**: 12개월
>    다. **견책**: 6개월
>
> > ☑ **생략된 부분**: 제2호의 기간에 6개월이 추가되는 경우
> > • 국가공무원법상 **징계부가금 부가대상**이 되는 사유로 인한 징계처분을 받은 경우
> > • **소극행정**에 따른 징계처분을 받은 경우
> > • **음주운전**(측정불응 포함)에 따른 징계처분을 받은 경우
> > • **성폭력, 성희롱 및 성매매**에 따른 징계처분을 받은 경우
>
> 대통령령 **경찰공무원 승진임용규정 제5조【승진소요 최저근무연수】** ① 경찰공무원이 승진하려면 다음 각 호의 구분에 따른 기간 동안 해당 계급에 재직해야 한다. <개정 2023.1.3.>
> 1. 총경: 3년 이상
> 2. 경정 및 경감: 2년 이상
> 3. 경위, 경사, 경장 및 순경: 1년 이상
>
> ② **휴직 기간, 직위해제 기간, 징계처분 기간** 및 제6조 제1항 제2호에 따른 **승진임용 제한기간**은 제1항의 기간에 포함하지 않는다. 다만, 다음 각 호의 기간은 제1항의 기간에 포함한다. ➜ 다음 각 호의 기간: ① 임신 · 출산 또는 공상 등으로 인한 휴직기간, ② 직위해제가 무효 또는 취소된 경우 등

④ [○]

> 대통령령 **경찰공무원 승진임용 규정 제24조【심사승진후보자 명부의 작성】** ③ 임용권자나 임용제청권자는 심사승진후보자 명부에 기록된 사람이 승진임용되기 전에 정직 이상의 징계처분을 받은 경우에는 심사승진후보자 명부에서 그 사람을 제외하여야 한다.

**125** 경찰공무원의 징계와 관련된 규정에 대한 설명으로 가장 적절하지 않은 것은? [2019 승진(경감)]

① 경찰기관의 장은 소속 경찰공무원 중 징계사유가 있다고 인정할 때와 징계등 의결 요구의 신청을 받은 때에는 지체 없이 관할 징계위원회를 구성하여 징계등 의결을 요구하여야 한다.

② 강등 징계시 3개월간 직무에 종사하지 못하며 금품 또는 향응 수수로 강등의 징계처분을 받은 경우 그 처분의 집행이 끝난 날로부터 21개월이 지나지 않으면 승진임용을 할 수 없다.

③ 감독자의 부임기간이 1개월 미만으로 부하직원에 대한 실질적 감독이 곤란하다고 인정된 때에는 정상을 참작할 수 있다.

④ 행위자가 간첩 또는 사회이목을 집중시킨 중요사건의 범인을 검거한 공로가 있을 때나 업무매뉴얼에 규정된 직무상의 절차를 충실히 이행한 때에는 정상을 참작할 수 있다.

**정답 및 해설 I ②**

② [×] 강등처분의 경우 집행이 끝난 날부터 기본적으로 18개월간의 승진임용 제한기간에 걸리고, 여기서 금품 · 향응 수수 등 징계부가금 부가대상사유가 원인이 된 경우 6개월이 가산된다. 따라서 총 24개월이 승진임용 제한기간이 된다.

① [○]

대통령령 **경찰공무원 징계령 제9조【징계등 의결의 요구】** ① 경찰기관의 장은 소속 경찰공무원이 다음 각 호의 어느 하나에 해당할 때에는 지체 없이 관할 징계위원회를 구성하여 징계등 의결을 **요구하여야 한다**. 이 경우 별지 제1호서식의 경찰공무원 징계 의결 또는 징계부가금 부과 의결 요구서와 별지 제1호의2서식의 확인서(이하 이 조에서 "징계의결서등"이라 한다)를 관할 징계위원회에 제출하여야 한다.

1. 「국가공무원법」 제78조 제1항 제1호부터 제3호까지의 어느 하나에 해당하는 사유(이하 "징계 사유"라 한다)가 있다고 인정할 때
2. 제2항에 다른 징계등 의결 요구 신청을 받았을 때

③ [○]

훈령 **경찰공무원 징계령 세부시행규칙 제5조【행위자와 감독자에 대한 문책기준】** ② 징계요구권자 또는 징계위원회는 감독자에게 다음 각 호의 어느 하나에 해당하는 사유가 있을 때에는 **징계책임을 감경**하여 징계의결 요구 또는 징계의결하거나 **징계책임을 묻지 아니할 수 있다**.

1. 부하직원의 의무위반행위를 **사전에 발견**하여 적법 타당하게 조치한 때
2. 부하직원의 의무위반행위가 감독자 또는 행위자의 비번일, 휴가기간, 교육기간 등에 발생하거나, 소관업무와 직접 관련 없는 등 감독자의 **실질적 감독범위를 벗어났다**고 인정된 때
3. **부임기간이 1개월 미만**으로 부하직원에 대한 실질적인 감독이 곤란하다고 인정된 때 [2019 승진(경감)]
4. 교정이 불가능하다고 판단된 부하직원의 사유를 명시하여 인사상 조치(전출 등)를 상신하는 등 **성실히 관리한 이후**에 같은 부하직원이 의무위반행위를 야기하였을 때
5. 기타 부하직원에 대하여 평소 철저한 교양감독 등 **감독자로서의 임무를 성실히 수행**하였다고 인정된 때

④ [○]

훈령 **경찰공무원 징계령 세부시행규칙 제4조【행위자의 징계양정 기준】** ② 징계요구권자 또는 징계위원회는 다음 각 호의 어느 하나에 해당하는 사유가 있을 때에는 **징계책임을 감경**하여 징계의결 요구 또는 징계의결하거나 **징계책임을 묻지 아니할 수 있다**.

1. **과실**로 인하여 발생한 의무위반행위가 다른 법령에 의해 처벌사유가 되지 않고 비난가능성이 없는 때
2. 국가 또는 공공의 이익을 증진하기 위해 성실하고 **능동적으로 업무를 처리**하는 과정에서 부분적인 절차상 하자 또는 비효율, 손실 등의 잘못이 발생한 때
3. **업무매뉴얼**에 규정된 직무상의 절차를 충실히 이행한 때
4. 의무위반행위의 발생을 방지하기 위해 **최선**을 다하였으나 부득이한 사유로 결과가 발생하였을 때
5. 발생한 의무위반행위에 대하여 **자진신고**하거나 사후조치에 최선을 다하여 **원상회복**에 크게 기여한 때
6. **간첩** 또는 사회이목을 집중시킨 **중요사건의 범인을 검거**한 공로가 있을 때
7. 제8조 제3항에 따른 감경 제외 대상이 아닌 의무위반행위 중 **직무와 관련이 없는 사고로 인한 의무위반행위로서 사회통념에 비추어 공무원의 품위를 손상하지 아니한 때**

## 126 「경찰공무원 징계령」에 관한 설명으로 가장 적절하지 않은 것은? [2023 승진]

① 징계위원회는 위원과 징계등 심의 대상자, 징계등 의결을 요구하거나 요구를 신청한 자, 증인, 관계인 등 회의에 출석하는 사람이 동영상과 음성이 동시에 송수신되는 장치가 갖추어진 서로 다른 장소에 출석하여 진행하는 원격영상회의 방식으로 심의 · 의결할 수 있다.

② 징계위원회는 위원장 1명을 포함하여 11명 이상 51명 이하의 공무원 위원과 민간위원으로 구성한다.

③ 징계등 의결 요구를 받은 징계위원회는 그 요구서를 받은 날로부터 30일 이내에 징계등에 관한 의결을 하여야 한다. 다만, 부득이한 사유가 있을 때에는 해당 징계심의대상자의 동의를 받아 30일 이내의 범위에서 그 기한을 연기할 수 있다.

④ 징계위원회가 설치된 경찰기관의 장은 위원 수의 2분의 1 이상을 자격이 있는 민간위원으로 위촉한다. 이 경우 특정 성별의 위원이 민간위원 수의 10분의 6을 초과하지 않도록 해야 한다.

**정답 및 해설 I ③**

③ [×] 대상자의 동의가 아니라 징계의결을 요구한 **경찰기관 장 승인**이 필요하다.

> 대통령령 **경찰공무원 징계령 제11조【징계등 의결 기한】** ① 징계등 의결 요구를 받은 징계위원회는 그 요구서를 받은 날부터 30일 이내에 징계등에 관한 의결을 하여야 한다. 다만, 부득이한 사유가 있을 때에는 해당 징계등 의결을 요구한 **경찰기관의 장의 승인**을 받아 30일 이내의 범위에서 그 기간을 연장할 수 있다.

① [○]

> 대통령령 **경찰공무원 징계령 제14조의2【원격영상회의 방식의 활용】** ① 징계위원회는 위원과 징계등 심의 대상자, 징계등 의결을 요구하거나 요구를 신청한 자, 증인, 관계인 등 이 영에 따라 회의에 출석하는 사람(이하 이 항에서 "출석자"라 한다)이 동영상과 음성이 동시에 송수신되는 장치가 갖추어진 서로 다른 장소에 출석하여 진행하는 원격영상회의 방식으로 심의 · 의결할 수 있다. **이 경우 징계위원회의 위원 및 출석자가 같은 회의장에 출석한 것으로 본다.**

②④ [○] 징계위원회의 구성(Pool)과 개별 징계위원회의 **회의** 인원을 구분해서 숙지해야 한다.

> 대통령령 **경찰공무원 징계령 제6조【징계위원회의 구성 등】** ① 각 징계위원회는 위원장 1명을 포함하여 **11명 이상 51명 이하**의 공무원위원과 민간위원으로 구성한다.
>
> 대통령령 **경찰공무원 징계령 제7조【징계위원회의 회의】** ① 징계위원회의 회의는 위원장과 징계위원회가 설치된 경찰기관의 장이 회의마다 지정하는 **4명 이상 6명 이하**의 위원으로 성별을 고려하여 구성하되, 민간위원의 수는 위원장을 포함한 위원 수의 2분의 1 이상이어야 한다.

**127** 「경찰공무원 징계령」상 징계위원회의 회의에 대한 설명으로 가장 적절하지 <u>않은</u> 것은? [2023 경간]

① 징계위원회의 회의는 위원장과 징계위원회가 설치된 경찰기관의 장이 회의마다 지정하는 4명 이상 6명 이하의 위원으로 성별을 고려하여 구성하되, 민간위원의 수는 위원장을 포함한 위원 수의 2분의 1 이상이어야 한다.

② 징계사유가 「성폭력범죄의 처벌 등에 관한 특례법」에 따른 성폭력범죄, 「양성평등기본법」에 따른 성희롱에 해당하는 징계사건이 속한 징계위원회의 회의를 구성하는 경우에는 피해자와 같은 성별의 위원이 위원장을 포함한 위원 수의 3분의 1 이상 포함되어야 한다.

③ 위원장이 부득이한 사유로 직무를 수행할 수 없거나 위원장이 필요하다고 인정하는 경우에는 출석한 위원 중 최상위 계급 또는 이에 상응하는 직급에 있거나 최상위 계급 또는 이에 상응하는 직급에 먼저 승진임용된 공무원이 위원장이 된다.

④ 징계위원회의 위원장은 위원회의 사무를 총괄하며 위원회를 대표하고, 표결권을 가진다.

**정답 및 해설 | ②**

② [×] 위원이 위원장을 **제외**한 위원 수의 3분의 1 이상 포함되어야 한다.

> 대통령령 **경찰공무원 징계령 제7조【징계위원회의 회의】** ② 징계사유가 다음 각 호의 어느 하나에 해당하는 징계 사건이 속한 징계위원회의 회의를 구성하는 경우에는 피해자와 같은 성별의 위원이 위원장을 제외한 위원 수의 3분의 1 이상 포함되어야 한다.
> 1. 「성폭력범죄의 처벌 등에 관한 특례법」에 따른 성폭력범죄
> 2. 「양성평등기본법」에 따른 성희롱

① [○]

> 대통령령 **경찰공무원 징계령 제7조【징계위원회의 회의】** ① 징계위원회의 회의는 위원장과 징계위원회가 설치된 경찰기관의 장이 회의마다 지정하는 4명 이상 6명 이하의 위원으로 성별을 고려하여 구성하되, 민간위원의 수는 위원장을 포함한 위원 수의 2분의 1 이상이어야 한다.

③ [○]

> 대통령령 **경찰공무원 징계령 제7조【징계위원회의 회의】** ⑥ 위원장이 부득이한 사유로 직무를 수행할 수 없거나 위원장이 필요하다고 인정하는 경우에는 출석한 위원 중 최상위 계급 또는 이에 상응하는 직급에 있거나 최상위 계급 또는 이에 상응하는 직급에 먼저 승진임용된 공무원이 위원장이 된다.

④ [○]

> 대통령령 **경찰공무원 징계령 제7조【징계위원회의 회의】** ③ 징계위원회의 위원장은 위원회의 사무를 총괄하며 위원회를 대표한다.
> ⑤ 위원장은 표결권을 가진다.

## 128 다음은 경찰공무원 징계를 설명한 것이다. 가장 적절한 것은? [2014 채용 1차]

① 총경과 경정의 강등 및 정직은 경찰청장이 행한다.

② 경무관 이상의 경찰공무원에 대한 징계의결은 「국가공무원법」에 따라 경찰청에 설치된 경찰공무원 중앙징계위원회에서 한다.

③ 징계 등 의결을 요구한 자는 경징계의 징계 등 의결을 통지받았을 때에는 통지받은 날부터 30일 이내에 징계 등을 집행하여야 한다.

④ 징계의결 등의 요구는 징계 등의 사유가 발생한 날부터 2년(금품 및 향응 수수, 공금의 횡령 · 유용의 경우에는 3년)이 지나면 하지 못한다.



**정답 및 해설 | ①**

① [○]

**KEY POINT | 중징계의 처분제청 · 집행**

1 제청권자와 집행권자

| 구분 | 파면 | | 해임 | | 강등 | | 정직 | |
|---|---|---|---|---|---|---|---|---|
| | 제청 | 집행 | 제청 | 집행 | 제청 | 집행 | 제청 | 집행 |
| 경무관 이상 | 경찰청장 | 대통령 | 경찰청장 | 대통령 | 경찰청장 | 대통령 | 경찰청장 | 대통령 |
| 총경 | 경찰청장 | 대통령 | 경찰청장 | 대통령 | 경찰청장 | | 경찰청장 | |
| 경정 | 경찰청장 | 대통령 | 경찰청장 | 대통령 | 경찰청장 | | 경찰청장 | |

2 경찰공무원의 임용권자(경찰공무원법 제7조)

| 구분 | 원칙 | 예외 |
|---|---|---|
| 총경 이상 | 경찰청장 추천 ➔ 행정안전부장관 제청 ➔ 국무총리 거쳐 ➔ 대통령이 | 총경의 강 · 정 · 복 · 전 · 휴 · 직: 경찰청장이 |
| 경정 이하 | 경찰청장이 | 경정으로의 신 · 승 · 면: 경찰청장 제청 ➔ 국무총리 거쳐 ➔ 대통령이 |

② [×] 「국가공무원법」에 따라 '국무총리 소속으로' 설치된 징계위원회에서 한다.

> **경찰공무원법 제32조【징계위원회】** ① 경무관 이상의 경찰공무원에 대한 징계의결은 「국가공무원법」에 따라 국무총리 소속으로 설치된 징계위원회에서 한다.
> ② 총경 이하의 경찰공무원에 대한 징계의결을 하기 위하여 대통령령으로 정하는 경찰기관 및 해양경찰관서에 경찰공무원 징계위원회를 둔다.

③ [×] 통지받은 날부터 '15일' 이내에 집행하여야 한다.

> 대통령령 **경찰공무원 징계령 제18조【경징계 등의 집행】** ① 징계등 의결을 요구한 자는 경징계의 징계등 의결을 통지받았을 때에는 통지받은 날부터 15일 이내에 징계등을 집행하여야 한다.

④ [×] 징계사유의 시효는 사유에 따라 10년(성매매 · 성폭력 · 아동청소년 성범죄 · 성희롱), 5년(징계부가금 대상 재산상 이익취득, 국가예산 등 횡령 · 유용 등), 3년(그 외 사유)으로 나누어진다.

> **국가공무원법 제83조의2【징계 및 징계부가금 부과 사유의 시효】** ① 징계의결등의 요구는 징계 등 사유가 발생한 날부터 다음 각 호의 구분에 따른 기간이 지나면 하지 못한다.
> 1. 징계 등 사유가 다음 각 목의 어느 하나에 해당하는 경우: 10년
>    가. 「성매매알선 등 행위의 처벌에 관한 법률」 제4조에 따른 금지행위
>    나. 「성폭력범죄의 처벌 등에 관한 특례법」 제2조에 따른 성폭력범죄
>    다. 「아동 · 청소년의 성보호에 관한 법률」 제2조 제2호에 따른 아동 · 청소년대상 성범죄
>    라. 「양성평등기본법」 제3조 제2호에 따른 성희롱
> 2. 징계 등 사유가 제78조의2 제1항 각 호의 어느 하나(➔ 징계부가금 부과 대상이 되는 재산상 이익 취득이나 국가예산 · 기금 횡령 · 유용 등)에 해당하는 경우: 5년
> 3. 그 밖의 징계 등 사유에 해당하는 경우: 3년

## 129 「경찰공무원법」상 징계에 관한 다음 설명 중 가장 적절하지 않은 것은? [2016 채용 1차]

① 경무관 이상의 경찰공무원에 대한 징계의결은 「국가공무원법」에 따라 국무총리 소속으로 설치된 징계위원회에서 한다.

② 총경 이하의 경찰공무원에 대한 징계의결을 하기 위하여 대통령령으로 정하는 경찰기관 및 해양경찰관서에 경찰공무원 징계위원회를 둔다.

③ 경찰청 소속 경무관 이상의 강등 및 정직과 경정 이상의 파면 및 해임은 행정안전부장관의 제청으로 국무총리를 거쳐 대통령이 한다.

④ 해양경찰청 소속 경무관 이상의 강등 및 정직과 경정 이상의 파면 및 해임은 해양경찰청장의 제청으로 해양수산부장관과 국무총리를 거쳐 대통령이 한다.

**정답 및 해설 I ③**

③ [×] 행정안전부장관의 제청이 아니라 '경찰청장'의 제청으로, 행정안전부장관과 국무총리를 거쳐 대통령이 행한다. / ④ [○]

> **경찰공무원법 제33조【징계의 절차】** 경찰공무원의 징계는 징계위원회의 의결을 거쳐 징계위원회가 설치된 소속 기관의 장이 하되, 「국가공무원법」에 따라 국무총리 소속으로 설치된 징계위원회에서 의결한 징계는 경찰청장 또는 해양경찰청장이 한다. 다만, 파면 · 해임 · 강등 및 정직은 징계위원회의 의결을 거쳐 해당 경찰공무원의 임용권자가 하되, 경무관 이상의 강등 및 정직과 경정 이상의 파면 및 해임은 경찰청장 또는 해양경찰청장의 제청으로 행정안전부장관 또는 해양수산부장관과 국무총리를 거쳐 대통령이 하고, 총경 및 경정의 강등 및 정직은 경찰청장 또는 해양경찰청장이 한다.

①② [○]

> **경찰공무원법 제32조【징계위원회】** ① 경무관 이상의 경찰공무원에 대한 징계의결은 「국가공무원법」에 따라 국무총리 소속으로 설치된 징계위원회에서 한다.
> ② 총경 이하의 경찰공무원에 대한 징계의결을 하기 위하여 대통령령으로 정하는 경찰기관 및 해양경찰관서에 경찰공무원 징계위원회를 둔다.

## 130 「경찰공무원 징계령」상 징계와 관련된 규정에 대한 설명으로 가장 적절하지 않은 것은? [2021 경간]

① 각 징계위원회는 위원장 1명을 포함하여 11명 이상 51명 이하의 공무원위원과 민간위원으로 구성한다.

② 징계위원회의 회의는 위원장과 징계위원회가 설치된 경찰기관의 장이 회의마다 지정하는 4명 이상 6명 이하의 위원으로 성별을 고려하여 구성하되, 민간위원의 수는 위원장을 포함한 위원 수의 2분의 1 이상이어야 한다.

③ 징계위원회가 징계등 심의 대상자의 출석을 요구할 때에는 출석 통지서로 하되, 징계위원회 개최일 5일 전까지 그 징계등 심의 대상자에게 도달되도록 해야 한다.

④ 징계등 의결을 요구한 자는 중징계의 징계등 의결을 통지받았을 때에는 통지받은 날부터 15일 이내에 징계등 처분 대상자의 임용권자에게 의결서 정본을 보내어 해당 징계등 처분을 제청하여야 한다. 다만, 경무관 이상의 강등 및 정직, 경정 이상의 파면 및 해임 처분의 제청, 총경 및 경정의 강등 및 정직의 집행은 경찰청장 또는 해양경찰청장이 한다.

**정답 및 해설 I ④**

① [○]

> 대통령령 **경찰공무원 징계령 제6조【징계위원회의 구성 등】** ① 각 징계위원회는 위원장 1명을 포함하여 11명 이상 51명 이하의 공무원위원과 민간위원으로 구성한다.

② [○]

> 대통령령 **경찰공무원 징계령 제7조【징계위원회의 회의】** ① 징계위원회의 회의는 위원장과 징계위원회가 설치된 경찰기관의 장이 회의마다 지정하는 4명 이상 6명 이하의 위원으로 성별을 고려하여 구성하되, 민간위원의 수는 위원장을 포함한 위원 수의 2분의 1 이상이어야 한다.

③ [○]

> 대통령령 **경찰공무원 징계령 제12조【징계등 심의 대상자의 출석】** ① 징계위원회가 징계등 심의 대상자의 출석을 요구할 때에는 별지 제2호서식의 출석 통지서로 하되, 징계위원회 개최일 5일 전까지 그 징계등 심의 대상자에게 도달되도록 해야 한다.

④ [×] 징계등 의결을 요구한 자는 **지체없이** 임용권자에게 의결서 정본을 보내어 해당 징계등 처분을 제청하여야 한다.

> 대통령령 **경찰공무원 징계령 제19조【중징계 등의 처분 제청과 집행】** ① 징계등 의결을 요구한 자는 중징계의 징계등 의결을 통지받았을 때에는 지체 없이 징계등 처분 대상자의 임용권자에게 의결서 정본을 보내어 해당 징계등 처분을 제청하여야 한다. 다만, 경무관 이상의 강등 및 정직, 경정 이상의 파면 및 해임 처분의 제청, 총경 및 경정의 강등 및 정직의 집행은 경찰청장 또는 해양경찰청장이 한다.



## 131 「경찰공무원 징계령」상 징계의결과정에 대한 설명으로 가장 적절한 것은? [2020 실무 1]

① 징계사건을 심의할 때에는 징계등 심의 대상자에게 출석하도록 통지하여야 하며, 출석 통지서는 징계위원회 개최일 5일 전까지 그 징계등 심의 대상자에게 도달되도록 하여야 한다.

② 징계등 심의 대상자의 소재가 분명하지 아니할 때에는 출석 통지를 관보에 게재하고, 그 게재일부터 7일이 지나면 출석 통지가 송달된 것으로 보며, 징계등 의결을 할 때에는 관보 게재의 사유와 그 사실을 기록에 분명히 적어야 한다.

③ 징계위원회는 징계요구서를 받은 날부터 20일 이내에 징계에 관한 의결을 하여야 한다. 다만, 부득이한 사유가 있을 때에는 해당 징계등 의결을 요구한 경찰기관의 장의 승인을 받아 20일 이내의 범위에서 그 기한을 연기할 수 있다.

④ 징계위원회는 출석 통지를 하였음에도 불구하고 징계등 심의 대상자가 정당한 사유 없이 출석하지 아니한 때에도 서면심사에 의하여 징계등 의결을 할 수 없다.

**정답 및 해설 I ①**

① [○]

> 대통령령 **경찰공무원 징계령 제12조【징계등 심의 대상자의 출석】** ① 징계위원회가 징계등 심의 대상자의 출석을 요구할 때에는 별지 제2호서식의 출석 통지서로 하되, 징계위원회 개최일 5일 전까지 그 징계등 심의 대상자에게 도달되도록 해야 한다.

② [×] 10일이 지나야 출석 통지가 송달된 것으로 본다.

> 대통령령 **경찰공무원 징계령 제12조【징계등 심의 대상자의 출석】** ③ 징계위원회는 출석 통지를 하였음에도 불구하고 징계등 심의 대상자가 정당한 사유 없이 출석하지 아니하였을 때에는 그 사실을 기록에 분명히 적고 서면심사로 징계등 의결을 할 수 있다. 다만, 징계등 심의 대상자의 소재가 분명하지 아니할 때에는 출석 통지를 관보에 게재하고, 그 게재일부터 10일이 지나면 출석 통지가 송달된 것으로 보며, 징계등 의결을 할 때에는 관보 게재의 사유와 그 사실을 기록에 분명히 적어야 한다.

③ [×] 기본 30일 + (경찰기관의 장 승인을 받아) 30일 연장

> **대통령령** **경찰공무원 징계령 제11조【징계등 의결 기한】** ① 징계등 의결 요구를 받은 징계위원회는 그 요구서를 받은 날부터 30일 이내에 징계등에 관한 의결을 하여야 한다. 다만, 부득이한 사유가 있을 때에는 해당 징계등 의결을 요구한 **경찰기관의 장의 승인을 받아** 30일 이내의 범위에서 그 기한을 연기할 수 있다.

④ [×] 서면심사로 할 수 있다.

> **대통령령** **경찰공무원 징계령 제12조【징계등 심의 대상자의 출석】** ② 징계위원회는 징계등 심의 대상자가 그 징계위원회에 **출석하여 진술하기를 원하지 아니할 때에는** 진술권 포기서를 제출하게 하여 이를 기록에 첨부하고 **서면심사로** 징계등 의결을 할 수 있다.

## 132 「경찰공무원 징계령」에 대한 내용으로 가장 적절하지 않은 것은? [2018 채용 2차]

① 징계위원회의 위원장은 위원회의 사무를 총괄하고 위원회를 대표하며, 표결권을 가진다.

② 징계위원회는 출석 통지를 하였음에도 불구하고 징계등 심의 대상자가 정당한 사유 없이 출석하지 아니하였을 때에는 그 사실을 기록에 분명히 적고 서면심사로 징계등 의결을 할 수 있다. 다만, 징계등 심의 대상자의 소재가 분명하지 아니할 때에는 출석 통지를 관보에 게재하고, 그 게재일부터 10일이 지나면 출석 통지가 송달된 것으로 보며, 징계등 의결을 할 때에는 관보 게재의 사유와 그 사실을 기록에 분명히 적어야 한다.

③ 징계등 의결을 요구한 자는 경징계의 징계등 의결을 통지받았을 때에는 통지받은 날부터 15일 이내에 징계등을 집행하여야 한다.

④ 징계등 의결 요구를 받은 징계위원회는 그 요구서를 받은 날부터 30일 이내에 징계등에 관한 의결을 하여야 한다. 다만, 부득이한 사유가 있을 때에는 해당 징계등 심의 대상자에게 그 사유를 고지하고 30일 이내의 범위에서 그 기한을 연기할 수 있다.

**정답 및 해설 I ④**

④ [×] 대상자에게 사유를 고지하는 것이 아니라 징계의결을 요구한 경찰기관의 장의 승인을 받아야 한다.

> **대통령령** **경찰공무원 징계령 제11조【징계등 의결 기한】** ① 징계등 의결 요구를 받은 징계위원회는 그 요구서를 받은 날부터 30일 이내에 징계등에 관한 의결을 하여야 한다. 다만, 부득이한 사유가 있을 때에는 해당 징계등 의결을 요구한 **경찰기관의 장의 승인을 받아** 30일 이내의 범위에서 그 기한을 연기할 수 있다.

① [○]

> **대통령령** **경찰공무원 징계령 제7조【징계위원회의 회의】** ③ 징계위원회의 위원장은 위원회의 사무를 총괄하며 위원회를 대표한다.
> ④ 징계위원회의 회의는 위원장이 소집한다.
> ⑤ 위원장은 표결권을 가진다.

② [○]

> **대통령령** **경찰공무원 징계령 제12조【징계등 심의 대상자의 출석】** ① 징계위원회가 징계등 심의 대상자의 출석을 요구할 때에는 별지 제2호서식의 출석 통지서로 하되, 징계위원회 개최일 5일 전까지 그 징계등 심의 대상자에게 도달되도록 해야 한다.
> ② 징계위원회는 징계등 심의 대상자가 그 징계위원회에 **출석하여 진술하기를 원하지 아니할 때에는** 진술권 포기서를 제출하게 하여 이를 기록에 첨부하고 **서면심사로** 징계등 의결을 할 수 있다.
> ③ 징계위원회는 출석 통지를 하였음에도 불구하고 징계등 심의 대상자가 **정당한 사유 없이 출석하지 아니하였을** 때에는 그 사실을 기록에 분명히 적고 **서면심사로** 징계등 의결을 할 수 있다. 다만, 징계등 심의 대상자의 **소재가 분명하지 아니할** 때에는 출석 통지를 관보에 게재하고, 그 게재일부터 10일이 지나면 출석 통지가 송달된 것으로 보며, 징계등 의결을 할 때에는 관보 게재의 사유와 그 사실을 기록에 분명히 적어야 한다.

③ [○]

> 대통령령 경찰공무원 징계령 제18조【경징계 등의 집행】① 징계등 의결을 요구한 자는 경징계의 징계등 의결을 통지받았을 때에는 통지받은 날부터 15일 이내에 징계등을 집행하여야 한다.
> ② 징계등 의결을 요구한 자는 제1항에 따라 징계등 의결을 집행할 때에는 의결서 사본에 별지 제4호서식의 징계등 처분 사유 설명서를 첨부하여 징계등 처분 대상자에게 보내야 한다.



**133** 「경찰공무원 징계령」에 대한 설명으로 가장 적절하지 않은 것은? [2020 승진(경감)]

① 징계등 의결 요구를 받은 징계위원회는 그 요구서를 받은 날부터 30일 이내에 징계등에 관한 의결을 하여야 한다. 다만, 부득이한 사유가 있을 때에는 당해 징계심의 대상자의 동의를 얻어 30일 이내의 범위에서 그 기간을 연장할 수 있다.

② 징계위원회가 징계등 심의 대상자의 출석을 요구할 때에는 출석 통지서로 하되, 징계위원회 개최일 5일 전까지 그 징계등 심의 대상자에게 도달되도록 하여야 한다.

③ 징계등 심의대상자의 소재가 분명하지 아니할 때에는 출석 통지를 관보에 게재하고 그 게재일부터 10일이 지나면 출석 통지가 송달된 것으로 본다.

④ 징계등 의결을 요구한 자는 경징계의 징계등 의결을 통지받았을 때에는 통지받은 날부터 15일 이내에 징계등을 집행하여야 한다.

**정답 및 해설 | ①**

① [×] 대상자의 동의가 아니라 징계의결을 요구한 경찰기관의 장의 승인을 받아야 한다.

> 대통령령 경찰공무원 징계령 제11조【징계등 의결 기한】① 징계등 의결 요구를 받은 징계위원회는 그 요구서를 받은 날부터 30일 이내에 징계등에 관한 의결을 하여야 한다. 다만, 부득이한 사유가 있을 때에는 해당 징계등 의결을 요구한 경찰기관의 장의 승인을 받아 30일 이내의 범위에서 그 기한을 연기할 수 있다.

②③ [○]

> 대통령령 경찰공무원 징계령 제12조【징계등 심의 대상자의 출석】① 징계위원회가 징계등 심의 대상자의 출석을 요구할 때에는 별지 제2호서식의 출석 통지서로 하되, 징계위원회 개최일 5일 전까지 그 징계등 심의 대상자에게 도달되도록 해야 한다.
> ③ 징계위원회는 출석 통지를 하였음에도 불구하고 징계등 심의 대상자가 정당한 사유 없이 출석하지 아니하였을 때에는 그 사실을 기록에 분명히 적고 서면심사로 징계등 의결을 할 수 있다. 다만, 징계등 심의 대상자의 소재가 분명하지 아니할 때에는 출석 통지를 관보에 게재하고, 그 게재일부터 10일이 지나면 출석 통지가 송달된 것으로 보며, 징계등 의결을 할 때에는 관보 게재의 사유와 그 사실을 기록에 분명히 적어야 한다.

④ [○]

> 대통령령 경찰공무원 징계령 제18조【경징계 등의 집행】① 징계등 의결을 요구한 자는 경징계의 징계등 의결을 통지받았을 때에는 통지받은 날부터 15일 이내에 징계등을 집행하여야 한다.
> ② 징계등 의결을 요구한 자는 제1항에 따라 징계등 의결을 집행할 때에는 의결서 사본에 별지 제4호서식의 징계등 처분 사유 설명서를 첨부하여 징계등 처분 대상자에게 보내야 한다.
>
> 대통령령 경찰공무원 징계령 제19조【중징계 등의 처분 제청과 집행】① 징계등 의결을 요구한 자는 중징계의 징계등 의결을 통지받았을 때에는 지체 없이 징계등 처분 대상자의 임용권자에게 의결서 정본을 보내어 해당 징계등 처분을 제청하여야 한다. 다만, 경무관 이상의 강등 및 정직, 경정 이상의 파면 및 해임 처분의 제청, 총경 및 경정의 강등 및 정직의 집행은 경찰청장 또는 해양경찰청장이 한다.
> ② 제1항에 따라 중징계 처분의 제청을 받은 임용권자는 15일 이내에 의결서 사본에 별지 제4호서식의 징계등 처분 사유 설명서를 첨부하여 징계등 처분 대상자에게 보내야 한다.

## 134 「경찰공무원 징계령」의 내용으로 가장 적절하지 않은 것은? [2018 승진(경위)]

① 경찰기관의 장은 소속 경찰경무원이 징계사유가 있다고 인정할 때와 징계의결 요구의 신청을 받았을 때에는 지체 없이 관할 징계위원회를 구성하여 징계의결을 요구하여야 한다.

② 중앙징계위원회가 설치된 경찰기관의 장은 징계등 심의 대상자보다 상위 계급인 경위 이상의 소속 경찰공무원 또는 상위 직급에 있는 6급 이상의 소속 공무원 중에서 징계위원회의 공무원위원을 임명한다.

③ 징계등 의결 요구를 받은 징계위원회는 그 요구서를 받은 날부터 30일 이내에 징계등에 관한 의결을 하여야 한다. 다만, 부득이한 사유가 있을 때에는 해당 징계등 의결을 요구한 경찰기관의 장의 승인을 받아 30일 이내의 범위에서 그 기한을 연기할 수 있다.

④ 징계등 심의대상자의 소재가 분명하지 아니할 때에는 출석 통지를 관보에 게재하고, 그 게재일부터 7일이 지나면 출석 통지가 송달된 것으로 본다.

**정답 및 해설 | ④**

④ [×] 10일이 지나야 출석 통지가 송달된 것으로 본다.

> 대통령령 **경찰공무원 징계령 제12조【징계등 심의 대상자의 출석】** ① 징계위원회가 징계등 심의 대상자의 출석을 요구할 때에는 별지 제2호서식의 출석 통지서로 하되, 징계위원회 개최일 5일 전까지 그 징계등 심의 대상자에게 도달되도록 해야 한다.
> ② 징계위원회는 징계등 심의 대상자가 그 징계위원회에 **출석하여 진술하기를 원하지 아니할** 때에는 진술권 포기서를 제출하게 하여 이를 기록에 첨부하고 **서면심사**로 징계등 의결을 할 수 있다.
> ③ 징계위원회는 출석 통지를 하였음에도 불구하고 징계등 심의 대상자가 **정당한 사유 없이 출석하지 아니하였을** 때에는 그 사실을 기록에 분명히 적고 **서면심사**로 징계등 의결을 할 수 있다. 다만, 징계등 심의 대상자의 **소재가 분명하지 아니할** 때에는 출석 통지를 관보에 게재하고, 그 게재일부터 10일이 지나면 출석 통지가 송달된 것으로 보며, 징계등 의결을 할 때에는 관보 게재의 사유와 그 사실을 기록에 분명히 적어야 한다.

① [○]

> 대통령령 **경찰공무원 징계령 제9조【징계등 의결의 요구】** ① 경찰기관의 장은 소속 경찰공무원이 다음 각 호의 어느 하나에 해당할 때에는 지체 없이 관할 징계위원회를 구성하여 징계등 의결을 **요구하여야 한다**. 이 경우 별지 제1호서식의 경찰공무원 징계 의결 또는 징계부가금 부과 의결 요구서와 별지 제1호의2서식의 확인서(이하 이 조에서 "징계의결서등"이라 한다)를 관할 징계위원회에 제출하여야 한다.
> 1. 「국가공무원법」 제78조 제1항 제1호부터 제3호까지의 어느 하나에 해당하는 사유(이하 "징계 사유"라 한다)가 있다고 인정할 때
> 2. 제2항에 다른 징계등 의결 요구 신청을 받았을 때

② [○]

> 대통령령 **경찰공무원 징계령 제6조【징계위원회의 구성 등】** ② 징계위원회가 설치된 경찰기관의 장은 징계등 **심의 대상자보다 상위 계급인 경위 이상의 소속 경찰공무원 또는 상위 직급에 있는 6급 이상의 소속 공무원 중에서** 징계위원회의 공무원위원을 임명한다. 다만, 보통징계위원회의 경우 징계등 심의 대상자보다 상위 계급인 경위 이상의 소속 경찰공무원 또는 상위 직급에 있는 6급 이상의 소속 공무원의 수가 제3항에 따른 민간위원을 제외한 위원 수에 미달되는 등의 사유로 보통징계위원회를 구성하는 것이 곤란한 경우에는 징계등 심의 대상자보다 상위 계급인 **경사 이하의 소속 경찰공무원** 또는 상위 직급에 있는 **7급 이하의 소속 공무원** 중에서 임명할 수 있으며, 이 경우에는 제4조 제2항에도 불구하고 **3개월 이하의 감봉 또는 견책에 해당하는 징계등 사건만을** 심의·의결한다.

③ [○]

> 대통령령 **경찰공무원 징계령 제11조【징계등 의결 기한】** ① 징계등 의결 요구를 받은 징계위원회는 그 요구서를 받은 날부터 30일 이내에 징계등에 관한 의결을 하여야 한다. 다만, 부득이한 사유가 있을 때에는 해당 징계등 의결을 요구한 경찰기관의 장의 승인을 받아 30일 이내의 범위에서 그 기한을 연기할 수 있다.

**135** 다음은 「경찰공무원 징계령」의 내용이다. 아래 ㉠부터 ㉣까지의 설명으로 옳고 그름의 표시(○, ×)가 바르게 된 것은? [2017 승진(경위)]

> ㉠ 각 징계위원회는 위원장 1명을 포함하여 11명 이상 51명 이하의 공무원위원과 민간위원으로 구성하되, 징계위원회의 회의는 위원장과 징계위원회가 설치된 경찰기관의 장이 회의마다 지정하는 5명 이상 7명 이하의 위원으로 성별을 고려하여 구성하되, 민간위원의 수는 위원장을 포함한 위원 수의 2분의 1 이상이어야 한다.
> ㉡ 소속이 다른 2명 이상의 경찰공무원이 관련된 징계 등 사건으로서 관할 징계위원회가 서로 다른 경우에는 모두를 관할하는 바로 위 상급 경찰기관에 설치된 징계위원회에서 심의 · 의결한다.
> ㉢ 징계 등 의결 요구를 받은 징계위원회는 그 징계요구서를 받은 날부터 30일 이내에 징계 등에 관한 의결을 하여야 한다. 다만, 부득이한 사유가 있을 때에는 해당 징계 등 의결을 요구한 경찰기관의 장의 승인을 받아 30일 이내의 범위에서 그 기한을 연기할 수 있다.
> ㉣ 징계위원회는 출석 통지를 하였음에도 불구하고 징계 등 심의 대상자가 정당한 사유 없이 출석하지 아니하였을 때에는 그 사실을 기록에 분명히 적고 서면심사로 징계 등 의결을 할 수 있다. 다만, 징계 등 심의 대상자의 소재가 분명하지 아니할 때에는 출석 통지를 관보에 게재하고, 그 게재일 다음 날부터 10일이 지나면 출석 통지가 송달된 것으로 보며, 징계 등 의결을 할 때에는 관보 게재의 사유와 그 사실을 기록에 분명히 적어야 한다.

① ㉠(○) ㉡(○) ㉢(○) ㉣(○)
② ㉠(×) ㉡(○) ㉢(○) ㉣(○)
③ ㉠(×) ㉡(○) ㉢(○) ㉣(×)
④ ㉠(×) ㉡(×) ㉢(×) ㉣(○)

**정답 및 해설 I ③**

㉠ [×] 5명 이상 7명 이하의 위원이 아니라 4명 이상 6명 이하이다.

> 대통령령 **경찰공무원 징계령 제6조【징계위원회의 구성 등】** ① 각 징계위원회는 위원장 1명을 포함하여 **11명 이상 51명 이하**의 공무원위원과 민간위원으로 구성한다.
>
> 대통령령 **경찰공무원 징계령 제7조【징계위원회의 회의】** ① 징계위원회의 회의는 위원장과 징계위원회가 설치된 경찰기관의 장이 회의마다 지정하는 **4명 이상 6명 이하**의 위원으로 성별을 고려하여 구성하되, 민간위원의 수는 위원장을 포함한 위원 수의 2분의 1 이상이어야 한다.

㉡ [○]

> 대통령령 **경찰공무원 징계령 제5조【관련 사건의 관할】** ② 소속이 다른 2명 이상의 경찰공무원이 관련된 징계등 사건으로서 관할 징계위원회가 서로 다른 경우에는 **모두를 관할하는 바로 위 상급 경찰기관에 설치된 징계위원회**에서 심의 · 의결한다.

㉢ [○]

> 대통령령 **경찰공무원 징계령 제11조【징계등 의결 기한】** ① 징계등 의결 요구를 받은 징계위원회는 그 요구서를 받은 날부터 **30일 이내**에 징계등에 관한 의결을 하여야 한다. 다만, 부득이한 사유가 있을 때에는 해당 징계등 의결을 요구한 **경찰기관의 장의 승인**을 받아 **30일 이내의 범위**에서 그 기한을 **연기**할 수 있다.

㉣ [×] '그 게재일 다음 날'이 아니라 '그 게재일'부터 10일이다.

> 대통령령 **경찰공무원 징계령 제12조【징계등 심의 대상자의 출석】** ③ 징계위원회는 출석 통지를 하였음에도 불구하고 징계등 심의 대상자가 **정당한 사유 없이 출석하지 아니하였을** 때에는 그 사실을 기록에 분명히 적고 **서면심사**로 징계등 의결을 할 수 있다. 다만, 징계등 심의 대상자의 **소재가 분명하지 아니할** 때에는 출석 통지를 관보에 게재하고, 그 게재일부터 10일이 지나면 출석 통지가 송달된 것으로 보며, 징계등 의결을 할 때에는 관보 게재의 사유와 그 사실을 기록에 분명히 적어야 한다.

## 136 「경찰공무원 징계령」에 대한 설명으로 틀린 것은 모두 몇 개인가? [2015 채용 1차]

> ㉠ 중징계란 파면 · 해임 · 강등을 말하며, 경징계란 정직 · 감봉 및 견책을 말한다.
> ㉡ 경찰공무원 보통징계위원회는 해당 징계위원회가 설치된 경찰기관 소속 경정 이하 경찰공무원에 대한 징계 등 사건을 심의 · 의결한다.
> ㉢ 각 징계위원회는 위원장 1명을 포함하여 11명 이상 51명 이하의 공무원위원과 민간위원으로 구성한다. 징계위원회의 회의는 위원장과 징계위원회가 설치된 경찰기관의 장이 회의마다 지정하는 4명 이상 6명 이하의 위원으로 성별을 고려하여 구성하되, 민간위원의 수는 위원장을 포함한 위원 수의 2분의 1 이상이어야 한다.
> ㉣ 징계위원회의 의결은 위원장을 포함한 위원 과반수의 출석과 출석위원 2/3의 찬성으로 의결한다.
> ㉤ 소속이 다른 2명 이상의 경찰공무원이 관련된 징계 등 사건으로서 관할 징계위원회가 서로 다른 경우에는 모두를 관할하는 바로 위 상급 경찰기관에 설치된 징계위원회에서 심의 · 의결한다.

① 0개　　② 1개
③ 2개　　④ 3개

**정답 및 해설 | ④**

㉠ [×] 정직은 중징계에 해당한다.

> 대통령령 **경찰공무원 징계령 제2조【정의】** 이 영에서 사용하는 용어의 뜻은 다음과 같다.
> 1. "중징계"란 파면, 해임, 강등 및 정직을 말한다.
> 2. "경징계"란 감봉 및 견책을 말한다.

㉡ [×]

> 대통령령 **경찰공무원 징계령 제4조【징계위원회의 관할】** ① 중앙징계위원회는 총경 및 경정에 대한 징계 또는 「국가공무원법」 제78조의2에 따른 징계부가금 부과(이하 "징계등"이라 한다) 사건을 심의 · 의결한다.
> ② 보통징계위원회는 해당 징계위원회가 설치된 경찰기관 소속 경감 이하 경찰공무원에 대한 징계등 사건을 심의 · 의결한다.

㉢ [○]

> 대통령령 **경찰공무원 징계령 제6조【징계위원회의 구성 등】** ① 각 징계위원회는 위원장 1명을 포함하여 11명 이상 51명 이하의 공무원위원과 민간위원으로 구성한다.
>
> 대통령령 **경찰공무원 징계령 제7조【징계위원회의 회의】** ① 징계위원회의 회의는 위원장과 징계위원회가 설치된 경찰기관의 장이 회의마다 지정하는 4명 이상 6명 이하의 위원으로 성별을 고려하여 구성하되, 민간위원의 수는 위원장을 포함한 위원 수의 2분의 1 이상이어야 한다.

㉣ [×] 위원장을 포함한 위원 과반수의 출석과 출석위원 과반수의 찬성으로 의결한다.

> 대통령령 **경찰공무원 징계령 제14조【징계위원회의 의결】** ① 징계위원회의 의결은 위원장을 포함한 위원 과반수의 출석과 출석위원 과반수의 찬성으로 의결하되, 의견이 나뉘어 출석위원 과반수의 찬성을 얻지 못한 경우에는 출석위원 과반수가 될 때까지 징계등 심의 대상자에게 가장 불리한 의견을 제시한 위원의 수를 그 다음으로 불리한 의견을 제시한 위원의 수에 차례로 더하여 그 의견을 합의된 의견으로 본다.

㉤ [○]

> 대통령령 **경찰공무원 징계령 제5조【관련 사건의 관할】** ① 상위 계급과 하위 계급의 경찰공무원이 관련된 징계등 사건은 제4조에도 불구하고 상위 계급의 경찰공무원을 관할하는 징계위원회에서 심의 · 의결하고, 상급 경찰기관과 하급 경찰기관에 소속된 경찰공무원이 관련된 징계등 사건은 상급 경찰기관에 설치된 징계위원회에서 심의 · 의결한다. 다만, 상위 계급의 경찰공무원이 감독상 과실책임만으로 관련된 경우에는 제4조에 따른 관할 징계위원회에서 각각 심의 · 의결할 수 있다.
> ② 소속이 다른 2명 이상의 경찰공무원이 관련된 징계등 사건으로서 관할 징계위원회가 서로 다른 경우에는 모두를 관할하는 바로 위 상급 경찰기관에 설치된 징계위원회에서 심의 · 의결한다.

**137** 「경찰공무원 징계령」상 경찰공무원 징계에 대하여 설명한 것이다. 옳은 것을 모두 고른 것은?

[2017 채용 2차]

> ㉠ 경찰공무원 보통징계위원회는 해당 징계위원회가 설치된 경찰기관 소속 경정 이하 경찰공무원에 대한 징계등 사건을 심의·의결한다.
> ㉡ 각 징계위원회는 위원장 1명을 포함하여 11명 이상 51명 이하의 공무원위원과 민간위원으로 구성한다. 징계위원회의 회의는 위원장과 징계위원회가 설치된 경찰기관의 장이 회의마다 지정하는 4명 이상 6명 이하의 위원으로 성별을 고려하여 구성하되, 민간위원의 수는 위원장을 포함한 위원 수의 2분의 1 이상이어야 한다.
> ㉢ 징계등 의결 요구를 받은 징계위원회는 그 요구서를 받은 날부터 30일 이내에 징계등에 관한 의결을 하여야 한다. 다만, 부득이한 사유가 있을 때에는 해당 징계등 의결을 요구한 경찰기관의 장의 승인을 받아 30일 이내의 범위에서 그 기한을 연기할 수 있다.
> ㉣ 징계위원회의 위원 중 징계등 심의 대상자의 친족이나 그 징계사유와 관계가 있는 사람은 그 징계등 사건의 심의에 관여하지 못한다.
> ㉤ 징계위원회는 징계등 사건을 의결할 때에는 징계등 심의 대상자의 비위행위 당시 계급 및 직위, 비위행위가 공직 내외에 미치는 영향, 평소 행실, 공적(功績), 뉘우치는 정도나 그 밖의 정상과 징계등 의결을 요구한 자의 의견을 고려할 수 있다.

① ㉠, ㉤ ② ㉡, ㉢, ㉣

③ ㉡, ㉢, ㉤ ④ ㉡, ㉢, ㉣, ㉤

**정답 및 해설 | ②**

㉠ [×] 경감 이하 경찰공무원에 대한 징계등 사건을 심의·의결한다.

> 대통령령 **경찰공무원 징계령 제4조【징계위원회의 관할】** ② 보통징계위원회는 해당 징계위원회가 설치된 경찰기관 소속 경감 이하 경찰공무원에 대한 징계등 사건을 심의·의결한다. …

㉡ [○]

> 대통령령 **경찰공무원 징계령 제6조【징계위원회의 구성 등】** ① 각 징계위원회는 위원장 1명을 포함하여 11명 이상 51명 이하의 공무원위원과 민간위원으로 구성한다.
>
> 대통령령 **경찰공무원 징계령 제7조【징계위원회의 회의】** ① 징계위원회의 회의는 위원장과 징계위원회가 설치된 경찰기관의 장이 회의마다 지정하는 4명 이상 6명 이하의 위원으로 성별을 고려하여 구성하되, 민간위원의 수는 위원장을 포함한 위원 수의 2분의 1 이상이어야 한다.

㉢ [○]

> 대통령령 **경찰공무원 징계령 제11조【징계등 의결 기한】** ① 징계등 의결 요구를 받은 징계위원회는 그 요구서를 받은 날부터 30일 이내에 징계등에 관한 의결을 하여야 한다. 다만, 부득이한 사유가 있을 때에는 해당 징계등 의결을 요구한 경찰기관의 장의 승인을 받아 30일 이내의 범위에서 그 기한을 연기할 수 있다.

㉣ [○]

> 대통령령 **경찰공무원 징계령 제15조【제척, 기피 및 회피】** ① 징계위원회의 위원장 또는 위원이 다음 각 호의 어느 하나에 해당하는 경우에는 그 징계등 사건의 심의·의결에 관여하지 못한다.
> 1. 징계등 심의 대상자의 친족 또는 직근 상급자(징계 사유가 발생한 기간 동안 직근 상급자였던 사람을 포함한다)인 경우
> 2. 그 징계 사유와 관계가 있는 경우
> 3. 「국가공무원법」 제78조의3 제1항 제3호(➜ 징계양정 과다)의 사유로 다시 징계등 사건의 심의·의결을 할 때 해당 징계등 사건의 조사나 심의·의결에 관여한 경우

ⓜ [×] 의견을 고려해야 한다.

> 대통령령 **경찰공무원 징계령 제16조【징계등의 정도】** 징계위원회는 징계등 사건을 의결할 때에는 징계등 심의 대상자의 비위행위 당시 계급 및 직위, 비위행위가 공직 내외에 미치는 영향, 평소 행실, 공적, 뉘우치는 정도나 그 밖의 정상과 징계등 의결을 요구한 자의 의견을 고려해야 한다.

**138** 「경찰공무원 징계령」상 경찰공무원 징계에 대한 설명으로 가장 적절한 것은? [2021 채용 1차]

① 징계위원회는 징계등 사건을 의결할 때에는 징계등 심의 대상자의 비위행위 당시 계급 및 직위, 비위행위가 공직 내외에 미치는 영향, 평소 행실, 공적(功績), 뉘우치는 정도나 그 밖의 정상과 징계등 의결을 요구한 자의 의견을 고려할 수 있다.

② 징계등 의결 요구를 받은 징계위원회는 그 요구서를 받은 날부터 60일 이내에 징계등에 관한 의결을 하여야 한다. 다만, 부득이한 사유가 있을 때에는 해당 징계등 의결을 요구한 경찰기관의 장의 승인을 받아 30일 이내의 범위에서 그 기한을 연기할 수 있다.

③ 징계등 심의 대상자의 소재가 분명하지 아니할 때에는 출석 통지를 관보에 게재하고, 그 게재일부터 7일이 지나면 출석 통지가 송달된 것으로 보며, 징계등 의결을 할 때에는 관보 게재의 사유와 그 사실을 기록에 분명히 적어야 한다.

④ 징계위원회의 의결은 위원장을 포함한 위원 과반수의 출석과 출석위원 과반수의 찬성으로 의결하되, 의견이 나뉘어 출석위원 과반수의 찬성을 얻지 못한 경우에는 출석위원 과반수가 될 때까지 징계등 심의 대상자에게 가장 불리한 의견을 제시한 위원의 수를 그 다음으로 불리한 의견을 제시한 위원의 수에 차례로 더하여 그 의견을 합의된 의견으로 본다.

**정답 및 해설 I ④**

④ [○]

> 대통령령 **경찰공무원 징계령 제14조【징계위원회의 의결】** ① 징계위원회의 의결은 위원장을 포함한 위원 과반수의 출석과 출석위원 과반수의 찬성으로 의결하되, 의견이 나뉘어 출석위원 과반수의 찬성을 얻지 못한 경우에는 출석위원 과반수가 될 때까지 징계등 심의 대상자에게 가장 불리한 의견을 제시한 위원의 수를 그 다음으로 불리한 의견을 제시한 위원의 수에 차례로 더하여 그 의견을 합의된 의견으로 본다.

① [×] 의견을 고려해야 한다.

> 대통령령 **경찰공무원 징계령 제16조【징계등의 정도】** 징계위원회는 징계등 사건을 의결할 때에는 징계등 심의 대상자의 비위행위 당시 계급 및 직위, 비위행위가 공직 내외에 미치는 영향, 평소 행실, 공적, 뉘우치는 정도나 그 밖의 정상과 징계등 의결을 요구한 자의 의견을 고려해야 한다.

② [×] 60일이 아니라 30일이다.

> 대통령령 **경찰공무원 징계령 제11조【징계등 의결 기한】** ① 징계등 의결 요구를 받은 징계위원회는 그 요구서를 받은 날부터 30일 이내에 징계등에 관한 의결을 하여야 한다. 다만, 부득이한 사유가 있을 때에는 해당 징계등 의결을 요구한 경찰기관의 장의 승인을 받아 30일 이내의 범위에서 그 기한을 연기할 수 있다.

③ [×] 7일이 아니라 10일이다.

> 대통령령 **경찰공무원 징계령 제12조【징계등 심의 대상자의 출석】** ③ 징계위원회는 출석 통지를 하였음에도 불구하고 징계등 심의 대상자가 정당한 사유 없이 출석하지 아니하였을 때에는 그 사실을 기록에 분명히 적고 서면심사로 징계등 의결을 할 수 있다. 다만, 징계등 심의 대상자의 소재가 분명하지 아니할 때에는 출석 통지를 관보에 게재하고, 그 게재일부터 10일이 지나면 출석 통지가 송달된 것으로 보며, 징계등 의결을 할 때에는 관보 게재의 사유와 그 사실을 기록에 분명히 적어야 한다. [2018 채용 2차]

**139** 대통령령인 '경찰공무원 징계령'에 대한 다음 설명 중 가장 옳지 않은 것은? [2017 경간]

① 각 징계위원회는 위원장 1명을 포함하여 11명 이상 51명 이하의 공무원위원과 민간위원으로 구성한다. 징계위원회의 회의는 위원장과 징계위원회가 설치된 경찰기관의 장이 회의마다 지정하는 4명 이상 6명 이하의 위원으로 성별을 고려하여 구성하되, 민간위원의 수는 위원장을 포함한 위원수의 2분의 1 이상이어야 한다.

② 경찰공무원 징계위원회의 위원은 징계심의 대상자보다 상위 계급인 경위 이상의 소속 경찰공무원 중에서 당해 경찰기관의 장이 임명한다.

③ 경찰공무원 징계위원회의 위원장은 위원회의 사무를 총괄하고 위원회를 대표하며, 표결권을 가진다.

④ 징계위원회가 징계등 심의대상자의 출석을 요구할 때에는 징계위원회 개최일 2일 전까지 그 징계등 심의대상자에게 출석 통지서가 도달되도록 하여야 한다.

**정답 및 해설 I ④**

④ [×] 개최일 5일 전까지 도달되도록 하여야 한다.

> 대통령령 **경찰공무원 징계령 제12조【징계등 심의 대상자의 출석】** ① 징계위원회가 징계등 심의 대상자의 출석을 요구할 때에는 별지 제2호서식의 출석 통지서로 하되, 징계위원회 개최일 5일 전까지 그 징계등 심의 대상자에게 도달되도록 해야 한다.

① [○]

> 대통령령 **경찰공무원 징계령 제6조【징계위원회의 구성 등】** ① 각 징계위원회는 위원장 1명을 포함하여 11명 이상 51명 이하의 공무원위원과 민간위원으로 구성한다.
>
> 대통령령 **경찰공무원 징계령 제7조【징계위원회의 회의】** ① 징계위원회의 회의는 위원장과 징계위원회가 설치된 경찰기관의 장이 회의마다 지정하는 4명 이상 6명 이하의 위원으로 성별을 고려하여 구성하되, 민간위원의 수는 위원장을 포함한 위원 수의 2분의 1 이상이어야 한다.

② [○]

> 대통령령 **경찰공무원 징계령 제6조【징계위원회의 구성 등】** ② 징계위원회가 설치된 경찰기관의 장은 징계등 심의 대상자보다 상위 계급인 경위 이상의 소속 경찰공무원 또는 상위 직급에 있는 6급 이상의 소속 공무원 중에서 징계위원회의 공무원위원을 임명한다. 다만, 보통징계위원회의 경우 징계등 심의 대상자보다 상위 계급인 경위 이상의 소속 경찰공무원 또는 상위 직급에 있는 6급 이상의 소속 공무원의 수가 제3항에 따른 민간위원을 제외한 위원 수에 미달되는 등의 사유로 보통징계위원회를 구성하는 것이 곤란한 경우에는 징계등 심의 대상자보다 상위 계급인 경사 이하의 소속 경찰공무원 또는 상위 직급에 있는 7급 이하의 소속 공무원 중에서 임명할 수 있으며, 이 경우에는 제4조 제2항에도 불구하고 3개월 이하의 감봉 또는 견책에 해당하는 징계등 사건만을 심의·의결한다.

③ [○]

> 대통령령 **경찰공무원 징계령 제6조【징계위원회의 구성 등】** ④ 징계위원회의 위원장은 위원 중 최상위 계급 또는 이에 상응하는 직급에 있거나 최상위 계급 또는 이에 상응하는 직급에 먼저 승진임용된 공무원이 된다.
>
> 대통령령 **경찰공무원 징계령 제7조【징계위원회의 회의】** ③ 징계위원회의 위원장은 위원회의 사무를 총괄하며 위원회를 대표한다.
> ④ 징계위원회의 회의는 위원장이 소집한다.
> ⑤ 위원장은 표결권을 가진다.

**140** 「경찰공무원 징계령 세부시행규칙」상 감독자의 정상참작사유로 가장 적절하지 않은 것은?

[2015 승진(경위)]

① 부하직원의 의무위반행위를 사전에 발견하여 적법 타당하게 조치한 때

② 부임기간이 1년 미만으로 부하직원에 대한 실질적인 감독이 곤란하다고 인정된 때

③ 부하직원의 의무위반행위가 감독자 또는 행위자의 비번일, 휴가기간, 교육기간 등에 발생하거나, 소관업무와 직접 관련 없는 등 감독자의 실질적 감독범위를 벗어났다고 인정된 때

④ 교정이 불가능하다고 판단된 부하직원의 사유를 명시하여 인사상 조치(전출 등)를 상신하는 등 성실히 관리한 이후에 같은 부하직원이 의무위반행위를 야기하였을 때

**정답 및 해설 I ②**

② [×] 부임기간이 1개월 미만인 경우가 여기에 해당한다.

> 훈령 **경찰공무원 징계령 세부시행규칙 제5조 【행위자와 감독자에 대한 문책기준】** ① 같은 사건에 관련된 행위자와 감독자에 대해서는 업무의 성질 및 업무와의 관련 정도 등을 참작하여 별표 4의 행위자와 감독자에 대한 문책기준에 따라 징계의결 등을 하여야 한다.
> ② 징계요구권자 또는 징계위원회는 감독자에게 다음 각 호의 어느 하나에 해당하는 사유가 있을 때에는 **징계책임**을 감경하여 징계의결 요구 또는 징계의결하거나 **징계책임**을 묻지 아니할 수 있다.
> 1. 부하직원의 의무위반행위를 **사전에 발견**하여 적법 타당하게 조치한 때
> 2. 부하직원의 의무위반행위가 감독자 또는 행위자의 비번일, 휴가기간, 교육기간 등에 발생하거나, 소관업무와 직접 관련 없는 등 감독자의 **실질적 감독범위를 벗어났다**고 인정된 때
> 3. **부임기간이 1개월 미만**으로 부하직원에 대한 실질적인 감독이 곤란하다고 인정된 때
> 4. 교정이 불가능하다고 판단된 부하직원의 사유를 명시하여 인사상 조치(전출 등)를 상신하는 등 성실히 관리한 이후에 같은 부하직원이 의무위반행위를 야기하였을 때
> 5. 기타 부하직원에 대하여 평소 철저한 교양감독 등 감독자로서의 임무를 성실히 수행하였다고 인정된 때

**141** 「경찰공무원 징계령 세부시행규칙」상 감독자의 정상참작사유로 가장 적절하지 않은 것은?

[2020 승진(경감)]

① 부임기간이 1개월 미만으로 부하직원에 대한 실질적인 감독이 곤란하다고 인정된 때

② 업무매뉴얼에 규정된 직무상의 절차를 충실히 이행한 때

③ 부하직원의 의무위반행위를 사전에 발견하여 적법 타당하게 조치한 때

④ 기타 부하직원에 대하여 평소 철저한 교양감독 등 감독자로서의 임무를 성실히 수행하였다고 인정된 때

**정답 및 해설 I ②**

② [×] 이는 행위자의 정상참작사유에 해당한다(제2호).

> 훈령 **경찰공무원 징계령 세부시행규칙 제4조【행위자의 징계양정 기준】** ② 징계요구권자 또는 징계위원회는 다음 각 호의 어느 하나에 해당하는 사유가 있을 때에는 **징계책임**을 감경하여 징계의결 요구 또는 징계의결하거나 **징계책임**을 묻지 아니할 수 있다.
> 1. 과실로 인하여 발생한 의무위반행위가 다른 법령에 의해 처벌사유가 되지 않고 비난가능성이 없는 때
> 2. 국가 또는 공공의 이익을 증진하기 위해 성실하고 능동적으로 업무를 처리하는 과정에서 부분적인 절차상 하자 또는 비효율, 손실 등의 잘못이 발생한 때
> 3. **업무매뉴얼**에 규정된 직무상의 절차를 충실히 이행한 때
> 4. 의무위반행위의 발생을 방지하기 위해 **최선**을 다하였으나 부득이한 사유로 결과가 발생하였을 때
> 5. 발생한 의무위반행위에 대하여 **자진신고**하거나 사후조치에 최선을 다하여 **원상회복**에 크게 기여한 때
> 6. 간첩 또는 사회이목을 집중시킨 **중요사건의 범인**을 검거한 공로가 있을 때
> 7. 제8조 제3항에 따른 감경 제외 대상이 아닌 의무위반행위 중 직무와 관련이 없는 사고로 인한 의무위반행위로서 사회통념에 비추어 공무원의 품위를 손상하지 아니한 때

**142** 경찰공무원의 징계에 관한 설명으로 가장 적절하지 않은 것은? (다툼이 있는 경우 판례에 의함)

[2023 채용 2차]

① 공무원인 피징계자에게 징계사유가 있어서 징계처분을 하는 경우 어떠한 처분을 할 것인가는 징계권자의 재량에 맡겨진 것이고, 다만 징계권자가 재량권의 행사로서 한 징계처분이 사회통념상 현저하게 타당성을 잃어 징계권자에게 맡겨진 재량권을 남용한 것이라고 인정되는 경우에 한하여 그 처분을 위법하다고 할 수 있다.

② 동료 경찰관에 대한 성희롱을 이유로 징계에 의하여 해임처분을 받은 경찰관은 해임처분을 받은 때부터 3년이 지나면 경찰 공무원으로 임용될 수 있다.

③ 징계등 의결 요구를 받은 징계위원회는 그 요구서를 받은 날부터 30일 이내에 징계등에 관한 의결을 하여야 하나, 부득이한 사유가 있을 때에는 해당 징계등 의결을 요구한 경찰기관의 장의 승인을 받아 30일 이내의 범위에서 그 기한을 연기할 수 있다.

④ 징계위원회는 징계등 의결을 하였을 때에는 지체 없이 징계등 의결을 요구한 자에게 의결서 정본(正本)을 보내어 통지하여야한다.

**정답 및 해설 I ②**

① [○]

> **요지판례 I**
> ■ 공무원인 피징계자에게 징계사유가 있어서 징계처분을 하는 경우, 어떠한 처분을 할 것인가 하는 것은 징계권자의 재량에 맡겨진 것이고, 다만 징계권자가 재량권의 행사로서 한 징계처분이 사회통념상 현저하게 타당성을 잃어 징계권자에게 맡겨진 재량권을 일탈하였거나 남용한 것이라고 인정되는 경우에 한하여 그 처분을 위법하다고 할 수 있다(대판 1999.10.8, 99두6101). ➜ 징계처분이 사회통념상 현저하게 타당성을 잃어 재량권의 범위를 벗어난 위법한 처분이라고 할 수 있으려면 구체적인 사례에 따라 수행직무의 특성, 징계의 원인이 된 비위사실의 내용과 성질, 징계에 의하여 달성하려는 행정목적, 징계양정의 기준 등 여러 가지 요소를 종합하여 판단할 때에 그 징계 내용이 객관적으로 명백히 부당하다고 인정할 수 있는 경우라야 한다.

② [×] 파면 · 해임과 같은 배제징계를 받아 공직에서 배제된 자는 몇년이 지나든 다시 경찰공무원이 될 수 없다.

> **경찰공무원법 제8조【임용자격 및 결격사유】** ② 다음 각 호의 어느 하나에 해당하는 사람은 경찰공무원으로 임용될 수 없다.
> 10. 징계에 의하여 **파면** 또는 **해임처분**을 받은 사람

③ [○] 
> 대통령령 **경찰공무원 징계령 제11조【징계등 의결 기한】** ① 징계등 의결 요구를 받은 징계위원회는 그 요구서를 받은 날부터 30일 이내에 징계등에 관한 의결을 하여야 한다. 다만, 부득이한 사유가 있을 때에는 해당 징계등 의결을 요구한 경찰기관의 장의 승인을 받아 30일 이내의 범위에서 그 기한을 연기할 수 있다.

④ [○] 
> 대통령령 **경찰공무원 징계령 제17조【징계등 의결의 통지】** 징계위원회는 징계등 의결을 하였을 때에는 지체 없이 징계등 의결을 요구한 자에게 의결서 정본을 보내어 통지하여야 한다.

## 143 「경찰공무원 관련 법령에 따를 때, 다음 설명 중 가장 적절한 것은? [2022 채용 2차]

① OO경찰서 소속 지구대장 경감 甲과 동일한 지구대 소속 순경 乙이 관련된 징계등 사건(甲의 감독상 과실책임만으로 관련된 경우, 관련자에 대한 징계등 사건을 분리하여 심의 · 의결하는 것이 타당하다고 인정되는 경우는 제외)은 OO경찰서에 설치된 징계위원회에서 심의 · 의결한다.

② 경찰공무원 임용 당시 임용결격사유가 있었더라도 국가의 과실에 의해 임용결격자임을 밝혀내지 못했다면, 그 임용행위는 당연무효로 볼 수 없다.

③ 국가경찰사무를 담당하는 OO경찰서 소속 경사 丙에 대한 정직처분은 소속기관장인 OO경찰서장이 행하지만, 그 처분에 대한 행정소송의 피고는 경찰청장이다.

④ 징계의결이 요구된 경정 丁에게 국무총리 표창을 받은 공적이 있는 경우에 징계위원회는 징계를 감경할 수 있지만, 그 표창이 丁에게 수여된 표창이 아니라 丁이 속한 OO경찰서에 수여된 단체표창이라면 감경할 수 없다.

**정답 및 해설 I ④**

④ [○] 경정이 국무총리 이상 표창을 받은 공적은 징계 감경사유에 해당하기는 하나, 단체표창의 경우 감경할 수 없다는 것이 판례의 입장이다.

> 예규 **경찰공무원 징계령 세부시행규칙 제8조【징계의 감경】** ① 징계위원회는 징계의결이 요구된 자가 다음 각 호의 어느 하나에 해당하는 공적이 있는 경우 별표 9에 따라 **징계를 감경할 수 있다.**
> 1. 「상훈법」에 따라 훈장 또는 표창을 받은 공적
> 2. 「정부표창규정」에 따라 국무총리 이상의 표창을 받은 공적 다만, 경감 이하의 경찰공무원 등은 경찰청장 또는 중앙행정기관 차관급 이상 표창을 받은 공적
> 3. 「모범공무원규정」에 따라 모범공무원으로 선발된 공적

> **요지판례 I**
> ■ 징계대상자가 위와 같은 표창을 받은 공적을 징계양정의 임의적 감경사유로 삼은 것은 징계의결이 요구된 사람이 국가 또는 사회에 공헌한 행적을 징계양정에 참작하려는 데 그 취지가 있으므로 **징계대상자가 아니라 그가 속한 기관이나 단체에 수여된 국무총리 단체표창**은 징계대상자에 대한 징계양정의 임의적 감경사유에 해당하지 않는다(대판 2012.10.11, 2012두13245).

① [×] 상위 계급과 하위 계급 경찰이 관련된 징계사건은 상위계급 관할 징계위원회에서 심의 · 의결하므로, 지구대장 甲관할 징계위원회에서 심의 · 의결한다. 그러나 OO 경찰서에 설치된 징계위원회는 소속 경위 이하 징계사건만 심의 · 의결하므로 경찰공무원 징계령 제4조 제4항에 따라 OO 경찰서에 설치된 징계위원회가 아닌 **바로 위 상급 경찰기관에 설치된 시 · 도경찰청 보통징계위원회에서 심의 · 의결한다.**

> **대통령령** **경찰공무원 징계령 제4조【징계위원회의 관할】** ② 보통징계위원회는 해당 징계위원회가 설치된 경찰기관 **소속 경감 이하 경찰공무원에** 대한 징계등 사건을 심의 · 의결한다. 다만, 다음 각 호의 기관에 설치된 보통징계위원회는 각 호의 구분에 따른 경찰공무원에 대한 징계등 사건을 심의 · 의결한다.
> 1. 경정 이상의 경찰공무원을 장으로 하는 **경찰서, 경찰기동대** · 해양경찰서 등 총경 이상의 경찰공무원을 장으로 하는 경찰기관 및 정비창: **소속 경위 이하**의 경찰공무원
> 2. 의무경찰대 및 경비함정 등 경찰청장 또는 해양경찰청장이 지정하는 경감 이상의 경찰공무원을 장으로 하는 경찰기관: 소속 경사 이하의 경찰공무원
>
> ③ 경찰청 및 해양경찰청에 설치된 보통징계위원회는 제2항에도 불구하고 경찰청장 또는 해양경찰청장이 징계등 의결을 요구하는 경찰공무원에 대한 징계등 사건을 심의 · 의결한다.
> ④ 제2항 단서 또는 제6조 제2항 단서(➜ 위원의 계급 관련 보통징계위원회 구성이 곤란하여 경사 등으로 위원을 구성한 경우 - 3개월 이하 감봉 · 견책만 관할)에 따라 해당 보통징계위원회의 징계 관할에서 제외되는 경찰공무원의 징계등 사건은 바로 위 상급 경찰기관에 설치된 보통징계위원회에서 심의 · 의결한다.

② [×] 당연무효에 해당한다는 것이 판례의 입장이다.

> **요지판례 |**
> ■ **국가의 과실에 의한 공무원임용결격자의 임용행위의 효력** 임용당시 공무원임용결격사유가 있었다면 비록 국가의 과실에 의하여 임용결격자임을 밝혀내지 못하였다 하더라도 **그 임용행위는 당연무효**로 보아야 한다(대판 1987.4.14, 86누459). ➜ 공무원연금법에 의한 퇴직금은 적법한 공무원으로서의 근로고용관계가 성립되어 근무하다가 퇴직하는 경우에 지급되는 것이고, 당연무효인 임용결격자에 대한 임용행위에 의하여서는 공무원의 신분을 취득하거나 근로고용관계가 성립될 수 없는 것이므로 임용결격자가 공무원으로 임용되어 사실상 근무하여 왔다고 하더라도 그러한 피임용자는 위 법률소정의 퇴직금청구를 할 수 없다.

③ [×] 먼저, 경찰공무원법상의 원칙에 따르면 파면 · 해임 · 강등 · 정직과 같은 중징계는 경정 · 총경 · 경무관 이상이 아닌 이상 **임용권자가 한다**(경정 · 총경 · 경무관 이상에 대한 중징계는 경찰공무원 임용령 제19조에서 별도로 상세히 규정하고 있다).

> **경찰공무원법 제33조【징계의 절차】** 경찰공무원의 징계는 징계위원회의 의결을 거쳐 징계위원회가 설치된 소속 기관의 장이 하되, 「국가공무원법」에 따라 국무총리 소속으로 설치된 징계위원회에서 의결한 징계는 경찰청장 또는 해양경찰청장이 한다. 다만, 파면 · 해임 · 강등 및 정직은 징계위원회의 의결을 거쳐 **해당 경찰공무원의 임용권자가 하되**, 경무관 이상의 … 대통령이 하고, 총경 및 경정의 … 경찰청장 또는 해양경찰청장이 한다.

한편, 국가경찰사무를 담당하는 ○○경찰서 소속 경사 丙의 임용권자는 **시 · 도경찰청장이 된다.** ➜ **따라서, 경사 丙에 대한 정직 처분은 ○○경찰서장이 아니라, 임용권자인 시 · 도경찰청장이다.**

> **대통령령** **경찰공무원 임용령 제4조【임용권의 위임 등】** ③ 경찰청장은 법 제7조 제3항 전단에 따라 **경찰대학 · 경찰인재개발원 · 중앙경찰학교 · 경찰수사연수원 · 경찰병원 및 시 · 도경찰청**(이하 "소속기관등"이라 한다)의 장에게 그 소속 경찰공무원 중 경정의 전보 · 파견 · 휴직 · 직위해제 및 복직에 관한 권한과 경감 이하의 임용권을 위임한다.
>
> > **☑ 유의사항**
> > - 경찰청장의 소속기관에 대한 임용권 위임과 관련하여, 소속기관에 시 · 도경찰청장이 포함!
> > - 경정에 대해서는 전보 · 파견 · 휴직 · 직위해제 및 복직에 관한 권한을 위임한다.
> > - **경감 이하에 대해서는 전체 임용권을 위임한다**(단, 경감 · 경위 신규채용과 경위 · 경사 승진은 경찰청장 승인 필요).

또한, 이 경우는 경찰공무원법 제7조 제3항에 따라 경감 이하에 대한 임용권이 전체 시 · 도경찰청정에게 위임된 경우이므로 행정소송의 피고 역시 그 위임을 받은 자인 시 · 도경찰청장이 된다.

> **경찰공무원법 제34조【행정소송의 피고】** 징계처분, 휴직처분, 면직처분, 그 밖에 의사에 반하는 불리한 처분에 대한 행정소송은 경찰청장 또는 해양경찰청장을 피고로 한다. 다만, **제7조 제3항 및 제4항에 따라 임용권을 위임한 경우에는** 그 위임을 받은 자를 피고로 한다.

## 144 경찰공무원 관련 법령에 따를 때, 경찰공무원의 신분변동에 관한 설명 중 가장 적절한 것은?

[2022 채용 2차]

① 중징계 의결이 요구 중인 경찰공무원 甲에 대해 직위해제처분을 할 경우, 임용권자는 3개월의 범위 내에서 대기를 명하고 능력 회복이나 근무성적의 향상을 위한 교육훈련 또는 특별한 연구과제의 부여 등 필요한 조치를 하여야 한다.

② 위원장 포함 12명이 출석하여 구성된 징계위원회에서 정직 3월 2명, 정직 1월 2명, 감봉 3월 1명, 감봉 2월 1명, 감봉 1월 3명, 견책 3명으로 의견이 나뉜 경우, 감봉 1월로 의결해야 한다.

③ 자치경찰사무를 담당하는 ○○경찰서 소속 경위 乙의 경감으로의 승진임용을 시·도지사가 하므로, 경위 乙에 대한 휴직이나 복직도 시·도지사가 한다.

④ 순경 채용후보자 명부에 등재된 채용후보자 丙이 학업을 계속하고자 이를 증명할 수 있는 자료를 첨부하여 임용권자가 정하는 기간 내에 원하는 유예기간을 적어 신청할 경우, 임용권자는 채용후보자 명부의 유효기간 범위에서 기간을 정하여 임용을 유예해야 한다.

**정답 및 해설 | 정답없음**

① [×] 직위해제 대상자 중 3개월 범위 내 대기, 교육훈련 기회 등 제공 대상자는 '직무수행 능력이 부족하거나 근무성적이 극히 나쁜 자'이다.

> **국가공무원법 제73조의3 【직위해제】** ① 임용권자는 다음 각 호의 어느 하나에 해당하는 자에게는 직위를 부여하지 아니할 수 있다.
> 2. 직무수행 능력이 부족하거나 근무성적이 극히 나쁜 자
> ③ 임용권자는 제1항 제2호에 따라 직위해제된 자에게 3개월의 범위에서 대기를 명한다.
> ④ 임용권자 또는 임용제청권자는 제3항에 따라 대기 명령을 받은 자에게 능력 회복이나 근무성적의 향상을 위한 교육훈련 또는 특별한 연구과제의 부여 등 필요한 조치를 하여야 한다.

② [×] 징계위원회 위원의 의결이 나뉜 경우의 처리방법에 관한 설명은 옳으나, 징계위원회는 위원장과 4명 이상 6명 이하로 구성되므로(최대 7명), 12명이 출석하는 것은 불가능하다.

> 대통령령 **경찰공무원 징계령 제7조 【징계위원회의 회의】** ① 징계위원회의 회의는 위원장과 징계위원회가 설치된 경찰기관의 장이 회의마다 지정하는 4명 이상 6명 이하의 위원으로 성별을 고려하여 구성하되, 민간위원의 수는 위원장을 포함한 위원 수의 2분의 1 이상이어야 한다.
>
> 대통령령 **경찰공무원 징계령 제14조 【징계위원회의 의결】** ① 징계위원회의 의결은 위원장을 포함한 위원 과반수의 출석과 출석위원 과반수의 찬성으로 의결하되, 의견이 나뉘어 출석위원 과반수의 찬성을 얻지 못한 경우에는 출석위원 과반수가 될 때까지 징계등 심의 대상자에게 가장 불리한 의견을 제시한 위원의 수를 그 다음으로 불리한 의견을 제시한 위원의 수에 차례로 더하여 그 의견을 합의된 의견으로 본다.

③ [×] 자치경찰사무와 관련하여 경찰청장이 시·도지사에게 위임한 임용권 중 '경감·경위의 승진임용을 제외한 나머지'가 자치경찰위원회에 위임된다. 즉, 경감·경위의 승진임용권은 여전히 시·도지사가 가지고 있다. 반면 경감·경위의 휴직·복직을 포함한 나머지 임용권은 자치경찰위원회가 가지고 있게 된다.

> 대통령령 **경찰공무원 임용령 제4조 【임용권의 위임 등】** ① 경찰청장은 법 제7조 제3항 전단에 따라 특별시장·광역시장·특별자치시장·도지사 또는 특별자치도지사(이하 "시·도지사"라 한다)에게 해당 특별시·광역시·특별자치시·도 또는 특별자치도(이하 "시·도"라 한다)의 자치경찰사무를 담당하는 경찰공무원[「국가경찰과 자치경찰의 조직 및 운영에 관한 법률」 제18조 제1항에 따른 시·도자치경찰위원회(이하 "시·도자치경찰위원회"라 한다), 시·도경찰청 및 경찰서(지구대 및 파출소는 제외한다)에서 근무하는 경찰공무원을 말한다] 중 경정의 전보·파견·휴직·직위해제 및 복직에 관한 권한과 경감 이하의 임용권(신규채용 및 면직에 관한 권한은 제외한다)을 위임한다.
> ④ 제1항에 따라 임용권을 위임받은 시·도지사는 법 제7조 제3항 후단에 따라 경감 또는 경위로의 승진임용에 관한 권한을 제외한 임용권을 시·도자치경찰위원회에 다시 위임한다.

④ [×] 유예해야 하는 것이 아니라, 유예할 수 있다.

> 대통령령 **경찰공무원 임용령 제18조의2【임용 또는 임용제청의 유예】** ① 임용권자 또는 임용제청권자는 채용후보자 명부에 등재된 채용후보자가 다음 각 호의 어느 하나에 해당하는 경우에는 채용후보자 명부의 유효기간의 범위에서 기간을 정하여 임용 또는 임용제청을 유예할 수 있다. 다만, 유예기간 중이라도 그 사유가 소멸한 경우에는 임용 또는 임용제청을 할 수 있다.
> 1. 「병역법」에 따른 병역복무를 위하여 징집 또는 소집되는 경우
> 2. 학업을 계속하는 경우
> 3. 6개월 이상의 장기요양이 필요한 질병이 있는 경우
> 4. 임신하거나 출산한 경우
> 5. 그 밖에 임용 또는 임용제청의 유예가 부득이하다고 인정되는 경우
>
> ② 제1항에 따른 임용 또는 임용제청의 유예를 원하는 사람은 해당 사유를 증명할 수 있는 자료를 첨부하여 임용권자 또는 임용제청권자가 정하는 기간 내에 신청해야 한다. 이 경우 원하는 유예기간을 분명하게 적어야 한다.

## 02 변상책임

## 03 형사책임

## 04 민사책임

# 주제 8 경찰공무원의 권익보장수단

## 01 고충심사청구

**145** 경찰공무원 고충심사에 대한 설명으로 가장 적절하지 않은 것은? [2021 경간]

① 계급이 경사인 경찰공무원이 종교를 이유로 불합리한 차별을 겪어 고충을 당한 사안일 경우, 보통고충심사위원회에서 고충을 심사하는 것이 부적당하다고 인정될 경우에는 중앙고충심사위원회에서 심사할 수 있다.

② 경찰공무원 고충심사위원회를 두는 「경찰공무원법」 제31조 제1항에서 "대통령령이 정하는 경찰기관"이라 함은 경찰대학 · 경찰인재개발원 · 중앙경찰학교 · 경찰수사연수원 · 경찰서 · 경찰기동대 · 경비함정 기타 경정 이상의 경찰공무원을 장으로 하는 기관 중 행정안전부장관 또는 해양수산부장관이 지정하는 경찰기관을 말한다.

③ 경찰공무원 고충심사위원회는 위원장 1명을 포함하여 7명 이상 15명 이하의 공무원위원과 민간위원으로 구성한다. 이 경우 민간위원의 수는 위원장을 제외한 위원 수의 2분의 1 이상이어야 한다.

④ 경찰공무원 고충심사위원회의 위원장은 설치기관 소속 공무원 중에서 인사 또는 감사 업무를 담당하는 과장 또는 이에 상당하는 직위를 가진 사람이 된다.

**정답 및 해설 I ②**

① [○]

> 대통령령 **공무원고충처리규정 제3조의6【고충심사위원회의 관할】** ⑤ 「국가공무원법」 제76조의2 제5항 단서에 따라 6급 이하의 공무원의 고충으로서 보통고충심사위원회에서 심사하는 것이 부적당하여 중앙고충심사위원회에서 심사할 수 있는 사안은 다음 각 호의 어느 하나에 해당하는 사안을 말한다.
> 1. 성폭력범죄 또는 성희롱 사실에 관한 고충
> 2. 「공무원 행동강령」 제13조의3에 따른 부당한 행위로 인한 고충
> 3. 그 밖에 성별 · 종교 · 연령 등을 이유로 하는 불합리한 차별로 인한 고충

② [×] ~기타 경감 이상의 경찰공무원을 장으로 하는 기관 중

> 대통령령 **공무원고충처리규정 제3조의2【경찰공무원 고충심사위원회】** ① 「경찰공무원법」 제31조 제1항에서 "대통령령이 정하는 경찰기관"이라 함은 경찰대학 · 경찰인재개발원 · 중앙경찰학교 · 경찰수사연수원 · 경찰서 · 경찰기동대 · 경비함정 기타 경감 이상의 경찰공무원을 장으로 하는 기관 중 행정안전부장관 또는 해양수산부장관이 지정하는 경찰기관을 말한다.
> ➜ 경찰청장 소속기관(경찰병원 제외) + 경찰서 · 기동대 등

③ [○]

> 대통령령 **공무원고충처리규정 제3조의2【경찰공무원 고충심사위원회】** ② 「경찰공무원법」 제31조제1항에 따른 경찰공무원 고충심사위원회(이하 "경찰공무원고충심사위원회"라 한다)는 위원장 1명을 포함하여 7명 이상 15명 이내의 공무원위원과 민간위원으로 구성한다. 이 경우 민간위원의 수는 위원장을 제외한 위원 수의 2분의 1 이상이어야 한다.

④ [○]

> 대통령령 **공무원고충처리규정 제3조의2【경찰공무원 고충심사위원회】** ③ 경찰공무원고충심사위원회의 위원장은 설치기관 소속 공무원 중에서 인사 또는 감사 업무를 담당하는 과장 또는 이에 상당하는 직위를 가진 사람이 된다.

## 146 고충처리에 대한 설명으로 가장 적절하지 않은 것은? [2022 승진]

① 「국가공무원법」에 따라 공무원은 인사 · 조직 · 처우 등 각종 직무조건과 그 밖에 신상 문제와 관련한 고충에 대하여 상담을 신청하거나 심사를 청구할 수 있다.

② 「경찰공무원법」에 따라 '경찰공무원 고충심사위원회'의 심사를 거친 재심청구와 경정 이상 경찰공무원의 인사상담 및 고충심사는 「국가공무원법」에 따라 설치된 중앙고충심사위원회에서 한다.

③ 「공무원고충처리규정」에 따라 고충심사위원회가 청구서를 접수한 때에는 30일 이내에 고충심사에 대한 결정을 하여야 한다. 다만, 부득이하다고 인정되는 경우에는 고충심사위원회의 의결로 30일을 연장할 수 있다.

④ 「국가공무원법」에 따라 중앙인사관장기관의 장, 임용권자 또는 임용제청자는 기관 내 성폭력 범죄 또는 성희롱 발생 사실의 신고를 받은 경우에는 지체 없이 사실 확인을 위한 조사를 하고 그에 따라 필요한 조치를 할 수 있다.

**정답 및 해설 I ④**

④ [×] 할 수 있다가 아니라 '하여야 한다'이다. 참고로, '성희롱 · 성폭력 근절을 위한 공무원 인사관리규정'에도 같은 취지의 규정을 두고 있다.

> **국가공무원법 제76조의2【고충 처리】** ③ 중앙인사관장기관의 장, 임용권자 또는 임용제청권자는 기관 내 성폭력 범죄 또는 성희롱 발생 사실의 신고를 받은 경우에는 지체 없이 사실 확인을 위한 조사를 하고 그에 따라 필요한 조치를 하여야 한다.

① [○]

> **국가공무원법 제76조의2【고충 처리】** ① 공무원은 인사 · 조직 · 처우 등 각종 직무 조건과 그 밖에 신상 문제와 관련한 고충에 대하여 상담을 신청하거나 심사를 청구할 수 있으며, 누구나 기관 내 성폭력 범죄 또는 성희롱 발생 사실을 알게 된 경우 이를 신고할 수 있다. 이 경우 상담 신청이나 심사 청구 또는 신고를 이유로 불이익한 처분이나 대우를 받지 아니한다.

② [○]

경찰공무원법 제31조【고충심사위원회】① 경찰공무원의 인사상담 및 고충을 심사하기 위하여 경찰청, 해양경찰청, 시·도자치경찰위원회, 시·도경찰청, 대통령령으로 정하는 경찰기관 및 지방해양경찰관서에 경찰공무원 고충심사위원회를 둔다.
② 경찰공무원 고충심사위원회의 심사를 거친 재심청구와 경정 이상의 경찰공무원의 인사상담 및 고충심사는 「국가공무원법」에 따라 설치된 중앙고충심사위원회에서 한다.

③ [○]

대통령령 공무원고충처리규정 제7조【고충심사절차】① 고충심사위원회가 청구서를 접수한 때에는 30일 이내에 고충심사에 대한 결정을 해야 한다. 다만, 부득이하다고 인정되는 경우에는 고충심사위원회의 의결로 30일의 범위에서 그 기한을 연기할 수 있다.



**147** 「성희롱·성폭력 근절을 위한 공무원 인사관리규정」에 대한 설명으로 가장 적절하지 않은 것은?

[2021 승진(실무종합)]

① 행정부 소속 국가공무원은 누구나 공직 내 성희롱 또는 성폭력 발생 사실을 알게 된 경우 그 사실을 임용권자 또는 임용제청권자(이하 '임용권자등')에게 신고할 수 있다.

② 임용권자등은 ①에 따른 신고를 받거나 공직 내 성희롱 또는 성폭력 발생 사실을 알게 된 경우 그 사실 확인을 위해 조사할 수 있으며, 수사의 필요성이 인정되면 수사기관에 통보하여야 한다.

③ 임용권자등은 ②에 따른 조사기간 동안 피해자등이 요청한 경우로서 피해자등을 보호하기 위하여 필요하다고 인정하는 경우 그 피해자등이나 성희롱 또는 성폭력과 관련하여 가해행위를 했다고 신고된 사람에 대하여 근무 장소의 변경, 휴가 사용 권고 등 적절한 조치를 하여야 한다.

④ 임용권자등은 ②에 따른 조사 결과 공직 내 성희롱 또는 성폭력 발생 사실이 확인되면 피해자의 의사에 반(反)하지 않는 한, 피해자에게 공무원임용령 제41조에 따른 교육훈련 등 파견근무 조치를 할 수 있다.

**정답 및 해설 I ②**

② [×] ③ [○] 그 사실 확인을 위한 조사를 '하여야 한다'.

대통령령 성희롱·성폭력 근절을 위한 공무원 인사관리규정 제4조【사실 확인을 위한 조사】① 임용권자등은 제3조에 따른 신고를 받거나 공직 내 성희롱 또는 성폭력 발생 사실을 알게 된 경우에는 지체 없이 그 사실 확인을 위한 조사를 하여야 하며, 수사의 필요성이 있다고 인정하는 경우 수사기관에 통보하여야 한다.
② 임용권자등은 제1항에 따른 조사 과정에서 성희롱 또는 성폭력과 관련하여 피해를 입은 사람 또는 피해를 입었다고 주장하는 사람(이하 "피해자등"이라 한다)이 성적 불쾌감 등을 느끼지 아니하도록 하고, 사건 내용이나 신상 정보의 누설 등으로 인한 피해가 발생하지 아니하도록 하여야 한다.
③ 임용권자등은 제1항에 따른 조사 기간 동안 피해자등이 요청한 경우로서 피해자등을 보호하기 위하여 필요하다고 인정하는 경우 그 피해자등이나 성희롱 또는 성폭력과 관련하여 가해 행위를 했다고 신고된 사람에 대하여 근무 장소의 변경, 휴가 사용 권고 등 적절한 조치를 하여야 한다.

① [○]

대통령령 성희롱·성폭력 근절을 위한 공무원 인사관리규정 제3조【성희롱·성폭력 발생 사실의 신고】행정부 소속 국가공무원(이하 "공무원"이라 한다)은 누구나 공직 내 성희롱 또는 성폭력 발생 사실을 알게 된 경우 그 사실을 임용권자 또는 임용제청권자(이하 "임용권자등"이라 한다)에게 신고할 수 있다.

④ [○]

대통령령 성희롱·성폭력 근절을 위한 공무원 인사관리규정 제5조【피해자 또는 신고자의 보호】① 임용권자등은 제4조 제1항에 따른 조사 결과 공직 내 성희롱 또는 성폭력 발생 사실이 확인되면 피해자에게 다음 각 호의 어느 하나에 해당하는 조치를 할 수 있다. 다만, 임용권자등은 피해자의 의사에 반(反)하여 조치를 하여서는 아니 된다.
1. 「공무원임용령」 제41조에 따른 교육훈련 등 파견근무
2. 「공무원임용령」 제45조에도 불구하고 다른 직위에의 전보
3. 근무 장소의 변경, 휴가 사용 권고 및 그 밖에 임용권자등이 필요하다고 인정하는 적절한 조치

## 02 처분사유설명서 교부

## 03 후임자 보충발령의 유예

## 04 소청

**148** '국가공무원법'상 소청심사위원회의 설치를 설명한 것으로 다음 보기 중 옳은 것은 모두 몇 개인가?

[2016 지능범죄]

> ㉠ 행정기관 소속 공무원의 징계처분, 그 밖에 의사에 반하는 불리한 처분이나 부작위에 대한 소청을 심사 · 결정하게 하기 위하여 인사혁신처에 소청심사위원회를 둔다.
> ㉡ 국회, 법원, 헌법재판소 및 선거관리위원회 소속 공무원의 소청에 관한 사항을 심사 · 결정하기 위하여 국회사무처, 법원행정처, 헌법재판소사무처 및 중앙선거관리위원회사무처에 각각 해당 소청심사위원회를 둔다.
> ㉢ 국회사무처, 법원행정처, 헌법재판소사무처 및 중앙선거관리위원회사무처에 설치된 소청심사위원회는 위원장 1명을 포함한 5명 이상 7명 이하의 상임위원으로 구성하고, 인사혁신처에 설치된 소청심사위원회는 위원장 1명을 포함한 5명 이상 7명 이하의 상임위원과 상임위원 수의 2분의 1 이상인 비상임으로 구성하되, 위원장은 정무직으로 보한다.
> ㉣ 소청심사위원회의 조직에 관하여 필요한 사항은 대통령령 등으로 정한다.

① 1개　　② 2개
③ 3개　　④ 4개

**정답 및 해설 I ③**

㉠ [O]

> **국가공무원법 제9조 【소청심사위원회의 설치】** ① 행정기관 소속 공무원의 징계처분, 그 밖에 그 의사에 반하는 불리한 처분이나 부작위에 대한 소청을 심사 · 결정하게 하기 위하여 인사혁신처에 소청심사위원회를 둔다.

㉡ [O] ㉢ [×] 소청심사위원회와 관련하여 '5명 이상 7명 이하'는 인사혁신처 소청심사위원회에서는 상임위원의 숫자이나, 국회 · 법원 · 헌법재판소 · 선거관리위원회 소청심사위원회에서는 비상임위원의 숫자이다.

> **국가공무원법 제9조 【소청심사위원회의 설치】** ② 국회, 법원, 헌법재판소 및 선거관리위원회 소속 공무원의 소청에 관한 사항을 심사 · 결정하게 하기 위하여 국회사무처, 법원행정처, 헌법재판소사무처 및 중앙선거관리위원회사무처에 각각 해당 소청심사위원회를 둔다.
> ③ 국회사무처, 법원행정처, 헌법재판소사무처 및 중앙선거관리위원회사무처에 설치된 소청심사위원회는 위원장 1명을 포함한 위원 5명 이상 7명 이하의 비상임위원으로 구성하고, 인사혁신처에 설치된 소청심사위원회는 위원장 1명을 포함한 5명 이상 7명 이하의 상임위원과 상임위원 수의 2분의 1 이상인 비상임위원으로 구성하되, 위원장은 정무직으로 보한다.

㉣ [O] 대통령령인 인사혁신처와 그 소속기관 직제가 제정되어 있다.

> **국가공무원법 제9조 【소청심사위원회의 설치】** ⑤ 소청심사위원회의 조직에 관하여 필요한 사항은 대통령령등으로 정한다.

**149** 「국가공무원법」의 소청심사위원회 및 소청심사위원회 위원에 대한 설명이다. 아래 ㉠부터 ㉣까지의 설명 중 옳고 그름의 표시(○, ×)가 바르게 된 것은? [2017 승진(경감)]

> ㉠ 행정기관 소속 공무원의 징계처분, 그 밖에 그 의사에 반하는 불리한 처분이나 부작위에 대한 소청을 심사 · 결정하게 하기 위하여 인사혁신처에 소청심사위원회를 둔다.
> ㉡ 인사혁신처에 설치된 소청심사위원회는 위원장 1명을 포함한 5명 이상 7명 이하의 비상임위원과 비상임위원 수의 2분의 1 이상인 상임위원으로 구성한다.
> ㉢ 소청심사위원회가 징계처분 또는 징계부가금 부과처분을 받은 자의 청구에 따라 소청을 심사할 경우에는 원징계처분보다 무거운 징계 또는 원징계부가금 부과처분보다 무거운 징계부가금을 부과하는 결정을 하지 못한다.
> ㉣ 소청심사위원회의 위원은 금고 이상의 형벌이나 장기의 심신 쇠약으로 직무를 수행할 수 없게 된 경우 외에는 본인의 의사에 반하여 면직되지 아니한다.

① ㉠(○) ㉡(×) ㉢(○) ㉣(○)
② ㉠(○) ㉡(×) ㉢(○) ㉣(×)
③ ㉠(×) ㉡(○) ㉢(○) ㉣(×)
④ ㉠(×) ㉡(×) ㉢(×) ㉣(○)

**정답 및 해설 I ①**

㉠ [○]

> **국가공무원법 제9조【소청심사위원회의 설치】** ① 행정기관 소속 공무원의 징계처분, 그 밖에 그 의사에 반하는 불리한 처분이나 부작위에 대한 소청을 심사 · 결정하게 하기 위하여 인사혁신처에 소청심사위원회를 둔다.

㉡ [×] '상임위원'과 '비상임위원'이 서로 바뀌어 있다.

> **국가공무원법 제9조【소청심사위원회의 설치】** ③ … 인사혁신처에 설치된 소청심사위원회는 위원장 1명을 포함한 5명 이상 7명 이하의 상임위원과 상임위원 수의 2분의 1 이상인 비상임위원으로 구성하되, 위원장은 정무직으로 보한다.

㉢ [○] 불이익변경금지원칙에 대한 설명이다.

> **국가공무원법 제14조【소청심사위원회의 결정】** ⑧ 소청심사위원회가 징계처분 또는 징계부가금 부과처분(이하 "징계처분등"이라 한다)을 받은 자의 청구에 따라 소청을 심사할 경우에는 원징계처분보다 무거운 징계 또는 원징계부가금 부과처분보다 무거운 징계부가금을 부과하는 결정을 하지 못한다.

㉣ [○]

> **국가공무원법 제11조【소청심사위원회위원의 신분 보장】** 소청심사위원회의 위원은 금고 이상의 형벌이나 장기의 심신 쇠약으로 직무를 수행할 수 없게 된 경우 외에는 본인의 의사에 반하여 면직되지 아니한다.

**150** 「국가공무원법」상 소청심사위원회에 관한 설명으로 가장 적절한 것은? [2016 승진(경위)]

① 인사혁신처 소속의 소청심사위원회는 5인 이상 7인 이내의 상임위원과 상임위원 수의 2분의 1 이상인 비상임위원으로 구성한다.
② 의결은 재적위원 3분의 2 이상 출석과 재적위원 과반수의 합의에 의한다.
③ 대학에서 행정학, 정치학, 법률학을 담당한 부교수 이상의 직에 3년 이상 근무한 자는 위원이 될 수 있다.
④ 소청심사위원회의 위원은 벌금 이상의 형벌이나 장기의 심신 쇠약으로 직무를 수행할 수 없게 된 경우 외에는 본인의 의사에 반하여 면직되지 아니한다.

**정답 및 해설 I ①**

① [○]

> 국가공무원법 제9조【소청심사위원회의 설치】③ … 인사혁신처에 설치된 소청심사위원회는 위원장 1명을 포함한 5명 이상 7명 이하의 상임위원과 상임위원 수의 2분의 1 이상인 비상임위원으로 구성하되, 위원장은 정무직으로 보한다.

② [×] 의결은 재적위원 3분의 2 이상 출석과 '출석위원' 과반수의 합의에 의한다.

> 국가공무원법 제14조【소청심사위원회의 결정】① 소청 사건의 결정은 재적 위원 3분의 2 이상의 출석과 출석 위원 과반수의 합의에 따르되, 의견이 나뉘어 출석 위원 과반수의 합의에 이르지 못하였을 때에는 과반수에 이를 때까지 소청인에게 가장 불리한 의견에 차례로 유리한 의견을 더하여 그 중 가장 유리한 의견을 합의된 의견으로 본다.
> ② 제1항에도 불구하고 파면 · 해임 · 강등 또는 정직에 해당하는 징계처분을 취소 또는 변경하려는 경우와 효력 유무 또는 존재 여부에 대한 확인을 하려는 경우에는 재적 위원 3분의 2 이상의 출석과 출석 위원 3분의 2 이상의 합의가 있어야 한다. 이 경우 구체적인 결정의 내용은 출석 위원 과반수의 합의에 따르되, 의견이 나뉘어 출석 위원 과반수의 합의에 이르지 못하였을 때에는 과반수에 이를 때까지 소청인에게 가장 불리한 의견에 차례로 유리한 의견을 더하여 그 중 가장 유리한 의견을 합의된 의견으로 본다.

③ [×] 5년 이상 근무한 자가 위원이 될 수 있다.

> 국가공무원법 제10조【소청심사위원회위원의 자격과 임명】① 소청심사위원회의 위원(위원장을 포함한다. 이하 같다)은 다음 각 호의 어느 하나에 해당하고 인사행정에 관한 식견이 풍부한 자 중에서 … 인사혁신처장의 제청으로 … 대통령이 임명한다. 이 경우 인사혁신처장이 위원을 임명제청하는 때에는 국무총리를 거쳐야 하고, 인사혁신처에 설치된 소청심사위원회의 위원 중 비상임위원은 제1호 및 제2호의 어느 하나에 해당하는 자 중에서 임명하여야 한다.
> 1. 법관 · 검사 또는 변호사의 직에 5년 이상 근무한 자
> 2. 대학에서 행정학 · 정치학 또는 법률학을 담당한 부교수 이상의 직에 5년 이상 근무한 자
> 3. 3급 이상 공무원 또는 고위공무원단에 속하는 공무원으로 3년 이상 근무한 자

④ [×] 금고 이상의 형벌이다.

> 국가공무원법 제11조【소청심사위원회위원의 신분 보장】소청심사위원회의 위원은 금고 이상의 형벌이나 장기의 심신 쇠약으로 직무를 수행할 수 없게 된 경우 외에는 본인의 의사에 반하여 면직되지 아니한다.

**151** 「국가공무원법」의 소청심사위원회 및 소청심사위원회 위원에 대한 내용이다. 아래 ㉠부터 ㉣까지의 내용 중 옳고 그름의 표시(○, ×)가 바르게 된 것은? [2018 채용 1차]

> ㉠ 대학에서 행정학, 정치학 또는 법률학을 담당한 부교수 이상의 직에 3년 이상 근무한 자는 위원이 될 수 있다.
> ㉡ 국회사무처, 법원행정처, 헌법재판소사무처 및 중앙선거관리위원회사무처에 설치된 소청심사위원회는 위원장 1명을 포함한 위원 5명 이상 7명 이하의 상임위원으로 구성한다.
> ㉢ 소청 사건의 결정은 재적위원의 2분의 1 이상의 출석과 출석위원 과반수의 합의에 의하여 결정한다.
> ㉣ 소청심사위원회의 위원은 벌금 이상의 형벌이나 장기의 심신 쇠약으로 직무를 수행할 수 없게 된 경우 외에는 본인의 의사에 반하여 면직되지 아니한다.

① ㉠(×) ㉡(×) ㉢(○) ㉣(○)
② ㉠(×) ㉡(○) ㉢(×) ㉣(○)
③ ㉠(○) ㉡(×) ㉢(×) ㉣(×)
④ ㉠(×) ㉡(×) ㉢(×) ㉣(×)

**정답 및 해설 I ④**

㉠ [×] 5년 이상 근무한 자가 위원이 될 수 있다.

> **국가공무원법 제10조【소청심사위원회위원의 자격과 임명】** ① 소청심사위원회의 위원(위원장을 포함한다. 이하 같다)은 다음 각 호의 어느 하나에 해당하고 인사행정에 관한 식견이 풍부한 자 중에서 … **인사혁신처장의 제청**으로 … **대통령이 임명**한다. 이 경우 인사혁신처장이 위원을 임명제청하는 때에는 **국무총리를 거쳐야** 하고, 인사혁신처에 설치된 소청심사위원회의 위원 중 비상임위원은 제1호 및 제2호의 어느 하나에 해당하는 자 중에서 임명하여야 한다.
> 1. **법관 · 검사 또는 변호사**의 직에 5년 이상 근무한 자
> 2. 대학에서 행정학 · 정치학 또는 법률학을 담당한 **부교수 이상의 직에 5년 이상** 근무한 자
> 3. **3급 이상 공무원** 또는 **고위공무원단**에 속하는 공무원으로 **3년 이상** 근무한 자

㉡ [×] 5명 이상 7명 이하의 비상임위원으로 구성한다.

> **국가공무원법 제9조【소청심사위원회의 설치】** ③ 국회사무처, 법원행정처, 헌법재판소사무처 및 중앙선거관리위원회사무처에 설치된 소청심사위원회는 위원장 1명을 포함한 위원 5명 이상 7명 이하의 **비상임위원**으로 구성하고, 인사혁신처에 설치된 소청심사위원회는 위원장 1명을 포함한 5명 이상 7명 이하의 상임위원과 상임위원 수의 2분의 1 이상인 비상임위원으로 구성하되, 위원장은 정무직으로 보한다.

㉢ [×] 재적위원의 3분의 2 이상의 출석이다.

> **국가공무원법 제14조【소청심사위원회의 결정】** ① 소청 사건의 결정은 **재적 위원 3분의 2 이상의 출석과 출석 위원 과반수의 합의**에 따르되, 의견이 나뉘어 출석 위원 과반수의 합의에 이르지 못하였을 때에는 과반수에 이를 때까지 소청인에게 가장 불리한 의견에 차례로 유리한 의견을 더하여 그 중 **가장 유리한 의견을 합의된 의견**으로 본다.
> ② 제1항에도 불구하고 파면 · 해임 · 강등 또는 정직에 해당하는 징계처분을 취소 또는 변경하려는 경우와 효력 유무 또는 존재 여부에 대한 확인을 하려는 경우에는 **재적 위원 3분의 2 이상의 출석과 출석 위원 3분의 2 이상의 합의**가 있어야 한다. 이 경우 구체적인 결정의 내용은 출석 위원 과반수의 합의에 따르되, 의견이 나뉘어 출석 위원 과반수의 합의에 이르지 못하였을 때에는 과반수에 이를 때까지 소청인에게 가장 불리한 의견에 차례로 유리한 의견을 더하여 그 중 가장 유리한 의견을 합의된 의견으로 본다.

㉣ [×] 금고 이상의 형벌이다.

> **국가공무원법 제11조【소청심사위원회위원의 신분 보장】** 소청심사위원회의 위원은 **금고 이상의 형벌**이나 **장기의 심신 쇠약**으로 직무를 수행할 수 없게 된 경우 외에는 본인의 의사에 반하여 면직되지 아니한다.

## 152 다음 보기 중 인사혁신처 소속의 '소청심사위원회'를 설명한 것으로 틀린 것은 모두 몇 개인가?

[2014 채용 1차]

> ㉠ 대학에서 행정학 · 정치학 또는 법률학을 담당한 부교수 이상의 직에 5년 이상 근무한 자는 위원이 될 수 있다.
> ㉡ 위원장 1명을 포함한 5명 이상 7명 이내의 상임위원과 상임위원 수의 2분의 1 이상인 비상임위원으로 구성하되, 위원장은 정무직으로 보한다.
> ㉢ 소청 사건의 결정은 재적위원 3분의 2 이상의 출석과 재적위원 과반수의 합의에 따르되, 의견이 나뉠 경우에는 출석위원 과반수에 이를 때까지 소청인에게 가장 불리한 의견에 차례로 유리한 의견을 더하여 그중 가장 유리한 의견을 합의된 의견으로 본다.
> ㉣ 상임위원의 임기는 3년으로 하며, 연임할 수 없다.
> ㉤ 상임위원은 다른 직무를 겸할 수 없다.

① 1개　② 2개
③ 3개　④ 4개

**정답 및 해설 I ②**

㉠ [O]

> 국가공무원법 제10조【소청심사위원회위원의 자격과 임명】① 소청심사위원회의 위원(위원장을 포함한다. 이하 같다)은 다음 각 호의 어느 하나에 해당하고 인사행정에 관한 식견이 풍부한 자 중에서 … 인사혁신처장의 제청으로 … 대통령이 임명한다. 이 경우 인사혁신처장이 위원을 임명제청하는 때에는 국무총리를 거쳐야 하고, 인사혁신처에 설치된 소청심사위원회의 위원 중 비상임위원은 제1호 및 제2호의 어느 하나에 해당하는 자 중에서 임명하여야 한다.
> 1. 법관 · 검사 또는 변호사의 직에 5년 이상 근무한 자
> 2. 대학에서 행정학 · 정치학 또는 법률학을 담당한 부교수 이상의 직에 5년 이상 근무한 자
> 3. 3급 이상 공무원 또는 고위공무원단에 속하는 공무원으로 3년 이상 근무한 자

㉡ [O]

> 국가공무원법 제9조【소청심사위원회의 설치】③ … 인사혁신처에 설치된 소청심사위원회는 위원장 1명을 포함한 5명 이상 7명 이하의 상임위원과 상임위원 수의 2분의 1 이상인 비상임위원으로 구성하되, 위원장은 정무직으로 보한다.
>
> 대통령령 인사혁신처와 그 소속기관 직제 제23조【소청심사위원회의 구성】① 소청심사위원회는 위원장 1명을 포함한 상임위원 5명과 7명의 비상임위원으로 구성한다

㉢ [×] 재적위원 3분의 2 이상의 출석과 '출석위원' 과반수의 합의에 따른다.

> 국가공무원법 제14조【소청심사위원회의 결정】① 소청 사건의 결정은 재적 위원 3분의 2 이상의 출석과 출석 위원 과반수의 합의에 따르되, 의견이 나뉘어 출석 위원 과반수의 합의에 이르지 못하였을 때에는 과반수에 이를 때까지 소청인에게 가장 불리한 의견에 차례로 유리한 의견을 더하여 그 중 가장 유리한 의견을 합의된 의견으로 본다.
> ② 제1항에도 불구하고 파면 · 해임 · 강등 또는 정직에 해당하는 징계처분을 취소 또는 변경하려는 경우와 효력 유무 또는 존재 여부에 대한 확인을 하려는 경우에는 재적 위원 3분의 2 이상의 출석과 출석 위원 3분의 2 이상의 합의가 있어야 한다. 이 경우 구체적인 결정의 내용은 출석 위원 과반수의 합의에 따르되, 의견이 나뉘어 출석 위원 과반수의 합의에 이르지 못하였을 때에는 과반수에 이를 때까지 소청인에게 가장 불리한 의견에 차례로 유리한 의견을 더하여 그 중 가장 유리한 의견을 합의된 의견으로 본다.

㉣ [×] ㉤ [O] 한 번만 연임할 수 있다.

> 국가공무원법 제10조【소청심사위원회위원의 자격과 임명】② 소청심사위원회의 상임위원의 임기는 3년으로 하며, 한 번만 연임할 수 있다.
> ④ 소청심사위원회의 상임위원은 다른 직무를 겸할 수 없다.
> ⑤ 소청심사위원회의 공무원이 아닌 위원은 「형법」이나 그 밖의 법률에 따른 벌칙을 적용할 때 공무원으로 본다.

## 153 소청심사에 대한 설명으로 가장 적절하지 않은 것은?

[2019 승진(경감)]

① 소청심사란 징계처분 기타 그의 의사에 반하는 불이익처분을 받은 자가 관할 소청심사위원회에 심사를 청구하는 행정심판의 일종이다.

② 경찰공무원이 징계처분 등 불리한 처분을 받았을 때 행정소송은 소청심사위원회의 심사 · 결정을 거치지 아니하면 제기할 수 없다.

③ 소청심사위원회는 소청을 접수하면 지체 없이 심사하여야 하며, 심사할 때 필요하면 검증 · 감정, 그 밖의 사실조사를 하거나 증인을 소환하여 질문하거나 관계 서류를 제출하도록 명할 수 있다.

④ 3급 이상 공무원 또는 고위공무원단에 속하는 공무원으로 3년 이상 근무한 자는 비상임위원이 될 수 있다.

**정답 및 해설 I ④**

④ [×] '3급 이상 공무원 또는 고위공무원단에 속하는 공무원으로 3년 이상 근무한 자(제3호)'의 자격요건은 상임위원에게만 해당한다. 즉, 해당 자격요건으로는 비상임위원은 될 수 없고 상임위원만 가능하다.

> **국가공무원법 제10조【소청심사위원회위원의 자격과 임명】** ① 소청심사위원회의 위원(위원장을 포함한다. 이하 같다)은 다음 각 호의 어느 하나에 해당하고 인사행정에 관한 식견이 풍부한 자 중에서 … **인사혁신처장의 제청으로** … **대통령이 임명한다.** 이 경우 인사혁신처장이 위원을 임명제청하는 때에는 **국무총리를** 거쳐야 하고, 인사혁신처에 설치된 소청심사위원회의 위원 중 비상임위원은 제1호 및 제2호의 어느 하나에 해당하는 자 중에서 임명하여야 한다.
> 1. 법관 · 검사 또는 변호사의 직에 5년 이상 근무한 자
> 2. 대학에서 행정학 · 정치학 또는 법률학을 담당한 부교수 이상의 직에 5년 이상 근무한 자
> 3. 3급 이상 공무원 또는 고위공무원단에 속하는 공무원으로 3년 이상 근무한 자

① [○] 소청제도는 징계처분 기타 그 의사에 반하는 불이익처분에 대한 재심사의 청구라는 점에서 (특별)행정심판의 일종으로, 특별한 규정이 없는 한 소청에도 행정심판법이 적용된다.

② [○]

> **국가공무원법 제16조【행정소송과의 관계】** ① 제75조에 따른 처분, 그 밖에 본인의 의사에 반한 불리한 처분이나 부작위에 관한 행정소송은 소청심사위원회의 심사 · 결정을 거치지 아니하면 제기할 수 없다.

③ [○]

> **국가공무원법 제12조【소청심사위원회의 심사】** ① 소청심사위원회는 이 법에 따른 소청을 접수하면 지체 없이 심사하여야 한다.
> ② 소청심사위원회는 제1항에 따른 심사를 할 때 필요하면 검증 · 감정, 그 밖의 사실조사를 하거나 증인을 소환하여 질문하거나 관계 서류를 제출하도록 명할 수 있다.
> ③ 소청심사위원회가 소청 사건을 심사하기 위하여 징계 요구 기관이나 관계 기관의 소속 공무원을 증인으로 소환하면 해당 기관의 장은 이에 따라야 한다.
> ④ 소청심사위원회는 필요하다고 인정하면 소속 직원에게 사실조사를 하게 하거나 특별한 학식 · 경험이 있는 자에게 검증이나 감정을 의뢰할 수 있다.

## 154 인사혁신처에 설치된 소청심사위원회에 대한 설명으로 가장 적절하지 않은 것은? [2019 승진(경위)]

① 소청심사위원회의 위원은 금고 이상의 형벌이나 장기의 심신 쇠약으로 직무를 수행할 수 없게 된 경우 외에는 본인의 의사에 반하여 면직되지 아니한다.

② 위원장 1명을 포함한 5명 이상 7명 이하의 상임위원과 상임위원 수의 2분의 1 이상인 비상임위원으로 구성되며, 위원은 인사혁신처장의 제청으로 국무총리를 거쳐 대통령이 임명한다.

③ 3급 이상 공무원 또는 고위공무원단에 속하는 공무원으로 3년 이상 근무한 자는 비상임위원은 될 수 있으나, 상임위원은 될 수 없다.

④ 소청심사위원회의 취소명령 또는 변경명령 결정은 그에 따른 징계나 그 밖의 처분이 있을 때까지는 종전에 행한 징계처분에 영향을 미치지 아니한다.

**정답 및 해설 I ③**

③ [×] ② [○] 상임위원은 될 수 있으나, 비상임위원은 될 수 없다.

> 국가공무원법 제9조 【소청심사위원회의 설치】 ③ … 인사혁신처에 설치된 소청심사위원회는 위원장 1명을 포함한 5명 이상 7명 이하의 상임위원과 상임위원 수의 2분의 1 이상인 비상임위원으로 구성하되, 위원장은 정무직으로 보한다.
>
> 국가공무원법 제10조 【소청심사위원회위원의 자격과 임명】 ① 소청심사위원회의 위원(위원장을 포함한다. 이하 같다)은 다음 각 호의 어느 하나에 해당하고 인사행정에 관한 식견이 풍부한 자 중에서 … 인사혁신처장의 제청으로 … 대통령이 임명한다. 이 경우 인사혁신처장이 위원을 임명제청하는 때에는 국무총리를 거쳐야 하고, 인사혁신처에 설치된 소청심사위원회의 위원 중 비상임위원은 제1호 및 제2호의 어느 하나에 해당하는 자 중에서 임명하여야 한다.
> 1. 법관 · 검사 또는 변호사의 직에 5년 이상 근무한 자
> 2. 대학에서 행정학 · 정치학 또는 법률학을 담당한 부교수 이상의 직에 5년 이상 근무한 자
> 3. 3급 이상 공무원 또는 고위공무원단에 속하는 공무원으로 3년 이상 근무한 자

① [○]

> 국가공무원법 제11조 【소청심사위원회위원의 신분 보장】 소청심사위원회의 위원은 금고 이상의 형벌이나 장기의 심신 쇠약으로 직무를 수행할 수 없게 된 경우 외에는 본인의 의사에 반하여 면직되지 아니한다.

④ [○]

> 국가공무원법 제14조 【소청심사위원회의 결정】 ⑦ 소청심사위원회의 취소명령 또는 변경명령 결정은 그에 따른 징계나 그 밖의 처분이 있을 때까지는 종전에 행한 징계처분 또는 제78조의2에 따른 징계부가금(이하 "징계부가금"이라 한다) 부과처분에 영향을 미치지 아니한다.

## 155 경찰공무원의 소청심사에 관한 다음 설명 중 가장 적절하지 않은 것은? [2014 채용 2차]

① 소청심사위원회가 소청 사건을 심사하기 위하여 징계 요구 기관이나 관계 기관의 소속 공무원을 증인으로 소환하면 해당 기관의 장은 이에 따라야 한다.

② 경찰공무원의 소청심사와 행정소송의 관계에 대하여 현행법은 임의적 전치주의를 원칙으로 하고 있다.

③ 소청심사위원회 상임위원의 임기는 3년으로 하며, 한 번만 연임할 수 있다.

④ 소청심사위원회는 국가공무원법에 따른 소청을 접수하면 지체 없이 심사하여야 한다.

**정답 및 해설 I ②**

② [×] 필요적 전치주의를 원칙으로 하고 있다.

> 국가공무원법 제16조 【행정소송과의 관계】 ① 제75조에 따른 처분(➔ 징계처분, 강임 · 휴직 · 직위해제 또는 면직처분), 그 밖에 본인의 의사에 반한 불리한 처분이나 부작위에 관한 행정소송은 소청심사위원회의 심사 · 결정을 거치지 아니하면 제기할 수 없다.

①④ [○]

> 국가공무원법 제12조 【소청심사위원회의 심사】 ① 소청심사위원회는 이 법에 따른 소청을 접수하면 지체 없이 심사하여야 한다.
> ② 소청심사위원회는 제1항에 따른 심사를 할 때 필요하면 검증 · 감정, 그 밖의 사실조사를 하거나 증인을 소환하여 질문하거나 관계 서류를 제출하도록 명할 수 있다.
> ③ 소청심사위원회가 소청 사건을 심사하기 위하여 징계 요구 기관이나 관계 기관의 소속 공무원을 증인으로 소환하면 해당 기관의 장은 이에 따라야 한다.

③ [○]

> 국가공무원법 제10조 【소청심사위원회위원의 자격과 임명】 ② 소청심사위원회의 상임위원의 임기는 3년으로 하며, 한 번만 연임할 수 있다.

## 156 경찰공무원의 권익보장제도에 대한 설명으로 적절한 것을 모두 고른 것은? [2018 승진(경감)]

| |
|---|
| ㉠ 경찰공무원에 대하여 징계처분을 할 때에는 그 처분권자 또는 처분제청권자는 처분사유를 적은 설명서를 교부하여야 한다.<br>㉡ 징계처분으로 처분사유 설명서를 받은 경찰공무원이 그 징계처분에 불복할 때에는 그 설명서를 받은 날부터 30일 이내에 소청심사위원회에 이에 대한 심사를 청구할 수 있다.<br>㉢ 경찰공무원의 권리구제 범위 확대를 위해 징계처분 등 불리한 처분을 받았을 때 소청심사 청구와 행정소송 제기 중 하나를 선택하는 것이 가능하다.<br>㉣ 소청심사위원회는 심사 중 다른 비위사실이 발견되는 등 특단의 사정이 없는 한 원징계처분보다 중한 징계를 부과하는 결정을 할 수 없다. |

① ㉠, ㉡　　② ㉠, ㉢
③ ㉡, ㉣　　④ ㉢, ㉣

**정답 및 해설 | ①**

㉠ [○]

| |
|---|
| **국가공무원법 제75조【처분사유 설명서의 교부】** ① 공무원에 대하여 징계처분등을 할 때나 강임·휴직·직위해제 또는 면직처분을 할 때에는 그 처분권자 또는 처분제청권자는 처분사유를 적은 설명서를 교부하여야 한다. 다만, 본인의 원(願)에 따른 강임·휴직 또는 면직처분은 그러하지 아니하다. |

㉡ [○]

| |
|---|
| **국가공무원법 제76조【심사청구와 후임자 보충 발령】** ① 제75조에 따른 처분사유 설명서를 받은 공무원이 그 처분에 불복할 때에는 그 설명서를 받은 날부터, 공무원이 제75조에서 정한 처분 외에 본인의 의사에 반한 불리한 처분을 받았을 때에는 그 처분이 있은 것을 안 날부터 각각 30일 이내에 소청심사위원회에 이에 대한 심사를 청구할 수 있다. 이 경우 변호사를 대리인으로 선임할 수 있다. |

㉢ [×] 우리나라는 행정심판과 관련하여 원칙적으로 임의적 행정심판전치주의를 취하고 있지만, 예외적으로 소청제도나 운전면허 취소·정지 등 처분에 대한 불복과 같이 개별법에서 필요적 행정심판전치주의를 취하고 있는 경우도 있다. ➜ 반드시 소청심사를 거쳐야만 행정소송 제기가 가능하다.

| |
|---|
| **국가공무원법 제16조【행정소송과의 관계】** ① 제75조에 따른 처분, 그 밖에 본인의 의사에 반한 불리한 처분이나 부작위에 관한 행정소송은 소청심사위원회의 심사·결정을 거치지 아니하면 제기할 수 없다. ➜ 필요적 행정심판전치주의 |

㉣ [×] 소청제도도 행정심판의 일종으로서 행정심판법이 적용될 수 있는데, 행정심판법 제47조 제1항은 "위원회는 심판청구의 대상이 되는 처분 또는 부작위 외의 사항에 대하여는 재결하지 못한다."고 하여 불고불리의 원칙을 선언하고 있다. 따라서 소청심사위원회의 심사 도중 새로운 비위사실이 발견되더라도 이에 대해서 별도의 새로운 징계절차가 개시될 수 있음은 별론으로 하더라도, 당해 소청심사위원회가 원징계처분보다 무거운 징계처분을 할 수는 없다.

| |
|---|
| **행정심판법 제47조【재결의 범위】** ① 위원회는 심판청구의 대상이 되는 처분 또는 부작위 외의 사항에 대하여는 재결하지 못한다.<br>② 위원회는 심판청구의 대상이 되는 처분보다 청구인에게 불리한 재결을 하지 못한다.<br>**국가공무원법 제14조【소청심사위원회의 결정】** ⑧ 소청심사위원회가 징계처분 또는 징계부가금 부과처분(이하 "징계처분등"이라 한다)을 받은 자의 청구에 따라 소청을 심사할 경우에는 원징계처분보다 무거운 징계 또는 원징계부가금 부과처분보다 무거운 징계부가금을 부과하는 결정을 하지 못한다. |

**157** 「국가공무원법」 및 관련 법령에 따를 때, 소청심사와 관련하여 아래 사례에 관한 설명 중 가장 적절하지 않은 것은? [2022 채용 2차]

| |
|---|
| ○○경찰서 소속 지구대에서 근무하는 순경 甲이 법령준수 의무위반 등 각종 비위행위로 인하여 관련 절차를 거쳐 징계권자로부터 해임의 징계처분을 받았다. 이에 순경 甲은 소청심사를 제기하고자 한다. |

① 소청심사위원회는 소청심사 결과 甲의 비위행위의 정도에 비해 해임의 징계처분이 경미하다는 판단에 이르더라도 파면의 징계처분으로 변경하는 결정을 할 수 없다.

② 소청심사위원회에서 해임처분 취소명령결정을 내릴 경우, 그 해임의 징계처분은 소청심사위원회의 결정에 따른 징계나 그 밖의 처분이 있기 전에 당연히 효력을 상실한다.

③ 소청심사위원회에서 해임처분을 취소 또는 변경하고자 할 경우에는 재적 위원 3분의 2 이상의 출석과 출석 위원 3분의 2 이상의 합의가 있어야 한다.

④ 甲이 징계처분사유 설명서를 받은 날부터 30일 이내(甲에게 책임이 없는 사유로 소청심사를 청구할 수 없는 기간은 없다고 전제한다) 소청심사를 제기하지 않은 경우에는 행정소송을 제기할 수 없다.

**정답 및 해설 | ②**

② [×] 소청절차는 특별행정심판의 일종이므로 '**취소결정**'이 있는 경우라면 재결의 형성력에 따라 당초의 해임 징계처분 효력이 당연히 효력을 상실한다고 볼 수 있으나, 취소 '**명령**'결정의 경우 형성력이 아니라 처분청 등에 대한 기속력이 발생할 뿐이므로 당초 해임 징계처분이 당연히 효력을 상실하는 것이 아니다. 즉 기속력에 따라 처분청이 당초 해임 징계처분을 실제 취소하여야 효력을 상실하는 것이다.

| |
|---|
| **국가공무원법 제14조【소청심사위원회의 결정】** ⑦ 소청심사위원회의 취소명령 또는 변경명령 결정은 그에 따른 징계나 그 밖의 처분이 있을 때까지는 종전에 행한 징계처분 또는 제78조의2에 따른 징계부가금(이하 "징계부가금"이라 한다) 부과처분에 영향을 미치지 아니한다. |

① [○]

| |
|---|
| **국가공무원법 제14조【소청심사위원회의 결정】** ⑧ 소청심사위원회가 징계처분 또는 징계부가금 부과처분(이하 "징계처분등"이라 한다)을 받은 자의 청구에 따라 소청을 심사할 경우에는 원징계처분보다 무거운 징계 또는 원징계부가금 부과처분보다 무거운 징계부가금을 부과하는 결정을 하지 못한다. |

③ [○]

| |
|---|
| **국가공무원법 제14조【소청심사위원회의 결정】** ② 제1항에도 불구하고 파면 · 해임 · 강등 또는 정직에 해당하는 징계처분을 취소 또는 변경하려는 경우와 효력 유무 또는 존재 여부에 대한 확인을 하려는 경우에는 **재적 위원 3분의 2 이상의 출석과 출석 위원 3분의 2 이상의 합의**가 있어야 한다. 이 경우 구체적인 결정의 내용은 출석 위원 과반수의 합의에 따르되, 의견이 나뉘어 출석 위원 과반수의 합의에 이르지 못하였을 때에는 과반수에 이를 때까지 소청인에게 가장 불리한 의견에 차례로 유리한 의견을 더하여 그 중 가장 유리한 의견을 합의된 의견으로 본다. |

④ [○]

| |
|---|
| **국가공무원법 제76조【심사청구와 후임자 보충 발령】** ① 제75조에 따른 처분사유 설명서를 받은 공무원이 그 처분에 불복할 때에는 **그 설명서를 받은 날부터**, 공무원이 제75조에서 정한 처분 외에 본인의 의사에 반한 불리한 처분을 받았을 때에는 그 처분이 있은 것을 안 날부터 각각 **30일 이내에** 소청심사위원회에 이에 대한 심사를 청구할 수 있다. 이 경우 변호사를 대리인으로 선임할 수 있다. |

# 제3절 I 경찰관 직무집행법

## 주제 1 경찰관의 기본적 직무

**158** 「경찰관 직무집행법」에 대한 설명으로 가장 적절하지 않은 것은? [2022 승진]

① 국민의 자유와 권리 및 모든 개인이 가지는 불가침의 기본적 인권을 보호하고 사회공공의 질서를 유지하기 위한 경찰관의 직무 수행에 필요한 사항을 규정함을 목적으로 한다.

② 경찰관은 범죄행위가 목전에 행하여 지려고 하고 있다고 인정될 때에는 이를 예방하기 위하여 관계인에게 필요한 경고를 할 수 있다.

③ 경찰관이 위험방지를 위한 출입할 때에는 그 신분을 표시하는 증표의 제시의무는 없다.

④ 경찰관은 위험한 사태가 발생하여 사람의 생명 · 신체 또는 재산에 대한 위해가 임박한 때에 그 위해를 방지하거나 피해자를 구조하기 위하여 부득이하다고 인정하면 합리적으로 판단하여 필요한 한도에서 다른 사람의 토지 · 건물 · 배 또는 차에 출입할 수 있다.

**정답 및 해설 I ③**

③ [×] 그 신분을 표시하는 증표를 제시하여야 한다.

> 경찰관 직무집행법 제7조 **【위험 방지를 위한 출입】** ④ 경찰관은 제1항부터 제3항까지의 규정에 따라 필요한 장소에 출입할 때에는 그 신분을 표시하는 증표를 제시하여야 하며, 함부로 관계인이 하는 정당한 업무를 방해해서는 아니 된다.

① [○]

> 경찰관 직무집행법 제1조 **【목적】** ① 이 법은 국민의 자유와 권리 및 모든 개인이 가지는 불가침의 기본적 인권을 보호하고 사회공공의 질서를 유지하기 위한 경찰관(경찰공무원만 해당한다. 이하 같다)의 직무 수행에 필요한 사항을 규정함을 목적으로 한다.

② [○]

> 경찰관 직무집행법 제6조 **【범죄의 예방과 제지】** 경찰관은 범죄행위가 목전에 행하여지려고 하고 있다고 인정될 때에는 이를 예방하기 위하여 관계인에게 필요한 경고를 하고, 그 행위로 인하여 사람의 생명 · 신체에 위해를 끼치거나 재산에 중대한 손해를 끼칠 우려가 있는 긴급한 경우에는 그 행위를 제지할 수 있다.

④ [○]

> 경찰관 직무집행법 제7조 **【위험 방지를 위한 출입】** ① 경찰관은 제5조 제1항 · 제2항 및 제6조에 따른 위험한 사태가 발생하여 사람의 생명 · 신체 또는 재산에 대한 위해가 임박한 때에 그 위해를 방지하거나 피해자를 구조하기 위하여 부득이하다고 인정하면 합리적으로 판단하여 필요한 한도에서 다른 사람의 토지 · 건물 · 배 또는 차에 출입할 수 있다.

## 159 「경찰관 직무집행법」에 관한 다음 설명 중 옳지 않은 것은 모두 몇 개인가? [2014 채용 2차]

> ㉠ 국민의 자유와 권리 및 모든 개인이 가지는 불가침의 기본적 인권을 보호하고 사회공공의 질서를 유지하기 위한 경찰관(경찰공무원만 해당한다. 이하 같다)의 직무 수행에 필요한 사항을 규정함을 목적으로 한다.
> ㉡ 제2조 제3호에는 경비, 주요 인사 경호 및 대간첩 · 대테러 작전 수행을 직무범위로 규정하고 있다.
> ㉢ 경찰공무원은 직무 수행을 위하여 필요하면 무기를 휴대할 수 있다고 규정하고 있다.
> ㉣ 경찰관서의 장은 대간첩 작전의 수행이나 소요사태의 진압을 위하여 필요하다고 인정되는 상당한 이유가 있을 때에는 대간첩 작전지역이나 경찰관서 · 무기고 등 국가중요시설에 대한 접근 또는 통행을 제한하거나 금지하여야 한다.
> ㉤ 이 법에 규정된 경찰관의 직권은 그 직무 수행에 필요한 최소한도에서 행사되어야 하며 남용되어서는 아니 된다는 비례의 원칙을 규정하고 있다.

① 1개 ② 2개
③ 3개 ④ 4개

**정답 및 해설 | ②**

㉠㉤ [○]

> **경찰관 직무집행법 제1조【목적】** ① 이 법은 국민의 자유와 권리 및 모든 개인이 가지는 불가침의 기본적 인권을 보호하고 사회공공의 질서를 유지하기 위한 경찰관(경찰공무원만 해당한다. 이하 같다)의 직무 수행에 필요한 사항을 규정함을 목적으로 한다.
> ② 이 법에 규정된 경찰관의 직권은 **그 직무 수행에 필요한 최소한도**에서 행사되어야 하며 남용되어서는 아니 된다. ➜ 비례의 원칙 명문화!

㉡ [○]

> **경찰관 직무집행법 제2조【직무의 범위】** 경찰관은 다음 각 호의 직무를 수행한다.
> 1. 국민의 생명 · 신체 및 재산의 보호
> 2. 범죄의 예방 · 진압 및 수사
> 2의2. 범죄피해자 보호
> 3. 경비, 주요 인사 경호 및 대간첩 · 대테러 작전 수행
> 4. 공공안녕에 대한 위험의 예방과 대응을 위한 정보의 수집 · 작성 및 배포
> 5. 교통 단속과 교통 위해의 방지
> 6. 외국 정부기관 및 국제기구와의 국제협력
> 7. 그 밖에 공공의 안녕과 질서 유지

㉢ [×] 무기 휴대는 경찰공무원법에, 무기 사용은 경찰관 직무집행법에 규정되어 있다.

> **경찰공무원법 제26조【복제 및 무기 휴대】** ② 경찰공무원은 직무 수행을 위하여 필요하면 무기를 휴대할 수 있다.
> **경찰관 직무집행법 제10조의4【무기의 사용】** ① 경찰관은 범인의 체포, 범인의 도주 방지, 자신이나 다른 사람의 생명 · 신체의 방어 및 보호, 공무집행에 대한 항거의 제지를 위하여 필요하다고 인정되는 상당한 이유가 있을 때에는 그 사태를 합리적으로 판단하여 필요한 한도에서 무기를 사용할 수 있다.

㉣ [×] 금지할 수 있다.

> **경찰관 직무집행법 제5조【위험 발생의 방지 등】** ② 경찰관서의 장은 대간첩 작전의 수행이나 소요사태의 진압을 위하여 필요하다고 인정되는 상당한 이유가 있을 때에는 대간첩 작전지역이나 경찰관서 · 무기고 등 **국가중요시설에 대한 접근 또는** 통행을 제한하거나 금지할 수 있다.

## 주제 2 경찰관의 직무수행 수단 1 - 일반적 강제수단(즉시강제)

**160** 「경찰관 직무집행법」상 불심검문에 대한 설명으로 틀린 것은 모두 몇 개인가? [2015 채용 3차]

㉠ 경찰관은 수상한 행동이나 그 밖의 주위 사정을 합리적으로 판단하여 볼 때 어떠한 죄를 범하였거나 범하려 하고 있다고 의심할 만한 상당한 이유가 있는 사람을 정지시켜 질문하여야 한다.
㉡ 경찰관은 이미 행하여진 범죄나 행하여지려고 하는 범죄행위에 관한 사실을 안다고 인정되는 사람을 정지시켜 질문할 수 있다.
㉢ 경찰관은 불심검문 대상자를 정지시킨 장소에서 질문을 하는 것이 그 사람에게 불리하거나 교통에 방해가 된다고 인정될 때에는 질문을 하기 위하여 가까운 경찰관서로 동행할 것을 요구할 수 있다. 이 경우 동행을 요구받은 사람은 그 요구를 거절할 수 없다.
㉣ 경찰관은 불심검문 대상자에게 질문을 할 때에 그 사람이 흉기를 가지고 있는지를 조사하여야 한다.

① 1개
② 2개
③ 3개
④ 4개

**정답 및 해설 | ③**

㉠ [×] 질문할 수 있다. / ㉡ [○]

**경찰관 직무집행법 제3조【불심검문】** ① 경찰관은 다음 각 호의 어느 하나에 해당하는 사람을 정지시켜 질문할 수 있다.
1. 수상한 행동이나 그 밖의 주위 사정을 합리적으로 판단하여 볼 때 어떠한 죄를 범하였거나 범하려 하고 있다고 의심할 만한 상당한 이유가 있는 사람
2. 이미 행하여진 범죄나 행하여지려고 하는 범죄행위에 관한 사실을 안다고 인정되는 사람

㉢ [×] 거절할 수 있다.

**경찰관 직무집행법 제3조【불심검문】** ② 경찰관은 제1항에 따라 같은 항 각 호의 사람을 정지시킨 장소에서 질문을 하는 것이 그 사람에게 불리하거나 교통에 방해가 된다고 인정될 때에는 질문을 하기 위하여 가까운 경찰서 · 지구대 · 파출소 또는 출장소(지방해양경찰관서를 포함하며, 이하 "경찰관서"라 한다)로 동행할 것을 요구할 수 있다. 이 경우 동행을 요구받은 사람은 그 요구를 거절할 수 있다.

㉣ [×] 조사할 수 있다.

**경찰관 직무집행법 제3조【불심검문】** ③ 경찰관은 제1항 각 호의 어느 하나에 해당하는 사람에게 질문을 할 때에 그 사람이 흉기를 가지고 있는지를 조사할 수 있다.

**161** 「경찰관 직무집행법」상 불심검문에 관한 다음 설명 중 가장 적절하지 않은 것은? [2015 채용 2차]

① 경찰관은 불심검문시 그 장소에서 질문을 하는 것이 그 사람에게 불리하거나 교통에 방해가 된다고 인정될 때에는 질문을 하기 위하여 가까운 경찰관서로 동행할 것을 요구할 수 있다. 이 경우 동행을 요구받은 사람은 그 요구를 거절할 수 있다.

② 경찰관은 질문을 하거나 동행을 요구할 경우 자신의 신분을 표시하는 증표를 제시하면서 소속과 성명을 밝히고 질문이나 동행의 목적과 이유를 설명하여야 하며, 동행을 요구하는 경우에는 동행 장소를 밝혀야 한다.

③ 질문을 받거나 동행을 요구받은 사람은 형사소송에 관한 법률에 따르지 아니하고는 신체를 구속당하지 아니하며, 그 의사에 반하여 답변을 강요당하지 아니한다.

④ 경찰관은 동행한 사람의 가족이나 친지 등에게 동행한 경찰관의 신분, 동행 장소, 동행 목적과 이유를 알리거나 본인으로 하여금 즉시 연락할 수 있는 기회를 주어야 하나, 변호인의 도움을 받을 권리가 있음을 알릴 필요는 없다.

**정답 및 해설 | ④**

④ [×] 변호인의 도움을 받을 권리가 있음을 알려야 한다.

> **경찰관 직무집행법 제3조【불심검문】** ⑤ 경찰관은 제2항에 따라 동행한 사람의 가족이나 친지 등에게 동행한 경찰관의 신분, 동행 장소, 동행 목적과 이유를 알리거나 본인으로 하여금 즉시 연락할 수 있는 기회를 주어야 하며, 변호인의 도움을 받을 권리가 있음을 알려야 한다.

① [○]

> **경찰관 직무집행법 제3조【불심검문】** ② 경찰관은 제1항에 따라 같은 항 각 호의 사람을 정지시킨 장소에서 질문을 하는 것이 그 사람에게 불리하거나 교통에 방해가 된다고 인정될 때에는 질문을 하기 위하여 가까운 경찰서 · 지구대 · 파출소 또는 출장소(지방해양경찰관서를 포함하며, 이하 "경찰관서"라 한다)로 동행할 것을 요구할 수 있다. 이 경우 동행을 요구받은 사람은 그 요구를 거절할 수 있다.

② [○]

> **경찰관 직무집행법 제3조【불심검문】** ④ 경찰관은 제1항이나 제2항에 따라 질문을 하거나 동행을 요구할 경우 자신의 신분을 표시하는 증표를 제시하면서 소속과 성명을 밝히고 질문이나 동행의 목적과 이유를 설명하여야 하며, 동행을 요구하는 경우에는 동행 장소를 밝혀야 한다.

③ [○] 단, 피의자로서 신문하는 것은 아니므로 진술거부권의 고지의무는 없다.

> **경찰관 직무집행법 제3조【불심검문】** ⑦ 제1항부터 제3항까지의 규정에 따라 질문을 받거나 동행을 요구받은 사람은 형사소송에 관한 법률에 따르지 아니하고는 신체를 구속당하지 아니하며, 그 의사에 반하여 답변을 강요당하지 아니한다.

**162** 「경찰관 직무집행법」상 불심검문에 대한 설명으로 가장 적절한 것은? [2019 채용 1차]

① 경찰관은 상대방의 신원확인이 불가능하거나 교통에 방해된다고 인정될 때에는 임의동행을 요구할 수 있다.

② 경찰관은 임의동행한 사람의 가족이나 친지 등에게 동행한 경찰관의 신분, 동행 장소, 동행 목적과 이유를 알리거나 본인으로 하여금 즉시 연락할 수 있는 기회를 주어야 하며, 변호인의 도움을 받을 권리가 있음을 알려야 한다.

③ 경찰관은 질문을 하거나 임의동행을 요구할 경우 자신의 신분을 표시하는 증표를 제시하면서 소속과 성명을 밝혀야 한다. 이때 증표는 경찰공무원증뿐만 아니라 흉장도 포함된다.

④ 경찰관이 불심검문시 흉기 조사뿐 아니라, 흉기 이외의 일반소지품 조사도 할 수 있다고 규정하고 있다.

**정답 및 해설 I ②**

② [○]

> **경찰관 직무집행법 제3조【불심검문】** ⑤ 경찰관은 제2항에 따라 동행한 사람의 가족이나 친지 등에게 동행한 경찰관의 신분, 동행 장소, 동행 목적과 이유를 알리거나 본인으로 하여금 즉시 연락할 수 있는 기회를 주어야 하며, 변호인의 도움을 받을 권리가 있음을 알려야 한다.

① [×] 신원확인 불가능은 동행요구가 가능한 경우가 아니다.

> **경찰관 직무집행법 제3조【불심검문】** ② 경찰관은 제1항에 따라 같은 항 각 호의 사람을 정지시킨 장소에서 질문을 하는 것이 그 사람에게 불리하거나 교통에 방해가 된다고 인정될 때에는 질문을 하기 위하여 가까운 경찰서 · 지구대 · 파출소 또는 출장소(지방해양경찰관서를 포함하며, 이하 "경찰관서"라 한다)로 동행할 것을 요구할 수 있다. 이 경우 동행을 요구받은 사람은 그 요구를 거절할 수 있다.

③ [×] 흉장은 신분표시 증표로 규정되어 있지 않다.

> 대통령령 **경찰관 직무집행법 시행령 제5조【신분을 표시하는 증표】** 법 제3조 제4항 및 법 제7조 제4항의 신분을 표시하는 증표는 경찰공무원의 공무원증으로 한다.

④ [×] 흉기 외 일반소지품에 대해서는 규정이 없다.

> **경찰관 직무집행법 제3조【불심검문】** ③ 경찰관은 제1항 각 호의 어느 하나에 해당하는 사람에게 질문을 할 때에 그 사람이 흉기를 가지고 있는지를 조사할 수 있다.

**163** 「경찰관 직무집행법」상 불심검문에 대한 설명으로 가장 적절하지 않은 것은? (다툼이 있는 경우 판례에 의함) [2023 경간]

① 미리 입수된 용의자에 대한 인상착의와 일부 일치되지 않는 부분이 있다고 하더라도 그것만으로 경찰관이 불심검문 대상자로 삼은 조치가 위법하다고 볼 수 없다.

② 경찰관은 불심검문 대상자에게 질문을 하기 위하여 범행의 경중, 범행과의 관련성, 상황의 긴박성, 혐의의 정도, 질문의 필요성 등에 비추어 목적 달성에 필요한 최소한의 범위 내에서 사회통념상 용인될 수 있는 상당한 방법으로 대상자를 정지시킬 수 있고 질문에 수반하여 흉기의 소지 여부도 조사할 수 있다.

③ 경찰관이 신분증을 제시하지 않고 불심검문을 하였으나, 검문하는 사람이 경찰관이고 검문하는 이유가 범죄행위에 관한 것임을 피고인이 알고 있었던 경우, 그 불심검문이 위법한 공무집행이라고 할 수 없다.

④ 경찰관이 불심검문 대상자 해당 여부를 판단할 때에는 불심검문 당시의 구체적 상황은 물론 사전에 얻은 정보나 전문적 지식 등에 기초하여 불심검문 대상자인지를 객관적 · 합리적인 기준에 따라 판단하여야 하며, 불심검문 대상자에게 「형사소송법」에 의한 체포나 구속에 이를 정도의 혐의가 있을 것을 요한다.

**정답 및 해설 I ④**

④ [×] 체포나 구속에 이를 정도의 혐의가 있을 것을 요하지는 않는다.

> **요지판례 I**
>
> ■ 경찰관이 경찰관 직무집행법 제3조 제1항에 규정된 대상자(이하 '불심검문 대상자'라 한다) 해당 여부를 판단할 때에는 불심검문 당시의 구체적 상황은 물론 사전에 얻은 정보나 전문적 지식 등에 기초하여 불심검문 대상자인지를 객관적 · 합리적인 기준에 따라 판단하여야 하나, 반드시 불심검문 대상자에게 **형사소송법상 체포나 구속에 이를 정도의 혐의가** 있을 것을 요한다고 할 수는 없다(대판 2014.2.27, 2011도13999).

① [○]

**요지판례 |**

■ 경찰관들이 피고인을 불심검문 대상자로 삼은 조치는 피고인에 대한 불심검문 당시의 구체적 상황과 자신들의 사전 지식 및 경험칙에 기초하여 객관적 · 합리적 판단과정을 거쳐 이루어진 것으로서, 가사 피고인의 인상착의가 미리 입수된 용의자에 대한 인상착의와 일부 일치하지 않는 부분이 있다고 하더라도 그것만으로 경찰관들이 피고인을 불심검문 대상자로 삼은 조치가 위법하다고 볼 수는 없다(대판 2014.2.27, 2011도13999).

② [○]

**요지판례 |**

■ 경찰관은 불심검문 대상자에게 질문을 하기 위하여 범행의 경중, 범행과의 관련성, 상황의 긴박성, 혐의의 정도, 질문의 필요성 등에 비추어 목적 달성에 필요한 최소한의 범위 내에서 사회통념상 용인될 수 있는 상당한 방법으로 대상자를 정지시킬 수 있고 질문에 수반하여 흉기의 소지 여부도 조사할 수 있다(대판 2014.2.27, 2011도13999).

③ [○]

**요지판례 |**

■ 불심검문을 하게 된 경위, 불심검문 당시의 현장상황과 검문을 하는 경찰관들의 복장, 피고인이 공무원증 제시나 신분 확인을 요구하였는지 여부 등을 종합적으로 고려하여, 검문하는 사람이 경찰관이고 검문하는 이유가 범죄행위에 관한 것임을 피고인이 충분히 알고 있었다고 보이는 경우에는 신분증을 제시하지 않았다고 하여 그 불심검문이 위법한 공무집행이라고 할 수 없다(대판 2014.12.11, 2014도7976).

## 164 「경찰관 직무집행법」에 관한 설명으로 가장 적절하지 않은 것은? (다툼이 있는 경우 판례에 의함)

[2024 1차 채용]

① 경찰관이 불심검문 대상자 해당 여부를 판단할 때에는 불심검문 당시의 구체적 상황은 물론 사전에 얻은 정보나 전문적 지식 등에 기초하여 불심검문 대상자인지를 객관적 · 합리적인 기준에 따라 판단하여야 하나, 반드시 불심검문 대상자에게 「형사소송법」상 체포나 구속에 이를 정도의 혐의가 있을 것을 요한다고 할 수는 없다.

② 술에 취한 상태로 인하여 자기 또는 타인의 생명 · 신체와 재산에 위해를 미칠 우려가 있는 피구호자에 대한 보호조치는 경찰 행정상 즉시강제에 해당하므로, 그 조치가 불가피한 최소한도 내에서만 행사되도록 발동 · 행사 요건을 신중하고 엄격하게 해석하여야 한다.

③ 경찰관의 경고나 제지는 범죄행위가 목전에 행하여지려고 하고 있다고 인정될 때에 이를 예방하기 위하여 이루어지는 조치로서, 범죄행위가 계속되는 중 그 진압을 위해서는 행하여질 수 없다.

④ 경찰관은 「경범죄 처벌법」상 경범죄에 해당하는 행위에 대해서도 필요한 경우 제지할 수 있다.

**정답 및 해설 | ③**

③ [×] 범죄행위 계속 중 그 진압을 위해서도 가능하다는 것이 판례의 입장이다.

**요지판례 |**

■ 경찰관 직무집행법 제6조 제1항에 규정된 경찰관의 경고나 제지는 그 문언과 같이 범죄의 예방을 위하여 범죄행위에 관한 실행의 착수 전에 행하여질 수 있을 뿐만 아니라, 이후 범죄행위가 계속되는 중에 그 진압을 위하여도 당연히 행하여질 수 있다고 보아야 한다(대판 2013.9.26, 2013도643). ➜ 공사현장 출입구 앞 도로 한복판을 점거하고 공사차량의 출입을 방해하던 피고인의 팔과 다리를 잡고 도로 밖으로 옮기려고 한 경찰관의 행위를 적법한 공무집행으로 보고 경찰관의 팔을 물어뜯은 피고인에 대한 공무집행방해 및 상해의 공소사실을 모두 유죄로 인정한 사례

① [○] **요지판례 |**

■ 경찰관이 불심검문 대상자 해당 여부를 판단할 때에는 불심검문 당시의 구체적 상황은 물론 사전에 얻은 정보나 전문적 지식 등에 기초하여 불심검문 대상자인지를 객관적 · 합리적인 기준에 따라 판단하여야 하나, 반드시 불심검문 대상자에게 형사소송법상 체포나 구속에 이를 정도의 혐의가 있을 것을 요한다고 할 수는 없다(대판 2014.2.27, 2011도13999).

② [○] **요지판례 |**

■ 경찰관 직무집행법 제4조 제1항 제1호(이하 '이 사건 조항'이라 한다)에서 규정하는 술에 취한 상태로 인하여 자기 또는 타인의 생명 · 신체와 재산에 위해를 미칠 우려가 있는 **피구호자에 대한 보호조치는 경찰 행정상 즉시강제에 해당**하므로, 그 조치가 불가피한 최소한도 내에서만 행사되도록 발동 · 행사 요건을 신중하고 엄격하게 해석하여야 한다(대판 2012.12.13, 2012도11162).

④ [○] **요지판례 |**

■ 주거지에서 음악 소리를 크게 내거나 큰 소리로 떠들어 이웃을 시끄럽게 하는 행위는 경범죄 처벌법 제3조 제1항 제21호에서 경범죄로 정한 '인근소란 등'에 해당한다. 경찰관은 경찰관 직무집행법에 따라 경범죄에 해당하는 행위를 예방 · 진압 · 수사하고, 필요한 경우 제지할 수 있다(대판 2018.12.13, 2016도19417).

**165** 「경찰관 직무집행법」 제3조에 규정된 불심검문에 관한 설명 중 옳고 그름의 표시(○, ×)가 바르게 된 것은? [2024 승진]

> ㉠ 경찰관은 수상한 행동이나 그 밖의 주위 사정을 합리적으로 판단하여 볼 때 어떠한 죄를 범하였거나 범하려 하고 있다고 의심할 만한 상당한 이유가 있는 사람을 정지시켜 질문하여야 한다.
> ㉡ 불심검문을 하던 중 정지시킨 장소에서 질문하는 것이 그 사람에게 불리하거나 교통에 방해가 된다고 인정될 때에는 질문을 하기 위하여 가까운 경찰서 · 지구대 · 파출소 또는 출장소(지방해양경찰관서 포함)로 동행할 것을 요구할 수 있다.
> ㉢ 경찰관은 동행한 사람의 가족이나 친지 등에게 동행한 경찰관의 신분, 동행장소, 동행목적과 이유를 알리거나 본인으로 하여금 즉시 연락할 수 있는 기회를 주어야 하나, 변호인의 도움을 받을 권리가 있음을 알릴 필요는 없다.
> ㉣ 경찰관은 불심검문 대상자를 임의동행한 경우 동행한 사람을 6시간을 초과하여 경찰관서에 머물게 할 수 없다.

① ㉠(○) ㉡(○) ㉢(×) ㉣(×)
② ㉠(×) ㉡(○) ㉢(○) ㉣(○)
③ ㉠(○) ㉡(×) ㉢(○) ㉣(×)
④ ㉠(×) ㉡(○) ㉢(×) ㉣(○)

**정답 및 해설 | ④**

㉠ [×] 경찰관 직무집행법상 경찰관에게 부여된 표준조치 권한은 항상 경찰관의 재량사항으로 되어 있다.

> 경찰관 직무집행법 제3조 **【불심검문】** ① 경찰관은 다음 각 호의 어느 하나에 해당하는 사람을 정지시켜 질문할 수 있다.
> 1. 수상한 행동이나 그 밖의 주위 사정을 합리적으로 판단하여 볼 때 어떠한 죄를 범하였거나 범하려 하고 있다고 의심할 만한 상당한 이유가 있는 사람
> 2. 이미 행하여진 범죄나 행하여지려고 하는 범죄행위에 관한 사실을 안다고 인정되는 사람

㉡ [O]

> **경찰관 직무집행법 제3조【불심검문】** ② 경찰관은 제1항에 따라 같은 항 각 호의 사람을 정지시킨 장소에서 질문을 하는 것이 그 사람에게 불리하거나 교통에 방해가 된다고 인정될 때에는 질문을 하기 위하여 가까운 경찰서 · 지구대 · 파출소 또는 출장소(지방해양경찰관서를 포함하며, 이하 "경찰관서"라 한다)로 동행할 것을 요구할 수 있다. 이 경우 동행을 요구받은 사람은 그 요구를 거절할 수 있다.

㉢ [×] 임의동행시 변호인의 도움을 받을 권리가 있음은 알려야 한다. ➜ 진술거부권 고지의무는 없음!

> **경찰관 직무집행법 제3조【불심검문】** ⑤ 경찰관은 제2항에 따라 동행한 사람의 가족이나 친지 등에게 동행한 경찰관의 신분, 동행 장소, 동행 목적과 이유를 알리거나 본인으로 하여금 즉시 연락할 수 있는 기회를 주어야 하며, 변호인의 도움을 받을 권리가 있음을 알려야 한다.

㉣ [O]

> **경찰관 직무집행법 제3조【불심검문】** ⑥ 경찰관은 제2항에 따라 동행한 사람을 6시간을 초과하여 경찰관서에 머물게 할 수 없다.

## 166 '경찰관 직무집행법'상 불심검문에 대한 다음 설명 중 옳지 않은 것은 모두 몇 개인가? [2017 경간]

> ㉠ 경찰관은 거동불심자를 정지시켜 질문을 할 때에 그 사람이 흉기를 가지고 있는지 여부를 조사할 수 있다.
> ㉡ 경찰관은 거동불심자를 정지시켜 질문을 할 때에 미리 진술거부권이 있음을 상대방에게 고지하여야 한다.
> ㉢ 경찰관은 불심검문시 거동불심자를 정지시킨 장소에서 질문하는 것이 그 사람에게 불리하거나 교통에 방해가 된다고 인정될 때에는 질문을 하기 위하여 가까운 경찰관서로 동행할 것을 요구할 수 있다.
> ㉣ 거동불심자에 대한 동행요구시 당해인은 그 요구를 거절할 수 있으나, 이러한 내용이 '경찰관 직무집행법'에 규정되어 있는 것은 아니다.
> ㉤ 경찰관은 동행한 사람의 가족이나 친지 등에게 동행한 경찰관의 신분, 동행 장소, 동행 목적과 이유를 알리거나 본인으로 하여금 즉시 연락할 수 있는 기회를 주어야 하지만, 변호인의 도움을 받을 권리가 있음을 알릴 필요는 없다.

① 0개 ② 1개 ③ 2개 ④ 3개

**정답 및 해설 I ④**

㉠ [O]

> **경찰관 직무집행법 제3조【불심검문】** ③ 경찰관은 제1항 각 호의 어느 하나에 해당하는 사람에게 질문을 할 때에 그 사람이 흉기를 가지고 있는지를 조사할 수 있다.

㉡ [×] 답변을 강요당하지는 않으나, 불심검문 과정에서의 질문은 거동불심자를 피의자로서 신문하는 것이 아니므로 진술거부권 고지의무는 없다고 본다.

> **경찰관 직무집행법 제3조【불심검문】** ⑦ 제1항부터 제3항까지의 규정에 따라 질문을 받거나 동행을 요구받은 사람은 형사소송에 관한 법률에 따르지 아니하고는 신체를 구속당하지 아니하며, 그 의사에 반하여 답변을 강요당하지 아니한다.

㉢ [O] ㉣ [×] 임의동행 요구에 대해 거절이 가능함은 경찰관 직무집행법에 명시되어 있다.

> **경찰관 직무집행법 제3조【불심검문】** ② 경찰관은 제1항에 따라 같은 항 각 호의 사람을 정지시킨 장소에서 질문을 하는 것이 그 사람에게 불리하거나 교통에 방해가 된다고 인정될 때에는 질문을 하기 위하여 가까운 경찰서 · 지구대 · 파출소 또는 출장소(지방해양경찰관서를 포함하며, 이하 "경찰관서"라 한다)로 동행할 것을 요구할 수 있다. 이 경우 동행을 요구받은 사람은 그 요구를 거절할 수 있다.

㉤ [×] 변호인의 도움을 받을 권리가 있음을 알려야 한다.

> **경찰관 직무집행법 제3조【불심검문】** ⑤ 경찰관은 제2항에 따라 동행한 사람의 가족이나 친지 등에게 동행한 경찰관의 신분, 동행 장소, 동행 목적과 이유를 알리거나 본인으로 하여금 즉시 연락할 수 있는 기회를 주어야 하며, 변호인의 도움을 받을 권리가 있음을 알려야 한다.

## 167 「경찰관 직무집행법」상 불심검문에 대한 설명으로 적절한 것은 모두 몇 개인가? (다툼이 있는 경우 판례에 따름)

[2022 경간]

> 가. 경찰관은 동행한 사람의 가족이나 친지 등에게 동행한 경찰관의 신분, 동행 장소, 동행 목적과 이유를 알리거나 다른 사람으로 하여금 즉시 연락할 수 있는 기회를 주어야 하며, 변호인의 도움을 받을 권리가 있음을 알려야 한다.
> 나. 검문하는 사람이 경찰관이고 검문하는 이유가 범죄행위에 관한 것임을 충분히 알고 있었다고 보이는 경우에 신분증을 제시하지 않았다 하더라도 그 불심검문을 위법한 공무집행이라고 할 수 없다.
> 다. 경찰관은 불심검문시 그 장소에서 질문을 하는 것이 그 사람에게 불리하거나 교통에 방해가 된다고 인정될 때에는 질문을 하기 위하여 가까운 경찰청 · 경찰서 · 지구대 · 파출소 또는 출장소(해양경찰관서 미포함)로 동행할 것을 요구할 수 있다. 이 경우 동행을 요구받은 사람은 그 요구를 거절할 수 있다.
> 라. 경찰관은 질문을 하거나 동행을 요구할 경우 자신의 신분을 표시하는 증표를 제시하면서 소속과 성명을 밝히고 질문이나 동행의 목적과 이유를 설명할 수 있으며, 동행을 요구하는 경우에는 동행 장소를 밝힐 수 있다.

① 0개　② 1개
③ 2개　④ 3개

**정답 및 해설 | ②**

가. [×] 경찰관이 직접 알리지 않고 알릴 기회를 주는 경우에는, '다른 사람'이 아니라 '본인으로 하여금' 즉시 연락할 수 있는 기회를 주어야 한다.

> **경찰관 직무집행법 제3조【불심검문】** ⑤ 경찰관은 제2항에 따라 동행한 사람의 가족이나 친지 등에게 동행한 경찰관의 신분, 동행 장소, 동행 목적과 이유를 알리거나 본인으로 하여금 즉시 연락할 수 있는 기회를 주어야 하며, 변호인의 도움을 받을 권리가 있음을 알려야 한다.

나. [○]

> **요지판례 |**
> ■ 불심검문 당시의 현장상황과 검문을 하는 경찰관들의 복장, 피고인이 공무원증 제시나 신분 확인을 요구하였는지 여부 등을 종합적으로 고려하여, 검문하는 사람이 경찰관이고 검문하는 이유가 범죄행위에 관한 것임을 피고인이 충분히 알고 있었다고 보이는 경우에는 신분증을 제시하지 않았다고 하여 그 불심검문이 위법한 공무집행이라고 할 수 없다(대판 2014.12.11, 2014도7976).

다. [×] 임의동행이 가능한 경찰관서에 '청'은 포함되지 않는다(경찰청, 시 · 도경찰청 미포함). 한편, 해양경찰관서는 포함된다.

> **경찰관 직무집행법 제3조【불심검문】** ② 경찰관은 제1항에 따라 같은 항 각 호의 사람을 정지시킨 장소에서 질문을 하는 것이 그 사람에게 불리하거나 교통에 방해가 된다고 인정될 때에는 질문을 하기 위하여 가까운 경찰서 · 지구대 · 파출소 또는 출장소(지방해양경찰관서를 포함하며, 이하 "경찰관서"라 한다)로 동행할 것을 요구할 수 있다. 이 경우 동행을 요구받은 사람은 그 요구를 거절할 수 있다.

라. [×] 이유를 설명하여야 하며, 동행을 요구하는 경우에는 동행 장소를 밝혀야 한다.

> **경찰관 직무집행법 제3조【불심검문】** ④ 경찰관은 제1항이나 제2항에 따라 질문을 하거나 동행을 요구할 경우 자신의 신분을 표시하는 증표를 제시하면서 소속과 성명을 밝히고 질문이나 동행의 목적과 이유를 설명하여야 하며, 동행을 요구하는 경우에는 동행 장소를 밝혀야 한다.

**168** 「경찰관 직무집행법」에 대한 설명으로 가장 적절하지 않은 것은? [2020 승진(경감)]

① 동법에 규정된 경찰관의 직권은 그 직무 수행에 필요한 최소한도에서 행사되어야 하며 남용되어서는 아니 된다.

② 제2조 직무 범위에서는 범죄피해자 보호도 경찰의 직무로 규정하고 있다.

③ 경찰관은 수상한 행동이나 그 밖의 주위 사정을 합리적으로 판단하여 볼 때 어떠한 죄를 범하였거나 범하려 하고 있다고 의심할 만한 상당한 이유가 있는 사람을 정지시켜 질문할 수 있다.

④ 최근 「경찰관 직무집행법」 개정(2019.6.25. 시행)을 통해 불심검문시 제복을 착용한 경찰관의 신분증명을 면제하는 규정이 신설되었다.

**정답 및 해설 I ④**

④ [×] 이러한 내용의 개정은 이루어 진 바 없다. 대법원 판례 중 일정한 경우 경찰관이 신분증을 제시하지 않더라도 위법한 공무집행이 아니라고 본 것이 있다.

> **경찰관 직무집행법 제3조【불심검문】** ④ 경찰관은 제1항이나 제2항에 따라 질문을 하거나 동행을 요구할 경우 자신의 신분을 표시하는 증표를 제시하면서 소속과 성명을 밝히고 질문이나 동행의 목적과 이유를 설명하여야 하며, 동행을 요구하는 경우에는 동행 장소를 밝혀야 한다.

> **요지판례 I**
> ■ 불심검문 당시의 현장상황과 검문을 하는 경찰관들의 복장, 피고인이 공무원증 제시나 신분 확인을 요구하였는지 여부 등을 종합적으로 고려하여, 검문하는 사람이 경찰관이고 검문하는 이유가 범죄행위에 관한 것임을 피고인이 충분히 알고 있었다고 보이는 경우에는 **신분증을 제시하지 않았다고 하여 그 불심검문이 위법한 공무집행이라고 할 수 없다**(대판 2014.12.11, 2014도7976).

① [○]

> **경찰관 직무집행법 제1조【목적】** ② 이 법에 규정된 경찰관의 직권은 **그 직무 수행에 필요한 최소한도**에서 행사되어야 하며 남용되어서는 아니 된다.

② [○]

> **경찰관 직무집행법 제2조【직무의 범위】** 경찰관은 다음 각 호의 직무를 수행한다.
> 2의2. 범죄피해자 보호

③ [○]

> **경찰관 직무집행법 제3조【불심검문】** ① 경찰관은 다음 각 호의 어느 하나에 해당하는 사람을 **정지시켜 질문**할 수 있다.
> 1. 수상한 행동이나 그 밖의 주위 사정을 합리적으로 판단하여 볼 때 **어떠한 죄를 범하였거나 범하려 하고 있다고** 의심할 만한 상당한 이유가 있는 사람
> 2. 이미 행하여진 범죄나 행하여지려고 하는 **범죄행위에 관한 사실을 안다고** 인정되는 사람

**169** 「경찰관 직무집행법」상 보호조치 등에 관한 설명으로 가장 적절한 것은? [2023 채용 1차]

① 긴급구호를 요청받은 공공보건의료기관이나 공공구호기관은 정당한 이유 없이 긴급구호를 거절할 수 있다.

② 경찰관은 보호조치를 하는 경우에 구호대상자가 휴대하고 있는 무기 · 흉기 등 위험을 일으킬 수 있는 것으로 인정되는 물건을 공공보건의료기관이나 공공구호기관에 임시로 영치하여 놓을 수 있다.

③ 경찰관은 보호조치를 하였을 때에는 지체 없이 구호대상자의 가족, 친지 또는 그 밖의 연고자에게 그 사실을 알려야하며, 연고자가 발견되지 아니할 때에는 구호대상자를 적당한 공공보건의료기관이나 공공구호기관에 즉시 인계하여야한다.

④ 구호대상자를 경찰관서에서 보호하는 기간은 48시간을 초과할 수 없고, 물건을 공공보건의료기관이나 공공구호기관에 임시로영치하는 기간은 10일을 초과할 수 없다.

**정답 및 해설 I ③**

③ [○]

> 경찰관 직무집행법 제4조【보호조치 등】④ 경찰관은 제1항의 조치(➔ 긴급구호 요청이나 경찰관서 보호조치)를 하였을 때에는 지체 없이 구호대상자의 가족, 친지 또는 그 밖의 연고자에게 그 사실을 알려야 하며, 연고자가 발견되지 아니할 때에는 구호대상자를 적당한 공공보건의료기관이나 공공구호기관에 즉시 인계하여야 한다.

① [×] 정당한 이유 없이 긴급구호를 거절할 수 없다.

> 경찰관 직무집행법 제4조【보호조치 등】② 제1항에 따라 긴급구호를 요청받은 보건의료기관이나 공공구호기관은 정당한 이유 없이 긴급구호를 거절할 수 없다.

② [×] 경찰관서에 임시로 영치(領置)하여 놓을 수 있다.

> 경찰관 직무집행법 제4조【보호조치 등】③ 경찰관은 제1항의 조치를 하는 경우에 구호대상자가 휴대하고 있는 무기·흉기 등 위험을 일으킬 수 있는 것으로 인정되는 물건을 경찰관서에 임시로 영치하여 놓을 수 있다.

④ [×] 구호대상자를 보호하는 기간은 24시간을 초과할 수 없다.

> 경찰관 직무집행법 제4조【보호조치 등】⑦ 제1항에 따라 구호대상자를 경찰관서에서 보호하는 기간은 24시간을 초과할 수 없고, 제3항에 따라 물건을 경찰관서에 임시로 영치하는 기간은 10일을 초과할 수 없다.

## 170 「경찰관 직무집행법」상 보호조치에 대한 설명으로 가장 적절한 것은? [2018 채용 3차]

① 긴급구호를 요청받은 보건의료기관 또는 공공구호기관은 정당한 이유 없이 긴급구호를 거절할 수 없다고 명시되어 있다.

② 긴급구호나 보호조치의 경우 24시간 이내에 구호대상자의 가족들에게 연락해 주어야 한다.

③ 자살기도자에 대하여는 경찰관서에 6시간 이내 보호가 가능하다.

④ 임시영치기간은 10일을 초과할 수 없으며, 법적 성질은 대인적 즉시강제이다.

**정답 및 해설 I ①**

① [○]

> 경찰관 직무집행법 제4조【보호조치 등】② 제1항에 따라 긴급구호를 요청받은 보건의료기관이나 공공구호기관은 정당한 이유 없이 긴급구호를 거절할 수 없다.

② [×] 지체 없이 연락해 주어야 한다.

> 경찰관 직무집행법 제4조【보호조치 등】④ 경찰관은 제1항의 조치(➔ 긴급구호 요청이나 경찰관서 보호조치)를 하였을 때에는 지체 없이 구호대상자의 가족, 친지 또는 그 밖의 연고자에게 그 사실을 알려야 하며, 연고자가 발견되지 아니할 때에는 구호대상자를 적당한 공공보건의료기관이나 공공구호기관에 즉시 인계하여야 한다.

③ [×] 24시간을 초과할 수 없다.

> 경찰관 직무집행법 제4조【보호조치 등】① 경찰관은 수상한 행동이나 그 밖의 주위 사정을 합리적으로 판단해 볼 때 다음 각 호의 어느 하나에 해당하는 것이 명백하고 응급구호가 필요하다고 믿을 만한 상당한 이유가 있는 사람(이하 "구호대상자"라 한다)을 발견하였을 때에는 보건의료기관이나 공공구호기관에 **긴급구호를 요청**하거나 **경찰관서에 보호하는** 등 적절한 조치를 할 수 있다.
> 2. 자살을 시도하는 사람
> ⑦ 제1항에 따라 구호대상자를 경찰관서에서 보호하는 기간은 **24시간을 초과할 수 없고**, 제3항에 따라 물건을 경찰관서에 임시로 영치하는 기간은 10일을 초과할 수 없다.
>
> 경찰관 직무집행법 제3조【불심검문】⑥ 경찰관은 제2항에 따라 동행한 사람을 6시간을 초과하여 경찰관서에 머물게 할 수 없다.

④ [×] 임시영치의 법적 성질은 대물적 즉시강제이다.

**171** 다음은 「경찰관 직무집행법」 제4조 보호조치를 설명한 것이다. 가장 적절한 것은? [2014 채용 1차]

① 경찰관은 수상한 행동이나 그 밖의 주위의 사정을 합리적으로 판단하여 보호조치대상자에 해당함이 명백하며 응급의 구호를 요한다고 믿을 만한 상당한 이유가 있는 자를 발견한 때에는 보건의료기관 또는 공공구호기관에 긴급구호를 요청하거나 경찰관서에 보호하는 등 적당한 조치를 하여야 한다.

② 경찰관이 보호조치를 한 때에는 지체 없이 이를 구호대상자의 가족 · 친지 기타 연고자에게 그 사실을 통지하여야 하며, 연고자가 발견되지 아니할 때에는 구호대상자를 적당한 공공보건의료기관이나 공공구호기관에 즉시 인계하여야 한다.

③ 경찰관서에서의 보호조치는 12시간을 초과할 수 없다.

④ 미아 · 병자 · 부상자 등으로서 적당한 보호자가 없으며 응급의 구호를 요한다고 인정되면 당해인이 거절하더라도 보호조치가 가능하다.

**정답 및 해설 | ②**

② [○]

> **경찰관 직무집행법 제4조【보호조치 등】** ④ 경찰관은 제1항의 조치(➜ 긴급구호 요청이나 경찰관서 보호조치)를 하였을 때에는 지체 없이 구호대상자의 가족, 친지 또는 그 밖의 연고자에게 그 사실을 알려야 하며, 연고자가 발견되지 아니할 때에는 구호대상자를 적당한 공공보건의료기관이나 공공구호기관에 즉시 인계하여야 한다.

① [×] 조치를 할 수 있다. / ④ [×] 미아 · 병자 · 부상자는 구호를 거절할 수 있고 이 경우에는 보호조치를 할 수 없다.

> **경찰관 직무집행법 제4조【보호조치 등】** ① 경찰관은 수상한 행동이나 그 밖의 주위 사정을 합리적으로 판단해 볼 때 다음 각 호의 어느 하나에 해당하는 것이 명백하고 응급구호가 필요하다고 믿을 만한 상당한 이유가 있는 사람(이하 "구호대상자"라 한다)을 발견하였을 때에는 보건의료기관이나 공공구호기관에 긴급구호를 요청하거나 경찰관서에 보호하는 등 적절한 조치를 할 수 있다.
> 1. 정신착란을 일으키거나 술에 취하여 자신 또는 다른 사람의 생명 · 신체 · 재산에 위해를 끼칠 우려가 있는 사람
> 2. 자살을 시도하는 사람
> 3. 미아, 병자, 부상자 등으로서 적당한 보호자가 없으며 응급구호가 필요하다고 인정되는 사람. 다만, 본인이 구호를 거절하는 경우는 제외한다.

③ [×] 24시간을 초과할 수 없다.

> **경찰관 직무집행법 제4조【보호조치 등】** ⑦ 제1항에 따라 구호대상자를 경찰관서에서 보호하는 기간은 24시간을 초과할 수 없고, 제3항에 따라 물건을 경찰관서에 임시로 영치하는 기간은 10일을 초과할 수 없다.

**172** 「경찰관 직무집행법」 제4조 보호조치에 대한 설명으로 가장 적절하지 않은 것은? [2018 승진(경위)]

① 경찰관은 정신착란을 일으키거나 술에 취하여 자신 또는 다른 사람의 생명 · 신체 · 재산에 위해를 끼칠 우려가 있는 사람에 해당하는 것이 명백하고 응급구호가 필요하다고 믿을 만한 상당한 이유가 있는 사람을 발견하였을 때에는 보건의료기관이나 공공구호기관에 긴급구호를 요청할 수 있다.

② 경찰관은 적당한 보호자가 없는 미아에 대해 응급구호가 필요하다고 믿을 만한 상당한 이유가 있다면 본인이 구호를 거절하더라도 「경찰관 직무집행법」 제4조의 보호조치를 실시할 수 있다.

③ 경찰관은 자살을 시도하는 것이 명백하고 응급구호가 필요하다고 믿을 만한 상당한 이유가 있다면 본인 동의여부와 관계없이 「경찰관 직무집행법」 제4조의 보호조치를 실시할 수 있다.

④ 경찰관이 보호조치를 하였을 때에는 지체 없이 구호대상자의 가족, 친지 또는 그 밖의 연고자에게 그 사실을 알려야 하며, 연고자가 발견되지 아니할 때에는 구호대상자를 적당한 공공보건의료기관이나 공공구호기관에 즉시 인계하여야 한다.



**정답 및 해설 I ②**

② [×] 미아는 구호를 거절할 수 있고 이 경우에는 보호조치를 할 수 없다. / ①③ [○]

> **경찰관 직무집행법 제4조【보호조치 등】** ① 경찰관은 수상한 행동이나 그 밖의 주위 사정을 합리적으로 판단해 볼 때 다음 각 호의 어느 하나에 해당하는 것이 명백하고 응급구호가 필요하다고 믿을 만한 상당한 이유가 있는 사람(이하 "구호대상자"라 한다)을 발견하였을 때에는 보건의료기관이나 공공구호기관에 긴급구호를 요청하거나 경찰관서에 보호하는 등 적절한 조치를 할 수 있다.
> 1. 정신착란을 일으키거나 술에 취하여 자신 또는 다른 사람의 생명 · 신체 · 재산에 위해를 끼칠 우려가 있는 사람
> 2. 자살을 시도하는 사람
> 3. 미아, 병자, 부상자 등으로서 적당한 보호자가 없으며 응급구호가 필요하다고 인정되는 사람. 다만, 본인이 구호를 거절하는 경우는 제외한다.

④ [○]

> **경찰관 직무집행법 제4조【보호조치 등】** ④ 경찰관은 제1항의 조치(➜ 긴급구호 요청이나 경찰관서 보호조치)를 하였을 때에는 지체 없이 구호대상자의 가족, 친지 또는 그 밖의 연고자에게 그 사실을 알려야 하며, 연고자가 발견되지 아니할 때에는 구호대상자를 적당한 공공보건의료기관이나 공공구호기관에 즉시 인계하여야 한다.

**173** 「경찰관 직무집행법」상 보호조치에 관한 설명으로 가장 적절하지 않은 것은? [2016 승진(경감)]

① 정신착란자 또는 자살기도자를 경찰관서에서 보호하는 기간은 24시간을 초과할 수 없다.

② 보호조치대상자가 소지하고 있는 물건에 대한 임시영치기간은 10일을 초과할 수 없다.

③ 경찰관이 관계기관에 긴급구호를 요청한 경우 관계기관은 정당한 이유 없이 긴급구호를 거절할 수 없다.

④ 경찰관이 긴급구호나 보호조치를 한 경우 24시간 이내에 가족 등에게 그 사실을 알려야 한다.

**정답 및 해설 I ④**

④ [×] 지체 없이 가족 등에게 그 사실을 알려야 한다.

> **경찰관 직무집행법 제4조【보호조치 등】** ④ 경찰관은 제1항의 조치(➜ 긴급구호 요청이나 경찰관서 보호조치)를 하였을 때에는 지체 없이 구호대상자의 가족, 친지 또는 그 밖의 연고자에게 그 사실을 알려야 하며, 연고자가 발견되지 아니할 때에는 구호대상자를 적당한 공공보건의료기관이나 공공구호기관에 즉시 인계하여야 한다.

①② [○]

> **경찰관 직무집행법 제4조【보호조치 등】** ⑦ 제1항에 따라 구호대상자를 경찰관서에서 보호하는 기간은 24시간을 초과할 수 없고, 제3항에 따라 물건을 경찰관서에 임시로 영치하는 기간은 10일을 초과할 수 없다.

③ [○]

> **경찰관 직무집행법 제4조【보호조치 등】** ② 제1항에 따라 긴급구호를 요청받은 보건의료기관이나 공공구호기관은 정당한 이유 없이 긴급구호를 거절할 수 없다.

**174** 「경찰관 직무집행법」상 보호조치에 대한 설명으로 가장 적절하지 않은 것은? (다툼이 있는 경우 판례에 의함)

[2023 경간]

① 「경찰관 직무집행법」에서 규정하는 술에 취한 상태로 인하여 자기 또는 타인의 생명 · 신체와 재산에 위해를 미칠 우려가 있는 피구호자에 대한 보호조치는 경찰 행정상 즉시강제에 해당한다.

② 술에 취한 상태란 피구호자가 술에 만취하여 정상적인 판단능력이나 의사능력을 상실할 정도에 이른 것을 말하지 않는다.

③ 경찰공무원이 보호조치된 운전자에 대하여 음주측정을 요구하였다는 이유만으로 음주측정 요구가 당연히 위법하거나 보호조치가 당연히 종료된 것으로 볼 수는 없다.

④ 술에 취한 피구호자의 가족 등에게 인계할 수 있다면 특별한 사정이 없는 한 경찰관서에서 피구호자를 보호하는 것은 허용되지 않는다.

**정답 및 해설 | ②**

② [×] 술에 취한 상태란 피구호자가 술에 만취하여 **정상적인 판단능력이나 의사능력을 상실할 정도에 이른 것을 말한다**

> **요지판례 |**
> ■ 술에 취한 상태란 피구호자가 술에 만취하여 정상적인 판단능력이나 의사능력을 상실할 정도에 이른 것을 말한다(대판 2012.12.13, 2012도11162).

① [○]

> **요지판례 |**
> ■ 경찰관 직무집행법 제4조 제1항 제1호에서 규정하는 술에 취한 상태로 인하여 자기 또는 타인의 생명 · 신체와 재산에 위해를 미칠 우려가 있는 피구호자에 대한 보호조치는 경찰 행정상 즉시강제에 해당하므로, 그 조치가 불가피한 최소한도 내에서만 행사되도록 그 발동 · 행사 요건을 신중하고 엄격하게 해석하여야 한다(대판 2008.11.13, 2007도9794).

③ [○]

> **요지판례 |**
> ■ 경찰공무원은 교통의 안전과 위험방지를 위하여 필요하다고 인정하거나 운전자가 술에 취한 상태에서 자동차 등을 운전하였다고 인정할 만한 상당한 이유가 있고 운전자의 음주운전 여부를 확인하기 위하여 필요한 경우에는 사후의 음주측정에 의하여 음주운전 여부를 확인할 수 없음이 명백하지 않는 한 운전자에 대하여 도로교통법 규정에 의하여 음주측정을 요구할 수 있고, 운전자가 이에 불응한 경우에는 같은 법에 따른 음주측정불응죄가 성립한다. 이와 같은 법리는 운전자가 경찰관 직무집행법 제4조에 따라 보호조치된 사람이라고 하여 달리 볼 것이 아니므로, 경찰공무원이 보호조치된 운전자에 대하여 음주측정을 요구하였다는 이유만으로 음주측정 요구가 당연히 위법하다거나 보호조치가 당연히 종료된 것으로 볼 수는 없다(대판 2012.2.9, 2011도4328).

④ [○]

> **요지판례 |**
> ■ 피구호자의 가족 등에게 피구호자를 인계할 수 있다면 특별한 사정이 없는 한 경찰관서에서 피구호자를 보호하는 것은 허용되지 않는다(대판 2012.12.13, 2012도11162).

**175** 「경찰관 직무집행법」 제4조 보호조치에 대한 설명 중 옳지 않은 것은 모두 몇 개인가? [2020 경간]

> 가. 경찰관이 구호대상자를 경찰관서에 보호조치하는 경우 지체 없이 해당 구호대상자의 가족, 친지 또는 그 밖의 연고자에게 그 사실을 알려야 하며, 연고자가 발견되지 아니할 때에는 구호대상자를 적당한 공공보건의료기관이나 공공구호기관에 즉시 인계하여야 한다.
> 나. 경찰관이 구호대상자를 공공보건의료기관이나 공공구호기관에 인계하였을 때에는 해당 경찰관이 즉시 그 사실을 해당 공공보건의료기관 또는 공공구호기관의 장 및 그 감독행정청에 통보하여야 한다.
> 다. 경찰관이 구호대상자를 경찰관서에 보호조치하는 경우에 구호대상자가 휴대하고 있는 무기·흉기 등 위험을 일으킬 수 있는 것으로 인정되는 물건을 경찰관서에 임시로 영치하여 놓을 수 있다.
> 라. 구호대상자를 경찰관서에서 보호하는 기간은 24시간을 초과할 수 없고, 물건을 경찰관서에 임시로 영치하는 기간은 10일을 초과할 수 없다.
> 마. 경찰관은 자살을 시도하는 것이 명백하고 응급구호가 필요하다고 믿을 만한 상당한 이유가 있는 구호대상자에 대하여 해당 구호대상자의 동의 여부와 관계없이 보호조치를 실시할 수 있다.

① 1개 ② 2개
③ 3개 ④ 4개

**정답 및 해설 I ①**

가. [○] 나. [×] 경찰관은 공공보건의료기관 등에 즉시 인계하고 소속 경찰서장에게 즉시 보고하여야 한다. 경찰서장은 인계된 기관(공공보건의료기관, 공공구호기관)의 장이나 그 감독행정청에 지체 없이 통보하여야 한다.

> **경찰관 직무집행법 제4조【보호조치 등】** ④ 경찰관은 … 연고자가 발견되지 아니할 때에는 구호대상자를 적당한 공공보건의료기관이나 공공구호기관에 즉시 인계하여야 한다.
> ⑤ 경찰관은 제4항에 따라 구호대상자를 공공보건의료기관이나 공공구호기관에 인계하였을 때에는 즉시 그 사실을 소속 경찰서장이나 해양경찰서장에게 보고하여야 한다.
> ⑥ 제5항에 따라 보고를 받은 소속 경찰서장이나 해양경찰서장은 대통령령으로 정하는 바에 따라 구호대상자를 인계한 사실을 지체 없이 해당 공공보건의료기관 또는 공공구호기관의 장 및 그 감독행정청에 통보하여야 한다.

다.라. [○]

> **경찰관 직무집행법 제4조【보호조치 등】** ③ 경찰관은 제1항의 조치를 하는 경우에 구호대상자가 휴대하고 있는 무기·흉기 등 위험을 일으킬 수 있는 것으로 인정되는 물건을 경찰관서에 임시로 영치하여 놓을 수 있다.
> ⑦ 제1항에 따라 구호대상자를 경찰관서에서 보호하는 기간은 24시간을 초과할 수 없고, 제3항에 따라 물건을 경찰관서에 임시로 영치하는 기간은 10일을 초과할 수 없다.

마. [○]

> **경찰관 직무집행법 제4조【보호조치 등】** ① 경찰관은 수상한 행동이나 그 밖의 주위 사정을 합리적으로 판단해 볼 때 다음 각 호의 어느 하나에 해당하는 것이 명백하고 응급구호가 필요하다고 믿을 만한 상당한 이유가 있는 사람(이하 "구호대상자"라 한다)을 발견하였을 때에는 보건의료기관이나 공공구호기관에 긴급구호를 요청하거나 경찰관서에 보호하는 등 적절한 조치를 할 수 있다.
> 1. 정신착란을 일으키거나 술에 취하여 자신 또는 다른 사람의 생명·신체·재산에 위해를 끼칠 우려가 있는 사람
> 2. 자살을 시도하는 사람

**176** 「경찰관 직무집행법」상 보호조치에 대한 설명으로 적절하지 않은 것만을 모두 고른 것은? [2023 경간]

> 가. 경찰관은 적당한 보호자가 없는 부상자에 대해 응급구호가 필요하다고 인정할 만한 사유가 있다면 본인이 구호를 거절하더라도 보호조치를 할 수 있다.
> 나. 경찰관은 보호조치를 하였을 때에는 지체 없이 구호대상자의 가족, 친지 또는 그 밖의 연고자에게 그 사실을 알려야 하며, 연고자가 발견되지 아니할 때에는 구호대상자를 적당한 공공보건의료기관이나 공공구호기관에 즉시 인계할 수 있다.
> 다. 경찰관이 구호대상자를 공공보건의료기관이나 공공구호기관에 인계하였을 때에는 해당 경찰관이 즉시 그 사실을 해당 공공보건의료기관 또는 공공구호기관의 장 및 그 감독행정청에 통보하여야 한다.
> 라. 경찰관은 구호대상자를 발견하였을 때 보건의료기관이나 공공구호기관에 긴급구호를 요청할 수 있고, 긴급구호를 요청받은 기관이 정당한 이유없이 이를 거절하는 경우 「경찰관 직무집행법」에 따라 처벌하도록 규정되어 있다.

① 가, 나 ② 나, 다
③ 나, 다, 라 ④ 가, 나, 다, 라

**정답 및 해설 | ④**

가. [×] 부상자는 임의보호 대상이다.

> **경찰관 직무집행법 제4조【보호조치 등】** ① 경찰관은 수상한 행동이나 그 밖의 주위 사정을 합리적으로 판단해 볼 때 다음 각 호의 어느 하나에 해당하는 것이 명백하고 응급구호가 필요하다고 믿을 만한 상당한 이유가 있는 사람(이하 "구호대상자"라 한다)을 발견하였을 때에는 보건의료기관이나 공공구호기관에 긴급구호를 요청하거나 경찰관서에 보호하는 등 적절한 조치를 할 수 있다.
> 3. 미아, 병자, 부상자 등으로서 적당한 보호자가 없으며 응급구호가 필요하다고 인정되는 사람. 다만, 본인이 구호를 거절하는 경우는 제외한다.

나. [×] 연고자가 발견되지 아니할 때에는 즉시 인계하여야 한다.

> **경찰관 직무집행법 제4조【보호조치 등】** ④ 경찰관은 제1항의 조치(➜ 긴급구호 요청이나 경찰관서 보호조치)를 하였을 때에는 지체 없이 구호대상자의 가족, 친지 또는 그 밖의 연고자에게 그 사실을 알려야 하며, 연고자가 발견되지 아니할 때에는 구호대상자를 적당한 공공보건의료기관이나 공공구호기관에 즉시 인계하여야 한다.

다. [×] 인계와 보고는 경찰관이 하지만, 공공보건의료기관의 장 등에 대한 통보는 소속 경찰서장이 한다.

> **경찰관 직무집행법 제4조【보호조치 등】** ④ 경찰관은 … 연고자가 발견되지 아니할 때에는 구호대상자를 적당한 공공보건의료기관이나 공공구호기관에 즉시 인계하여야 한다.
> ⑤ 경찰관은 제4항에 따라 구호대상자를 공공보건의료기관이나 공공구호기관에 인계하였을 때에는 즉시 그 사실을 소속 경찰서장이나 해양경찰서장에게 보고하여야 한다.
> ⑥ 제5항에 따라 보고를 받은 소속 경찰서장이나 해양경찰서장은 대통령령으로 정하는 바에 따라 구호대상자를 인계한 사실을 지체 없이 해당 공공보건의료기관 또는 공공구호기관의 장 및 그 감독행정청에 통보하여야 한다.

라. [×] 처벌규정은 응급의료에 관한 법률에 규정되어 있다.

> **응급의료에 관한 법률 제6조【응급의료의 거부금지 등】** ② 응급의료종사자는 업무 중에 응급의료를 요청받거나 응급환자를 발견하면 즉시 응급의료를 하여야 하며 정당한 사유 없이 이를 거부하거나 기피하지 못한다.
> **응급의료에 관한 법률 제60조【벌칙】** ③ 다음 각 호의 어느 하나에 해당하는 사람은 3년 이하의 징역 또는 3천만원 이하의 벌금에 처한다.
> 1. 제6조 제2항을 위반하여 응급의료를 거부 또는 기피한 응급의료종사자

## 177 「경찰관 직무집행법」 제4조의 보호조치에 대한 설명으로 가장 적절하지 않은 것은? [2020 채용 2차]

① 경찰관은 정신착란을 일으키거나 술에 취하여 자신 또는 다른 사람의 생명 · 신체 · 재산에 위해를 끼칠 우려가 있음이 명백하고 응급구호가 필요하다고 믿을 만한 상당한 이유가 있든 사람을 발견 하였을 때 보건의료기관이나 공공구호기관에 긴급구호를 요청하거나 경찰관서에 보호할 수 있다.

② 미아 · 병자 · 부상자 등으로서 적당한 보호자가 없으며 응급구호가 필요하다고 인정되는 사람이 구호를 거절하지 않는 경우 경찰관은 보호조치를 할 수 있다.

③ 경찰관은 보호조치를 하였을 때에는 지체 없이 구호대상자의 가족, 친지 또는 그 밖의 연고자에게 그 사실을 알려야 하며, 구호대상자를 경찰관서에서 보호하는 기간은 6시간을 초과할 수 없다.

④ 경찰관은 보호조치를 하는 경우에 구호대상자가 휴대하고 있는 무기 · 흉기 등 위험을 일으킬 수 있는 것으로 인정되는 물건을 경찰관서에 임시로 영치할 수 있다.

**정답 및 해설 | ③**

③ [×] 24시간을 초과할 수 없다.

> **경찰관 직무집행법 제4조 【보호조치 등】** ⑦ 제1항에 따라 구호대상자를 경찰관서에서 보호하는 기간은 24시간을 초과할 수 없고, 제3항에 따라 물건을 경찰관서에 임시로 영치하는 기간은 10일을 초과할 수 없다.

①② [○]

> **경찰관 직무집행법 제4조 【보호조치 등】** ① 경찰관은 수상한 행동이나 그 밖의 주위 사정을 합리적으로 판단해 볼 때 다음 각 호의 어느 하나에 해당하는 것이 명백하고 응급구호가 필요하다고 믿을 만한 상당한 이유가 있는 사람(이하 "구호대상자"라 한다)을 발견하였을 때에는 보건의료기관이나 공공구호기관에 긴급구호를 요청하거나 경찰관서에 보호하는 등 적절한 조치를 할 수 있다. [2018 승진(경위)]
> 1. 정신착란을 일으키거나 술에 취하여 자신 또는 다른 사람의 생명 · 신체 · 재산에 위해를 끼칠 우려가 있는 사람
> 2. 자살을 시도하는 사람
> 3. 미아, 병자, 부상자 등으로서 적당한 보호자가 없으며 응급구호가 필요하다고 인정되는 사람. 다만, 본인이 구호를 거절하는 경우는 제외한다.

④ [○]

> **경찰관 직무집행법 제4조 【보호조치 등】** ③ 경찰관은 제1항의 조치를 하는 경우에 구호대상자가 휴대하고 있는 무기 · 흉기 등 위험을 일으킬 수 있는 것으로 인정되는 물건을 경찰관서에 임시로 영치하여 놓을 수 있다.

## 178 「경찰관 직무집행법」상 보호조치에 대한 설명 중 가장 적절한 것은? [2020 승진(경위)]

① 경찰관은 구호대상자를 발견하였을 때 보건의료기관이나 공공구호기관에 긴급구호를 요청할 수 있고, 긴급구호를 요청받은 기관이 정당한 이유 없이 이를 거절하는 경우 「경찰관 직무집행법」상 이에 대한 처벌규정이 있다.

② 본인이 구호를 거절하더라도 구호대상자 중 미아, 병자, 부상자에 대해 보호조치를 할 수 있다.

③ 경찰관은 보호조치를 하는 경우 구호대상자가 휴대하고 있는 무기 · 흉기 등 위험을 일으킬 수 있는 것으로 인정되는 물건을 임시로 영치할 수 있고, 임시로 영치할 수 있는 기간은 15일을 초과할 수 없다.

④ 경찰관은 보호조치를 하였을 때에는 지체 없이 구호대상자의 가족, 친지 또는 그 밖의 연고자에게 그 사실을 알려야 하고, 구호대상자를 경찰관서에서 보호하는 기간은 24시간을 초과할 수 없다.

**정답 및 해설 | ④**

④ [○]

> **경찰관 직무집행법 제4조 【보호조치 등】** ④ 경찰관은 제1항의 조치(➜ 긴급구호 요청이나 경찰관서 보호조치)를 하였을 때에는 **지체 없이** 구호대상자의 가족, 친지 또는 그 밖의 연고자에게 그 사실을 알려야 하며, 연고자가 발견되지 아니할 때에는 구호대상자를 적당한 공공보건의료기관이나 공공구호기관에 즉시 인계하여야 한다.
> ⑦ 제1항에 따라 구호대상자를 경찰관서에서 보호하는 기간은 **24시간을 초과할 수 없고**, 제3항에 따라 물건을 경찰관서에 임시로 영치하는 기간은 10일을 초과할 수 없다.

① [×] 처벌규정은 응급의료에 관한 법률에 규정되어 있다.

> **응급의료에 관한 법률 제6조 【응급의료의 거부금지 등】** ② 응급의료종사자는 업무 중에 응급의료를 요청받거나 응급환자를 발견하면 즉시 응급의료를 하여야 하며 정당한 사유 없이 이를 거부하거나 기피하지 못한다.
> **응급의료에 관한 법률 제60조 【벌칙】** ③ 다음 각 호의 어느 하나에 해당하는 사람은 3년 이하의 징역 또는 3천만원 이하의 벌금에 처한다.
> 1. 제6조 제2항을 위반하여 응급의료를 거부 또는 기피한 응급의료종사자

② [×] 미아, 병자, 부상자는 본인이 거절하면 보호조치를 할 수 없다.

> **경찰관 직무집행법 제4조 【보호조치 등】** ① 경찰관은 수상한 행동이나 그 밖의 주위 사정을 합리적으로 판단해 볼 때 다음 각 호의 어느 하나에 해당하는 것이 명백하고 응급구호가 필요하다고 믿을 만한 상당한 이유가 있는 사람(이하 "**구호대상자**"라 한다)을 발견하였을 때에는 보건의료기관이나 공공구호기관에 **긴급구호를 요청**하거나 **경찰관서에 보호**하는 등 적절한 조치를 할 수 있다.
> 3. **미아, 병자, 부상자** 등으로서 적당한 보호자가 없으며 응급구호가 필요하다고 인정되는 사람. 다만, 본인이 구호를 거절하는 경우는 제외한다.

③ [×] 임시영치 가능기간은 10일이다.

> **경찰관 직무집행법 제4조 【보호조치 등】** ③ 경찰관은 제1항의 조치를 하는 경우에 구호대상자가 휴대하고 있는 무기 · 흉기 등 위험을 일으킬 수 있는 것으로 인정되는 물건을 경찰관서에 임시로 영치하여 놓을 수 있다.
> ⑦ … 제3항에 따라 물건을 경찰관서에 임시로 영치하는 기간은 **10일을 초과할 수 없다.**

## 179 「경찰관 직무집행법」 제4조 '보호조치' 등에 대한 설명으로 가장 적절한 것은? [2021 승진(실무종합)]

① 경찰관은 자살기도자를 발견하여 경찰관서에 보호할 경우 지체 없이 구호대상자의 가족, 친지 또는 그 밖의 연고자에게 그 사실을 알려야 하며, 연고자가 발견되지 아니할 때에는 구호대상자의 의사와 상관없이 공공보건의료기관이나 공공구호기관에 인계할 수 있다.

② 경찰관은 보호조치 등을 하는 경우에 구호대상자가 휴대하고 있는 무기 · 흉기 등 위험을 일으킬 수 있는 것으로 인정되는 물건을 경찰관서에 임시로 영치(領置)하여 놓을 수 있고, 그 기간은 10일을 초과할 수 없다.

③ 긴급구호요청을 받은 응급의료종사자가 정당한 이유 없이 긴급구호요청을 거절할 경우, 경찰관 직무집행법에 따라 3년 이하의 징역 또는 3천만원 이하의 벌금에 처한다.

④ 보호조치는 경찰관서에서 일시 보호하여 구호의 방법을 강구하는 것으로 경찰관의 재량행위에 해당하기 때문에 국가배상책임이 인정되는 경우는 없다.

**정답 및 해설 | ②**

② [○]

> **경찰관 직무집행법 제4조 【보호조치 등】** ③ 경찰관은 제1항의 조치를 하는 경우에 구호대상자가 휴대하고 있는 무기 · 흉기 등 위험을 일으킬 수 있는 것으로 인정되는 물건을 경찰관서에 임시로 영치하여 놓을 수 있다.
> ⑦ 제1항에 따라 구호대상자를 경찰관서에서 보호하는 기간은 **24시간을 초과할 수 없고**, 제3항에 따라 물건을 경찰관서에 임시로 영치하는 기간은 10일을 초과할 수 없다.

① [×] 인계하여야 한다. 자살기도자가 구호대상자인 경우 그의 의사와 관계없이 보호조치를 할 수 있는 것은 옳다.

**경찰관 직무집행법 제4조【보호조치 등】** ① 경찰관은 수상한 행동이나 그 밖의 주위 사정을 합리적으로 판단해 볼 때 다음 각 호의 어느 하나에 해당하는 것이 명백하고 응급구호가 필요하다고 믿을 만한 상당한 이유가 있는 사람(이하 "**구호대상자**"라 한다)을 발견하였을 때에는 보건의료기관이나 공공구호기관에 **긴급구호를 요청**하거나 **경찰관서에 보호하는** 등 적절한 조치를 할 수 있다.
1. 정신착란을 일으키거나 술에 취하여 자신 또는 다른 사람의 생명 · 신체 · 재산에 위해를 끼칠 우려가 있는 사람
2. 자살을 시도하는 사람
3. **미아, 병자, 부상자** 등으로서 적당한 보호자가 없으며 응급구호가 필요하다고 인정되는 사람. 다만, 본인이 구호를 거절하는 경우는 제외한다.

④ 경찰관은 제1항의 조치(➜ 긴급구호 요청이나 경찰관서 보호조치)를 하였을 때에는 **지체 없이** 구호대상자의 가족, 친지 또는 그 밖의 연고자에게 그 사실을 알려야 하며, 연고자가 발견되지 아니할 때에는 구호대상자를 적당한 공공보건의료기관이나 공공구호기관에 즉시 인계하여야 한다.

③ [×] 경찰관 직무집행법이 아닌, 응급의료에 관한 법률에 따라 처벌된다.

**경찰관 직무집행법 제4조【보호조치 등】** ② 제1항에 따라 긴급구호를 요청받은 보건의료기관이나 공공구호기관은 정당한 이유 없이 긴급구호를 거절할 수 없다.

**응급의료에 관한 법률 제6조【응급의료의 거부금지 등】** ② 응급의료종사자는 업무 중에 응급의료를 요청받거나 응급환자를 발견하면 즉시 응급의료를 하여야 하며 정당한 사유 없이 이를 거부하거나 기피하지 못한다.

**응급의료에 관한 법률 제60조【벌칙】** ③ 다음 각 호의 어느 하나에 해당하는 사람은 3년 이하의 징역 또는 3천만원 이하의 벌금에 처한다.
1. 제6조 제2항을 위반하여 응급의료를 거부 또는 기피한 응급의료종사자

④ [×] 보호조치가 경찰관의 재량행위인 것은 맞지만, 재량이 0으로 수축하는 경우임에도 불구하고 보호조치를 취하지 않는 경우 국가배상책임이 성립할 수도 있다는 것이 판례의 입장이다.

**요지판례 |**

■ 긴급구호권한과 같은 경찰관의 조치권한은 일반적으로 경찰관의 전문적 판단에 기한 합리적인 재량에 위임되어 있는 것이나, 그렇다고 하더라도 구체적 상황하에서 경찰관에게 그러한 조치권한을 부여한 취지와 목적에 비추어 볼 때 **그 불행사가 현저하게 불합리하다고 인정되는 경우에는**, 그러한 불행사는 법령에 위반하는 행위에 해당하게 되어 국가배상법상의 다른 요건이 충족되는 한, 국가는 그로 인하여 피해를 입은 자에 대하여 국가배상책임을 부담한다(대판 1996.10.25, 95다45927).

## 180 「경찰관 직무집행법」 제4조(보호조치 등)에 관한 설명으로 괄호 안의 내용을 가장 적절하게 연결한 것은?

[2023 승진]

경찰관이 보호조치 등을 하였을 때에는 ( ㉠ ) 구호대상자의 가족, 친지 또는 그 밖의 연고자에게 그 사실을 알려야 하며, 연고자가 발견되지 아니할 때에는 구호대상자를 적당한 공공보건의료기관이나 공공구호기관에 즉시 인계하여야 한다. 구호대상자를 경찰관서에서 보호하는 기간은 ( ㉡ )시간을 초과할 수 없고, 물건을 경찰관서에 임시로 영치하는 기간은 ( ㉢ )일을 초과할 수 없다.

① ㉠ 24시간 이내에 ㉡ 12 ㉢ 20
② ㉠ 지체 없이 ㉡ 24 ㉢ 10
③ ㉠ 24시간 이내에 ㉡ 24 ㉢ 10
④ ㉠ 지체 없이 ㉡ 12 ㉢ 20

**정답 및 해설 I ②**

② [○] ㉠ 지체 없이, ㉡ 24, ㉢ 10이 옳은 연결이다.

> 경찰관은 보호조치 등을 하였을 때에는 ㉠ **지체 없이** 구호대상자의 가족, 친지 또는 그 밖의 연고자에게 그 사실을 알려야 하며, 연고자가 발견되지 아니할 때에는 구호대상자를 적당한 공공보건의료기관이나 공공구호기관에 즉시 인계하여야 한다. 구호대상자를 경찰관서에서 보호하는 기간은 ㉡ 24시간을 초과할 수 없고, 물건을 경찰관서에 임시로 영치하는 기간은 ㉢ 10일을 초과할 수 없다.

## 181 「경찰관 직무집행법」 제5조(위험 발생의 방지 등)에 관한 내용 중 가장 적절하지 않은 것은? [2023 승진]

① 경찰관은 위험 발생의 방지 등에 관한 조치 중 매우 긴급한 경우에 위해를 입을 우려가 있는 사람을 필요한 한도에서 억류하거나 피난시킬 수 있다.

② 경찰관은 위험 발생의 방지 등에 관한 조치를 하였을 때에는 지체없이 그 사실을 소속 경찰관서의 장에게 보고하여야 한다.

③ 경찰관서의 장은 대간첩 작전의 수행이나 소요 사태의 진압을 위하여 필요하다고 인정되는 상당한 이유가 있을 때에는 대간첩 작전지역이나 경찰관서 · 무기고 등 다중이용시설에 대한 접근 또는 통행을 제한하거나 금지할 수 있다.

④ 경찰관은 위험한 동물 등의 출현으로 인해 사람의 생명 또는 신체에 위해를 끼치거나 재산에 중대한 손해를 끼칠 우려가 있는 경우 위험 발생 방지 등의 조치를 할 수 있다.

**정답 및 해설 I ③**

③ [×] 다중이용시설이 아니라 국가중요시설이다.

> **경찰관 직무집행법 제5조 【위험 발생의 방지 등】** ② 경찰관서의 장은 대간첩 작전의 수행이나 소요사태의 진압을 위하여 필요하다고 인정되는 상당한 이유가 있을 때에는 대간첩 작전지역이나 경찰관서 · 무기고 등 **국가중요시설**에 대한 접근 또는 통행을 제한하거나 금지할 수 있다.

①②④ [○]

> **경찰관 직무집행법 제5조 【위험 발생의 방지 등】** ① 경찰관은 사람의 생명 또는 신체에 위해를 끼치거나 재산에 중대한 손해를 끼칠 우려가 있는 천재, 사변, 인공구조물의 파손이나 붕괴, 교통사고, 위험물의 폭발, 위험한 동물 등의 출현, 극도의 혼잡, 그 밖의 위험한 사태가 있을 때에는 다음 각 호의 조치를 할 수 있다.
> 2. 매우 긴급한 경우에는 위해를 입을 우려가 있는 사람을 필요한 한도에서 억류하거나 피난시키는 것
> ③ 경찰관은 제1항의 조치를 하였을 때에는 **지체 없이** 그 사실을 소속 경찰관서의 장에게 보고하여야 한다.

**182** 다음은 「경찰관 직무집행법」 제5조 위험 발생의 방지조치를 설명한 것이다. 빈칸의 내용을 가장 적절하게 연결한 것은? [2019 승진(경위)]

> 경찰관은 사람의 생명 또는 신체에 위해를 끼치거나 재산에 중대한 손해를 끼칠 우려가 있는 천재, 사변, 인공구조물의 파손이나 붕괴, 교통사고, 위험물의 폭발, 위험한 동물 등의 출현, 극도의 혼잡, 그 밖의 위험한 사태가 있을 때에는 다음 각 호의 조치를 할 수 있다.
> 1. 그 장소에 모인 사람, 사물의 관리자, 그 밖의 관계인에게 필요한 ( ㉠ )을(를) 하는 것
> 2. 매우 긴급한 경우에는 위해를 입을 우려가 있는 사람을 필요한 한도에서 ( ㉡ )시키는 것
> 3. 그 장소에 있는 사람, 사물의 관리자, 그 밖의 관계인에게 위해를 방지하기 위하여 필요하다고 인정되는 조치를 하게 하거나 ( ㉢ )을(를) 하는 것

| | ㉠ | ㉡ | ㉢ |
|---|---|---|---|
| ① | 경고 | 제지 | 억류하거나 피난 |
| ② | 경고 | 억류하거나 피난 | 직접조치 |
| ③ | 직접조치 | 제지 | 억류하거나 피난 |
| ④ | 직접조치 | 억류하거나 피난 | 경고 |

**정답 및 해설 I ②**

② [○] ㉠ 경고, ㉡ 억류하거나 피난, ㉢ 직접조치

> **경찰관 직무집행법 제5조 【위험 발생의 방지 등】** ① 경찰관은 사람의 생명 또는 신체에 위해를 끼치거나 재산에 중대한 손해를 끼칠 우려가 있는 천재, 사변, 인공구조물의 파손이나 붕괴, 교통사고, 위험물의 폭발, 위험한 동물 등의 출현, 극도의 혼잡, 그 밖의 위험한 사태가 있을 때에는 다음 각 호의 조치를 할 수 있다.
> 1. 그 장소에 모인 사람, 사물의 관리자, 그 밖의 관계인에게 필요한 **경고**를 하는 것
> 2. 매우 긴급한 경우에는 위해를 입을 우려가 있는 사람을 필요한 한도에서 **억류하거나 피난**시키는 것
> 3. 그 장소에 있는 사람, 사물의 관리자, 그 밖의 관계인에게 위해를 방지하기 위하여 필요하다고 인정되는 **조치를 하게 하거나 직접 그 조치를 하는 것**

**183** 「경찰관 직무집행법」에 관한 설명으로 가장 적절한 것은? (다툼이 있는 경우 판례에 의함)

[2023 채용 2차]

① 경찰병력이 행정대집행 직후 "A자동차 희생자 추모와 해고자 복직을 위한 범국민대책위원회"(이하 'A차 대책위'라 함)가 또다시 같은 장소를 점거하고 물건을 다시 비치하는 것을 막기 위해 당해 사건 장소를 미리 둘러싼 뒤 'A차 대책위'가 같은 장소에서 기자회견 명목의 집회를 개최하려는 것을 불허하면서 소극적으로 제지한 것은 범죄행위 예방을 위한 경찰 행정상 즉시강제로서 적법한 공무집행에 해당한다.

② 「아동학대범죄의 처벌 등에 관한 특례법」에 따른 아동학대범죄가 행하여지려고 하거나 행하여지고 있어 타인의 생명 · 신체에 대한 위해발생의 우려가 명백하고 긴급한 상황에서, 경찰관이 그 위해를 예방하거나 진압하기 위한 행위 또는 범인의 검거 과정에서 경찰관을 향한 직접적인 유형력 행사에 대응하는 행위를 하여 그로 인하여 타인에게 피해가 발생한 경우, 그 경찰관의 직무 수행이 불가피한 것이고 필요한 최소한의 범위에서 이루어졌으며 해당 경찰관에게 고의 또는 중대한 과실이 없는 때에는 형을 감경하거나 면제한다.

③ 경찰관은 형사처벌의 대상이 되는 행위가 눈앞에서 막 이루어 지려고 하는 것이 주관적으로 인정될 수 있는 상황이고 그 행위를 당장 제지하지 않으면 곧 인명 · 신체에 중대한 위해를 미치거나 재산에 손해를 끼칠 우려가 있는 상황이어서, 직접 제지하는 방법 외에는 위와 같은 결과를 막을 수 없는 급박한 상태일 때에만 「경찰관 직무집행법」 제6조에 의하여 적법하게 그 행위를 제지할 수 있다.

④ 「경찰관 직무집행법」은 제1조 제2항에서 "경찰관의 직권은 그 직무 수행에 필요한 최소한도에서 행사되어야 하며 남용되어서는 아니 된다."라고 선언하여 경찰비례의 원칙을 명시적으로 규정하고 있는데, 이는 경찰행정 영역에서의 헌법상 과소보호 금지원칙을 표현한 것이다.

**정답 및 해설 I ①**

① [O]

**요지판례 I**

■ 경찰관 직무집행법 제6조 제1항에 따른 경찰관의 제지에 관한 부분은 범죄의 예방을 위한 경찰 행정상 즉시강제, 즉 눈앞의 급박한 경찰상 장해를 제거하여야 할 필요가 있고 의무를 명할 시간적 여유가 없거나 의무를 명하는 방법으로는 그 목적을 달성하기 어려운 상황에서 의무불이행을 전제로 하지 않고 **경찰이 직접 실력을 행사하여 경찰상 필요한 상태를 실현하는 권력적 사실행위에 관한 근거조항**이다(대판 2021.10.14, 2018도2993). ➜ 경찰병력이 행정대집행 직후 대책위가 또다시 같은 장소를 점거하고 물건을 다시 비치하는 것을 막기 위해 농성 장소를 미리 둘러싼 뒤 대책위가 같은 장소에서 기자회견 명목의 집회를 개최하려는 것을 불허하면서 소극적으로 제지한 것은 구 경찰관 직무집행법 제6조 제1항의 범죄행위 예방을 위한 경찰 행정상 즉시강제로서 **적법한 공무집행에 해당**하고, 피고인 등 대책위 관계자들이 이와 같이 직무집행 중인 경찰 병력을 밀치는 등 유형력을 행사한 행위는 **공무집행방해죄에 해당**한다.

② [×] 형을 감경하거나 면제할 수 있다.

**경찰관 직무집행법 제11조의5【직무 수행으로 인한 형의 감면】** 다음 각 호의 범죄가 행하여지려고 하거나 행하여지고 있어 타인의 생명 · 신체에 대한 위해 발생의 우려가 명백하고 긴급한 상황에서, 경찰관이 그 위해를 예방하거나 진압하기 위한 행위 또는 범인의 검거 과정에서 경찰관을 향한 직접적인 유형력 행사에 대응하는 행위를 하여 그로 인하여 타인에게 피해가 발생한 경우, 그 경찰관의 직무수행이 불가피한 것이고 필요한 최소한의 범위에서 이루어졌으며 해당 경찰관에게 고의 또는 중대한 과실이 없는 때에는 그 정상을 참작하여 형을 **감경하거나 면제할 수 있다.**

1. 「형법」 제2편 제24장 살인의 죄, 제25장 **상해와 폭행**의 죄, 제32장 강간과 추행의 죄 중 **강간**에 관한 범죄, 제38장 절도와 강도의 죄 중 강도에 관한 범죄 및 이에 대하여 다른 법률에 따라 가중처벌하는 범죄
2. 「가정폭력범죄의 처벌 등에 관한 특례법」에 따른 **가정폭력범죄**, 「아동학대범죄의 처벌 등에 관한 특례법」에 따른 아동학대범죄

③ [×] 주관적이 아닌, 객관적으로 인정될 수 있는 상황이어야 한다.

**요지판례 |**

■ 경찰관은 형사처벌의 대상이 되는 행위가 눈앞에서 막 이루어지려고 하는 것이 객관적으로 인정될 수 있는 상황이고 그 행위를 당장 제지하지 않으면 곧 인명·신체에 위해를 미치거나 재산에 중대한 손해를 끼칠 우려가 있는 상황이어서, 직접 제지하는 방법 외에는 위와 같은 결과를 막을 수 없는 급박한 상태일 때에만 경찰관 직무집행법 제6조에 의하여 적법하게 그 행위를 제지할 수 있고, 그 범위 내에서만 경찰관의 제지 조치가 적법하다고 평가될 수 있다(대판 2021.11.11, 2018다288631).

④ [×] 경찰비례의 원칙을 명시적으로 규정하고 있는데, 이는 경찰행정 영역에서의 과잉금지원칙(과소보호금지 X)을 표현한 것이다.

**경찰관 직무집행법 제1조【목적】** ② 이 법에 규정된 경찰관의 직권은 그 직무 수행에 필요한 최소한도에서 행사되어야 하며 남용되어서는 아니 된다.



## 184 경찰작용에 대한 판례의 설명으로 가장 적절하지 않은 것은? [2023 경간]

① 경찰관이 구체적 상황에 비추어 인적 및 물적 능력의 범위 내에서 적절한 조치라는 판단에 따라 범죄의 진압 및 수사에 관한 직무를 수행한 경우에는 그러한 직무수행이 객관적 정당성을 상실하여 현저하게 불합리한 것으로 인정되지 않는 한 이를 위법하다고 할 수는 없다.

② 본래 범의를 가지지 아니한 자에 대하여 수사기관이 사술이나 계략 등을 써서 범의를 유발케 하여 범죄인을 검거하는 함정수사는 위법함을 면할 수 없고, 범의를 가진 자에 대하여 단순히 범행의 기회를 제공하는 것에 불과한 경우라도 위법한 함정수사이다.

③ 「경찰관 직무집행법」 제6조 제1항의 '경찰관의 제지에 관한 부분'은 범죄의 예방을 위한 경찰행정상 즉시강제, 즉 눈앞의 급박한 경찰상 장해를 제거하여야 할 필요가 있고 의무를 명할 시간적 여유가 없거나 의무를 명하는 방법으로는 그 목적을 달성하기 어려운 상황에서 의무불이행을 전제로 하지 않고 경찰이 직접 실력을 행사하여 경찰상 필요한 상태를 실현하는 권력적 사실행위에 관한 근거조항이다.

④ 주거지에서 음악 소리를 크게 내거나 큰 소리로 떠들어 이웃을 시끄럽게 하는 행위는 「경범죄 처벌법」 제3조 제1항 제21호에서 경범죄로 정한 '인근소란 등'에 해당하고, 경찰관은 「경찰관 직무집행법」에 따라 경범죄에 해당하는 행위를 예방·진압·수사하고, 필요한 경우 제지할 수 있다.

**정답 및 해설 | ②**

② [×] 범의유발형이 아닌 기회제공형의 함정수사는 위법한 함정수사에 해당하지 않는다.

**요지판례 |**

■ 본래 범의를 가지지 아니한 자에 대하여 수사기관이 사술이나 계략 등을 써서 범의를 유발케 하여 범죄인을 검거하는 함정수사는 위법함을 면할 수 없고, 범의를 가진 자에 대하여 단순히 범행의 기회를 제공하는 것에 불과한 경우라면 위법한 함정수사에 해당하지 않는다(대판 2007.7.12, 2006도2339).

① [○]

**요지판례 |**

■ 범죄의 예방·진압 및 수사는 경찰관의 직무에 해당하며, 그 직무행위의 구체적 내용이나 방법 등이 경찰관의 전문적 판단에 기한 합리적인 재량에 위임되어 있으므로, 경찰관이 구체적 상황하에서 그 인적·물적 능력의 범위 내에서의 적절한 조치라는 판단에 따라 범죄의 진압 및 수사에 관한 직무를 수행한 경우, … 그것이 객관적 정당성을 상실하여 현저하게 불합리하다고 인정되지 않는다면 그와 다른 조치를 취하지 아니한 부작위를 내세워 국가배상책임의 요건인 법령 위반에 해당한다고 할 수 없다(대판 2007.10.25, 2005다23438).

③ [○]

**요지판례 |**

■ 경찰관 직무집행법 제6조는 "경찰관은 범죄행위가 목전에 행하여지려고 하고 있다고 인정될 때에는 이를 예방하기 위하여 관계인에게 필요한 경고를 하고, 그 행위로 인하여 사람의 생명 · 신체에 위해를 끼치거나 재산에 중대한 손해를 끼칠 우려가 있어 긴급한 경우에는 그 행위를 제지할 수 있다."라고 정하고 있다. **위 조항 중 경찰관의 제지에 관한 부분은** 범죄 예방을 위한 경찰 행정상 즉시강제, 즉 눈앞의 급박한 경찰상 장해를 제거할 필요가 있고 의무를 명할 시간적 여유가 없거나 의무를 명하는 방법으로는 그 목적을 달성하기 어려운 상황에서 의무불이행을 전제로 하지 않고 경찰이 직접 실력을 행사하여 경찰상 필요한 상태를 실현하는 권력적 사실행위에 관한 근거조항이다(대판 2018.12.13, 2016도19417).

④ [○]

**요지판례 |**

■ 주거지에서 음악 소리를 크게 내거나 큰 소리로 떠들어 이웃을 시끄럽게 하는 행위는 경범죄 처벌법 제3조 제1항 제21호에서 경범죄로 정한 '인근소란 등'에 해당한다. 경찰관은 경찰관 직무집행법에 따라 경범죄에 해당하는 행위를 예방 · 진압 · 수사하고, 필요한 경우 제지할 수 있다(대판 2018.12.13, 2016도19417).

**185** 다음은 「경찰관 직무집행법」상 범죄의 예방과 제지에 관한 사례이다. 이와 관련한 설명 중 가장 적절한 것은? (다툼이 있는 경우 판례에 의함) [2022 채용 2차]

> 甲은 평소 집에서 심한 고성과 욕설, 시끄러운 음악 소리 등으로 이웃 주민들로부터 수 회에 걸쳐 112신고가 있어 왔던 사람이다. 사건 당일에도 甲이 자정에 가까운 한밤중에 집 안에서 음악을 크게 켜놓고 심한 고성을 지른다는 112신고를 받고 경찰관이 출동하였다. 출동한 경찰관이 인터폰으로 甲에게 문을 열어달라고 하였으나, 甲은 심한 욕설을 할 뿐 출입문을 열어주지 않은 채, 소란행위를 멈추지 않았다. 이에 경찰관들이 甲을 만나기 위해 甲의 집으로 통하는 전기를 일시적으로 차단하여 甲이 집 밖으로 나오도록 유도하였다.

① 「경찰관 직무집행법」상 경찰관의 제지에 관한 부분은 눈앞의 급박한 경찰상 장해를 제거하여야 할 필요가 있고 의무를 명할 시간적 여유가 없거나 의무를 명하는 방법으로는 그 목적을 달성하기 어려운 상황에서 의무이행을 전제로 하지 않고 경찰이 직접 실력을 행사하여 경찰상 필요한 상태를 실현하는 비권력적 사실행위에 관한 근거조항이다.

② 甲의 행위는 「경범죄 처벌법」상 '인근소란 등'에 해당하고 이로 인하여 인근 주민들이 잠을 이루지 못할 수 있으며 출동한 경찰관들을 만나지 않고 소란행위를 지속하고 있으므로, 甲의 행위를 제지하는 것은 경찰관의 직무상 권한이자 의무로 볼 수 있다.

③ 「경찰관 직무집행법」상 경찰관의 제지 조치의 위법 여부는 사후적으로 순수한 객관적 기준에서 판단해야 하고 제지 조치 당시의 구체적 상황을 기초로 판단하는 것은 아니다.

④ 경찰관의 조치는 사람의 생명 · 신체에 위해를 끼치거나 재산에 중대한 손해를 끼칠 우려가 있는 긴급한 경우로 보기는 어려워 즉시강제가 아니라 직접강제의 요건에 부합한다.

**정답 및 해설 | ②**

② [○] 해당 사안에서 판례는 경찰관들의 제지행위가 경찰관 직무집행법 제6조에 따른 권한에 해당함은 물론, 인근 주민의 피해를 예방하기 위한 의무에 해당한다고도 보았다.

> **요지판례 |**
>
> ■ 주거지에서 음악 소리를 크게 내거나 큰 소리로 떠들어 이웃을 시끄럽게 하는 행위는 경범죄 처벌법 제3조 제1항 제21호에서 경범죄로 정한 '인근소란 등'에 해당한다. 경찰관은 경찰관 직무집행법에 따라 경범죄에 해당하는 행위를 예방·진압·수사하고, 필요한 경우 제지할 수 있다. … **경찰관들이 112신고를 받고 출동하여 눈앞에서 벌어지고 있는 범죄행위를 막고 주민들의 피해를 예방하기 위해 피고인을 만나려 하였으나 피고인은 문조차 열어주지 않고 소란행위를 멈추지 않은 상황이라면 피고인의 행위를 제지하고 수사하는 것은 경찰관의 직무상 권한이자 의무라고 볼 수 있다**(대판 2018.12.13, 2016도19417). ➔ 피고인의 집이 소란스럽다는 112신고를 받고 출동한 경찰관 갑, 을이 인터폰으로 문을 열어달라고 하였으나 욕설을 하였고, 경찰관들이 피고인을 만나기 위해 전기차단기를 내리자 화가 나 식칼을 들고 나와 욕설을 하면서 경찰관들을 향해 찌를 듯이 협박함으로써 갑, 을의 112신고 업무 처리에 관한 직무집행을 방해하였다고 하여 특수공무집행방해로 기소된 사안(경찰관들의 공무집행은 적법함을 인정)

①④ [×] 비권력적 사실행위에 관한 근거조항이 아니라 권력적 사실행위에 관한 근거조항이며, 사안의 경우 즉시강제의 요건도 충족한다고 보았다.

> **요지판례 |**
>
> ■ 경찰관 직무집행법 제6조는 "경찰관은 범죄행위가 목전에 행하여지려고 하고 있다고 인정될 때에는 이를 예방하기 위하여 관계인에게 필요한 경고를 하고, 그 행위로 인하여 사람의 생명·신체에 위해를 끼치거나 재산에 중대한 손해를 끼칠 우려가 있어 긴급한 경우에는 그 행위를 제지할 수 있다."라고 정하고 있다. 위 조항 중 **경찰관의 제지에 관한 부분은 범죄 예방을 위한 경찰 행정상 즉시강제, 즉 눈앞의 급박한 경찰상 장해를 제거할 필요가 있고 의무를 명할 시간적 여유가 없거나 의무를 명하는 방법으로는 그 목적을 달성하기 어려운 상황에서 의무불이행을 전제로 하지 않고 경찰이 직접 실력을 행사하여 경찰상 필요한 상태를 실현하는 권력적 사실행위에 관한 근거조항이다**(대판 2018.12.13, 2016도19417). ➔ 경찰관들이 112신고를 받고 출동하여 눈앞에서 벌어지고 있는 범죄행위를 막고 주민들의 피해를 예방하기 위해 피고인을 만나려 하였으나 피고인은 문조차 열어주지 않고 소란행위를 멈추지 않은 상황에서 **경찰관이 집으로 통하는 전기를 일시적으로 차단한 것**은 피고인을 집 밖으로 나오도록 유도한 것으로서, 피고인의 범죄행위를 진압·예방하고 수사하기 위해 필요하고도 적절한 조치로 보이고, 경찰관 직무집행법 제1조의 목적에 맞게 제2조의 직무 범위 내에서 제6조에서 정한 즉시강제의 요건을 충족한 적법한 직무집행으로 볼 여지가 있다.

③ [×] 각각의 구체적 상황을 기초로 판단하여야 하고 사후적으로 순수한 객관적 기준에서 판단할 것은 아니라는 것이 판례의 입장이다.

> **요지판례 |**
>
> ■ 경찰관은 형사처벌의 대상이 되는 행위가 눈앞에서 막 이루어지려고 하는 것이 객관적으로 인정될 수 있는 상황이고 그 행위를 당장 제지하지 않으면 곧 인명·신체에 위해를 미치거나 재산에 중대한 손해를 끼칠 우려가 있는 상황이어서, 직접 제지하는 방법 외에는 위와 같은 결과를 막을 수 없는 급박한 상태일 때에만 경찰관 직무집행법 제6조에 의하여 적법하게 그 행위를 제지할 수 있고, 그 범위 내에서만 경찰관의 제지 조치가 적법하다고 평가될 수 있다(대판 2021.11.11, 2018다288631). ➔ 경찰관의 해산명령 및 제지 조치가 적법한지 여부는 각각의 구체적 상황을 기초로 판단하여야 하고 사후적으로 순수한 객관적 기준에서 판단할 것은 아니다.

## 186 「경찰관 직무집행법」상 위험방지를 위한 출입에 대한 설명으로 가장 적절하지 않은 것은?

[2019 승진(경위)]

① 위험방지를 위한 출입의 성질은 대가택적 즉시강제이다.

② 경찰공무원은 여관에 불이 나서 객실에 쓰러져 있는 사람이 있는 경우에는 주인이 허락하지 않더라도 들어갈 수 있다.

③ 새벽 3시에 영업이 끝난 식당에서 주인만 머무르는 경우라도, 경찰공무원은 범죄의 예방을 위해 출입을 요구할 수 있고, 상대방은 이를 거절할 수 없다.

④ 경찰공무원은 위험방지를 위해 여관에 출입할 경우에는 그 신분을 표시하는 증표를 제시하여야 하며, 함부로 관계인이 하는 정당한 업무를 방해해서는 아니 된다.

**정답 및 해설 I ③**

③ [×] 예방출입은 공개된 시간이나 영업시간에만 가능한 것이 원칙이고, 영업시간이라 하더라도 정당한 이유가 있으면 거절할 수 있다. 지문의 경우는 영업시간이 아닌 경우이므로, 더욱더 거절이 가능하다고 본다.

> **경찰관 직무집행법 제7조【위험 방지를 위한 출입】** ② 흥행장, 여관, 음식점, 역, 그 밖에 많은 사람이 출입하는 장소의 관리자나 그에 준하는 관계인은 경찰관이 범죄나 사람의 생명 · 신체 · 재산에 대한 위해를 예방하기 위하여 해당 장소의 영업시간이나 해당 장소가 일반인에게 공개된 시간에 그 장소에 출입하겠다고 요구하면 정당한 이유 없이 그 요구를 거절할 수 없다.

② [○] 긴급출입에 대한 설명으로서, 예방출입과 달리 **시간적 제한이 없고, 관리자나 관계인의 동의를 요구하지 않는다.**

> **경찰관 직무집행법 제7조【위험 방지를 위한 출입】** ① 경찰관은 제5조 제1항 · 제2항 및 제6조에 따른 **위험한 사태가 발생**하여 사람의 생명 · 신체 또는 재산에 대한 **위해가 임박한 때**에 그 위해를 방지하거나 피해자를 구조하기 위하여 부득이하다고 인정하면 합리적으로 판단하여 필요한 한도에서 **다른 사람의 토지 · 건물 · 배 또는 차에 출입할 수 있다.**

④ [○]

> **경찰관 직무집행법 제7조【위험 방지를 위한 출입】** ④ 경찰관은 제1항부터 제3항까지의 규정에 따라 필요한 장소에 출입할 때에는 그 신분을 표시하는 증표를 **제시**하여야 하며, 함부로 관계인이 하는 정당한 **업무를 방해해서는 아니 된다.**

## 187 「경찰관 직무집행법」 제6조(범죄에방과 제지) 및 제7조(위험 방지를 위한 출입)에 관한 내용 중 가장 적절하지 않은 것은? (다툼이 있는 경우 판례에 의함)

[2023 승진]

① 경찰관의 제지 조치가 적법한지는 제지 조치 당시의 구체적 상황을 기초로 판단하여야 하고 사후적으로 순수한 객관적 기준에서 판단할 것은 아니다.

② 경찰관은 위험 방지를 위해 필요한 장소에 출입할 때에는 그 신분을 표시하는 증표를 제시하여야 하며, 함부로 관계인이 하는 정당한 업무를 방해해서는 아니 된다.

③ 경찰관의 경고나 제지는 범죄의 예방을 위하여 범죄행위에 관한 실행의 착수 전에 행하여질 수 있을 뿐만 아니라, 이후 범죄행위가 계속되는 중에 그 진압을 위하여도 당연히 행하여질 수 있다고 보아야 한다.

④ 경찰관은 범죄행위가 목전(目前)에 행하여지려고 하고 있다고 인정될 경우 이를 예방하기 위하여 관계인에게 필요한 제지를 하여야 한다.

**정답 및 해설 I ④**

④ [×] 예방하기 위하여 필요한 경고를 하고, 생명 · 신체 위해나 재산에 중대손해 끼칠 우려 있는 긴급한 경우에는 제지할 수 있다.

> **경찰관 직무집행법 제6조【범죄의 예방과 제지】** 경찰관은 범죄행위가 목전에 행하여지려고 하고 있다고 인정될 때에는 이를 예방하기 위하여 관계인에게 필요한 경고를 하고, 그 행위로 인하여 사람의 생명 · 신체에 위해를 끼치거나 재산에 중대한 손해를 끼칠 우려가 있는 긴급한 경우에는 그 행위를 제지할 수 있다.

① [○]

> **요지판례 I**
>
> ■ 경찰관은 형사처벌의 대상이 되는 행위가 눈앞에서 막 이루어지려고 하는 것이 객관적으로 인정될 수 있는 상황이고 그 행위를 당장 제지하지 않으면 곧 인명 · 신체에 위해를 미치거나 재산에 중대한 손해를 끼칠 우려가 있는 상황이어서, **직접 제지하는 방법 외에는 위와 같은 결과를 막을 수 없는 급박한 상태일 때에만 경찰관 직무집행법 제6조에 의하여 적법하게 그 행위를 제지할 수 있고**, 그 범위 내에서만 경찰관의 제지 조치가 적법하다고 평가될 수 있다(대판 2021.11.11, 2018다288631). ➜ 경찰관의 해산명령 및 제지 조치가 적법한지 여부는 각각의 구체적 상황을 기초로 판단하여야 하고 사후적으로 순수한 객관적 기준에서 판단할 것은 아니다.

② [○]

> **경찰관 직무집행법 제7조【위험 방지를 위한 출입】** ④ 경찰관은 제1항부터 제3항까지의 규정에 따라 필요한 장소에 출입할 때에는 그 신분을 표시하는 증표를 제시하여야 하며, 함부로 관계인이 하는 **정당한 업무를 방해해서는 아니 된다.**

③ [○]

> **요지판례 I**
>
> ■ 경찰관 직무집행법 제6조에 규정된 경찰관의 경고나 제지는 그 문언과 같이 범죄의 예방을 위하여 범죄행위에 관한 실행의 착수 전에 행하여질 수 있을 뿐만 아니라, 이후 **범죄행위가 계속되는 중에 그 진압을 위하여도 당연히 행하여질 수 있다고 보아야** 한다.(대판 2013.9.26, 2013도643). ➜ 공사차량 출입을 방해하던 피고인의 팔다리를 잡고 옮기던 경찰관의 행위는 적법한 공무집행이며, 따라서 그 경찰관의 팔을 물어뜯은 행위는 공무집행방해죄 및 상해죄에 해당한다.

## 주제 3 경찰관의 직무수행 수단 2 – 사실행위 기타 수단

**188** 「경찰관 직무집행법」에 관한 설명으로 가장 적절한 것은? [2023 채용 2차]

① 「경찰관 직무집행법」에 따르면 경찰관은 유실물을 인수할 권리자 확인의 직무를 수행하기 위하여 필요하면 관계인에게 출석하여야 하는 사유 · 일시 및 장소를 명확히 적은 출석 요구서를 보내 경찰관서에 출석할 것을 요구할 수 있다.

② 「경찰관 직무집행법」에 따르면 위해성 경찰장비의 종류 및 그 사용기준, 안전교육 · 안전검사의 기준 등은 행정안전부령으로 정한다.

③ 「경찰관 직무집행법」 제11조의2 제1항에 따른 손실보상을 청구할 수 있는 권리는 손실이 있음을 안 날부터 3년, 손실보상이 확정된 때부터 5년간 행사하지 아니하면 시효의 완성으로 소멸한다.

④ 「경찰관 직무집행법」 제2조 직무의 범위에 "테러경보 발령 · 대테러 작전 수행"을 명시하고 있다.

**정답 및 해설 | ①**

① [O]

> **경찰관 직무집행법 제8조【사실의 확인 등】** ② 경찰관은 다음 각 호의 직무(➜ 교 · 사 · 유 · 미)를 수행하기 위하여 필요하면 관계인에게 출석하여야 하는 사유 · 일시 및 장소를 명확히 적은 출석 요구서를 보내 경찰관서에 출석할 것을 요구할 수 있다. [2013 채용1차]
> 1. 미아를 인수할 보호자 확인
> 2. 유실물을 인수할 권리자 확인
> 3. 사고로 인한 사상자 확인
> 4. 행정처분을 위한 교통사고 조사에 필요한 사실 확인

② [×] 경찰장비와 관련하여 주로 공부하는 '위해성 경찰장비 사용기준 등에 관한 규정'이 대통령령이라는 점을 생각하면 된다.

> **경찰관 직무집행법 제10조【경찰장비의 사용 등】** ⑥ 위해성 경찰장비의 종류 및 그 사용기준, 안전교육 · 안전검사의 기준 등은 대통령령으로 정한다.

③ [×] 보상이 확정된 때가 아닌, 손실이 발생한 날부터 5년이다.

> **경찰관 직무집행법 제11조의2【손실보상】** ② 제1항에 따른 보상을 청구할 수 있는 권리는 손실이 있음을 안 날부터 3년, 손실이 발생한 날부터 5년간 행사하지 아니하면 시효의 완성으로 소멸한다.

④ [×] 테러경보 발령 · 대테러 작전 수행은 경찰관 직무집행법 제2조에 규정되어 있는 직무범위에 해당하지 않는다.

> **경찰관 직무집행법 제2조【직무의 범위】** 경찰관은 다음 각 호의 직무를 수행한다.
> 1. 국민의 생명 · 신체 및 재산의 보호
> 2. 범죄의 예방 · 진압 및 수사
>
> 2의2. 범죄피해자 보호
> 3. 경비, 주요 인사 경호 및 대간첩 · 대테러 작전 수행
> 4. 공공안녕에 대한 위험의 예방과 대응을 위한 정보의 수집 · 작성 및 배포
> 5. 교통 단속과 교통 위해의 방지
> 6. 외국 정부기관 및 국제기구와의 국제협력
> 7. 그 밖에 공공의 안녕과 질서 유지

## 189 「경찰관의 정보수집 및 처리 등에 관한 규정」에 대한 설명으로 가장 적절하지 않은 것은? [2023 승진]

① 경찰관의 정보수집 · 작성 · 배포에 있어 정보의 구체적인 범위에는 범죄의 예방과 대응에 필요한 정보가 포함된다.

② 경찰관은 정보를 수집하거나 정보의 수집 · 작성 · 배포에 수반되는 사실을 확인하려는 경우에는 상대방에게 자신의 신분을 밝히고 정보수집 또는 사실 확인의 목적을 설명해야 한다.

③ ②의 경우 강제적인 방법을 사용할 수 있다.

④ 범죄의 대응을 위한 정보활동에 현저한 지장을 초래할 우려가 있는 경우에는 ②의 절차를 생략할 수 있다.

**정답 및 해설 | ③**

③ [×] 이 경우 강제적인 방법을 사용해서는 안 된다. / ② [○]

> 대통령령 **경찰관의 정보수집 및 처리 등에 관한 규정 제4조【정보의 수집 및 사실의 확인 절차】** ① 경찰관은 법 제8조의2 제1항에 따라 정보를 수집하거나 정보의 수집 · 작성 · 배포에 수반되는 사실을 확인하려는 경우에는 상대방에게 자신의 신분을 밝히고 정보 수집 또는 사실 확인의 목적을 설명해야 한다. 이 경우 **강제적인 방법을 사용해서는 안 된다.**

① [○]

> 대통령령 **경찰관의 정보수집 및 처리 등에 관한 규정 제5조【정보 수집 등을 위한 출입의 한계】** 경찰관이 「경찰관 직무집행법」(이하 "법"이라 한다) 제8조의2 제1항에 따라 수집 · 작성 · 배포할 수 있는 정보의 구체적인 범위는 다음 각 호와 같다.
> 1. 범죄의 예방과 대응에 필요한 정보
> 2. 「형의 집행 및 수용자의 처우에 관한 법률」 … 에 따라 통보되는 정보의 대상자인 수형자 · 가석방자의 재범방지 및 피해자의 보호에 필요한 정보
> 3. 국가중요시설의 안전 및 주요 인사의 보호에 필요한 정보
> 4. 방첩 · 대테러활동 등 국가안전을 위한 활동에 필요한 정보
> 5. 재난 · 안전사고 등으로부터 국민안전을 확보하기 위한 정보
> 6. 집회 · 시위 등으로 인한 공공갈등과 다중운집에 따른 질서 및 안전 유지에 필요한 정보
> 7. 국민의 생명 · 신체 · 재산의 보호와 공공안녕에 대한 위험의 예방과 대응을 위한 **정책에 관한 정보**[해당 정책의 입안 · 집행 · 평가를 위해 객관적이고 필요한 사항에 관한 정보로 한정하며, 이와 직접적 · 구체적으로 관련이 없는 사생활 · 신조(信條) 등에 관한 정보는 **제외**한다]
> 8. 도로 교통의 위해 방지 · 제거 및 원활한 소통 확보를 위한 정보
> 9. 「보안업무규정」 제45조 제1항에 따라 경찰청장이 위탁받은 신원조사 또는 「공공기관의 정보공개에 관한 법률」 제2조 제3호에 따른 공공기관의 장이 법령에 근거하여 요청한 사실의 확인을 위한 정보
> 10. 그 밖에 제1호부터 제9호까지에서 규정한 사항에 준하는 정보

④ [○]

> 대통령령 **경찰관의 정보수집 및 처리 등에 관한 규정 제4조【정보의 수집 및 사실의 확인 절차】** ② 제1항 전단에도 불구하고 다음 각 호의 어느 하나에 해당하는 경우에는 같은 항 전단에서 규정한 절차를 생략할 수 있다.
> 1. 국민의 생명 · 신체의 안전이나 국가안보에 긴박한 위험이 발생할 우려가 있는 경우
> 2. 범죄의 대응을 위한 정보활동에 현저한 지장을 초래할 우려가 있는 경우

**190** 「경찰관의 정보수집 및 처리 등에 관한 규정」에 대한 설명으로 가장 적절하지 <u>않은</u> 것은? [2024 승진]

① 경찰관이 「경찰관 직무집행법」 제8조의2 제1항에 따라 수집 · 작성 · 배포할 수 있는 정보의 범위에는 국가중요시설의 안전 및 주요 인사(人士)의 보호에 필요한 정보가 포함된다.

② 경찰관은 정보활동과 관련하여 직무와 무관한 비공식적 직함을 사용하는 행위를 해서는 안 된다.

③ 경찰관은 언론 · 교육 · 종교 · 시민사회 단체 등 민간단체, 지방자치단체, 정당의 사무소에 상시적으로 출입해서는 안 되며 정보활동을 위해 필요한 경우에 한정하여 일시적으로만 출입해야 한다고 규정되어 있다.

④ 경찰관은 명백히 위법한 지시라고 판단되는 경우에는 그 집행을 거부할 수 있다.

**정답 및 해설 | ③**

③ [×] 지방자치단체는 포함되지 않는다.

> 대통령령 **경찰관의 정보수집 및 처리 등에 관한 규정 제5조【정보 수집 등을 위한 출입의 한계】** 경찰관은 다음 각 호의 장소에 상시적으로 출입해서는 안 되며, 정보활동을 위해 필요한 경우에 한정하여 일시적으로만 출입해야 한다.
> 1. 언론 · 교육 · 종교 · 시민사회 단체 등 민간단체
> 2. 민간기업
> 3. 정당의 사무소

① [○]

> **경찰관의 정보수집 및 처리 등에 관한 규정 제3조【수집 등 대상 정보의 구체적인 범위】** 경찰관이 「경찰관 직무집행법」(이하 "법"이라 한다) 제8조의2 제1항에 따라 수집·작성·배포할 수 있는 정보의 구체적인 범위는 다음 각 호와 같다.
> 3. 국가중요시설의 안전 및 주요 인사(人士)의 보호에 필요한 정보

② [○]

> **경찰관의 정보수집 및 처리 등에 관한 규정 제2조【정보활동의 기본원칙 등】** ② 경찰관은 정보활동과 관련하여 다음 각 호의 행위를 해서는 안 된다.
> 1. 정치에 관여하기 위해 정보를 수집·작성·배포하는 행위
> 2. 법령의 직무 범위를 벗어나 개인의 동향 등을 파악하기 위해 사생활에 관한 정보를 수집·작성·배포하는 행위
> 3. 상대방의 명시적 의사에 반해 자료 제출이나 의견 표명을 강요하는 행위
> 4. 부당한 민원이나 청탁을 직무 관련자에게 전달하는 행위
> 5. 직무상 알게 된 정보를 누설하거나 개인의 이익을 위해 사용하는 행위
> 6. 직무와 무관한 비공식적 직함을 사용하는 행위

④ [○]

> **경찰관의 정보수집 및 처리 등에 관한 규정 제8조【위법한 지시의 금지 및 거부】** ② 경찰관은 명백히 위법한 지시라고 판단되는 경우에는 그 집행을 거부할 수 있다.

## 191 「경찰관 직무집행법」 및 「경찰관의 정보수집 및 처리 등에 관한 규정」에 따른 경찰의 정보활동에 관한 설명으로 가장 적절하지 않은 것은?

[2024 1차 채용]

① 경찰관은 범죄·재난·공공갈등 등 공공안녕과 공공질서에 대한 위험의 예방과 대응을 위한 정보의 수집·작성·배포와 이에 수반되는 사실의 확인을 할 수 있다.

② 경찰관은 정치에 관여하기 위해 정보를 수집·작성·배포하는 행위를 해서는 안 된다.

③ 경찰관은 민간기업에 상시적으로 출입해서는 안 되며, 정보활동을 위해 필요한 경우에 한정하여 일시적으로만 출입해야 한다.

④ 경찰관은 수집·작성한 정보가 그 목적이 달성되어 불필요하게 되었을 때에는 다른 법령에 따라 보존해야 하는 경우를 제외 하고는 지체 없이 그 정보를 폐기해야 한다.

**정답 및 해설 I ①**

① [×] 공공질서에 대한 위험의 예방과 대응을 위한 정보가 아닌, 공공안녕에 대한 위험의 예방과 대응을 위한 정보이다.

> **경찰법 제3조【경찰의 임무】** 경찰의 임무는 다음 각 호와 같다.
> 5. 공공안녕에 대한 위험의 예방과 대응을 위한 정보의 수집·작성 및 배포
>
> **경찰관 직무집행법 제8조의2【정보의 수집 등】** ① 경찰관은 범죄·재난·공공갈등 등 공공안녕에 대한 위험의 예방과 대응을 위한 정보의 수집·작성·배포와 이에 수반되는 사실의 확인을 할 수 있다.

② [○]

> 대통령령 **경찰관의 정보수집 및 처리 등에 관한 규정 제2조【정보활동의 기본원칙 등】** ② 경찰관은 정보활동과 관련하여 다음 각 호의 행위를 해서는 안 된다.
> 1. 정치에 관여하기 위해 정보를 수집·작성·배포하는 행위
> 2. 법령의 직무 범위를 벗어나 개인의 동향 등을 파악하기 위해 사생활에 관한 정보를 수집·작성·배포하는 행위
> 3. 상대방의 명시적 의사에 반해 자료 제출이나 의견 표명을 강요하는 행위
> 4. 부당한 민원이나 청탁을 직무 관련자에게 전달하는 행위
> 5. 직무상 알게 된 정보를 누설하거나 개인의 이익을 위해 사용하는 행위
> 6. 직무와 무관한 비공식적 직함을 사용하는 행위

③ [○]

> 대통령령 **경찰관의 정보수집 및 처리 등에 관한 규정 제5조【정보 수집 등을 위한 출입의 한계】** 경찰관은 다음 각 호의 장소에 상시적으로 출입해서는 안 되며, 정보활동을 위해 필요한 경우에 한정하여 일시적으로만 출입해야 한다.
> 1. 언론·교육·종교·시민사회 단체 등 민간단체 / 2. 민간기업 / 3. 정당의 사무소.

④ [○] 대통령령 경찰관의 정보수집 및 처리 등에 관한 규정 제7조【수집 · 작성한 정보의 처리】③ 경찰관은 수집 · 작성한 정보가 그 목적이 달성되어 불필요하게 되었을 때에는 지체 없이 그 정보를 폐기해야 한다. 다만, 다른 법령에 따라 보존해야 하는 경우는 제외한다.



**192** 「경찰관의 정보수집 및 처리 등에 관한 규정」상 경찰관이 정보 수집을 위해 상시적으로 출입해서는 안되며, 정보활동을 위해 필요한 경우에 한정하여 일시적으로 출입할 수 있는 장소에 포함되지 않는 곳은?

[2021 경간]

① 언론 · 교육 · 종교 · 시민사회 단체 등 민간단체

② 민간기업

③ 정당의 사무소

④ 공기업

**정답 및 해설 | ④**

④ [×] **공기업**은 출입에 한계가 있는 장소에 해당하지 않는다.

대통령령 경찰관의 정보수집 및 처리 등에 관한 규정 제5조【정보 수집 등을 위한 출입의 한계】경찰관은 다음 각 호의 장소에 상시적으로 출입해서는 안 되며, 정보활동을 위해 필요한 경우에 한정하여 일시적으로만 출입해야 한다.
1. 언론 · 교육 · 종교 · 시민사회 단체 등 민간단체
2. 민간기업
3. 정당의 사무소

**193** 「경찰관 직무집행법」 및 「경찰관의 정보수집 및 처리 등에 관한 규정(대통령령)」상 경찰관이 정보활동을 위해 필요한 경우에 한정하여 일시적으로만 출입이 가능한 곳은 모두 몇 개인가?

[2022 채용 2차]

㉠ 언론기관
㉡ 종교시설
㉢ 민간기업
㉣ 정당의 사무소
㉤ 시민사회 단체

① 2개
② 3개
③ 4개
④ 5개

**정답 및 해설 | ④**

④ [○] 보기에 제시된 모든 장소가 필요한 경우에 한정하여 일시적으로만 출입해야 하는 장소에 해당한다.

대통령령 경찰관의 정보수집 및 처리 등에 관한 규정 제5조【정보 수집 등을 위한 출입의 한계】경찰관은 다음 각 호의 장소에 상시적으로 출입해서는 안 되며, 정보활동을 위해 필요한 경우에 한정하여 일시적으로만 출입해야 한다.
1. 언론 · 교육 · 종교 · 시민사회 단체 등 민간단체
2. 민간기업
3. 정당의 사무소.

**194** 「경찰관 직무집행법」에 대한 다음의 설명 중 <u>틀린</u> 것은 모두 몇 개인가? [2015 경간]

| |
|---|
| 가. 경찰청장은 경찰관의 직무수행을 위하여 외국 정부기관, 국제기구 등과 자료교환, 국제협력 활동 등을 해야 한다.<br>나. '경찰관 직무집행법' 제1조는 국가경찰의 민주적인 관리 · 운영과 효율적인 임무수행을 위하여 국가경찰의 직무 범위와 그 밖에 필요한 사항을 규정함을 목적으로 한다.<br>다. 경찰청장은 위해성 경찰장비를 새로 도입하려는 경우 안전성 검사를 실시하여 그 안전성 검사의 결과보고서를 국회의장에게 제출하여야 한다.<br>라. 경찰관의 직권은 그 직무 수행에 필요한 최소한도에서 행사되어야 하며 남용되어서는 안 된다. |

① 1개 ② 2개

③ 3개 ④ 4개

**정답 및 해설 I ③**

가. [×] 할 수 있다.

| |
|---|
| **경찰관 직무집행법 제8조의3【국제협력】** 경찰청장 또는 해양경찰청장은 이 법에 따른 경찰관의 직무수행을 위하여 외국 정부기관, 국제기구 등과 자료 교환, 국제협력 활동 등을 할 수 있다. |

나. [×] 경찰법 제1조에서 규정하고 있는 내용이다.

| |
|---|
| **경찰관 직무집행법 제1조【목적】** ① 이 법은 국민의 자유와 권리 및 모든 개인이 가지는 불가침의 기본적 인권을 보호하고 사회공공의 질서를 유지하기 위한 경찰관(경찰공무원만 해당한다. 이하 같다)의 직무 수행에 필요한 사항을 규정함을 목적으로 한다.<br>**경찰법 제1조【목적】** 이 법은 경찰의 민주적인 관리 · 운영과 효율적인 임무수행을 위하여 경찰의 기본조직 및 직무 범위와 그 밖에 필요한 사항을 규정함을 목적으로 한다. |

다. [×] 국회 소관 상임위원에 제출하여야 한다.

| |
|---|
| **경찰관 직무집행법 제10조【경찰장비의 사용 등】** ⑤ 경찰청장은 위해성 경찰장비를 새로 도입하려는 경우에는 대통령령으로 정하는 바에 따라 안전성 검사를 실시하여 그 안전성 검사의 결과보고서를 국회 소관 상임위원회에 제출하여야 한다. 이 경우 안전성 검사에는 외부 전문가를 참여시켜야 한다. |

라. [○]

| |
|---|
| **경찰관 직무집행법 제1조【목적】** ② 이 법에 규정된 경찰관의 직권은 그 직무 수행에 필요한 최소한도에서 행사되어야 하며 남용되어서는 아니 된다. |

## 주제 4 경찰관의 직무수행 수단 3 – 장비 · 장구 · 분사기 · 무기사용

**195** 「위해성 경찰장비의 사용기준 등에 관한 규정」상 다음 보기를 경찰장구, 무기, 분사기 · 최루탄 등 기타장비로 옳게 구분한 것은? [2014 채용 2차]

| | | |
|---|---|---|
| ㉠ 살수차 | ㉡ 산탄총 | ㉢ 포승 |
| ㉣ 전자충격기 | ㉤ 가스발사총 | ㉥ 석궁 |
| ㉦ 가스차 | ㉧ 경찰봉 | |

① 경찰장구 3개, 무기 2개, 분사기 · 최루탄 등 2개, 기타장비 1개
② 경찰장구 2개, 무기 1개, 분사기 · 최루탄 등 2개, 기타장비 3개
③ 경찰장구 3개, 무기 1개, 분사기 · 최루탄 등 1개, 기타장비 3개
④ 경찰장구 2개, 무기 3개, 분사기 · 최루탄 등 1개, 기타장비 2개

**정답 및 해설 | ③**
③ [○] 경찰장구 3개, 무기 1개, 분사기 · 최루탄 등 1개, 기타장비 3개이다.

| 구분 | 정리 | 지문 |
|---|---|---|
| 경찰장구 | 전 · 방 · 수 · 포 · 봉 | ㉣ 전자충격기, ㉢ 포승, ㉧ 경찰봉 |
| 무기 | • 유탄발사기 · 크레모아 · 수류탄 · 폭약류<br>• (가스발사총 제외) 총 · (물포 제외) 포 · 도 | ㉡ 산탄총 |
| 분사기 · 최루탄 등 | • 근접 · 가스분사기<br>• 가스발사총(고무탄 포함)<br>• 최루탄(발사장치 포함) | ㉤ 가스발사총 |
| 기타장비 | • 차량 관련(가스차, 살수차, 특수진압차, 도주차량차단장비)<br>• 석 · 다 · 물 | • ㉠ 살수차, ㉦ 가스차<br>• ㉥ 석궁 |

**196** 「위해성 경찰장비의 사용기준 등에 관한 규정」상 '위해성 경찰장비'의 종류에 대한 설명으로 가장 적절하지 <u>않은</u> 것은? [2017 승진(경위)]

① 수갑 · 포승 · 경찰봉 · 전자충격기는 '경찰장구'에 포함된다.
② 권총 · 소총 · 산탄총 · 유탄발사기 · 박격포 · 함포 · 크레모아 · 수류탄 · 폭약류 및 도검은 '무기'에 포함된다.
③ 가스발사총(고무탄 발사겸용을 포함) 및 최루탄(그 발사장치를 포함)은 '분사기 · 최루탄 등'에 포함된다.
④ 가스차 · 살수차 · 특수진압차 · 물포 · 석궁 · 전자방패는 '기타 장비'에 포함된다.

**정답 및 해설 I ④**

④ [×] 전자방패는 기타장비가 아니라 경찰장구에 해당한다.

> 대통령령 **위해성 경찰장비의 사용기준 등에 관한 규정 제2조【위해성 경찰장비의 종류】**「경찰관 직무집행법」(이하 "법"이라 한다) 제10조 제1항 단서에 따른 사람의 생명이나 신체에 위해를 끼칠 수 있는 경찰장비(이하 "위해성 경찰장비"라 한다)의 종류는 다음 각 호와 같다.
> 1. **경찰장구**: 수갑 · 포승 · 호송용포승 · 경찰봉 · 호신용경봉 · 전자충격기 · 방패 및 전자방패 ➜ 전 · 방 · 수 · 포 · 봉
> 2. **무기**: 권총 · 소총 · 기관총(기관단총을 포함한다. 이하 같다) · 산탄총 · **유탄발사기** · 박격포 · 3인치포 · 함포 · **크레모아** · **수류탄** · **폭약류** 및 **도검** ➜ (가스발사총 제외) 총 · (물포 제외) 포 · 도
> 3. **분사기 · 최루탄등**: 근접분사기 · 가스분사기 · 가스발사총(고무탄 발사겸용을 포함한다. 이하 같다) 및 최루탄(그 발사장치를 포함한다. 이하 같다)
> 4. **기타장비**: 가스차 · 살수차 · 특수진압차 · 물포 · 석궁 · 다목적발사기 및 도주차량차단장비 ➜ 차량 관련 + 석 · 다 · 물

**197** 「위해성 경찰장비의 사용기준 등에 관한 규정」의 내용으로 가장 적절하지 않은 것은? [2018 승진(경위)]

① 경찰장구에는 수갑 · 포승(捕繩) · 호송용포승 · 경찰봉 · 호신용경봉을 포함한다.

② 무기에는 산탄총 · 유탄발사기 · 3인치포 · 전자충격기 · 폭발류 및 도검을 포함한다.

③ 경찰관은 범인의 체포 또는 도주방지, 타인 또는 경찰관의 생명 · 신체에 대한 방호, 공무집행에 대한 항거의 억제를 위하여 필요한 때에는 최소한의 범위 안에서 가스발사총을 사용할 수 있다. 이 경우 경찰관은 1미터 이내의 거리에서 상대방의 얼굴을 향하여 이를 발사하여서는 아니 된다.

④ 경찰관은 범인 · 주취자 또는 정신착란자의 자살 또는 자해기도를 방지하기 위하여 필요한 때에는 수갑 · 포승 또는 호송용포승을 사용할 수 있다. 이 경우 경찰관은 소속 국가경찰관서의 장(경찰청장, 해양경찰청장, 시 · 도경찰청장, 지방해양경찰청장, 경찰서장 또는 해양경찰서장 기타 경무관 · 총경 · 경정 또는 경감을 장으로 하는 국가경찰관서의 장을 말한다)에게 그 사실을 보고하여야 한다.

**정답 및 해설 I ②**

② [×] ① [○] 전자충격기는 경찰장구에 해당한다.

> 대통령령 **위해성 경찰장비의 사용기준 등에 관한 규정 제2조【위해성 경찰장비의 종류】**「경찰관 직무집행법」(이하 "법"이라 한다) 제10조 제1항 단서에 따른 사람의 생명이나 신체에 위해를 끼칠 수 있는 경찰장비(이하 "위해성 경찰장비"라 한다)의 종류는 다음 각 호와 같다. [2014 채용 2차]
> 1. **경찰장구**: 수갑 · 포승 · 호송용포승 · 경찰봉 · 호신용경봉 · 전자충격기 · 방패 및 전자방패 ➜ 전 · 방 · 수 · 포 · 봉
> 2. **무기**: 권총 · 소총 · 기관총(기관단총을 포함한다. 이하 같다) · 산탄총 · **유탄발사기** · 박격포 · 3인치포 · 함포 · **크레모아** · **수류탄** · **폭약류** 및 **도검** ➜ (가스발사총 제외) 총 · (물포 제외) 포 · 도
> 3. **분사기 · 최루탄등**: 근접분사기 · 가스분사기 · 가스발사총(고무탄 발사겸용을 포함한다. 이하 같다) 및 최루탄(그 발사장치를 포함한다. 이하 같다)
> 4. **기타장비**: 가스차 · 살수차 · 특수진압차 · 물포 · 석궁 · 다목적발사기 및 도주차량차단장비 ➜ 차량 관련 + 석 · 다 · 물

③ [○]

> 대통령령 **위해성 경찰장비의 사용기준 등에 관한 규정 제12조【가스발사총등의 사용제한】** ① 경찰관은 범인의 체포 또는 도주방지, 타인 또는 경찰관의 생명 · 신체에 대한 방호, 공무집행에 대한 항거의 억제를 위하여 필요한 때에는 최소한의 범위안에서 가스발사총을 사용할 수 있다. 이 경우 경찰관은 **1미터이내의 거리**에서 상대방의 **얼굴**을 향하여 이를 발사하여서는 아니된다.

④ [○]

> 대통령령 위해성 경찰장비의 사용기준 등에 관한 규정 제5조【자살방지등을 위한 수갑등의 사용기준 및 사용보고】경찰관은 범인 · 술에 취한 사람 또는 정신착란자의 자살 또는 자해기도를 방지하기 위하여 필요한 때에는 수갑 · 포승 또는 호송용포승을 사용할 수 있다. 이 경우 경찰관은 소속 국가경찰관서의 장(경찰청장, 해양경찰청장, 시 · 도경찰청장, 지방해양경찰청장, 경찰서장 또는 해양경찰서장 기타 경무관 · 총경 · 경정 또는 경감을 장으로 하는 국가경찰관서의 장을 말한다. 이하 같다)에게 그 사실을 보고해야 한다.



**198** 위해성 경찰장비의 사용기준 등에 관한 규정에 관한 설명 중 가장 적절하지 않은 것은? [2022 채용 1차]

① 권총 · 소총 · 기관총 · 함포 · 크레모아 · 수류탄 · 가스발사총은 무기에 해당한다.

② 경찰관은 14세 미만의 자 또는 임산부에 대하여 전자충격기 또는 전자방패를 사용하여서는 아니 된다.

③ 경찰관은 전극침(電極針) 발사장치가 있는 전자충격기를 사용하는 경우 상대방의 얼굴을 향하여 전극침을 발사하여서는 아니 된다.

④ 경찰관(경찰공무원으로 한정한다)은 체포 · 구속영장을 집행하거나 신체의 자유를 제한하는 판결 또는 처분을 받은 자를 법률이 정한 절차에 따라 호송하거나 수용하기 위하여 필요한 때에는 최소한의 범위 안에서 수갑 · 포승 또는 호송용포승을 사용할 수 있다.

**정답 및 해설 | ①**

① [×] 가스발사총은 분사기 · 최루탄에 해당한다.

> 대통령령 위해성 경찰장비의 사용기준 등에 관한 규정 제2조【위해성 경찰장비의 종류】「경찰관 직무집행법」(이하 "법"이라 한다) 제10조 제1항 단서에 따른 사람의 생명이나 신체에 위해를 끼칠 수 있는 경찰장비(이하 "위해성 경찰장비"라 한다)의 종류는 다음 각 호와 같다. [2014 채용 2차]
> 1. **경찰장구**: 수갑 · 포승 · 호송용포승 · 경찰봉 · 호신용경봉 · 전자충격기 · 방패 및 전자방패 ➔ 전 · 방 · 수 · 포 · 봉
> 2. **무기**: 권총 · 소총 · 기관총(기관단총을 포함한다. 이하 같다) · 산탄총 · **유탄발사기** · 박격포 · 3인치포 · 함포 · **크레모아** · **수류탄** · **폭약류** 및 도검 ➔ (가스발사총 제외) 총 · (물포 제외) 포 · 도
> 3. **분사기 · 최루탄등**: 근접분사기 · 가스분사기 · 가스발사총(고무탄 발사겸용을 포함한다. 이하 같다) 및 최루탄(그 발사장치를 포함한다. 이하 같다)
> 4. **기타장비**: 가스차 · 살수차 · 특수진압차 · 물포 · 석궁 · 다목적발사기 및 도주차량차단장비 ➔ 차량 관련 + 석 · 다 · 물

②③ [○]

> 대통령령 위해성 경찰장비의 사용기준 등에 관한 규정 제8조【전자충격기등의 사용제한】① 경찰관은 14세미만의 자 또는 임산부에 대하여 전자충격기 또는 전자방패를 사용하여서는 아니된다.
> ② 경찰관은 전극침 발사장치가 있는 전자충격기를 사용하는 경우 상대방의 얼굴을 향하여 전극침을 발사하여서는 아니된다.

④ [○]

> 대통령령 위해성 경찰장비의 사용기준 등에 관한 규정 제4조【영장집행등에 따른 수갑등의 사용기준】경찰관(경찰공무원으로 한정한다. 이하 같다)은 체포 · 구속영장을 집행하거나 신체의 자유를 제한하는 판결 또는 처분을 받은 자를 법률이 정한 절차에 따라 호송하거나 수용하기 위하여 필요한 때에는 최소한의 범위안에서 수갑 · 포승 또는 호송용포승을 사용할 수 있다.

**199** '경찰관 직무집행법'상 경찰장비에 대한 다음의 설명 중 옳은 것은 모두 몇 개인가? [2015 경간]

> 가. '경찰관 직무집행법'상 위해성 경찰장비는 필요한 최소한도 내에서 사용해야 하며, 그 종류 · 사용기준 · 안전교육 · 안전검사의 기준 등은 대통령령인 '경찰관 직무집행법 시행령'으로 정한다.
> 나. 경찰장비란 무기, 경찰착용기록장치, 경찰장구, 최루제와 그 발사장치, 살수차, 감식기구, 해안 감시기구, 통신기기, 차량 · 선박 · 항공기 등 경찰이 직무를 수행할 때 필요한 장치와 기구를 말한다.
> 다. 경찰장구, 살수차, 분사기, 최루탄, 무기 등의 경찰장비를 사용하는 경우에 그 책임자는 사용 일시 · 사용장소, 현장책임자, 종류, 수량 등을 기록하여 보관하여야 한다.
> 라. 위해성 경찰장비의 안전성 검사에는 반드시 외부의 전문가를 참여시켜야 한다.

① 1개 ② 2개
③ 3개 ④ 4개

**정답 및 해설 I ②**

가. [×] 경찰관 직무집행법 시행령이 아니라 '위해성 경찰장비의 사용기준 등에 관한 규정'으로 정한다.

> **경찰관 직무집행법 제10조【경찰장비의 사용 등】** ⑥ 위해성 경찰장비의 종류 및 그 사용기준, 안전교육 · 안전검사의 기준 등은 대통령령으로 정한다.
>
> 대통령령 **위해성 경찰장비의 사용기준 등에 관한 규정 제1조【목적】** 이 영은 「경찰관 직무집행법」 제10조에 따라 경찰공무원이 직무를 수행할 때 사용할 수 있는 사람의 생명이나 신체에 위해를 끼칠 수 있는 경찰장비의 종류 · 사용기준 및 안전관리 등에 관한 사항을 규정함을 목적으로 한다.

나. [○]

> **경찰관 직무집행법 제10조【경찰장비의 사용 등】** ② 제1항 본문에서 "**경찰장비**"란 무기, 경찰장구, 경찰착용기록장치, 최루제와 그 발사장치, 살수차, 감식기구, 해안 감시기구, 통신기기, 차량 · 선박 · 항공기 등 경찰이 직무를 수행할 때 필요한 장치와 기구를 말한다.

다. [×] 경찰장구는 사용기록 보관대상이 아니다.

> **경찰관 직무집행법 제11조【사용기록의 보관】** 제10조 제2항에 따른 살수차, 제10조의3에 따른 분사기, 최루탄 또는 제10조의4에 따른 무기를 사용하는 경우 그 책임자는 사용 일시 · 장소 · 대상, 현장책임자, 종류, 수량 등을 기록하여 보관하여야 한다.

라. [○]

> **경찰관 직무집행법 제10조【경찰장비의 사용 등】** ⑤ 경찰청장은 위해성 경찰장비를 새로 도입하려는 경우에는 대통령령으로 정하는 바에 따라 안전성 검사를 실시하여 그 안전성 검사의 결과보고서를 국회 소관 상임위원회에 제출하여야 한다. 이 경우 안전성 검사에는 외부 전문가를 참여시켜야 한다.

**200** 「경찰관 직무집행법」상 경찰장비에 관한 다음 설명 중 가장 적절하지 않은 것은? [2016 채용 1차]

① 경찰관은 직무수행 중 경찰장비를 사용할 수 있다. 다만, 사람의 생명이나 신체에 위해를 끼칠 수 있는 경찰장비(이하 '위해성 경찰장비'라 한다)를 사용할 때에는 필요한 안전교육과 안전검사를 받은 후 사용하여야 한다.

② 경찰청장은 위해성 경찰장비를 새로 도입하려는 경우에는 대통령령으로 정하는 바에 따라 안전성 검사를 실시하여 그 안전성 검사의 결과보고서를 국회 소관 상임위원회에 제출하여야 한다. 이 경우 안전성 검사에는 외부 전문가를 참여시킬 수 있다.

③ 경찰관이 휴대하여 범인 검거와 범죄진압 등의 직무수행에 사용하는 수갑, 포승, 경찰봉, 방패는 '경찰장구'에 해당한다.

④ 경찰관은 현행범이나 사형 · 무기 또는 장기 3년 이상의 징역이나 금고에 해당하는 죄를 범한 범인의 체포 또는 도주 방지를 위한 직무를 수행하기 위해서 필요하다고 인정되는 상당한 이유가 있을 때에는 그 사태를 합리적으로 판단하여 필요한 한도에서 경찰장구를 사용할 수 있다.



**정답 및 해설 | ②**

② [×] 안전성 검사에는 외부 전문가를 참여시켜야 한다.

> **경찰관 직무집행법 제10조【경찰장비의 사용 등】** ⑤ 경찰청장은 위해성 경찰장비를 새로 도입하려는 경우에는 대통령령으로 정하는 바에 따라 안전성 검사를 실시하여 그 안전성 검사의 결과보고서를 국회 소관 상임위원회에 제출하여야 한다. 이 경우 안전성 검사에는 외부 전문가를 참여시켜야 한다.

① [○]

> **경찰관 직무집행법 제10조【경찰장비의 사용 등】** ① 경찰관은 직무수행 중 경찰장비를 사용할 수 있다. 다만, 사람의 생명이나 신체에 위해를 끼칠 수 있는 경찰장비(이하 이 조에서 "위해성 경찰장비"라 한다)를 사용할 때에는 필요한 안전교육과 안전검사를 받은 후 사용하여야 한다. ➜ 비교» 안전성 검사: 위해성 경찰장비 신규도입시

③ [○]

> 대통령령 **위해성 경찰장비의 사용기준 등에 관한 규정 제2조【위해성 경찰장비의 종류】** 「경찰관 직무집행법」(이하 "법"이라 한다) 제10조 제1항 단서에 따른 사람의 생명이나 신체에 위해를 끼칠 수 있는 경찰장비(이하 "위해성 경찰장비"라 한다)의 종류는 다음 각 호와 같다.
> 1. **경찰장구**: 수갑 · 포승 · 호송용포승 · 경찰봉 · 호신용경봉 · 전자충격기 · 방패 및 전자방패 ➜ 전 · 방 · 수 · 포 · 봉
> 2. **무기**: 권총 · 소총 · 기관총(기관단총을 포함한다. 이하 같다) · 산탄총 · 유탄발사기 · 박격포 · 3인치포 · 함포 · 크레모아 · 수류탄 · 폭약류 및 도검 ➜ (가스발사총 제외) 총 · (물포 제외) 포 · 도
> 3. **분사기 · 최루탄등**: 근접분사기 · 가스분사기 · 가스발사총(고무탄 발사겸용을 포함한다. 이하 같다) 및 최루탄(그 발사장치를 포함한다. 이하 같다)
> 4. **기타장비**: 가스차 · 살수차 · 특수진압차 · 물포 · 석궁 · 다목적발사기 및 도주차량차단장비 ➜ 차량 관련 + 석 · 다 · 물

④ [○]

> **경찰관 직무집행법 제10조의2【경찰장구의 사용】** ① 경찰관은 다음 각 호의 직무를 수행하기 위하여 필요하다고 인정되는 상당한 이유가 있을 때에는 그 사태를 합리적으로 판단하여 필요한 한도에서 경찰장구를 사용할 수 있다.
> 1. 현행범이나 사형 · 무기 또는 장기 3년 이상의 징역이나 금고에 해당하는 죄를 범한 범인의 체포 또는 도주 방지
>    ➜ 현행범 / 사 · 무 · 장 · 3
> 2. 자신이나 다른 사람의 생명 · 신체의 방어 및 보호
> 3. 공무집행에 대한 항거 제지

**201** 경찰장구인 전자충격기(일명 '테이저건')에 대한 설명으로 가장 적절하지 않은 것은? [2015 승진(경위)]

① 전극침을 발사하는 경우, 전면은 가슴 이하(허리 벨트선 상단과 심장 아래 쪽 사이)를 조준하고, 후면은 주로 근육이 분포되어 있고 상대적으로 넓은 등을 조준하는 것이 바람직하다.

② 전극침은 상대방의 얼굴을 향해 발사하여서는 안 된다.

③ 공무집행에 대한 항거를 제압하는 수단으로 사용할 수 없다.

④ 14세 미만의 자 및 임산부에 대하여 사용해서는 안 된다.

**정답 및 해설 I ③**

③ [×] 경찰관 직무집행법은 공무집행에 대한 항거 제지를 위해 경찰장구를 사용할 수 있다고 규정하고 있으며, 전자충격기는 경찰장구 중 하나이다(위해성 경찰장비의 사용기준 등에 관한 규정 제2조 제1호).

> **경찰관 직무집행법 제10조의2【경찰장구의 사용】** ① 경찰관은 다음 각 호의 직무를 수행하기 위하여 필요하다고 인정되는 상당한 이유가 있을 때에는 그 사태를 합리적으로 판단하여 필요한 한도에서 경찰장구를 사용할 수 있다.
> 1. 현행범이나 사형 · 무기 또는 장기 3년 이상의 징역이나 금고에 해당하는 죄를 범한 범인의 체포 또는 도주 방지 ➜ 현행범 / 사 · 무 · 장 · 3
> 2. 자신이나 다른 사람의 생명 · 신체의 방어 및 보호
> 3. 공무집행에 대한 항거 제지

① [○]

> 예규 **경찰 물리력 행사의 기준과 방법에 관한 규칙 3.8.3. 전자충격기 사용 시 유의사항**
> 마. 경찰관이 사람을 향해 전자충격기를 사용하는 경우에는 적정사거리(3~4.5m)에서 후면부(후두부 제외)나 전면부의 흉골 이하(안면, 심장, 급소 부위 제외)를 조준하여야 한다. 다만, 대상자가 두껍거나 헐렁한 상의를 착용하여 전극침의 효과가 없다고 판단되는 경우 대상자의 하체를 조준하여야 한다.

②④ [○]

> 대통령령 **위해성 경찰장비의 사용기준 등에 관한 규정 제8조【전자충격기등의 사용제한】** ① 경찰관은 14세미만의 자 또는 임산부에 대하여 전자충격기 또는 전자방패를 사용하여서는 아니된다.
> ② 경찰관은 전극침 발사장치가 있는 전자충격기를 사용하는 경우 상대방의 얼굴을 향하여 전극침을 발사하여서는 아니된다.

**202** 「위해성 경찰장비의 사용기준 등에 관한 규정」에 대한 설명으로 가장 적절하지 않은 것은? [2016 채용 1차]

① 경찰관은 불법집회 · 시위로 인하여 발생할 수 있는 타인 또는 경찰관의 생명 · 신체의 위해와 재산 · 공공시설의 위험을 방지하기 위하여 필요한 때에는 최소한의 범위 안에서 경찰봉 또는 호신용경봉을 사용할 수 있다.

② 경찰관은 14세 이하의 자 또는 임산부에 대하여 전자충격기 또는 전자방패를 사용하여서는 아니 된다.

③ 경찰관은 전극침 발사장치가 있는 전자충격기를 사용하는 경우 상대방의 얼굴을 향하여 전극침을 발사하여서는 아니 된다.

④ 경찰관은 최루탄발사기로 최루탄을 발사하는 경우 30도 이상의 발사각을 유지하여야 하고, 가스차 · 살수차 또는 특수진압차의 최루탄발사대로 최루탄을 발사하는 경우에는 15도 이상의 발사각을 유지하여야 한다.

**정답 및 해설 I ②**

② [×] 14세 '이하'가 아닌 14세 '미만'이다. / ③ [○]

> 대통령령 **위해성 경찰장비의 사용기준 등에 관한 규정 제8조【전자충격기등의 사용제한】** ① 경찰관은 14세미만의 자 또는 임산부에 대하여 전자충격기 또는 전자방패를 사용하여서는 아니된다.
> ② 경찰관은 전극침 발사장치가 있는 전자충격기를 사용하는 경우 상대방의 얼굴을 향하여 전극침을 발사하여서는 아니된다.

① [O]

> 대통령령 위해성 경찰장비의 사용기준 등에 관한 규정 제6조【불법집회등에서의 경찰봉 · 호신용경봉의 사용기준】 경찰관은 불법집회 · 시위로 인하여 발생할 수 있는 타인 또는 경찰관의 생명 · 신체의 위해와 재산 · 공공시설의 위험을 방지하기 위하여 필요한 때에는 최소한의 범위안에서 경찰봉 또는 호신용경봉을 사용할 수 있다.

④ [O]

> 대통령령 위해성 경찰장비의 사용기준 등에 관한 규정 제12조【가스발사총등의 사용제한】 ② 경찰관은 최루탄발사기로 최루탄을 발사하는 경우 30도이상의 발사각을 유지하여야 하고, 가스차 · 살수차 또는 특수진압차의 최루탄발사대로 최루탄을 발사하는 경우에는 15도이상의 발사각을 유지하여야 한다.



**203** 경찰장비의 사용에 대한 설명으로 가장 적절한 것은? [2018 실무 2]

① 「국가경찰과 자치경찰의 조직 및 운영에 관한 법률」은 경찰공무원은 직무 수행을 위하여 필요한 때에는 무기를 휴대할 수 있다고 규정하고 있다.

② 「경찰관 직무집행법」상 경찰관은 자신이나 다른 사람의 생명 · 신체 및 재산의 보호를 위하여 필요하다고 인정되는 상당한 이유가 있을 때에는 그 사태를 합리적으로 판단하여 필요한 한도에서 무기를 사용할 수 있다.

③ 「위해성 경찰장비의 사용기준 등에 관한 규정」상 경찰관은 총기 또는 폭발물을 가지고 대항하는 경우를 제외하고는 14세 미만의 자 또는 임산부에 대하여 전자충격기를 사용하여서는 아니 된다.

④ 「위해성 경찰장비의 사용기준 등에 관한 규정」상 경찰관은 공무집행에 대한 항거의 억제 등을 위하여 필요한 때에는 최소한의 범위 안에서 가스발사총을 사용할 수 있다. 이 경우 경찰관은 1미터 이내의 거리에서 상대방의 얼굴을 향하여 이를 발사하여서는 아니 된다.

**정답 및 해설 | ④**

④ [O]

> 대통령령 위해성 경찰장비의 사용기준 등에 관한 규정 제12조【가스발사총등의 사용제한】 ① 경찰관은 범인의 체포 또는 도주방지, 타인 또는 경찰관의 생명 · 신체에 대한 방호, 공무집행에 대한 항거의 억제를 위하여 필요한 때에는 최소한의 범위안에서 가스발사총을 사용할 수 있다. 이 경우 경찰관은 1미터이내의 거리에서 상대방의 얼굴을 향하여 이를 발사하여서는 아니된다.

① [×] 무기 휴대는 경찰공무원법에, 무기 사용은 경찰관 직무집행법에 규정되어 있다.

> 경찰공무원법 제26조【복제 및 무기 휴대】 ② 경찰공무원은 직무 수행을 위하여 필요하면 무기를 휴대할 수 있다. ➜ 무기 '휴대'의 법적 근거

② [×] 타인의 '재산' 보호를 위해 무기를 사용할 수는 없다.

> 경찰관 직무집행법 제10조의4【무기의 사용】 ① 경찰관은 범인의 체포, 범인의 도주 방지, 자신이나 다른 사람의 생명 · 신체의 방어 및 보호, 공무집행에 대한 항거의 제지를 위하여 필요하다고 인정되는 상당한 이유가 있을 때에는 그 사태를 합리적으로 판단하여 필요한 한도에서 무기를 사용할 수 있다. 다만, …

③ [×] 총기 또는 폭발물을 갖고 대항하는 경우 예외적으로 사용 가능하다는 것은 권총 또는 소총의 경우에 규정되어 있고, 전자충격기 · 전자방패에는 그러한 예외규정이 없다.

> 대통령령 위해성 경찰장비의 사용기준 등에 관한 규정 제8조【전자충격기등의 사용제한】 ① 경찰관은 14세미만의 자 또는 임산부에 대하여 전자충격기 또는 전자방패를 사용하여서는 아니된다.
>
> 대통령령 위해성 경찰장비의 사용기준 등에 관한 규정 제10조【권총 또는 소총의 사용제한】 ② 경찰관은 총기 또는 폭발물을 가지고 대항하는 경우를 제외하고는 14세미만의 자 또는 임산부에 대하여 권총 또는 소총을 발사하여서는 아니된다.
> ➜ 14세 미만의 자 또는 임산부라 하더라도 총기 또는 폭발물을 가지고 대항하면 권총 · 소총 발사 가능

## 204 「위해성 경찰장비의 사용기준 등에 관한 규정」에 대한 설명으로 가장 적절하지 않은 것은?

[2017 채용 1차]

① 경찰관은 총기 또는 폭발물을 가지고 대항하는 경우를 제외하고는 14세 미만의 자 또는 임산부에 대하여 권총 또는 소총을 발사하여서는 아니 된다.

② 가스차 · 살수차 · 특수진압차 · 물포 · 석궁 · 다목적발사기 및 도주차량차단장비는 '기타장비'에 포함된다.

③ 근접분사기 · 가스분사기 · 가스발사총(고무탄 발사겸용은 제외) 및 최루탄(그 발사장치를 포함)은 '분사기 · 최루탄 등'에 포함된다.

④ 권총 · 소총 · 기관총(기관단총을 포함) · 산탄총 · 유탄발사기 · 박격포 · 3인치포 · 함포 · 크레모아 · 수류탄 · 폭약류 및 도검은 '무기'에 포함된다.

**정답 및 해설 I ③**

③ [×] 고무탄 발사겸용을 포함한다. / ②④ [○]

> **대통령령** 위해성 경찰장비의 사용기준 등에 관한 규정 제2조 【위해성 경찰장비의 종류】 「경찰관 직무집행법」(이하 "법"이라 한다) 제10조 제1항 단서에 따른 사람의 생명이나 신체에 위해를 끼칠 수 있는 경찰장비(이하 "위해성 경찰장비"라 한다)의 종류는 다음 각 호와 같다.
> 1. **경찰장구**: 수갑 · 포승 · 호송용포승 · 경찰봉 · 호신용경봉 · 전자충격기 · 방패 및 전자방패 ➜ 전 · 방 · 수 · 포 · 봉
> 2. **무기**: 권총 · 소총 · 기관총(기관단총을 포함한다. 이하 같다) · 산탄총 · **유탄발사기** · 박격포 · 3인치포 · 함포 · **크레모아** · **수류탄** · **폭약류** 및 **도검** ➜ (가스발사총 제외) 총 · (물포 제외) 포 · 도
> 3. **분사기 · 최루탄등**: 근접분사기 · 가스분사기 · 가스발사총(고무탄 발사겸용을 포함한다. 이하 같다) 및 최루탄(그 발사장치를 포함한다. 이하 같다)
> 4. **기타장비**: 가스차 · 살수차 · 특수진압차 · 물포 · 석궁 · 다목적발사기 및 도주차량차단장비 ➜ 차량 관련 + 석 · 다 · 물

① [○]

> **대통령령** 위해성 경찰장비의 사용기준 등에 관한 규정 제10조 【권총 또는 소총의 사용제한】 ② 경찰관은 총기 또는 폭발물을 가지고 대항하는 경우를 제외하고는 14세미만의 자 또는 임산부에 대하여 권총 또는 소총을 발사하여서는 아니된다. ➜ 14세 미만의 자 또는 임산부라 하더라도 총기 또는 폭발물을 가지고 대항하면 권총 · 소총 발사 가능

## 205 대통령령인 '위해성 경찰장비의 사용기준 등에 관한 규정'에 대한 다음 설명 중 옳지 않은 것은?

[2017 경간]

① 경찰관은 전극침 발사장치가 있는 전자충격기를 사용하는 경우 상대방의 얼굴을 향하여 전극침을 발사하여서는 아니 된다.

② 경찰관은 총기 또는 폭발물을 가지고 대항하는 경우를 제외하고는 14세 미만의 자 또는 임산부에 대하여 권총 또는 소총을 발사하여서는 아니 된다.

③ 경찰관은 가스발사총을 사용할 경우 1미터 이내의 거리에서 상대방의 얼굴을 향하여 이를 발사하여서는 아니 된다.

④ 경찰관은 최루탄발사기로 최루탄을 발사하는 경우 15도 이상의 발사각을 유지하여야 하고, 가스차 · 살수차 또는 특수진압차의 최루탄발사대로 최루탄을 발사하는 경우에는 30도 이상의 발사각을 유지하여야 한다.

**정답 및 해설 | ④**

④ [×] 최루탄발사기에서 발사하는 경우는 30도 이상, 차량에서 발사하는 경우는 15도 이상의 발사각을 유지하여야 한다.

> 대통령령 **위해성 경찰장비의 사용기준 등에 관한 규정 제12조【가스발사총등의 사용제한】** ② 경찰관은 최루탄발사기로 최루탄을 발사하는 경우 30도이상의 발사각을 유지하여야 하고, 가스차 · 살수차 또는 특수진압차의 최루탄발사대로 최루탄을 발사하는 경우에는 15도이상의 발사각을 유지하여야 한다.

① [○]

> 대통령령 **위해성 경찰장비의 사용기준 등에 관한 규정 제8조【전자충격기등의 사용제한】** ① 경찰관은 14세미만의 자 또는 임산부에 대하여 전자충격기 또는 전자방패를 사용하여서는 아니된다.
> ② 경찰관은 전극침 발사장치가 있는 전자충격기를 사용하는 경우 상대방의 얼굴을 향하여 전극침을 발사하여서는 아니된다.

② [○]

> 대통령령 **위해성 경찰장비의 사용기준 등에 관한 규정 제10조【권총 또는 소총의 사용제한】** ① 경찰관은 법 제10조의4의 규정에 의하여 권총 또는 소총을 사용하는 경우에 있어서 범죄와 무관한 다중의 생명 · 신체에 위해를 가할 우려가 있는 때에는 이를 사용하여서는 아니된다. 다만, 권총 또는 소총을 사용하지 아니하고는 타인 또는 경찰관의 생명 · 신체에 대한 중대한 위험을 방지할 수 없다고 인정되는 때에는 필요한 최소한의 범위안에서 이를 사용할 수 있다.
> ② 경찰관은 총기 또는 폭발물을 가지고 대항하는 경우를 제외하고는 14세미만의 자 또는 임산부에 대하여 권총 또는 소총을 발사하여서는 아니된다. ➜ 14세 미만의 자 또는 임산부라 하더라도 총기 또는 폭발물을 가지고 대항하면 권총 · 소총 발사가능

③ [○]

> 대통령령 **위해성 경찰장비의 사용기준 등에 관한 규정 제12조【가스발사총등의 사용제한】** ① 경찰관은 범인의 체포 또는 도주방지, 타인 또는 경찰관의 생명 · 신체에 대한 방호, 공무집행에 대한 항거의 억제를 위하여 필요한 때에는 최소한의 범위안에서 가스발사총을 사용할 수 있다. 이 경우 경찰관은 1미터이내의 거리에서 상대방의 얼굴을 향하여 이를 발사하여서는 아니된다.

**206** 「경찰관 직무집행법」상 '경찰장비'에 대한 설명으로 옳지 않은 것은? [2020 경간]

① 경찰관은 직무수행 중 경찰장비를 사용할 수 있다. 다만, 사람의 생명이나 신체에 위해를 끼칠 수 있는 경찰장비를 사용할 때에는 필요한 안전교육과 안전검사를 받은 후 사용하여야 한다.

② '경찰장구'란 무기, 최루제와 그 발사장치, 살수차, 감식기구, 해안 감시기구, 통신기기, 차량 · 선박 · 항공기 등 경찰이 직무를 수행할 때 필요한 장치와 기구를 말한다.

③ 경찰청장은 사람의 생명이나 신체에 위해를 끼칠 수 있는 경찰장비를 새로 도입하려는 경우에는 대통령령으로 정하는 바에 따라 안전성 검사를 실시하여 그 안전성 검사의 결과보고서를 국회 소관 상임위원회에 제출하여야 한다. 이 경우 안전성 검사에는 외부 전문가를 참여시켜야 한다.

④ 경찰관은 경찰장비를 함부로 개조하거나 경찰장비에 임의의 장비를 부착하여 일반적인 사용법과 달리 사용함으로써 다른 사람의 생명 · 신체에 위해를 끼쳐서는 아니 된다.

**정답 및 해설 I ②**

② [×] 경찰장구가 아닌 경찰장비에 대한 설명이다.

> **경찰관 직무집행법 제10조 【경찰장비의 사용 등】** ② 제1항 본문에서 "**경찰장비**"란 무기, 경찰장구, 최루제와 그 발사장치, 살수차, 감식기구, 해안 감시기구, 통신기기, 차량 · 선박 · 항공기 등 경찰이 직무를 수행할 때 필요한 장치와 기구를 말한다.

①④ [○] 경찰장비 사용의 기본 3원칙: (i) 안전교육 · 안전검사, (ii) 개조 · 임의 장비부착 금지, (iii) 비례원칙(필요최소한)

> **경찰관 직무집행법 제10조 【경찰장비의 사용 등】** ① 경찰관은 직무수행 중 경찰장비를 사용할 수 있다. 다만, 사람의 생명이나 신체에 위해를 끼칠 수 있는 경찰장비(이하 이 조에서 "위해성 경찰장비"라 한다)를 사용할 때에는 필요한 **안전교육**과 **안전검사**를 받은 후 사용하여야 한다. ➔ 비교» 안전성 검사: 위해성 경찰장비 신규도입시
> ③ 경찰관은 경찰장비를 함부로 개조하거나 경찰장비에 임의의 장비를 부착하여 일반적인 사용법과 달리 사용함으로써 다른 사람의 생명 · 신체에 위해를 끼쳐서는 아니 된다.
> ④ 위해성 경찰장비는 필요한 최소한도에서 사용하여야 한다.

③ [○]

> **경찰관 직무집행법 제10조 【경찰장비의 사용 등】** ⑤ 경찰청장은 위해성 경찰장비를 새로 도입하려는 경우에는 대통령령으로 정하는 바에 따라 안전성 검사를 실시하여 그 안전성 검사의 **결과보고서**를 **국회 소관 상임위원회**에 **제출**하여야 한다. 이 경우 안전성 검사에는 외부 전문가를 참여시켜야 한다.

**207** 「경찰관 직무집행법에 대한 설명으로 가장 적절한 것은? [2019 승진(경감)]

① 경찰관은 이미 행하여진 범죄나 행하여지려고 하는 범죄행위에 관한 사실을 안다고 인정되는 사람에 대하여 질문을 하는 경우 자신의 신분을 표시하는 증표를 제시하면서 소속과 성명을 밝히고 질문의 목적과 이유를 설명하여야 하며 변호인의 도움을 받을 권리가 있음을 알려야 한다.

② 경찰관은 수상한 행동이나 그 밖의 주위 사정을 합리적으로 판단해 볼 때 구호대상자에 해당함이 명백하여 응급의 구호를 요한다고 믿을 만한 상당한 이유가 있는 자를 발견한 때에는 보건의료기관이나 공공구호기관에 긴급구호를 요청하거나 경찰관서에 보호하는 등 적절한 조치를 하여야 한다.

③ 경찰관은 범죄행위가 목전에 행하여지려고 하고 있다고 인정될 때에는 이를 예방하기 위하여 관계인에게 필요한 경고를 하고 즉시 그 행위를 제지할 수 있다.

④ 경찰관은 자신이나 다른 사람의 생명 · 신체의 방어 및 보호를 위하여 필요하다고 인정되는 상당한 이유가 있을 때에는 그 사태를 합리적으로 판단하여 필요한 한도에서 경찰장구를 사용할 수 있다.

**정답 및 해설 I ④**

④ [○]

> **경찰관 직무집행법 제10조의2 【경찰장구의 사용】** ① 경찰관은 다음 각 호의 직무를 수행하기 위하여 필요하다고 인정되는 상당한 이유가 있을 때에는 그 사태를 합리적으로 판단하여 필요한 한도에서 경찰장구를 사용할 수 있다.
> 1. 현행범이나 사형 · 무기 또는 장기 3년 이상의 징역이나 금고에 해당하는 죄를 범한 **범인**의 체포 또는 도주 방지
>    ➔ 현행범 / 사 · 무 · 장 · 3
> 2. 자신이나 다른 사람의 **생명** · **신체**의 방어 및 보호
> 3. **공무집행**에 대한 항거 제지

① [×] 불심검문 과정에서 임의동행으로 진행되는 경우에 한하여 변호인의 도움을 받을 권리가 있음을 알려야 한다.

> **경찰관 직무집행법 제3조【불심검문】** ① 경찰관은 다음 각 호의 어느 하나에 해당하는 사람을 정지시켜 질문할 수 있다.
> 1. 수상한 행동이나 그 밖의 주위 사정을 합리적으로 판단하여 볼 때 어떠한 죄를 범하였거나 범하려 하고 있다고 의심할 만한 상당한 이유가 있는 사람
> 2. 이미 행하여진 범죄나 행하여지려고 하는 범죄행위에 관한 사실을 안다고 인정되는 사람
>
> ② 경찰관은 제1항에 따라 같은 항 각 호의 사람을 정지시킨 장소에서 질문을 하는 것이 그 사람에게 불리하거나 교통에 방해가 된다고 인정될 때에는 질문을 하기 위하여 가까운 경찰서·지구대·파출소 또는 출장소(지방해양경찰관서를 포함하며, 이하 "경찰관서"라 한다)로 동행할 것을 요구할 수 있다. 이 경우 동행을 요구받은 사람은 그 요구를 거절할 수 있다.
>
> ④ 경찰관은 제1항이나 제2항에 따라 질문을 하거나 동행을 요구할 경우 자신의 신분을 표시하는 증표를 제시하면서 소속과 성명을 밝히고 질문이나 동행의 목적과 이유를 설명하여야 하며, 동행을 요구하는 경우에는 동행 장소를 밝혀야 한다.
>
> ⑤ 경찰관은 제2항에 따라 동행한 사람의 가족이나 친지 등에게 동행한 경찰관의 신분, 동행 장소, 동행 목적과 이유를 알리거나 본인으로 하여금 즉시 연락할 수 있는 기회를 주어야 하며, 변호인의 도움을 받을 권리가 있음을 알려야 한다.

② [×] 적절한 조치를 '할 수 있다'.

> **경찰관 직무집행법 제4조【보호조치 등】** ① 경찰관은 수상한 행동이나 그 밖의 주위 사정을 합리적으로 판단해 볼 때 다음 각 호의 어느 하나에 해당하는 것이 명백하고 응급구호가 필요하다고 믿을 만한 상당한 이유가 있는 사람(이하 "구호대상자"라 한다)을 발견하였을 때에는 보건의료기관이나 공공구호기관에 긴급구호를 요청하거나 경찰관서에 보호하는 등 적절한 조치를 할 수 있다.
> 1. 정신착란을 일으키거나 술에 취하여 자신 또는 다른 사람의 생명·신체·재산에 위해를 끼칠 우려가 있는 사람
> 2. 자살을 시도하는 사람
> 3. 미아, 병자, 부상자 등으로서 적당한 보호자가 없으며 응급구호가 필요하다고 인정되는 사람. 다만, 본인이 구호를 거절하는 경우는 제외한다.

③ [×] 경찰관이 제지행위로 나아가기 위해서는 긴급성 요건이 충족되어야 한다.

> **경찰관 직무집행법 제6조【범죄의 예방과 제지】** 경찰관은 범죄행위가 목전에 행하여지려고 하고 있다고 인정될 때에는 이를 예방하기 위하여 관계인에게 필요한 경고를 하고, 그 행위로 인하여 사람의 생명·신체에 위해를 끼치거나 재산에 중대한 손해를 끼칠 우려가 있는 긴급한 경우에는 그 행위를 제지할 수 있다.

## 208 「위해성 경찰장비의 사용기준 등에 관한 규정」에 대한 내용으로 가장 적절하지 않은 것은?

[2018 채용 1차]

① 경찰관은 범인·주취자 또는 정신착란자의 자살 또는 자해기도를 방지하기 위하여 필요한 때에는 수갑·포승 또는 호송용포승을 사용할 수 있다.

② 경찰관은 총기 또는 폭발물을 가지고 대항하는 경우를 제외하고는 14세 미만의 자 또는 임산부에 대하여 권총 또는 소총을 발사하여서는 아니 된다.

③ 경찰관은 최루탄발사기로 최루탄을 발사하는 경우 30도 이상의 발사각을 유지하여야 하고, 가스차·살수차 또는 특수진압차의 최루탄발사대로 최루탄을 발사하는 경우에는 15도 이상의 발사각을 유지하여야 한다.

④ 경찰청장은 신규 도입 장비에 대한 안전성 검사를 실시한 후 3개월 이내에 안전성 검사 결과보고서를 국무회의에 제출하여야 한다.

**정답 및 해설 I ④**

④ [×] 국회 소관 상임위원회에 제출하여야 한다.

> **경찰관 직무집행법 제10조 【경찰장비의 사용 등】** ⑤ 경찰청장은 위해성 경찰장비를 새로 도입하려는 경우에는 대통령령으로 정하는 바에 따라 안전성 검사를 실시하여 그 안전성 검사의 결과보고서를 국회 소관 상임위원회에 제출하여야 한다. 이 경우 안전성 검사에는 외부 전문가를 참여시켜야 한다.

① [○]

> 대통령령 **위해성 경찰장비의 사용기준 등에 관한 규정 제5조 【자살방지등을 위한 수갑등의 사용기준 및 사용보고】** 경찰관은 범인 · 술에 취한 사람 또는 정신착란자의 자살 또는 자해기도를 방지하기 위하여 필요한 때에는 수갑 · 포승 또는 호송용포승을 사용할 수 있다. 이 경우 경찰관은 소속 국가경찰관서의 장(경찰청장 · 해양경찰청장 · 시 · 도경찰청장 · 지방해양경찰청장 · 경찰서장 또는 해양경찰서장 기타 경무관 · 총경 · 경정 또는 경감을 장으로 하는 국가경찰관서의 장을 말한다. 이하 같다)에게 그 사실을 보고해야 한다.

② [○]

> 대통령령 **위해성 경찰장비의 사용기준 등에 관한 규정 제10조 【권총 또는 소총의 사용제한】** ② 경찰관은 총기 또는 폭발물을 가지고 대항하는 경우를 제외하고는 14세미만의 자 또는 임산부에 대하여 권총 또는 소총을 발사하여서는 아니된다. ➜ 14세 미만의 자 또는 임산부라 하더라도 총기 또는 폭발물을 가지고 대항하면 권총 · 소총 발사가능

③ [○]

> 대통령령 **위해성 경찰장비의 사용기준 등에 관한 규정 제12조 【가스발사총등의 사용제한】** ② 경찰관은 최루탄발사기로 최루탄을 발사하는 경우 30도이상의 발사각을 유지하여야 하고, 가스차 · 살수차 또는 특수진압차의 최루탄발사대로 최루탄을 발사하는 경우에는 15도이상의 발사각을 유지하여야 한다.

## 209 「경찰관 직무집행법」에 대한 내용으로 가장 적절하지 않은 것은? [2018 채용 2차]

① 「경찰관 직무집행법」 제2조는 직무의 범위에서 '범죄피해자 보호'를 규정하고 있다.

② 법률에서 정한 절차에 따라 체포 · 구속된 사람 또는 신체의 자유를 제한하는 판결이나 처분을 받은 사람을 수용하기 위하여 경찰서와 해양경찰서에 유치장을 둔다.

③ 경찰관은 '현행범이나 사형 · 무기 또는 장기 3년 이상의 징역이나 금고에 해당하는 죄를 범한 범인의 체포 또는 도주 방지', '자신이나 다른 사람의 생명 · 신체의 방어 및 보호', '공무집행에 대한 항거 제지'의 직무를 수행하기 위하여 필요하다고 인정되는 상당한 이유가 있을 때에는 그 사태를 합리적으로 판단하여 필요한 한도에서 경찰장구를 사용할 수 있다.

④ 경찰청장은 위해성 경찰장비를 새로 도입하려는 경우에는 대통령령으로 정하는 바에 따라 안전성 검사를 실시하여 그 안전성 검사의 결과보고서를 국가경찰위원회에 제출하여야 한다. 이 경우 안전성 검사에는 외부 전문가를 참여시켜야 한다.

**정답 및 해설 I ④**

④ [×] 국회 소관 상임위원회에 제출하여야 한다.

> **경찰관 직무집행법 제10조 【경찰장비의 사용 등】** ⑤ 경찰청장은 위해성 경찰장비를 새로 도입하려는 경우에는 대통령령으로 정하는 바에 따라 안전성 검사를 실시하여 그 안전성 검사의 결과보고서를 국회 소관 상임위원회에 제출하여야 한다. 이 경우 안전성 검사에는 외부 전문가를 참여시켜야 한다.

① [○]

> **경찰관 직무집행법 제2조 【직무의 범위】** 경찰관은 다음 각 호의 직무를 수행한다.
> 2의2. 범죄피해자 보호

② [○]

> **경찰관 직무집행법 제9조 【유치장】** 법률에서 정한 절차에 따라 체포 · 구속된 사람 또는 신체의 자유를 제한하는 판결이나 처분을 받은 사람을 수용하기 위하여 경찰서와 해양경찰서에 유치장을 둔다.

③ [○]

경찰관 직무집행법 제10조의2【경찰장구의 사용】① 경찰관은 다음 각 호의 직무를 수행하기 위하여 필요하다고 인정되는 상당한 이유가 있을 때에는 그 사태를 합리적으로 판단하여 필요한 한도에서 경찰장구를 사용할 수 있다.
1. 현행범이나 사형 · 무기 또는 장기 3년 이상의 징역이나 금고에 해당하는 죄를 범한 범인의 체포 또는 도주 방지
➜ 현행범 / 사 · 무 · 장 · 3
2. 자신이나 다른 사람의 생명 · 신체의 방어 및 보호
3. 공무집행에 대한 항거 제지



**210** 「위해성 경찰장비의 사용기준 등에 관한 규정」에 대한 설명으로 가장 적절하지 않은 것은?

[2019 승진(경위)]

① 직무수행 중 위해성 경찰장비를 사용하는 경찰관은 위해성 경찰장비 사용을 위한 안전교육을 받아야 한다.

② 위해성 경찰장비를 사용하는 경찰관이 소속한 국가경찰관서의 장은 소속 경찰관이 사용할 위해성 경찰장비에 대한 안전검사를 실시하여야 한다.

③ 경찰청장은 위해성 경찰장비를 새로 도입하려는 경우에는 안전성 검사를 실시하여 새로 도입하려는 장비가 사람의 생명이나 신체에 미치는 영향을 평가하여야 한다.

④ 위해성 경찰장비를 새로 도입하려는 경우에 안전성 검사에 참여한 외부 전문가는 안정성 검사를 실시한 후 3개월 이내에 안전성 검사 결과보고서를 국회 소관 상임위원회에 제출하여야 한다.

**정답 및 해설 | ④**

④ [×] ③ [○] 안전성 검사 결과보고서를 제출하는 주체는 외부 전문가가 아니라 경찰청장이다.

대통령령 위해성 경찰장비의 사용기준 등에 관한 규정 제18조의2【신규 도입 장비의 안전성 검사】① 경찰청장은 위해성 경찰장비를 새로 도입하려는 경우에는 법 제10조 제5항에 따라 안전성 검사를 실시하여 새로 도입하려는 장비(이하 이 조에서 "신규 도입 장비"라 한다)가 사람의 생명이나 신체에 미치는 영향을 평가하여야 한다.
② 제1항에 따른 안전성 검사는 신규 도입 장비와 관련된 분야의 외부 전문가가 신규 도입 장비의 주요 특성이나 작동원리에 기초하여 제시하는 검사방법 및 기준에 따라 실시하되, 신규 도입 장비에 대하여 일반적으로 인정되는 합리적인 검사방법이나 기준이 있을 경우 그 검사방법이나 기준에 따라 안전성 검사를 실시할 수 있다.
③ 법 제10조 제5항 후단에 따라 안전성 검사에 참여한 외부 전문가는 안전성 검사가 끝난 후 30일 이내에 신규 도입 장비의 안전성 여부에 대한 의견을 경찰청장에게 제출하여야 한다.
④ 경찰청장은 신규 도입 장비에 대한 안전성 검사를 실시한 후 3개월 이내에 다음 각 호의 내용이 포함된 안전성 검사 결과보고서를 국회 소관 상임위원회에 제출하여야 한다.
1. 신규 도입 장비의 주요 특성 및 기본적인 작동 원리
2. 안전성 검사의 방법 및 기준
3. 안전성 검사에 참여한 외부 전문가의 의견
4. 안전성 검사 결과 및 종합 의견

① [○]

경찰관 직무집행법 제10조【경찰장비의 사용 등】① 경찰관은 직무수행 중 경찰장비를 사용할 수 있다. 다만, 사람의 생명이나 신체에 위해를 끼칠 수 있는 경찰장비(이하 이 조에서 "위해성 경찰장비"라 한다)를 사용할 때에는 필요한 안전교육과 안전검사를 받은 후 사용하여야 한다.

② [○]

대통령령 위해성 경찰장비의 사용기준 등에 관한 규정 제18조【위해성 경찰장비에 대한 안전검사】위해성 경찰장비를 사용하는 경찰관이 소속한 국가경찰관서의 장은 소속 경찰관이 사용할 위해성 경찰장비에 대한 안전검사를 별표 2의 기준에 따라 실시하여야 한다.

**211** 「위해성 경찰장비의 사용기준 등에 관한 규정」에 대한 설명으로 가장 적절하지 <u>않은</u> 것은?

[2021 승진(실무종합)]

① 경찰관은 불법집회 · 시위로 인하여 발생할 수 있는 경찰관의 생명 · 신체의 위해와 재산 · 공공시설의 위험을 방지하기 위해서는 경찰봉 또는 호신용경봉을 사용할 수 없다.

② 경찰관은 범인 · 술에 취한 사람 또는 정신착란자의 자살 또는 자해기도를 방지하기 위하여 필요한 때에는 수갑 · 포승 또는 호송용포승을 사용할 수 있다.

③ 경찰청장은 위해성 경찰장비를 새로 도입하려는 경우에는 신규 도입 장비에 대한 안전성 검사를 실시한 후 3개월 이내에 안전성 검사 결과보고서를 국회 소관 상임위원회에 제출하여야 한다.

④ 경찰관은 가스차 · 살수차 또는 특수진압차의 최루탄발사대로 최루탄을 발사하는 경우에는 15도 이상의 발사각을 유지하여야 하고, 최루탄발사기로 최루탄을 발사하는 경우 30도 이상의 발사각을 유지하여야 한다.

**정답 및 해설 I ①**

① [×] 사용할 수 있다.

> 대통령령 위해성 경찰장비의 사용기준 등에 관한 규정 제6조 **【불법집회등에서의 경찰봉 · 호신용경봉의 사용기준】** 경찰관은 불법집회 · 시위로 인하여 발생할 수 있는 타인 또는 경찰관의 생명 · 신체의 위해와 재산 · 공공시설의 위험을 방지하기 위하여 필요한 때에는 최소한의 범위안에서 경찰봉 또는 호신용경봉을 사용할 수 있다.

② [○]

> 대통령령 위해성 경찰장비의 사용기준 등에 관한 규정 제5조 **【자살방지등을 위한 수갑등의 사용기준 및 사용보고】** 경찰관은 범인 · 술에 취한 사람 또는 정신착란자의 자살 또는 자해기도를 방지하기 위하여 필요한 때에는 수갑 · 포승 또는 호송용포승을 사용할 수 있다. 이 경우 경찰관은 소속 국가경찰관서의 장(경찰청장 · 해양경찰청장 · 시 · 도경찰청장 · 지방해양경찰청장 · 경찰서장 또는 해양경찰서장 기타 경무관 · 총경 · 경정 또는 경감을 장으로 하는 국가경찰관서의 장을 말한다. 이하 같다)에게 그 사실을 보고해야 한다.

③ [○]

> 대통령령 위해성 경찰장비의 사용기준 등에 관한 규정 제18조의2 **【신규 도입 장비의 안전성 검사】** ④ 경찰청장은 신규 도입 장비에 대한 안전성 검사를 실시한 후 3개월 이내에 다음 각 호의 내용이 포함된 안전성 검사 결과보고서를 국회 소관 상임위원회에 제출하여야 한다.
> 1. 신규 도입 장비의 주요 특성 및 기본적인 작동 원리
> 2. 안전성 검사의 방법 및 기준
> 3. 안전성 검사에 참여한 외부 전문가의 의견
> 4. 안전성 검사 결과 및 종합 의견

④ [○]

> 대통령령 위해성 경찰장비의 사용기준 등에 관한 규정 제12조 **【가스발사총등의 사용제한】** ② 경찰관은 최루탄발사기로 최루탄을 발사하는 경우 30도이상의 발사각을 유지하여야 하고, 가스차 · 살수차 또는 특수진압차의 최루탄발사대로 최루탄을 발사하는 경우에는 15도이상의 발사각을 유지하여야 한다.

**212** 「경찰관 직무집행법」 및 「위해성 경찰장비의 사용기준 등에 관한 규정」상 경찰장비의 사용에 대한 설명으로 가장 적절한 것은? [2020 채용 2차]

① 경찰관은 범인의 체포 또는 도주의 방지, 자신이나 다른 사람의 생명 · 신체의 방어 및 보호, 공무집행에 대한 항거의 제지를 위하여 필요한 상당한 이유가 있는 경우 경찰장구를 사용할 수 있다.

② 경찰관은 불법집회 · 시위 또는 소요사태로 인하여 발생할 수 있는 타인 또는 경찰관의 생명 · 신체의 위해와 재산 · 공공시설의 위험을 억제하기 위하여 부득이한 경우에는 시 · 도경찰청장의 명령에 따라 필요한 최소한의 범위에서 가스차를 사용할 수 있다.

③ 제11조(사용기록이 보관)에 따라 살수차, 분사기, 전자충격기 및 전자방패, 무기를 사용하는 경우 그 책임자는 사용 일시 · 장소 · 대상, 현장책임자, 종류, 수량 등을 기록하여 보관하여야 한다.

④ 경찰관은 범인 · 주취자 또는 정신착란자의 자살 또는 자해기도를 방지하기 위하여 필요한 때에는 수갑 · 포승 또는 호송용포승을 사용할 수 있다. 이 경우 경찰관은 소속 국가경찰관서의 장에게 그 사실을 보고하여야 한다.

**정답 및 해설 I ④**

④ [○]

> **대통령령** 위해성 경찰장비의 사용기준 등에 관한 규정 제5조【자살방지등을 위한 수갑등의 사용기준 및 사용보고】 경찰관은 범인 · 술에 취한 사람 또는 정신착란자의 자살 또는 자해기도를 방지하기 위하여 필요한 때에는 수갑 · 포승 또는 호송용포승을 사용할 수 있다. 이 경우 경찰관은 소속 국가경찰관서의 장(경찰청장, 해양경찰청장, 시 · 도경찰청장, 지방해양경찰청장, 경찰서장 또는 해양경찰서장 기타 경무관 · 총경 · 경정 또는 경감을 장으로 하는 국가경찰관서의 장을 말한다. 이하 같다)에게 그 사실을 보고해야 한다.

① [×] 경찰장구는 단순히 범인 체포나 도주방지를 위해 사용할 수 있는 것이 아니라, 현행범이나 사형 · 무기 또는 장기 3년 이상의 징역이나 금고에 해당하는 죄를 범한 범인의 체포나 도주방지를 위해 사용할 수 있다.

> **경찰관 직무집행법 제10조의2【경찰장구의 사용】** ① 경찰관은 다음 각 호의 직무를 수행하기 위하여 필요하다고 인정되는 상당한 이유가 있을 때에는 그 사태를 합리적으로 판단하여 필요한 한도에서 경찰장구를 사용할 수 있다.
> 1. 현행범이나 사형 · 무기 또는 장기 3년 이상의 징역이나 금고에 해당하는 죄를 범한 범인의 체포 또는 도주 방지 ➜ 현행범 / 사 · 무 · 장 · 3
> 2. 자신이나 다른 사람의 생명 · 신체의 방어 및 보호
> 3. 공무집행에 대한 항거 제지

② [×] 시 · 도경찰청장의 명령이 아니라 현장책임자의 판단에 의하여 사용할 수 있다.

> **대통령령** 위해성 경찰장비의 사용기준 등에 관한 규정 제13조【가스차 · 특수진압차 · 물포의 사용기준】 ① 경찰관은 불법집회 · 시위 또는 소요사태로 인하여 발생할 수 있는 타인 또는 경찰관의 생명 · 신체의 위해와 재산 · 공공시설의 위험을 억제하기 위하여 부득이한 경우에는 현장책임자의 판단에 의하여 필요한 최소한의 범위에서 가스차를 사용할 수 있다.

③ [×] 사용기록의 보관 대상이 되는 것은 무기 · 분사기 · 최루탄 · 살수차를 사용한 경우이다(무 · 분 · 최 · 살).

> **경찰관 직무집행법 제11조【사용기록의 보관】** 제10조 제2항에 따른 살수차, 제10조의3에 따른 분사기, 최루탄 또는 제10조의4에 따른 무기를 사용하는 경우 그 책임자는 사용 일시 · 장소 · 대상, 현장책임자, 종류, 수량 등을 기록하여 보관하여야 한다.

**213** 경찰관의 직무수행 및 경찰장비의 사용과 관련한 재량의 범위 및 한계에 대한 설명으로 가장 적절하게 나열한 것은? (다툼이 있는 경우 판례에 의함) [2023 경간]

> 불법적인 농성을 진압하는 방법 및 그 과정에서 어떤 경찰장비를 사용할 것인지는 ( 가 )인 상황과 예측되는 피해 발생의 ( 나 ) 위험성의 내용 등에 비추어 경찰관이 그 재량의 범위 내에서 정할 수 있다. 그러나 그 직무수행 중 특정한 경찰장비를 필요한 최소한의 범위를 넘어 관계 법령에서 정한 통상의 용법과 달리 사용함으로써 타인의 생명 · 신체에 위해를 가하였다면, 불법적인 농성의 진압을 위하여 그러한 방법으로 라도 해당 경찰장비를 사용할 필요가 있고 그로 인하여 발생할 우려가 있는 타인의 생명 · 신체에 대한 위해의 정도가 ( 다 )으로 예견되는 범위 내에 있다는 등의 특별한 사정이 없는 한 그 직무수행은 위법하다고 보아야 한다. 나아가 경찰관이 농성진압의 과정에서 경찰장비를 위법하게 사용함으로써 그 직무수행이 적법한 범위를 벗어난 것으로 볼 수밖에 없다면, 상대방이 그로 인한 생명 · 신체에 대한 위해를 면하기 위하여 ( 라 )으로 대항하는 과정에서 그 경찰장비를 손상시켰더라도 이는 위법한 공무집행으로 인한 신체에 대한 현재의 부당한 침해에서 벗어나기 위한 행위로서 정당방위에 해당한다.

| | 가 | 나 | 다 | 라 |
|---|---|---|---|---|
| ① | 구체적 | 추상적 | 특수적 | 간접적 |
| ② | 추상적 | 구체적 | 통상적 | 직접적 |
| ③ | 구체적 | 추상적 | 통상적 | 직접적 |
| ④ | 구체적 | 구체적 | 통상적 | 직접적 |

**정답 및 해설 | ④**

④ [○] (가) 구체적, (나) 구체적, (다) 통상적, (라) 직접적

**요지판례 |**

■ 불법적인 농성을 진압하는 방법 및 그 과정에서 어떤 경찰장비를 사용할 것인지는 (가) **구체적** 상황과 예측되는 피해 발생의 (나) **구체적** 위험성의 내용 등에 비추어 경찰관이 그 재량의 범위 내에서 정할 수 있다. 그러나 그 직무수행 중 특정한 경찰장비를 필요한 최소한의 범위를 넘어 관계법령에서 정한 통상의 용법과 달리 사용함으로써 타인의 생명 · 신체에 위해를 가하였다면, 불법적인 농성의 진압을 위하여 그러한 방법으로라도 해당 경찰장비를 사용할 필요가 있고 그로 인하여 발생할 우려가 있는 타인의 생명 · 신체에 대한 위해의 정도가 (다) **통상적**으로 예견되는 범위 내에 있다는 등의 특별한 사정이 없는 한 그 직무수행은 위법하다고 보아야 한다. 나아가 경찰관이 농성진압의 과정에서 경찰장비를 위법하게 사용함으로써 그 직무수행이 적법한 범위를 벗어난 것으로 볼 수밖에 없다면, 상대방이 그로 인한 생명 · 신체에 대한 위해를 면하기 위하여 (라) **직접적**으로 대항하는 과정에서 그 경찰장비를 손상시켰더라도 이는 위법한 공무집행으로 인한 신체에 대한 현재의 부당한 침해에서 벗어나기 위한 행위로서 정당방위에 해당한다(대판 2022.11.30, 2016다26662).

## 214 경찰장비와 그 사용에 관한 설명으로 가장 적절하지 않은 것은? (다툼이 있는 경우 판례에 의함)

[2024 1차 채용]

① 경찰관은 경찰장비에 임의의 장비를 부착하여 일반적인 사용법과 달리 사용함으로써 다른 사람의 생명 · 신체에 위해를 끼쳐서는 안 된다.

② 경찰청장은 위해성 경찰장비를 새로 도입하려는 경우에는 대통령령으로 정하는 바에 따라 안전성 검사를 실시하여 그 안전성 검사의 결과보고서를 국회 소관 상임위원회에 제출하여야 한다. 이 경우 안전성 검사에는 외부 전문가를 참여시켜야 한다.

③ 경찰관이 농성 진압 과정에서 경찰장비를 적법하게 사용하였더라도, 상대방이 그로 인한 생명 · 신체에 대한 위해를 면하기 위하여 대항하는 과정에서 경찰장비를 손상시켰다면 이는 현재의 부당한 침해에서 벗어나기 위한 행위로서 정당방위에 해당한다.

④ 수사기관에서 구속된 피의자의 도주, 항거 등을 억제하는 데 필요하다고 인정할 상당한 이유가 있는 경우에는 필요한 한도 내에서 포승이나 수갑을 사용할 수 있으며, 이러한 조치가 무죄추정의 원칙에 위배되는 것이라고 할 수 없다.

**정답 및 해설 | ③**

③ [×] 경찰관의 **위법한 공무집행**에 대해 항거하기 위한 행위가 **정당방위**에 **해당**하는 것이지, 적법한 공무집행에 대해서는 이를 현재의 부당한 침해라고 할 수 없고 따라서 정당방위가 성립할 수 없다.

**요지판례 |**

■ 경찰관이 농성 진압의 과정에서 경찰장비를 위법하게 사용함으로써 그 직무수행이 적법한 범위를 벗어난 것으로 볼 수밖에 없다면, 상대방이 그로 인한 생명 · 신체에 대한 위해를 면하기 위하여 직접적으로 대항하는 과정에서 경찰장비를 손상시켰더라도 이는 **위법한 공무집행**으로 인한 신체에 대한 현재의 부당한 침해에서 벗어나기 위한 행위로서 **정당방위에 해당한다**(대판 2022.11.30, 2016다26662). ➜ 산별노조 노동조합의 지부가 조합원들을 각 거점에 배치하고 새총, 볼트, 화염병 등을 소지한 채 공장 점거파업을 계속하자 경찰이 점거파업을 진압하기 위하여 헬기에서 조합원들이 있던 공장 옥상을 향하여 다량의 최루액을 살포하거나 공장 옥상으로부터 30~100m 고도로 제자리 비행을 하여 조합원들을 헬기 하강풍에 노출되게 하였고, 그 과정에서 헬기가 새총으로 발사된 볼트 등의 이물질에 맞아 손상된 사안에서, 헬기를 위와 같은 방법으로 사용하여 불법적인 농성을 진압하는 것은 경찰장비를 위법하게 사용함으로써 적법한 직무수행의 범위를 벗어났다고 본 사례

① [○] **경찰관 직무집행법 제10조【경찰장비의 사용 등】** ③ 경찰관은 경찰장비를 함부로 개조하거나 경찰장비에 임의의 장비를 부착하여 일반적인 사용법과 달리 사용함으로써 다른 사람의 **생명 · 신체**에 위해를 끼쳐서는 아니 된다.

② [○] **경찰관 직무집행법 제10조【경찰장비의 사용 등】** ⑤ 경찰청장은 위해성 경찰장비를 새로 도입하려는 경우에는 대통령령으로 정하는 바에 따라 **안전성 검사를 실시**하여 그 안전성 검사의 **결과보고서를 국회 소관 상임위원회에 제출**하여야 한다. 이 경우 안전성 검사에는 외부 전문가를 참여시켜야 한다

④ [○]

**요지판례 |**

■ 무죄추정을 받는 피의자라고 하더라도 그에게 구속의 사유가 있어 구속영장이 발부, 집행된 이상 신체의 자유가 제한되는 것은 당연한 것이고, 특히 수사기관에서 구속된 피의자의 도주, 항거 등을 억제하는데 필요하다고 인정할 상당한 이유가 있는 경우에는 필요한 한도 내에서 포승이나 수갑을 사용할 수 있는 것이며, 이러한 조치가 **무죄추정의 원칙에 위배되는 것이라고 할 수는 없다**(대판 1996.5.14, 96도561).

대통령령 **위해성 경찰장비의 사용기준 등에 관한 규정 제4조【영장집행등에 따른 수갑등의 사용기준】** 경찰관(경찰공무원으로 한정한다. 이하 같다)은 체포 · 구속영장을 집행하거나 신체의 자유를 제한하는 판결 또는 처분을 받은 자를 법률이 정한 절차에 따라 호송하거나 수용하기 위하여 필요한 때에는 최소한의 범위안에서 수갑 · 포승 또는 호송용포승을 사용할 수 있다.

**215** 다음은 「위해성 경찰장비의 사용기준 등에 관한 규정」에 대한 설명이다. 적절한 것만을 고른 것은 모두 몇 개인가? [2021 채용 1차]

> ㉠ 경찰관은 소요사태로 인해 타인의 법익이나 공공의 안녕질서에 대한 직접적인 위험이 명백하게 초래되어 살수차 외의 경찰장비로는 그 위험을 제거 · 완화시키는 것이 현저히 곤란한 경우에는 시 · 도경찰청장의 명령에 따라 살수차를 배치 · 사용할 수 있다.
> ㉡ 경찰관은 총기 또는 폭발물을 가지고 대항하는 경우를 제외하고는 14세 미만의 자 또는 임산부에 대하여 권총 또는 소총을 발사하여서는 아니 된다.
> ㉢ 「경찰관 직무집행법」 제10조 제5항 후단에 따라 안전성 검사에 참여한 외부 전문가는 안전성 검사가 끝난 후 3개월 이내에 신규 도입 장비의 안전성 여부에 대한 의견을 경찰청장에게 제출하여야 한다.
> ㉣ 국가경찰관서의 장(경찰청장, 해양경찰청장, 시 · 도경찰청장, 지방해양경찰청장, 경찰서장 또는 해양경찰서장 기타 경무관 · 총경 · 경정 또는 경감을 장으로 하는 국가경찰관서의 장을 말한다)은 폐기대상인 위해성 경찰장비 또는 성능이 저하된 위해성 경찰장비를 개조할 수 있으며, 소속 경찰관으로 하여금 이를 본래의 용법에 준하여 사용하게 할 수 있다.
> ㉤ 「위해성 경찰장비의 사용기준 등에 관한 규정」 제2조 제2호부터 제4호까지의 위해성 경찰장비(제4호의 경우에는 가스차만 해당한다)를 사용하는 경우 그 현장책임자 또는 사용자는 사용보고서를 작성하여 직근상급 감독자에게 보고하고, 직근상급 감독자는 이를 3년간 보관하여야 한다.

① 1개　　② 2개
③ 3개　　④ 4개

**정답 및 해설 I ③**

㉠ [O]

> **대통령령 위해성 경찰장비의 사용기준 등에 관한 규정 제13조의2【살수차의 사용기준】** ① 경찰관은 다음 각 호의 어느 하나에 해당하여 살수차 외의 경찰장비로는 그 위험을 제거 · 완화시키는 것이 현저히 곤란한 경우에는 **시 · 도경찰청장의 명령**에 따라 살수차를 배치 · 사용할 수 있다.
> 1. **소요사태**로 인해 타인의 법익이나 공공의 안녕질서에 대한 **직접적인 위험이 명백하게 초래**되는 경우
> 2. 「통합방위법」 제21조 제4항에 따라 지정된 **국가중요시설에 대한 직접적인 공격행위**로 인해 해당 시설이 파괴되거나 기능이 정지되는 등 급박한 위험이 발생하는 경우

㉡ [O]

> **대통령령 위해성 경찰장비의 사용기준 등에 관한 규정 제10조【권총 또는 소총의 사용제한】** ② 경찰관은 총기 또는 폭발물을 가지고 대항하는 경우를 제외하고는 **14세미만의 자** 또는 **임산부**에 대하여 권총 또는 소총을 발사하여서는 아니된다. ➜ 14세 미만의 자 또는 임산부라 하더라도 총기 또는 폭발물을 가지고 대항하면 권총 · 소총 발사가능

㉢ [X] 외부전문가는 30일 이내에 경찰청장에게 제출해야 하고, 경찰청장은 3개월 이내에 국회 소관 상임위원회에 제출하여야 한다.

> **대통령령 위해성 경찰장비의 사용기준 등에 관한 규정 제18조의2【신규 도입 장비의 안전성 검사】** ③ 법 제10조 제5항 후단에 따라 안전성 검사에 참여한 외부 전문가는 안전성 검사가 끝난 후 **30일** 이내에 신규 도입 장비의 안전성 여부에 대한 의견을 **경찰청장에게 제출**하여야 한다.
> ④ 경찰청장은 신규 도입 장비에 대한 안전성 검사를 실시한 후 **3개월** 이내에 다음 각 호의 내용이 포함된 안전성 검사 결과보고서를 국회 소관 상임위원회에 제출하여야 한다.
> 1. 신규 도입 장비의 주요 특성 및 기본적인 작동 원리
> 2. 안전성 검사의 방법 및 기준
> 3. 안전성 검사에 참여한 외부 전문가의 의견
> 4. 안전성 검사 결과 및 종합 의견

㉣ [○] 
> 대통령령 위해성 경찰장비의 사용기준 등에 관한 규정 제19조【위해성 경찰장비의 개조 등】 국가경찰관서의 장은 폐기대상인 위해성 경찰장비 또는 성능이 저하된 위해성 경찰장비를 **개조할 수 있으며**, 소속경찰관으로 하여금 이를 본래의 용법에 준하여 사용하게 할 수 있다.

㉤ [×] 제4호 기타장비는 '살수차'만 해당한다. ➜ 무 · 분 · 최 · 살

> 대통령령 위해성 경찰장비의 사용기준 등에 관한 규정 제20조【사용기록의 보관 등】 ① 제2조 제2호부터 제4호까지의 위해성 경찰장비(제4호의 경우에는 **살수차만 해당**한다)를 사용하는 경우 그 현장책임자 또는 사용자는 별지 서식의 사용보고서를 **작성**하여 직근상급 감독자에게 **보고**하고, 직근상급 감독자는 이를 **3년간 보관**하여야 한다.



**216** 경찰장비에 대한 설명이다. 아래 ㉠부터 ㉣까지의 설명 중 옳고 그름의 표시(○, ×)가 바르게 된 것은? [2022 승진]

> ㉠ 「경찰관 직무집행법」상 경찰청장은 위해성 경찰장비를 새로 도입하려는 경우에는 대통령령으로 정하는 바에 따라 안전성 검사를 실시하여 그 안전성 검사의 결과보고서를 행정안전부장관에게 제출하여야 한다.
> ㉡ 「위해성 경찰장비의 사용기준 등에 관한 규정」상 경찰관은 14세 미만의 자 또는 65세 이상의 고령자에 대하여 전자충격기를 사용하여서는 아니 된다.
> ㉢ 「경찰관 직무집행법」상 경찰관은 범인의 체포 또는 범인의 도주 방지를 위하여 부득이한 경우에는 현장책임자가 판단하여 필요한 최소한의 범위에서 「총포 · 도검 · 화약류 등의 안전관리에 관한 법률」에 따른 분사기를 사용할 수 있다.
> ㉣ 「경찰관 직무집행법」상 경찰관은 범인의 체포, 범인의 도주 방지, 자신이나 다른 사람의 생명 · 신체의 방어 및 보호, 공무집행에 대한 항거의 제지를 위하여 필요하다고 인정되는 상당한 이유가 있을 때에는 그 사태를 합리적으로 판단하여 필요한 한도에서 무기를 사용할 수 있다.

① ㉠ [×] ㉡ [○] ㉢ [○] ㉣ [×]
② ㉠ [○] ㉡ [×] ㉢ [○] ㉣ [×]
③ ㉠ [×] ㉡ [×] ㉢ [×] ㉣ [○]
④ ㉠ [×] ㉡ [×] ㉢ [○] ㉣ [○]

**정답 및 해설 | ④**

㉠ [×] **국회 소관 상임위원회**에 제출하여야 한다.

> 경찰관 직무집행법 제10조【경찰장비의 사용 등】 ⑤ 경찰청장은 위해성 경찰장비를 새로 도입하려는 경우에는 대통령령으로 정하는 바에 따라 **안전성 검사를 실시**하여 그 안전성 검사의 **결과보고서를 국회 소관 상임위원회**에 **제출**하여야 한다. 이 경우 안전성 검사에는 외부 전문가를 참여시켜야 한다.

㉡ [×] 65세 이상 고령자가 아니라 **임산부**이다.

> 대통령령 위해성 경찰장비의 사용기준 등에 관한 규정 제8조【전자충격기등의 사용제한】 ① 경찰관은 14세 미만의 자 또는 **임산부**에 대하여 전자충격기 또는 전자방패를 사용하여서는 아니된다.

ⓒ [O]

경찰관 직무집행법 제10조의3【분사기 등의 사용】 경찰관은 다음 각 호의 직무를 수행하기 위하여 부득이한 경우에는 현장책임자가 판단하여 필요한 최소한의 범위에서 분사기(「총포 · 도검 · 화약류 등의 안전관리에 관한 법률」에 따른 분사기를 말하며, 그에 사용하는 최루 등의 작용제를 포함한다. 이하 같다) 또는 최루탄을 사용할 수 있다.
1. 범인의 체포 또는 범인의 도주 방지
2. 불법집회 · 시위로 인한 자신이나 다른 사람의 생명 · 신체와 재산 및 공공시설 안전에 대한 현저한 위해의 발생 억제

ⓓ [O]

경찰관 직무집행법 제10조의4【무기의 사용】 ① 경찰관은 범인의 체포, 범인의 도주 방지, 자신이나 다른 사람의 생명 · 신체의 방어 및 보호, 공무집행에 대한 항거의 제지를 위하여 필요하다고 인정되는 상당한 이유가 있을 때에는 그 사태를 합리적으로 판단하여 필요한 한도에서 무기를 사용할 수 있다. 다만, …

## 217 경찰관 무기사용에 대한 설명으로 적절한 것은 모두 몇 개인가? (다툼이 있는 경우 판례에 의함)

[2023 경간]

가. 경찰관이 신호위반을 이유로 정지명령에 불응하고 도주하던 차량에 탑승한 동승자를 추격하던 중 수차례에 걸쳐 경고하고 공포탄을 발사했음에도 불구하고 계속 도주하자 실탄을 발사하여 사망케 한 경우, 위 총기 사용 행위는 허용범위를 벗어난 위법행위이다.

나. 경찰관의 무기 사용이 특히 사람에게 위해를 가할 위험성이 큰 권총의 사용에 있어서는 그 요건을 더욱 엄격하게 판단하여야 한다.

다. 「경찰관 직무집행법」상 무기란 사람의 생명이나 신체에 위해를 끼칠 수 있도록 제작된 권총 · 소총 · 도검 등을 말하며, 대간첩 · 대테러 작전 등 국가안전에 관련되는 작전을 수행할 때에는 개인화기 외에 공용화기를 사용할 수 있다.

라. 경찰관이 길이 40cm 가량의 칼로 반복적으로 위협하며 도주하는 차량 절도 혐의자를 추적하던 중, 도주하기 위하여 등을 돌린 혐의자의 몸 쪽을 향하여 약 2m 거리에서 실탄을 발사하여 혐의자를 복부관통상으로 사망케 한 경우, 경찰관의 총기사용은 사회통념상 허용범위를 벗어난 위법행위이다.

① 1개　　② 2개
③ 3개　　④ 4개

**정답 및 해설 | ④**

가. [O]

**요지판례 |**

■ 경찰관이 신호위반을 이유로 한 정지명령에 불응하고 도주하던 차량에 탑승한 동승자를 추격하던 중 수차례에 걸쳐 경고하고 공포탄을 발사했음에도 불구하고 계속 도주하자 실탄을 발사하여 사망케 한 경우, 위 총기 사용 행위는 허용 범위를 벗어난 위법행위이다(대판 1999.6.22, 98다61470).

나. [O]

**요지판례 |**

■ 경찰관은 범인의 체포, 도주의 방지, 자기 또는 타인의 생명 · 신체에 대한 방호, 공무집행에 대한 항거의 억제를 위하여 무기를 사용할 수 있으나, … 특히 사람에게 위해를 가할 위험성이 큰 권총의 사용에 있어서는 그 요건을 더욱 엄격하게 판단하여야 한다(대판 2004.5.13, 2003다57956).

다. [O]

경찰관 직무집행법 제10조의4【무기의 사용】 ② 제1항에서 "무기"란 사람의 생명이나 신체에 위해를 끼칠 수 있도록 제작된 권총 · 소총 · 도검 등을 말한다.
③ 대간첩 · 대테러 작전 등 국가안전에 관련되는 작전을 수행할 때에는 개인화기 외에 공용화기를 사용할 수 있다.

라. [O]

**요지판례 |**

■ 경찰관이 길이 40cm 가량의 칼로 반복적으로 위협하며 도주하는 차량 절도 혐의자를 추적하던 중, 도주하기 위하여 등을 돌린 혐의자의 몸 쪽을 향하여 약 2m 거리에서 실탄을 발사하여 혐의자를 복부관통상으로 사망케 한 경우, 경찰관의 총기사용은 사회통념상 허용범위를 벗어난 위법행위이다(대판 1999.3.23, 98다63445).

**218** 경찰 물리력 행사의 기준과 방법에 관한 규칙 제2장에 따른 대상자 행위에 대한 설명이다. 각 단계와 내용의 연결이 가장 적절하지 않은 것은? [2022 채용 1차]

① 소극적 저항 – 대상자가 경찰관의 지시, 통제를 따르지 않고 비협조적이지만 경찰관 또는 제3자에 대해 직접적인 위해를 가하지 않는 상태

② 적극적 저항 – 대상자가 자신에 대한 경찰관의 체포 · 연행 등 정당한 공무집행을 방해하지만 경찰관 또는 제3자에 대해 위해 수준이 낮은 행위만을 하는 상태

③ 폭력적 공격 – 대상자가 경찰관 또는 제3자에 대해 신체적 위해를 가하는 상태

④ 치명적 공격 – 대상자가 경찰관에게 폭력을 행사하려는 자세를 취하여 그 행사가 임박한 상태, 주먹 · 발 등을 사용해서 경찰관에 대해 신체적 위해를 초래하고 있는 상태

**정답 및 해설 | ④**

④ [×] 치명적 공격이 되려면 총기류나 둔기 등을 이용한 공격이어야 한다. 주먹 · 발 등으로 경찰관에게 신체적 위해를 초래하는 정도는 폭력적 공격이다.

| | |
|---|---|
| 순응 | 대상자가 경찰관의 지시, 통제에 따르는 상태를 말한다. 다만, 대상자가 경찰관의 요구에 즉각 응하지 않고 약간의 시간만 지체하는 경우는 '순응'으로 본다. |
| 소극적 저항 | • 대상자가 경찰관의 지시, 통제를 따르지 않고 비협조적이지만 경찰관 또는 제3자에 대해 직접적인 위해를 가하지 않는 상태를 말한다.<br>• 경찰관이 정당한 이동 명령을 발하였음에도 가만히 서있거나 앉아 있는 등 전혀 움직이지 않는 상태, 일부러 몸의 힘을 모두 빼거나, 고정된 물체를 꽉 잡고 버팀으로써 움직이지 않으려는 상태 등이 이에 해당한다. |
| 적극적 저항 | • 대상자가 자신에 대한 경찰관의 체포 · 연행 등 정당한 공무집행을 방해하지만 경찰관 또는 제3자에 대해 위해 수준이 낮은 행위만을 하는 상태를 말한다.<br>• 대상자가 자신을 체포 · 연행하려는 경찰관으로부터 물리적으로 이탈하거나 도주하려는 행위, 체포 · 연행을 위해 팔을 잡으려는 경찰관의 손을 뿌리치거나, 경찰관을 밀고 잡아끄는 행위, 경찰관에게 침을 뱉거나 경찰관을 밀치는 행위 등이 이에 해당한다. |
| 폭력적 공격 | • 대상자가 경찰관 또는 제3자에 대해 신체적 위해를 가하는 상태를 말한다.<br>• 대상자가 경찰관에게 폭력을 행사하려는 자세를 취하여 그 행사가 임박한 상태, 주먹 · 발 등을 사용해서 경찰관에 대해 신체적 위해를 초래하고 있거나 임박한 상태, 강한 힘으로 경찰관을 밀거나 잡아당기는 등 완력을 사용해 체포에서 벗어나려고 하는 상태 등이 이에 해당한다. |
| 치명적 공격 | • 대상자가 경찰관 또는 제3자에 대해 사망 또는 심각한 부상을 초래할 수 있는 행위를 하는 상태를 말한다.<br>• 총기류(공기총 · 엽총 · 사제권총 등), 흉기(칼 · 도끼 · 낫 등), 둔기(망치 · 쇠파이프 등)를 이용하여 경찰관, 제3자에 대해 위력을 행사하고 있거나 위해 발생이 임박한 경우, 경찰관이나 제3자의 목을 세게 조르거나 무차별 폭행하는 등 생명 · 신체에 대해 중대한 위해가 발생할 정도의 위험한 폭력을 행사하는 경우가 이에 해당한다. |

**219** 「경찰 물리력 행사의 기준과 방법에 관한 규칙」상 대상자의 행위와 내용의 연결이 가장 적절하지 <u>않은</u> 것은?

[2024 승진]

① 순응 – 대상자가 경찰관의 지시, 통제에 따르는 상태를 말한다. 다만, 대상자가 경찰관의 요구에 즉각 응하지 않고 약간의 시간만 지체하는 경우는 '순응'으로 본다.

② 소극적 저항 – 대상자가 경찰관의 지시, 통제를 따르지 않고 비협조적이지만 경찰관 또는 제3자에 대해 직접적인 위해를 가하지 않는 상태를 말한다. 경찰관이 정당한 이동명령을 발하였음에도 가만히 서있거나 앉아 있는 등 전혀 움직이지 않는 상태, 일부러 몸의 힘을 모두 빼거나, 고정된 물체를 꽉잡고 버팀으로써 움직이지 않으려는 상태 등이 이에 해당한다.

③ 적극적 저항 – 대상자가 자신에 대한 경찰관의 체포 · 연행 등 정당한 공무집행을 방해하지만 경찰관 또는 제3자에 대해 위해 수준이 낮은 행위만을 하는 상태를 말한다. 대상자가 자신을 체포 · 연행하려는 경찰관으로부터 물리적으로 이탈하거나 도주하려는 행위, 체포 · 연행을 위해 팔을 잡으려는 경찰관의 손을 뿌리치거나, 경찰관을 밀고 잡아끄는 행위, 경찰관에게 침을 뱉거나 경찰관을 밀치는 행위 등이 이에 해당한다.

④ 폭력적 공격 – 대상자가 경찰관 또는 제3자에 대해 사망 또는 심각한 부상을 초래할 수 있는 행위를 하는 상태를 말한다. 흉기(칼 · 도끼 · 낫 등)를 이용하여 경찰관, 제3자에 대해 위력을 행사하고 있거나 위해 발생이 임박한 경우, 경찰관이나 제3자의 목을 세게 조르거나 무차별 폭행하는 등 생명 · 신체에 대해 중대한 위해가 발생할 정도의 위험한 폭력을 행사하는 경우가 이에 해당한다.

**정답 및 해설 I ④**

④ [×] 지문은 치명적 공격에 대한 설명이다.

**220** 「경찰 물리력 행사의 기준과 방법에 관한 규칙」에 대한 설명으로 가장 적절하지 <u>않은</u> 것은?

[2020 채용 1차]

① 경찰관이 물리력 사용시 준수하여야 할 기본원칙, 물리력 사용의 정도, 각 물리력 수단의 사용한계 및 유의사항을 규정함으로써 국민과 경찰관의 생명 · 신체를 보호하고 인권을 보장하며 경찰 법집행의 정당성을 확보하는 데에 그 목적이 있다.

② 경찰관은 성별, 장애, 인종, 종교 및 성정체성 등에 대한 선입견을 가지고 차별적으로 물리력을 사용하여서는 아니 된다.

③ 경찰관은 이미 경찰목적을 달성하여 더 이상 물리력을 사용할 필요가 없는 경우에는 물리력 사용을 즉시 중단하여야 한다.

④ 대상자가 경찰관의 지시, 통제를 따르지 않고 비협조적이지만 경찰관 또는 제3자에 대해 직접적인 위해를 가하지 않는 경우에 경찰봉이나 방패 등으로 대상자의 신체 중요 부위 또는 급소 부위를 가격할 수 있다.

**정답 및 해설 | ④**

④ [×] '대상자가 경찰관의 지시, 통제를 따르지 않고 비협조적이지만 경찰관 또는 제3자에 대해 직접적인 위해를 가하지 않는 경우'는 소극적 저항 상태를 말한다. 이 경우 경찰관이 가능한 대응수준은 **접촉 통제**이다. 지문의 급소 부위 가격 등은 '고위험 물리력'에 해당한다.

**☑ 대상자 행위정도와 경찰관의 대응수준**

| | |
|---|---|
| 협조적 통제 | • '순응' 이상의 상태인 대상자에 대해 사용할 수 있는 물리력 수준으로서, 대상자의 협조를 유도하거나 협조에 따른 물리력을 말한다.<br>• 그 종류는 다음과 같다.<br>- 현장 임장<br>- 언어적 통제<br>- 체포 등을 위한 수갑 사용<br>- 안내 · 체포 등에 수반한 신체적 물리력 |
| 접촉 통제 | • '소극적 저항' 이상의 상태인 대상자에 대해 사용할 수 있는 물리력 수준으로서, 대상자 신체 접촉을 통해 경찰 목적 달성을 강제하지만 신체적 부상을 야기할 가능성은 극히 낮은 물리력을 말한다.<br>• 그 종류는 다음과 같다.<br>- 신체 일부 잡기 · 밀기 · 잡아끌기, 쥐기 · 누르기 · 비틀기<br>- 경찰봉 양 끝 또는 방패를 잡고 대상자의 신체에 안전하게 밀착한 상태에서 대상자를 특정 방향으로 밀거나 잡아당기기 |
| 저위험 물리력 | • '적극적 저항' 이상의 상태인 대상자에 대해 사용할 수 있는 물리력 수준으로서, 대상자가 통증을 느낄 수 있으나 신체적 부상을 당할 가능성은 낮은 물리력을 말한다.<br>• 그 종류는 다음과 같다.<br>- 목을 압박하여 제압하거나 관절을 꺾는 방법, 팔 · 다리를 이용해 움직이지 못하도록 조르는 방법, 다리를 걸거나 들쳐 매는 등 균형을 무너뜨려 넘어뜨리는 방법, 대상자가 넘어진 상태에서 움직이지 못하게 위에서 눌러 제압하는 방법<br>- 분사기 사용(다른 저위험 물리력 이하의 수단으로 제압이 어렵고, 경찰관이나 대상자의 부상 등의 방지를 위해 필요한 경우) |
| 중위험 물리력 | • '폭력적 공격' 이상의 상태의 대상자에 대해 사용할 수 있는 물리력 수준으로서, 대상자에게 신체적 부상을 입힐 수 있으나 생명 · 신체에 대한 중대한 위해 발생 가능성은 낮은 물리력을 말한다.<br>• 그 종류는 다음과 같다.<br>- 손바닥, 주먹, 발 등 신체 부위를 이용한 가격<br>- 경찰봉으로 중요 부위가 아닌 신체 부위를 찌르거나 가격<br>- 방패로 강하게 압박하거나 세게 미는 행위<br>- 전자충격기 사용 |
| 고위험 물리력 | • '치명적 공격' 상태의 대상자로 인해 경찰관 또는 제3자의 생명 · 신체에 급박하고 중대한 위해가 초래될 가능성이 있는 경우 최후의 수단으로 사용할 수 있는 물리력 수준으로서, 대상자의 사망 또는 심각한 부상을 초래할 수 있는 물리력을 말한다.<br>• 경찰관은 대상자의 '치명적 공격' 상황에서도 현장상황이 급박하지 않은 경우에는 낮은 수준의 물리력을 우선적으로 사용하여 상황을 종결시킬 수 있도록 노력하여야 한다.<br>• '고위험 물리력'의 종류는 다음과 같다.<br>- 권총 등 총기류 사용<br>- 경찰봉, 방패, 신체적 물리력으로 대상자의 신체 중요 부위 또는 급소 부위 가격, 대상자의 목을 강하게 조르거나 신체를 강한 힘으로 압박하는 행위 |

① [○]

> **예규 경찰 물리력 행사의 기준과 방법에 관한 규칙 1.1. 목적**
> 이 규칙은 경찰관이 물리력 사용시 준수하여야 할 기본원칙, 물리력 사용의 정도, 각 물리력 수단의 사용 한계 및 유의사항을 규정함으로써 국민과 경찰관의 생명 · 신체를 보호하고 인권을 보장하며 경찰 법집행의 정당성을 확보하는 데에 그 목적이 있다.

②③ [○]

> **예규** 경찰 물리력 행사의 기준과 방법에 관한 규칙 1.4. 경찰 물리력 사용시 유의사항
> 1.4.1. 경찰관은 경찰청이 공인한 물리력 수단을 사용하여야 한다.
> 1.4.2. 경찰관은 성별, 장애, 인종, 종교 및 성정체성 등에 대한 선입견을 가지고 차별적으로 물리력을 사용하여서는 아니 된다.
> 1.4.3. 경찰관은 대상자의 신체 및 건강상태, 장애유형 등을 고려하여 물리력을 사용하여야 한다.
> 1.4.4. 경찰관은 이미 경찰목적을 달성하여 더 이상 물리력을 사용할 필요가 없는 경우에는 물리력 사용을 즉시 중단하여야 한다.
> 1.4.5. 경찰관은 대상자를 징벌하거나 복수할 목적으로 물리력을 사용하여서는 아니 된다.
> 1.4.6. 경찰관은 오직 상황의 빠른 종결이나, 직무수행의 편의를 위한 목적으로 물리력을 사용하여서는 아니 된다.

**221** 「경찰 물리력 행사의 기준과 방법에 관한 규칙」상 경찰물리력 수준에 관한 설명으로 가장 적절하지 않은 것은? [2023 채용 1차]

① 협조적 통제는 '순응' 이상의 상태인 대상자에 대해 사용할 수 있는 물리력 수준으로서, 대상자의 협조를 유도하거나 협조에 따른 물리력을 말한다.

② 접촉 통제는 '소극적 저항' 이상의 상태인 대상자에 대해 사용할 수 있는 물리력 수준으로서, 대상자 신체 접촉을 통해 경찰목적 달성을 강제하지만 신체적 부상을 야기할 가능성은 극히 낮은 물리력을 말한다.

③ 저위험 물리력은 '적극적 저항' 이상의 상태인 대상자에 대해 사용할 수 있는 물리력 수준으로서, 대상자가 통증을 느낄 수 있으나 신체적 부상을 당할 가능성은 낮은 물리력을 말한다.

④ 중위험 물리력은 '치명적 공격' 상태의 대상자로 인해 경찰관 또는 제3자의 생명·신체에 급박하고 중대한 위해가 초래될 가능성이 있는 경우 최후의 수단으로 사용할 수 있는 물리력 수준으로서, 대상자의 사망 또는 심각한 부상을 초래할 수 있는 물리력을 말한다.

**정답 및 해설 I ④**

④ [×] 고위험 물리력에 대한 설명이다(경찰물리력 행사의 기준과 방법에 관한 규칙 2.2.).

| | |
|---|---|
| 협조적 통제 | **'순응'** 이상의 상태인 대상자에 대해 사용할 수 있는 물리력 수준으로서, 대상자의 협조를 유도하거나 협조에 따른 물리력을 말한다. |
| 접촉 통제 | **'소극적 저항'** 이상의 상태인 대상자에 대해 사용할 수 있는 물리력 수준으로서, 대상자 신체 접촉을 통해 경찰목적 달성을 강제하지만 신체적 부상을 야기할 가능성은 극히 낮은 물리력을 말한다. |
| 저위험 물리력 | **'적극적 저항'** 이상의 상태인 대상자에 대해 사용할 수 있는 물리력 수준으로서, 대상자가 통증을 느낄 수 있으나 신체적 부상을 당할 가능성은 낮은 물리력을 말한다. |
| 중위험 물리력 | **'폭력적 공격'** 이상의 상태의 대상자에 대해 사용할 수 있는 물리력 수준으로서, 대상자에게 신체적 부상을 입힐 수 있으나 생명·신체에 대한 중대한 위해 발생 가능성은 낮은 물리력을 말한다. |
| 고위험 물리력 | **'치명적 공격'** 상태의 대상자로 인해 경찰관 또는 제3자의 생명·신체에 급박하고 중대한 위해가 초래될 가능성이 있는 경우 최후의 수단으로 사용할 수 있는 물리력 수준으로서, 대상자의 사망 또는 심각한 부상을 초래할 수 있는 물리력을 말한다. |

①②③ [○] 경찰물리력 행사의 기준과 방법에 관한 규칙 2.2

**222** 「경찰 물리력 행사의 기준과 방법에 관한 규칙」상 '적극적 저항'을 하는 대상자에 대하여 경찰관이 사용할 수 있는 물리력의 종류로 가장 적절하지 않은 것은? (규칙 제2장 2.2.의 설명에 따름) [2024 1차 채용]

① 언어적 통제

② 체포 등을 위한 수갑 사용

③ 손바닥, 주먹, 발 등 신체부위를 이용한 가격

④ 분사기 사용

**정답 및 해설 I** ③

③ [×] '**적극적 저항**'상태의 국민에게 행사할 수 있는 물리력은 저위험 물리력 이하의 물리력이어야 한다. 지문은 중위험 물리력에 해당하므로 사용할 수 없다.

①② [○] 협조적 통제에 해당한다.

④ [○] 저위험 물리력에 해당한다.



## 주제 5 보상과 벌칙

**223** 다음 설명으로 가장 적절하지 않은 것은? (다툼이 있는 경우 판례에 의함) [2022 승진]

① 「경찰관 직무집행법 시행령」상 경찰관의 적법한 직무집행으로 인하여 발생한 손실을 보상받으려는 사람은 보상금 지급 청구서에 손실내용과 손실금액을 증명할 수 있는 서류를 첨부하여 손실보상청구 사건 발생지를 관할하는 국가경찰관서의 장에게 제출하여야 한다.

② 「경찰관 직무집행법」에 따라 경찰관은 미아, 병자, 부상자 등으로서 적당한 보호자가 없으며 응급구호가 필요하다고 인정되는 사람은 본인이 구호를 거절하는 경우에도 보호조치를 할 수 있다.

③ 「경찰관 직무집행법」에 따라 경찰관이 불심검문을 하던 중 정지시킨 장소에서 질문하는 것이 불심자에게 불리하거나 교통에 방해가 된다고 인정될 때에는 질문을 하기 위하여 경찰관서로 동행할 것을 요구할 수 있다.

④ 「경찰관 직무집행법」상 '제지'는 행정상 즉시강제에 해당하며, 필요한 최소한도 내에서 행해져야 하므로 해당 집회 참가가 불법 행위라도, 집회 장소와 시간적 · 장소적으로 근접하지 않은 경우에는 이를 제지할 수 없다.

**정답 및 해설 I** ②

② [×] 미아 · 병자 · 부상자는 임의보호 대상이므로 본인이 구호를 거절하는 경우는 제외한다.

> **경찰관 직무집행법 제4조【보호조치 등】** ① 경찰관은 수상한 행동이나 그 밖의 주위 사정을 합리적으로 판단해 볼 때 다음 각 호의 어느 하나에 해당하는 것이 명백하고 응급구호가 필요하다고 믿을 만한 상당한 이유가 있는 사람(이하 "구호대상자"라 한다)을 발견하였을 때에는 보건의료기관이나 공공구호기관에 긴급구호를 요청하거나 경찰관서에 보호하는 등 적절한 조치를 할 수 있다.
> 3. 미아, 병자, 부상자 등으로서 적당한 보호자가 없으며 응급구호가 필요하다고 인정되는 사람. 다만, 본인이 구호를 거절하는 경우는 제외한다.

① [O]

대통령령 **경찰관 직무집행법 시행령 제10조【손실보상의 지급절차 및 방법】** ① 법 제11조의2에 따라 경찰관의 적법한 직무집행으로 인하여 발생한 손실을 보상받으려는 사람은 별지 제4호 서식의 보상금 지급 청구서에 손실내용과 손실금액을 증명할 수 있는 서류를 첨부하여 손실보상청구 사건 발생지를 관할하는 국가경찰관서의 장에게 제출하여야 한다.

③ [O]

**경찰관 직무집행법 제3조【불심검문】** ② 경찰관은 제1항에 따라 같은 항 각 호의 사람을 정지시킨 장소에서 질문을 하는 것이 그 사람에게 불리하거나 교통에 방해가 된다고 인정될 때에는 질문을 하기 위하여 가까운 경찰서·지구대·파출소 또는 출장소(지방해양경찰관서를 포함하며, 이하 "경찰관서"라 한다)로 동행할 것을 요구할 수 있다. 이 경우 동행을 요구받은 사람은 그 요구를 거절할 수 있다.

④ [O]

**요지판례 |**

■ 경찰관 직무집행법 제6조 제1항 중 경찰관의 제지에 관한 부분은 범죄의 예방을 위한 경찰 행정상 즉시강제에 관한 근거 조항이며, 집회 및 시위에 관한 법률에 의하여 금지되어 그 주최 또는 참가행위가 형사처벌의 대상이 되는 위법한 집회·시위가 장차 특정지역에서 개최될 것이 예상된다고 하더라도, 이와 시간적·장소적으로 근접하지 않은 다른 지역에서 그 집회·시위에 참가하기 위하여 출발 또는 이동하는 행위를 함부로 제지하는 것은 경찰관 직무집행법 제6조 제1항의 행정상 즉시강제인 경찰관의 제지의 범위를 명백히 넘어 허용될 수 없다(대판 2008.11.13, 2007도9794).

**224** 「경찰관 직무집행법」 및 「경찰관 직무집행법 시행령」상 손실보상에 관한 설명으로 가장 적절하지 않은 것은?

[2024 1차 채용]

① 국가는 경찰관의 적법한 직무집행으로 인하여 손실발생의 원인에 대하여 책임이 있는 자가 자신의 책임에 상응하는 정도를 초과하는 생명·신체 또는 재산상의 손실을 입은 경우 정당한 보상을 하여야 한다.

② 경찰관의 적법한 직무집행으로 인하여 발생한 손실을 보상받으려는 사람은 보상금 지급 청구서에 손실내용과 손실금액을 증명할 수 있는 서류를 첨부하여 손실보상청구 사건발생지를 관할하는 국가경찰관서의 장에게 제출하여야 한다.

③ 보상금은 다른 법률에 특별한 규정이 있는 경우를 제외하고는 현금으로 지급하여야 한다.

④ 소속 경찰공무원의 직무집행으로 인하여 발생한 손실보상청구 사건을 심의하기 위하여 시·도경찰청, 지방해양경찰청, 경찰서 및 해양경찰서에 손실보상심의위원회를 설치한다.

**정답 및 해설 | ④**

④ [×]

대통령령 **경찰관 직무집행법 시행령 제11조【손실보상심의위원회의 설치 및 구성】** ① 법 제11조의2 제3항에 따라 소속 경찰공무원의 직무집행으로 인하여 발생한 손실보상청구 사건을 심의하기 위하여 경찰청, 해양경찰청, 시·도경찰청 및 지방해양경찰청에 손실보상심의위원회(이하 "위원회"라 한다)를 설치한다. ➜ 청 단위 ○, 경찰서 ×

① [O]

**경찰관 직무집행법 제11조의2【손실보상】** ① 국가는 경찰관의 적법한 직무집행으로 인하여 다음 각 호의 어느 하나에 해당하는 손실을 입은 자에 대하여 정당한 보상을 하여야 한다.
1. 손실발생의 원인에 대하여 책임이 없는 자가 생명·신체 또는 재산상의 손실을 입은 경우(손실발생의 원인에 대하여 책임이 없는 자가 경찰관의 직무집행에 자발적으로 협조하거나 물건을 제공하여 생명·신체 또는 재산상의 손실을 입은 경우를 포함한다)
2. 손실발생의 원인에 대하여 책임이 있는 자가 자신의 책임에 상응하는 정도를 초과하는 생명·신체 또는 재산상의 손실을 입은 경우

② [○]

> 대통령령 **경찰관 직무집행법 시행령 제10조【손실보상의 지급절차 및 방법】** ① 법 제11조의2에 따라 경찰관의 적법한 직무집행으로 인하여 발생한 손실을 보상받으려는 사람은 별지 제4호서식의 보상금 지급 청구서에 손실내용과 손실금액을 증명할 수 있는 서류를 첨부하여 손실보상청구 사건 발생지를 관할하는 국가경찰관서의 장에게 제출하여야 한다.

③ [○]

> 대통령령 **경찰관 직무집행법 시행령 제10조【손실보상의 지급절차 및 방법】** ⑤ 보상금은 다른 법률에 특별한 규정이 있는 경우를 제외하고는 **현금**으로 지급하여야 한다.
> ⑥ 보상금은 **일시불**로 지급하되, 예산 부족 등의 사유로 일시금으로 지급할 수 없는 특별한 사정이 있는 경우에는 **청구인의 동의를 받아** 분할하여 지급할 수 있다.



## 225 「경찰관 직무집행법」 및 동법 시행령상 손실보상에 대한 설명으로 가장 적절하지 않은 것은?

[2020 승진(경감)]

① 국가는 경찰관의 적법한 직무집행으로 인하여 손실발생의 원인에 대하여 책임이 없는 자가 생명 · 신체 또는 재산상의 손실을 입은 경우 정당한 보상을 하여야 한다.

② 물건의 멸실 · 훼손으로 인한 손실 외의 재산상 손실에 대해서는 직무집행과 상당한 인과관계가 있는 범위에서 보상한다.

③ 손실보상을 청구할 수 있는 권리는 손실이 있음을 안 날부터 1년, 손실이 발생한 날부터 3년간 행사하지 아니하면 시효의 완성으로 소멸한다.

④ 손실보상심의위원회는 위원장 1명을 포함한 5명 이상 7명 이하의 위원으로 구성한다.

**정답 및 해설 | ③**

③ [×] 안 날부터 3년, 손실이 발생한 날부터 5년이다.

> **경찰관 직무집행법 제11조의2【손실보상】** ② 제1항에 따른 보상을 청구할 수 있는 권리는 손실이 있음을 안 날부터 3년, 손실이 발생한 날부터 5년간 행사하지 아니하면 시효의 완성으로 소멸한다.

① [○]

> **경찰관 직무집행법 제11조의2【손실보상】** ① 국가는 경찰관의 **적법한 직무집행**으로 인하여 다음 각 호의 어느 하나에 해당하는 손실을 입은 자에 대하여 정당한 보상을 하여야 한다.
> 1. 손실발생의 원인에 대하여 **책임이 없는 자**가 **생명 · 신체 또는 재산**상의 손실을 입은 경우(손실발생의 원인에 대하여 책임이 없는 자가 경찰관의 직무집행에 자발적으로 협조하거나 물건을 제공하여 생명 · 신체 또는 재산상의 손실을 입은 경우를 포함한다)
> 2. 손실발생의 원인에 대하여 **책임이 있는 자**가 자신의 책임에 상응하는 정도를 **초과하는 생명 · 신체 또는 재산**상의 손실을 입은 경우

② [○]

> 대통령령 **경찰관 직무집행법 시행령 제9조【손실보상의 기준 및 보상금액 등】** ① 법 제11조의2 제1항에 따라 손실보상을 할 때 물건을 멸실 · 훼손한 경우에는 다음 각 호의 기준에 따라 보상한다.
> 1. 손실을 입은 물건을 수리할 수 있는 경우: **수리비**에 상당하는 금액
> 2. 손실을 입은 물건을 수리할 수 없는 경우: 손실을 입은 당시의 해당 물건의 **교환가액**
> 3. 영업자가 손실을 입은 물건의 수리나 교환으로 인하여 영업을 계속할 수 없는 경우: 영업을 계속할 수 없는 기간 중 **영업상 이익**에 상당하는 금액
>
> ② 물건의 멸실 · 훼손으로 인한 손실 외의 재산상 손실에 대해서는 직무집행과 상당한 인과관계가 있는 범위에서 보상한다.
> ③ 법 제11조의2 제1항에 따라 손실보상을 할 때 생명 · 신체상의 손실의 경우에는 별표의 기준에 따라 보상한다.

④ [○]

> 대통령령 **경찰관 직무집행법 시행령 제11조【손실보상심의위원회의 설치 및 구성】** ① 법 제11조의2 제3항에 따라 소속 경찰공무원의 직무집행으로 인하여 발생한 손실보상청구 사건을 심의하기 위하여 경찰청, 해양경찰청, 시 · 도경찰청 및 지방해양경찰청에 손실보상심의위원회(이하 "위원회"라 한다)를 설치한다.
> ② 위원회는 위원장 1명을 포함한 5명 이상 7명 이하의 위원으로 구성한다.

**226** 「경찰관 직무집행법」 및 동법 시행령상 손실보상에 대한 설명 중 가장 적절한 것은? [2020 승진(경위)]

① 국가는 손실발생의 원인에 대하여 책임이 있는 자가 자신의 책임에 상응하는 정도를 초과하는 생명 · 신체 또는 재산상의 손실을 입은 경우 보상을 하지 않을 수 있다.

② 손실보상을 청구할 수 있는 권리는 손실이 있음을 안 날부터 5년, 손실이 발생한 날부터 3년간 행사하지 아니하면 시효의 완성으로 소멸한다.

③ 손실보상청구 사건을 심의하기 위하여 경찰청, 시 · 도경찰청에 손실보상심의위원회를 설치한다. 위원회는 위원장 1명을 포함한 5명 이상 7명 이하의 위원으로 구성하며, 위원장은 경찰청장 등이 지명한다.

④ 보상금은 일시불로 지급하되, 예산 부족 등의 사유로 일시금으로 지급할 수 없는 특별한 사정이 있는 경우에는 청구인의 동의를 받아 분할하여 지급할 수 있다.

**정답 및 해설 | ④**

④ [○]

> 대통령령 **경찰관 직무집행법 시행령 제10조【손실보상의 지급절차 및 방법】** ⑤ 보상금은 다른 법률에 특별한 규정이 있는 경우를 제외하고는 현금으로 지급하여야 한다.
> ⑥ 보상금은 일시불로 지급하되, 예산 부족 등의 사유로 일시금으로 지급할 수 없는 특별한 사정이 있는 경우에는 청구인의 동의를 받아 분할하여 지급할 수 있다.

① [×] 책임이 있는 자라 하더라도 책임에 상응하는 정도를 초과하는 손실을 입은 경우 정당한 보상을 하여야 한다.

> **경찰관 직무집행법 제11조의2【손실보상】** ① 국가는 경찰관의 적법한 직무집행으로 인하여 다음 각 호의 어느 하나에 해당하는 손실을 입은 자에 대하여 정당한 보상을 하여야 한다.
> 1. 손실발생의 원인에 대하여 책임이 없는 자가 생명 · 신체 또는 재산상의 손실을 입은 경우(손실발생의 원인에 대하여 책임이 없는 자가 경찰관의 직무집행에 자발적으로 협조하거나 물건을 제공하여 생명 · 신체 또는 재산상의 손실을 입은 경우를 포함한다)
> 2. 손실발생의 원인에 대하여 책임이 있는 자가 자신의 책임에 상응하는 정도를 초과하는 생명 · 신체 또는 재산상의 손실을 입은 경우

② [×] 안 날부터 3년, 손실이 발생한 날부터 5년이다.

> **경찰관 직무집행법 제11조의2【손실보상】** ② 제1항에 따른 보상을 청구할 수 있는 권리는 손실이 있음을 안 날부터 3년, 손실이 발생한 날부터 5년간 행사하지 아니하면 시효의 완성으로 소멸한다.

③ [×] 위원장은 위원 중에서 호선한다.

> 대통령령 **경찰관 직무집행법 시행령 제11조【손실보상심의위원회의 설치 및 구성】** ① 법 제11조의2 제3항에 따라 소속 경찰공무원의 직무집행으로 인하여 발생한 손실보상청구 사건을 심의하기 위하여 경찰청, 해양경찰청, 시 · 도경찰청 및 지방해양경찰청에 손실보상심의위원회(이하 "위원회"라 한다)를 설치한다.
> ② 위원회는 위원장 1명을 포함한 5명 이상 7명 이하의 위원으로 구성한다.
>
> 대통령령 **경찰관 직무집행법 시행령 제12조【위원장】** ① 위원장은 위원 중에서 호선한다.
> ② 위원장은 위원회를 대표하며, 위원회의 업무를 총괄한다.
> ③ 위원장이 부득이한 사유로 직무를 수행할 수 없는 때에는 위원장이 미리 지명한 위원이 그 직무를 대행한다.

**227** 「경찰관 직무집행법」 및 동법 시행령상 손실보상에 대한 설명으로 가장 적절하지 않은 것은?

[2017 채용 2차]

① 국가는 경찰관의 적법한 직무집행으로 인하여 손실발생의 원인에 대하여 책임이 있는 자가 자신의 책임에 상응하는 정도를 초과하는 생명 · 신체 · 재산상의 손실을 입은 경우 손실을 입은 자에 대하여 정당한 보상을 하여야 한다.

② 보상을 청구할 수 있는 권리는 손실이 있음을 안 날부터 3년, 손실이 발생한 날부터 5년간 행사하지 아니하면 시효의 완성으로 소멸한다.

③ 경찰공무원의 직무집행으로 인하여 발생한 손실보상청구 사건을 심의하기 위하여 경찰청, 해양경찰청, 시 · 도경찰청 및 지방해양경찰청, 경찰서 및 해양경찰서에 손실보상심의위원회를 설치한다.

④ 손실보상심의위원회의 회의는 재적위원 과반수의 출석으로 개의(開議)하고, 출석위원 과반수의 찬성으로 의결한다.

**정답 및 해설 | ③**

③ [×] 경찰서와 해양경찰서는 설치대상이 아니다.

> 대통령령 **경찰관 직무집행법 시행령 제11조【손실보상심의위원회의 설치 및 구성】** ① 법 제11조의2 제3항에 따라 소속 경찰공무원의 직무집행으로 인하여 발생한 손실보상청구 사건을 심의하기 위하여 **경찰청**, 해양경찰청, **시 · 도경찰청** 및 지방해양경찰청에 손실보상심의위원회(이하 "위원회"라 한다)를 설치한다. ➜ 청 단위 ○, 경찰서 ×

① [○]

> **경찰관 직무집행법 제11조의2【손실보상】** ① 국가는 경찰관의 **적법한 직무집행**으로 인하여 다음 각 호의 어느 하나에 해당하는 손실을 입은 자에 대하여 **정당한 보상**을 하여야 한다.
> 2. 손실발생의 원인에 대하여 **책임이 있는 자**가 자신의 책임에 상응하는 정도를 초과하는 **생명 · 신체 또는 재산상의 손실을 입은 경우**

② [○]

> **경찰관 직무집행법 제11조의2【손실보상】** ② 제1항에 따른 보상을 청구할 수 있는 권리는 손실이 있음을 안 날부터 3년, 손실이 발생한 날부터 5년간 행사하지 아니하면 시효의 완성으로 소멸한다.

④ [○]

> 대통령령 **경찰관 직무집행법 시행령 제13조【손실보상심의위원회의 운영】** ② 위원회의 회의는 재적위원 과반수의 출석으로 개의하고, 출석위원 과반수의 찬성으로 의결한다.

**228** 「경찰관 직무집행법」 및 동법 시행령상 손실보상에 대한 설명으로 가장 적절하지 않은 것은?

[2018 채용 2차]

① 보상을 청구할 수 있는 권리는 손실이 있음을 안 날부터 3년, 손실이 발생한 날부터 5년간 행사하지 아니하면 시효의 완성으로 소멸한다.

② 소속 경찰공무원의 직무집행으로 인하여 발생한 손실보상청구 사건을 심의하기 위하여 경찰청, 해양경찰청, 시 · 도경찰청, 지방해양경찰청, 경찰서 및 해양경찰서에 손실보상심의위원회(이하 '위원회'라 한다)를 설치하며, 위원회는 위원장 1명을 포함한 5명 이상 7명 이하의 위원으로 구성한다.

③ 보상금은 일시불로 지급하되, 예산 부족 등의 사유로 일시금으로 지급할 수 없는 특별한 사정이 있는 경우에는 청구인의 동의를 받아 분할하여 지급할 수 있다.

④ 손실보상의 기준, 보상금액, 지급 절차 및 방법, 손실보상심의위원회의 구성 및 운영, 그 밖에 필요한 사항은 대통령령으로 정한다.

**정답 및 해설 | ②**

② [×] 경찰서와 해양경찰서는 설치대상이 아니다.

> 대통령령 **경찰관 직무집행법 시행령 제11조【손실보상심의위원회의 설치 및 구성】** ① 법 제11조의2 제3항에 따라 소속 경찰공무원의 직무집행으로 인하여 발생한 손실보상청구 사건을 심의하기 위하여 **경찰청**, 해양경찰청, 시 · **도경찰청** 및 지방해양경찰청에 손실보상심의위원회(이하 "위원회"라 한다)를 설치한다. ➔ 청 단위 ○, 경찰서 ×
> ② 위원회는 위원장 1명을 포함한 5명 이상 7명 이하의 위원으로 구성한다.

① [○]

> **경찰관 직무집행법 제11조의2【손실보상】** ② 제1항에 따른 보상을 청구할 수 있는 권리는 손실이 있음을 안 날부터 3년, 손실이 발생한 날부터 5년간 행사하지 아니하면 시효의 완성으로 소멸한다.

③ [○]

> 대통령령 **경찰관 직무집행법 시행령 제10조【손실보상의 지급절차 및 방법】** ⑥ 보상금은 일시불로 지급하되, 예산 부족 등의 사유로 일시금으로 지급할 수 없는 특별한 사정이 있는 경우에는 청구인의 동의를 받아 분할하여 지급할 수 있다.

④ [○]

> **경찰관 직무집행법 제11조의2【손실보상】** ⑦ 제1항에 따른 손실보상의 기준, 보상금액, 지급 절차 및 방법, 제3항에 따른 손실보상심의위원회의 구성 및 운영, 제4항 및 제6항에 따른 환수절차, 그 밖에 손실보상에 관하여 필요한 사항은 대통령령으로 정한다.

## 229 경찰관 직무집행법 및 동법 시행령상 손실보상에 관한 내용 중 가장 적절하지 않은 것은? [2022 채용 1차]

① 소속 경찰공무원의 직무집행으로 인하여 발생한 손실보상청구 사건을 심의하기 위하여 경찰청, 해양경찰청, 시 · 도경찰청 및 지방해양경찰청에 손실보상심의위원회를 설치한다.

② 손실보상을 청구할 수 있는 권리는 손실이 있음을 안 날부터 3년, 손실이 발생한 날부터 5년간 행사하지 아니하면 시효의 완성으로 소멸한다.

③ 손실보상금 지급 청구서를 받은 경찰청장 등은 손실보상심의위원회의 심의 · 의결에 따라 손실보상 여부 및 손실보상금액을 결정하되 손실보상 청구가 요건과 절차를 갖추지 못한 경우(다만, 그 잘못된 부분을 시정할 수 있는 경우는 제외한다) 그 청구를 기각하는 결정을 하여야 한다.

④ 손실보상금은 일시불로 지급하되, 예산 부족 등의 사유로 일시금으로 지급할 수 없는 특별한 사정이 있는 경우에는 청구인의 동의를 받아 분할하여 지급할 수 있다.

**정답 및 해설 | ③**

③ [×] 기각이 아니라 각하하는 결정을 하여야 한다.

> 대통령령 **경찰관 직무집행법 시행령 제10조【손실보상의 지급절차 및 방법】** ③ 제2항에 따라 보상금 지급 청구서를 받은 경찰청장 등은 손실보상심의위원회의 심의 · 의결에 따라 보상 여부 및 보상금액을 결정하되, 다음 각 호의 어느 하나에 해당하는 경우에는 그 청구를 각하하는 결정을 하여야 한다.
> 1. 청구인이 같은 청구 원인으로 보상신청을 하여 보상금 지급 여부에 대하여 결정을 받은 경우. 다만, 기각 결정을 받은 청구인이 손실을 증명할 수 있는 새로운 증거가 발견되었음을 소명하는 경우는 제외한다.
> 2. 손실보상 청구가 요건과 절차를 갖추지 못한 경우. 다만, 그 잘못된 부분을 시정할 수 있는 경우는 제외한다.

① [○]

> 대통령령 **경찰관 직무집행법 시행령 제11조【손실보상심의위원회의 설치 및 구성】** ① 법 제11조의2 제3항에 따라 소속 경찰공무원의 직무집행으로 인하여 발생한 손실보상청구 사건을 심의하기 위하여 **경찰청**, 해양경찰청, 시 · **도경찰청** 및 지방해양경찰청에 손실보상심의위원회(이하 "위원회"라 한다)를 설치한다. ➔ 청 단위 ○, 경찰서 ×

② [○]

> **경찰관 직무집행법 제11조의2【손실보상】** ② 제1항에 따른 보상을 청구할 수 있는 권리는 손실이 있음을 안 날부터 3년, 손실이 발생한 날부터 5년간 행사하지 아니하면 시효의 완성으로 소멸한다.

④ [○]

> 경찰관 직무집행법 제11조의2【손실보상】⑥ 보상금은 일시불로 지급하되, 예산 부족 등의 사유로 일시금으로 지급할 수 없는 특별한 사정이 있는 경우에는 청구인의 동의를 받아 분할하여 지급할 수 있다.

**230** 「경찰관 직무집행법」 및 「경찰관 직무집행법 시행령」상 손실보상에 대한 설명으로 옳지 않은 것은 모두 몇 개인가? [2020 경간]

> 가. 국가는 경찰관의 적법한 직무집행으로 인하여 손실발생의 원인에 대하여 책임이 없는 자가 생명 · 신체 또는 재산상의 손실을 입은 경우 손실을 입은 자에게 정당한 보상을 하여야 한다.
> 나. 손실을 입은 물건을 수리할 수 있는 경우에는 수리비에 상당하는 금액으로 보상한다.
> 다. 손실을 입은 물건을 수리할 수 없는 경우에는 보상 당시의 해당 물건의 교환가액으로 보상한다.
> 라. 영업자가 손실을 입은 물건의 수리나 교환으로 인하여 영업을 계속할 수 없는 경우에는 기간 중 영업상 이익에 상당하는 금액으로 보상한다.
> 마. 물건의 멸실 · 훼손으로 인한 손실 외의 재산상 손실에 대해서는 직무집행과 상당한 인과관계가 있는 범위에서 보상한다.
> 바. 보상금은 다른 법률에 특별한 규정이 있는 경우를 제외하고는 현금으로 지급하여야 한다.

① 1개 ② 2개
③ 3개 ④ 4개

**정답 및 해설 I ①**

가. [○]

> 경찰관 직무집행법 제11조의2【손실보상】① 국가는 경찰관의 적법한 직무집행으로 인하여 다음 각 호의 어느 하나에 해당하는 손실을 입은 자에 대하여 정당한 보상을 하여야 한다.
> 1. 손실발생의 원인에 대하여 책임이 없는 자가 생명 · 신체 또는 재산상의 손실을 입은 경우(손실발생의 원인에 대하여 책임이 없는 자가 경찰관의 직무집행에 자발적으로 협조하거나 물건을 제공하여 생명 · 신체 또는 재산상의 손실을 입은 경우를 포함한다)
> 2. 손실발생의 원인에 대하여 책임이 있는 자가 자신의 책임에 상응하는 정도를 초과하는 생명 · 신체 또는 재산상의 손실을 입은 경우

다. [×] 보상 당시가 아닌 '손실을 입은 당시'가 기준이 된다. / 나. 라. 마. [○]

> 대통령령 경찰관 직무집행법 시행령 제9조【손실보상의 기준 및 보상금액 등】① 법 제11조의2 제1항에 따라 손실보상을 할 때 물건을 멸실 · 훼손한 경우에는 다음 각 호의 기준에 따라 보상한다.
> 1. 손실을 입은 물건을 수리할 수 있는 경우: 수리비에 상당하는 금액
> 2. 손실을 입은 물건을 수리할 수 없는 경우: 손실을 입은 당시의 해당 물건의 교환가액
> 3. 영업자가 손실을 입은 물건의 수리나 교환으로 인하여 영업을 계속할 수 없는 경우: 영업을 계속할 수 없는 기간 중 영업상 이익에 상당하는 금액
> ② 물건의 멸실 · 훼손으로 인한 손실 외의 재산상 손실에 대해서는 직무집행과 상당한 인과관계가 있는 범위에서 보상한다.
> ③ 법 제11조의2 제1항에 따라 손실보상을 할 때 생명 · 신체상의 손실의 경우에는 별표의 기준에 따라 보상한다.
> ④ 법 제11조의2 제1항에 따라 보상금을 지급받을 사람이 동일한 원인으로 다른 법령에 따라 보상금 등을 지급받은 경우 그 보상금 등에 상당하는 금액을 제외하고 보상금을 지급한다.

바. [○]

> 대통령령 경찰관 직무집행법 시행령 제10조【손실보상의 지급절차 및 방법】⑤ 보상금은 다른 법률에 특별한 규정이 있는 경우를 제외하고는 현금으로 지급하여야 한다.

**231** 「경찰관 직무집행법」 및 동법 시행령상 손실보상에 대한 설명이다. 옳고 그름의 표시(○, ×)가 모두 바르게 된 것은? [2020 지능범죄]

> ㉠ 경찰관의 적법한 집무집행으로 인하여 손실발생의 원인에 대하여 책임이 있는 자가 자신의 책임에 상응하는 정도를 초과하는 생명 · 신체 또는 재산상의 손실을 입은 경우, 국가는 해당하는 손실을 입은 자에 대하여 정당한 보상을 하여야 한다.
> ㉡ 손실보상심의위원회가 설치된 경찰청, 해양경찰청, 시 · 도경찰청 및 지방해양경찰청의 장은 손실보상심의위원회의 심의 · 의결에 따라 보상금을 지급하기로 결정한 경우, 해당 결정일로부터 7일 이내에 보상금 지급 청구 승인 통지서에 결정 내용을 적어서 청구인에게 통지하여야 한다.
> ㉢ 보상금은 다른 법률에 특별한 규정이 있는 경우를 제외하고는 현금으로 지급하여야 하며, 또한 보상금의 추가 지급을 원활히 하기 위해 분할하여 지급하는 것을 원칙으로 한다.
> ㉣ 경찰청장, 해양경찰청장, 시 · 도경찰청장 또는 지방해양경찰청장은 제4항에 따라 보상금을 반환하여야 할 사람이 대통령령으로 정한 기한까지 그 금액을 납부하지 아니한 때에는 국세강제징수의 예에 따라 징수할 수 있다.

① ㉠(○) ㉡(○) ㉢(×) ㉣(○)
② ㉠(○) ㉡(×) ㉢(×) ㉣(○)
③ ㉠(○) ㉡(×) ㉢(○) ㉣(○)
④ ㉠(×) ㉡(○) ㉢(×) ㉣(×)

**정답 및 해설 I ②**

㉠ [○]

> **경찰관 직무집행법 제11조의2【손실보상】** ① 국가는 경찰관의 **적법한 직무집행**으로 인하여 다음 각 호의 어느 하나에 해당하는 손실을 입은 자에 대하여 **정당한 보상**을 하여야 한다.
> 2. 손실발생의 원인에 대하여 **책임이 있는 자**가 자신의 책임에 상응하는 정도를 **초과하는 생명 · 신체 또는 재산상의 손실을 입은 경우**

㉡ [×] 10일 이내에 통지하여야 한다.

> 대통령령 **경찰관 직무집행법 시행령 제10조【손실보상의 지급절차 및 방법】** ③ 제2항에 따라 보상금 지급 청구서를 받은 경찰청장등은 손실보상심의위원회의 심의 · **의결에 따라 보상 여부 및 보상금액을 결정**하되, 다음 각 호의 어느 하나에 해당하는 경우에는 그 청구를 각하하는 결정을 하여야 한다.
> 1. 청구인이 같은 청구 원인으로 보상신청을 하여 보상금 지급 여부에 대하여 결정을 받은 경우. 다만, 기각 결정을 받은 청구인이 손실을 증명할 수 있는 새로운 증거가 발견되었음을 소명하는 경우는 제외한다.
> 2. 손실보상 청구가 요건과 절차를 갖추지 못한 경우. 다만, 그 잘못된 부분을 시정할 수 있는 경우는 제외한다.
> ④ 경찰청장등은 제3항에 따른 결정일부터 **10일** 이내에 다음 각 호의 구분에 따른 통지서에 결정 내용을 적어서 청구인에게 **통지**하여야 한다.
> 1. **보상금을 지급하기로 결정한 경우**: 별지 제5호서식의 보상금 지급 청구 승인 통지서
> 2. **보상금 지급 청구를 각하하거나 보상금을 지급하지 아니하기로 결정한 경우**: 별지 제6호서식의 보상금 지급 청구 기각 · 각하 통지서
>
> 대통령령 **경찰관 직무집행법 시행령 제11조【손실보상심의위원회의 설치 및 구성】** ① 법 제11조의2 제3항에 따라 소속 경찰공무원의 직무집행으로 인하여 발생한 손실보상청구 사건을 심의하기 위하여 **경찰청**, 해양경찰청, **시 · 도경찰청** 및 지방해양경찰청에 손실보상심의위원회(이하 "위원회"라 한다)를 설치한다.

㉢ [×] 일시불 지급이 원칙이다.

> 대통령령 **경찰관 직무집행법 시행령 제10조【손실보상의 지급절차 및 방법】** ⑤ 보상금은 다른 법률에 특별한 규정이 있는 경우를 제외하고는 **현금으로 지급**하여야 한다.
> ⑥ 보상금은 **일시불**로 지급하되, 예산 부족 등의 사유로 일시금으로 지급할 수 없는 특별한 사정이 있는 경우에는 **청구인의 동의를 받아** 분할하여 지급할 수 있다.

㉣ [○]

> **경찰관 직무집행법 제11조의2【손실보상】** ④ 경찰청장, 해양경찰청장 또는 시·도경찰청장 또는 지방해양경찰청장은 … 거짓 또는 부정한 방법으로 보상금을 받은 사람에 대하여는 해당 보상금을 환수하여야 한다.
> ⑥ 경찰청장 또는 시·도경찰청장은 제4항에 따라 보상금을 반환하여야 할 사람이 대통령령으로 정한 기한까지 그 금액을 납부하지 아니한 때에는 국세 체납처분의 예에 따라 징수할 수 있다.



**232** 「경찰관 직무집행법」 및 「경찰관 직무집행법 시행령」상 손실보상에 대한 설명으로 가장 적절한 것은?

[2021 채용 1차]

① 손실발생의 원인에 대하여 책임이 없는 자가 자가 경찰관의 적법한 직무집행으로 인하여 생명·신체 또는 재산상의 손실을 입은 경우(손실발생의 원인에 대하여 책임이 없는 자가 경찰관의 직무집행에 자발적으로 협조하거나 물건을 제공하여 생명·신체 또는 재산상의 손실을 입은 경우를 제외한다), 국가는 그 손실을 입은 자에 대하여 정당한 보상을 하여야 한다.

② 경찰청장 또는 시·도경찰청장은 손실보상심의위원회의 심의·의결에 따라 보상금을 지급하고, 거짓 또는 부정한 방법으로 보상금을 받은 사람에 대하여는 해당 보상금을 환수할 수 있다.

③ 손실보상심의위원회는 위원장 1명을 포함한 5명 이상 7명 이하의 위원으로 구성하며, 위원장이 부득이한 사유로 직무를 수행할 수 없는 때에는 상임위원, 위원 중 연장자순으로 위원장의 직무를 대행한다.

④ 보상금을 지급하기로 결정한 경우 경찰청장 등(경찰청, 해양경찰청, 시·도경찰청 및 지방해양경찰청의 장)은 「경찰관 직무집행법 시행령」 제10조 제3항에 따른 결정일부터 10일 이내에 보상금 지급 청구 승인 통지서에 결정 내용을 적어서 청구인에게 통지하여야 한다.

**정답 및 해설 | ④**

④ [○]

> 대통령령 **경찰관 직무집행법 시행령 제10조【손실보상의 지급절차 및 방법】** ④ 경찰청장등은 제3항에 따른 결정일부터 10일 이내에 다음 각 호의 구분에 따른 통지서에 결정 내용을 적어서 청구인에게 **통지**하여야 한다.
> 1. **보상금을 지급하기로 결정한 경우**: 별지 제5호서식의 보상금 지급 청구 승인 통지서
> 2. **보상금 지급 청구를 각하하거나 보상금을 지급하지 아니하기로 결정한 경우**: 별지 제6호서식의 보상금 지급 청구 기각·각하 통지서

① [×] 자발적으로 협조한 경우 등을 포함한다.

> **경찰관 직무집행법 제11조의2【손실보상】** ① 국가는 경찰관의 **적법한 직무집행**으로 인하여 다음 각 호의 어느 하나에 해당하는 손실을 입은 자에 대하여 정당한 보상을 하여야 한다.
> 1. 손실발생의 원인에 대하여 **책임이 없는 자**가 **생명·신체** 또는 **재산상**의 손실을 입은 경우(손실발생의 원인에 대하여 책임이 없는 자가 경찰관의 직무집행에 자발적으로 협조하거나 물건을 제공하여 생명·신체 또는 재산상의 손실을 입은 경우를 포함한다)
> 2. 손실발생의 원인에 대하여 **책임이 있는** 자가 자신의 책임에 상응하는 정도를 **초과하는 생명·신체** 또는 **재산상**의 손실을 입은 경우

② [×] 보상금을 환수하여야 한다.

> **경찰관 직무집행법 제11조의2【손실보상】** ④ 경찰청장, 해양경찰청장 또는 시·도경찰청장 또는 지방해양경찰청장은 제3항의 손실보상심의위원회의 심의·의결에 따라 보상금을 지급하고, 거짓 또는 부정한 방법으로 보상금을 받은 사람에 대하여는 해당 보상금을 환수하여야 한다.

③ [×] 위원장이 미리 지명한 위원이 그 직무를 대행한다.

> **대통령령** **경찰관 직무집행법 시행령 제12조【위원장】** ① 위원장은 위원 중에서 호선한다.
> ② 위원장은 위원회를 대표하며, 위원회의 업무를 총괄한다.
> ③ 위원장이 부득이한 사유로 직무를 수행할 수 없는 때에는 위원장이 미리 지명한 위원이 그 직무를 대행한다.

## 233 「경찰관 직무집행법」상 손실보상에 대한 설명으로 가장 적절하지 <u>않은</u> 것은? [2023 경간]

① 손실보상의 원인에 대하여 책임이 없는 자가 경찰관의 직무집행에 자발적으로 협조하거나 물건을 제공하여 생명 · 신체 또는 재산상의 손실을 입은 경우 정당한 보상을 하여야 한다.

② 손실발생의 원인에 대하여 책임이 있는 자가 자신의 책임에 상응하는 정도를 초과하는 생명 · 신체 또는 재산상의 손실을 입은 경우 정당한 보상을 하여야 한다.

③ 손실보상을 청구할 수 있는 권리는 손실이 발생한 날부터 3년, 손실이 있음을 안 날부터 5년간 행사하지 아니하면 시효의 완성으로 소멸한다.

④ 보상금이 지급된 경우 손실보상심의위원회는 대통령령으로 정하는 바에 따라 국가경찰위원회에 심사자료와 결과를 보고하여야 한다.

**정답 및 해설 I ③**

③ [×] 안 날부터 3년, 손실이 발생한 날부터 5년

> **경찰관 직무집행법 제11조의2【손실보상】** ② 제1항에 따른 보상을 청구할 수 있는 권리는 손실이 있음을 안 날부터 3년, 손실이 발생한 날부터 5년간 행사하지 아니하면 시효의 완성으로 소멸한다.

①② [○]

> **경찰관 직무집행법 제11조의2【손실보상】** ① 국가는 경찰관의 적법한 직무집행으로 인하여 다음 각 호의 어느 하나에 해당하는 손실을 입은 자에 대하여 정당한 보상을 하여야 한다.
> 1. 손실발생의 원인에 대하여 **책임이 없는 자**가 **생명 · 신체 또는 재산**상의 손실을 입은 경우(손실발생의 원인에 대하여 책임이 없는 자가 경찰관의 직무집행에 자발적으로 협조하거나 물건을 제공하여 생명 · 신체 또는 재산상의 손실을 입은 경우를 포함한다)
> 2. 손실발생의 원인에 대하여 **책임이 있는 자**가 자신의 책임에 상응하는 정도를 **초과**하는 **생명 · 신체 또는 재산**상의 손실을 입은 경우

④ [○]

> **경찰관 직무집행법 제11조의2【손실보상】** ⑤ 보상금이 지급된 경우 손실보상심의위원회는 대통령령으로 정하는 바에 따라 국가경찰위원회 또는 해양경찰위원회에 심사자료와 결과를 보고하여야 한다. 이 경우 국가경찰위원회 또는 해양경찰위원회는 손실보상의 적법성 및 적정성 확인을 위하여 필요한 자료의 제출을 요구할 수 있다.

**234** 「경찰관 직무집행법」에 관한 다음 설명 중 옳은 것은 모두 몇 개인가? [2015 채용 3차 변형]

> ㉠ 유치장에 관한 규정을 두고 있다.
> ㉡ '경찰장비'란 무기, 경찰장구, 경찰착용기록장치, 최루제와 그 발사장치, 살수차, 감식기구, 해안 감시기구, 통신기기, 차량 · 선박 · 항공기 등 경찰이 직무를 수행할 때 필요한 장치와 기구를 말한다.
> ㉢ 손실보상청구권은 손실이 있음을 안 날부터 2년, 손실이 발생한 날부터 5년간 행사하지 아니하면 시효의 완성으로 소멸한다.
> ㉣ '경찰장구'란 경찰관이 휴대하여 범인 검거와 범죄 진압 등의 직무 수행에 사용하는 수갑, 포승, 경찰봉, 방패 등을 말한다.

① 1개 ② 2개
③ 3개 ④ 4개

**정답 및 해설 | ③**

㉠ [○]

> **경찰관 직무집행법 제9조【유치장】** 법률에서 정한 절차에 따라 체포 · 구속된 사람 또는 신체의 자유를 제한하는 판결이나 처분을 받은 사람을 수용하기 위하여 경찰서와 해양경찰서에 유치장을 둔다.

㉡ [○]

> **경찰관 직무집행법 제10조【경찰장비의 사용 등】** ② 제1항 본문에서 **"경찰장비"**란 무기, 경찰장구, 경찰착용기록장치, 최루제와 그 발사장치, 살수차, 감식기구, 해안 감시기구, 통신기기, 차량 · 선박 · 항공기 등 경찰이 직무를 수행할 때 필요한 장치와 기구를 말한다.

㉢ [×] 안 날부터 3년, 손실이 발생한 날부터 5년이다.

> **경찰관 직무집행법 제11조의2【손실보상】** ② 제1항에 따른 보상을 청구할 수 있는 권리는 손실이 있음을 안 날부터 3년, 손실이 발생한 날부터 5년간 행사하지 아니하면 시효의 완성으로 소멸한다.

㉣ [○]

> **경찰관 직무집행법 제10조의2【경찰장구의 사용】** ② 제1항에서 "경찰장구"란 경찰관이 휴대하여 범인 검거와 범죄 진압 등의 직무 수행에 사용하는 수갑, 포승, 경찰봉, 방패 등을 말한다.
>
> 대통령령 **위해성 경찰장비의 사용기준 등에 관한 규정 제2조【위해성 경찰장비의 종류】** 「경찰관 직무집행법」(이하 "법"이라 한다) 제10조 제1항 단서에 따른 사람의 생명이나 신체에 위해를 끼칠 수 있는 경찰장비(이하 "위해성 경찰장비"라 한다)의 종류는 다음 각 호와 같다.
> 1. **경찰장구**: 수갑 · 포승 · 호송용포승 · 경찰봉 · 호신용경봉 · 전자충격기 · 방패 및 전자방패 ➔ 전 · 방 · 수 · 포 · 봉

**235** '경찰관 직무집행법'에 대한 다음 설명 중 옳은 것은 모두 몇 개인가? [2017 경간]

> ㉠ 미아 · 병자 부상자 등으로 적당한 보호자가 없으며 응급의 구호를 요한다고 인정되는 경우 당해인이 이를 거절하는 때에도 보호조치를 할 수 있다.
> ㉡ 위험발생의 방지를 위한 조치수단 중 긴급을 요할 때 '억류 또는 피난조치를 할 수 있는 대상자'로 규정된 자는 그 장소에 모인 사람, 사물의 관리자, 그 밖의 관계인이다.
> ㉢ 법 제10조의4에 따른 무기를 사용하는 경우 그 책임자는 사용 일시 · 장소 · 대상, 현장책임자, 종류, 수량 등을 기록하여 보관하여야 한다.
> ㉣ 이 법에 규정된 경찰관의 의무를 위반하거나 직권을 남용하여 다른 사람에게 해를 끼친 사람은 1년 이하의 징역이나 금고 또는 300만원 이하의 벌금에 처한다.
> ㉤ 손실보상을 청구할 수 있는 권리는 손실이 있음을 안 날로부터 2년, 손실이 발생한 날로부터 5년간 행사하지 않으면 시효의 완성으로 소멸한다.

① 1개
② 2개
③ 3개
④ 4개

**정답 및 해설 I ②**

㉠ [×] 미아 · 병자 · 부상자 등의 경우 거절하는 경우에는 보호조치를 할 수 없다.

> **경찰관 직무집행법 제4조【보호조치 등】** ① 경찰관은 수상한 행동이나 그 밖의 주위 사정을 합리적으로 판단해 볼 때 다음 각 호의 어느 하나에 해당하는 것이 명백하고 응급구호가 필요하다고 믿을 만한 상당한 이유가 있는 사람(이하 "구호대상자"라 한다)을 발견하였을 때에는 보건의료기관이나 공공구호기관에 긴급구호를 요청하거나 경찰관서에 보호하는 등 적절한 조치를 할 수 있다.
> 1. 정신착란을 일으키거나 술에 취하여 자신 또는 다른 사람의 생명 · 신체 · 재산에 위해를 끼칠 우려가 있는 사람
> 2. 자살을 시도하는 사람
> 3. 미아, 병자, 부상자 등으로서 적당한 보호자가 없으며 응급구호가 필요하다고 인정되는 사람. 다만, 본인이 구호를 거절하는 경우는 제외한다.

㉡ [×] 매우 긴급한 경우 억류 · 피난조치를 할 수 있는 대상은 '위해를 입을 우려가 있는 사람'이다.

> **경찰관 직무집행법 제5조【위험 발생의 방지 등】** ① 경찰관은 사람의 생명 또는 신체에 위해를 끼치거나 재산에 중대한 손해를 끼칠 우려가 있는 천재, 사변, 인공구조물의 파손이나 붕괴, 교통사고, 위험물의 폭발, 위험한 동물 등의 출현, 극도의 혼잡, 그 밖의 위험한 사태가 있을 때에는 다음 각 호의 조치를 할 수 있다.
> 1. 그 장소에 모인 사람, 사물의 관리자, 그 밖의 관계인에게 필요한 경고를 하는 것
> 2. 매우 긴급한 경우에는 위해를 입을 우려가 있는 사람을 필요한 한도에서 억류하거나 피난시키는 것
> 3. 그 장소에 있는 사람, 사물의 관리자, 그 밖의 관계인에게 위해를 방지하기 위하여 필요하다고 인정되는 조치를 하게 하거나 직접 그 조치를 하는 것

㉢ [○]

> **경찰관 직무집행법 제11조【사용기록의 보관】** 제10조 제2항에 따른 살수차, 제10조의3에 따른 분사기, 최루탄 또는 제10조의4에 따른 무기를 사용하는 경우 그 책임자는 사용 일시 · 장소 · 대상, 현장책임자, 종류, 수량 등을 기록하여 보관하여야 한다.

㉣ [○]

> **경찰관 직무집행법 제12조【벌칙】** 이 법에 규정된 경찰관의 의무를 위반하거나 직권을 남용하여 다른 사람에게 해를 끼친 사람은 1년 이하의 징역이나 금고 또는 300만원 이하의 벌금에 처한다.

㉤ [×] 안 날로부터 3년, 발생한 날로부터 5년이다.

> **경찰관 직무집행법 제11조의2【손실보상】** ② 제1항에 따른 보상(➔ 손실보상)을 청구할 수 있는 권리는 손실이 있음을 안 날부터 3년, 손실이 발생한 날부터 5년간 행사하지 아니하면 시효의 완성으로 소멸한다.

## 236 「경찰관 직무집행법」상 다음 (　　) 안에 들어갈 숫자의 합은? [2015 채용 3차]

> ㉠ 불심검문을 위하여 가까운 경찰관서로 검문대상자를 동행한 경우, 그 검문대상자로 하여금 (　　)시간을 초과하여 경찰관서에 머물게 할 수 없다.
> ㉡ 경찰관은 보호조치를 하는 경우에 구호대상자가 휴대하고 있는 무기 · 흉기 등 위험을 일으킬 수 있는 것으로 인정되는 물건을 경찰관서에 임시로 영치하여 놓을 수 있다. 이 때 경찰관서에 임시로 영치하는 기간은 (　　)일을 초과할 수 없다.
> ㉢ 손실보상을 청구할 수 있는 권리는 손실이 있음을 안 날부터 (　　)년, 손실이 발생한 날로부터 5년간 행사하지 아니하면 시효의 완성으로 소멸한다.
> ㉣ 이 법에 규정된 경찰관의 의무를 위반하거나 직권을 남용하여 다른 사람에게 해를 끼친 사람은 (　　)년 이하의 징역이나 금고 또는 300만원 이하의 벌금에 처한다.

① 20　　② 21
③ 22　　④ 23

**정답 및 해설 I ①**

① [○] ㉠ 6 + ㉡ 10 + ㉢ 3 + ㉣ 1 = 20

㉠ 6

> **경찰관 직무집행법 제3조【불심검문】** ⑥ 경찰관은 제2항에 따라 동행한 사람을 6시간을 초과하여 경찰관서에 머물게 할 수 없다.

㉡ 10

> **경찰관 직무집행법 제4조【보호조치 등】** ③ 경찰관은 제1항의 조치를 하는 경우에 구호대상자가 휴대하고 있는 무기 · 흉기 등 위험을 일으킬 수 있는 것으로 인정되는 물건을 경찰관서에 임시로 영치하여 놓을 수 있다.
> ⑦ … 제3항에 따라 물건을 경찰관서에 임시로 영치하는 기간은 10일을 초과할 수 없다.

㉢ 3

> **경찰관 직무집행법 제11조의2【손실보상】** ② 제1항에 따른 보상을 청구할 수 있는 권리는 손실이 있음을 안 날부터 3년, 손실이 발생한 날부터 5년간 행사하지 아니하면 시효의 완성으로 소멸한다.

㉣ 1

> **경찰관 직무집행법 제12조【벌칙】** 이 법에 규정된 경찰관의 의무를 위반하거나 직권을 남용하여 다른 사람에게 해를 끼친 사람은 1년 이하의 징역이나 금고 또는 300만원 이하의 벌금에 처한다.

**237** 다음은 「경찰관 직무집행법」 및 동법 시행령의 내용이다. 아래 ㉠부터 ㉥까지의 (  ) 안에 들어갈 숫자가 바르게 나열된 것은? [2017 승진(경위)]

> 가. 경찰관은 보호조치를 하는 경우에 구호대상자가 휴대하고 있는 무기 · 흉기 등 위험을 일으킬 수 있는 것으로 인정되는 물건을 경찰관서에 임시로 영치하여 놓을 수 있다. 이때 물건을 경찰관서에 임시로 영치하는 기간은 ( ㉠ )일을 초과할 수 없다.
> 나. 손실보상을 청구할 수 있는 권리는 손실이 있음을 안 날부터 ( ㉡ )년, 손실이 발생한 날부터 ( ㉢ )년간 행사하지 아니하면 시효의 완성으로 소멸한다.
> 다. 손실보상심의위원회는 위원장 1명을 포함한 ( ㉣ )명 이상 ( ㉤ )명 이하의 위원으로 구성한다.
> 라. 「경찰관 직무집행법」에 규정된 경찰관의 의무를 위반하거나 직권을 남용하여 다른 사람에게 해를 끼친 사람은 ( ㉥ )년 이하의 징역이나 금고 또는 300만원 이하의 벌금에 처한다.

① ㉠ 10 ㉡ 5 ㉢ 7 ㉣ 3 ㉤ 5 ㉥ 1
② ㉠ 10 ㉡ 3 ㉢ 7 ㉣ 3 ㉤ 5 ㉥ 1
③ ㉠ 10 ㉡ 3 ㉢ 5 ㉣ 5 ㉤ 7 ㉥ 1
④ ㉠ 7 ㉡ 3 ㉢ 7 ㉣ 3 ㉤ 7 ㉥ 2

**정답 및 해설 | ③**

가. ㉠ 10

> **경찰관 직무집행법 제4조 【보호조치 등】** ③ 경찰관은 제1항의 조치를 하는 경우에 구호대상자가 휴대하고 있는 무기 · 흉기 등 위험을 일으킬 수 있는 것으로 인정되는 물건을 경찰관서에 임시로 영치하여 놓을 수 있다.
> ⑦ 제1항에 따라 구호대상자를 경찰관서에서 보호하는 기간은 24시간을 초과할 수 없고, 제3항에 따라 물건을 경찰관서에 임시로 영치하는 기간은 ( 10 )일을 초과할 수 없다.

나. ㉡ 3, ㉢ 5

> **경찰관 직무집행법 제11조의2 【손실보상】** ② 제1항에 따른 보상을 청구할 수 있는 권리는 손실이 있음을 안 날부터 ( 3 )년, 손실이 발생한 날부터 ( 5 )년간 행사하지 아니하면 시효의 완성으로 소멸한다.

다. ㉣ 5, ㉤ 7

> 대통령령 **경찰관 직무집행법 시행령 제11조 【손실보상심의위원회의 설치 및 구성】** ① 법 제11조의2 제3항에 따라 소속 경찰공무원의 직무집행으로 인하여 발생한 손실보상청구 사건을 심의하기 위하여 **경찰청**, 해양경찰청, 시 · 도경찰청 및 지방해양경찰청에 손실보상심의위원회(이하 "위원회"라 한다)를 설치한다.
> ② 위원회는 위원장 1명을 포함한 ( 5 )**명 이상** ( 7 )**명** 이하의 위원으로 구성한다.

라. ㉥ 1

> **경찰관 직무집행법 제12조 【벌칙】** 이 법에 규정된 경찰관의 의무를 위반하거나 직권을 남용하여 다른 사람에게 해를 끼친 사람은 ( 1 )년 이하의 징역이나 금고 또는 300만원 이하의 벌금에 처한다.

## 238 「경찰관 직무집행법」에 대한 내용으로 옳지 않은 것은 모두 몇 개인가? [2020 채용 1차]

㉠ 일반적 수권조항의 존재를 부정하는 학자들에 따르면 「경찰관 직무집행법」 제2조 제7호는 경찰의 직무 범위만을 정한 것으로서 본질적으로 조직법적 성질의 규정에 해당한다고 주장한다.
㉡ 경찰관은 수상한 행동이나 그 밖의 주위 사정을 합리적으로 판단해 볼 때 보호조치대상자에 해당하는 것이 명백하고 응급구호가 필요하다고 믿을 만한 상당한 이유가 있는 사람을 발견하였을 때에는 보건의료기관이나 공공구호기관에 긴급구호를 요청하거나 경찰관서에 보호하는 등 적절한 조치를 하여야 한다.
㉢ 구호대상자를 경찰관서에서 보호하는 기간은 24시간을 초과할 수 없고, 물건을 경찰관서에 임시로 영치하는 기간은 10일을 초과할 수 없다.
㉣ 경찰관은 '현행범이나 사형 · 무기 또는 장기 3년 이상의 징역이나 금고에 해당하는 죄를 범한 범인의 체포 또는 도주 방지', '자신이나 다른 사람의 생명 · 신체 및 재산의 보호', '공무집행에 대한 항거 제지'의 직무를 수행하기 위하여 필요하다고 인정되는 상당한 이유가 있을 때에는 그 사태를 합리적으로 판단하여 필요한 한도 내에서 경찰장구를 사용할 수 있다.
㉤ 경찰청장 또는 시 · 도경찰청장은 손실보상심의위원회의 심의 · 의결에 따라 보상금을 지급하고, 거짓 또는 부정한 방법으로 보상금을 받은 사람에 대하여는 해당 보상금을 환수할 수 있다.

① 1개　② 2개
③ 3개　④ 4개

**정답 및 해설 I ③**

㉠ [○]

| 구분 | 근거 | 비판 |
|---|---|---|
| 긍정설 | • 복잡한 현대사회에서 입법부가 모든 경찰권 발동사태를 미리 예측하여 입법해 두는 것은 불가능하다.<br>• 일반적 수권조항을 인정하더라도 어차피 개별적 수권조항에 대해 보충적 · 예외적으로만 적용될 뿐이다.<br>• 경찰행정법의 여러 일반원칙(비례원칙 · 평등원칙 · 신뢰보호원칙 · 자기구속원칙 · 부당결부금지원칙 등)에 의해 통제가 가능하므로, 법치주의에 위반된다고 보기 어렵다. | 국민의 기본권 침해 가능성이 높아지게 된다. |
| 부정설 | • 경찰작용이 가지는 침해적 · 권력적 성질을 감안하면 개별적 수권조항이 없는 경찰권 발동은 인정할 수 없고, 이를 인정하는 것은 법치주의, 특히 명확성원칙에 위반된다.<br>• 경찰관 직무집행법 제2조 제7호는 그 자체로도 조직법적 성질을 가지고 있고, 이 규정이 경찰관 직무집행법에 규정되어 있다는 것만으로 수권조항, 특히 일반적 수권조항으로 보기는 어렵다. | 효율적 · 탄력적 경찰권 행사가 어렵게 될 수 있다. |

㉡ [×] 적절한 조치를 할 수 있다.

> **경찰관 직무집행법 제4조【보호조치 등】** ① 경찰관은 수상한 행동이나 그 밖의 주위 사정을 합리적으로 판단해 볼 때 다음 각 호의 어느 하나에 해당하는 것이 명백하고 응급구호가 필요하다고 믿을 만한 상당한 이유가 있는 사람(이하 "구호대상자"라 한다)을 발견하였을 때에는 보건의료기관이나 공공구호기관에 긴급구호를 요청하거나 경찰관서에 보호하는 등 적절한 조치를 할 수 있다.

㉢ [○]

> **경찰관 직무집행법 제4조【보호조치 등】** ⑦ 제1항에 따라 구호대상자를 경찰관서에서 보호하는 기간은 24시간을 초과할 수 없고, 제3항에 따라 물건을 경찰관서에 임시로 영치하는 기간은 10일을 초과할 수 없다.

㉣ [×] 자신이나 다른 사람의 재산의 방어 및 보호는 경찰장구를 사용할 수 있는 경우에 포함되지 않는다.

**경찰관 직무집행법 제10조의2 【경찰장구의 사용】** ① 경찰관은 다음 각 호의 직무를 수행하기 위하여 필요하다고 인정되는 상당한 이유가 있을 때에는 그 사태를 합리적으로 판단하여 필요한 한도에서 경찰장구를 사용할 수 있다. [2012 채용 3차, 2016 채용 1차, 2018 채용 2차]

1. 현행범이나 사형 · 무기 또는 장기 3년 이상의 징역이나 금고에 해당하는 죄를 범한 **범인**의 체포 또는 도주 방지 ➜ 현행범 / 사 · 무 · 장 · 3
2. 자신이나 다른 사람의 **생명 · 신체**의 방어 및 보호
3. **공무집행**에 대한 항거 제지

② 제1항에서 "경찰장구"란 경찰관이 휴대하여 범인 검거와 범죄 진압 등의 직무 수행에 사용하는 수갑, 포승, 경찰봉, 방패 등을 말한다.

**☑ KEY POINT | 경찰장구 · 무기 · 분사기의 기본적 사용요건 및 대상직무**

| 구분 | 경찰장구 | 무기 | 분사기 등 |
|---|---|---|---|
| 기본적 사용요건 | 아래 직무수행을 위해 필요하다고 인정되는 상당한 이유 있을 것 | 아래 직무수행을 위해 필요하다고 인정되는 상당한 이유 있을 것 | 아래 직무수행을 위해 부득이한 경우 |
| | 그 사태를 합리적으로 판단할 것 | 그 사태를 합리적으로 판단할 것 | **현장책임자**가 판단할 것 |
| | 필요한 한도 내일 것 | 필요한 한도 내일 것 | 필요한 최소한의 범위일 것 |
| 대상직무 | 범인체포 · 도주방지 | 범인체포 · 도주방지 | 범인체포 · 도주방지 |
| | 자신 · 타인의 **생명** · **신체** 방어 및 보호 | 자신 · 타인의 **생명** · **신체** 방어 및 보호 | **불법집회** · 시위로 인한 자신 · 타인의 생명 · 신체 · **재산** 및 **공공시설 안전**에 대한 현저한 위해발생 억제 |
| | 공무집행 항거 제지 | 공무집행 항거 제지 | - |
| 특이사항 | 범인: 현행범 or 사 · 무 · 장 · 3 | 위해수반이 허용되는 무기사용 요건 따로 존재 | - |

㉤ [×] 보상금을 환수하여야 한다.

**경찰관 직무집행법 제11조의2 【손실보상】** ④ 경찰청장 또는 해양경찰위원회 또는 시 · 도경찰청장 또는 해양경찰위원회은 제3항의 손실보상심의위원회의 심의 · 의결에 따라 보상금을 지급하고, 거짓 또는 부정한 방법으로 보상금을 받은 사람에 대하여는 해당 보상금을 환수하여야 한다.

## 239 경찰관 직무집행법에 관한 내용 중 가장 적절하지 않은 것은? [2022 채용 1차]

① 경찰관서의 장은 직무 수행에 필요하다고 인정되는 상당한 이유가 있을 때에는 국가기관이나 공사(公私) 단체 등에 직무 수행에 관련된 사실을 조회할 수 있다. 다만, 긴급한 경우에는 소속 경찰관으로 하여금 현장에 나가 해당 기관 또는 단체의 장의 협조를 받아 그 사실을 확인하게 할 수 있다.

② 국가경찰위원회 위원장은 경찰관이 경찰관 직무집행법 제2조(직무의 범위) 각 호에 따른 직무의 수행으로 인하여 민 · 형사상 책임과 관련된 소송을 수행할 경우 변호인 선임 등 소송 수행에 필요한 지원을 하여야 한다.

③ 경찰청장, 시 · 도경찰청장 또는 경찰서장은 경찰관 직무집행법 제11조의3 제2항에 따른 보상금심사위원회의 심사 · 의결에 따라 보상금을 지급하고, 거짓 또는 부정한 방법으로 보상금을 받은 사람에 대하여는 해당 보상금을 환수한다.

④ 보상금심사위원회는 위원장 1명을 포함한 5명 이내의 위원으로 구성한다.

**정답 및 해설 I ②**

② [×] 경찰청장과 해양경찰청장이 필요한 지원을 할 수 있다.

> **경찰관 직무집행법 제11조의4【소송 지원】** 경찰청장과 해양경찰청장은 경찰관이 제2조 각 호에 따른 직무의 수행으로 인하여 민·형사상 책임과 관련된 소송을 수행할 경우 변호인 선임 등 소송 수행에 필요한 지원을 할 수 있다.

① [○]

> **경찰관 직무집행법 제8조【사실의 확인 등】** ① 경찰관서의 장은 직무 수행에 필요하다고 인정되는 상당한 이유가 있을 때에는 국가기관이나 공사(公私) 단체 등에 직무 수행에 관련된 사실을 조회할 수 있다. 다만, 긴급한 경우에는 소속 경찰관으로 하여금 현장에 나가 해당 기관 또는 단체의 장의 협조를 받아 그 사실을 확인하게 할 수 있다.

③ [○]

> **경찰관 직무집행법 제11조의3【범인검거 등 공로자 보상】** ⑤ 경찰청장 등은 제2항에 따른 보상금심사위원회의 심사·의결에 따라 보상금을 지급하고, 거짓 또는 부정한 방법으로 보상금을 받은 사람에 대하여는 해당 보상금을 환수한다.

④ [○]

> **경찰관 직무집행법 제11조의3【범인검거 등 공로자 보상】** ② 경찰청장, 시·도경찰청장 및 경찰서장은 제1항에 따른 보상금 지급의 심사를 위하여 대통령령으로 정하는 바에 따라 각각 보상금심사위원회를 설치·운영하여야 한다.
> ③ 제2항에 따른 보상금심사위원회는 위원장 1명을 포함한 5명 이내의 위원으로 구성한다.



## 240 경찰권 발동의 근거와 한계에 관한 설명으로 가장 적절하지 않은 것은? (다툼이 있는 경우 판례에 의함)

[2023 채용 2차]

① 일반수권조항이란 경찰권의 발동근거가 되는 개별적인 작용법적 근거가 없을 때 경찰권 발동의 일반적·보충적 근거가 될 수 있도록 개괄적으로 수권된 일반조항을 말한다.

② 「경찰관 직무집행법」 제5조는 형식상 경찰관에게 재량에 의한 직무수행권한을 부여한 것처럼 되어 있으나, 경찰관에게 그러한 권한을 부여한 취지와 목적에 비추어 볼 때 구체적인 사정에 따라 경찰관이 그 권한을 행사하여 필요한 조치를 취하지 아니하는 것이 현저하게 불합리하다고 인정되는 경우에는 그러한 권한의 불행사는 직무상의 의무를 위반한 것이 되어 위법하게 된다.

③ 경찰청장과 해양경찰청장은 경찰관이 「경찰관 직무집행법」 제2조 각 호에 따른 직무의 수행으로 인하여 민·형사상 책임과 관련된 소송을 수행할 경우 변호인 선임 등 소송 수행에 필요한 지원을 할 수 있다.

④ 「경찰관 직무집행법」은 "경찰공무원은 직위 또는 직권을 이용 하여 부당하게 타인의 사생활에 개입하여서는 아니된다."고 규정하고 있다.

**정답 및 해설 I ④**

④ [×] 경찰공무원 복무규정에 규정되어 있다.

> 대통령령 **경찰공무원 복무규정 제10조【민사분쟁에의 부당개입금지】** 경찰공무원은 직위 또는 직권을 이용하여 부당하게 타인의 민사분쟁에 개입하여서는 아니된다.

① [○] **일반적 수권조항**은 경찰권의 발동권한을 일반적·포괄적으로 경찰에 부여하는 조항을 말하며, 현행법상 경찰관 직무집행법 제2조 제7호를 일반적 수권조항으로 인정할 수 있느냐에 대해 견해가 대립하고 있다.

② [○]

**요지판례 |**

■ 경찰관 직무집행법 제5조는 경찰관은 인명 또는 신체에 위해를 미치거나 재산에 중대한 손해를 끼칠 우려가 있는 위험한 사태가 있을 때에는 그 각 호의 조치를 취할 수 있다고 규정하여 형식상 경찰관에게 재량에 의한 직무수행 권한을 부여한 것처럼 되어 있으나, 경찰관에게 그러한 권한을 부여한 취지와 목적에 비추어 볼 때 구체적인 사정에 따라 경찰관이 그 권한을 행사하여 **필요한 조치를 취하지 아니하는 것이 현저하게 불합리하다고 인정되는 경우에는 그러한 권한의 불행사는 직무상의 의무를 위반한 것이 되어 위법하게 된다**(대판 1998.8.25, 98다16890).

➜ 경찰관이 농민들의 시위를 진압하고 시위과정에 도로 상에 방치된 트랙터 1대에 대하여 이를 도로 밖으로 옮기거나 후방에 안전표지판을 설치하는 것과 같은 위험발생방지조치를 취하지 아니한 채 그대로 방치하고 철수하여 버린 결과, 야간에 그 도로를 진행하던 운전자가 위 방치된 트랙터를 피하려다가 다른 트랙터에 부딪혀 상해를 입은 사안에서 국가배상책임을 인정한 사례

③ [○]

**경찰관 직무집행법 제11조의4【소송 지원】** 경찰청장과 해양경찰청장은 경찰관이 제2조 각 호에 따른 직무의 수행으로 인하여 민·형사상 책임과 관련된 소송을 수행할 경우 변호인 선임 등 소송 수행에 필요한 지원을 할 수 있다.

**241** 「경찰관 직무집행법」상 범인검거 등 공로자 보상에 대한 ㉠부터 ㉣까지의 내용 중 옳은 것을 모두 고른 것은?

[2019 승진(경감)]

**제11조의3【범인검거 등 공로자 보상】** ① 경찰청장, 시·도경찰청장 또는 경찰서장은 다음 각 호의 어느 하나에 해당하는 사람에게 ㉠ 보상금을 지급하여야 한다.
1. 범인 또는 범인의 소재를 신고하여 검거하게 한 사람
㉡ 2. 범인을 검거하여 경찰공무원에게 인도한 사람
㉢ 3. 테러범죄의 예방활동에 현저한 공로가 있는 사람
② 경찰청장, 시·도경찰청장 및 경찰서장은 제1항에 따른 보상금 지급의 심사를 위하여 대통령령으로 정하는 바에 따라 각각 보상금심사위원회를 설치·운영하여야 한다.
③ 제2항에 따른 보상금심사위원회는 ㉣ 위원장 1명을 제외한 5명 이내의 위원으로 구성한다.

① ㉠, ㉡ ② ㉠, ㉣
③ ㉡, ㉢ ④ ㉡, ㉣

**정답 및 해설 | ③**

㉠ [×] 지급할 수 있다. / ㉣ [×] 위원장 1명을 포함한 5명 이내의 위원으로 구성한다. / ㉡㉢ [○]

**경찰관 직무집행법 제11조의3【범인검거 등 공로자 보상】** ① 경찰청장, 해양경찰청장, 시·도경찰청장, 지방해양경찰청장, 경찰서장 또는 해양경찰서장(이하 이 조에서 "경찰청장등"이라 한다)은 다음 각 호의 어느 하나에 해당하는 사람에게 보상금을 지급할 수 있다. <2024.9.20. 시행>
1. 범인 또는 범인의 소재를 신고하여 검거하게 한 사람
2. 범인을 검거하여 경찰공무원에게 인도한 사람
3. 테러범죄의 예방활동에 현저한 공로가 있는 사람
4. 그 밖에 제1호부터 제3호까지의 규정에 준하는 사람으로서 대통령령으로 정하는 사람
② 경찰청장등은 제1항에 따른 보상금 지급의 심사를 위하여 대통령령으로 정하는 바에 따라 각각 보상금심사위원회를 설치·운영하여야 한다.
③ 제2항에 따른 보상금심사위원회는 위원장 1명을 포함한 5명 이내의 위원으로 구성한다.

**242** '경찰관 직무집행법' 및 동법 시행령상 보상금 지급을 설명한 것으로 다음 보기 중 <u>틀린</u> 것은 모두 몇 개인가?

[2016 지능범죄]

> ㉠ 경찰청장, 해양경찰청장, 시 · 도경찰청장, 지방해양경찰청장, 경찰서장 또는 해양경찰서장(이하 이 조에서 "경찰청장등"이라 한다)은 테러범죄의 예방활동에 현저한 공로가 있는 사람에게 보상금을 지급할 수 있다.
> ㉡ 경찰청장 등은 보상금 지급의 심사를 위하여 대통령령으로 정하는 바에 따라 각각 보상금심사위원회를 설치 · 운영할 수 있다.
> ㉢ 보상금심사위원회의 위원은 소속 경찰공무원 중에서 경찰청장, 시 · 도경찰청장 또는 경찰서장이 임명한다.
> ㉣ 보상금심사위원회의 회의는 재적위원 3분의 2 이상 출석과 출석위원 과반수의 찬성으로 의결한다.
> ㉤ 보상금의 최고액은 3억원으로 하며, 구체적인 보상금 지급기준은 경찰청장이 정하여 고시한다.

① 2개  ② 3개
③ 4개  ④ 5개

**정답 및 해설 I ②**

㉠ [○]

> **경찰관 직무집행법 제11조의3【범인검거 등 공로자 보상】** ① **경찰청장**, 해양경찰청장, **시 · 도경찰청장**, 지방해양경찰청장, 경찰서장 또는 해양경찰서장(이하 이 조에서 "경찰청장등"이라 한다)은 다음 각 호의 어느 하나에 해당하는 사람에게 보상금을 지급할 수 있다. <2024.9.20. 시행>
> 1. 범인 또는 범인의 소재를 신고하여 **검거하게** 한 사람
> 2. 범인을 검거하여 경찰공무원에게 **인도한** 사람
> 3. **테러범죄의 예방활동에 현저한 공로가** 있는 사람
> 4. 그 밖에 제1호부터 제3호까지의 규정에 준하는 사람으로서 대통령령으로 정하는 사람
> ② 경찰청장등은 제1항에 따른 보상금 지급의 심사를 위하여 대통령령으로 정하는 바에 따라 각각 보상금심사위원회를 설치 · 운영하여야 한다.
> ③ 제2항에 따른 보상금심사위원회는 위원장 1명을 포함한 5명 이내의 위원으로 구성한다.

㉡ [×] 설치 · 운영하여야 한다.

> **경찰관 직무집행법 제11조의3【범인검거 등 공로자 보상】** ② 경찰청장 등은 제1항에 따른 보상금 지급의 심사를 위하여 대통령령으로 정하는 바에 따라 각각 보상금심사위원회를 설치 · 운영하여야 한다.

㉢ [○]

> **경찰관 직무집행법 제11조의3【범인검거 등 공로자 보상】** ③ 제2항에 따른 보상금심사위원회는 위원장 1명을 포함한 5명 이내의 위원으로 구성한다.
> ④ 제2항에 따른 보상금심사위원회의 위원은 **소속 경찰공무원 중**에서 경찰청장, 시 · 도경찰청장 또는 경찰서장이 임명한다. ➜ 민간위원 없음!

㉣ [×] 재적위원 과반수의 찬성으로 의결한다.

> 대통령령 **경찰관 직무집행법 시행령 제19조【보상금심사위원회의 구성 및 심사사항 등】** ④ 보상금심사위원회의 회의는 **재적위원 과반수의 찬성으로** 의결한다.

㉤ [×] 보상금의 최고액은 5억원으로 한다.

> 대통령령 **경찰관 직무집행법 시행령 제20조【범인검거 등 공로자 보상금의 지급 기준】** 법 제11조의3 제1항에 따른 보상금의 최고액은 5억원으로 하며, 구체적인 보상금 지급 기준은 경찰청장이 정하여 고시한다.

**243** 「범인검거 등 공로자 보상에 관한 규정」에 대한 내용으로 가장 적절하지 않은 것은? [2018 채용 1차]

① 사형, 무기징역 또는 무기금고, 장기 10년 이상의 징역 또는 금고에 해당하는 범죄에 대한 보상금 지급기준 금액은 100만원이다.

② 장기 10년 미만의 징역 또는 금고에 해당하는 범죄에 대한 보상금 지급기준 금액과 벌금형 범죄에 대한 보상금 지급기준 금액의 합은 70만원이다.

③ 동일한 사람에게 지급결정일을 기준으로 연간(1월 1일부터 12월 31일까지를 말한다) 5회를 초과하여 보상금을 지급할 수 없다.

④ 보상금 지급 심사·의결을 거쳐 지급이 이루어진 이후에는 동일한 사건에 대하여 보상금을 지급할 수 없다.

**정답 및 해설 I ②**

② [×] 제2호 50만원 + 제3호 30만원 = 80만원이다. / ①③ [○]

> 고시 **범인검거 등 공로자 보상에 관한 규정 제6조【보상금의 지급 기준】** ① 시행령 제20조에 따른 보상금 지급기준 금액은 다음 각 호와 같다.
> 1. 사형, 무기징역 또는 무기금고, 장기 10년 이상의 징역 또는 금고에 해당하는 범죄: 100만원
> 2. 장기 10년 미만의 징역 또는 금고에 해당하는 범죄: 50만원
> 3. 장기 5년 미만의 징역 또는 금고, 장기 10년 이상의 자격정지 또는 벌금형: 30만원
>
> ④ 경찰청장 또는 경찰청장의 승인을 받은 지방경찰청장이 미리 보상금액을 정하여 수배할 경우에는 제1항 및 제2항에 따른 보상금 지급기준에도 불구하고 예산의 범위에서 금액을 따로 결정할 수 있다.
> ⑤ 동일한 사람에게 지급결정일을 기준으로 연간(1월 1일부터 12월 31일까지를 말한다) 5회를 초과하여 보상금을 지급할 수 없다.

④ [○]

> 고시 **범인검거 등 공로자 보상에 관한 규정 제9조【보상금 이중 지급의 제한】** 보상금 지급 심사·의결을 거쳐 지급이 이루어진 이후에는 동일한 사건에 대하여 보상금을 지급할 수 없다.

**244** 경찰관 직무집행법 시행령에서 위임받아 제정된 범인검거 등 공로자 보상에 관한 규정에 대한 설명으로 가장 적절하지 않은 것은? [2018 승진(경감)]

① 장기 5년 미만의 징역 또는 금고, 장기 10년 이상의 자격정지 또는 벌금형에 해당하는 범죄에 대한 보상금 지급기준 금액은 15만원이다.

② 장기 10년 미만의 징역 또는 금고에 해당하는 범죄에 대한 보상금 지급기준 금액과 벌금형에 해당하는 범죄에 대한 보상금 지급기준 금액의 합은 80만원이다.

③ 범인검거 등 공로자가 2명 이상인 경우에는 각자의 공로, 당사자간의 분배 합의 등을 감안해서 보상금을 배분하여 지급할 수 있다.

④ 보상금 지급 심사 · 의결을 거쳐 지급이 이루어진 이후에는 동일한 사건에 대하여 보상금을 지급할 수 없다.

**정답 및 해설 I ①**

① [×] 30만원이다. / ② [○]

> 고시 **범인검거 등 공로자 보상에 관한 규정 제6조【보상금의 지급 기준】** ① 시행령 제20조에 따른 보상금 지급기준 금액은 다음 각 호와 같다.
> 1. 사형, 무기징역 또는 무기금고, 장기 10년 이상의 징역 또는 금고에 해당하는 범죄: 100만원
> 2. 장기 10년 미만의 징역 또는 금고에 해당하는 범죄: 50만원
> 3. 장기 5년 미만의 징역 또는 금고, 장기 10년 이상의 자격정지 또는 벌금형: 30만원

③ [○]

> 고시 **범인검거 등 공로자 보상에 관한 규정 제10조【보상금의 배분 지급】** 범인검거 등 공로자가 2명 이상인 경우에는 각자의 공로, 당사자 간의 분배 합의 등을 감안해서 배분하여 지급할 수 있다.

④ [○]

> 고시 **범인검거 등 공로자 보상에 관한 규정 제9조【보상금 이중 지급의 제한】** 보상금 지급 심사 · 의결을 거쳐 지급이 이루어진 이후에는 동일한 사건에 대하여 보상금을 지급할 수 없다.

**해커스경찰**
police.Hackers.com

# 제2편

# 경찰학의 기초이론

# 제1장 | 경찰이론



## 제1절 | 경찰과 경찰이념

### 주제 1 경찰개념

**001** 경찰개념에 관한 설명 중 가장 적절하지 않은 것은? [2022 채용 2차]

① 경찰의 개념에 대한 정의는 시대 및 역사 그리고 각국의 전통과 사상을 배경으로 발달하기 때문에 일률적으로 정의를 내리기 어렵다.

② 1648년 독일은 베스트팔렌 조약을 계기로 사법이 국가의 특별작용으로 인정되면서 경찰과 사법이 분리되었다.

③ 독일은 제2차 세계대전 이후 보안경찰 이외의 행정경찰사무, 즉 영업경찰, 건축경찰, 보건경찰 등의 경찰사무를 다른 행정관청의 분장사무로 이관하는 비경찰화 과정을 거쳤다.

④ 독일 프로이센 고등행정법원의 크로이쯔베르크 판결을 계기로 경찰의 권한은 소극적 위험방지 분야로 한정하게 되었으며, 비로소 이 취지의 규정을 둔 「경죄처벌법전」(죄와형벌법전)이 제정되었다.

**정답 및 해설 | ④**

④ [×] 프로이센 고등행정법원의 크로이츠베르크 판결(1882)이 경찰 직무범위를 소극목적에 한정한 것은 옳다. 다만 크로이츠베르크 판결의 취지에 따라 이후 제정된 법률은 **프로이센 경찰행정법**(1931)이다(독일/프랑스, 일 ➜ 죄 ➜ 크 ➜ 지 ➜ 경).

> **☑ KEY POINT | 법치국가시대의 주요 법률과 판결**
>
> **1 독일**
> - **프로이센 일반란트법(1794)**: "공공의 평온과 안녕 및 질서를 유지하고 공중이나 그 개별 구성원에게 절박한 위험을 방지하기 위해 필요한 조치를 취하는 것은 경찰의 직무이다."
> - **크로이츠베르크 판결(1882)**: 경찰 권한은 위험방지에 국한되며, **복지증진과 같은 적극적 요소는 경찰 임무에서 제외**되어야 한다(베를린 경찰청장의 건물높이제한 명령은 적극적 복지증진 목적으로 발령된 것으로서 **프로이센 일반란트법**에 위배되어 무효이다). ➜ 경찰의 직무범위가 소극목적에 한정됨을 법 해석상 인정!
> - **프로이센 경찰행정법(1931)**: "경찰관청은 일반 또는 개인에 대한 공공의 안녕과 질서를 위협하는 위험을 방지하기 위하여 현행법의 범위 내에서 **의무에 합당한 재량에 따라 필요한 조치를 취하지** 않으면 안 된다."
>
> **2 프랑스**
> - **죄와 형벌법전(경죄처벌법전, 1795)**: "경찰은 공공의 질서를 유지하고 **개인의 자유와 재산 및 안전을 유지하는** 것을 임무로 하는 국방부 직할부대 및 기관이다." ➜ 공공질서유지, 범죄예방을 목적으로 하는 **행정경찰**과 범죄의 수사·체포를 목적으로 하는 **사법경찰을 최초로 구분**하여 법제화하였다.
> - **지방자치법전(1884)**: "자치단체 경찰은 공공의 질서·안전 및 **위생을 확보**함을 목적으로 한다" ➜ 경찰직무를 **소극목적에 한정**하고 있으나 **위생사무 등 협의의 행정경찰적 사무를 포함**하고 있다.

① [○] 경찰개념은 '**경찰이란 무엇인가 내지 경찰은 무엇을 하는 자인가**' 하는 의문에 대한 답으로서 경찰개념은, 시간적으로 역사의 흐름에 따라, 또 지역적으로 국가마다 서로 다른 전통과 사상이 반영됨에 따라 계속하여 변동하는 개념이므로 일률적으로 답하기 어렵다.

② [○] **베스트팔렌 조약(1648):** 신성로마제국에서 발생한 30년전쟁을 종식시킨 조약으로서, 신성로마제국의 제후들에게 각 영토에 대한 완전한 주권 · 외교권 · 조약체결권 · 독점적 사법관할권을 인정하였다. 이 조약으로 인하여 외교 · 군사 · 재정 · 사법행정은 국가의 특별한 작용으로 인식되어 경찰개념에서 제외되고, 경찰은 '사회공공의 안녕(소극목적)과 복지(적극목적)를 직접 다루는 내무행정 작용'만을 의미한다고 인식하게 되었다. ➜ 경찰과 사법의 분화!

③ [○] **비경찰화:** 제2차 세계대전 이후(1945), 범죄의 예방과 검거와 같은 보안경찰 사무를 제외한, 협의의 행정경찰사무가 다른 행정관청의 사무로 이관되었다. 이를 통해 보통경찰기관은 보안경찰 기능만을 담당하게 되었다.



## 002 대륙법계 경찰개념에 관한 설명으로 가장 적절하지 않은 것은? [2023 채용 1차]

① 경찰이란 용어는 라틴어의 Politia에서 유래한 것으로 도시국가에 관한 일체의 정치, 특히 헌법을 지칭하였다.

② 경찰국가시대는 국가작용의 분화현상이 나타나 경찰개념이 외교 · 군사 · 재정 · 사법을 제외한 내무행정 전반에 국한되었다.

③ 크로이쯔베르크(Kreuzberg) 판결에 의하면 경찰관청이 일반수권규정에 근거하여 법규명령을 발할 수 있는 분야는 소극적위험방지 분야에 한정된다.

④ 경찰은 시민으로부터 자치권한을 위임받은 조직체로서 시민을 위한 기능과 역할에 초점을 맞추어 형성되었다.

**정답 및 해설 | ④**

④ [×] 자치권에 근거한 경찰개념 형성은 **영미법계 경찰개념**에 대한 설명이다. **대륙법계의 경찰개념**은, '사회공공의 안녕과 질서를 유지하기 위하여 일반통치권에 근거하여 일반국민에게 명령 · 강제함으로써 그 자연적 자유를 제한하는 작용'이라고 설명된다.

① [○] 고대시대의 경찰은 '도시국가(Polis)와 관련된 일체의 정치, 특히 가장 이상적인 질서형성 상태인 헌법과 관련된 작용'을 의미하였다. Police라는 용어 자체가 Polis에서 유래하였다.

② [○] **경찰국가시대**(17~18C)의 경우, 국가활동이 전문화 · 분업화 되면서 외교 · 군사 · 재정 · 사법행정은 국가의 특별한 작용으로 인식되어 경찰개념에서 제외되고, 경찰은 '사회공공의 안녕(소극목적)과 복지(적극목적)를 직접 다루는 내무행정 작용'만을 의미하게 되었다. 이를 국가작용의 분화현상이라고 한다.

③ [○]

| |
|---|
| **크로이츠베르크 판결(1882):** 경찰 권한은 위험방지에 국한되며, 복지증진과 같은 적극적 요소는 경찰 임무에서 제외되어야 한다(베를린 경찰청장의 건물높이제한 명령은 적극적 복지증진 목적으로 발령된 것으로서 프로이센 일반란트법에 위배되어 무효이다). ➜ 경찰의 직무범위가 소극목적에 한정됨을 법 해석상 인정! |

## 003 대륙법계 국가의 경찰개념 형성과정에 관한 설명 중 가장 적절하지 않은 것은? [2014 승진(경감)]

① 고대 및 중세 시대 경찰이란 용어는 라틴어의 Politia에서 유래한 것으로 도시국가에 관한 일체의 정치, 특히 헌법을 지칭하였다.

② 17세기에 국가 활동의 확대와 복잡화로 국가작용의 분화현상이 나타나 경찰개념이 외교 · 군사 · 재정 · 사법을 제외한 내무행정 전반을 의미하였다.

③ 18세기 독일은 계몽철학의 등장으로 법치주의시대가 도래하면서 경찰개념에서 적극적인 복지경찰 분야가 제외되고, 소극적인 위험방지 분야에 한정되었다.

④ 1931년 프로이센 경찰행정법 제4조에서 자치제경찰은 공공의 질서 · 안전 및 위생을 확보함을 목적으로 한다고 규정하였다.

**정답 및 해설 I ④**

④ [×] 프로이센 경찰행정법(1931)은 경찰 직무범위가 공공의 안녕과 질서 유지라는 소극목적에 한정됨을 입법화한 법률이다. 지문의 내용은 프랑스 지방자치법전(1884)의 내용이다.

> • **프로이센 경찰행정법(1931)**: "경찰관청은 일반 또는 개인에 대한 공공의 안녕과 질서를 위협하는 위험을 방지하기 위하여 현행법의 범위 내에서 **의무에 합당한 재량에 따라 필요한 조치**를 취하지 않으면 안 된다." ➔ 경찰의 직무범위가 소극목적에 한정됨을 입법화!
> • **프랑스 지방자치법전(1884)**: "자치단체경찰은 공공의 질서 · 안전 및 **위생**을 확보함을 목적으로 한다." ➔ 경찰직무를 **소극목적에 한정**하고 있으나 **위생사무 등 협의의 행정경찰적 사무를 포함**하고 있다.

② [○] 경찰과 행정의 분화가 시작된 경찰국가시대(17~18C)의 경우, 국가활동이 전문화 · 분업화되면서 외교 · 군사 · 재정 · 사법행정은 국가의 특별한 작용으로 인식되어 경찰개념에서 제외되고, 경찰은 **'사회공공의 안녕(소극목적)과 복지(적극목적)를 직접 다루는 내무행정 작용'**만을 의미하게 되었다. ➔ 1648년 체결된 베스트팔렌 조약이 그 효시!

③ [○] 독일에서 경찰국가의 개념은 칸트 등의 계몽철학(18C)이 등장하면서 극복되어 **군주의 권력도 법에 구속을 받게 되는 법치국가시대**로 전환되었다. 이에 따라 경찰권의 객체에 지나지 않았던 시민이 그 주체성을 회복하였고, 18세기 후반에는 자유주의적 자연법사상과 권력분립원리를 이념으로 한 법치국가의 발전으로 경찰개념에서 **적극적 복지경찰이 제외되고 소극적인 질서유지를 위한 위험방지에 국한되어**, 내무행정 가운데서도 치안행정만을 의미하게 되었다.

## 004 경찰개념에 대한 설명 중 가장 적절하지 않은 것은? [2018 채용 3차]

① 1794년 프로이센 경찰행정법은 "경찰관청은 공공의 평온, 안녕 및 질서를 유지하고 또한 공중 및 그의 개개 구성원들에 대한 절박한 위험을 방지하기 위하여 필요한 조치를 취하는 것은 경찰의 직무이다."라고 규정하였다.

② 행정경찰과 사법경찰은 프랑스에서 확립된 구분으로, 프랑스 「죄와 형벌법전」에서 유래하였다.

③ 경찰개념의 발달과정에서 경찰사무를 타 행정관청으로 이관하는 현상을 '비경찰화'라고 하는데, 위생경찰, 산림경찰 등을 비경찰화 사무의 예로 들 수 있다.

④ 대륙법계 국가의 경찰개념 형성과정은 경찰의 임무범위를 축소하는 과정이었으며 경찰과 시민을 대립하는 구도로 파악하였다.

**정답 및 해설 I ①**

① [×] 프로이센 일반란트법(1794)에 대한 설명이다.

> • **프로이센 일반란트법(1794)**: "공공의 평온과 안녕 및 질서를 유지하고 공중이나 그 개별 구성원에게 절박한 위험을 방지하기 위해 필요한 조치를 취하는 것은 경찰의 직무이다."
> • **프로이센 경찰행정법(1931)**: "경찰관청은 일반 또는 개인에 대한 공공의 안녕과 질서를 위협하는 위험을 방지하기 위하여 현행법의 범위 내에서 의무에 합당한 재량에 따라 필요한 조치를 취하지 않으면 안 된다." ➜ 경찰의 직무범위가 소극목적에 한정됨을 입법화!

② [○] **프랑스 죄와 형벌법전(1795)**: "경찰은 공공의 질서를 유지하고 개인의 자유와 재산 및 안전을 유지하는 것을 임무로 한다."
➜ 공공질서유지, 범죄예방을 목적으로 하는 행정경찰과 범죄의 수사 · 체포를 목적으로 하는 **사법경찰을 최초로 구분**하여 법제화하였다.

③ [○] 제2차 세계대전 이후(1945), 범죄의 예방과 검거와 같은 보안경찰사무를 제외한, 협의의 행정경찰사무가 다른 행정관청의 사무로 이관되었고 이를 통해 보통경찰기관은 보안경찰 기능만을 담당하게 되었는데, 이를 비경찰화라 한다.

④ [○] 반면 **영미법계 경찰개념**은 경찰의 활동범위 확대의 역사로서, 시민과 경찰을 상호 협력관계로 보았다(수평 · 친화관계).



## 005 경찰개념의 형성 및 역사적 변천과정에 대한 설명으로 가장 적절한 것은? [2019 승진(경위)]

① 16세기 독일 제국경찰법은 교회행정을 포함한 국정 전반을 의미하였다.

② 17세기 대륙법계 국가에서는 국가작용의 분화현상이 나타나 경찰개념이 소극적인 위험방지 분야에 한정되었다.

③ 1794년 프로이센 일반란트법 제10조에서 경찰관청은 공공의 평온, 안녕 및 질서를 유지하고, 또한 공중 및 그의 개개 구성원들에 대한 절박한 위험을 방지하기 위하여 필요한 기관이라고 규정하였다.

④ 대륙법계 국가에서는 '경찰은 무엇인가'라는 문제보다 '경찰은 무엇을 하는가' 또는 '경찰활동이란 무엇인가'라는 문제를 중심으로 경찰개념이 논의되었다.

**정답 및 해설 I ③**

① [×] 16세기 독일의 제국경찰법(1530년)에 의해, 경찰개념은 '교회행정의 권한을 제외한 나머지 일체의 국가행정', 다시말해 '세속적인 사회생활 질서유지를 위한 공권력 작용'으로 축소되었다.

② [×] 경찰개념에서 적극적 복지경찰이 제외되고 소극적 질서유지를 위한 위험방지에 국한된 것은 18세기 말~19세기 초의 법치국가시대 경찰에 대한 설명이다. 17세기 대륙법계 국가에서는 국가활동이 전문화 · 분업화되면서 외교 · 군사 · 재정 · 사법행정은 국가의 특별한 작용으로 인식되어 경찰개념에서 제외되고, 경찰은 '사회공공의 안녕(소극목적)과 복지(적극목적)를 직접 다루는 내무행정 작용'만을 의미하게 되었다.

④ [×] 영미법계 국가에서는 '경찰활동이란 무엇인가'라는 문제를 중심으로 경찰개념이 논의되었고, 대륙법계 국가에서는 '경찰은 무엇인가'라는 문제를 중심으로 경찰개념이 논의되었다.

## 006 경찰개념의 발달과정에 대한 설명 중 가장 옳은 것은? [2017 경간]

① 14세기 말 프랑스의 경찰개념이 15세기 말 독일에 계수되었고, 16세기 독일 제국경찰법에서 경찰은 외교 · 군사 · 재정 · 사법을 제외한 내무행정 전반을 의미하였다.

② 제2차 세계대전 이후 독일에서는 보안경찰을 포함한 협의의 행정경찰이 다른 행정관청의 사무로 이관되는 비경찰화 과정이 이루어졌다.

③ 프로이센 법원은 크로이쯔베르크 판결을 통해, 경찰관청이 일반적 수권조항에 근거하여 법규명령을 발할 수 있는 분야는 소극적 위험방지 분야에 한정된다고 보았다.

④ 1884년 프랑스의 지방자치법전 제97조는 '자치단체 경찰은 공공의 질서 · 안전을 확보함을 목적으로 한다'고 규정하여 위생사무 등 협의의 행정경찰적 사무를 제외하고 경찰의 직무를 소극목적에 한정하였다.

**정답 및 해설 I ③**

③ [○] **크로이츠베르크 판결(1882)**: 경찰 권한은 위험방지에 국한되며, 복지증진과 같은 적극적 요소는 경찰 임무에서 제외되어야 한다(베를린 경찰청장의 건물높이제한 명령은 적극적 복지증진 목적으로 발령된 것으로서 프로이센 일반란트법에 위배되어 무효이다). ➜ 경찰의 직무범위가 소극목적에 한정됨을 법 해석상 인정!

① [×] 중세시대 경찰에 대한 설명으로, 14세기 말의 프랑스의 경찰개념이 15세기 말에 독일에 계수되어, 종래 봉건제후의 통치권으로서 전통적으로 인정되던 재판권 · 입법권 · 과세권 등 봉건영주의 통치권에 경찰권이 결부되어 그 결과 경찰개념은 '국가행정 전반'을 뜻하게 되었다.

② [×] 제2차 세계대전 이후(1945), 범죄의 예방과 검거와 같은 보안경찰 사무를 '제외한', 협의의 행정경찰사무가 다른 행정관청의 사무로 이관되었다. 이를 통해 보통경찰기관은 보안경찰 기능만을 담당하게 되었다.

④ [×] **프랑스 지방자치법전(1884)**: "자치단체 경찰은 공공의 질서 · 안전 및 위생을 확보함을 목적으로 한다." ➜ 경찰직무를 소극목적에 한정하고 있으나 위생사무 등 협의의 행정경찰적 사무를 포함하고 있다.

## 007 실질적 의미의 경찰개념의 역사적 발전과정에 관한 설명 중 가장 적절하지 않은 것은? [2022 채용 1차]

① 요한 쉬테판 퓌터(Johann Stephan Putter)가 자신의 저서인 『독일공법제도』에서 주장한 "경찰의 직무는 임박한 위험을 방지하는 것이다. 복리증진은 경찰의 본래 직무가 아니다."라는 내용은 경찰국가 시대를 거치면서 확장된 경찰의 개념을 제한하기 위한 노력의 일환으로 볼 수 있다.

② 크로이츠베르크 판결(1882)은 승전기념비의 전망을 확보할 목적으로 주변 건축물의 고도를 제한하기 위해 베를린 경찰청장이 제정한 법규명령은 독일의 제국경찰법상 개별적 수권조항에 위반되어 무효라고 하였다.

③ 독일의 경우, 15세기부터 17세기에 이르기까지 경찰은 공동체의 질서정연한 상태 또는 공동체의 질서정연한 상태를 창설하고 유지하기 위한 활동으로 이해되었고, 이러한 공동체의 질서정연한 상태를 창설 · 유지하기 위하여 신민(臣民)의 거의 모든 생활영역이 포괄적으로 규제될 수 있었다.

④ 1931년 제정된 프로이센 경찰행정법 제14조 제1항은 "경찰행정청은 현행법의 범위 내에서 공공의 안녕 또는 공공의 질서를 위협하는 위험으로부터 공중이나 개인을 보호하기 위하여 필요한 조치를 의무에 적합한 재량에 따라 취하여야 한다."라고 규정하여 크로이츠베르크 판결(1882)에 의해 발전된 실질적 의미의 경찰개념을 성문화시켰다.

**정답 및 해설 I ②**

② [×] 제국경찰법이 아니라 '프로이센 일반란트법'이다. / ④ [○]

**☑ 법치국가시대의 주요 법률과 판결(독일)**

- **프로이센 일반란트법(1794)**: "공공의 평온과 안녕 및 질서를 유지하고 공중이나 그 개별 구성원에게 절박한 위험을 방지하기 위해 필요한 조치를 취하는 것은 경찰의 직무이다."
- **크로이츠베르크 판결(1882)**: 경찰 권한은 위험방지에 국한되며, 복지증진과 같은 적극적 요소는 경찰 임무에서 제외되어야 한다(베를린 경찰청장의 건물높이제한 명령은 적극적 복지증진 목적으로 발령된 것으로서 프로이센 일반란트법에 위배되어 무효이다). ➜ 경찰의 직무범위가 소극목적에 한정됨을 법 해석상 인정!
- **프로이센 경찰행정법(1931)**: "경찰관청은 일반 또는 개인에 대한 공공의 안녕과 질서를 위협하는 위험을 방지하기 위하여 현행법의 범위 내에서 의무에 합당한 재량에 따라 필요한 조치를 취하지 않으면 안 된다." ➜ 경찰의 직무범위가 소극목적에 한정됨을 입법화!

① [○] 계몽주의 사상의 영향을 받은 독일의 공법학자인 요한 쉬테판 퓌터(Johann Stephan Putter)는 1770년 자신의 첫 저서인 '독일공법제도'에서, "경찰의 직무는 임박한 위험을 방지하는 것이다. 복리증진은 경찰의 본래 직무가 아니다."라고 하여 경찰국가시대에 광범위하게 확정된 경찰개념을 제한하고자 노력하였다.

③ [○] 중세시대 독일의 제국경찰법(1530)에 의해 경찰개념은 '교회행정의 권한을 제외한 나머지 일체의 국가행정', 다시말해 '세속적인 사회생활 질서유지를 위한 공권력 작용'으로 축소되었다. 다시말해 교회행정영역을 제외한 나머지 국가행정 전반은 경찰개념에 포함되었다는 의미로 이해할 수 있다.



## 008 18~20세기 독일과 프랑스에서의 경찰개념 형성 및 발달과정에 관한 설명으로 가장 적절하지 않은 것은?

[2019 채용 2차]

① 경찰 개념을 소극적 질서유지로 제한하는 주요 법률과 판결을 시간적 순서대로 나열하면 프로이센 일반란트법(제10조) – 프랑스 죄와 형벌법전(제16조) – 크로이츠베르크 판결 – 프랑스 지방자치법전(제97조) – 프로이센 경찰행정법(제4조)의 순이다.

② 크로이츠베르크 판결은 경찰의 직무범위는 위험방지 분야에 한정된다고 하는 사상이 법해석상 확정되는 계기가 되었다.

③ 프랑스 죄와 형벌법전은 행정경찰과 사법경찰을 최초로 구분하여 법제화하였다는 점에 의의가 있다.

④ 프랑스 지방자치법전은 경찰의 직무범위에서 협의의 행정경찰적 사무를 제외시킴으로써 경찰의 직무를 소극목적에 한정하였다.

**정답 및 해설 I ④**

④ [×] **프랑스 지방자치법전(1884)**: "자치단체 경찰은 공공의 질서 · 안전 및 위생을 확보함을 목적으로 한다." ➜ 경찰직무를 소극목적에 한정하고 있으나 위생사무 등 협의의 행정경찰적 사무를 포함하고 있다.

① [○] **프로이센 일반란트법(1794) ➜ 죄와 형벌법전(1795) ➜ 크로이츠베르크 판결(1882) ➜ 지방자치법전(1884) ➜ 프로이센 경찰행정법(1931)** / 시작과 끝은 프로이센, 일 · 죄 · 크 · 지 · 경

② [○] **크로이츠베르크 판결(1882)**: 경찰 권한은 위험방지에 국한되며, 복지증진과 같은 적극적 요소는 경찰 임무에서 제외되어야 한다(베를린 경찰청장의 건물높이제한 명령은 적극적 복지증진 목적으로 발령된 것이므로 무효이다). ➜ 경찰의 직무범위가 소극목적에 한정됨을 법 해석상 인정!

③ [○] **프랑스 죄와 형벌법전(1795)**: "경찰은 공공의 질서를 유지하고 개인의 자유와 재산 및 안전을 유지하는 것을 임무로 하는 국방부 직할부대 및 기관." ➜ 공공질서유지, 범죄예방을 목적으로 하는 **행정경찰**과 범죄의 수사 · 체포를 목적으로 하는 **사법경찰**을 **최초로 구분**하여 법제화하였다.

**009** 대륙법계 경찰개념의 발전과정에 관한 설명의 순서가 가장 올바르게 연결된 것은? [2014 경간]

> 가. 프로이센 일반란트법이 제정되어 공공의 안녕과 질서를 유지하고 절박한 위험을 방지하는 것이 경찰의 직무라고 하였다.
> 나. 프랑스 경죄처벌법(죄와 형벌법전)이 제정되어 경찰은 공공의 질서 및 개인의 안전보호를 임무로 하였다.
> 다. 프로이센 고등행정법원이 크로이쯔베르크 판결을 통해 경찰의 직무가 위험방지에 한정된다고 하였다.
> 라. 독일 제국경찰법에서는 교회행정을 제외한 국가행정을 경찰이라고 하였다.
> 마. 프랑스 지방자치법전에서는 자치제 경찰은 공공의 질서 · 안전 및 위생을 확보함을 목적으로 한다고 하였다.

① 가 - 나 - 다 - 라 - 마
② 나 - 다 - 라 - 마 - 가
③ 다 - 라 - 마 - 가 - 나
④ 라 - 가 - 나 - 다 - 마

**정답 및 해설 I ④**

④ [○] 우선 **라. 제국경찰법**(1530)은 중세시대의 법으로서 나머지 법치국가시대 관련 법 또는 판결보다 가장 앞서있다. 다음 법치국가시대 법 또는 판결 순서는 "**가. 프로이센 일반란트법**(1794) ➜ **나. 죄와 형벌법전**(1795) ➜ **다. 크로이츠베르크 판결**(1882) ➜ **마. 지방자치법전**(1884) ➜ 프로이센 경찰행정법(1931)" 순이다. ➜ 시작과 끝은 프로이센, 일 · 죄 · 크 · 지 · 경

**010** 대륙법계의 경찰개념 형성과 발달과정에 대한 설명 중 가장 적절하지 않은 것은? [2020 지능범죄]

① 중세의 프랑스에서는 경찰이 국가의 평온한 질서 있는 상태를 의미하였고, 이러한 프랑스의 경찰개념이 15세기 독일로 계수되었다.
② 16세기 독일의 「제국경찰법」에 의해 경찰의 개념은 교회행정의 권한을 제외한 일체의 국가행정을 의미하게 되었다.
③ 크로이츠베르크 판결을 계기로 경찰의 권한이 공공의 안녕, 질서유지 및 이에 대한 위험방지 분야에 한정된다는 취지의 규정을 둔 「프로이센 일반란트법」이 제정되었다.
④ 18세기 이후 계몽주의 천부인권(天賦人權) 사상을 이념으로 한 법치국가의 발전으로 경찰권의 발동은 소극적 위험방지 분야에 국한되는 것으로 이해하게 되었다.

**정답 및 해설 I ③**

③ [×] 시간적으로 프로이센 일반란트법(1794)이 크로이츠베르크 판결(1882)보다 앞선다.

> **프로이센 일반란트법(1794) ➜ 죄와 형벌법전(1795) ➜ 크로이츠베르크 판결(1882)**
> **➜ 지방자치법전(1884) ➜ 프로이센 경찰행정법(1931)** / 시작과 끝은 프로이센, 일 · 죄 · 크 · 지 · 경

① [○] 14세기 말 프랑스에서 경찰개념은 '국가목적, 국가작용, 국가의 평온한 질서 있는 상태, 즉 모든 국가작용'을 의미하였는데, 이러한 프랑스의 경찰개념이 15세기 말에 독일에 계수되어, 종래 봉건제후의 통치권으로서 전통적으로 인정되던 재판권 · 입법권 · 과세권 등 봉건영주의 통치권에 경찰권이 결부되어 그 결과 경찰개념은 '국가행정 전반'을 뜻하게 되었다.
② [○] 독일의 제국경찰법(1530년)에 의해, 경찰개념은 '교회행정의 권한을 제외한 나머지 일체의 국가행정', 다시말해 '세속적인 사회생활 질서유지를 위한 공권력 작용'으로 축소되었다.
④ [○] 18세기 후반에는 자유주의적 자연법사상과 권력분립원리를 이념으로 한 법치국가의 발전으로 경찰개념에서 적극적 복지경찰이 제외되고 소극적인 질서유지를 위한 위험방지에 국한되어, 경찰은 내무행정 가운데서도 치안행정만을 의미하게 되었다.

## 011 대륙법계 국가의 경찰 개념에 대한 설명 중 옳지 않은 것은? [2020 경간]

① 1794년 「프로이센 일반란트법」 제10조에서 경찰관청은 공공의 평온, 안녕 및 질서를 유지하고, 또한 공중 및 그의 개개 구성원들에 대한 절박한 위험을 방지하기 위하여 필요한 기관이라고 규정하였다.

② 1795년 프랑스 「죄와 형벌법전」 제16조에서 경찰은 공공의 질서를 유지하고 개인의 자유와 재산 및 안전을 유지하기 위한 기관이라고 규정하였다.

③ 1882년 프로이센 고등행정법원은 크로이쯔베르크(Kreuzberg) 판결을 통해 경찰관청이 일반수권 규정에 근거하여 법규법령을 발할 수 있는 분야는 위험방지 분야에 한정된다고 판시하였다.

④ 1884년 프랑스 「지방자치법전」 제97조는 경찰의 직무범위에서 협의의 행정경찰적 사무를 제외시킴으로써 경찰의 직무를 소극목적에 한정하였다.

**정답 및 해설 I ④**

④ [×] **프랑스 지방자치법전(1884)**: "자치단체 경찰은 공공의 질서 · 안전 및 위생을 확보함을 목적으로 한다." ➜ 경찰직무를 소극목적에 한정하고 있으나 위생사무 등 협의의 행정경찰적 사무를 포함하고 있다.

① [○] **프로이센 일반란트법(1794)**: "공공의 평온과 안녕 및 질서를 유지하고 공중이나 그 개별 구성원에게 절박한 위험을 방지하기 위해 필요한 조치를 취하는 것은 경찰의 직무이다."

② [○] 프랑스 **죄와 형벌법전(1795)**: "경찰은 공공의 질서를 유지하고 개인의 자유와 재산 및 안전을 유지하는 것을 임무로 하는 국방부 직할부대 및 기관이다."

③ [○] **크로이츠베르크 판결(1882)**: 경찰 권한은 위험방지에 국한되며, 복지증진과 같은 적극적 요소는 경찰 임무에서 제외되어야 한다(베를린 경찰청장의 건물높이제한 명령은 적극적 복지증진 목적으로 발령된 것으로서 프로이센 일반란트법에 위배되어 무효이다). ➜ 경찰의 직무범위가 소극목적에 한정됨을 법 해석상 인정!

## 012 대륙법계 경찰개념에 대한 설명으로 가장 적절하지 않은 것은? [2019 승진(경감)]

① 17세기 경찰국가시대에는 국가작용의 분화현상이 나타나 경찰개념이 군사 · 재정 · 사법 · 외교를 제외한 내무행정에 전반을 의미하였다.

② 1795년 프랑스 죄와 형벌법전 제16조는 '경찰은 공공질서를 유지하고 개인의 자유와 재산 및 안전을 유지하기 위한 국방부 직할부대 및 기관'이라고 규정하였다.

③ 범죄의 예방과 검거 등 보안경찰 이외의 산업, 건축, 영업, 풍속경찰 등의 경찰사무를 다른 행정관청의 분장사무로 이관하는 현상을 '비경찰화'라고 한다.

④ 대륙법계 경찰의 업무범위는 국정전반 ➜ 내무행정 ➜ 위험방지 ➜ 보안경찰 순으로 변화하였다.

**정답 및 해설 I ③**

③ [×] 범죄의 예방과 검거와 같은 보안경찰 사무를 제외한, 협의의 행정경찰사무가 다른 행정관청의 사무로 이관되었다. 이를 통해 보통경찰기관은 보안경찰 기능만을 담당하게 되는 것을 비경찰화라 한다. '풍속경찰'은 생활안전경찰 · 교통경찰 · 경비경찰과 함께 보안경찰에 해당한다.

① [○] 17C 경찰국가시대에는 국가활동이 전문화 · 분업화되면서 외교 · 군사 · 재정 · 사법행정은 국가의 특별한 작용으로 인식되어 경찰개념에서 제외되고, 경찰은 '사회공공의 안녕(소극목적)과 복지(적극목적)를 직접 다루는 내무행정 작용'만을 의미하게 되었다.

② [○] **죄와 형벌법전(1795)**: "경찰은 공공의 질서를 유지하고 개인의 자유와 재산 및 안전을 유지하는 것을 임무로 하는 국방부 직할부대 및 기관이다." ➜ 공공질서유지, 범죄예방을 목적으로 하는 **행정경찰**과 범죄의 수사 · 체포를 목적으로 하는 **사법경찰**을 **최초로 구분**하여 법제화하였다.

④ [○]

**KEY POINT | 대륙법계 경찰개념의 축소과정**

| | | |
|---|---|---|
| 고대 | 경찰은 정치 포함 모든 국가작용을 담당 | |
| 중세 | 경찰은 교회행정을 제외한 모든 국가작용을 담당 | 교회행정 제외 |
| 경찰국가 | 경찰은 소극적 질서유지와 적극적 복지를 포함하는 내무행정 전반을 담당 | 국가목적 특별작용(외교 · 군사 · 재정 · 사법) 제외 |
| 법치국가 | 경찰은 소극적 질서유지만 담당 | 적극적 복지행정 제외 |
| 현대국가 | 경찰은 보안경찰 사무만 담당 | 협의의 행정경찰사무 제외 |

**013** 경찰개념의 형성 및 변천과 관련한 외국의 판례에 관한 설명으로 가장 적절하지 않은 것은? [2022 경간]

① 경찰개입청구권을 최초로 인정한 판결은 띠톱 판결이다.

② 일반적 수권조항에 근거한 경찰권의 발동은 소극적인 위험방지 분야에 한정된다는 사상을 확립시킨 계기가 된 판결은 1882년 크로이츠베르크(Kreuzberg) 판결이다.

③ 위법수집증거 배제법칙이 확립된 판결은 맵(Mapp) 판결이다.

④ 국가배상이 인정된 최초의 판결은 에스코베도(Escobedo) 판결이다.

**정답 및 해설 | ④**

④ [×] 국가배상이 인정된 최초의 판결은 **Blanco 판결**이다.

- **Blanco 판결(프랑스, 1873):** Blanco라는 소년이 국립 연초공장 직원이 운전하던 담배운반차에 치여 상해를 입은 사건 / "국가 공공기관에 고용된 사람의 불법행위로 인해 사인에게 가해진 손해는 그 성질상 민사법원이 아닌 행정재판소의 관할에 속해야 한다." ➜ 국가배상책임을 보통의 민사책임과 다르게 보아 현재의 국가배상법리의 시초가 된 판결
- **Escobedo 판결(미국, 1964):** "살인사건의 용의자인 Escobedo가 체포된 후 변호인과의 접견이 거부된 상태에서 한 자백은 증거로 사용할 수 없다." ➜ 변호인과의 접견교통권을 침해하여 획득한 자백의 증거능력을 부정하였다.

① [○]

- **띠톱 판결(독일, 1960):** "석탄제조업체에서 사용하는 띠톱에서 배출되는 공해로 피해를 보고있는 인근 주민들은 해당 업체의 조업금지를 청구할 수 있다." ➜ 반사적 이익론을 극복하고 행정개입청구권을 인정한 판결

② [○]

- **크로이츠베르크 판결(1882):** 경찰 권한은 위험방지에 국한되며, 복지증진과 같은 적극적 요소는 경찰 임무에서 제외되어야 한다(베를린 경찰청장의 건물높이제한 명령은 적극적 복지증진 목적으로 발령된 것으로서 프로이센 일반란트법에 위배되어 무효이다). ➜ 경찰의 직무범위가 소극목적에 한정됨을 법 해석상 인정!

③ [○]

- **Mapp 판결(미국, 1961):** 경찰이 영장 없이 Mapp의 집에 들어가 체포 후 압수한 증거는 재판에서 증거로 사용될 수 없다. ➜ 위법수집증거 배제법칙의 확립

## 014 경찰개념에 대한 설명으로 옳지 않은 것은? [2021 경간]

① 1794년 프로이센 일반란트(주)법은 "공공의 평온, 안전과 질서를 유지하고 공중 또는 그 구성원에 대한 절박한 위험을 제거하기 위하여 필요한 수단을 강구하는 것이 경찰의 책무이다."라고 규정하였다.

② 1884년 프랑스의 자치경찰법전에 의하면 자치제 경찰은 공공의 질서 · 안전 및 위생을 확보함으로 목적으로 하며 행정경찰과 사법경찰을 최초로 구분하여 법제화하였다.

③ 크로이츠베르크(Kreuzberg) 판결은 경찰관청이 일반수권규정에 근거하여 법규명령을 발할 수 있는 분야는 소극적인 위험방지에 한정된다는 사상이 법해석상으로 확정되는 계기가 되어 경찰작용의 목적 축소에 기여하였다.

④ 띠톱 판결은 행정(경찰)개입청구권을 최초로 인정한 판결이다.

**정답 및 해설 I ②**

② [×] 자치경찰법전이 아닌 '지방자치법전(1884)'이고, 또한 행정경찰과 사법경찰을 최초로 구분한 것은 '죄와 형벌법전(1795)'이다.

- **죄와 형벌법전(경죄처벌법전, 1795)**: "경찰은 공공의 질서를 유지하고 개인의 자유와 재산 및 안전을 유지하는 것을 임무로 하는 국방부 직할부대 및 기관이다." ➜ 공공질서유지, 범죄예방을 목적으로 하는 **행정경찰**과 범죄의 수사 · 체포를 목적으로 하는 **사법경찰**을 **최초로 구분**하여 법제화하였다.
- **지방자치법전(1884)**: "자치단체 경찰은 공공의 질서 · 안전 및 위생을 확보함을 목적으로 한다." ➜ 경찰직무를 **소극목적**에 **한정**하고 있으나 **위생사무 등 협의의 행정경찰적 사무를 포함**하고 있다.

①③ [○]

- **프로이센 일반란트법(1794)**: "공공의 평온과 안녕 및 질서를 유지하고 공중이나 그 개별 구성원에게 절박한 위험을 방지하기 위해 필요한 조치를 취하는 것은 경찰의 직무이다."
- **크로이츠베르크 판결(1882)**: 경찰 권한은 위험방지에 국한되며, 복지증진과 같은 적극적 요소는 경찰 임무에서 제외되어야 한다(베를린 경찰청장의 건물높이제한 명령은 적극적 복지증진 목적으로 발령된 것으로서 프로이센 일반란트법에 위배되어 무효이다). ➜ 경찰의 직무범위가 소극목적에 한정됨을 법 해석상 인정!

④ [○]

**띠톱 판결(독일, 1960)**: "석탄제조업체에서 사용하는 띠톱에서 배출되는 공해로 피해를 보고있는 인근 주민들은 해당 업체의 조업금지를 청구할 수 있다." ➜ 반사적 이익론을 극복하고 행정개입청구권을 인정한 판결

## 015 영미법계 국가의 경찰에 관한 설명으로 가장 적절하지 않은 것은? [2024 1차 채용]

① 영미법계 경찰개념은 '시민으로부터 부여받은 자치권에 근거하여 국민의 생명 · 신체 · 재산을 보호하고 범죄를 수사하며, 다양한 공공서비스를 제공하는 작용'이라고 설명된다.

② 영미법계 경찰개념은 국왕의 절대적 권력으로부터 유래된 경찰권을 전제로 한다.

③ 영미법계 경찰개념은 경찰과 국민을 수평적 · 상호협력 동반자 관계로 본다.

④ 영미법계 경찰은 비권력적 수단을 중시한다.

**정답 및 해설 I ②**

② [×] 국왕의 절대적 권력으로부터 유래된 경찰권을 전제로 하는 경찰개념은 대륙법계 경찰개념이다.

①③④ [○]

**KEY POINT I 대륙법계 경찰개념과 영미법계 경찰개념 비교**

| 구분 | 대륙법계(독일 · 프랑스) | 영미법계(영국 · 미국) |
|---|---|---|
| 전제 | • 경찰권 발동범위 축소의 역사 | • 경찰 활동범위 확대의 역사 |
| 주장 학자 | • 행정법학자 | • 행정학자 |
| 경찰권의 기초 | • **일반통치권** 전제 ➜ 경찰권의 발동범위와 성질<br>• 중앙집권적 국가경찰(능률성 유리) | • **자치권** 전제 ➜ 경찰의 기능(역할)<br>• 지방분권적 자치제 경찰(민주성 유리) |
| 경찰의 개념 | • '경찰이란 무엇인가'<br>• 경찰권의 발동범위와 성질을 기준으로 형성 | • '경찰은 무엇을 하는가'(경찰활동이란 무엇인가?)<br>• 경찰이 시민을 위해 수행하는 기능과 역할을 기준으로 형성 |
| 경찰의 사명 | • **국가안전**: 공공의 안녕과 질서유지에 중점<br>• 권력적 수단(명령 · 강제) 중점 | • **개인안전**: 국민의 생명 · 신체 · 재산의 보호에 중점<br>• **비권력적** 수단(계몽 · 지도 · 봉사)중점 |
| 국가(경찰)와 시민사회 | • 시민은 경찰권의 객체 ➜ 대립을 긍정<br>• 수직관계 | • 시민과 경찰은 상호협력관계 ➜ 대립을 부정<br>• 수평 · 친화관계 |
| 행정경찰과 사법경찰 | • 구분(이원주의) | • 구분없음(일원주의) |
| 수사 | • 수사를 경찰의 고유관할로 인정하지 않음 | • 수사를 경찰의 고유관할로 인정 |

## 016 대륙법계국가의 경찰제도에 관한 다음 설명 중 옳지 않은 것은 모두 몇 개인가? [2018 경간]

가. 대륙법계 국가의 경찰개념은 경찰권이라고 하는 일반통치권적 개념을 전제로, 경찰이 시민을 위해서 수행하는 기능 또는 역할을 중심으로 형성되었다.

나. 1931년 프로이센 경찰행정법에는 경찰관청은 일반 또는 개인에 대한 공공의 안녕과 질서를 위협하는 위험을 방지하기 위하여 현행법의 범위 내에서 의무에 합당한 재량에 따라 필요한 조치를 취하지 않으면 안 된다고 규정하였다.

다. 경찰이란 용어는 라틴어의 Politia에서 유래한 것으로 도시국가에 관한 일체의 정치, 특히 헌법을 지칭하였다.

라. 크로이쓰베르크(Kreuzberg) 판결은 경찰임무의 목적확대에 결정적인 계기를 만든 판결로 유명하다.

마. 경찰국가시대에 경찰권은 소극적인 치안유지만 할 뿐, 적극적인 공공복지의 증진을 위하여 강제력을 행사할 수 없었다.

바. 17세기 국가작용의 분화현상이 나타나 경찰개념이 외교 · 군사 · 재정 · 사법을 제외한 내무행정 전반에 국한되었다.

① 1개
② 2개
③ 3개
④ 4개

**정답 및 해설 I ③**

가. [×] **대륙법계의 경찰개념**은, '사회공공의 안녕과 질서를 유지하기 위하여 일반통치권에 근거하여 일반국민에게 명령 · 강제함으로써 그 자연적 자유를 제한하는 작용'이라고 설명된다. 반면 **영미법계 경찰개념**은 '시민으로부터 부여받은 자치권에 근거하여 국민의 생명 · 신체 · 재산을 보호하고 범죄를 수사하며, 다양한 공공서비스를 제공하는 작용'이라고 설명된다.

나. [○] **프로이센 경찰행정법(1931)**: "경찰관청은 일반 또는 개인에 대한 공공의 안녕과 질서를 위협하는 위험을 방지하기 위하여 현행법의 범위 내에서 의무에 합당한 재량에 따라 필요한 조치를 취하지 않으면 안 된다." ➔ 경찰의 직무범위가 소극목적에 한정됨을 입법화!

다. [○] 고대시대의 경찰은 '도시국가(Polis)와 관련된 일체의 정치, 특히 가장 이상적인 질서형성 상태인 헌법과 관련된 작용'을 의미하였다. Police라는 용어 자체가 Polis에서 유래하였다.

라. [×] 크로이쓰베르크 판결은 경찰의 임무가 소극적 위험방지에 한정된다(축소된다)는 사상이 법해석상 인정되는 계기를 마련한 것으로 평가된다.

마. [×] 바. [○] 경찰국가시대(17~18C)에는 국가활동이 전문화 · 분업화되면서 외교 · 군사 · 재정 · 사법행정은 국가의 특별한 작용으로 인식되어 경찰개념에서 제외되었고, 경찰은 '사회공공의 안녕(소극목적)과 복지(적극목적)를 직접 다루는 내무행정 작용'만을 의미하게 되었다. 이 시대에는 복지경찰이 등장하여, 내무행정에 관한 국가임무 수행을 위해 소극적인 질서유지뿐만 아니라 적극적인 복지증진을 위한 작용에도 강제력을 발동하게 되었다.



**017** 경찰개념의 변천과정에 대한 설명 중 적절하지 않은 것은 모두 몇 개인가? [2023 경간]

> 가. 16세기 독일의 제국경찰법(1530년)에서 교회행정을 제외한 모든 국가활동을 경찰이라 했다.
> 나. 17세기 경찰국가시대의 경찰개념은 외교 · 국방 · 재정 · 사법을 제외한 내무행정 전반을 의미했다.
> 다. 18세기 계몽철학의 영향으로 경찰의 개념이 소극적 위험방지 분야로 한정되었다.
> 라. 프랑스 지방자치법전(1884년)에서 처음으로 행정경찰과 사법경찰을 구분했다.
> 마. 프로이센 경찰행정법(1931년)은 경찰의 직무를 적극적 복리 증진으로 규정했다.

① 1개　② 2개
③ 3개　④ 4개

**정답 및 해설 I ②**

가. [○] 16세기 독일의 제국경찰법(1530년)에 의해, 경찰개념은 '교회행정의 권한을 제외한 나머지 일체의 국가행정', 다시 말해 '세속적인 사회생활 질서유지를 위한 공권력 작용'으로 축소되었다.

나. [○] 17세기 **경찰국가시대**에는 국가활동이 전문화 · 분업화 되면서 외교 · 군사 · 재정 · 사법행정은 국가의 특별한 작용으로 인식되어 경찰개념에서 제외되고, 경찰은 '사회공공의 안녕(소극목적)과 복지(적극목적)를 직접 다루는 내무행정 작용'만을 의미하게 되었다.

다. [○] 18세기 **법치국가시대**에 이르러 독일에서 경찰국가의 개념은 칸트 등의 계몽철학(18C)이 등장하면서 극복되어 군주의 권력도 법에 구속을 받게 되는 법치국가시대로 전환되었고, 법치국가의 발전으로 기존 경찰개념에서 적극적 복지경찰이 제외되고 소극적인 질서유지를 위한 위험방지에 국한되어, 내무행정 가운데서도 치안행정만을 의미하게 되었다.

라. [×] 프랑스 **죄와 형벌법전(경죄처벌법전, 1795)에서** 공공질서유지, 범죄예방을 목적으로 하는 **행정경찰**과 범죄의 수사 · 체포를 목적으로 하는 **사법경찰**을 **최초로 구분**하여 법제화하였다.

마. [×] **프로이센 경찰행정법(1931)은** "경찰관청은 일반 또는 개인에 대한 공공의 안녕과 질서를 위협하는 위험을 방지하기 위하여 현행법의 범위 내에서 의무에 합당한 재량에 따라 필요한 조치를 취하지 않으면 안 된다."고 규정하였다. 이 법은 경찰의 직무범위가 소극목적에 한정됨을 입법화한 것이다.

**018** 행정법 · 형사법 관련 판결에 대한 ㉠부터 ㉣까지의 설명 중 옳고 그름의 표시(○, ×)가 바르게 된 것은?

[2018 승진(경위)]

> ㉠ Blanco 판결은 Blanco란 소년이 국영담배공장 운반차에 부상을 당하여 민사법원에 소를 제기하였는데 손해가 공무원에 의하여 발생한 것이라는 이유에서 행정재판소 관할로 옮겨진 사건으로, 공무원에 의한 손해는 국가에 배상책임이 있고 그 관할 행정재판소라는 원칙이 확립하는 계기가 되었다.
> ㉡ Kreuzberg 판결을 통해 경찰관청이 일반수권 규정에 근거하여 법규명령을 발할 수 있는 분야는 위험방지 분야에 한정된다고 판시하였다.
> ㉢ Escobedo 판결은 변호인과의 접견교통권을 침해하여 획득한 자백의 증거능력을 부정한 판결이다.
> ㉣ Miranda 판결은 변호인선임권, 접견교통권 및 진술거부권을 고지하지 않은 상태에서 이루어진 자백의 증거능력을 부정하여, 자백의 임의성과 관계없이 채취과정에 위법이 있는 자백을 배제하게 되는 계기가 되었다.

① ㉠(×) ㉡(○) ㉢(×) ㉣(○)
② ㉠(○) ㉡(×) ㉢(○) ㉣(×)
③ ㉠(○) ㉡(○) ㉢(○) ㉣(○)
④ ㉠(○) ㉡(○) ㉢(×) ㉣(○)

**정답 및 해설 I ③**

㉠ [○]

> **Blanco 판결(프랑스, 1873)**: Blanco라는 소년이 국립 연초공장 직원이 운전하던 담배운반차에 치여 상해를 입은 사건 / "국가 공공기관에 고용된 사람의 불법행위로 인해 사인에게 가해진 손해는 그 성질상 민사법원이 아닌 행정재판소의 관할에 속해야 한다." ➜ 국가배상책임을 보통의 민사책임과 다르게 보아 현재의 국가배상법리의 시초가 된 판결

㉡ [○]

> **크로이츠베르크 판결(1882)**: 경찰 권한은 위험방지에 국한되며, 복지증진과 같은 적극적 요소는 경찰 임무에서 제외되어야 한다(베를린 경찰청장의 건물높이제한 명령은 적극적 복지증진 목적으로 발령된 것으로서 프로이센 일반란트법에 위배되어 무효이다). ➜ 경찰의 직무범위가 소극목적에 한정됨을 법 해석상 인정!

㉢ [○]

> **Escobedo 판결(미국, 1964)**: "살인사건의 용의자인 Escobedo가 체포된 후 변호인과의 접견이 거부된 상태에서 한 자백은 증거로 사용할 수 없다." ➜ 변호인과의 접견교통권을 침해하여 획득한 자백의 증거능력을 부정하였다.

㉣ [○]

> **Miranda 판결(미국, 1966)**: 미성년자 납치 · 강간 혐의로 체포된 Miranda는 범행을 자백하였으나, 경찰은 Miranda가 전과가 있어 피의자 권리를 잘 알고 있을 것으로 여겨 변호인선임권 및 진술거부권을 고지하지 않은 사건 / "경찰이 미란다를 조사하기 전에 법적 권리를 알려주지 않았기 때문에 경찰이 확보한 자백과 진술은 증거로 사용할 수 없다."
> ➜ 피의자의 권리가 고지되지 않은 상태에서 이루어진 자백의 증거능력을 부정하여 자백의 임의성과 관계없이 채취과정에 위법이 있는 자백을 배제하게 되는 계기가 되었다.

## 019 형식적 의미의 경찰과 실질적 의미의 경찰에 관한 설명으로 가장 적절하지 않은 것은? [2023 채용 1차]

① 형식적 의미의 경찰은 실정법상 개념으로 보통경찰기관에 분배되어 있는 임무를 달성하기 위하여 행하여지는 일체의 경찰작용이다.

② 형식적 의미의 경찰은 모두 실질적 의미의 경찰에 포함된다.

③ 실질적 의미의 경찰은 독일의 행정법학에서 정립된 학문상 개념이다.

④ 실질적 의미의 경찰은 사회공공의 안녕, 질서유지와 같은 소극적 목적을 위한 작용이다.

**정답 및 해설 I ②**

② [×] 형식적 의미의 경찰 일부가 실질적 의미의 경찰이고, 실질적 의미의 경찰 일부가 형식적 의미의 경찰에 해당할 뿐이지 **양자는 어느 하나가 다른 하나를 포함하는 관계가 아니다.**

①③④ [○]

- **형식적 의미의 경찰**이란 실정법상의 보통경찰기관이 자신에게 분배된 임무를 달성하기 위해 행하는 모든 경찰활동을 의미한다. 경찰작용의 실질적 성질과는 관계없이 현실적인 경찰기관을 기준으로 실무상으로 정립된 개념이므로, 보통경찰기관이 행하는 활동이라면 그것이 위험방지활동인지 범죄수사활동인지, 공공서비스 제공활동인지 등을 따지지 않는다.
- **실질적 의미의 경찰**이란 사회공공의 안녕과 질서를 유지하기 위하여 일반통치권에 근거하여 국민에게 명령 · 강제하는 권력적 작용을 의미한다. 조직이 아닌 성질, 작용을 중심으로 파악한 개념으로, 독일 행정법학에서 행정작용 중 경찰작용이 가지는 공통적인 특성을 추상화한 개념으로서 실무상 개념이 아닌 이론적 · 학문적으로 발전한 개념이다.

## 020 경찰의 개념 중 형식적 의미의 경찰과 실질적 의미의 경찰에 관한 설명으로 가장 적절한 것은? [2024 승진]

① 형식적 의미의 경찰개념은 실정법상 보통경찰기관에 있는 경찰작용을 의미한다.

② 형식적 의미의 경찰개념은 작용을 중심으로 파악한 것이다.

③ 실질적 의미의 경찰개념은 경찰의 사법경찰활동과 같이 주로 현재 또는 장래의 위험방지를 개념요소로 한다.

④ 실질적 의미의 경찰개념은 사회 질서유지와 봉사활동과 같은 현대 경찰의 핵심적인 기능을 수행하는 경찰을 의미한다.

**정답 및 해설 I ①**

① [○] **형식적 의미의 경찰**이란 실정법상의 보통경찰기관이 자신에게 분배된 임무를 달성하기 위해 행하는 모든 경찰활동을 의미한다.

② [×] **형식적 의미의 경찰개념**은 조직 중심, 즉 누가 하는 경찰활동인가?(= **보통경찰기관의 활동**)라는 관점을 중심으로 파악된 경찰개념이다.

③ [×] **실질적 의미의 경찰**이란 사회공공의 안녕과 질서 유지라는 소극적 목적달성을 위하여 일반통치권에 근거하여 **국민에게 명령 · 강제하는 권력적 작용**을 의미하는 개념으로서, 현재 발생하고 있거나 장래에 발생할 가능성이 있는 위험을 방지하고자 하는 활동이다. 과거의 범죄에 대한 증거확보 · 공소제기 및 유죄판결을 목적으로 하는 **사법경찰활동은** 실질적 의미의 경찰이 아니다.

④ [×] **실질적 의미의 경찰개념**은 국민에 대한 명령 · 강제를 본질적 요소로 하는 침해적 성격을 가진 작용이다. 따라서 봉사활동과 같은 서비스 작용은 실질적 의미의 경찰활동 개념에 포함되지 아니한다.

## 021 경찰의 개념에 대한 설명 중 가장 적절하지 않은 것은? [2021 승진(실무종합)]

① 실질적 의미의 경찰은 사회공공의 안녕, 질서유지와 같은 소극적 목적을 위한 작용이다.

② 실질적 의미의 경찰은 특별통치권에 근거하여 국민에게 명령 · 강제하는 권력적 작용으로 독일의 행정법학에서 정립된 학문상 개념이다.

③ 형식적 의미의 경찰작용은 실정법상 보통경찰기관에 분배된 사무를 말하며, 이에 따른 경찰활동의 범위는 나라마다 차이가 있을 수 있다.

④ 형식적 의미의 경찰이 언제나 실질적 의미의 경찰이 되는 것은 아니고, 또한 실질적 의미의 경찰이 모두 형식적 의미의 경찰이 되는 것도 아니다.

**정답 및 해설 I ②**

② [×] ① [○] **실질적 의미의 경찰**이란 사회공공의 안녕과 질서유지라는 소극적 목적달성을 위하여 일반통치권에 근거하여 국민에게 명령 · 강제하는 권력적 작용을 의미한다. ➜ 위험방지에 기여하는 국가의 모든 활동이라고 설명하기도 한다.

③ [○] **형식적 의미의 경찰**이란 실정법상의 보통경찰기관이 자신에게 분배된 임무를 달성하기 위해 행하는 모든 경찰활동을 의미한다. 형식적 의미의 경찰은 실무상 확립된 개념이자 역사적 · 제도적으로 발전해 온 개념으로서, 국가별 전통이나 현실적 환경에 따라 차이가 있다. 예 A국에서는 위생경찰을 보통경찰기관이 담당하지만, B국에서는 협의의 행정경찰기관이 담당하는 경우

④ [○] 형식적 의미의 경찰개념과 실질적 의미의 경찰개념은 서로 별개의 개념이다.

## 022 형식적 의미의 경찰과 실질적 의미의 경찰에 대한 설명으로 가장 적절하지 않은 것은? [2020 승진(경감)]

① 실질적 의미의 경찰은 독일의 행정법학에서 정립된 학문상 개념이다.

② 형식적 의미의 경찰은 실정법상 보통경찰기관에 분배되어 있는 임무를 달성하기 위해 행해지는 경찰활동이다.

③ 실질적 의미의 경찰은 사회공공의 안녕, 질서유지와 같은 소극적 목적을 위한 작용이다.

④ 형식적 의미의 경찰은 모두 실질적 의미의 경찰에 포함된다.

**정답 및 해설 I ④**

④ [×] 보통경찰기관이 수행하는 형식적 의미의 경찰활동 중 예컨대 교통경찰이 수행하는 교통단속은 실질적 의미의 경찰에 포함되지만, 반면 교통경찰이 수행하는 교통정보 제공활동은 형식적 의미의 경찰활동에는 포함되지만 실질적 의미의 경찰에는 포함되지 않는다.

①②③ [○] • **형식적 의미의 경찰**이란 실정법상의 보통경찰기관이 자신에게 분배된 임무를 달성하기 위해 행하는 모든 경찰활동을 의미한다. 경찰작용의 실질적 성질과는 관계없이 현실적인 경찰기관을 기준으로 실무상으로 정립된 개념이므로, 보통경찰기관이 행하는 활동이라면 그것이 위험방지활동인지 범죄수사활동인지, 공공서비스 제공활동인지 등을 따지지 않는다.

• **실질적 의미의 경찰**이란 사회공공의 안녕과 질서를 유지하기 위하여 일반통치권에 근거하여 국민에게 명령 · 강제하는 권력적 작용을 의미한다. 조직이 아닌 성질 · 작용을 중심으로 파악한 개념으로, 독일 행정법학에서 행정작용 중 경찰작용이 가지는 공통적인 특성을 추상화한 개념으로서 실무상 개념이 아닌 이론적 · 학문적으로 발전한 개념이다.

## 023 다음 보기 중 경찰개념을 설명한 것으로 틀린 것은 모두 몇 개인가?

[2014 채용 1차]

㉠ 형식적 의미의 경찰은 모두 실질적 의미의 경찰에 포함된다.
㉡ 정보경찰의 활동은 실질적 의미의 경찰보다는 형식적 의미의 경찰과 관련이 깊다.
㉢ 실질적 의미의 경찰개념은 학문상으로 정립된 개념이며, 프랑스 행정법학에서 유래하였다.
㉣ 형식적 의미의 경찰개념에 입각한 경찰활동의 범위는 나라마다 차이가 있을 수 있다.

① 1개
② 2개
③ 3개
④ 4개

**정답 및 해설 I ②**

㉠ [×] **형식적 의미의 경찰**이란 실정법상의 보통경찰기관이 자신에게 분배된 임무를 달성하기 위해 행하는 모든 경찰활동을 의미하고, **실질적 의미의 경찰**이란 사회공공의 안녕과 질서를 유지하기 위하여 일반통치권에 근거하여 국민에게 명령 · 강제하는 권력적 작용을 의미한다. 보통경찰기관이 수행하는 형식적 의미의 경찰활동 중 예컨대 교통경찰이 수행하는 교통단속은 실질적 의미의 경찰에 포함되지만, 반면 교통경찰이 수행하는 교통정보 제공활동은 형식적 의미의 경찰활동에는 포함되지만 실질적 의미의 경찰에는 포함되지 않는다.

㉡ [○] 정보경찰활동은 보통경찰기관의 활동이라는 점에서 형식적 의미의 경찰에는 해당하지만, 사회공공의 안녕과 질서유지를 위한 명령 · 강제작용으로 보기는 어렵기 때문에 실질적 의미의 경찰로 보기는 어렵다.

㉢ [×] 실질적 의미의 경찰은 조직이 아닌 성질 · 작용을 중심으로 파악한 것으로, 독일 행정법학에서 행정작용 중 경찰작용이 가지는 공통적인 특성을 추상화한 개념으로서 실무상 개념이 아닌 이론적 · 학문적으로 발전한 개념이다.

㉣ [○] 형식적 의미의 경찰은 실무상 확립된 개념이자 역사적 · 제도적으로 발전해 온 개념으로서, 국가별 전통이나 현실적 환경에 따라 차이가 있을 수 있다. 예 A국에서는 위생경찰을 보통경찰기관이 담당하지만, B국에서는 협의의 행정경찰기관이 담당하는 경우

## 024 형식적 의미의 경찰개념과 실질적 의미의 경찰개념에 관한 설명으로 옳은 것을 모두 고른 것은?

[2023 승진]

㉠ 정보경찰은 권력적 작용이므로 실질적 의미의 경찰이다.
㉡ 실질적 의미의 경찰은 국가의 일반통치권에 근거하여 국민에게 명령 · 강제하는 권력적 작용으로 독일의 전통적 행정법학에서 정립된 학문상 개념이다.
㉢ 형식적 의미의 경찰은 실정법상 보통경찰기관에 분배된 임무를 달성하기 위하여 행해지는 경찰활동으로 그 범위는 나라마다 차이가 있을 수 있다.
㉣ 실질적 의미의 경찰은 형식적 의미의 경찰을 모두 포괄한다.

① ㉠, ㉡
② ㉡, ㉢
③ ㉠, ㉡, ㉢
④ ㉡, ㉢ ㉣

**정답 및 해설 I ②**

㉠ [×] 정보경찰활동은 보통경찰기관의 활동이라는 점에서 형식적 의미의 경찰에는 해당하지만, 사회공공의 안녕과 질서 유지를 위한 명령 · 강제작용으로 보기는 어렵기 때문에 실질적 의미의 경찰로 보기는 어렵다.

㉡ [○] **실질적 의미의 경찰**이란 사회공공의 안녕과 질서를 유지하기 위하여 일반통치권에 근거하여 국민에게 명령 · 강제하는 권력적 작용을 의미한다. 조직이 아닌 성질, 작용을 중심으로 파악한 개념으로, 독일 행정법학에서 행정작용 중 경찰작용이 가지는 공통적인 특성을 추상화한 개념으로서 실무상 개념이 아닌 이론적 · 학문적으로 발전한 개념이다.

㉢ [○] **형식적 의미의 경찰**이란 실정법상의 보통경찰기관이 자신에게 분배된 임무를 달성하기 위해 행하는 모든 경찰활동을 의미한다. 형식적 의미의 경찰은 실무상 확립된 개념이자 역사적 · 제도적으로 발전해 온 개념으로서, 국가별 전통이나 현실적 환경에 따라 차이가 있다. 예 A국에서는 위생경찰을 보통경찰기관이 담당하지만, B국에서는 협의의 행정경찰기관이 담당하는 경우

㉣ [×] 형식적 의미의 경찰 중에는 실질적 의미의 경찰에 속하지 않는 것도 있으며, 실질적 의미의 경찰에 속하는 것이 실정법상 모두 보통경찰기관에 맡겨져 있는 것도 아니다. 따라서 형식적 의미의 경찰이 언제나 실질적 의미의 경찰이 되는 것은 아니고, 또한 실질적 의미의 경찰이 모두 형식적 의미의 경찰이 되는 것도 아니다. 예 구청의 음식위생 관련 단속행위는 실질적 의미의 경찰이지만 형식적 의미의 경찰은 아니다.

## 025 경찰개념에 대한 설명으로 가장 적절하지 않은 것은? [2019 승진(경위)]

① 형식적 의미의 경찰은 실정법상 보통경찰기관에 분배되어 있는 임무를 달성하기 위하여 행해지는 경찰활동으로 그 범위는 나라마다 차이가 있을 수 있다.

② 실질적 의미의 경찰은 사회공공의 안녕, 질서유지와 같은 적극적 목적을 위한 작용이다.

③ 실질적 의미의 경찰은 국가의 일반통치권에 근거하여 국민에게 명령 · 강제하는 권력적 작용이다.

④ 일반행정기관이 실질적 의미의 경찰작용을 하는 경우는 있으나, 형식적 의미의 경찰작용을 하지는 않는다.

**정답 및 해설 I ②**

② [×] ③ [○] **실질적 의미의 경찰**이란 사회공공의 안녕과 질서유지라는 소극적 목적달성을 위하여 일반통치권에 근거하여 국민에게 명령 · 강제하는 권력적 작용을 의미한다. ➜ 위험방지에 기여하는 국가의 모든 활동이라고 설명하기도 한다.

① [○] 형식적 의미의 경찰은 실무상 확립된 개념이자 역사적 · 제도적으로 발전해 온 개념으로서, 국가별 전통이나 현실적 환경에 따라 차이가 있을 수 있다. 예 A국에서는 위생경찰을 보통경찰기관이 담당하지만, B국에서는 협의의 행정경찰기관이 담당하는 경우

④ [○] 식약처의 식품위생 단속과 같은 경우 실질적 의미의 경찰작용에는 해당하지만, 식약처는 보통경찰기관이 아니므로 형식적 의미의 경찰활동은 아니다.

## 026 경찰개념에 대한 설명 중 옳지 않은 것은? [2020 경간]

① 일반행정기관이 실질적 의미의 경찰작용을 하는 경우는 있으나, 형식적 의미의 경찰작용을 하지는 않는다.

② 정보경찰의 활동은 실질적 의미의 경찰보다는 형식적 의미의 경찰과 관련이 깊다.

③ 실질적 의미의 경찰은 형식적 의미의 개념보다 넓은 의미로 형식적 의미의 경찰을 모두 포괄하는 상위 개념이다.

④ 실질적 의미의 경찰은 사회공공의 안녕, 질서유지와 같은 소극적 목적을 위한 권력적 작용이다.

**정답 및 해설 I ③**

③ [×] 실질적 의미의 경찰은 형식적 의미의 경찰에 대한 상위 개념으로서 형식적 의미의 경찰을 포괄하는 개념이 아니다. 즉, 형식적 의미의 경찰이지만, 실질적 의미의 경찰에 해당하지 않는 경우도 있다. 예 교통경찰의 교통정보제공활동, 생활안전경찰의 순찰활동, 정보경찰의 첩보수집활동 등

① [○] 형식적 의미의 경찰은 보통경찰기관의 경찰활동을 말하는 것이므로, 일반행정기관이 형식적 의미의 경찰활동을 할 수는 없다.

② [○] 정보경찰활동은 보통경찰기관의 활동이라는 점에서 형식적 의미의 경찰에는 해당하지만, 사회공공의 안녕과 질서유지를 위한 명령 · 강제작용으로 보기는 어렵기 때문에 실질적 의미의 경찰로 보기는 어렵다.

④ [○] **실질적 의미의 경찰**이란 사회공공의 안녕과 질서를 유지하기 위하여 일반통치권에 근거하여 국민에게 명령 · 강제하는 권력적 작용을 의미한다. 위험방지에 기여하는 국가의 모든 활동이라고 설명하기도 한다.

**027** 경찰의 개념 중 형식적 의미의 경찰과 실질적 의미의 경찰에 대한 설명으로 가장 적절한 것은?

[2017 채용 1차]

① 실질적 의미의 경찰 개념은 이론상 · 학문상 정립된 개념이 아닌 실무상으로 정립된 개념이며, 독일 행정법학에서 유래하였다.

② 경찰이 아닌 다른 일반 행정기관 또한 경찰과 마찬가지로 형식적 의미의 경찰에 해당하는 활동을 할 수 있다.

③ 실질적 의미의 경찰은 형식적 의미의 경찰 개념보다 넓은 의미로 형식적 의미의 경찰을 모두 포괄하는 상위 개념이다.

④ 형식적 의미의 경찰이란 실정법상 보통경찰기관에 분배되어 있는 임무를 달성하기 위해 행하여지는 경찰 활동을 의미한다.

**정답 및 해설 I ④**

④ [○] **형식적 의미의 경찰**이란 실정법상의 보통경찰기관이 자신에게 분배된 임무를 달성하기 위해 행하는 모든 경찰활동을 의미한다. ➜ 조직적 의미의 경찰이 행하는 모든 경찰활동이라고 설명하기도 한다.

① [×] 실질적 의미의 경찰은 조직이 아닌 성질 · 작용을 중심으로 파악한 것으로, 독일 행정법학에서 행정작용 중 경찰작용이 가지는 공통적인 특성을 추상화한 개념으로서 실무상 개념이 아닌 이론적 · 학문적으로 발전한 개념이다.

② [×] 형식적 의미의 경찰은 보통경찰기관의 경찰활동을 말하는 것이므로, 일반행정기관이 형식적 의미의 경찰활동을 할 수는 없다.

③ [×] 실질적 의미의 경찰과 형식적 의미의 경찰은 서로 별개의 개념이다. 어느 하나의 개념이 다른 개념을 포괄하거나 하는 관계가 아니다.

**028** 경찰개념에 관한 설명으로 가장 적절하지 않은 것은? [2023 채용 1차]

① 경찰개념은 역사적으로 발전되고 형성된 개념이므로, 근대국가에서의 일반적인 경찰개념을 '공공의 안녕과 질서유지를 위한 권력작용'이라고 할 경우, 이는 각국의 실정법상 경찰개념과 반드시 일치한다고는 할 수 없다.

② 실질적 의미의 경찰을 보안경찰과 협의의 행정경찰로 구분하는 것이 일반적 견해라고 할 때, 보안경찰은 독립적인 경찰기관이 관할하지만, 협의의 행정경찰은 각종의 일반행정기관이 함께 그것을 관장하는 경우가 많다.

③ 18~19세기에 등장한 법치국가는 절대주의적 경찰국가에 대항하는 의미에서 자유주의적 법치국가의 성격을 띠었고, 이와 같은 법치국가적 경찰개념이 처음으로 법제화된 경우로는 1794년의 '프로이센 일반란트법'을 들 수 있다.

④ 경찰의 개념을 형식적 의미의 경찰과 실질적 의미의 경찰로 구분할 때, 사법경찰(수사경찰)은 실질적 의미의 경찰에 포함된다.

**정답 및 해설 I ④**

④ [×] **실질적 의미의 경찰**이란 사회공공의 안녕과 질서를 유지하기 위하여 일반통치권에 근거하여 국민에게 명령 · 강제하는 권력적 작용을 의미하는 것으로서, 그 작용의 본질은 '공공안녕과 질서유지를 위한' 현재 · 장래지향형 작용으로 볼 수 있다. 한편, **사법경찰은** 범죄수사 · 피의자 체포 등을 목적으로 하는, 즉 형사사법 작용을 하는 경찰을 말하는 것으로서 그 작용의 본질은 과거지향형 작용이다. 따라서 사법경찰은 실질적 의미의 경찰에는 포함되지 않는다.

① [○] '공공의 안녕과 질서유지를 위한 권력작용'은 실질적 의미의 경찰개념을 설명하고 있는 것으로, 이러한 실질적 의미의 경찰개념은 독일 행정법학에서 행정작용 중 경찰작용이 가지는 공통적인 특성을 추상화한 개념으로서 실무상 개념이 아닌 이론적 · 학문적으로 발전한 개념이다. 이는 각국의 실정법상 형성된 경찰개념인 '형식적 의미의 경찰개념'과 반드시 일치하는 것은 아니다.

② [○] **보안경찰**이란 광의의 행정경찰 중에서 다른 행정작용을 동반하지 않고 오로지 경찰작용만으로 사회공공의 안녕과 질서를 유지하기 위한 경찰작용을 말하고, **협의의 행정경찰**이란 다른 행정작용과 결합하여 특별한 사회적 이익의 보호를 목적으로 하면서, 그 부수작용으로서 사회공공의 안녕과 질서를 유지하기 위한 경찰작용을 말한다. 보안경찰 활동은 보통경찰기관이 담당하지만, 협의의 행정경찰 활동은 일반행정기관이 담당하는 것이 일반적이다.

③ [○] 18세기 말~19세기 초의 법치국가시대의 주요 법률 중 하나인 **프로이센 일반란트법**(1794년, 경찰관청은 절박한 위험을 방지하기 위하여 필요한 기관이다)은, 법치국가적 경찰개념을 처음으로 법제화한 법률이다. 이후 **크로이츠베르크 판결**(1882)을 거쳐 **프로이센 경찰행정법**(1931년, 경찰관청은 의무에 합당한 재량에 따라 필요한 조치를 취하지 않으면 안 된다)이 제정되었다.

## 029 다음은 형식적 의미의 경찰개념과 실질적 의미의 경찰개념에 대한 설명이다. 옳은 것은 모두 몇 개인가?

[2020 채용 1차]

> ㉠ 형식적 의미의 경찰이 언제나 실질적 의미의 경찰이 되는 것은 아니며, 실질적 의미의 경찰이 모두 형식적 의미의 경찰이 되는 것도 아니다.
> ㉡ 실질적 의미의 경찰은 사회공공의 안녕과 질서유지를 위한 권력적 작용이므로 소극목적에 한정된다.
> ㉢ 형식적 의미의 경찰은 사회목적적 작용을 의미하며 작용을 중심으로 파악된 개념이고, 실질적 의미의 경찰은 조직을 기준으로 파악된 개념이다.
> ㉣ 실질적 의미의 경찰은 실무상 정립된 개념이 아니라 학문적으로 정립된 개념으로 독일 행정법학에서 유래하였다.
> ㉤ 「경찰관 직무집행법」 제2조에 규정된 경찰의 직무범위가 우리나라에서의 형식적 의미의 경찰개념에 해당한다.

① 2개 ② 3개
③ 4개 ④ 5개

**정답 및 해설 I ③**

㉠ [○] 형식적 의미의 경찰개념과 실질적 의미의 경찰개념은 서로 별개의 개념이다.

㉡ [○] **실질적 의미의 경찰**이란 사회공공의 안녕과 질서유지라는 소극적 목적달성을 위하여 일반통치권에 근거하여 국민에게 명령 · 강제하는 권력적 작용을 의미한다.

㉢ [×] 형식적 의미의 경찰은 조직 · 제도를 기준으로 결정되는 것이고, 실질적 의미의 경찰은 조직이 아닌 성질 · 작용을 중심으로 파악한 것이다.

㉣ [○] 실질적 의미의 경찰개념은 독일 행정법학에서 행정작용 중 경찰작용이 가지는 공통적인 특성을 추상화한 개념으로서 실무상 개념이 아닌 이론적 · 학문적으로 발전한 개념이다.

ⓜ [○] **형식적 의미의 경찰**이란 실정법상의 보통경찰기관이 자신에게 분배된 임무를 달성하기 위해 행하는 모든 경찰활동을 의미한다고 할 때, '자신에게 분배된 임무'는 우리나라의 경우 '경찰관 직무집행법 제2조에 따라 분배된 임무'를 의미한다고 본다.

> **경찰관 직무집행법 제2조【직무의 범위】** 경찰관은 다음 각 호의 직무를 수행한다.
> 1. 국민의 생명 · 신체 및 재산의 보호
> 2. 범죄의 예방 · 진압 및 수사
> 2의2. 범죄피해자 보호
> 3. 경비, 주요 인사(人士) 경호 및 대간첩 · 대테러 작전 수행
> 4. 공공안녕에 대한 위험의 예방과 대응을 위한 정보의 수집 · 작성 및 배포
> 5. 교통 단속과 교통 위해(危害)의 방지
> 6. 외국 정부기관 및 국제기구와의 국제협력
> 7. 그 밖에 공공의 안녕과 질서유지



**030** 실질적 의미의 경찰과 형식적 의미의 경찰에 대한 설명으로 적절한 것은 모두 몇 개인가? [2023 경간]

> 가. 실질적 의미의 경찰은 프랑스 행정법학에서 유래한다.
> 나. 형식적 의미의 경찰과 실질적 의미의 경찰은 일치한다.
> 다. 사무를 기준으로 하였을 때 우리나라 자치경찰은 형식적 의미의 경찰과 실질적 의미의 경찰 모두에 해당한다.
> 라. 공물경찰은 실질적 의미의 경찰에 해당한다.
> 마. 사법경찰은 실질적 의미의 경찰에 해당한다.

① 1개 ② 2개
③ 3개 ④ 4개

**정답 및 해설 I ②**

가. [×] 실질적 의미의 경찰은 **독일 행정법학**에서 유래하였다.

나. [×] **형식적 의미의 경찰**이란 실정법상의 보통경찰기관이 자신에게 분배된 임무를 달성하기 위해 행하는 모든 경찰활동을 의미하고, **실질적 의미의 경찰**이란 사회공공의 안녕과 질서 유지라는 소극적 목적달성을 위하여 일반통치권에 근거하여 국민에게 명령 · 강제하는 권력적 작용을 의미한다. 양자는 서로 독립되어 있는 별개의 개념이다.

다. [○] '**사무를 기준으로 하였을 때**'라는 의미는, 자치경찰사무를 수행하는 자치경찰을 기준으로 하였을 때라는 의미이다('조직을 기준으로 한' 제주자치경찰단을 의미하는 것이 아니라는 의미). 따라서, **자치경찰사무를 기준으로 한 우리나라의 자치경찰**은 보통경찰기관이 하는 모든 경찰활동 중에 하나이기도 하고(=**형식적 의미의 경찰**), 생안 · 경비 · 교통 등 지역밀착형 치안사무를 수행하는 경찰로서 공공안녕과 질서유지를 위해 명령강제하는 경찰(=**실질적 의미의 경찰**)이기도 하다.

라. [○] **공물경찰**이란 공물(행정주체가 공적 목적으로 제공하는 물건)에 대해 발생하는 공공안녕과 질서 위해를 방지하기 위한 명령 · 강제와 같은 경찰작용을 말한다(예 공물인 도로에 대한 위해발생 방지를 위한 경찰서장의 도로통행 금지 · 제한명령). 이러한 공물경찰 역시 일반통치권에 근거한 명령 · 강제작용으로서 실질적 의미의 경찰에 해당한다.

마. [×] **사법경찰**이란 범죄수사 · 피의자 체포 등을 목적으로 하는, 즉 형사사법 작용을 하는 경찰을 의미하는 것으로서 본질적으로 과거지향 경찰작용이라면, 실질적 의미의 경찰은 공공의 안녕과 질서를 유지하기 위한 현재 · 장래지향 경찰작용이라는 점에서 본질적으로 서로 다른 경찰작용이다.

## 주제 2 경찰의 분류

**031** 경찰의 분류와 그 기준이 가장 적절하지 않은 것은? [2017 승진(경위)]

① 행정경찰과 사법경찰은 3권분립 기준으로 구분한 것이다.

② 예방경찰과 진압경찰은 경찰권 발동 시점으로 구분한 것이다.

③ 보안경찰과 협의의 행정경찰은 업무의 독자성을 기준으로 구분한 것이다.

④ 국가경찰과 자치제경찰은 경찰활동의 질과 내용을 기준으로 구분한 것이다.

**정답 및 해설 I ④**

④ [×] 국가경찰과 자치제경찰은 경찰활동의 권한과 책임의 소재를 기준으로 구분한 것이다. 질과 내용에 따른 구분은 질서경찰과 봉사경찰이다.

- **국가경찰**은 경찰유지의 권한과 책임이 국가에 있는 경찰을 말한다. ➜ 효율성↑, 민주성↓
- **자치경찰**은 경찰유지의 권한과 책임이 지방자치단체에 분산되어 있는 경찰을 말한다. ➜ 효율성↓, 민주성↑

① [○] 통상 행정경찰과 사법경찰은 경찰의 목적과 임무에 따른 구분이라고 설명한다. 다만, 이러한 구분 자체가 3권분립 사상에 투철했던 프랑스의 '죄와 형벌법전(1795)'에서 확립되었던 것이라는 점에서, 옳은 지문으로 보는 것이 타당하다.

- **행정경찰**은 행정작용의 일부로서의 경찰, 즉 공공의 안녕 또는 질서에 대한 위험방지작용을 하는 경찰을 말한다.
- **사법경찰**은 범죄수사 · 피의자 체포 등을 목적으로 하는, 즉 형사사법 작용을 하는 경찰을 말한다.

② [○]

- **예방경찰**은 경찰상 위해 발생을 사전에 방지하기 위한 비권력적 또는 권력적 작용으로 (광의의) 행정경찰보다는 좁은 개념이다. 주로 비권력적 수단이 사용된다. 예 위해를 미칠 우려가 있는 정신착란자 보호, 광견 등의 사살, 순찰활동 등
- **진압경찰**은 이미 위험이 실현되어 진행 중인 장해를 제거하거나 이미 발생한 범죄의 수사를 위한 권력적 작용을 말한다. 예 사람을 공격 중인 멧돼지 사살 / 사법경찰 작용으로서 범죄의 수사, 피의자(범인)의 체포

③ [○] 보안경찰과 협의의 행정경찰 구분은 업무의 독자성(타 행정작용 부수 여부)에 따른 구분이다.

- **(강학상) 보안경찰**이란 광의의 행정경찰 중에서 다른 행정작용을 동반하지 않고 오로지 경찰작용만으로 사회공공의 안녕과 질서를 유지하기 위한 경찰작용을 말한다. 예 생활안전경찰, 경비경찰, 교통경찰, 풍속경찰
- **협의의 행정경찰**이란 다른 행정작용과 결합하여 특별한 사회적 이익의 보호를 목적으로 하면서, 그 부수작용으로서 사회공공의 안녕과 질서를 유지하기 위한 경찰작용을 말한다. 예 위생(보건)경찰, 건축경찰, 경제경찰, 산림경찰, 관세경찰, 철도경찰

**032** 경찰의 분류에 대한 설명으로 가장 적절하지 않은 것은? [2023 경간]

① 우리나라는 조직법상 행정경찰과 사법경찰의 구분이 없으며, 보통경찰기관이 양 사무를 모두 담당한다.

② 예방경찰과 진압경찰은 경찰권 발동 시점에 따른 구분이다.

③ 행정경찰은 주로 과거의 상황에 대하여 작용하며, 사법경찰은 주로 현재 또는 장래의 상황에 대하여 작용한다.

④ 질서경찰과 보통경찰은 경찰 활동시 강제력의 사용유무로 구분된다.

**정답 및 해설 I ③**

③ [×] 사법경찰은 **주로 과거의 상황**에 대하여 작용하며, 행정경찰은 **주로 현재 또는 장래**의 상황에 대하여 작용한다

① [○] 행정경찰과 사법경찰의 구별은 경찰의 목적 · 임무에 따른 구분으로서, 3권 분립 사상에 투철했던 프랑스의 '죄와 형벌법전(1795)'에서 확립되었다. 우리나라는 조직법상 행정경찰과 사법경찰을 구분하고 있지 않으며, 보통경찰기관이 행정경찰 및 사법경찰 사무를 모두 담당한다.

④ [○] 질서경찰과 봉사경찰은 경찰활동의 질과 내용을 기준으로 한 분류로서, 강제력을 사용하면 질서경찰 · 강제력이 아닌 서비스 등을 사용하면 봉사경찰로 구분한다.

> • **질서경찰**은 보통경찰기관의 직무범위 중에서 강제력을 수단으로 사회공공의 안녕과 질서유지를 위한 법집행을 하는 경찰활동을 말한다. 예 범죄수사 · 진압, 즉시강제, 경찰강제
> • **봉사경찰**은 보통경찰기관의 직무범위 중에서 강제력이 아닌 서비스 · 계몽 · 지도 등을 통하여 경찰직무를 수행하는 비권력적 경찰활동을 말한다. 예 생활안전(방범)지도, 청소년선도, 교통정보의 제공, 생활안전순찰, 수난구호 등



## 033 경찰의 종류와 구별기준의 연결이 가장 적절하지 않은 것은? [2023 채용 1차]

① 질서경찰 – 봉사경찰: 경찰의 목적에 따른 분류

② 예방경찰 – 진압경찰: 경찰권 발동시점에 따른 분류

③ 국가경찰 – 자치경찰: 권한과 책임의 소재에 따른 분류

④ 평시경찰 – 비상경찰: 위해정도 및 담당기관, 적용법규에 따른 분류

**정답 및 해설 I ①**

① [×] 질서경찰과 봉사경찰은 **경찰활동의 질 · 내용에 따른 분류**이다. 경찰목적에 따른 분류는 행정경찰과 사법경찰이다.

## 034 다음 중 경찰을 경찰활동의 질과 내용에 따라 분류한 것으로 가장 적절한 것은? [2018 채용 1차]

① 질서경찰과 봉사경찰

② 보안경찰과 협의의 행정경찰

③ 행정경찰과 사법경찰

④ 보통경찰과 고등경찰

**정답 및 해설 I ①**

① [○] 질서경찰과 봉사경찰이 경찰활동의 질과 내용에 따라 분류한 것이다.

② [×] 업무의 독자성(타 행정작용 부수 여부)에 따른 구분이다.

③ [×] 경찰의 목적과 임무에 따른 구분이다.

④ [×] 보호대상 가치나 이익에 따른 구분이다.

> • **고등경찰**은 국가조직의 근본에 대한 위해의 예방 및 제거를 위한 경찰작용이다. 예 정보경찰, 외사경찰
> • **보통경찰**은 일반사회공공의 안녕과 질서의 유지를 위한 경찰작용이다. 예 생활안전경찰, 교통경찰

## 035 다음 중 경찰의 분류와 그 내용으로 가장 적절하지 않은 것은? [2018 채용 3차]

① 경찰권 발동시점에 따라 예방경찰과 진압경찰로 구분할 수 있으며, 위해를 미칠 우려가 있는 정신착란자의 보호는 예방경찰에, 사람을 공격하는 멧돼지를 사살하는 것은 진압경찰에 해당한다.

② 업무의 독자성에 따라 보안경찰과 협의의 행정경찰로 구분할 수 있으며, 교통경찰은 보안경찰에, 건축경찰은 협의의 행정경찰에 해당한다.

③ 삼권분립 사상에 따라 행정경찰과 사법경찰로 구분할 수 있으며, 형식적 의미의 경찰은 행정경찰에, 실질적 의미의 경찰은 사법경찰에 해당한다.

④ 경찰활동의 질과 내용에 따라 질서경찰과 봉사경찰로 구분할 수 있으며, 범죄수사는 질서경찰에, 방범지도는 봉사경찰에 해당한다.

**정답 및 해설 I ③**

③ [×] 행정경찰은 실질적 의미의 경찰과 동일하고, 사법경찰은 형식적 의미의 경찰 중 일부(경찰조직의 여러 임무 중 하나)이다.

**☑ KEY POINT I 행정경찰과 사법경찰의 비교**

| 구분 | 행정경찰 | 사법경찰 |
|---|---|---|
| 목적 | • 공공의 안녕과 질서유지<br>• 범죄예방 | 형사사법작용(범죄수사) |
| 성질 | 현재 및 장래의 위험사태 방지 | 과거 범죄에 대한 수사 |
| 발동근거 | 경찰관 직무집행법 등 각종 경찰행정법규 | 형사소송법 |
| 범위 | 실질적 의미의 경찰과 동일 | 형식적 의미의 경찰 중 일부(경찰조직의 여러 임무 중 하나) |
| 법계와 관계 | • 대륙법계: 행정경찰과 사법경찰을 구분하며, 사법경찰을 경찰의 고유임무로 보지 않는다.<br>• 영미법계: 행정경찰과 사법경찰을 구분하지 않고, 양자 모두 경찰의 고유임무로 본다. | |

① [○]
- **예방경찰**은 경찰상 위해 발생을 사전에 방지하기 위한 비권력적 또는 권력적 작용으로 (광의의) 행정경찰보다는 좁은 개념이다. 주로 비권력적 수단이 사용된다. 예 위해를 미칠 우려가 있는 정신착란자 보호, 광견 등의 사살, 순찰활동 등
- **진압경찰**은 이미 위험이 실현되어 진행 중인 장해를 제거하거나 이미 발생한 범죄의 수사를 위한 권력적 작용을 말한다. 예 사람을 공격 중인 멧돼지 사살 / 사법경찰 작용으로서 범죄의 수사, 피의자(범인)의 체포

② [○] 보안경찰과 협의의 행정경찰 구분은 업무의 독자성(타 행정작용 부수 여부)에 따른 구분이다.

## 036 자치경찰제도의 도입에 따른 장점으로 옳지 않은 설명으로 묶인 것은? [2018 경간]

가. 자치경찰제도는 지방에 적합한 경찰행정이 가능하다.
나. 자치경찰제도는 타 행정부분과의 긴밀한 협조 · 조정이 원활하다.
다. 자치경찰제도는 지방별로 독립된 조직이므로 조직 · 운영의 개혁이 용이하다.
라. 자치경찰제도는 전국적으로 균등한 경찰서비스를 제공할 수 있다.
마. 자치경찰제도는 전국적인 통계자료의 정확성을 기할 수 있다.
바. 자치경찰제도는 민주성이 보장되어 주민들의 지지를 받기 쉽다.

① 가, 나, 라　　② 가, 라, 마
③ 나, 다, 바　　④ 나, 라, 마

**정답 및 해설 I ④**

④ [○] 나, 라, 마는 국가경찰의 장점에 관한 내용이다.

**☑ KEY POINT I 국가경찰과 자치경찰의 비교**

| 구분 | 국가경찰제도 | 자치제경찰제도 |
|---|---|---|
| 주체 | 권한과 책임의 주체는 국가 | 권한과 책임의 주체는 지방자치단체 |
| 조직 | 중앙집권적 · 관료적인 제도 | 지방분권적인 조직체계 |
| 장점 | • 조직의 통일적 운영과 경찰활동의 능률성 · 기동성을 발휘<br>• (라) 전국적으로 균등한 경찰서비스를 제공<br>• (마) 전국적인 통계자료의 정확성을 기할 수 있음<br>• 강력한 법집행이 가능하고 비상시 대응이 용이<br>• (나) 타 행정기관 및 경찰기관간 긴밀한 협조 · 조정이 원활 | • (가) 각 지방의 특성에 적합한 경찰행정이 가능<br>• (바) 인권보장과 민주성이 보장되어 주민들의 지지를 받기 쉬움<br>• (다) 지방별로 독립된 조직이므로 조직 · 운영의 개혁이 용이 |
| 단점 | • 정부의 특정정책의 수행에 이용되어 경찰 본연의 임무를 벗어날 우려가 있음<br>• 조직이 비대화되고 관료화되어 주민과 멀어지고 국민을 위한 봉사가 저해될 수 있음<br>• 각 지방의 특수성 · 창의성이 저해되기 쉬움 | • 전국적 · 광역적 경찰활동에 부적합<br>• 타 경찰기관과의 협조 · 지원체제 곤란<br>• 지방세력이 간섭 및 유착 우려<br>• 통계자료에 정확을 기하기 곤란<br>• 전국적인 기동성이 약하고, 조직체계가 무질서해지기 쉬움 |

## 037 국가경찰과 자치경찰에 관한 설명으로 가장 적절하지 않은 것은? [2023 채용 1차]

① 자치경찰은 지역사회 특성을 반영한 치안활동이 가능하며 주민들의 지지를 받기 쉽다.

② 국가경찰은 강력하고 광범위한 집행력을 행사할 수 있다.

③ 자치경찰은 지방세력의 간섭으로 인하여 정실주의에 대한 우려가 있다.

④ 국가경찰은 전국단위의 통계자료 수집 및 정확성 측면에서 불리하다.

**정답 및 해설 I ④**

④ [×] 전국단위의 통계자료 수집 및 정확성 측면에서 불리한 것은 **자치경찰**이다.

① [○] 자치경찰의 장점이다.

② [○] 국가경찰의 장점이다.

③ [○] 자치경찰의 단점이다.

## 038 다음 국가경찰과 자치경찰에 대한 설명이다. 옳은 것으로 묶인 것은? [2020 채용 1차]

㉠ 국가경찰은 자치경찰과 비교하여 인권과 민주성이 보장되어 주민들의 지지를 받기 쉽다.
㉡ 자치경찰은 국가경찰과 비교하여 권력적 수단보다는 비권력적 수단을 통해 국민의 생명과 신체 · 재산을 보호하고자 한다.
㉢ 국가경찰은 자치경찰과 비교하여 타 행정부문과의 긴밀한 협조 · 조정이 원활하다는 장점이 있다.
㉣ 자치경찰은 국가경찰과 비교하여 지역실정을 반영한 경찰조직의 운영 · 관리가 용이하다.
㉤ 국가경찰은 자치경찰과 비교하여 지역주민에 대한 경찰의 책임의식이 높다.

① ㉠, ㉡, ㉣
② ㉡, ㉢, ㉣
③ ㉡, ㉢, ㉤
④ ㉠, ㉣, ㉤

**정답 및 해설 I ②**
㉠㉤ [×] 자치경찰의 장점에 대한 설명이다.

## 039 다음 중 국가경찰제도와 비교하여 자치경찰제도의 특성으로 옳지 <u>않은</u> 것을 모두 고른 것은? [2018 경채]

㉠ 전국적으로 통계의 정확성을 기할 수 있다.
㉡ 경찰조직의 운영 · 개혁이 상대적으로 용이하다.
㉢ 다른 지방경찰, 국가행정기관과의 협조가 곤란하다.
㉣ 관료화되어 지역주민을 위한 봉사의식이 희박해 질 수 있다.

① ㉠, ㉡
② ㉠, ㉣
③ ㉡, ㉢
④ ㉢, ㉣

**정답 및 해설 I ②**
② [×] ㉠은 국가경찰의 장점에 대한 설명이고, ㉣은 국가경찰의 단점에 대한 설명이다.

## 040 국가경찰과 자치경찰에 대한 설명으로 적절하지 <u>않은</u> 것은 모두 몇 개인가? [2022 경간]

가. 자치경찰은 국가경찰과 비교하여 비권력적 수단보다는 권력적 수단을 통해 국민의 생명과 신체 · 재산을 보호하고자 한다.
나. 국가경찰은 자치경찰과 비교하여 타 행정부문과의 긴밀한 협조 · 조정이 원활하다.
다. 국가경찰은 자치경찰과 비교하여 지역실정을 반영한 경찰조직의 운영 · 관리가 용이하다.
라. 국가경찰은 자치경찰과 비교하여 지역주민에 대한 경찰의 책임의식이 높다.

① 1개 ② 2개 ③ 3개 ④ 4개

**정답 및 해설 I ③**

가. [×] **국가경찰은 자치경찰과 비교**하여 비권력적 수단보다는 권력적 수단을 통해 국민의 생명과 신체 · 재산을 보호하고자 한다.

나. [○] 옳은 설명이다.

다. [×] **자치경찰은 국가경찰**과 비교하여 지역실정을 반영한 경찰조직의 운영 · 관리가 용이하다.

라. [×] **자치경찰은 국가경찰**과 비교하여 지역주민에 대한 경찰의 책임의식이 높다.



## 041 경찰의 분류에 대한 설명으로 적절한 것을 모두 고른 것은? [2019 승진(경감)]

> ㉠ 삼권분립사상에 기초하여 분류할 때 행정경찰은 실질적 의미의 경찰에 해당하고, 사법경찰은 형식적 의미의 경찰에 해당한다.
> ㉡ 경찰활동의 질과 내용을 기준으로 분류할 때 예방경찰은 경찰상의 위해 발생을 방지하기 위한 작용으로 '위해를 미칠 우려가 있는 정신착란자의 보호'가 이에 해당한다.
> ㉢ 자치경찰제도는 각 지방특성에 적합한 경찰행정이 가능하지만, 국가경찰제도에 비해 관료화되어 국민을 위한 봉사가 저해될 수 있다.
> ㉣ 국가경찰제도는 경찰업무집행의 통일을 기할 수 있으나, 정부의 특정정책 수행에 이용되어 본연의 임무를 벗어날 우려가 있다.

① ㉠, ㉡　　② ㉠, ㉣

③ ㉡, ㉢　　④ ㉢, ㉣

**정답 및 해설 I ②**

㉠ [○] 행정경찰과 실질적 의미의 경찰은 동일한 의미로 이해해도 무방하고, 사법경찰은 형식적 경찰 중 일부이다.

> • **행정경찰**은 행정작용의 일부로서의 경찰, 즉 공공의 안녕 또는 질서에 대한 위험방지작용을 하는 경찰을 말한다.
> • **실질적 의미의 경찰**이란 사회공공의 안녕과 질서유지라는 소극적 목적달성을 위하여 일반통치권에 근거하여 국민에게 명령 · 강제하는 권력적 작용을 의미한다.
> • **사법경찰**은 범죄수사 · 피의자 체포 등을 목적으로 하는, 즉 형사사법 작용을 하는 경찰을 말한다.
> • **형식적 의미의 경찰**이란 실정법상의 보통경찰기관이 자신에게 분배된 임무를 달성하기 위해 행하는 모든 경찰활동을 의미한다.

㉡ [×] 경찰활동의 질과 내용에 따라 구분하면 질서경찰과 봉사경찰로 구분된다.

㉢ [×] 관료화는 국가경찰제도의 단점이다.

㉣ [○] 국가경찰의 장점 및 단점에 대한 옳은 설명이다.

## 042 경찰개념에 대한 설명으로 가장 적절하지 않은 것은? [2018 경채]

① 형식적 의미의 경찰은 실정법상 개념으로 보통경찰기관에서 일체의 경찰작용을 의미한다.

② 업무의 독자성을 기준으로 보안경찰과 협의의 행정경찰로 나뉜다.

③ 사회공공의 안녕과 질서를 유지하기 위하여 일반통치권에 의거하여 국민에게 명령 · 강제하는 권력적 작용이라고 보는 것이 실질적 의미의 경찰개념이다.

④ 1884년 프랑스 지방자치법전은 "공공의 평온, 안녕 및 질서를 유지하고 또한 공중 및 그의 개개 구성원들에 대한 절박한 위험을 방지하기 위하여 필요한 조치를 취하는 것이 경찰의 직무이다."라고 규정하였다.

**정답 및 해설 I ④**

④ [×]

- **프로이센 일반란트법(1794)**: "공공의 평온과 안녕 및 질서를 유지하고 공중이나 그 개별 구성원에게 절박한 위험을 방지하기 위해 필요한 조치를 취하는 것은 경찰의 직무이다."
- **프랑스 지방자치법전(1884)**: "자치단체 경찰은 공공의 질서 · 안전 및 위생을 확보함을 목적으로 한다." ➜ 경찰직무를 **소극목적**에 **한정**하고 있으나 **위생사무 등 협의의 행정경찰적 사무를 포함**하고 있다.

① [○] **형식적 의미의 경찰**이란 실정법상의 **보통경찰기관**이 자신에게 분배된 임무를 달성하기 위해 행하는 모든 경찰활동을 의미한다.

② [○] 보안경찰과 협의의 행정경찰 구분은 업무의 독자성(타 행정작용 부수 여부)에 따른 구분이다.

- **(강학상) 보안경찰**이란 광의의 행정경찰 중에서 다른 행정작용을 동반하지 않고 **오로지 경찰작용만으로 사회공공의 안녕과 질서를 유지**하기 위한 경찰작용을 말한다. 예 생활안전경찰, 경비경찰, 교통경찰, 풍속경찰
- **협의의 행정경찰**이란 다른 행정작용과 결합하여 특별한 사회적 이익의 보호를 목적으로 하면서, 그 **부수작용으로서 사회공공의 안녕과 질서를 유지**하기 위한 경찰작용을 말한다. 예 위생(보건)경찰, 건축경찰, 경제경찰, 산림경찰, 관세경찰, 철도경찰

③ [○] **실질적 의미의 경찰**이란 사회공공의 안녕과 질서유지라는 소극적 목적달성을 위하여 일반통치권에 근거하여 **국민에게 명령 · 강제하는 권력적 작용**을 의미한다.

## 043 경찰개념의 분류와 내용에 대한 설명 중 가장 적절하지 않은 것은? [2020 지능범죄]

① 실질적 의미의 경찰개념은 사회 질서유지와 봉사활동과 같은 현대 경찰의 핵심적인 기능을 수행하는 경찰을 의미한다.

② 형식적 의미의 경찰개념은 경찰작용의 성질과는 관계없이 실정법상 경찰기관의 권한에 속하는 모든 작용을 의미한다.

③ 경찰권 발동의 시점을 기준으로 예방경찰과 진압경찰로 구분할 수 있다.

④ 일반행정기관이 실질적 의미의 경찰작용을 하는 경우는 있으나, 형식적 의미의 경찰작용을 하지는 않는다.

**정답 및 해설 I ①**

① [×] **실질적 의미의 경찰**이란 사회공공의 안녕과 질서유지라는 소극적 목적달성을 위하여 일반통치권에 근거하여 **국민에게 명령 · 강제**하는 권력적 작용을 의미한다. 따라서 봉사활동과 같은 비권력적 작용은 실질적 의미의 경찰개념에 해당하지 않는다.

② [○] **형식적 의미의 경찰활동**은 경찰작용의 실질적 성질과는 관계없이 현실적인 경찰기관을 기준으로 실무상으로 정립된 개념이므로, 보통경찰기관이 행하는 활동이라면 그것이 위험방지 활동인지 범죄수사 활동인지, 공공서비스 제공활동인지 등을 따지지 않는다.

③ [○] 예방경찰과 진압경찰은 경찰권 발동시점을 기준으로 한 구분이다.

④ [○] 예컨대 식약처의 식품위생 단속과 같은 경우는 공공의 안녕과 질서유지를 위한 권력적 작용이므로 실질적 의미의 경찰작용을 하는 것으로 볼 수 있다. 반면 형식적 의미의 경찰은 보통경찰기관의 경찰활동을 말하는 것이므로, 일반행정기관이 형식적 의미의 경찰활동을 할 수는 없다.

## 044 경찰의 분류에 대한 설명으로 가장 적절하지 않은 것은? [2021 채용 1차]

① 행정경찰과 사법경찰: 경찰의 목적에 따라 구분하며, 프랑스의 「죄와 형벌법전」(「경죄처벌법전」)에서 이와 같은 구분을 최초로 법제화하였다.

② 협의의 행정경찰과 보안경찰: 다른 행정작용에 부수하느냐의 여부에 따라 구분하며, 협의의 행정경찰은 경찰활동의 능률성과 기동성을 확보할 수 있고 보안경찰은 지역 실정을 반영한 경찰조직의 운영과 관리가 가능하다.

③ 평시경찰과 비상경찰: 위해의 정도와 담당기관에 따라 구분하며, 평시경찰은 평온한 상태하에서 일반경찰법규에 의하여 보통경찰기관이 행하는 경찰작용이고, 비상경찰은 비상사태 발생이나 계엄 선포시 군대가 일반치안을 담당하는 경우이다.

④ 질서경찰과 봉사경찰: 경찰서비스의 질과 내용에 따라 구분하며, 「경범죄 처벌법」 위반자에 대한 통고처분은 질서경찰의 영역에, 교통정보의 제공은 봉사경찰의 영역에 해당한다.

**정답 및 해설 I ②**

② [×] 보안경찰과 협의의 행정경찰은 업무의 독자성(타 행정작용 부수 여부)에 따른 구분은 맞지만, 경찰활동의 능률성과 기동성을 확보할 수 있는 것은 국가경찰, 지역 실정을 반영한 경찰조직의 운영과 관리가 가능하다는 것은 자치경찰에 대한 설명이다.

① [○] 행정경찰과 사법경찰의 구별은 경찰의 목적 · 임무에 따른 구분으로서, 3권분립 사상에 투철했던 프랑스의 **'죄와 형벌법전(1795)'**에서 확립되었다.

③ [○]

- **평시경찰**은 평온한 상태에 경찰법과 같은 일반경찰법규에 의하여 보통경찰기관이 행하는 경찰작용을 말한다.
- **비상경찰**은 국가비상사태가 발생하여 계엄이 선포될 경우 군대가 공공의 안녕과 질서를 유지하기 위하여 계엄법 근거하여 경찰사무를 수행하는 경우를 말한다.

④ [○]

- **질서경찰**은 보통경찰기관의 직무범위 중에서 **강제력**을 수단으로 사회공공의 안녕과 질서유지를 위한 법집행을 하는 경찰활동을 말한다. 예 범죄수사 · 진압, 즉시강제, 경찰강제
- **봉사경찰**은 보통경찰기관의 직무범위 중에서 **강제력이 아닌** 서비스 · 계몽 · 지도 등을 통하여 경찰직무를 수행하는 비권력적 경찰활동을 말한다. 예 생활안전(방범)지도, 청소년선도, 교통정보의 제공, 생활안전순찰, 수난구호 등

## 045 다음의 ㉠, ㉡에 들어갈 내용으로 가장 적절한 것은? [2024 1차 채용]

> ( ㉠ )과 ( ㉡ )의 구별은 프랑스에서 유래한 것으로, 경찰에 의하여 보호되는 법익을 기준으로 한다. 원래 ( ㉠ )은 사회적으로 보다 우월한 가치를 지닌 법익을 보호하기 위한 경찰활동을 의미하였으나, 나중에는 사상 · 종교 · 집회 · 결사 · 언론의 자유에 대한 정보수집 · 단속과 같은 국가의 존립과 유지를 보장하기 위하여 국가적 기관 및 제도에 대한 위해를 방지하는 활동을 의미하게 되었다. 이에 비해 ( ㉡ )은 교통의 안전, 풍속의 유지, 범죄의 예방 · 진압과 같이 일반사회의 안녕과 질서유지를 목적으로 하는 활동을 의미한다.

① ㉠ 행정경찰 ㉡ 사법경찰

② ㉠ 진압경찰 ㉡ 예방경찰

③ ㉠ 비상경찰 ㉡ 평시경찰

④ ㉠ 고등경찰 ㉡ 보통경찰

**정답 및 해설 I ④**

④ [O] 보호대상의 가치나 이익에 따른 구분으로서 고등경찰과 보통경찰의 구분 역시 프랑스에서 유래한 것으로, 프랑스에서 유래하였다는 내용만으로 ① 행정경찰과 사법경찰로 속단하지 않도록 주의하여야 한다.

> • **고등경찰**은 국가조직의 근본에 대한 위해의 예방 및 제거를 위한 경찰작용이다. 예 정보경찰, 외사경찰
> • **보통경찰**은 일반사회공공의 안녕과 질서의 유지를 위한 경찰작용이다. 예 생활안전경찰, 교통경찰

① [×] 경찰의 목적과 임무에 따른 구분으로서 행정경찰과 사법경찰은 3권분립 사상에 투철했던 프랑스의 '죄와 형벌법전(1795)'에서 확립되었던 것이기는 하나, 지문의 내용과는 무관하다.

> • **행정경찰**은 행정작용의 일부로서의 경찰, 즉 공공의 안녕 또는 질서에 대한 위험방지작용을 하는 경찰을 말한다.
> • **사법경찰**은 범죄수사 · 피의자 체포 등을 목적으로 하는, 즉 형사사법 작용을 하는 경찰을 말한다.

## 046 경찰의 분류와 구분기준에 대한 설명 중 옳지 않은 것은? [2020 경간]

> ㉠ 보안경찰과 협의의 행정경찰은 업무의 독자성에 다른 구분 또는 경찰작용이 다른 행정작용에 부수(수반) 여부를 기준으로 한다.
> ㉡ 예방경찰과 진압경찰은 경찰권 발동시점에 따라 분류된다.
> ㉢ 광의의 행정경찰과 사법경찰은 경찰의 목적 · 임무를 기준으로 한 구분이며, 이러한 경찰개념의 구분은 삼권분립 사상에 투철했던 프랑스에서 확립된 개념이다.
> ㉣ 국가경찰과 자치경찰은 경찰유지의 권한과 책임의 소재(경찰의 조직 · 인사 비용부담)에 따른 분류이다.
> ㉤ 평시경찰과 비상경찰은 위해의 정도 및 담당기관에 따른 구분이다.
> ㉥ 질서경찰과 봉사경찰은 경찰서비스의 질과 내용에 따른 구분이다.

① 0개
② 1개
③ 2개
④ 3개

**정답 및 해설 I ①**

① [O] 모두 옳은 설명이다.

**KEY POINT I 경찰의 분류 구분기준 정리**

| 구분 | 기준 |
|---|---|
| 행정경찰과 사법경찰 | 경찰의 목적과 임무에 따른 구분 |
| 보안경찰과 협의의 행정경찰 | 업무의 독자성(타 행정작용 부수 여부)에 따른 구분 |
| 예방경찰과 진압경찰 | 경찰권 발동시점에 따른 구분 |
| 국가경찰과 자치경찰 | 권한과 책임소재에 따른 구분 |
| 평시경찰과 비상경찰 | 위해의 정도 및 적용법규에 따른 구분 |
| 질서경찰과 봉사경찰 | 경찰활동의 질과 내용에 따른 구분 |
| 고등경찰과 보통경찰 | 보호대상 가치나 이익에 따른 구분 |

## 047 경찰의 분류에 대한 설명으로 적절한 것은 모두 몇 개인가? [2021 경간]

> 가. 고등경찰과 보통경찰의 구별은 독일에서 유래한 것으로 경찰에 의하여 보호되는 법익을 기준으로 한 구별이다.
> 나. 질서경찰과 봉사경찰은 경찰서비스의 질과 내용에 따라 구분한 것으로 범죄수사는 질서경찰에 해당하고 방범순찰은 봉사경찰에 해당한다.
> 다. 평시경찰과 비상경찰은 위해의 정도 및 담당기관에 따라 구분한 것으로 평시경찰은 보통경찰기관이 행하는 경찰작용이고 비상경찰은 비상사태 발생으로 계엄이 선포될 경우 계엄법에 따라 군대가 담당하는 경찰작용이다.
> 라. 보안경찰과 협의의 행정경찰은 권한의 책임과 소재에 따라 구분한 것으로 풍속경찰은 보안경찰에 해당하고 산림경찰은 협의의 행정경찰에 해당한다.
> 마. 행정경찰과 사법경찰은 경찰의 목적에 따른 구분이며 삼권분립 사상에서 유래하였다.

① 2개　　② 3개
③ 4개　　④ 5개

**정답 및 해설 I ②**

가. [×] 고등경찰과 보통경찰의 구별은 **프랑스**에서 유래한 것으로 경찰에 의하여 보호되는 법익을 기준으로 한 구별이다.

라. [×] 보안경찰과 협의의 행정경찰은 **타행정작용에 부수하느냐의 여부**에 따라 구분한 것으로 풍속경찰은 보안경찰에 해당하고 산림경찰은 협의의 행정경찰에 해당한다. **권한의 책임과 소재에 따라서는 국가경찰과 자치경찰로 구분된다.**

# 주제 3 경찰권과 경찰관할

## 048 경찰의 관할에 대한 설명으로 가장 적절하지 않은 것은? [2023 채용 1차]

① 사물관할이란 경찰이 처리할 수 있고 또 처리해야 하는 사무 내용의 범위를 말한다.
② 인적관할이란 광의의 경찰권이 어떤 사람에게 적용되는가의 문제이다.
③ 우리나라는 대륙법계의 영향으로 범죄수사를 경찰의 사물관할로 인정하고 있다.
④ 헌법상 대통령은 내란 또는 외환의 죄를 범한 경우를 제외하고는 재직 중 형사상의 소추를 받지 아니한다.

**정답 및 해설 I ③**

③ [×] 국민의 생명 · 신체 · 재산보호를 주된 사명으로 하는 **영미법계 경찰개념**은 범죄수사를 경찰의 고유한 임무로 인정하나, 공공안녕과 질서유지를 주된 사명으로 하는 **대륙법계 경찰개념**은 범죄수사를 경찰의 고유한 임무로 인정하지 않는다. ➔ 즉 우리나라는 영미법계의 영향으로 범죄수사를 경찰의 사물관할로 인정하고 있다.

① [○] **경찰의 사물관할**이라 함은 경찰이 처리할 수 있고 또 처리해야 하는 사무내용의 범위를 말한다. 광의의 경찰권이 발동될 수 있는 범위를 설정함으로써 그 범위를 넘는 분야에 관하여는 경찰은 개입할 수 없다는 것을 의미한다.

② [○] **경찰의 인적관할**이라 함은 광의의 경찰권이 발동될 수 있는 인적 범위를 말하며, 그 범위는 원칙적으로 대한민국 내에 있는 모든 사람이다.

④ [○]

> **헌법 제84조** 대통령은 내란 또는 외환의 죄를 범한 경우를 제외하고는 재직 중 형사상의 소추를 받지 아니한다.

## 049 경찰의 관할에 관한 설명으로 가장 적절하지 않은 것은? [2016 승진(경감)]

① 경찰의 사물관할은 경찰권의 발동범위를 설정한 것이다.

② 경찰의 지역관할은 경찰권이 발동될 수 있는 지역적 범위를 말하며, 대한민국 영역 내에 모두 적용됨이 원칙이다.

③ 외교관의 개인주택은 국제법상 치외법권 지역이나, 외교사절의 승용차는 그렇지 않다.

④ 영미법계 경찰개념의 영향을 받아 범죄의 수사에 관한 임무가 경찰의 사물관할로 인정되었다.

**정답 및 해설 I ③**

③ [×] 외교사절의 승용차, 보트, 비행기 등 교통수단(수송수단) 역시 불가침의 대상이 된다.

> **외교관계에 대한 비엔나협약 제22조** ① 공관지역은 불가침이다. 접수국의 관헌은 공관장의 동의없이는 공관지역에 들어가지 못한다.
> ③ 공관지역과 동 지역내에 있는 비품류 및 기타 재산과 공관의 수송수단은 수색, 징발, 차압 또는 강제집행으로부터 면제된다.

① [○] **경찰의 사물관할**이라 함은 경찰이 처리할 수 있고 또 처리해야 하는 사무내용의 범위를 말한다. 광의의 경찰권이 발동될 수 있는 범위를 설정함으로써 그 범위를 넘는 분야에 관하여는 경찰은 개입할 수 없다는 것을 의미한다.

② [○] 광의의 경찰권이 발동될 수 있는 지역적 범위를 **지역관할**이라고 하며, 경찰권은 대한민국의 영역 내에 모두 적용됨이 원칙이나, 다른 행정기관 · 관청 또는 국제법적 근거에 의거하여 일정한 한계가 있다.

④ [○] 행정경찰과 사법경찰을 이론적으로는 구분하지만, 조직법적으로는 행정경찰과 사법경찰을 구분하지 않고 보통경찰기관이 양 사무를 모두 담당하도록 하는 것은 영미법계의 영향을 받은 것으로 본다. ➜ 경찰관 직무집행법은 범죄수사를 경찰의 임무로 규정하고 있다(제2조 제2호).

## 050 경찰의 관할에 관한 설명 중 가장 적절하지 않은 것은? [2022 채용 1차]

① 국회법상 경위(警衛)나 경찰공무원은 국회 안에 현행범인이 있을 때에는 체포한 후 국회의장의 지시를 받아야 한다. 다만, 회의장 안에서는 국회의장의 명령 없이 국회의원을 체포할 수 없다.

② 법원조직법상 재판장은 법정에서의 질서유지를 위하여 필요하다고 인정할 때에는 개정 전후에 상관없이 관할 경찰서장에게 경찰공무원의 파견을 요구할 수 있으며, 이에 따라 파견된 경찰공무원은 법정 내외의 질서유지에 관하여 재판장의 지휘를 받는다.

③ 헌법상 대통령은 내란 또는 외환의 죄를 범한 경우를 제외하고는 재직 중 형사상의 소추를 받지 아니한다.

④ '사물관할'이란 경찰권이 발동될 수 있는 지역적 범위를 말하고, 대한민국의 영역 내 모든 범위에 적용되는 것이 원칙이다.

**정답 및 해설 I ④**

④ [×] **경찰의 사물관할**이라 함은 경찰이 처리할 수 있고 또 처리해야 하는 사무내용의 범위를 말한다. 광의의 경찰권이 발동될 수 있는 범위를 설정함으로써 그 범위를 넘는 분야에 관하여는 경찰은 개입할 수 없다는 것을 의미한다. 반면 **지역관할**은 광의의 경찰권이 발동될 수 있는 지역적 범위를 지역관할이라고 하며, 경찰권은 대한민국의 영역 내에 모두 적용됨이 원칙이나, 다른 행정기관 · 관청 또는 국제법적 근거에 의거하여 일정한 한계가 있다.

① [○]

> **국회법 제150조 【현행범인의 체포】** 경위나 경찰공무원은 국회 안에 현행범인이 있을 때에는 체포한 후 의장의 지시를 받아야 한다. 다만, 회의장 안에서는 의장의 명령 없이 의원을 체포할 수 없다.

② [○] 
> **법원조직법 제60조【경찰공무원의 파견 요구】** ① 재판장은 법정에서의 질서유지를 위하여 필요하다고 인정할 때에는 개정 전후에 상관없이 관할 경찰서장에게 경찰공무원의 파견을 요구할 수 있다.
> ② 제1항의 요구에 따라 파견된 경찰공무원은 법정 내외의 질서유지에 관하여 재판장의 지휘를 받는다.

③ [○] 
> **헌법 제84조** 대통령은 내란 또는 외환의 죄를 범한 경우를 제외하고는 재직중 형사상의 소추를 받지 아니한다.



## 051 경찰의 지역관할에 관한 다음 설명 중 가장 적절하지 않은 것은? [2014 채용 1차]

① 외교공관에 화재나 전염병이 발생하여 긴급을 요하는 경우에는 외교사절의 동의 없이도 공관에 들어갈 수 있다.

② 국회의장의 요청으로 경찰공무원이 파견된 경우에는 회의장 건물 밖에서 경호한다.

③ 외교공관과 외교관의 개인주택은 국제법상 치외법권 지역으로 불가침의 대상이 되지만, 외교사절의 승용차, 보트, 비행기 등 교통수단은 불가침의 대상이 아니다.

④ 국회 안에 현행범인이 있을 때에는 이를 체포한 후 의장의 지시를 받아야 한다. 다만, 의원은 회의장 안에 있어서는 의장의 명령 없이 이를 체포할 수 없다.

**정답 및 해설 | ③**

③ [×] 외교사절의 승용차, 보트, 비행기 등 교통수단(수송수단) 역시 불가침의 대상이 된다.

① [○] 경찰상의 상태책임 관련, 화재나 전염병 발생과 같이 긴급을 요하는 경우에는 동의 없이도 공관에 들어갈 수 있다고 본다(국제적 관습).

② [○] 
> **국회법 제144조【경위와 경찰관】** ① 국회의 경호를 위하여 국회에 경위를 둔다.
> ② 의장은 국회의 경호를 위하여 필요할 때에는 국회운영위원회의 동의를 받아 일정한 기간을 정하여 정부에 경찰공무원의 파견을 요구할 수 있다.
> ③ 경호업무는 의장의 지휘를 받아 수행하되, 경위는 회의장 건물 안에서, 경찰공무원은 회의장 건물 밖에서 경호한다.

④ [○] 
> **국회법 제150조【현행범인의 체포】** 경위나 경찰공무원은 국회 안에 현행범인이 있을 때에는 체포한 후 의장의 지시를 받아야 한다. 다만, 회의장 안에서는 의장의 명령 없이 의원을 체포할 수 없다.

## 052 「국회법」과 관련된 경찰의 지역관할에 대한 설명으로 가장 적절하지 않은 것은? [2016 채용 2차]

① 국회에 파견된 경찰공무원은 국회의장의 지휘를 받아 국회 회의장 건물 밖에서 경호한다.

② 국회 회의장 안에 있는 국회의원은 국회의장의 명령 없이 이를 체포할 수 없다.

③ 국회의장은 국회의 경호를 위하여 필요한 때에는 국회운영위원회의 동의를 받아 일정한 기간을 정하여 정부에 대하여 필요한 경찰공무원의 파견을 요구할 수 있다.

④ 국회 안에 현행범인이 있을 때에는 경찰공무원은 국회의장에게 보고 후 지시를 받아 체포하여야 한다.

**정답 및 해설 I ④**

④ [×] 체포 후 의장의 지시를 받는다. / ② [○]

> **국회법 제150조【현행범인의 체포】** 경위나 경찰공무원은 국회 안에 현행범인이 있을 때에는 체포한 후 의장의 지시를 받아야 한다. 다만, 회의장 안에서는 의장의 명령 없이 의원을 체포할 수 없다.

①③ [○]

> **국회법 제144조【경위와 경찰관】** ① 국회의 경호를 위하여 국회에 경위를 둔다.
> ② 의장은 국회의 경호를 위하여 필요할 때에는 국회운영위원회의 동의를 받아 일정한 기간을 정하여 정부에 경찰공무원의 파견을 요구할 수 있다.
> ③ 경호업무는 의장의 지휘를 받아 수행하되, 경위는 회의장 건물 안에서, 경찰공무원은 회의장 건물 밖에서 경호한다.

## 053 경찰의 관할에 대한 설명으로 가장 적절하지 않은 것은? [2020 채용 2차]

① 사물관할은 경찰이 처리할 수 있고 또 처리해야 하는 사무내용의 범위를 말하며 우리나라는 범죄 수사에 대한 임무가 경찰의 사물관할로 인정되고 있다.

② 경찰은 중대한 죄를 범하고 도주하는 현행범인을 추적하는 때에는 주한미군 시설 및 구역 내에서 범인을 체포할 수 있다.

③ 외교공관은 국제법상 치외법권지역이나 화재, 감염병 발생과 같은 긴급한 상황에서는 외교사절의 동의 없이도 외교공관에 들어갈 수 있다.

④ 국회 경위와 경찰공무원은 국회 안에 현행범인이 있을 때에는 국회의장의 지시를 받은 후 체포하여야 한다.

**정답 및 해설 I ④**

④ [×] 체포 후 의장의 지시를 받는다.

> **국회법 제150조【현행범인의 체포】** 경위나 경찰공무원은 국회 안에 현행범인이 있을 때에는 체포한 후 의장의 지시를 받아야 한다. 다만, 회의장 안에서는 의장의 명령 없이 의원을 체포할 수 없다.

① [○] **경찰의 사물관할**이라 함은 경찰이 처리할 수 있고 또 처리해야 하는 사무내용의 범위를 말한다. 광의의 경찰권이 발동될 수 있는 범위를 설정함으로써 그 범위를 넘는 분야에 관하여는 경찰은 개입할 수 없다는 것을 의미한다.

② [○]

> **주한미군지위협정 합의의사록 제22조** ⑩ 1. 합중국 군 당국은 합중국 군대가 사용하는 시설과 구역 안에서 통상 모든 체포를 행한다. 이 규정은 합중국 군대의 관계 당국이 동의한 경우 또는 중대한 범죄를 범한 현행범을 추적하는 경우에 대한민국 당국이 시설과 구역 안에서 체포를 행하는 것을 막는 것은 아니다.

③ [○] 경찰상의 상태책임 관련, 화재나 전염병 발생과 같이 긴급을 요하는 경우에는 동의 없이도 공관에 들어갈 수 있다고 본다(국제적 관습).

## 054 경찰의 관할에 대한 설명 중 가장 옳은 것은? [2017 경간]

① 인적 관할이란 협의의 경찰권이 발동될 수 있는 인적 범위를 의미한다.

② 우리나라는 대륙법계의 영향을 받아 범죄수사에 관한 임무가 경찰의 사물관할로 인정되고 있다.

③ 재판장은 법정에서의 질서유지를 위해 필요하다고 인정할 때에는 개정 전후를 불문하고 관할 경찰서장에게 경찰공무원의 파견을 요구할 수 있으며, 파견된 경찰공무원은 법정 내외의 질서유지에 관하여 재판장의 지휘를 받는다.

④ 국회 안에 현행범인이 있을 때에는 경찰공무원은 반드시 사전에 국회의장의 지시를 받아 체포하여야 한다.

**정답 및 해설 | ③**

③ [○]

> **법원조직법 제60조【경찰공무원의 파견 요구】** ① 재판장은 법정에서의 질서유지를 위하여 필요하다고 인정할 때에는 개정 전후에 상관없이 관할 경찰서장에게 경찰공무원의 파견을 요구할 수 있다.
> ② 제1항의 요구에 따라 파견된 경찰공무원은 법정 내외의 질서유지에 관하여 재판장의 지휘를 받는다.

① [×] 광의의 경찰권이 발동될 수 있는 인적 범위를 인적 관할이라고 할 수 있다. 경찰권은 원칙적으로 대한민국 내에 있는 모든 사람에게 적용된다.

② [×] 영미법계의 영향을 받은 것이다.

④ [×] 체포한 후 국회의장의 지시를 받아야 한다.

> **국회법 제150조【현행범인의 체포】** 경위나 경찰공무원은 국회 안에 현행범인이 있을 때에는 체포한 후 의장의 지시를 받아야 한다. 다만, 회의장 안에서는 의장의 명령 없이 의원을 체포할 수 없다.

# 주제 4 경찰의 임무와 수단

## 055 다음 중 「국가경찰과 자치경찰의 조직 및 운영에 관한 법률」상 경찰의 임무는 모두 몇 개인가?

[2015 채용 3차]

> ㉠ 국민의 생명·신체 및 재산의 보호
> ㉡ 범죄의 예방·진압 및 수사
> ㉢ 경비·요인경호 및 대간첩·대테러 작전 수행
> ㉣ 외국 정부기관 및 국제기구와의 국제협력

① 1개 ② 2개 ③ 3개 ④ 4개

**정답 및 해설 | ④**

④ [○] 모두 「국가경찰과 자치경찰의 조직 및 운영에 관한 법률」상 경찰의 임무에 해당한다.

> **경찰법 제3조【경찰의 임무】** 경찰의 임무는 다음 각 호와 같다.
> 1. 국민의 생명·신체 및 재산의 보호
> 2. 범죄의 예방·진압 및 수사
> 3. 범죄피해자 보호
> 4. 경비·요인경호 및 대간첩·대테러 작전 수행
> 5. 공공안녕에 대한 위험의 예방과 대응을 위한 정보의 수집·작성 및 배포
> 6. 교통의 단속과 위해의 방지
> 7. 외국 정부기관 및 국제기구와의 국제협력
> 8. 그 밖에 공공의 안녕과 질서유지

## 056 경찰의 기본적 임무에 대한 설명 중 가장 적절하지 않은 것은? [2020 승진(경위)]

① 경찰의 임무는 행정조직법상의 경찰기관을 전제로 한 개념으로 '공공의 안녕과 질서에 대한 위험의 방지'가 경찰의 궁극적 임무라 할 수 있다.

② 공공질서는 원만한 공동체생활을 영위하기 위한 불가결적 전제조건이 되는 각 개인의 행동에 대한 불문규범의 총체로, 오늘날 공공질서 개념의 사용 가능 분야는 확대되고 있다.

③ 공공의 안녕은 법질서의 불가침성, 개인의 권리와 법익의 불가침성, 국가 등 공권력 주체의 기관과 집행의 불가침성을 의미한다.

④ 법질서의 불가침성은 공공의 안녕의 제1요소이다.

**정답 및 해설 I ②**

② [×] '**공공의 질서**'라 함은 시대의 지배적인 윤리와 가치관에 따를 때 원만한 공동체 생활을 위한 필수적인 전제조건이 되는 것으로서, 공공사회에서 개개인의 행동에 대한 **불문규범의 총체**를 의미한다. 시대의 변화에 따라 공공질서 개념은 사용 가능 분야가 축소되는 경향이 있는데, 법적 안정성의 관점에서 공공질서가 점점 성문화되어가는 추세이기 때문이다.

① [○] 경찰의 임무는 행정조직법상의 **보통경찰기관(형식적 경찰)을 전제로 한 것으로**, 조직법인 경찰법 제3조가 경찰의 임무를 규정하고 있으며, 경찰법상 경찰의 임무로 '국민의 생명 · 신체 및 재산의 보호'를 제1호로 가장 먼저 규정하여 이를 강조하고 있기는 하나, 이는 '공공의 안녕과 질서'의 일부분이라는 점에서 궁극적으로는 **'공공의 안녕과 질서에 대한 위험의 방지'**가 경찰의 가장 기본적 임무라고 할 수 있다.

③ [○] 공공의 안녕은 '㉠ **법질서**의 불가침성, ㉡ **국가**의 존립과 국가기관의 기능성의 불가침성, ㉢ **개인**의 권리 및 법익의 불가침성' 3가지 요소로 구성된 **성문규범의 총체**를 의미한다.

④ [○] 공공안녕의 3요소 중 가장 포괄적이고 근본적인 개념에 해당하는 **법질서의 불가침성을 공공안녕의 제1요소**라고 한다.

## 057 공공질서에 대한 설명으로 틀린 것은? [2015 경간]

① 공공질서라 함은 당시의 지배적인 윤리와 가치관을 기준으로 판단할 때 그것을 준수하는 것이 시민으로서 원만한 국가 공동체생활을 영위하기 위한 불가결적 전제조건이 되는 각 개인의 행동에 대한 성문규범의 총체를 의미한다.

② 공공질서의 개념은 시대에 따라 변화하고 유동적이다.

③ 공공질서 개념의 사용 가능 분야는 점점 축소되고 있다.

④ 통치권의 집행을 위한 개입의 증거로 사용될 수 있어 엄격한 합헌성을 요구받는다.

**정답 및 해설 I ①**

① [×] 공공의 질서라 함은 시대의 지배적인 윤리와 가치관에 따를 때 원만한 공동체 생활을 위한 필수적인 전제조건이 되는 것으로서, 공공사회에서 개개인의 행동에 대한 **불문규범의 총체**를 의미한다. ➜ 성문법규범은 공공의 안녕을 구성하는 요소로서 공공의 질서에는 포함되지 않는다!

② [○] 공공의 질서는 절대적인 것이 아니라, 시대에 따라 변화하는 상대적 · 유동적인 개념이다.

③ [○] 시대의 변화에 따라 공공질서 개념은 사용 가능 분야가 축소되는 경향이 있다. 법적 안정성의 관점에서 공공질서가 점점 성문화되어가는 추세이기 때문이다.

④ [○] 공공질서를 확대해석 · 적용하여 경찰이 개입하는 것은 국민의 기본권을 침해할 우려가 있기 때문에 엄격한 합헌성이 요구되며, 따라서 공공의 질서와 관련한 경찰의 개입은 자유재량이 아닌 '의무에 합당한 재량행사'에 따라야 한다.

## 058 공공질서에 관한 설명으로 가장 적절하지 않은 것은? [2023 채용 1차]

① 원만한 공동체 생활을 위한 불가결적 전제조건으로서 공공사회에서 각 개인의 행동에 대한 불문규범의 총체이다.

② 공공질서의 개념은 절대적인 것이 아니라, 시대에 따라 변화하는 상대적이고 유동적인 개념이다.

③ 공공질서 개념의 적용 가능분야는 점차 확대되고 있다.

④ 통치권 집행을 위한 개입근거로 활용될 수 있는 공공질서 개념은 엄격한 합헌성이 요구되고, 제한적인 사용이 필요하다.

**정답 및 해설 I ③**

③ [×] 공공질서 개념의 적용 가능분야는 점차 **축소**되고 있다.



## 059 경찰의 임무를 공공의 안녕과 질서에 대한 위험의 방지라고 정의할 때, 이에 대한 설명으로 가장 적절한 것은? [2020 채용 2차]

① '공공의 안녕'이란 개념은 '법질서의 불가침성'과 '국가의 존립 및 국가기관 기능성의 불가침성', '개인이 권리와 법익의 보호'를 포함하며, 이 중 공공의 안녕의 제1요소는 '개인의 권리와 법익의 보호'이다.

② '공공의 질서'란 원만한 공동체 생활을 위해 개인이 준수해야 할 불문규범의 총체를 의미하며, 법적 안전성 확보를 위해 불문규범이 성문화되어가는 현상으로 인하여 그 영역이 점차 축소되고 있다.

③ 경찰이 의무에 합당한 사려 깊은 상황판단을 했음에도 불구하고 위험을 잘못 긍정한 경우를 '오상위험'이라고 한다.

④ 위험의 현실화 여부에 따라 '추상적 위험'과 '구체적 위험'으로 구분할 수 있으며 경찰의 개입은 구체적 위험의 경우에만 정당화된다.

**정답 및 해설 I ②**

② [○] 공공의 질서라 함은 시대의 지배적인 윤리와 가치관에 따를 때 원만한 공동체 생활을 위한 필수적인 전제조건이 되는 것으로서, 공공사회에서 개개인의 행동에 대한 **불문규범의 총체**를 의미한다. 시대의 변화에 따라 공공질서 개념은 사용 가능 분야가 축소되는 경향이 있다. 법적 안정성의 관점에서 공공질서가 점점 성문화되어가는 추세이기 때문이다. 한편 지문과 같이 법적 '안전성'이라고 표현하는 경우도 없지는 않으나, 통상은 법적 '안정성(安定性)'이라고 표현한다.

① [×] **공공의 안녕**은 '㉠ 법질서의 불가침성, ㉡ 국가의 존립과 국가기관의 기능성의 불가침성, ㉢ 개인의 권리 및 법익의 불가침성' 3가지 요소로 구성된 **성문규범의 총체**를 의미한다. 공공안녕의 3요소 중 가장 포괄적이고 근본적인 개념에 해당하는 법질서의 불가침성을 공공안녕의 제1요소라고 한다.

③ [×] 경찰이 의무에 합당한 사려 깊은 상황판단을 했음에도 불구하고 위험을 잘못 긍정하는 경우를 '외관적 위험'이라고 한다. 오상위험은 경찰이 의무에 합당한 사려 깊은 상황판단을 하지 못하였기 때문에(객관적 주의의무 위반), 경찰이 위험의 존재를 잘못 긍정하는 경우를 말한다.

④ [×] 구체적 위험이 있는 경우는 물론, 추상적 위험이 있는 경우에도 경찰개입은 가능하다. 단, 이 경우의 경찰개입은 조직규범의 범위 내에서 이루어지는 임의적 · 비권력적 작용이어야 한다.

## 060 경찰의 임무에 대한 설명으로 가장 적절하지 않은 것은? [2017 채용 2차]

① '공공의 안녕과 질서에 대한 위험방지'가 경찰의 궁극적 임무라 할 수 있다.

② 오늘날 대부분의 생활 영역에 대한 법적 규범화 추세에 따라 공공질서 개념의 사용 가능 분야는 점점 축소되고 있다.

③ '공공의 안녕'이란 개념은 '법질서의 불가침성'과 '국가의 존립 및 국가기관의 기능성의 불가침성'으로 나눌 수 있는 바, 이 중 '국가의 존립 및 국가기관의 기능성의 불가침성'이 공공의 안녕의 제1요소이다.

④ 경찰의 개입은 구체적 위험 내지 적어도 추상적 위험이 있을 때 가능하다.

**정답 및 해설 I ③**

③ [×] '법질서의 불가침성'이 공공안녕의 제1요소이다.

① [○] 경찰법상 경찰의 임무로 '국민의 생명 · 신체 및 재산의 보호'를 제1호로 가장 먼저 규정하여 이를 강조하고 있기는 하나, 이는 '공공의 안녕과 질서'의 일부분이라는 점에서 궁극적으로는 '공공의 안녕과 질서에 대한 위험의 방지'가 경찰의 가장 기본적 임무라고 할 수 있다.

② [○] 시대의 변화에 따라 공공질서 개념은 사용 가능 분야가 축소되는 경향이 있다. 법적 안정성의 관점에서 공공질서가 점점 성문화되어가는 추세이기 때문이다.

④ [○] 구체적 위험이 있는 경우는 물론, 추상적 위험이 있는 경우에도 경찰개입은 가능하나, 이 경우의 경찰개입은 조직규범의 범위 내에서 이루어지는 임의적 · 비권력적 작용이어야 한다.

## 061 경찰의 임무를 공공의 안녕과 질서에 대한 위험의 방지라고 정의할 때, 위험에 대한 설명으로 가장 옳지 않은 것은? [2016 경간]

① 위험은 가까운 장래에 공공의 안녕에 손해가 나타날 수 있는 가능성이 개개의 경우 충분히 존재하는 상태를 말한다.

② 경찰이 의무에 합당한 사려 깊은 판단을 하여 심야에 경찰관이 사람을 살려달라는 외침소리를 듣고 출입문을 부수고 들어갔는데, 실제로는 노인이 크게 켜놓은 TV 형사극 소리였던 경우는 외관적 위험을 인식한 사례에 해당한다.

③ 위험에 대한 인식에 따라 외관적 위험, 위험혐의, 오상위험, 추상적 위험으로 구분된다.

④ 오상위험은 객관적으로 판단할 때 위험의 외관 또는 혐의가 정당화되지 않음에도 경찰이 위험의 존재를 잘못 추정한 경우를 말하며, 위법한 경찰개입이므로 경찰관 개개인에게는 민 · 형사상 책임이, 국가에게는 손해배상책임이 발생할 수 있다.

**정답 및 해설 I ③**

③ [×] 위험에 대한 인식 여부 내지 정도에 따라 외관적 위험, 위험혐의, 오상위험으로 분류된다. 구체적 위험과 추상적 위험은 위험의 현실성 여부에 따른 분류이다.

① [○] '**위험**'이란 가까운 장래에 공공의 안녕과 질서에 손해가 나타날 수 있는 가능성이 개개의 경우에 충분히 존재하는 상태'를 말한다. ➜ 위험은 '**손해**'와 '**개연성**'이 핵심 개념요소! 예 어린아이가 위험한 저수지 옆에서 놀고있는 경우

②④ [O]

**KEY POINT | 외관적 위험 · 오상위험 · 위험혐의 비교**

| 구분 | 객관적 상황 | 주관적 인식 | 경찰권 발동 |
|---|---|---|---|
| 외관적 위험 | 위험 부존재 | • 사려깊은 판단을 하였음에도,<br>• 위험이 존재한다고 인식 | • 적법<br>• 손실보상 문제 |
| 오상위험 | 위험 부존재 | • 사려깊은 판단을 하지 못하여,<br>• 위험이 존재한다고 인식 | • 위법<br>• 손해배상 문제 |
| 위험혐의 | 위험 존재 여부 불분명 | • 사려깊은 판단을 하여도,<br>• 위험 존재 여부 알 수 없음 | 위험조사 |



**062** 경찰의 임무를 공공의 안녕과 질서에 대한 위험의 방지라고 정의할 때, 위험에 대한 설명으로 가장 적절하지 않은 것은? [2018 승진(경위)]

① '위험'이란 가까운 장래에 공공의 안녕에 손해가 나타날 가능성이 개개의 경우 충분히 존재하는 상태를 말한다.

② 위험에 대한 인식으로 외관적 위험, 추정적 위험, 위험혐의로 구분할 수 있다.

③ 외관적 위험에 대한 경찰권 발동은 경찰상 위험에 해당하는 적법한 경찰개입이므로 경찰관에게 민 · 형사상의 책임을 물을 수 없고, 국가의 손실보상책임도 발생하지 않는다.

④ 추상적 위험은 경찰상 법규명령으로 위험을 방지해야 할 필요성이 있는 전형적인 사례로 경찰의 개입은 구체적 위험 내지 적어도 추상적 위험이 있을 때 가능하다.

**정답 및 해설 | ③**

③ [×] '**외관적 위험**'이란 경찰이 의무에 합당한 사려 깊은 상황판단을 했음에도 불구하고 위험을 잘못 긍정하는 경우를 말하는 것으로서, 이는 원칙적으로 적법한 경찰개입이므로 경찰관에게 민 · 형사상 책임을 물을 수 없다. 단, 적법한 개입이라 하더라도 인한 피해가 '특별한 희생'에 해당하는 경우에는 손실보상책임이 발생할 수 있다.

① [O] '**위험**'이란 가까운 장래에 공공의 안녕과 질서에 손해가 나타날 수 있는 가능성이 개개의 경우에 충분히 존재하는 상태'를 말한다. ➜ 위험은 '**손해**'와 '**개연성**'이 핵심 개념요소! 예 어린아이가 위험한 저수지 옆에서 놀고있는 경우

② [O] 위험에 대한 인식 여부 내지 정도에 따라 외관적 위험, 위험혐의, 오상위험으로 분류된다. 한편, 오상위험은 학자에 따라 이를 '추정적 위험'이라고 부르기도 한다(오상위험 = 추정적 위험).

④ [O] '**추상적 위험**'은 개별 사안이 아닌, 일반적으로 이런 사안에서는 이런 위험이 발생할 수 있다는 정도의, 구체적 위험의 예견 가능성을 의미한다. 위험이 단순히 가설적이고 상상적인 경우로서, 보통 입법조치(입법상 하명)을 통해 추상적 위험에 대응한다.

**063** 경찰의 임무를 공공의 안녕과 질서에 대한 위험의 방지라고 정의할 때, 위험에 관한 설명으로 가장 적절한 것은? [2024 승진]

① '위험'이란 보호법익의 정상적 상태의 객관적 감소를 뜻하며 보호법익에 대한 현저한 침해가 있어야 한다.
② 위험에 대한 인식에 따라 외관적 위험, 위험혐의, 오상위험으로 구분할 수 있다.
③ 추상적 위험의 경우 경찰권 발동에 있어 위험에 사실적 관점에서의 위험에 대한 예측까지는 필요하지 않다.
④ 위험의 혐의만 존재하는 경우 위험의 존재가 명백해지기 전까지는 경찰관에게 예비적 조치로서 위험의 존재 여부를 조사할 권한은 없다.

**정답 및 해설 I ②**

② [○] 위험에 대한 경찰관의 주관적 인식에 따라 아래와 같이 구분할 수 있다.

| 구분 | 객관적 상황 | 주관적 인식 | 경찰권 발동 |
|---|---|---|---|
| 외관적 위험 | 위험 부존재 | • 사려 깊은 판단을 하였음에도<br>• 위험이 존재한다고 인식 | • 적법<br>• 손실보상문제 |
| 오상위험 | 위험 부존재 | • 사려 깊은 판단을 하지 못하여<br>• 위험이 존재한다고 인식 | • 위법<br>• 손해배상문제 |
| 위험혐의 | 위험 존재 여부 불분명 | • 사려 깊은 판단을 하여도<br>• 위험 존재 여부 알 수 없음 | 위험조사 |

① [×] 지문은 '**손해**'에 대한 설명이다(위험발생의 결과). '**위험**'이란 가까운 장래에 공공의 안녕과 질서에 손해가 나타날 수 있는 가능성이 개개의 경우에 충분히 존재하는 상태'를 말한다. ➜ 손해발생의 개연성!
③ [×] **추상적 위험**은 개별 사안이 아닌 일반적으로 이런 사안에서는 이런 위험이 발생할 수 있다는 정도의 **구체적 위험의 예견가능성**을 의미한다. 따라서, 사실적 관점에서 위험에 대한 최소한의 예측은 필요하다. 예 추상적 위험을 긍정하려면 일반적인 공원에서 목줄을 하지 않은 맹견을 산책시키는 경우 맹견이 사람을 공격할 수도 있다는 사실상의 예측은 필요하다.
④ [×] 위험혐의가 존재하는 경우 위험 존재 여부가 명백해 질 때까지 조사차원의 경찰개입은 가능하다.

**064** 경찰의 임무를 공공의 안녕과 공공의 질서에 대한 위험의 방지라고 정의할 때, 위험에 관한 설명 중 가장 적절하지 않은 것은? [2022 채용 1차]

① 구체적 위험은 개별사례에서 실제로 또는 최소한 경찰관의 사전적 시점에서 사실관계를 합리적으로 평가하였을 때, 가까운 장래에 공공의 안녕이나 공공의 질서에 대한 손해가 발생할 충분한 개연성이 있는 상황과 관련이 있다.
② 오상위험에 근거한 경찰의 위험방지조치가 위법한 경우에는 경찰관 개인에게는 민 · 형사상 책임이 문제되고 국가에게는 손해배상책임이 발생할 수 있다.
③ 외관적 위험은 경찰관이 의무에 합당한 사려 깊은 상황판단을 하였음에도 위험을 잘못 긍정하는 경우이다.
④ 위험의 혐의만 존재하는 경우에 위험의 존재가 명백해지기 전까지는 예비적 조치로서 위험의 존재 여부를 조사할 권한은 없다.

**정답 및 해설 | ④**

④ [×] **위험혐의**란 경찰이 의무에 합당한 사려 깊은 판단을 할 때 실제로 위험의 가능성은 예측이 되나 실현 여부가 불확실한 경우를 말한다. 이 경우 경찰개입은 위험의 존재 여부가 명백해 질 때까지 예비적 조치(조사 차원의 경찰개입)를 할 수 있다. 예 지하철 역사에 폭발물 설치 제보에 따른 조사

① [○] **구체적 위험**이란 개별사안에서 경찰관이 사실관계를 합리적으로 평가하였을 때 가까운 장래에 손해발생의 충분한 가능성(개연성)이 존재하는 경우를 말한다.

② [○] **오상위험**은 경찰이 의무에 합당한 사려 깊은 상황판단을 하지 못하였기 때문에(객관적 주의의무 위반), 경찰이 위험의 존재를 잘못 긍정하는 경우를 말하는 것으로서, 경찰상 위험에 속하지 않는 위법한 경찰개입이므로 경찰관 개인에게 민 · 형사상 책임, 국가에게는 손해배상책임이 발생할 수 있다.

③ [○] **외관적 위험**은 경찰이 의무에 합당한 사려 깊은 상황판단을 했음에도 불구하고 위험을 잘못 긍정하는 경우를 말한다. 이는 원칙적으로 적법한 경찰개입이므로 경찰관에게 민 · 형사상 책임을 물을 수 없다. 예 경찰관이 야간순찰 중 칼로 타인을 공격하는 자를 발견하고 개입하여 제지하였으나, 사실은 영화촬영 중이었던 경우



## 065 경찰의 기본적 임무인 '위험의 방지'에 대한 설명으로 가장 적절하지 않은 것은? [2022 승진]

① 경찰개입을 위해서는 구체적 위험이 존재해야 하지만, 범죄예방 및 위험방지 행위의 준비는 추상적 위험 상황에서도 가능하다.

② 오상위험이란 경찰이 상황을 합리적으로 사려 깊게 판단하여 위험이 존재한다고 인식하여 개입하였으나 실제로는 위험이 없던 경우를 말하며 이 경우 국가의 손실보상책임이 발생할 수 있다.

③ 위험혐의란 경찰이 의무에 합당한 사려 깊은 상황 판단을 할 때, 위험의 발생 가능성은 예측되지만, 위험의 실제 발생 여부가 불확실한 경우를 의미한다.

④ 손해란 보호법익에 대한 현저한 침해행위를 의미하고 정상적 상태의 객관적 감소이어야 하므로, 단순한 성가심이나 불편함은 경찰개입의 대상이 아니다.

**정답 및 해설 | ②**

② [×] **오상위험**은 경찰이 의무에 합당한 사려 깊은 상황판단을 하지 못하였기 때문에(객관적 주의의무 위반), 경찰이 위험의 존재를 잘못 긍정하는 경우를 말하며 이는 위법한 경찰개입이므로 국가의 손해배상책임이 발생할 수 있다. 지문은 사려깊은 판단을 한 경우로서 **외관적 위험**에 관한 설명이다.

① [○] 구체적 위험이 있는 경우는 물론, 추상적 위험이 있는 경우에도 경찰개입은 가능하다. 단, 이 경우의 경찰개입은 조직규범의 범위 내에서 이루어지는 임의적 · 비권력적 작용이어야 하는데, '범죄예방 및 위험방지 행위의 준비'는 명령 · 강제와 같은 권력적 작용이 아닌 임의적 · 비권력적 작용에 해당한다.

③ [○] **위험혐의**란 경찰이 의무에 합당한 사려 깊은 판단을 할 때 실제로 위험의 가능성은 예측이 되나 실현여부가 불확실한 경우를 말한다. 이 경우 경찰개입은 위험의 존재 여부가 명백해 질 때까지 예비적 조치(조사차원의 경찰개입)를 할 수 있다. 예 지하철 역사에 폭발물 설치 제보에 따른 조사

④ [○] **손해**란 보호받는 개인 및 공동의 법익에 관한 정상적 상태의 객관적 감소를 말한다. 단순한 성가심이나 불편함은 정상적 상태의 '주관적'감소 내지 공동체 생활에서의 수인한도 내의 상황이므로 경찰개입의 대상이라고 보기 어렵다.

**066** 경찰의 기본적 임무에 대한 설명으로 옳지 않은 것은 모두 몇 개인가? [2021 경간]

> ㉠ '공공질서'는 원만한 공동체 생활을 영위하기 위한 불가결적 전제조건이 되는 각 개인의 행동에 대한 불문규범의 총체로 오늘날 공공질서 개념의 사용 가능 분야는 확대되고 있다.
> ㉡ 오늘날 복지국가적 행정을 요구하는 시대적 요청에 따라 경찰행정 분야에서도 각 개인이 경찰권의 발동을 요청할 수 있는 권리인 경찰개입청구권을 인정하기에 이르렀는데 이는 '재량권 0으로의 수축이론'과 관련이 있다.
> ㉢ 인간의 존엄 · 자유 · 명예 · 생명 등과 같은 개인적 법익뿐만 아니라 사유재산적 가치나 무형의 권리에 대한 위험방지도 경찰의 임무에 해당한다. 그러나 개인적 권리와 법익이 보호된 경우라고 하더라도 경찰의 원조는 잠정적 보호에 국한되어야 하고, 최종적인 구제는 법원(法院)에 의하여야 한다.
> ㉣ 법적 안정성의 확보를 위해 불문규범이 성문화되어가는 현상으로 인하여 오늘날 공공질서의 개념은 그 범위가 점차 축소되고 있다.
> ㉤ 위험은 경찰개입의 전제조건이나 보호받는 법익에 구체적으로 존재해야 하는 것은 아니기 때문에 보행자의 통행이 거의 없는 밤 시간에 횡단보도 보행자 신호등이 녹색등일 때 정지하지 않고 진행한 경우에도 통행한 운전자는 경찰책임자가 된다. 이는 공공의 안녕을 보호법익으로 하는 '도로교통법'을 침해함으로써 법질서의 불가침성을 침해하기 때문이다.
> ㉥ 외관적 위험에 대한 경찰권 발동은 경찰상 위험에 해당하는 적법한 개입이므로 경찰관에게 민 · 형사상 책임을 물을 수 없다. 단, 경찰개입으로 인한 피해가 '공공필요에 의한 특별한 희생'에 해당하는 경우에는 국가의 손실보상책임은 발생할 수 있다.

① 0개
② 1개
③ 2개
④ 3개

**정답 및 해설 I ②**

㉠ [×] ㉣ [○] 공공의 질서라 함은 시대의 지배적인 윤리와 가치관에 따를 때 원만한 공동체 생활을 위한 필수적인 전제조건이 되는 것으로서, 공공사회에서 개개인의 행동에 대한 불문규범의 총체를 의미한다. 시대의 변화에 따라 공공질서 개념은 사용 가능 분야가 축소되는 경향이 있다. 공공질서가 점점 성문화되어가는 추세이기 때문이다.

㉡ [○] 재량권이 0으로 수축되면 무하자재량행사청구권은 특정처분을 요구할 수 있는 행정개입청구권(경찰개입청구권)으로 전환된다(실체적 권리, 기속행위).

㉢ [○] 순수한 사법상 개인적 법익이 침해되는 경우라 하여도 효과적인 보호의 시기를 놓쳐 사법적인 권리가 무효화될 우려가 있을 때에는 경찰에 원조를 요청할 수 있으며, 이 경우에도 경찰의 원조는 잠정적 보호에 국한되어야 하고, 최종적인 구제는 법원이 하여야 한다(보충성의 원칙, 최후 · 최소의 원칙).

㉤ [○] 경찰개입을 위해 보호법익이 현실적으로 존재하고 있어야 하는것은 아니다. 즉, **위험은 경찰개입의 전제조건이나, 보호법익 현존은 경찰개입의 전제요건이 아니다.** 예 야간 도로에 다른 차량이 전혀 없는 상태에서 중앙선침범을 하는 경우, 다른 차량이 전혀 없다면 현존하는 보호법익은 없지만 도로교통법 위반으로 인한 법질서의 불가침성이 침해되었으므로(즉, 공공의 안녕 침해) 경찰개입이 가능하다.

㉥ [○] **'외관적 위험'**이란 경찰이 의무에 합당한 사려 깊은 상황판단을 했음에도 불구하고 위험을 잘못 긍정하는 경우를 말하는 것으로서, 이는 원칙적으로 적법한 경찰개입이므로 경찰관에게 민 · 형사상 책임을 물을 수 없다. 단, 적법한 개입이라 하더라도 인한 피해가 '특별한 희생'에 해당하는 경우에는 손실보상책임이 발생할 수 있다.

**067** 경찰의 임무를 공공의 안녕과 질서에 대한 위험의 방지라고 정의할 때, 위험에 대한 설명으로 가장 적절한 것은? [2018 승진(경감)]

① '위험'은 보호받는 개인 및 공동의 법익에 관한 정상적 상태의 객관적 감소를 뜻한다.

② '오상위험'은 객관적으로 판단할 때 위험의 외관 또는 혐의가 정당화되지 않음에도 경찰이 위험의 존재를 잘못 추정한 경우를 말한다.

③ '외관적 위험'에 대한 경찰개입은 적법하며, 경찰관 개인에게 민 · 형사상 책임을 물을 수 없고 국가의 손실보상책임도 인정될 여지가 없다.

④ '위험혐의'의 경우 위험의 존재 여부가 명백해질 때까지 예비적인 위험조사 차원의 경찰개입은 정당화될 수 없다.

**정답 및 해설 | ②**

② [○] '**오상위험**'이란 경찰이 의무에 합당한 사려 깊은 상황판단을 하지 못하였기 때문에(객관적 주의의무 위반), 경찰이 위험의 존재를 잘못 긍정하는 경우를 말한다. ➜ 이성적이고 객관적으로 판단할 때 위험의 외관이나 위험혐의가 정당화되지 않음에도 위험이 존재한다고 잘못 추정 예 경찰관이 야간순찰 중 칼로 타인을 공격하는 자를 발견하고 개입하여 제지하였으나 사실은 영화촬영 중이었던 경우로서, 주변에 촬영장비와 스태프들이 있어 영화촬영 중임을 쉽게 알 수 있었던 경우

① [×] '**위험**'이란 가까운 장래에 공공의 안녕과 질서에 손해가 나타날 수 있는 가능성이 개개의 경우에 충분히 존재하는 상태'를 말한다.

> **⊕심화 위험과 관련된 주요개념**
>
> **1 손해**
> - 보호받는 개인 및 공동의 법익에 관한 정상적 상태의 객관적 감소를 말하며, 보호법익에 대한 현저한 침해행위가 있어야 한다. 예 어린아이가 저수지에 빠져 건강이 감소된 결과가 '손해'
>
> **2 장해**
> - 위험이 이미 실현된 경우로서, 법익에 대한 침해가 이미 발생하여 계속되고 있는 상태를 말한다. 예 어린아이가 저수지에 빠져 허우적대고 있는 상태가 '장해'
> - 장해는 위험의 하위개념으로서, 장해가 존재하는 경우에도 당연히 경찰권이 행사될 수 있다. ➜ 장해발생시 경찰개입은 진압적 성격, 위험발생시 경찰개입은 예방적 성격을 갖는다!
>
> **3 위해 = 위험 + 장해**
> - 위험(침해의 발생가능성)과 장해(이미 발생한 침해)를 포괄하여 위해라 한다.

③ [×] '**외관적 위험**'이란 경찰이 의무에 합당한 사려 깊은 상황판단을 했음에도 불구하고 위험을 잘못 긍정하는 경우를 말한다. 이는 원칙적으로 적법한 경찰개입이므로 경찰관에게 민 · 형사상 책임을 물을 수 없다. 단, 적법한 개입이라 하더라도 인한 피해가 '특별한 희생'에 해당하는 경우에는 손실보상책임이 발생할 수 있다.

④ [×] '**위험혐의**'란 경찰이 의무에 합당한 사려 깊은 판단을 할 때 실제로 위험의 가능성은 예측이 되나 실현 여부가 불확실한 경우를 말한다. 이 경우 경찰개입은 위험의 존재 여부가 명백해 질 때까지 예비적 조치(조사 차원의 경찰개입)에만 국한되어야 한다. 예 지하철 역사에 폭발물 설치 제보

**068** 경찰의 임무를 공공의 안녕과 질서에 대한 위험의 방지라고 정의할 때, 위험에 대한 설명으로 가장 적절하지 않은 것은? [2017승진(경감)]

① 위험은 가까운 장래에 공공의 안녕에 손해가 나타날 가능성이 개개의 경우에 충분히 존재하는 상태를 말한다.

② 경찰의 개입은 구체적 위험 내지 적어도 오상위험(추정적 위험)이 있을 때 가능하다.

③ 위험은 보호를 받게 되는 법익에 대해 필수적으로 내재해야 하는 것은 아니다.

④ 손해란 보호받는 개인 및 공동의 법익에 관한 정상적 상태의 객관적 감소를 뜻하고, 보호법익에 대한 현저한 침해행위가 있어야 한다.

**정답 및 해설 I ②**

② [×] **'오상위험'**이란 경찰이 의무에 합당한 사려 깊은 상황판단을 하지 못하였기 때문에(객관적 주의의무 위반), 경찰이 위험의 존재를 잘못 긍정하는 경우를 말한다. 이 경우에는 경찰의 개입이 허용되지 않으며, 개입하는 경우에는 위법한 경찰개입이 되어 경찰관 개인에게 민·형사상 책임, 국가에게는 손해배상책임이 발생할 수 있다.

① [○] **'위험'**이란 가까운 장래에 공공의 안녕과 질서에 손해가 나타날 수 있는 가능성이 개개의 경우에 충분히 존재하는 상태'를 말한다. ➜ 위험은 '손해'와 '개연성'이 핵심 개념요소!

③ [○] 경찰개입을 위해 보호법익이 현실적으로 존재하고 있어야 하는것은 아니다. ➜ 위험은 경찰개입의 전제조건이나, 보호법익 현존은 경찰개입의 전제요건이 아니다. 예 야간 도로에 다른 차량이 전혀 없는 상태에서 중앙선침범을 하는 경우, 다른 차량이 전혀 없다면 현존하는 보호법익은 없지만 도로교통법 위반으로 인한 법질서의 불가침성이 침해되었으므로(즉, 공공의 안녕 침해) 경찰개입이 가능하다.

④ [○] **'손해'**란 보호받는 개인 및 공동의 법익에 관한 정상적 상태의 객관적 감소를 말하며, 보호법익에 대한 현저한 침해행위가 있어야 한다. 예 어린아이가 저수지에 빠져 건강이 감소된 결과가 '손해'

**069** 경찰의 위험방지 임무에서 말하는'위험'에 관한 설명으로 가장 적절하지 않은 것은? [2023 채용 2차]

① 경찰개입의 대상이 되는 위험은 행위책임에 기인한 것일 수도 있고 상태책임에 기인한 것일 수도 있다.

② 외관상 위험이 존재할 때의 경찰개입이 적법하더라도, 원칙적으로 국가의 손해배상책임을 발생시킨다.

③ 경찰의 범죄예방 및 위험방지 행위의 준비는 추상적 위험이 존재하는 경우에도 가능하다.

④ 위험혐의의 존재는 위험조사차원의 경찰개입을 정당화시킨다.

**정답 및 해설 I ②**

② [×] **'외관적 위험'**이란 경찰이 의무에 합당한 사려 깊은 상황판단을 했음에도 불구하고 위험을 잘못 긍정하는 경우를 말하는 것으로서, 이는 원칙적으로 적법한 경찰개입이므로 경찰관에게 민·형사상 책임을 물을 수 없고 국가에 손해배상책임을 물을 수도 없다. 단, 적법한 개입이라 하더라도 인한 피해가 '특별한 희생'에 해당하는 경우에는 손실보상책임이 발생할 수는 있다.

① [○] **'위험'**은 경찰개입의 전제조건이 되므로 '위험'하면 경찰이 개입할 수 있다. 이때 위험의 발생원인이 '행위책임'에 기인한 것이든 '상태책임'에 기인한 것이든 구분하지 않는다.

③ [○] **'위험'**은 경찰개입의 전제조건이 되므로 '추상적 위험(개별 사안이 아닌, 일반적으로 이런 사안에서는 이런 위험이 발생할 수 있다는 정도의, 구체적 위험의 예견가능성)'의 상황에도 경찰이 개입할 수 있다. 다만, 추상적 위험 상황에서의 경찰개입은 임의적·비권력적 작용에 한정됨을 유의하여야 한다. ➜ 경찰의 범죄예방 및 위험방지 행위의 준비는 명령·강제와 같은 권력적 작용이 아닌 임의적·비권력적 작용에 해당한다.

④ [○] **'위험혐의'**란 경찰이 의무에 합당한 사려 깊은 판단을 할 때 실제로 위험의 가능성은 예측이 되나 실현 여부가 불확실한 경우를 말한다. 이 경우 경찰개입은 위험의 존재 여부가 명백해 질 때까지 예비적 조치(조사 차원의 경찰개입)에만 국한되어야 한다. 예 지하철 역사에 폭발물 설치 제보

**070** 경찰의 임무를 공공의 안녕과 질서에 대한 위험의 방지라고 할 때, 위험에 대한 설명 중 옳은 것은 모두 몇 개인가? [2015 경간]

> 가. 위험이란 가까운 장래에 공공의 안녕에 손해가 나타날 수 있는 가능성이 개개의 경우에 충분히 존재하는 상태를 말한다.
> 나. 경찰에게 있어 위험의 개념은 주관적 추정을 포함한다.
> 다. 경찰이 의무에 합당한 사려 깊은 상황판단을 했음에도 불구하고 위험을 잘못 긍정하는 경우를 '오상위험'이라고 한다.
> 라. 오상위험의 경우 경찰관 개인에게는 민 · 형사상 책임이, 국가에게는 배상책임이 발생할 수 있다.
> 마. 위험혐의는 위험의 존재 여부가 명백해질 때까지 예비적으로 행하는 위험조사 차원의 개입을 정당화한다.

① 4개　② 3개　③ 2개　④ 1개

**정답 및 해설 I ①**

가. [○] '**위험**'이란 가까운 장래에 공공의 안녕과 질서에 **손해**가 나타날 수 있는 **가능성이 개개의 경우에 충분히 존재하는 상태**'를 말한다. ➜ 위험은 '**손해**'와 '**개연성**'이 핵심 개념요소!

나. [○] 경찰관의 위험 인식 여부 내지 정도에 따라 외관적 위험, 오상위험, 위험혐의로 구분하는데, 여기서 경찰관의 위험 '인식 여부'라는 것이 바로 경찰관의 위험에 대한 주관적 추정과 관련되는 것이다.

다. [×] 경찰이 **의무에 합당한 사려 깊은 상황판단을 했음**에도 불구하고 위험을 잘못 긍정하는 경우를 '**외관적 위험**'이라고 한다.

라. [○] 경찰이 **의무에 합당한 사려 깊은 상황판단을 하지 못하였기 때문에**(객관적 주의의무 위반), 경찰이 위험의 존재를 잘못 긍정하는 경우를 '**오상위험**'이라고 하고, 이는 경찰상 위험에 속하지 않는 **위법한 경찰개입**이므로 경찰관 개인에게 민 · 형사상 책임, 국가에게는 손해배상책임이 발생할 수 있다.

마. [○] '**위험혐의**'란 경찰이 의무에 합당한 사려 깊은 판단을 할 때 실제로 **위험의 가능성은 예측이 되나 실현 여부가 불확실한** 경우를 말한다. 이 경우 경찰개입은 위험의 존재 여부가 명백해 질 때까지 예비적 조치(조사 차원의 경찰개입)에만 국한되어야 한다. 예 지하철 역사에 폭발물 설치 제보

**071** 경찰의 임무를 공공의 안녕과 질서에 대한 위험의 방지라고 정의할 때, 위험에 대한 설명으로 가장 적절한 것은? [2020 승진(경감)]

① '위험'은 보호받는 개인 및 공동의 법익에 관한 정상적 상태의 객관적 감소를 뜻한다.
② 위험에 대한 인식은 외관적 위험, 위험혐의, 추상적 위험으로 구분할 수 있다.
③ '위험혐의'란 경찰이 의무에 합당한 사려 깊은 판단을 할 때 실제로 위험의 가능성은 예측되나 불확실한 경우를 말한다.
④ 외관적 위험에 대한 경찰권 발동은 경찰상 위험에 해당하는 적법한 개입이므로 경찰관에게 민 · 형사상 책임을 물을 수 없고, 국가의 손실보상책임도 발생하지 않는다.

**정답 및 해설 I ③**

③ [○] '**위험혐의**'란 경찰이 의무에 합당한 사려 깊은 판단을 할 때 실제로 **위험의 가능성은 예측이 되나 실현 여부가 불확실한** 경우를 말한다. 예 지하철 역사에 폭발물 설치 제보

① [×] '**손해**'란 보호받는 개인 및 공동의 법익에 관한 **정상적 상태의 객관적 감소**를 말한다.

② [×] 경찰관의 위험 인식 여부 내지 정도에 따라 외관적 위험, 오상위험(추정적 위험), 위험혐의로 구분한다. 구체적 위험과 추상적 위험은 위험의 현실성 여부에 따른 분류이다.

④ [×] 외관적 위험에 대한 경찰권 발동은 **적법한 경찰개입**이므로 경찰관에게 민 · 형사상 책임을 물을 수 없다. 단, 적법한 개입이라 하더라도 인한 피해가 '특별한 희생'에 해당하는 경우에는 손실보상책임이 발생할 수 있다.

## 072 경찰의 기본적 임무 및 수단에 대한 설명으로 가장 적절하지 않은 것은? [2019 채용 1차]

① 경찰강제에는 경찰상 강제집행(대집행 · 강제징수 · 집행벌 · 즉시강제 등)과 경찰상 직접강제가 있는데, 경찰상 강제집행은 의무의 존재 및 그 불이행을 전제로 한다는 점에서 이를 전제로 하지 아니하고 급박한 경우에 행하여지는 경찰상 직접강제와 구별된다.

② 공공질서란 각 개인의 행동에 대한 불문규범의 총체로, 시대에 따라 변화하는 상대적 · 유동적 개념이다.

③ 경찰의 직무에는 범죄의 예방 · 진압, 범죄피해자 보호가 포함된다.

④ 「형사소송법」은 임의수사를 원칙으로 하고, 강제수사를 예외적으로 허용하고 있다.

**정답 및 해설 I ①**

① [×] 경찰상 강제집행[대집행 · 직접강제 · 이행강제금(집행벌) · 강제징수]은 의무의 존재 및 그 불이행을 전제로 한다는 점에서 이를 전제로 하지 않는 경찰상 즉시강제와 구별된다.

> • **강제집행**은 경찰하명을 통한 의무존재를 전제로 의무 불이행시 행해진다.
> • **즉시강제**는 급박성으로 인해 의무 존재와 불이행을 전제로 하지 않는다.

② [○] 공공사회에서 개개인의 행동에 대한 불문규범의 총체를 의미하는 '**공공질서**'는 절대적인 것이 아니라, 시대에 따라 변화하는 상대적 · 유동적인 개념이다.

③ [○]

> **경찰법 제3조 【경찰의 임무】** 경찰의 임무는 다음 각 호와 같다.
> 2. 범죄의 예방 · 진압 및 수사
> 3. 범죄피해자 보호

## 073 경찰의 임무와 관할에 대한 설명으로 적절하지 않은 것은 모두 몇 개인가? [2022 경간]

> 가. 「국가경찰과 자치경찰의 조직 및 운영에 관한 법률」은 경찰의 임무로 국민의 생명 · 신체 및 재산의 보호, 범죄의 예방 · 진압 및 수사, 범죄피해자 보호, 교통의 단속과 위해의 방지, 외국 정부기관 및 국제기구와의 국제협력 등을 규정하고 있다.
> 나. 인간의 존엄 · 자유 · 명예 · 생명 등과 같은 개인적 법익뿐만 아니라 사유재산적 가치에 대한 위험방지도 경찰의 임무에 해당하나, 무형의 권리에 대한 위험방지는 경찰의 임무에 해당하지 아니한다.
> 다. 경찰공무원이 국회 안에서 현행범인을 체포한 후에는 국회의장의 지시를 받을 필요가 없지만, 회의장 안에 있는 국회의원에 대하여는 국회의장의 명령 없이 체포할 수 없다.
> 라. 재판장은 법정에서의 질서유지를 위해 필요하다고 인정할 때에는 개정 전후에 상관 없이 관할 경찰서장에게 경찰공무원의 파견을 요구할 수 있으며, 파견된 경찰공무원은 법정 내에서만 질서유지에 관하여 재판장의 지휘를 받는다.

① 0개
② 1개
③ 2개
④ 3개

**정답 및 해설 | ④**

가. [○] 경찰법 제3조에서 위와 같이 경찰임무를 규정하고 있다.

나. [×] 개인적 법익이나 사유재산적 가치라 하더라도 이에 대한 위험방지는 경찰의 임무에 해당하며(국민의 생명 · 신체 · 재산보호), 나아가 지적재산권과 같은 무형의 권리는 고도로 산업화된 현대 사회에서는 더욱 중요한 경찰임무에 해당한다고 볼 수 있다.

다. [×] 국회 안에 현행범인이 있을 때에는 체포한 후 의장의 지시를 받아야 한다.

> **국회법 제150조【현행범인의 체포】** 경위나 경찰공무원은 국회 안에 현행범인이 있을 때에는 체포한 후 의장의 지시를 받아야 한다. 다만, 회의장 안에서는 의장의 명령 없이 의원을 체포할 수 없다.

라. [×] 파견된 경찰공무원은 법정 내외의 질서유지에 관하여 재판장의 지휘를 받는다.

> **법원조직법 제60조【경찰공무원의 파견 요구】** ① 재판장은 법정에서의 질서유지를 위하여 필요하다고 인정할 때에는 개정 전후에 상관없이 관할 경찰서장에게 경찰공무원의 파견을 요구할 수 있다.
> ② 제1항의 요구에 따라 파견된 경찰공무원은 법정 내외의 질서유지에 관하여 재판장의 지휘를 받는다.



## 074 경찰권 행사에 대한 설명으로 가장 적절하지 않은 것은? [2023 경간]

① 공공의 안녕은 법질서의 불가침성, 국가존립과 기능성의 불가침성, 개인의 권리와 법익의 보호로 구성되며, 경찰은 사회공공과 관련하여 국가의 존립과 기능을 보호할 의무가 있다.

② 위험은 경찰개입의 전제요건이므로 보호를 받게 되는 법익에 구체적으로 존재해야만 하고 경찰책임자가 누구인지는 불문한다.

③ 범죄수사에 있어서 범죄피해자를 위한 사법경찰권의 적극적인 개입을 인정하는 입법례가 증가하는 추세이다.

④ 공공질서와 관련하여 경찰이 개입할 것인가의 여부는 경찰의 결정에 맡겨져 있더라도 헌법상 과잉금지원칙이 준수되어야 한다.

**정답 및 해설 | ②**

② [×] 위험은 경찰개입의 전제조건으로서, 위험이 존재해야 경찰이 개입할 수 있고, 이 때 경찰책임자가 자연인든 법인이든 불문한다. 단, 보호법익이 개별 사안에서 구체적으로 존재해야만 경찰개입이 가능한 것은 아니고, 보호법익이 현존하지 않더라도 경찰개입이 가능하므로 틀린 지문이다. 예 야간 도로에 다른 차량이 전혀 없는 상태에서 중앙선침범을 하는 경우, 다른 차량이 전혀 없다면 현존하는 보호법익은 없지만 도로교통법 위반으로 인한 법질서의 불가침성이 침해되었으므로(즉, 공공의 안녕 침해) 경찰개입이 가능하다.

① [○] 공공안녕의 3요소에 대한 옳은 설명이다.

③ [○] 전통적으로는 범죄피해자는 형사사법의 당사자가 아니어서, 범죄피해자를 위한 사법경찰권의 적극적 개입을 인정하지 않고 있었다. 그러나 오늘날에는 범죄피해자 역시 형사사법제도의 중요한 한 축으로서 비록 당사자의 지위까지는 인정하지 않는다 하더라도 범죄피해자를 위한 사법경찰권의 개입을 적극적으로 인정하는 추세이다. 예 성폭력범죄 피해자에 대한 전담수사관 제도 등

④ [○] 공공질서를 확대해석 · 적용하여 경찰이 개입하는 것은 국민의 기본권을 침해할 우려가 있기 때문에 엄격한 합헌성이 요구된다.

## 주제 5 경찰의 기본이념

**075** 다음은 경찰활동의 기본이념과 관련된 법적 근거를 제시한 것이다. 이와 관련하여 <보기 1>과 <보기 2>의 내용이 가장 적절하게 연결된 것은? [2022 채용 2차]

<보기 1>

(가) 헌법 제1조 제2항에서는 "대한민국 주권은 국민에게 있고, 모든 권력은 국민으로부터 나온다."라고 규정하고 있다.

(나) 헌법 제37조 제1항에서는 "국민의 자유와 권리는 헌법에 열거되지 아니한 이유로 경시되지 아니한다."라고 규정하고 있다.

(다) 「국가공무원법」 제65조 제1항에서는 "공무원은 정당이나 그 밖의 정치단체의 결성에 관여하거나 이에 가입할 수 없다."라고 규정하고 있다.

<보기 2>

㉠ 인권존중주의 ㉡ 민주주의
㉢ 법치주의 ㉣ 정치적 중립주의

| | (가) | (나) | (다) |
|---|---|---|---|
| ① | ㉡ | ㉣ | ㉠ |
| ② | ㉢ | ㉡ | ㉣ |
| ③ | ㉡ | ㉠ | ㉣ |
| ④ | ㉢ | ㉠ | ㉣ |

**정답 및 해설 I ③**

③ [○] (가) - 민주주의, (나) - 인권존중주의, (다) - 정치적 중립주의

**076** 경찰의 기본이념에 대한 설명으로 옳은 것은? [2021 경간]

① 경찰의 중앙과 지방간의 권한 분배, 경찰행정정보의 공개, 성과급제도 확대는 경찰의 민주성 확보 방안이다.

② 인권존중주의는 비록 '국가경찰과 자치경찰의 조직 및 운영에 관한 법률'에 언급이 없으나, '헌법'상 기본권 조항 등을 통하여 당연히 유추된다.

③ 국가경찰위원회제도, '부패방지 및 국민권익위원회의 설치와 운영에 관한 법률'상 국민감사청구제도, 경찰책임의 확보 등은 경찰의 민주성을 확보하기 위한 대내적 민주화 방안이다.

④ 국민의 자유와 권리는 국가안전보장 · 질서유지 또는 공공복리를 위하여 필요한 경우에 한하여 법률로써 제한할 수 있으며, 제한하는 경우에도 자유와 권리의 본질적인 내용은 침해할 수 없다.

**정답 및 해설 | ④**

④ [○] 헌법 제37조 제2항은 경찰의 기본이념 중 법치주의 및 인권존중주의와 관련된 것이다.

> **헌법 제37조** ② 국민의 모든 자유와 권리는 국가안전보장 · 질서유지 또는 공공복리를 위하여 필요한 경우에 한하여 법률로 써 제한할 수 있으며, 제한하는 경우에도 자유와 권리의 본질적인 내용을 침해할 수 없다.

① [×] 성과급제도 확대는 경찰의 기본이념 중 경영주의와 관련이 있다.

② [×] 인권존중주의는 헌법은 물론, '국가경찰과 자치경찰의 조직 및 운영에 관한 법률', '경찰관 직무집행법'에 모두 언급되어 있다.

> **헌법 제10조** 모든 국민은 인간으로서의 존엄과 가치를 가지며, 행복을 추구할 권리를 가진다. 국가는 개인이 가지는 불가침의 기본적 인권을 확인하고 이를 보장할 의무를 진다.
>
> **헌법 제37조** ② 국민의 모든 자유와 권리는 국가안전보장 · 질서유지 또는 공공복리를 위하여 필요한 경우에 한하여 법률로 써 제한할 수 있으며, 제한하는 경우에도 자유와 권리의 본질적인 내용을 침해할 수 없다.
>
> **경찰관 직무집행법 제1조 【목적】** ① 이 법은 국민의 자유와 권리 및 모든 개인이 가지는 불가침의 기본적 인권을 보호하고 사회공공의 질서를 유지하기 위한 경찰관의 직무 수행에 필요한 사항을 규정함을 목적으로 한다.
> ② 이 법에 규정된 경찰관의 직권은 그 직무 수행에 필요한 최소한도에서 행사되어야 하며 남용되어서는 아니 된다.
>
> **경찰법 제5조 【권한남용의 금지】** 경찰은 그 직무를 수행할 때 헌법과 법률에 따라 국민의 자유와 권리 및 모든 개인이 가지는 불가침의 기본적 인권을 보호하고, …

③ [×] 모두 민주성 확보방안 중 대외적 민주화 방안에 해당한다.

## 077 1829년 런던수도경찰청을 창설한 로버트 필 경(Sir Robert Peel)이 경찰조직을 운영하기 위하여 제시한 기본적인 원칙 중 가장 적절하지 않은 것은? [2020 채용 1차]

① 경찰의 기본적인 임무는 범죄에 대한 신속한 대응이다.

② 경찰의 성공은 시민의 인정에 의존한다.

③ 적절한 경찰관들을 확보하기 위한 교육훈련은 필수적인 것이다.

④ 경찰은 군대식으로 조직되어야 한다.

**정답 및 해설 | ①**

① [×] 로버트 필이 제시한 경찰활동 9원칙 중 "언제나 경찰의 효율성은 범죄와 무질서의 감소나 부재로 판단되는 것이지, 범죄나 무질서를 진압하는 가시적인 모습으로 인정받는 것은 아니라는 점을 명심해야 한다."는 부분은, 범죄진압보다는 범죄예방에 중점을 둔 것으로 이해된다.

## 078 런던수도경찰청을 창시(1829년)한 로버트 필 경(Sr. Robert Peel)이 경찰조직을 운영하기 위하여 제시한 기본적인 원칙(경찰개혁안 포함)에 대한 설명으로 가장 적절하지 않은 것은? [2022 경간]

① 경찰은 정부의 통제하에 있어야 한다.

② 범죄발생 사항은 반드시 전파되어야 한다.

③ 단정한 외모가 시민의 존중을 산다.

④ 경찰의 효율성은 항상 범죄나 무질서를 진압하는 가시적인 모습으로 판단하는 것이다.

**정답 및 해설 | ④**

④ [×] **경찰의 효율성은 범죄와 무질서의 감소나 부재로 판단되는 것(예방)**이지 범죄나 무질서를 진압하는 가시적인 모습으로 인정받는 것은 아니다.

# 제2절 | 경찰윤리

## 주제 1 경찰문화와 바람직한 경찰상

**079** 경찰문화의 냉소주의를 극복하기 위한 방안으로 가장 적절하지 않은 것은 무엇인가? [2017 실무 1]

① 중요 의사결정 때 부하의 의견을 청취

② 맥그리거(McGregor)의 X이론에 입각한 행정관리

③ 상사와 부하의 신뢰 회복

④ 커뮤니케이션 과정의 개선

**정답 및 해설 | ②**

② [×] 맥그리거의 Y이론에 입각한 행정관리가 냉소주의 극복방안이다.

**☑ 맥그리거(McGregor)의 X-Y이론**

- 인간을 동기부여 관점에서 분류한 이론이다.
- **X이론**: 인간은 본래 게으르고 수동적이다. 경영자는 엄격한 감독, 상세한 명령으로 통제를 강화하고 권위적으로 관리해야 한다.
- **Y이론**: 인간은 본래 자율적이고 능동적이다. 경영자는 자율적 · 창의적 · 민주적으로 관리해야 한다.

①③④ [○] 냉소주의를 극복하기 위해서는 의사결정과정에 적극적으로 참여할 기회를 부여하고(①), 상사와 부하의 신뢰를 회복하며(③), 커뮤니케이션 과정을 개선하고(④), Y이론에 입각한 행정관리를 하는 방법(②) 등이 있다.

**080** 경찰문화의 냉소주의를 극복하기 위한 방안에 대한 설명이다. ㉠부터 ㉤까지 (　　) 안에 들어갈 용어를 나열한 것으로 가장 적절한 것은? [2018 승진(경감)]

> 인간관 중 ( ㉠ )이론은 인간이 책임감 있고 정직하여 ( ㉡ ) 적인 관리를 해야 한다는 이론이고, ( ㉢ ) 이론은 인간을 게으르고 부정직한 것으로 보아 ( ㉣ )적으로 관리해야 한다는 이론으로, ( ㉤ ) 이론에 의한 관리가 냉소주의를 극복하는 방안이 된다.

① ㉠ X ㉡ 민주 ㉢ Y ㉣ 권위 ㉤ X

② ㉠ X ㉡ 권위 ㉢ Y ㉣ 민주 ㉤ Y

③ ㉠ Y ㉡ 민주 ㉢ X ㉣ 권위 ㉤ Y

④ ㉠ Y ㉡ 권위 ㉢ X ㉣ 민주 ㉤ X

**정답 및 해설 | ③**

③ [○] 인간관 중 (㉠ Y)이론은 인간이 책임감 있고 정직하여 (㉡ 민주)적인 관리를 해야 한다는 이론이고, (㉢ X)이론은 인간을 게으르고 부정직한 것으로 보아 (㉣ 권위)적으로 관리해야 한다는 이론으로, (㉤ Y)이론에 의한 관리가 냉소주의를 극복하는 방안이 된다.

## 081 경찰조직의 냉소주의에 관한 설명으로 가장 적절한 것은? [2023 채용 1차]

① 니더호퍼(Niederhoffer)는 사회체계에 대한 기존의 신념체제가 붕괴된 후 새로운 신념체제에 의해 급하게 대체될 때 냉소주의가 나타날 수 있다고 하였다.

② 조직 내 팽배한 냉소주의는 경찰의 전문직업화를 저해하는 기제로 작동할 수 있다.

③ 회의주의와 비교할 때, 냉소주의는 조직 내 특정한 대상을 합리적 의심을 통해 신뢰하지 않는 것과 관련이 있다.

④ 냉소주의 극복을 위한 가장 효과적인 조직관리방안은 인간을 본래 게으르고 생리적 욕구 또는 안전의 욕구에 자극을 주는 금전적 보상이나 제재 등 외재적 유인에 반응한다고 상정하여 조직이 권위적으로 관리할 필요가 있다는 맥그리거(McGregor)의 인간모형에 기초한다.

**정답 및 해설 I ②**

② [○] **냉소주의**는 '충성'이라는 도덕적 규범을 약화시켜 조직에 대한 반발과 일탈현상을 초래하게 되므로, 관료제의 획일적 명령체계 등과 함께 경찰의 전문직업화를 저해하는 요소로 작용할 수 있다.

① [×] 니더호퍼(A. Niederhoffer)는 기존의 신념체계가 붕괴되었으나 이를 대체할 신념이 부재하는 경우의 아노미(혼란)현상이 냉소주의라고 하였다.

③ [×] **회의주의**는 개별적(특정) 사안에서 합리적 의심을 하여 비판을 하는 태도를 말한다면, **냉소주의**는 특정되지 않은 불특정한 사안에 대해 이유없는 불신을 하는 태도를 말한다.

④ [×] 맥그리거(McGregor)의 Y이론에 입각한 행정관리가 냉소주의 극복방안이다. 해당 지문은 X이론에 대한 설명이다.

| 구분 | X이론 | Y이론 |
|---|---|---|
| 내용 | • 인간은 근본적으로 일하기를 싫어하므로 가능하면 일하기를 피하려 한다.<br>• 조직의 목표를 달성하기 위해서는 강압, 통제, 벌로 다스려야 한다.<br>• 구성원은 책임을 피하려 하며 공식적인 지시가 있어야만 움직인다. | • 인간을 일을 휴식이나 여가와 같이 당연한 것으로 받아들인다.<br>• 구성원이 조직목표에 동의한다면 자기지시 및 자기통제를 발휘한다.<br>• 책임을 수용하고 기꺼이 감수하는 태도로 자발적으로 움직인다. |
| 조직관리 | • 금전적 보상과 엄격한 통제로 조직을 관리하여야 한다. | • 자율적이고 창의적으로 일할 수 있는 환경을 조성하는 방식으로 조직을 관리하여야 한다. |

## 082 경찰의 전문직업화에 대한 설명으로 가장 적절한 것은? [2021 경간]

① 미국의 서덜랜드(Edwin H. Sutherland)는 경찰의 높은 사회적 지위를 확보하기 위하여 전문직업화를 추진하였다.

② 경찰의 전문직업화는 경찰이 시민의 입장을 고려하지 않고 전문지식을 바탕으로 일방적으로 의사결정을 하므로 치안서비스의 질이 향상된다.

③ 경찰의 전문직업화는 경제적 · 사회적 약자가 경찰에 진출할 기회를 증대시켜 준다.

④ 경찰의 전문직업화는 경찰위상과 사기제고, 치안서비스 질의 향상 등의 이점이 있다.

**정답 및 해설 I ④**

① [×] 경찰의 높은 사회적 지위를 위한 직업전문화(professionalization)가 미국의 **오거스트 볼머(August Vollmer)** 등에 의하여 추진되었다.

② [×] 경찰의 전문직업화는 경찰이 시민의 입장을 고려하지 않고 전문지식을 바탕으로 일방적으로 의사결정을 하므로 치안서비스의 질이 **낮아진다.** ➜ 전문직업화의 문제점 중 '**부권주의**'에 해당

③ [×] 경찰의 전문직업화는 경제적 · 사회적 약자가 경찰에 진출할 기회를 **감소시킨다.** ➜ 전문직업화의 문제점 중 전문직이 되기 위해 장기간의 교육과 많은 비용이 들어서 가난한 사람은 전문가가 되는 기회를 상실하는 '차별'에 해당

## 083 경찰의 전문직업화에 대한 설명으로 가장 적절하지 않은 것은? [2020 실무 1]

① 클라이니히는 고전적 전문직의 특징으로 공공서비스의 제공, 윤리강령의 제정, 전문지식과 전문기술, 고등교육의 이수, 자율적 자기통제를 제시하였다.

② 관료제의 획일적 명령체계는 전문화를 저해한다.

③ 전문직업화의 윤리적 문제점 중 '소외'는 전문직이 되는 데 장기간 교육과 많은 비용이 들어, 가난한 사람은 전문가가 되는 기회를 상실하는 것이다.

④ 전문직업화의 윤리적 문제점 중 '부권주의'는 아버지가 자식의 문제를 모두 결정하듯이 전문가가 상대방의 입장을 고려하지 않고 일방적으로 결정하는 것을 말한다.

**정답 및 해설 I ③**

③ [×] 전문직업화의 문제점 중 **차별**에 대한 설명이다. / ④ [○]

**☑ 전문직업화의 문제점**

- **부권주의**: 아버지가 자식의 문제를 권위적 · 일방적으로 결정하듯, 전문가가 우월한 지위 · 지식을 이용하여 상대방 입장의 고려 없이 일방적으로 결정하는 것을 말하며, 이러한 부권주의는 치안서비스의 질을 저해할 수 있다. 예 심장전문의가 환자의 입장을 고려하지 않고 자신의 우월적 의학적 지식만 고려하여 일방적으로 치료방법을 결정하는 것
- **소외**: 나무는 보고 숲은 보지 못하듯 전문가가 자신의 국지적 분야만 보고 전체적인 맥락을 보지 못하는 것을 말한다. 예 경비분야에서만 전문성을 쌓은 경찰관 甲이 교통이나 생활안전 등 다른 분야의 고려 없이 효율적 시위진압만을 우선하는 결정을 하는 것
- **차별**: 입직요건으로 고학력을 요구할 경우 전문직이 되는 데 장기간의 교육과 비용이 들어, 교육기회를 갖지 못한 경제적 · 사회적 약자 등의 공직진출 제한이라는 '차별' 문제가 야기된다. 예 전문직업화를 위해 순경공채에서 학사 이상의 학력을 요구하는 경우 차별의 문제 발생
- **사적 이익을 위한 이용**: 전문직들은 그들의 지식과 기술로 상당한 사회적 힘을 소유하나 이러한 힘을 때때로 공익보다는 사적인 이익을 위해서만 이용하기도 하는 것을 말한다.

① [○] **☑ 전문직의 특징 - 클라이니히**

- **공공서비스의 제공**: 전문직업인은 사회에 가치 있는 공공서비스를 제공한다.
- **윤리강령의 제정**: 윤리강령을 제정하여 자신을 스스로 통제하고 서비스의 수혜자로부터 신뢰를 획득하기 위하여 서비스를 개선시키고자 노력한다.
- **전문지식(기술)의 보유**: 전문직 종사자는 길고 험난한 학습과정을 통하여 자신의 분야에서 특수한 전문지식과 기술을 가진다.
- **고등교육의 이수**: 전문직의 직위는 대학이나 대학원 등 고등교육을 통하여 전문지식과 기술을 습득한다.
- **자율적 자기통제**: 전문직 종사자들은 자신들이 제공하는 서비스 품질의 보장을 위해 스스로 기준을 만들어 놓고 통제한다.

## 084 전문직업의 윤리적 문제점에 대한 설명으로 적절한 것을 모두 고른 것은? [2018 실무 1]

| |
|---|
| ㉠ 학자들이 제시하는 전문직업의 윤리적 문제점으로는 차별, 부권주의, 사적인 이익을 위한 이용, 소외 등이 있다.<br>㉡ '차별'은 나무는 보고 숲은 보지 못하듯 자신의 국지적 분야만보고 전체적인 맥락을 보지 못하는 것을 말한다.<br>㉢ '소외'는 전문직이 되는 데 장기간의 교육이 필요하고 비용이 들어, 가난한 사람은 전문가가 되는 기회를 상실하는 것을 말한다.<br>㉣ '부권주의'란 아버지가 자식의 문제를 모두 결정하듯이 전문가가 상대방의 입장을 고려하지 않고 일방적으로 결정하는 것을 말한다. |

① ㉠, ㉢
② ㉡, ㉢
③ ㉠, ㉣
④ ㉡, ㉣

**정답 및 해설 I ③**

㉠ [○] 옳은 설명이다.

㉡ [×] **소외**: 나무는 보고 숲은 보지 못하듯 전문가가 자신의 국지적 분야만 보고 전체적인 맥락을 보지 못하는 것을 말한다. 예 경비분야에서만 전문성을 쌓은 경찰관 甲이 교통이나 생활안전 등 다른 분야의 고려 없이 효율적 시위진압만을 우선하는 결정을 하는 것

㉢ [×] **차별**: 입직요건으로 고학력을 요구할 경우 전문직이 되는 데 장기간의 교육과 비용이 들어, 교육기회를 갖지 못한 경제적 · 사회적 약자 등의 공직진출 제한이라는 '차별' 문제가 야기된다. 예 전문직업화를 위해 순경공채에서 학사 이상의 학력을 요구하는 경우 차별의 문제 발생

㉣ [○] **부권주의**: 아버지가 자식의 문제를 권위적 · 일방적으로 결정하듯, 전문가가 우월한 지위 · 지식을 이용하여 상대방 입장의 고려 없이 일방적으로 결정하는 것을 말하며, 이러한 부권주의는 치안서비스의 질을 저해할 수 있다. 예 심장전문의가 환자의 입장을 고려하지 않고 자신의 우월적 의학적 지식만 고려하여 일방적으로 치료방법을 결정하는 것

## 085 전문직업의 윤리적 문제점을 기술한 것 중 가장 적절하지 않은 것은? [2016 실무 1]

① 학자들이 제시하는 전문직업의 윤리적 문제점으로는 차별, 부권주의, 소외 등이 있다.

② 소외의 예 – 사회복지정책 전문직 공무원 甲은 복지정책을 결정하면서 정부 정책의 기본방침을 고려하지 않고 자신이 속한 보건복지부 입장만 고려한 채 정책결정을 하였다.

③ 부권주의 예 – 심장전문의 乙은 환자의 치료법에 대하여 환자의 입장을 고려하지 않고 자신의 우월적 의학적 지식만 고려하여 일방적으로 치료방법을 결정하였다.

④ 차별은 나무는 보고 숲은 보지 못하듯 자신의 국지적 분야만 보고 전체적인 맥락을 보지 못하는 것을 말한다.

**정답 및 해설 I ④**

④ [×] 전문직업화의 문제점 중 '소외'에 대한 설명이다.

**086** 경찰이 전문직업화되어 저학력자 등 경제적 · 사회적 약자에게 경찰 직업에의 진입을 차단할 경우 발생할 수 있는 윤리적 문제점으로 가장 적절한 것은? [2016 승진(경감)]

① 권위주의
② 소외
③ 부권주의
④ 차별

**정답 및 해설 | ④**
④ [○] 전문직업화의 문제점 중 '차별'에 대한 설명이다.

**087** 경찰이 전문직업화될 경우 예상되는 장점과 단점에 대한 설명으로 가장 적절하지 않은 것은? [2015 실무 1]

① 전문직업적 부권주의로 치안서비스의 질이 향상된다.
② 사회적 위상제고와 긍지를 불러일으키게 된다.
③ 경찰조직 내 우수한 인재를 흡수할 수 있게 된다.
④ 전문직업화에 따라 차별 등의 윤리적 문제가 발생할 수 있다.

**정답 및 해설 | ①**
① [×] 부권주의는 치안서비스의 질을 저해할 수 있다.
②③ [○] 전문직의 장점으로는 ㉠ 종사자의 사회적 위상이 올라가고 긍지를 불러일으킬 수 있으며, ㉡ 재량이 인정되는 영역이 넓어지고 자율성이 촉진될 수 있고, ㉢ 해당 직종에 유입되는 인적 자원의 질적 향상이 기대되고, ㉣ 전반적인 보수 상승의 요인으로 작용할 수 있다는 점 등이 있다.

**088** 다음 사례에서 나타나는 전문직업인으로서 경찰의 윤리적 문제점으로 가장 적절한 것은? [2022 채용 2차]

> OO경찰서 경비과 소속 경찰관 甲은 집회 현장에서 시위대가 질서유지선을 침범해 경찰관을 폭행하자 교통, 정보, 생활안전 등 다른 전체적인 분야에 대한 고려 없이 경비분야만 생각하고 검거 결정을 하였다.

① 부권주의
② 소외
③ 차별
④ 사적 이익을 위한 이용

**정답 및 해설 | ②**
② [○] 지문은 전문직의 문제점 중 '소외'에 대한 설명이다.

**☑ 전문직의 문제점**

- **부권주의**: 아버지가 자식의 문제를 권위적 · 일방적으로 결정하듯, 전문가가 우월한 지위 · 지식을 이용하여 상대방 입장의 고려 없이 일방적으로 결정하는 것을 말하며, 이러한 부권주의는 치안서비스의 질을 저해할 수 있다. 예 심장전문의가 환자의 입장을 고려하지 않고 자신의 우월적 의학적 지식만 고려하여 일방적으로 치료방법을 결정하는 것
- **소외**: 나무는 보고 숲은 보지 못하듯 전문가가 자신의 국지적 분야만 보고 전체적인 맥락을 보지 못하는 것을 말한다. 예 경비분야에서만 전문성을 쌓은 경찰관 甲이 교통이나 생활안전 등 다른 분야의 고려 없이 효율적 시위진압만을 우선하는 결정을 하는 것
- **차별**: 입직요건으로 고학력을 요구할 경우 전문직이 되는데 장기간의 교육과 비용이 들어, 교육기회를 갖지 못한 경제적 · 사회적 약자 등의 공직진출 제한이라는 '차별'문제가 야기된다. 예 전문직업화를 위해 순경공채에서 학사이상의 학력을 요구하는 경우 차별의 문제 발생
- **사적이익을 위한 이용**: 전문직들은 그들의 지식과 기술로 상당한 사회적 힘을 소유하나 이러한 힘을 때때로 공익보다는 사적인 이익을 위해서만 이용하기도 하는 것을 말한다.



**089** 바람직한 경찰의 역할모델 중 '범죄와 싸우는 경찰모델'에 관한 설명으로 가장 적절하지 않은 것은?

[2024 1차 채용]

① 경찰활동의 전 부분을 포괄하는 용어로 가장 바람직한 모델이다.

② 경찰역할을 뚜렷이 인식시켜 '전문직화'에 기여한다.

③ 수사, 형사 등 법 집행을 통한 범법자 제압 측면을 강조한 모델로서 시민들은 범인을 제압하는 것이 경찰의 주된 임무라고 인식한다.

④ 범법자는 적이고, 경찰은 정의의 사자라는 흑백논리에 따른 이분법적 오류에 빠질 경우 인권침해 등의 우려가 있다.

**정답 및 해설 | ①**

① [×] 경찰활동의 전 부분을 포괄하는 용어로 가장 바람직한 모델은 "**범죄와 싸우는 경찰모델**"이 아닌 "치안서비스를 제공하는 경찰 모델"이다. "**범죄와 싸우는 경찰모델**"은 수사 · 형사 등 법 집행을 통한 범법자 제압측면을 강조한 모델로서 시민들은 범인을 제압하는 것이 경찰의 주된 임무라고 인식하므로, 수사 · 형사 외에 다른 경찰활동을 포괄적으로 설명하기는 어렵다.

②③④ [○] 범죄와 싸우는 경찰모델의 특징은 다음과 같다.

| | |
|---|---|
| 장점 | • 경찰역할을 뚜렷이 인식시켜 '전문직화'에 기여함 |
| 단점 | • 전체 경찰의 업무를 포괄하는 것이 불가능<br>• 범법자는 적이고, 경찰은 정의의 사자라는 흑백논리에 따른 이분법적 오류에 빠질 경우 인권침해 등의 우려가 있음<br>• 범죄진압 이외에 업무를 수사에 부수하는 업무 정도로 보아 이에 종사하는 경찰의 사기를 떨어뜨리고, 다른 영역의 업무를 수행하기 위한 기법이나 지식의 개발이 등한시 되거나 인력이나 자원이 수사업무에만 편중될 우려가 있음 |

## 주제 2 경찰윤리와 경찰일탈 · 부패

**090** 코헨(Cohen)과 펠드버그(Feldberg)가 제시한 경찰활동의 윤리적 표준에 대한 설명으로 가장 적절하지 않은 것은? [2022 승진]

① 경찰관이 절도범을 추격하던 중 도주하는 범인의 등 뒤에서 권총을 쏘아 사망하게 하는 경우는 '공공의 신뢰' 위반에 해당한다.

② 경찰관이 우범지역인 A지역과 B지역의 순찰업무를 맡았으나, A지역에 가족이 산다는 이유로 A지역에서 순찰 근무시간을 대부분 할애한 경우는 '공정한 접근' 위반에 해당한다.

③ 불법 개조한 오토바이를 단속하던 경찰관이 정지명령에 불응하는 오토바이를 향하여 과도하게 추격한 결과 운전자가 전신주를 들이받고 사망한 경우는 '시민의 생명과 재산의 안전' 위반에 해당한다.

④ 경찰이 사익을 위해 공권력을 사용하거나 필요한 최소한의 강제력을 초과하여 사용하였다면 '공정한 접근' 위반에 해당한다.

**정답 및 해설 I ④**

④ [×] 코헨과 펠드버그의 민주경찰 지향점(경찰활동 기준) 중 **공정한 접근**(Fair Access)은 누구나 공정하게 경찰서비스에 접근할 수 있어야 한다는 것을 말한다. 지문과 같이 경찰이 사익을 위해 공권력을 사용하거나 필요한 최소한의 강제력을 초과하여 사용하였다면 이는 '**공공의 신뢰확보**(Public trust)' 위반에 해당한다.

①②③ [○] 모두 옳은 설명이다.

**091** 코헨(Cohen)과 펠드버그(Feldberg)는 사회계약설로부터 도출한 경찰활동의 기준(윤리표준)을 제시하였다. 이와 관련된 <보기 1>과 <보기 2>의 내용이 가장 적절하게 연결된 것은? [2021 채용 1차]

<보기 1>

(가) 경찰은 사회 전체의 필요에 의해 생겨난 조직으로, 경찰서비스에 대한 동등한 필요를 가진 사람들이 그것을 받을 동등한 기회를 가져야 한다.

(나) 경찰관은 자의적으로 권한을 행사해서는 안 되고, 물리력의 행사는 필요최소한에 그쳐야 하며, 시민의 신뢰에 합당한 방식으로 권한을 행사해야 한다.

(다) 경찰은 그들에게 부여된 사회적 역할 범위 내에서 활동을 하여야 하며, 이러한 범위 내의 활동을 함에 있어서도 상호협력을 통해 경찰목적을 달성해야 한다.

<보기 2>

㉠ 공공의 신뢰확보　　㉡ 생명과 재산의 안전보호
㉢ 공정한 접근의 보장　　㉣ 협동과 역할 한계 준수

| | (가) | (나) | (다) |
|---|---|---|---|
| ① | ㉠ | ㉡ | ㉣ |
| ② | ㉠ | ㉣ | ㉡ |
| ③ | ㉢ | ㉡ | ㉣ |
| ④ | ㉢ | ㉠ | ㉣ |

**정답 및 해설 I ④**

④ [○] (가)는 ⓒ **공정한 접근**(Fair Access)의 보장에 대한 설명이고, (나)는 ㉠ **공공의 신뢰확보**(Public Trust)에 대한 설명이며, (다)는 ㉣ **협동**(Team Work)에 대한 설명이다.

## 092 코헨과 펠드버그가 제시한 윤리표준과 구체적 위반 사례의 연결이 가장 적절하지 않은 것은?

[2020 실무 1]

① 생명과 재산의 안전 – 인질이 된 사람의 목숨을 구하는 것보다 교통법규의 준수를 우선함

② 공정한 접근 – 잘 아는 경찰관의 음주운전 무마

③ 역할한계와 팀워크 – 정의감이 투철한 형사가 사건을 취급하면서 좋은 사람과 나쁜 사람을 구별하여 나쁜 사람에게 면박을 주는 경우

④ 공중의 신뢰 – 순찰근무 중 가난한 구역 순찰 누락 사례

**정답 및 해설 I ④**

④ [×] **공정한 접근**(Fair Access) – 공정한 접근의 실패사례 중 차별에 해당한다.

① [○] **생명과 재산의 안전보호**(Safety and Security) – 법집행이 오히려 생명과 재산에 위협을 가져오는 경우라면 법집행이 양보될 수 있다.

② [○] **공정한 접근**(Fair Access) – 공정한 접근의 실패사례 중 편들기에 해당한다.

③ [○] **협동**(Team Work) – 협동과 관련된 역할한계의 오류 사례이다.

## 093 코헨(Cohen)과 펠드버그(Feldberg)가 사회계약설로부터 도출한 경찰활동의 기준과 그 내용의 연결이 가장 적절하지 않은 것은?

[2023 채용 1차]

① 생명과 재산의 안전보호 – 경찰활동은 시민의 생명과 재산의 보호가 궁극적인 목적이며 법집행 자체가 목적은 아니다.

② 냉정하고 객관적인 자세 – 과거 아버지의 가정폭력을 경험한 甲경찰관이 가정폭력 사건을 처리하면서 모든 문제는 남편에게 있다고 단정지어 생각하는 경우는 이 기준에 어긋난다.

③ 공공의 신뢰 – 乙경찰관이 공명심이 앞서서 상부에 보고도 없이 탈주범을 혼자서 검거하려다 실패하였다면 이 기준에 어긋난다.

④ 공정한 접근 보장 – 경찰의 법집행 과정에서 발생하는 차별과 편들기는 이 기준에 어긋난다.

**정답 및 해설 I ③**

③ [×] 지문은 공공의 신뢰(Public Trust)가 아닌 **협동(Team Work)의 실패사례이다.**

**094** 코헨과 펠드버그는 사회계약설로부터 도출되는 경찰활동의 기준을 제시하였다. 다음 각 사례와 가장 연관이 깊은 경찰활동의 기준으로 바르게 연결된 것은 모두 몇 개인가? [2017 경간]

> ㉠ 甲순경은 절도범을 추격하던 중 도주하는 범인의 등 뒤에서 권총을 쏘아 사망하게 하였다. - <공정한 접근>
> ㉡ 乙경장은 순찰근무 중 달동네는 가려고 하지 않고 부자동네인 구역으로만 순찰을 다니려고 하였다. - <공공의 신뢰>
> ㉢ 丙순경은 경찰 입직 전에 도둑을 맞은 경험이 있었다. 그런데 경찰이 되어 절도범을 검거하자, 과거 도둑맞은 경험이 생각나 피의자에게 욕설과 가혹행위를 하였다. - <냉정하고 객관적 자세>
> ㉣ 丁순경은 강도범을 추격하다가 골목길에서 칼을 든 강도와 조우하였다. 丁순경은 계속 추격하는 척하다가 강도가 도망가도록 내버려 두었다. - <공정한 접근>
> ㉤ 戊경장은 어렸을 적 아버지로부터 가정폭력을 경험하였는데, 가정폭력사건을 처리하면서 모든 잘못은 남편에게 있다고 단정지었다. - <공공의 신뢰>

① 1개 ② 2개 ③ 3개 ④ 4개

**정답 및 해설 I** ①
㉠ [×] **공공의 신뢰확보(Public Trust)**에 대한 예시로서, 비례원칙에 위반한 실패사례이다.
㉡ [×] **공정한 접근(Fair Access)**에 대한 예시로서, 차별로 인한 실패사례이다.
㉢ [○] **냉정하고 객관적인 자세(Objectivity)**에 대한 예시로서, 편견으로 인한 실패사례이다.
㉣ [×] **공공의 신뢰확보(Public Trust)**에 대한 예시로서, 경찰이 법집행을 회피한 실패사례이다.
㉤ [×] **냉정하고 객관적인 자세(Objectivity)**에 대한 예시로서, 편견으로 인한 실패사례이다.

**095** 코헨(Cohen)과 필드버그(Feldberg)가 제시한 사회계약설로부터 도출되는 경찰활동의 기준을 제시하였다. 다음 각 사례와 가장 관련 깊은 경찰활동의 기준을 연결한 것으로 옳지 않은 것은 모두 몇 개인가? [2021 경간]

> ㉠ 김순경은 절도범을 추격하던 중 도주하는 범인의 등 뒤에서 권총을 쏘아 사망하게 하였다. - [공공의 신뢰]
> ㉡ 1주일간 출장을 마치고 집에 돌아온 A는 자신의 TV가 없어진 것을 발견하였다. 그래서 여기저기 찾아보던 중에 평소부터 사이가 좋지 않던 옆집의 B가 A의 TV를 몰래 훔쳐가 사용 중인 것을 창문 너머로 확인하였다. 이 때 A는 몽둥이를 들고 가서 직접 자기의 TV를 찾아오려다가 그만두고, 경찰에 신고하여 TV를 되찾았다. - [공공의 신뢰]
> ㉢ 박순경은 순찰 근무 중 달동네는 가려하지 않고 부자동네인 구역으로만 순찰을 다니려고 하였다. - [공공의 신뢰]
> ㉣ 이순경은 어렸을 적 아버지로부터 가정폭력을 경험하였는데, 가정폭력 사건을 처리하면서 모든 잘못은 남편에게 있다고 단정지었다. - [냉정하고 객관적인 자세]
> ㉤ 최순경은 경찰입직 전 집에 도둑을 맞은 경험이 있었다. 그런데 경찰에 임용되어 절도범을 검거하자, 과거의 도둑맞은 경험이 생각나 피의자에게 욕설과 가혹행위를 하였다. - [냉정하고 객관적인 자세]
> ㉥ 탈주범이 자기 관내에 있다는 첩보를 입수한 한순경이 상부에 보고하지 않고 공명심에서 단독으로 검거하려다 탈주범 검거에 실패하였다. - [협동]
> ㉦ 은행강도가 어린이를 인질로 잡고 차량도주를 하고 있다면 경찰은 주위 시민들의 안전에 대한 위험에도 불구하고 추격(법집행)을 하여야 한다. - [생명과 재산의 안전확보]

① 0개 ② 1개 ③ 2개 ④ 3개

**정답 및 해설 | ②**

㉠ [○] **공공의 신뢰확보(Public Trust)**에 대한 예시로서, 비례원칙에 위반한 실패사례이다.
㉡ [○] **공공의 신뢰확보(Public Trust)**에 대한 예시로서, 자력구제를 하지 않고 신뢰할 수 있는 경찰관으로 하여금 공권력을 행사하도록 한 성공사례이다.
㉢ [×] **공정한 접근(Fair Access)**에 대한 예시로서, 차별로 인한 실패사례이다.
㉣ [○] **냉정하고 객관적인 자세(Objectivity)**에 대한 예시로서, 편견으로 인한 실패사례이다.
㉤ [○] **냉정하고 객관적인 자세(Objectivity)**에 대한 예시로서, 편견으로 인한 실패사례이다.
㉥ [○] **협동(Team Work)**에 대한 예시로서, 경찰기관 내 협동에 실패한 사례이다.
㉦ [○] **생명과 재산의 안전보호(Safety and Security)**에 대한 예시로서, 잠재적인 위험과 현존하는 위험이 모두 존재한다면, 현존하는 위험을 우선 보호하여야 한다는 원칙에 부합한 성공사례이다.



**096** 경찰시험을 준비하는 甲은 언론에서 경찰공무원의 부정부패 기사를 보고 '나는 경찰이 되면 저런 행위를 하지 않겠다'는 생각을 가졌다. 이런 현상에 대한 설명으로 가장 적절하지 않은 것은? [2021 경간]

① 이런 현상을 침묵의 규범이라고 한다.
② 개인적 성향과 조직 내 사회화 과정은 상호보완적 관계에 있다.
③ 경찰공무원의 사회화는 경찰이 되기 전의 가치관에 의해 영향을 받는다.
④ 경찰공무원은 공식적 사회화 과정보다 비공식적 사회화 과정의 영향을 더 많이 받는다.

**정답 및 해설 | ①**

① [×] **침묵의 규범은 동료의 부정부패에 대해서 눈감아 주는 것**을 말하며, 지문의 현상은 예기적 사회화 과정이라고 한다.

☑ 예기적 사회화 과정(anticipatory socialization)

> 경찰인이 되고자하는 지원자는 그가 경찰이 되기 전에 경찰에 대한 정보 등을 통해 경찰에 대한 사회화를 미리 할 수 있다는 것이다. 이것은 통상적으로 경찰에 대한 자신의 직접경험과 친구나 가족들을 통한 간접경험, 나아가 언론매체를 통한 경찰의 이미지 등을 통해서 이루어진다. 그래서 경찰예비자들은 자기가 경찰인이 되면 어떻게 하겠다라는 '예기적 사회화 과정(anticipatory socialization)'을 거칠 수 있는 것이다.

②④ [○] 개인적 성향이 다소 부패에 관대하다고 하더라도, 경찰조직 내에서 주기적으로 시행되는 윤리교육에 따른 **공식적 사회화 과정**이나 선배 경찰관들의 언행이나 사례로 학습하는 **비공식적 사회화 과정**에 의해 충분히 보완되는 것이 가능하다. 한편, 공식적 사회화 과정보다는 비공식적 사회화 과정이 더욱 큰 영향을 끼친다고 본다. 예 따분한 공식적 교육보다는 직접 대면하는 선배 경찰관들의 징계사례가 더욱 큰 영향을 미친다.

> **경찰청 공무원 행동강령 제22조【교육】** ① 경찰청장(소속기관장, 시 · 도경찰청장, 경찰서장 등을 포함한다)은 소속 공무원에 대하여 이 규칙의 준수를 위한 교육계획을 수립 · 시행하여야 하며, 매년 1회 이상 교육을 하여야 한다.

③ [○] 공식적인 사회화 과정이든 비공식적 사회화 과정이든, 본래 개인이 가지고 있는 성향에 영향을 받을 수밖에 없다. 예 부패에 예민한 성향이라면 약간의 교육만으로도 큰 효과를 볼 수 있게 된다.

## 097 경찰부패의 원인에 관한 설명으로 가장 적절하지 않은 것은? [2023 채용 1차]

① 윌슨은 '시카고 시민이 경찰을 부패시켰다'고 주장하였는데, 이는 시민사회의 부패가 경찰부패의 주원인이라고 보는 입장이다.

② 구조원인가설은 신임경찰관들이 그들의 선배경찰관들에 의해 조직의 부패한 전통 내에서 사회화됨으로써 부패의 길로 들어선다는 이론이다.

③ '미끄러운 경사로 이론'은 사회전체가 경찰의 부패를 묵인하거나 조장할 때 경찰관은 자연스럽게 부패행위를 하게되며, 초기단계에는 설령 불법적인 행위를 하지 않더라도 작은호의에 길들여져 나중에는 명백한 부정부패로 빠져들게 된다는 것이다.

④ 전체사회가설은 니더호퍼, 로벅, 바커 등이 주장한 가설이다.

**정답 및 해설 | ④**

④ [×] **전체사회 가설**은 경찰조직 부패의 원인을 **부패한 시민사회**에게서 찾는 이론으로, 윌슨이 주장하였다. 니더호퍼, 로벅, 바커는 구조원인 가설을 주장하였다.

② [○] **구조원인 가설**은 경찰조직 부패의 원인을 경찰관 개인이 아닌 **부패한 경찰조직**에 있다고 보는 이론으로, **니더호퍼, 로벅, 바커**가 주장하였다.

③ [○] 델라트르 · 셔먼이 주장한 **미끄러지기 쉬운 경사로 이론**은 부패에 해당하지 않는 '작은 호의'가 **시간이 지남에 따라 큰 부패로 이어진다**는 가설로서, 시민사회의 부패 묵인 · 조장 분위기가 '작은 호의'를 쉽게 '부패'로 미끄러트린다고 본다는 점에서 **전체사회가설과 유사한 부분이 있다.**

## 098 경찰의 일탈과 부패에 대한 설명으로 가장 적절하지 않은 것은? [2023 경간]

① 펠드버그는 경찰이 시민의 작은 호의를 받았다고 해서 반드시 큰 부패를 범하는 것은 아니라고 하였다.

② 델라트르는 '미끄러지기 쉬운 경사로이론'에 따라 시민의 작은 호의를 받은 경찰관 중 큰 부패로 이어지는 경찰관은 일부에 불과하므로 시민의 작은 호의를 금지할 필요는 없다고 하였다.

③ 윌슨(O.W.Wilson)은 '경찰은 어떤 작은 호의, 심지어 한 잔의 공짜 커피도 받도록 허용되어서는 안 된다.'라고 주장하였다.

④ 셔먼의 '미끄러지기 쉬운 경사로이론'은 부패에 해당하지 않는 작은 선물 등의 사소한 호의를 허용하면 나중에는 엄청난 부패로 이어진다는 이론이다.

**정답 및 해설 | ②**

② [×] ① [○] **펠드버그**의 주장에 대한 내용이다. **델라트르는** 일부 경찰만이 '미끄러지기 쉬운 경사로이론'에 따라 큰 부패로 이어진다고 하더라도 결코 이를 무시하거나 간과할 수 없다는 점에서 **작은 호의를 금지해야 한다고 주장**한다.

③ [○] 윌슨이 주장한 전체사회 가설과, 델라트르 · 셔먼이 주장한 미끄러지기 쉬운 경사로 이론은 근본적인 부패 원인을 각각 다른 곳에서 찾았을 뿐(전체사회 가설 - 부패한 시민사회, 미끄러지기 쉬운 경사로이론 - 작은 호의), 각 이론의 내용 자체는 상당히 유사한 부분이 있다. 실제 윌슨은 경찰부패의 원인을 부패한 시민사회에서 찾으면서, **부패한 시민사회 내에서 경찰이 부패하지 않으려면 일상적인 작은 호의도 경찰이 경계해야 한다는 취지로 주장하였다.**

## 099 경찰의 부패에 관한 설명 중 가장 적절하지 않은 것은? [2022 채용 1차]

① 'Dirty Harry 문제'는 도덕적으로 선한 목적을 위해 윤리적 · 정치적 혹은 법적으로 더러운 수단을 동원하는 것이 적절한가와 관련된 딜레마적 상황이다.

② 구조화된 조직적 부패는 서로가 문제점을 알면서도 눈감아주는 침묵의 규범 형성의 가능성을 높인다.

③ 셔먼(1985)의 미끄러운 경사(Slippery Slope) 개념은 작은 호의를 받는 것에 익숙해진 경찰관들이 결국 부패에 연루될 수 있음을 경고한다.

④ 전체사회 가설은 신임경찰관이 조직의 부패 전통 내에서 고참 동료들에 의해 사회화됨으로써 부패의 길로 들어선다는 입장이다.

**정답 및 해설 I ④**

④ [×] **전체사회 가설**은 경찰조직 부패의 원인을 **부패한 시민사회**에게서 찾는 이론이다. 지문은 **구조원인 가설**에 대한 설명이다.

① [○] Dirty Harry는 1971년 제작된 미국 형사액션물 영화로서, 자신만의 신념에 부합한다면 이를 만류하는 조직 내 분위기나 적대적인 언론매체 등 주위 상황에 아랑곳하지 않고 법적으로는 정당화되지 않는 사적 징벌까지 내리는 형사에 대한 영화이다. ➜ '목적이 정당하면 이를 달성하기 위한 수단도 정당화되는가?'

② [○] **침묵의 규범**이란 동료의 부정부패에 대하여 눈감아 주는 것을 말하는 것으로, 구조화된 조직적 부패는 이러한 침묵의 규범을 유발하게 된다.

③ [○] 델라트르 · 셔먼이 주장한 **미끄러지기 쉬운 경사로 이론**은 작은 호의 자체는 부패가 아니지만, 작은 선물일지라도 그것이 정례화되면 준 사람에 대한 의무감이나 신세를 진다는 생각을 가지게 함으로써 결국 부패에 해당하지 않는 **'작은 호의'가 시간이 지남에 따라 큰 부패로 이어진다**는 가설이다.

## 100 부정부패에 관한 설명으로 가장 적절하지 않은 것은? [2023 채용 2차]

① 작은호의를 제공받은 경찰관이 도덕적 부채를 느껴 이를 보충하기 위해 결과적으로 선한 후속행위를 하는 상황은 미끄러운 경사(slippery slope) 가설의 맥락에서 이해할 수 있다.

② 대의명분 있는 부패(noble cause corruption)와 Dirty Harry 문제는 부패의 개념적 징표를 개인적 이익 추구를 넘어 조직 혹은 사회적 차원의 이익 추구로 확대하고자 하는 시도라고 볼 수 있다.

③ 고객이 위험을 감수하고서라도 원하는 이익을 확실히 취하기 위해 높은 가격의 뇌물을 지불하는 상황을 부패로 이해한다면, 이는 하이덴하이머(Heidenheimer)가 제시한 세 가지 유형의 부정부패 정의 중 시장중심적 정의와 가장 관련이 크다.

④ 공직자가 직무와 관련하여 그 지위 또는 권한을 남용하거나 법령을 위반하여 자기 또는 제3자의 이익을 도모하는 행위는 「부패방지 및 국민권익위원회의 설치와 운영에 관한 법률」상 부패행위에 해당한다.

**정답 및 해설 I ①**

① [×] 작은호의를 제공받은 경찰관이 도덕적 부채를 느껴 선한 후속행위를 하는 상황은 작은호의에 대한 긍정적인 측면에 주목하는 것으로서 **작은호의에 대한 허용론 입장**에 가깝다. 반면 **미끄러운 경사 가설**은 작은 호의가 점점 더 멈추기 어려운 부패로 이어지는 상황을 말하는 것으로서 작은호의 **금지론**과 유사하다.

② [○] **대의명분 있는 부패 내지 숭고한 부패**(noble cause corruption)라 함은, 비록 법적으로 허용되지 않는 부패행위라 하더라도 '더 큰 대의를 이루기 위해서는 괜찮다.'라는 믿음에서 저질러지는 부패를 말하고, **Dirty Harry 문제**는 1971년 제작된 미국 형사액션물 Dirty Harry에서 유래한 것으로서 '목적이 정당하면 이를 달성하기 위한 수단도 정당화 되는가?'의 문제이다. 이러한 개념들은 부패를 단순히 개인의 일탈에서 찾는 것을 넘어, 더 큰 목적 달성을 위해서 실정법을 위반하는 부패에 주목한다는 특징이 있다. 예 억울한 피해자가 생기지 않도록 하기 위한 대의 내지 목적을 위해 형사소송법을 위반하면서까지 위험한 용의자를 구속하는 행위

③ [○] 하이덴하이머의 세 가지 유형 부정부패 정의는 다음과 같다.

| | |
|---|---|
| 시장중심적 정의 | 고객들은 잘 알려진 위험을 감수하고 원하는 이익을 받는 것을 확실히 하기 위하여 높은 가격(뇌물)을 지불하고 공직자는 직무를 판매하는 거래행위가 부패 |
| 관직중심적 정의 | 뇌물수수행위와 특히 결부되어 있지만 반드시 금전적인 형태일 필요가 없는 사적인 이익에 대한 고려의 결과로 권위를 남용하는 행위가 부패 |
| 공익중심적 정의 | 국민이나 공직자가 공동체 이익에 반하는 특수한 이익을 선호함으로써 공익을 해치는 행위가 부패 |

④ [○]

**부패방지 및 국민권익위원회의 설치와 운영에 관한 법률 제2조 【정의】** 이 법에서 사용하는 용어의 뜻은 다음과 같다.
4. "**부패행위**"란 다음 각 목의 어느 하나에 해당하는 행위를 말한다.
가. 공직자가 직무와 관련하여 그 지위 또는 권한을 남용하거나 법령을 위반하여 자기 또는 제3자의 이익을 도모하는 행위

## 101 다음의 내용이 설명하는 경찰의 부정부패이론으로 가장 적절한 것은? [2016 채용 1차]

부정부패의 원인은 자질이 없는 경찰관들이 모집단계에서 배제되지 못하고 조직 내에 유입됨으로써 전체 경찰이 부패할 가능성이 있다고 보면서, 부정부패의 원인을 조직의 체계보다는 개인적 결함으로 보고 있다.

① 전체사회 가설
② 구조원인 가설
③ 썩은 사과 가설
④ 미끄러지기 쉬운 경사로 이론

**정답 및 해설 I ③**

③ [○] 경찰일탈과 부패의 원인가설 중 썩은 사과 이론에 대한 설명이다.

## 102 다음은 경찰의 부정부패 원인에 대해 설명한 것이다. 가장 적절한 것은? [2014 채용 1차]

① 전체사회 가설: 대표적으로 니더호퍼, 로벅, 바커 등이 주장한 것으로, '미끄러지기 쉬운 경사로 이론'과 관련이 깊다.
② 썩은 사과 가설: 경찰의 부정부패 현상이 나타나는 원인으로 미국의 윌슨은 "시카고 시민이 경찰을 부패시켰다."고 주장하면서, 시민사회의 부패가 경찰부패의 주원인이라고 보았다.
③ 구조원인 가설: 신임 경찰관들이 그들의 선배 동료들에 의해 만들어진 조직적인 부패의 전통 내에서 사회화됨으로써 부패의 길로 들어선다는 입장이다.
④ 전체사회 가설: 자질이 없는 경찰관들이 모집단계에서 배제되지 않고 조직 내로 유입됨으로써 경찰의 부패가 나타난다는 이론이다.

**정답 및 해설 I ③**

③ [○] 니더호퍼, 로벅, 바커 등이 주장한 **구조원인 가설**에 대한 옳은 설명이다.
① [×] **전체사회 가설**은 윌슨이 주장한 이론으로, 경찰조직 부패의 원인을 부패한 시민사회에서 찾고 있으며, '미끄러지기 쉬운 경사로 이론'과 관련이 깊다.
② [×] 지문은 **전체사회 가설**에 대한 설명이다.
④ [×] 지문은 **썩은 사과 이론**에 대한 설명이다.

**103** 경찰의 부정부패 현상과 그 원인에 관한 다음 설명 중 가장 적절하지 않은 것은? [2015 채용 2차]

① 전체사회 가설은 시민사회의 부패를 경찰부패의 주요 원인으로 본다.

② 구조원인 가설은 윌슨이 주장한 가설로 신참 경찰관들이 그들의 고참 동료들에 의해 조직의 부패전통 내에서 사회화됨으로써 부패의 길로 들어선다는 입장이다.

③ 썩은 사과 가설은 일부 부패경찰이 조직 전체를 부패로 물들게 한다는 이론으로 부패문제를 개인적 결함문제로 바라본다.

④ 미끄러지기 쉬운 경사로 이론은 부패에 해당하지 않는 작은 호의가 습관화될 경우 미끄러운 경사로를 타고 내려오듯이 점점 더 큰 부패와 범죄로 빠진다는 가설이다.

**정답 및 해설 I ②**

② [×] **구조원인 가설**에 대한 설명 자체는 옳지만, 이를 주장한 학자는 윌슨이 아니라 니더호퍼, 로벅, 바커 등이다.

① [○] **전체사회 가설**은 경찰조직 부패의 원인을 부패한 시민사회에게서 찾는 이론이다.

③ [○] **썩은 사과 이론**은 경찰조직 부패의 원인을 조직이 아닌 부패한 경찰관 '개인'에게서 찾는다.

④ [○] **미끄러지기 쉬운 경사로 이론**은 부패에 해당하지 않는 '작은 호의'가 시간이 지남에 따라 큰 부패로 이어진다는 가설이다.

**104** 경찰과 윤리에 대한 설명 중 가장 적절하지 않은 것은? [2018 경채]

① '미끄러지기 쉬운 경사로 이론'은 부패에 해당되지 않는 작은 호의가 습관화될 경우 미끄러운 경사로를 타고 내려오듯이 점점 더 큰 부패와 범죄로 빠진다는 가설이다.

② '썩은 사과 가설'은 부패의 원인을 조직의 체계적 원인보다는 개인적 결함으로 보고 있다.

③ '사회 형성재' 이론은 작은 사례나 호의가 시민과의 원만하고 긍정적인 사회관계를 만들어 주는 형성재라고 보고 있다.

④ '구조원인 가설'은 신임경찰이 기존의 부패한 경찰로부터 부패의 사회화를 통하여 물들게 된다는 이론으로 시민사회의 부패가 경찰부패의 주요한 원인이라고 보고 있다.

**정답 및 해설 I ④**

④ [×] **구조원인 가설**은 경찰부패의 원인을 부패한 경찰조직에 있다고 보는 이론이다. 시민사회의 부패에서 원인을 찾는 이론은 '**전체사회 가설**'이다.

①③ [○] '**미끄러지기 쉬운 경사로 이론**'은 부패에 해당하지 않는 '작은 호의'가 시간이 지남에 따라 큰 부패로 이어진다는 가설로서, 이에 대하여 펠드버그는 작은 호의는 허용해도 된다고 하며 비판하였다. 이러한 펠드버그의 비판 논거 중 하나가 '작은 호의는 시민과 경찰이 원만한 사회관계를 형성할 수 있도록 만들어주는 형성재'라는 형성재 이론이다.

② [○] **썩은 사과 이론**은 경찰부패의 원인을 경찰관 개인에게서 찾는다.

## 105 경찰의 부정부패 이론에 대한 설명으로 가장 적절하지 <u>않은</u> 것은? [2018 채용 2차]

① 윌슨이 주장한 전체사회 가설은 '미끄러지기 쉬운 경사로 이론'과 유사하다.

② 구조원인 가설에 따르면, 구조화된 조직적 부패는 서로가 문제점을 알면서도 눈감아주는 '침묵의 규범을 형성한다.

③ 전체사회 가설은 시민사회의 부패를 경찰부패의 주요 원인으로 본다.

④ 썩은 사과 가설은 일부 부패경찰이 조직 전체를 부패로 물들게 한다는 이론으로 부패의 원인을 조직의 체계적 원인으로 파악한다.

**정답 및 해설 I ④**

④ [×] **썩은 사과 이론**은 경찰부패의 원인을 경찰관 개인에게서 찾는다. 경찰부패의 원인을 부패한 경찰조직에서 찾는 이론은 **구조원인 가설**이다.

①③ [○] **전체사회 가설**은 경찰조직 부패의 원인을 부패한 시민사회에게서 찾는 이론으로서, 부패한 시민사회의 분위기에서 이루어지는 작은 호의에 경찰이 길들여지다 보면 나중에는 결국 경찰이 부패하게 된다는 점에서 미끄러지기 쉬운 경사로 이론과 유사하다.

② [○] **구조원인 가설**은 구조화된 조직적 부패는 서로가 문제점을 알면서도 이를 묵인하는 '침묵의 규범'을 형성하게 된다고 보았다.

## 106 경찰부패의 원인 이론에 대한 설명으로 가장 적절하지 <u>않은</u> 것은? [2020 실무 1]

① '전체사회 가설'은 사회 전체가 경찰의 부패를 묵인하거나 조장할 때 경찰관은 자연스럽게 부패행위를 하게 되며 처음 단계에는 설령 불법적인 행위를 하지 않더라도 작은 호의와 같은 것에 길들여져 나중에는 명백한 부정부패로 빠져들게 된다고 한다.

② '미끄러운 경사로 이론'은 셔먼 등에 의하여 주장된 이론으로 자질이 없는 경찰관들이 모집단계에서 배제되지 못하고 조직 내에 유입됨으로써 경찰의 부패가 나타난다고 한다.

③ '구조원인 가설'은 부패의 관행이 경찰관들 사이에서 '침묵의 규범'으로 받아들여진다고 한다.

④ '썩은 사과 가설'은 부패의 원인을 조직의 체계적 원인보다는 개인적 결함에 두고 있다.

**정답 및 해설 I ②**

② [×] ④ [○] 자질이 없는 경찰관들이 모집단계에서 배제되지 못하고 조직 내에 유입됨으로써 경찰의 부패가 나타난다고 하면서 경찰부패 원인을 경찰관 개인에게서 찾는 이론은 **썩은 사과 이론**이다.

① [○] 윌슨이 주장한 전체사회 가설에 대한 옳은 설명이다.

③ [○] **구조원인 가설**은 구조화된 조직적 부패는 서로가 문제점을 알면서도 이를 묵인하는 '침묵의 규범'을 형성하게 된다고 보았다.

**107** 경찰 부패의 원인을 설명할 수 있는 학설에 관한 설명으로 가장 적절하지 않은 것은? [2024 승진]

① '전체사회가설'은 윌슨(Wilson)이 주장한 이론으로, 사회 전체가 경찰의 부패를 묵인하거나 조장할 때 경찰관은 자연스럽게 부패행위를 하게 된다고 설명한다.

② '미끄러지기 쉬운 경사로 이론'은 셔먼(Sherman)이 주장한 이론으로, 부패에 해당하지 않는 작은 호의를 허용하면 나중에는 엄청난 부패로 이어진다는 이론이다.

③ '썩은 사과 가설'은 일부 부패경찰이 조직 전체를 부패로 물들게 한다는 이론으로, 부패의 원인을 조직의 체계적 결함으로 보고 있으며, 신임경찰 채용단계의 중요성을 강조한다.

④ '구조원인 가설'은 니더호퍼(Niederhoffer), 로벅(Roebuck), 바커(Barker) 등이 주장한 이론으로, 조직의 부패 전통 내에서 청렴한 신임경찰이 선배경찰에 의해 사회화되어 신임경찰도 부패로 물들게 된다는 이론이다.

**정답 및 해설 I ③**

③ [×] **'썩은 사과 가설'**은 경찰조직 부패의 원인을 조직이 아닌 **부패한 경찰관 '개인'**에게서 찾는다.

**108** 다음은 경찰의 부패원인에 대한 설명이다. 아래 ㉠부터 ㉣까지의 설명 중 옳고 그름의 표시(○, ×)가 바르게 된 것은? [2020 승진(경감)]

| |
|---|
| ㉠ '전체사회 가설'은 시민사회의 부패가 경찰부패의 주요 원인이라고 보는 이론이다.<br>㉡ '썩은 사과 가설'은 선배경찰의 부패행태로부터 신임경찰이 차츰 사회화되어 신임경찰도 기존 경찰처럼 부패로 물들게 된다고 보는 이론이다.<br>㉢ 셔먼의 '미끄러지기 쉬운 경사로 이론'에 대해 펠드버그는 작은 호의를 받았다고 해서 반드시 경찰이 큰 부패를 범하는 것은 아니라고 비판한다.<br>㉣ '구조원인 가설'은 부패에 해당하지 않는 작은 호의가 습관화될 경우 더 큰 부패와 범죄로 빠진다고 보는 이론이다. |

① ㉠(○) ㉡(×) ㉢(○) ㉣(×)

② ㉠(○) ㉡(○) ㉢(○) ㉣(×)

③ ㉠(×) ㉡(○) ㉢(○) ㉣(×)

④ ㉠(○) ㉡(×) ㉢(○) ㉣(○)

**정답 및 해설 I ①**

㉠ [○] **'전체사회 가설'**은 경찰조직 부패의 원인을 **부패한 시민사회**에게서 찾는 이론으로 윌슨이 주장하였다.

㉡ [×] 신임경찰이 선배경찰로부터 부패의 사회화를 통해 부패한다는 이론은 **구조원인 가설**이다.

㉢ [○] **'미끄러지기 쉬운 경사로 이론'**과 관련하여 델라트르 · 셔먼은 작은 호의라도 허용해서는 안 된다는 입장이고, 펠드버그는 작은 호의는 허용해도 된다는 입장이다.

㉣ [×] **'구조원인 가설'**은 경찰조직 부패의 원인을 경찰관 개인이 아닌 **부패한 경찰조직**에 있다고 보는 이론이다. ➜ '부패의 사회화!'

## 109 부정부패 현상과 관련하여 틀린 것은 모두 몇 개인가? [2015 경간]

> 가. 셔먼의 '미끄러지기 쉬운 경사로 이론'에 의하면 공짜 커피 한 잔도 부패에 해당한다.
> 나. 선배경찰의 부패행태로부터 신임경찰이 차츰 사회화되어 신임경찰도 기존 경찰처럼 부패로 물들게 된다는 이론은 '썩은 사과 가설'이다.
> 다. 경찰관이 동료나 상사의 부정부패에 대하여 감찰이나 외부의 언론매체에 대하여 공표하는 것을 '모랄 해저드'(Moral Hazard)라고 한다.
> 라. 셔먼의 '미끄러지기 쉬운 경사로 이론'에 대하여 펠드버그는 작은 호의를 받았다고 해서 반드시 경찰이 큰 부패를 범하는 것은 아니라고 하면서 비판하였다.

① 1개 ② 2개
③ 3개 ④ 4개

**정답 및 해설 I ③**

가. [×] '미끄러지기 쉬운 경사로 이론'과 관련하여 **셔먼**은 작은 호의라도 허용해서는 안 된다는 입장이었지만, 주의할 것은 작은 호의 자체는 부패가 아니라고 보았다는 점이다. ➜ 작은 호의가 부패로 연결될 수 있다는 것이지 작은 호의 자체가 부패는 아니다!
나. [×] **니더호퍼, 로벅, 바커** 등이 주장한 **구조원인 가설**에 대한 설명이다.
다. [×] 동료부패에 대한 반응으로 **내부고발**(Whistle Blowing, Deep Throat)과 **도덕적 해이**(Moral Hazard)가 있는데, 지문은 내부고발에 대한 설명이다.

> • **내부고발**: 동료나 상사의 부정에 대하여 감찰이나 외부의 언론매체를 통하여 공표하는 내부고발 행위를 말한다. ↔ 침묵의 규범: 동료의 부정부패에 대하여 눈감아 주는 것
> • **도덕적 해이**: 도덕적 가치관이 붕괴되어 동료의 부패를 부패라고 인식하지 못하는 것을 의미하는 것으로, 부패를 잘못된 행위로 인식하고 있지만 동료라서 모르는 척하는 '침묵의 규범'과는 구별되는 개념이다.

라. [○] 펠드버그는 작은 호의는 허용해도 된다는 입장이었다.

## 110 경찰부패의 원인에 관한 다음 설명 중 가장 옳은 것은 무엇인가? [2018 경간]

① 델라트르는 작은 호의를 금지해야 한다고 주장하였다.
② 미국의 로벅은 '시카고 시민이 경찰을 부패시켰다'고 주장하였다.
③ 경찰부패에 대한 내부고발은 '침묵의 규범'과 같은 개념이다.
④ 썩은 사과 가설은 부패의 원인이 개인이 아닌 조직적 결함에 있다고 본다.

**정답 및 해설 I ①**

① [○] 미끄러지기 쉬운 경사로 이론과 관련하여, 작은 호의는 허용해도 된다는 견해는 펠드버그가 주장하였고, 작은 호의라도 허용할 수 없다는 견해는 델라트르와 셔먼이 주장하였다.
② [×] 위 주장은 윌슨의 주장으로서, 윌슨은 **전체사회 가설**을 주장하였다. **니더호퍼, 로벅, 바커**는 '신임경찰이 기존의 부패한 경찰로부터 부패의 사회화를 통하여 물들게 된다.'고 하여 **구조원인 가설**을 주장하였다.
③ [×] **'침묵의 규범'**은 동료의 부정부패에 대하여 눈감아 주는 것을 말하며, 내부고발과 반대의 개념이다.
④ [×] 부패 원인을 조직에서 찾는 이론은 '구조원인 가설'이다. 부패 원인을 개인에서 찾는 이론은 '썩은 사과 이론'이고, 부패 원인을 부패한 시민사회에서 찾는 이론은 '전체사회 가설'이다.

## 111 경찰의 부정부패 원인에 대한 설명으로 가장 적절한 것은? [2017 채용 1차]

① 미국의 윌슨은 '시카고 시민이 경찰을 부패시켰다'며 '구조원인 가설'을 주장하였다.

② 니더호퍼, 로벅, 바커 등이 주장한 '전체사회 가설'은 '미끄러지기 쉬운 경사로 이론'과 관련이 깊다.

③ 셔먼의 '미끄러지기 쉬운 경사로 이론'에 의하면 공짜 커피 한 잔도 부패에 해당한다.

④ 선배경찰의 부패행태로부터 신임경찰이 차츰 사회화되어 신임경찰도 기존 경찰처럼 부패로 물들게 된다는 이론은 '구조원인 가설'이다.

**정답 및 해설 I ④**

④ [○] 니더호퍼, 로벅, 바커 등이 주장한 **구조원인 가설**에 대한 옳은 설명이다.

① [×] '구조원인 가설'이 아닌 '**전체사회 가설**'이다.

② [×] 윌슨이 주장한 '전체사회 가설'은 '미끄러지기 쉬운 경사로 이론'과 관련이 깊다.

③ [×] 공짜커피 한 잔은 부패가 아닌 '작은 호의'에 해당하지만, 이러한 작은 호의가 부패로 이어지기 쉽다는 것이 셔먼의 미끄러지기 쉬운 경사로 이론이다.

## 112 경찰의 부정부패 현상과 그 원인에 대한 설명으로 가장 적절한 것은? [2017 채용 2차]

① 사회 전체가 경찰부패를 묵인하거나 조장할 때 경찰은 부패 행위를 하게 되며, 시민사회의 부패가 경찰부패의 주원인으로 보는 이론은 전체사회 가설이다.

② 일부 부패경찰을 모집 단계에서 배제하지 못하여 조직 전체를 부패로 물들게 한다는 구조원인 가설은 부패의 원인을 개인적 결함이 아닌 조직의 체계적 원인으로 파악한다.

③ 미끄러지기 쉬운 경사로 이론은 부패에 해당하는 작은 호의가 습관화될 경우 미끄러운 경사로를 타고 내려오듯이 점점 더 큰 부패와 범죄로 빠진다는 가설이다.

④ 썩은 사과 가설은 신임경찰관들이 그들의 선배경찰관들에 의해 조직의 부패 전통 내에서 사회화되어 신임경찰도 기존 경찰처럼 부패로 물들게 된다고 주장한다.

**정답 및 해설 I ①**

① [○] 윌슨이 주장한 전체사회 가설에 대한 옳은 설명이다.

② [×] 일부 부패경찰을 모집 단계에서 배제하지 못하여 조직 전체를 부패로 물들게 한다는 이론은 **썩은 사과 이론**이다. **구조원인 가설**이 경찰조직 부패의 원인을 경찰관 개인이 아닌 **부패한 경찰조직**에 있다고 보는 것은 맞다.
일부 부패경찰을 모집 단계에서 배제하지 못하여 조직 전체를 부패로 물들게 한다는 썩은 사과 가설은 부패의 원인을 조직의 체계적 원인보다는 개인적 결함으로 파악한다.

③ [×] 미끄러지기 쉬운 경사로 이론에 의하더라도, **작은 호의 자체는 부패가 아니라고** 본다. 단, 작은 호의가 부패로 이어지기 쉽다고 보았다.

④ [×] 문제가 있는 신임경찰의 조직 유입에서 부패 원인을 찾는 것은 **썩은 사과 이론**이고, 문제가 없는 신임경찰이 문제가 있는 선배경찰의 영향(부패한 경찰조직의 영향)을 받는다고 보는 것은 **구조원인 가설**이다.

## 113 경찰부패의 현상 및 원인의 이론에 대한 설명으로 가장 적절하지 않은 것은? [2018 승진(경위)]

① '썩은 사과 가설'은 경찰부패의 원인으로 부패가능성이 있는 경찰관들이 모집단계에서 배제되지 못하고 조직 내에 유입됨으로써 경찰의 부패가 나타난다고 설명한다.

② 윌슨(Wilson)은 "미국 시카고 시민이 시카고 경찰을 부패시켰다."라고 주장하였는데 이는 시민사회의 부패가 경찰부패의 주원인이라고 보는 것으로 '전체사회 가설'에 해당한다.

③ 펠드버그(Feldberg)는 대부분의 경찰관들이 사소한 호의와 뇌물을 구별할 수 있으므로 '미끄러지기 쉬운 경사로 이론'은 비현실적이고, 더 나아가 경찰인의 지능에 대한 모독이라고 하였다.

④ 코헨(Cohen), 펠드버그(Feldberg)가 제시한 이론으로 신임경찰이 기존의 부패한 경찰로부터 부패의 사회화를 통하여 물들게 된다는 것은 '구조원인 가설'이다.

**정답 및 해설 I ④**

④ [×] 신임경찰이 기존의 부패한 경찰로부터 부패의 사회화를 통하여 물들게 된다는 **'구조원인 가설'**을 주장한 학자는 **니더호퍼, 로벅, 바커**이다. 코헨과 펠드버그는 5가지 민주경찰 지향점을 주장하였다[공정한 접근(Fair Access), 생명과 재산의 안전보호(Safety and Security), 협동(Team Work), 냉정하고 객관적인 자세(Objectivity), 공공의 신뢰확보(Public Trust)].

## 114 부정부패 이론에 대한 다음 설명 중 가장 옳은 것은? [2016 경간]

① 선배경찰의 부패행위로부터 신임경찰이 차츰 사회화되어 신임경찰도 기존 경찰처럼 부패로 물들게 된다는 이론은 '썩은 사과 가설'이라고 한다.

② 경찰관이 동료나 상사의 부정부패에 대하여 감찰이나 외부의 언론매체에 대하여 공표하는 것을 휘슬블로잉(Whistle Blowing)이라고 하고, 비지바디니스(Busy Bodiness)는 남의 비행에 대하여 일일이 참견하여 도덕적 충고를 하는 것이다.

③ '형성재' 이론은 작은 사례나 호의는 시민과의 부정적인 사회관계를 만들어주는 형성재라는 것으로 작은 호의의 부정적인 효과를 강조하는 이론이다.

④ 니더호퍼, 로벅, 바커 등이 제시한 '구조원인 가설'은 부패의 원인은 자질이 없는 경찰관들이 모집단계에서 배제되지 않고 조직 내에 유입됨으로써 경찰의 부패가 나타난다는 이론이다.

**정답 및 해설 I ②**

② [○] 동료부패에 대한 반응으로 주로 **내부고발**(Whistle Blowing, Deep Throat)과 **도덕적 해이**(Moral Hazard)를 들며, 여기에 더해 Busy Bodiness(타인의 비행에 대하여 일일이 참견하여 도덕적 충고를 하는 태도)를 들기도 한다.

① [×] **니더호퍼, 로벅, 바커** 등이 주장한 구조원인 가설에 대한 설명이다.

③ [×] **형성재 이론**은 "작은 호의는 시민과 경찰이 원만한 사회관계를 형성할 수 있도록 만들어주는 형성재이다. 경찰은 작은 호의를 통하여 지역주민들과 친밀해질 수 있다."는 것으로 작은 호의의 **긍정적 효과를 강조**하는 이론이다.

④ [×] 썩은 사과 이론에 대한 설명이다.

## 115 다음 중 괄호 안에 들어갈 말을 연결한 것으로 가장 적절한 것은? [2015 실무 1]

> 경찰관의 동료나 상사의 부정부패에 대하여 감찰이나 외부의 언론매체에 대하여 공표하는 것을 ( ㉠ )(이)라고 하고, ( ㉡ )(는)은 그와 반대로 동료의 부정부패에 대하여 눈감아 주는 것을 말한다.

| | ㉠ | ㉡ |
|---|---|---|
| ① | 휘슬블로잉(Whistle Blowing) | 비지바디니스(Busy Bodiness) |
| ② | 침묵의 규범 | 도덕적 해이(Moral Hazard) |
| ③ | 휘슬블로잉(Whistle Blowing) | 딥 스로트(Deep Throat) |
| ④ | 딥 스로트(Deep Throat) | 침묵의 규범 |

**정답 및 해설 I ④**

④ [○] 경찰관의 동료나 상사의 부정부패에 대하여 감찰이나 외부의 언론매체에 대하여 공표하는 것을 [ ㉠ **휘슬블로잉(Whistle Blowing)** 또는 딥 스로트(Deep Throat) ](이)라고 하고, ( ㉡ **침묵의 규범** )은 그와 반대로 동료의 부정부패에 대하여 눈감아 주는 것을 말한다. 이에 반해 **도덕적 해이(Moral Hazard)**는 애초에 도덕적 가치관이 붕괴되어 동료의 부패를 부패로 인식조차 하지 못하는 것을 말한다.

## 116 다음은 경찰부패에 대한 설명이다. 빈칸 ㉠부터 ㉣까지 들어갈 것으로 가장 적절하게 짝지어진 것은? [2020 채용 1차]

> • ( ㉠ )은 니더호퍼, 로벅, 바커 등이 제시한 이론으로 부패의 사회화를 통하여 신임경찰이 기존의 부패한 경찰에 물들게 된다는 입장이다.
> • ( ㉡ )은(는) 남의 비행에 대하여 일일이 참견하면서 도덕적 충고를 하는 것을 의미한다.
> • ( ㉢ )은 공짜 커피, 작은 선물 등의 사소한 호의가 나중에는 큰 부패로 이어질 수 있다는 점을 강조한다.
> • ( ㉣ )은(는) 도덕적 가치관이 붕괴되어 동료의 부패를 부패라고 인식하지 못하는 것을 의미하며, 부패를 잘못된 행위로 인식하고 있지만 동료라서 모르는 척하는 침묵의 규범과는 구별되는 개념이다.

| | ㉠ | ㉡ | ㉢ | ㉣ |
|---|---|---|---|---|
| ① | 전체사회 가설 | Whistle Blowing | 사회형성재 이론 | Moral Hazard |
| ② | 구조원인 가설 | Whistle Blowing | 미끄러지기 쉬운 경사로 이론 | Deep Throat |
| ③ | 전체사회 가설 | Busy Bodiness | 사회형성재 이론 | Deep Throat |
| ④ | 구조원인 가설 | Busy Bodiness | 미끄러지기 쉬운 경사로 이론 | Moral Hazard |

**정답 및 해설 I ④**

④ [○] ㉠ 구조원인 가설, ㉡ Busy Bodiness, ㉢ 미끄러지기 쉬운 경사로 이론, ㉣ Moral Hazard

## 117 경찰부패의 원인에 대한 설명 중 <u>틀린</u> 것은? [2010 승진]

① 전체사회 가설은 부정부패할 가능성이 있는 경찰관 일부가 조직에 유입되어 전체가 부패된다는 이론이다.

② 윌슨은 '시카고 시민이 경찰을 부패시켰다'고 주장하였는데. 이는 시민사회의 부패가 경찰부패의 주원인이라고 보는 입장이다.

③ 내부고발(Whistle Blowing)은 동료나 상사의 부정에 대하여 감찰이나 외부의 언론매체를 통하여 공표하는 것을 말한다.

④ 클라이니히는 내부고발의 정당화요건을 제시하면서 내부문제를 외부에 공표하기 전 조직 내 다른 채널을 통하여 해결할 수 있으면 먼저 내부적 해결을 해야 한다고 본다.

**정답 및 해설 I ①**

① [×] ② [○] **전체사회 가설**은 경찰조직 부패의 원인을 부패한 시민사회에게서 찾는 이론으로서, 사회 전체가 경찰부패를 묵인하거나 조장할 때 경찰관은 자연스럽게 부패의 길로 빠져든다는 이론이다. 이러한 분위기의 사회가 제공하는 작은 호의에 길들여지다 보면 나중에는 결국 부패하게 된다는 것이다. ➜ 미끄러지기 쉬운 경사로 이론과 유사!

| **윌슨**: "시카고 경찰부패의 원인은 부패한 시카고 시민들이다." |
|---|

반면, 부정부패할 가능성이 있는 경찰관 일부가 조직에 유입되어 전체가 부패된다는 이론은 '**썩은 사과 이론**'이다.

③ [○] **내부고발**(Whistle Blowing, Deep Throat)은 동료나 상사의 부정에 대하여 감찰이나 외부의 언론매체를 통하여 공표하는 내부고발 행위를 말한다. ↔ **침묵의 규범: 동료의 부정부패에 대하여 눈감아 주는 것**

④ [○] 클라이니히의 내부고발 정당화요건 중 **보충성(최후수단성)**에 대한 옳은 설명이다.

## 118 존 클라이니히(J. Kleinig)의 내부고발의 윤리적 정당화 요건으로 가장 적절하지 <u>않은</u> 것은? [2024 1차 채용]

① 내부고발자는 특별한 경우를 제외하고는 공표 전 자신의 이견을 표시하기 위한 내부적 채널을 모두 사용했어야 한다.

② 내부고발자는 부적절한 행동을 하도록 지시되었다는 자신의 신념이 합리적 증거에 근거하였는지 확인해야 한다.

③ 적절한 도덕적 동기에 의해 내부고발이 이루어져야 하며, 성공가능성은 불문한다.

④ 도덕적 위반이 얼마나 중대한가, 도덕적 위반이 얼마나 급박한가 등에 대한 세심한 고려가 있어야 한다.

**정답 및 해설 I ③**

③ [×] 적절한 도덕적 동기에 의해 내부고발이 이루어져야 하며, 어느 정도 성공할 가능성은 있어야 한다.

**☑ KEY POINT I 클라이니히의 내부고발 정당화 요건**

- **적절한 도덕적 동기**: 개인의 출세, 보복하려는 동기에 의한 내부고발은 정당하지 않다.
- **합리적 증거**: 객관적으로 확신할 만한 합리적 증거에 근거한 내부고발이어야 한다.
- **성공가능성**: 어느 정도 성공할 가능성이 있어야 한다.
- **중대성 · 급박성**: 사소하고 일상적인 경미사안이나, 제도화된 자정절차로 해결 가능한 사안은 내부고발이 정당화되기 어렵다.
- **보충성(최후수단성)**: 내부문제를 외부에 공표하기 전 조직 내 다른 채널을 통하여 해결할 수 있으면 먼저 내부적 해결을 해야 한다고 본다.

## 119 경찰부패 문제의 해결을 위해 다음과 같이 「경찰청 공무원 행동강령」을 개정하였다고 가정한다면, 이와 같은 개정의 근거가 된 경찰부패 이론(가설)으로 가장 적절한 것은? [2019 채용 2차]

| 현행 | 개정안 |
|---|---|
| 공무원은 직무 관련 여부 및 기부 · 후원 · 증여 등 그 명목에 관계없이 동일인으로부터 1회에 100만원 또는 매 회계연도에 300만원을 초과하는 금품 등을 받거나 요구 또는 약속해서는 아니 된다. | 공무원은 직무 관련 여부 및 기부 · 후원 · 증여 등 그 명목에 관계없이 어떠한 금품 등도 받거나 요구 또는 약속해서는 아니 된다. |

① 썩은 사과 가설
② 미끄러지기 쉬운 경사로 이론
③ 형성재론
④ 구조원인 가설

**정답 및 해설 I ②**

② [○] **현행 행동강령**에 따르면 예컨대 1회 100만원 이하의 금품을 받는 것은 강령을 위반하는 것이 아닌 행동이 되고, 이를 달리 말하면 이정도의 금액은 뇌물이 아닌 일종의 '작은 호의'로 보는 입장이라고 이해할 수 있다. 이에 반해 **개정안**은 '어떠한 금품'도 받는 것을 금지하고 있는바, 이는 '작은 호의'라도 반복적으로 이루어지다 보면 부패로 연결되기 쉽다는 이론에 기초하여 일체의 금품수수를 금지한 것으로 이해할 수 있다. 이러한 입장은 '미끄러지기 쉬운 경사로 이론'의 입장과 일치한다.

## 120 다음은 경찰관들의 일탈 사례와 이를 설명하는 이론(가설)이다. <보기 1>과 <보기 2>의 내용이 가장 적절하게 연결된 것은? [2020 채용 2차]

<보기 1>

(가) 경찰관 A는 동료경찰관들이 유흥업소 업주들로부터 접대를 받은 사실을 알고도 모른 체했다.
(나) 음주운전으로 징계처분을 받은 적이 있는 B가 다시 음주운전으로 적발되어 징계위원회에 회부되었다.
(다) 주류판매로 단속된 노래연습장 업주가 담당경찰관 C에게 사건무마를 청탁하며 뇌물수수를 시도하였다.

<보기 2>

㉠ 썩은 사과 가설　　㉡ 미끄러지기 쉬운 경사로 이론
㉢ 구조원인 가설　　㉣ 전체사회 가설

| | (가) | (나) | (다) |
|---|---|---|---|
| ① | ㉢ | ㉠ | ㉣ |
| ② | ㉠ | ㉢ | ㉣ |
| ③ | ㉠ | ㉢ | ㉡ |
| ④ | ㉢ | ㉠ | ㉡ |

**정답 및 해설 I ①**

① (가) - ⓒ **구조원인 가설**: 지문의 사례는 서로가 문제점을 알면서도 이를 묵인하는 '침묵의 규범'에 대한 사례이다. 이러한 침묵의 규범은 구조화된 조직적 부패로 인해 발생하는 것이라는 점에서, 해당 지문은 구조원인 가설과 연결이 된다.

(나) - ㉠ **썩은 사과 가설**: 지문의 사례는 조직이나 사회 전체의 어떠한 작용도 없음에도, 경찰관 B 개인이 반복하여 음주운전을 하는 상황이고, 따라서 이러한 일탈의 원인은 B경찰관 개인에게서 찾을 수 있다. 이와 같이 경찰관 개인으로부터 일탈원인을 찾는 이론은 썩은 사과 이론이다.

(다) - ㉣ **전체사회 가설**: 지문의 사례는 뇌물수수를 시도하는 부패한 시민사회의 모습을 보여주고 있는 것으로서 이와 같이 부패한 시민사회에서 부패 원인을 찾는 이론은 전체사회 가설이다.

## 121 다음은 경찰의 부정부패 이론(가설)에 관한 설명이다. 주장한 학자와 이론이 가장 적절하게 연결된 것은?

[2022 채용 2차]

> ㉠ 부패의 사회화를 통하여 신임경찰이 기존의 부패한 경찰에게 물들게 된다는 것으로 부패의 원인을 개인적 결함이 아닌 조직의 체계적 원인으로 보고 있다.
> ㉡ 시카고 경찰의 부패원인 중 하나로 '시카고 시민이 경찰을 부패시켰다'라는 주장이 거론된 것처럼 시민사회가 경찰관의 부패를 묵인하거나 용인할 때 경찰관이 부패 행위에 빠져들게 된다.

① ㉠ 델라트르(Delattre) - 미끄러지기 쉬운 경사로 이론
　㉡ 니더호퍼(Neiderhoffer), 로벅(Roebuck), 바커(Barker) - 구조원인가설
② ㉠ 셔먼(Sherman) - 구조원인가설
　㉡ 델라트르(Delattre) - 미끄러지기 쉬운 경사로 이론
③ ㉠ 니더호퍼(Neiderhoffer), 로벅(Roebuck), 바커(Barker) - 구조원인가설
　㉡ 윌슨(Wilson) - 전체사회가설
④ ㉠ 윌슨(Wilson) - 전체사회가설
　㉡ 펠드버그(Feldberg) - 구조원인가설

**정답 및 해설 I ③**

③ [O] 옳은 연결이다.

**122** 경찰의 부패원인가설에 대한 설명이 가장 적절하게 짝지어진 것은? [2022 승진]

> ㉠ P경찰관은 부서에서 많은 동료들이 단독 출장을 가면서도 공공연하게 두 사람의 출장비를 청구하고 퇴근 후 잠깐 들러서 시간 외 근무를 한 것으로 퇴근시간을 허위 기록되게 하는 것을 보고, P경찰관도 동료들과 같은 행동을 하였다.
> ㉡ 경찰관은 순찰 중 주민으로부터 피로회복 음료를 무상으로 받았고, 그 다음주는 식사대접을 받았다. 순찰나갈 때 마다 주민들에게 뇌물을 받는 습관이 들었고, 주민들도 경찰관이 순찰을 나가면 마음의 선물이라며 뇌물을 주는 것이 관례가 되어버렸다.

① ㉠ - 전체사회 가설 ㉡ - 구조원인 가설
② ㉠ - 썩은 사과 가설 ㉡ - 구조원인 가설
③ ㉠ - 구조원인 가설 ㉡ - 전체사회 가설
④ ㉠ - 구조원인 가설 ㉡ - 썩은 사과 가설

**정답 및 해설 I ③**

③ [○] ㉠ 지문의 상황은 조직 부패를 서로 묵인하는 침묵의 규범 상황이면서, 묵인을 넘어 이러한 기존 조직의 부패를 P경찰관이 학습(사회화)하는 과정을 보여주고 있다. 이는 **구조원인 가설**과 관련이 깊다.
㉡ 지문의 상황은 작은 호의나 뇌물을 제공하는 시민사회의 부패를 보여주는 상황으로서 **미끄러지기 쉬운 경사로 이론** 내지 **전체사회 가설**과 모두 관련이 있는 지문이다.



**123** 경찰부패에 대한 설명으로 가장 적절하지 않은 것은? [2021 경간]

① 미끄러지기 쉬운 경사로 이론(Slippery slope theory)은 공짜커피, 작은 선물 등의 사소한 호의가 나중에는 큰 부패로 이어질 수 있다는 점을 강조한다.
② 썩은 사과 이론(Rotten apple theory)은 부패의 원인을 개인적 결함보다는 조직의 체계적 원인으로 보고 있으며 조직차원의 경찰윤리교육의 중요성을 강조한다.
③ 구조원인 가설(Structural hypothesis)는 신임경찰들이 선배경찰에 의해 조직의 부패전통 내에서 사회화되어 신임경찰도 기존경찰처럼 부패로 물들게 된다는 이론이다.
④ 윤리적 냉소주의 가설(Ethical cynicism hypothesis)은 경찰에 대한 외부통제기능을 수행하는 정치권력, 대중매체, 시민단체의 부패는 경찰의 냉소주의를 부채질하고 부패의 전염효과를 가져온다고 한다.

**정답 및 해설 I ②**

② [×] **썩은 사과 이론**(Rotten apple theory)은 부패의 주요 원인을 **개인적 결함**으로 보며, 따라서 모집단계에서 부패가능성이 있는 자의 배제를 중시한다.
④ [○] **윤리적 냉소주의 가설**(Ethical cynicism hypothesis)은 경찰에 대한 통제기능을 수행하는 시민사회나 정치권력, 언론권력 등이 오히려 경찰부패의 원인을 제공하거나 스스로 부패했으면서도 경찰조직만을 부패한 조직으로 매도하는 이중적 태도가 경찰관들의 윤리적 가치관이 붕괴되는 **아노미적 상황**을 불러오고 냉소주의를 조장하며, 이러한 냉소주의가 더욱 더 큰 부패의 전염효과를 가져온다는 이론이다. 이는 **니더호퍼**(Niederhoffer)가 주장한 이론이다.

## 주제 3 경찰윤리강령

**124** 경찰윤리강령에 관한 설명으로 가장 적절하지 않은 것은? [2024 1차 채용]

① 법적 강제력이 없기 때문에 위반했을 경우 제재할 방법이 미흡하다.

② 민주적 참여에 의한 제정보다는 상부에서 제정되고 일방적으로 하달되어 냉소주의를 불러일으키는 단점이 있다.

③ 우리나라의 경찰윤리강령은 경찰윤리헌장 - 새경찰신조 - 경찰헌장 - 경찰서비스헌장 순서로 제정되었다.

④ 1945년 10월 21일 국립경찰의 탄생시 이념적 지표가 된 경찰정신은 대륙법계의 영향으로 '봉사'와 '질서'를 경찰의 행동강령으로 삼았다.

**정답 및 해설 I ④**

④ [×] 1945년 10월 21일 국립경찰의 탄생시 이념적 지표가 된 경찰정신은 영미법계의 영향으로 '봉사'와 '질서'를 경찰의 행동강령으로 삼았다.

② [○] 경찰강령은 직원들의 참여에 의하여 이루어지는 것이 아니라, 상부에서 제정하여 하달되므로 **냉소주의**를 야기한다. ➜ 제정과정에서의 구성원의 참여는 냉소주의를 감소시키게 된다.

> 비교» **비진정성의 조장**: 경찰강령은 경찰관의 도덕적 자각에 따른 자발적인 행동이 아니라 외부로부터 요구되는 것으로서 타율성으로 인해 진정한 봉사가 이루어지지 않을 수 있다.

**125** 경찰과 윤리에 대한 설명으로 가장 적절한 것은? [2021 승진(실무종합)]

① 1945년 국립경찰의 탄생시 경찰의 이념적 좌표가 된 경찰정신은 대륙법계의 영향을 받은 '봉사와 질서'이다.

② 경찰헌장에서는 "우리는 화합과 단결 속에 항상 규율을 지키며 검소하게 생활하는 근면한 경찰이다."라는 목표를 제시하였다.

③ 「경찰청 공무원 행동강령」에 따르면 공무원은 직무의 범위를 벗어나 사적 이익을 위하여 소속기관의 명칭이나 직위를 공표 · 게시하는 등의 방법으로 이용하거나 이용하게 하여서는 아니 된다.

④ 경찰윤리강령의 문제점 중 '냉소주의의 문제'란, 경찰관의 도덕적 자각에 따른 자발적인 행동이 아니라 외부로부터 요구된 타율성으로 인해 진정한 봉사가 이루어지지 않을 수 있다는 것을 의미한다.

**정답 및 해설 I ③**

③ [○]

> 훈령 **경찰청 공무원 행동강령 제10조의2【직위의 사적이용 금지】** 공무원은 직무의 범위를 벗어나 사적 이익을 위하여 소속기관의 명칭이나 직위를 공표 · 게시하는 등의 방법으로 이용하거나 이용하게 하여서는 아니 된다.

① [×] 1945년 국립경찰의 탄생시 경찰의 이념적 좌표가 된 경찰정신은 **영미법계**의 영향을 받은 '봉사와 질서'이다.

② [×] 근면한 경찰이 아니라 '깨끗한 경찰'이다.

| 경찰헌장 |
|---|
| <본문> |
| 1. 우리는 모든 사람의 인격을 존중하고 누구에게나 따뜻하게 봉사하는 친절한 경찰이다.<br>1. 우리는 정의의 이름으로 진실을 추구하며, 어떠한 불의나 불법과도 타협하지 않는 의로운 경찰이다.<br>1. 우리는 국민의 신뢰를 바탕으로 오직 양심에 따라 법을 집행하는 공정한 경찰이다.<br>1. 우리는 건전한 상식 위에 전문지식을 갈고 닦아 맡은 일을 성실하게 수행하는 근면한 경찰이다.<br>1. 우리는 화합과 단결 속에 항상 규율을 지키며, 검소하게 생활하는 깨끗한 경찰이다. |

④ [×] 지문은 경찰강령의 문제점 중 '**비진정성의 조장**'에 대한 설명이다. 강령이 직원 참여로 이루어지는 것이 아니라 상부에서 제정하여 하달되므로 냉소주의를 야기한다는 것이 '냉소주의의 문제'이다.

## 126 우리나라의 경찰윤리강령 제정과정을 연도별로 가장 적절하게 나열한 것은? [2016 지능범죄]

| | |
|---|---|
| ㉠ 경찰헌장 | ㉡ 경찰윤리헌장 |
| ㉢ 새경찰신조 | ㉣ 경찰서비스헌장 |

① ㉡ → ㉢ → ㉣ → ㉠
② ㉡ → ㉢ → ㉠ → ㉣
③ ㉢ → ㉡ → ㉠ → ㉣
④ ㉢ → ㉡ → ㉣ → ㉠

**정답 및 해설 | ②**

② [○] 윤 · 새 · 헌 · 서

| 경찰윤리헌장(1966) → 새경찰신조(1980) → 경찰헌장(1991) → 경찰서비스헌장(1998) |
|---|

## 127 다음 우리나라 경찰윤리강령들을 제정된 연도가 빠른 것부터 느린 순으로 바르게 연결한 것은? [2023 경간]

| | |
|---|---|
| 가. 새경찰신조 | 나. 경찰헌장 |
| 다. 경찰윤리헌장 | 라. 경찰서비스헌장 |

① 가 → 나 → 다 → 라
② 나 → 가 → 다 → 라
③ 나 → 라 → 가 → 다
④ 다 → 가 → 나 → 라

**정답 및 해설 | ④**

④ [○] (다) 경찰윤리헌장(1966년) → (가) 새경찰신조(1980년) → (나) 경찰헌장(1991년) → (라) 경찰서비스헌장(1998년)

## 128 「경찰헌장」의 내용 중 괄호 안에 들어갈 가장 적절한 표현은? [2023 승진]

> 우리는 조국 광복과 함께 태어나 나라와 겨레를 위하여 충성을 다하며 오늘의 자유민주사회를 지켜온 대한민국 경찰이다.
> 1. 우리는 정의의 이름으로 진실을 추구하며 어떠한 불의나 불법과 타협하지 않는 ( ㉠ ) 경찰이다.
> 1. 우리는 국민의 신뢰를 바탕으로 오직 양심에 따라 법을 집행하는 ( ㉡ ) 경찰이다.
> 1. 우리는 화합과 단결 속에 항상 규율을 지키며 검소하게 생활하는 ( ㉢ ) 경찰이다.

① ㉠ 의로운 - ㉡ 공정한 - ㉢ 깨끗한

② ㉠ 의로운 - ㉡ 깨끗한 - ㉢ 친절한

③ ㉠ 공정한 - ㉡ 깨끗한 - ㉢ 근면한

④ ㉠ 공정한 - ㉡ 의로운 - ㉢ 깨끗한

**정답 및 해설 I ①**

㉠ 우리는 정의의 이름으로 진실을 추구하며 어떠한 불의나 불법과 타협하지 않는 (의로운) 경찰이다.

㉡ 우리는 국민의 신뢰를 바탕으로 오직 양심에 따라 법을 집행하는 (공정한) 경찰이다.

㉢ 우리는 화합과 단결 속에 항상 규율을 지키며 검소하게 생활하는 (깨끗한) 경찰이다.

## 129 다음은 「경찰헌장」에서 제시된 경찰의 목표를 나열한 것이다. 가장 적절하게 연결된 것은? [2014 승진(경위)]

| | |
|---|---|
| ㉠ 친절한 경찰 | ㉡ 의로운 경찰 |
| ㉢ 공정한 경찰 | ㉣ 깨끗한 경찰 |

> ⓐ 모든 사람의 인격을 존중하고 누구에게나 따뜻하게 봉사하는 경찰
> ⓑ 국민의 신뢰를 바탕으로 오직 양심에 따라 법을 집행하는 경찰
> ⓒ 건전한 상식 위에 전문지식을 갈고 닦아 맡은 일을 성실하게 수행하는 경찰
> ⓓ 정의의 이름으로 진실을 추구하며, 어떠한 불의나 불법과도 타협하지 않는 경찰

① ㉠ - ⓒ　　② ㉡ - ⓐ

③ ㉢ - ⓑ　　④ ㉣ - ⓓ

**정답 및 해설 I ③**

③ [○]

| <경찰헌장(1991)> | 경찰헌장 5대덕목 |
|---|---|
| 1. ⓐ 우리는 모든 사람의 인격을 존중하고 누구에게나 따뜻하게 봉사하는 ㉠ **친절한 경찰**이다.<br>1. ⓓ 우리는 정의의 이름으로 진실을 추구하며, 어떠한 불의나 불법과도 타협하지 않는 ㉡ **의로운 경찰**이다.<br>1. ⓑ 우리는 국민의 신뢰를 바탕으로 오직 **양심**에 따라 **법**을 집행하는 ㉢ **공정한 경찰**이다.<br>1. ⓒ 우리는 건전한 상식 위에 **전문지식**을 갈고 닦아 맡은 일을 **성실**하게 수행하는 **근면한 경찰**이다.<br>1. 우리는 화합과 단결 속에 항상 규율을 지키며, 검소하게 생활하는 ㉣ **깨끗한 경찰**이다. | • **공정한 경찰**: 양심, 법<br>• **의로운 경찰**: 정의<br>• **깨끗한 경찰**: 검소<br>• **친절한 경찰**: 존중, 봉사<br>• **근면한 경찰**: 전문지식, 성실 |

㉠ – ⓐ, ㉡ – ⓓ, ㉢ – ⓑ가 적절하게 연결된 것이고 ⓒ는 근면한 경찰이다.



**130** 경찰윤리강령에 관한 설명으로 가장 적절하지 않은 것은? [2016 승진(경감)]

① 경찰윤리강령은 대외적으로 서비스 수준의 보장, 국민과의 신뢰관계 형성, 과도한 요구에 대한 책임 제한 등과 같은 기능을 한다.

② 경찰윤리강령은 대내적으로 경찰공무원 개인적 기준 설정, 경찰조직의 기준 제시, 경찰조직에 대한 소속감 고취, 경찰조직구성원에 대한 교육자료 제공 등의 기능을 한다.

③ 경찰윤리강령의 문제점으로 최소주의의 위험이란 강령간 우선순위, 업무간 우선순위를 제시하지 못하는 한계를 말한다.

④ 경찰윤리강령의 문제점으로 강제력의 부족이란 강령이나 훈령은 법적 강제력이 부족하여 그 이행을 보장하기 힘들다는 것을 말한다.

**정답 및 해설 I ③**

③ [×] **최소주의의 위험**이란 경찰관이 최선을 다하여 헌신과 봉사를 하려다가도 경찰강령에 포함된 정도의 수준으로만 근무를 하여 경찰강령이 근무수행의 최소기준이 될 수 있다는 것을 말한다. 지문은 **우선순위 미결정**에 대한 설명이다.

①② [○] ☑ **경찰윤리강령의 기능**

| 대내적 | 대외적 |
|---|---|
| • 경찰조직에 대한 소속감 고취<br>• 경찰조직 운영의 기준 제공<br>• 경찰조직 구성원에 대한 교육자료<br>• 경찰조직 구성원 개인의 자질통제 기준 | • 서비스 수준의 확신 부여<br>• 국민과의 신뢰관계 형성 · 개선<br>• 과도한 요구에 대한 책임 제한<br>• 경찰에 대한 국민의 평가기준<br>• 행위의 준거 제공 |

④ [○] 집행가능성 · 실행가능성의 문제라고 부르기도 한다.

## 주제 4 부정청탁 및 금품등 수수의 금지에 관한 법률

**131** 「부정청탁 및 금품등 수수의 금지에 관한 법률」에 대한 설명으로 가장 적절한 것은? [2018 승진(경위)]

① '공공기관'에는 국회, 법원, 헌법재판소, 감사원, 국가인권위원회, 중앙행정기관(대통령 소속 기관과 국무총리 소속 기관을 포함한다)과 그 소속 기관 및 지방자치단체를 포함한다. 단, 선거관리위원회는 '공공기관'에 해당하지 않는다.

② '공공기관'에는 「초 · 중등교육법」, 「고등교육법」, 「유아교육법」 및 그 밖의 다른 법령에 따라 설치된 각급 학교가 포함된다. 단, 「사립학교법」에 따른 학교법인은 '공공기관'에 해당하지 않는다.

③ '공직자등'에는 「언론중재 및 피해구제 등에 관한 법률」 제2조 제12호에 따른 언론사의 대표자와 그 임직원이 포함된다.

④ '공직자등'에는 「변호사법」 제4에 따른 변호사 자격이 있는 자는 포함된다고 명시되어 있다.

**정답 및 해설 I ③**

③ [○] ④ [×] 변호사 자격이 있는 자는 포함되지 않는다.

> **부정청탁 및 금품등 수수의 금지에 관한 법률(이하 '청탁금지법'이라 한다) 제2조【정의】** 이 법에서 사용하는 용어의 뜻은 다음과 같다.
> 2. "**공직자등**"이란 다음 각 목의 어느 하나에 해당하는 공직자 또는 공적 업무 종사자를 말한다.
>    가. 「국가공무원법」 또는 「지방공무원법」에 따른 공무원과 그 밖에 다른 법률에 따라 그 자격 · 임용 · 교육훈련 · 복무 · 보수 · 신분보장 등에 있어서 공무원으로 인정된 사람
>    나. 제1호 나목 및 다목에 따른 공직유관단체 및 기관의 장과 그 임직원
>    다. 제1호 라목에 따른 각급 학교의 장과 교직원 및 학교법인의 임직원
>    라. 제1호 마목에 따른 언론사의 대표자와 그 임직원

① [×] 선거관리위원회는 '공공기관'에 포함된다.

② [×] 「사립학교법」에 따른 학교법인 역시 '공공기관'에 포함된다.

> **청탁금지법 제2조【정의】** 이 법에서 사용하는 용어의 뜻은 다음과 같다.
> 1. "**공공기관**"이란 다음 각 목의 어느 하나에 해당하는 기관 · 단체를 말한다.
>    가. 국회, 법원, 헌법재판소, 선거관리위원회, 감사원, 국가인권위원회, 고위공직자범죄수사처, 중앙행정기관(대통령 소속 기관과 국무총리 소속 기관을 포함한다)과 그 소속 기관 및 지방자치단체
>    나. 「공직자윤리법」 제3조의2에 따른 공직유관단체 ➜ 한국은행, 공기업, 정부출연기관, 지방공사공단 등
>    다. 「공공기관의 운영에 관한 법률」 제4조에 따른 기관 ➜ 기획재정부장관 지정 공공기관
>    라. 「초 · 중등교육법」, 「고등교육법」, 「유아교육법」 및 그 밖의 다른 법령에 따라 설치된 각급 학교 및 「사립학교법」에 따른 학교법인
>    마. 「언론중재 및 피해구제 등에 관한 법률」 제2조 제12호에 따른 언론사

## 132 「부정청탁 및 금품등 수수의 금지에 관한 법률」 제8조 제3항은 수수를 금지하는 금품 등에 대한 예외사유를 규정하고 있다. 이에 대한 내용으로 가장 적절하지 않은 것은?

[2018 실무 1]

① 공직자등의 친족(「민법」 제777조에 따른 친족을 말한다)이 제공하는 금품등

② 상급 공직자등이 위로 · 격려 · 포상 등의 목적으로 하급 공직자등에게 제공하는 금품등

③ 특정 대상자에게 배포하기 위한 기념품 또는 홍보용품 등이나 경연 · 추첨을 통하여 받는 보상 또는 상품 등

④ 공직자등의 직무와 관련된 공식적인 행사에서 주최자가 참석자에게 통상적인 범위에서 일률적으로 제공하는 교통, 숙박, 음식물 등의 금품등



**정답 및 해설 | ③**

③ [×] 특정 대상자에게 배포하기 위한 것이 아니라 불특정 다수인에게 배포하기 위한 것이다.

> **청탁금지법 제8조 【금품등의 수수 금지】** ③ 제10조의 외부강의등에 관한 사례금 또는 다음 각 호의 어느 하나에 해당하는 금품등의 경우에는 제1항 또는 제2항에서 수수를 금지하는 금품등에 해당하지 아니한다.
> 1. 공공기관이 소속 공직자등이나 파견 공직자등에게 지급하거나 상급 공직자등이 위로 · 격려 · 포상 등의 목적으로 하급 공직자등에게 제공하는 금품등
> 2. 원활한 직무수행 또는 사교 · 의례 또는 부조의 목적으로 제공되는 음식물 · 경조사비 · 선물 등으로서 대통령령으로 정하는 가액 범위 안의 금품등. 다만, 선물 중 「농수산물 품질관리법」 제2조 제1항 제1호에 따른 농수산물 및 같은 항 제13호에 따른 농수산가공품(농수산물을 원료 또는 재료의 50퍼센트를 넘게 사용하여 가공한 제품만 해당한다)은 대통령령으로 정하는 설날 · 추석을 포함한 기간에 한정하여 그 가액 범위를 두배로 한다.
> 3. 사적 거래(증여는 제외한다)로 인한 채무의 이행 등 정당한 권원에 의하여 제공되는 금품등
> 4. 공직자등의 친족(「민법」 제777조에 따른 친족을 말한다)이 제공하는 금품등
> 5. 공직자등과 관련된 직원상조회 · 동호인회 · 동창회 · 향우회 · 친목회 · 종교단체 · 사회단체 등이 정하는 기준에 따라 구성원에게 제공하는 금품등 및 그 소속 구성원 등 공직자등과 특별히 장기적 · 지속적인 친분관계를 맺고 있는 자가 질병 · 재난 등으로 어려운 처지에 있는 공직자등에게 제공하는 금품등
> 6. 공직자등의 직무와 관련된 공식적인 행사에서 주최자가 참석자에게 통상적인 범위에서 일률적으로 제공하는 교통, 숙박, 음식물 등의 금품등
> 7. 불특정 다수인에게 배포하기 위한 기념품 또는 홍보용품 등이나 경연 · 추첨을 통하여 받는 보상 또는 상품 등
> 8. 그 밖에 다른 법령 · 기준 또는 사회상규에 따라 허용되는 금품등

① [○] 제4호

② [○] 제1호

④ [○] 제6호

## 133 「부정청탁 및 금품등 수수의 금지에 관한 법률」에 대한 설명으로 가장 적절하지 않은 것은?

[2019 채용 1차]

① 원활한 직무수행 목적으로 제공되는 음식물 · 경조사비 · 선물 등으로서 대통령령으로 정하는 가액 범위 안의 금품등은 수수 금지의 예외사유이다.

② 사회상규에 따라 허용되는 금품등은 수수 금지의 예외사유이다.

③ 공직자등은 직무 관련 여부 및 기부 · 후원 · 증여 등 그 명목에 관계없이 동일인으로부터 1회에 100만원 또는 매 회계연도에 300만원을 초과하는 금품등을 받거나 요구 또는 약속해서는 아니 된다.

④ 사적 거래(증여 포함)로 인한 채무의 이행 등 정당한 권원(權原)에 의하여 제공되는 금품등은 수수 금지의 예외사유이다.

**정답 및 해설 | ④**

④ [×] 증여는 제외된다(제3호). / ① [○] 제2호 / ② [○] 제8호

> **청탁금지법 제8조【금품등의 수수 금지】** ③ 제10조의 외부강의등에 관한 사례금 또는 다음 각 호의 어느 하나에 해당하는 금품등의 경우에는 제1항 또는 제2항에서 수수를 금지하는 금품등에 해당하지 아니한다.
> 2. 원활한 직무수행 또는 사교·의례 또는 부조의 목적으로 제공되는 음식물·경조사비·선물 등으로서 대통령령으로 정하는 가액 범위 안의 금품등. 다만, 선물 중 「농수산물 품질관리법」 제2조 제1항 제1호에 따른 농수산물 및 같은 항 제13호에 따른 농수산가공품(농수산물을 원료 또는 재료의 50퍼센트를 넘게 사용하여 가공한 제품만 해당한다)은 대통령령으로 정하는 설날·추석을 포함한 기간에 한정하여 그 가액 범위를 두배로 한다.
> 3. 사적 거래(증여는 제외한다)로 인한 채무의 이행 등 정당한 권원에 의하여 제공되는 금품등
> 8. 그 밖에 다른 법령·기준 또는 사회상규에 따라 허용되는 금품등

③ [○]

> **청탁금지법 제8조【금품등의 수수 금지】** ① 공직자등은 직무 관련 여부 및 기부·후원·증여 등 그 명목에 관계없이 동일인으로부터 1회에 100만원 또는 매 회계연도에 300만원을 초과하는 금품등을 받거나 요구 또는 약속해서는 아니 된다. ➜ 직무와 관련 없더라도 어떤 명목으로든 1회 100만 / 연간 300만 초과 수수·요구·약속금지!
> ② 공직자등은 직무와 관련하여 대가성 여부를 불문하고 제1항에서 정한 금액 이하의 금품등을 받거나 요구 또는 약속해서는 아니 된다. ➜ 직무와 관련 있으면 대가성 없어도 1회 100만 / 연간 300만 이하라도 수수·요구·약속금지!

**134** 「부정청탁 및 금품등 수수의 금지에 관한 법률」 제8조에서 규정하는 '금품등의 수수 금지'에 대한 설명으로 가장 적절하지 <u>않은</u> 것은? [2019 승진(경위)]

① 공직자등은 직무 관련 여부 및 기부·후원·증여 등 그 명목에 관계없이 동일인으로부터 1회에 100만원 또는 매 회계연도에 300만원을 초과하는 금품등을 받거나 요구 또는 약속해서는 아니 된다.

② 공직자등은 직무와 관련하여 대가성 여부를 불문하고 1회에 100만원 또는 매 회계연도에 300만원 이하의 금품등을 받거나 요구 또는 약속해서는 아니 된다.

③ 공직자등과 관련된 직원상조회·동호인회·동창회·향우회·친목회·종교단체·사회단체 등이 정하는 기준에 따라 구성원에게 제공하는 금품등은 수수를 금지하는 금품등에 해당하지 아니한다.

④ 공직자등의 직무와 관련된 공식적인 행사에서 주최자가 참석자에게 통상적인 범위에서 일률적으로 제공하는 교통, 숙박, 음식물 등의 금품등은 수수를 금지하는 금품등에 해당한다.

**정답 및 해설 | ④**

④ [×] 비록 직무와 관련이 있더라도 공식행사에서 통상적·일률적으로 제공되는 교통, 숙박, 음식물 등 금품은 수수를 금지하는 금품등에 해당하지 않는다. / ③ [○]

> **청탁금지법 제8조【금품등의 수수 금지】** ③ 제10조의 외부강의등에 관한 사례금 또는 다음 각 호의 어느 하나에 해당하는 금품등의 경우에는 제1항 또는 제2항에서 수수를 금지하는 금품등에 해당하지 아니한다.
> 5. 공직자등과 관련된 직원상조회·동호인회·동창회·향우회·친목회·종교단체·사회단체 등이 정하는 기준에 따라 구성원에게 제공하는 금품등 및 그 소속 구성원 등 공직자등과 특별히 장기적·지속적인 친분관계를 맺고 있는 자가 질병·재난 등으로 어려운 처지에 있는 공직자등에게 제공하는 금품등
> 6. 공직자등의 직무와 관련된 공식적인 행사에서 주최자가 참석자에게 통상적인 범위에서 일률적으로 제공하는 교통, 숙박, 음식물 등의 금품등

①② [○]

> **청탁금지법 제8조【금품등의 수수 금지】** ① 공직자등은 직무 관련 여부 및 기부·후원·증여 등 그 명목에 관계없이 동일인으로부터 1회에 100만원 또는 매 회계연도에 300만원을 초과하는 금품등을 받거나 요구 또는 약속해서는 아니 된다. ➜ 직무와 관련 없더라도 어떤 명목으로든 1회 100만 / 연간 300만 초과 수수·요구·약속금지
> ② 공직자등은 직무와 관련하여 대가성 여부를 불문하고 제1항에서 정한 금액 이하의 금품등을 받거나 요구 또는 약속해서는 아니 된다. ➜ 직무와 관련 있으면 대가성 없어도 1회 100만 / 연간 300만 이하 수수·요구·약속금지!

**135** 「부정청탁 및 금품등 수수의 금지에 관한 법률」 제8조 '금품등의 수수 금지'에 대한 설명으로 가장 적절하지 않은 것은? [2021 승진(실무종합)]

① 경찰서장이 소속경찰서 경무계 직원들에게 격려의 목적으로 제공하는 회식비는 '수수를 금지하는 금품등'에 해당하지 아니한다.

② A경위가 휴일날 인근 대형마트 행사에서 추첨권에 당첨되어 수령한 수입차는 '수수를 금지하는 금품등'에 해당하지 아니한다.

③ 공직자등이 8촌 이내의 혈족, 4촌 이내의 인척, 배우자로부터 제공받는 금품등은 '수수를 금지하는 금품' 등에 해당하지 아니한다.

④ 공직자등은 직무 관련 여부 및 기부 · 후원 · 증여 등 그 명목에 관계없이 동일인으로부터 1회에 100만원 또는 매 회계연도에 200만원을 초과하는 금품등을 받거나 요구 또는 약속해서는 아니 된다.

**정답 및 해설 I ④**

④ [×] 1회 100만원, 매 회계연도 300만원이다.

> **청탁금지법 제8조【금품등의 수수 금지】** ① 공직자등은 직무 관련 여부 및 기부 · 후원 · 증여 등 그 명목에 관계없이 동일인으로부터 1회에 100만원 또는 매 회계연도에 300만원을 초과하는 금품등을 받거나 요구 또는 약속해서는 아니 된다.

① [○] 제1호 관련 / ② [○] 제7호 관련 / ③ [○] 제4호 관련

> **청탁금지법 제8조【금품등의 수수 금지】** ③ 제10조의 외부강의등에 관한 사례금 또는 다음 각 호의 어느 하나에 해당하는 금품등의 경우에는 제1항 또는 제2항에서 수수를 금지하는 금품등에 해당하지 아니한다.
> 1. 공공기관이 소속 공직자등이나 파견 공직자등에게 지급하거나 상급 공직자등이 위로 · 격려 · 포상 등의 목적으로 하급 공직자등에게 제공하는 금품등
> 4. 공직자등의 친족(「민법」 제777조에 따른 친족을 말한다)이 제공하는 금품등
> 7. 불특정 다수인에게 배포하기 위한 기념품 또는 홍보용품 등이나 경연 · 추첨을 통하여 받는 보상 또는 상품 등

**136** 「부정청탁 및 금품등 수수의 금지에 관한 법률」에 위반되는 사례로 가장 적절한 것은? [2022 승진]

① 예술의전당 소속 공연 관련 업무 담당공무원이 예술의전당 초청 공연작으로 결정된 뮤직드라마의 공연제작사 대표이사 甲 등과 저녁식사를 하고 25만원 상당(1인당 5만원)의 음식 값을 甲이 지불한 경우

② 경찰서장이 소속부서 직원들에게 위로 · 격려 · 포상의 목적으로 회식비를 제공한 경우

③ 결혼식을 앞두고 있는 경찰관이 4촌 형으로부터 500만원 상당의 냉장고를 선물 받은 경우

④ 경찰관이 홈쇼핑에서 물품을 구매한 후 구매자를 대상으로 경품을 추첨하는 행사에서 당첨되어 300만원 상당의 안마의자를 받은 경우

**정답 및 해설 I ①**

① [○] **[위반사례]** 사안의 음식 값은 원활한 직무수행 또는 사교 · 의례 또는 부조의 목적으로 제공되는 음식물 등으로서 대통령령으로 정하는 가액 범위 안의 금품(음식물 - 3만원)을 초과하여 청탁금지법에 위반된다.

> **청탁금지법 제8조【금품등의 수수 금지】** ③ 제10조의 외부강의등에 관한 사례금 또는 다음 각 호의 어느 하나에 해당하는 금품등의 경우에는 제1항 또는 제2항에서 수수를 금지하는 금품등에 해당하지 아니한다.
> 2. 원활한 직무수행 또는 사교 · 의례 또는 부조의 목적으로 제공되는 음식물 · **경조사비** · 선물 등으로서 대통령령으로 정하는 가액 범위 안의 금품등. 다만, 선물 중 「농수산물 품질관리법」 제2조 제1항 제1호에 따른 **농수산물** 및 같은 항 제13호에 따른 **농수산가공품**(농수산물을 원료 또는 재료의 50퍼센트를 넘게 사용하여 가공한 제품만 해당한다)은 대통령령으로 정하는 설날 · 추석을 포함한 기간에 한정하여 그 가액 범위를 **두배**로 한다.
>
> 대통령령 **청탁금지법 시행령 별표 1. 음식물 · 경조사비 · 선물 등의 가액 범위**
> 1. **음식물**(제공자와 공직자등이 함께 하는 식사, 다과, 주류, 음료, 그 밖에 이에 준하는 것을 말한다): **3만원**

② [×] 제1호 관련 / ③ [×] 제4호 관련 / ④ [×] 제7호 관련

> **청탁금지법 제8조【금품등의 수수 금지】** ③ 제10조의 외부강의등에 관한 사례금 또는 다음 각 호의 어느 하나에 해당하는 금품등의 경우에는 제1항 또는 제2항에서 수수를 금지하는 금품등에 해당하지 아니한다.
> 1. 공공기관이 소속 공직자등이나 파견 공직자등에게 지급하거나 상급 공직자등이 위로 · 격려 · 포상 등의 목적으로 하급 공직자등에게 제공하는 금품등
> 4. 공직자등의 **친족**(「민법」 제777조에 따른 친족을 말한다)이 제공하는 금품등
> 7. 불특정 다수인에게 배포하기 위한 **기념품** 또는 **홍보용품** 등이나 경연 · 추첨을 통하여 받는 보상 또는 상품 등

## 137 「부정청탁 및 금품등 수수의 금지에 관한 법률」에 대한 설명으로 가장 적절하지 않은 것은?

[2019 승진(경감)]

① 누구든지 부정청탁 및 금품등 수수의 금지에 관한 법률의 위반행위가 발생하였거나 발생하고 있다는 사실을 알게 된 경우에는 이 법의 위반행위가 발생한 공공기관 또는 그 감독기관, 감사원 또는 수사기관, 국민권익위원회에 신고할 수 있다.

② '공직자등'은 부정청탁을 받았을 때에는 부정청탁을 한 자에게 부정청탁임을 알리고 이를 거절하는 의사를 명확히 표시하여야 한다.

③ 부정청탁을 받은 '공직자등'이 그에 따라 직무를 수행한 경우 2년 이하의 징역 또는 2천만원 이하의 벌금에 처한다.

④ 공직자등은 사례금을 받는 외부강의등을 할 때에는 대통령령으로 정하는 바에 따라 외부강의등의 요청 명세 등을 소속 기관장에게 그 외부강의등을 마친 날부터 10일 이내에 서면으로 신고할 수 있다. 다만, 외부강의등을 요청한 자가 국가나 지방자치단체인 경우에는 그러하지 아니하다.

**정답 및 해설 I ④**

④ [×] 신고하여야 한다.

> **청탁금지법 제10조【외부강의등의 사례금 수수 제한】** ① 공직자등은 자신의 직무와 관련되거나 그 지위 · 직책 등에서 유래되는 **사실상의 영향력을 통하여** 요청받은 교육 · 홍보 · 토론회 · 세미나 · 공청회 또는 그 밖의 회의 등에서 한 강의 · 강연 · 기고 등(이하 "외부강의등"이라 한다)의 대가로서 대통령령으로 정하는 금액을 초과하는 사례금을 받아서는 아니 된다.
> ② 공직자등은 사례금을 받는 외부강의등을 할 때에는 대통령령으로 정하는 바에 따라 외부강의등의 요청 명세 등을 소속 기관장에게 그 외부강의등을 **마친 날부터 10일** 이내에 **서면**으로 신고하여야 한다. 다만, 외부강의등을 요청한 자가 국가나 지방자치단체인 경우에는 그러하지 아니하다.

① [○]

> **청탁금지법 제13조【위반행위의 신고 등】** ① 누구든지 이 법의 위반행위가 발생하였거나 발생하고 있다는 사실을 알게 된 경우에는 다음 각 호의 어느 하나에 해당하는 기관에 신고할 수 있다.
> 1. 이 법의 위반행위가 발생한 공공기관 또는 그 감독기관
> 2. 감사원 또는 수사기관
> 3. 국민권익위원회

② [○]

> **청탁금지법 제7조【부정청탁의 신고 및 처리】** ① 공직자등은 부정청탁을 받았을 때에는 부정청탁을 한 자에게 부정청탁임을 알리고 이를 거절하는 의사를 명확히 표시하여야 한다.
> ② 공직자등은 제1항에 따른 조치를 하였음에도 불구하고 동일한 부정청탁을 다시 받은 경우에는 이를 소속기관장에게 서면(전자문서를 포함한다. 이하 같다)으로 **신고하여야 한다.**
> ⑥ 공직자등은 제2항에 따른 신고를 감독기관 · 감사원 · 수사기관 또는 국민권익위원회에도 할 수 있다.

③ [○]

> **청탁금지법 제6조【부정청탁에 따른 직무수행 금지】** 부정청탁을 받은 공직자등은 그에 따라 직무를 수행해서는 아니 된다.
> **청탁금지법 제22조【벌칙】** ② 다음 각 호의 어느 하나에 해당하는 자는 2년 이하의 징역 또는 2천만원 이하의 벌금에 처한다.
> 1. 제6조를 위반하여 부정청탁을 받고 그에 따라 직무를 수행한 공직자등(제11조에 따라 준용되는 공무수행사인을 포함한다)

## 138 「부정청탁 및 금품등 수수의 금지에 관한 법률」에 대한 설명으로 가장 적절하지 <u>않은</u> 것은?

[2020 승진(경감)]

① 부정청탁을 받은 공직자등이 그에 따라 직무를 수행한 경우 2년 이하의 징역 또는 2천만원 이하의 벌금에 처한다.

② 공직자등은 직무 관련 여부 및 기부 · 후원 · 증여 등 그 명목에 관계없이 동일인으로부터 1회에 100만원 또는 매 회계연도에 300만원을 초과하는 금품등을 받거나 요구 또는 약속해서는 아니 된다.

③ 사적 거래(증여는 제외한다)로 인한 채무의 이행 등 정당한 권원에 의하여 제공되는 금품 등은 동법 제8조(금품등의 수수 금지)에서 규정하는 수수가 금지된 금품등에 해당하지 않는다.

④ 공직자등과 관련된 직원상조회 · 동호인회 · 동창회 · 향우회 · 친목회 · 종교단체 · 사회단체 등이 정하는 기준에 따라 구성원에게 제공하는 금품등은 동법 제8조(금품등의 수수 금지)에서 규정하는 수수를 금지하는 금품 등에 해당한다.

**정답 및 해설 I ④**

④ [×] 이는 수수가 금지되는 금품 등에 해당하지 않는다. / ③ [○]

> **청탁금지법 제8조【금품등의 수수 금지】** ③ 제10조의 외부강의등에 관한 사례금 또는 다음 각 호의 어느 하나에 해당하는 금품등의 경우에는 제1항 또는 제2항에서 수수를 금지하는 금품등에 해당하지 아니한다.
> 3. 사적 거래(증여는 제외한다)로 인한 **채무의 이행** 등 정당한 권원에 의하여 제공되는 금품등
> 5. 공직자등과 관련된 직원상조회 · 동호인회 · 동창회 · 향우회 · 친목회 · 종교단체 · 사회단체 등이 정하는 기준에 따라 구성원에게 제공하는 금품등 및 그 소속 구성원 등 공직자등과 특별히 장기적 · 지속적인 친분관계를 맺고 있는 자가 질병 · 재난 등으로 어려운 처지에 있는 공직자등에게 제공하는 금품등

① [O]

> **청탁금지법 제6조【부정청탁에 따른 직무수행 금지】** 부정청탁을 받은 공직자등은 그에 따라 직무를 수행해서는 아니 된다.
>
> **청탁금지법 제22조【벌칙】** ② 다음 각 호의 어느 하나에 해당하는 자는 2년 이하의 징역 또는 2천만원 이하의 벌금에 처한다.
>
> 1. 제6조를 위반하여 부정청탁을 받고 그에 따라 직무를 수행한 공직자등(제11조에 따라 준용되는 공무수행사인을 포함한다)

② [O]

> **청탁금지법 제8조【금품등의 수수 금지】** ① 공직자등은 직무 관련 여부 및 기부 · 후원 · 증여 등 그 명목에 관계없이 동일인으로부터 1회에 100만원 또는 매 회계연도에 300만원을 초과하는 금품등을 받거나 요구 또는 약속해서는 아니 된다. ➜ 직무와 관련 없더라도 어떤 명목으로든 1회 100만 / 연간 300만 초과 수수 · 요구 · 약속금지!
>
> ② 공직자등은 직무와 관련하여 대가성 여부를 불문하고 제1항에서 정한 금액 이하의 금품등을 받거나 요구 또는 약속해서는 아니 된다. ➜ 직무와 관련있으면 대가성 없어도 1회 100만 / 연간 300만 이하라도 수수 · 요구 · 약속금지!

## 139 「부정청탁 및 금품등 수수의 금지에 관한 법률」상 외부강의 등의 사례금 수수 제한에 대한 설명 중 옳지 않은 것은?

[2020 경간]

① 공직자 등은 자신의 직무와 관련되거나 지위 · 직책 등에서 유래되는 사실상의 영향력을 통하여 요청받은 교육 · 홍보 · 토론회 · 세미나 · 공청회 또는 그 밖의 회의 등에서 한 강의 · 강연 · 기고 등(이하 '외부강의 등'이라 한다)의 대가로서 대통령령으로 정하는 금액을 초과하는 사례금을 받아서는 아니 된다.

② 공직자 등은 국가나 지방자치단체의 요청에 의해 사례금을 받는 외부강의등을 할 때에는 대통령령으로 정하는 바에 따라 외부강의등의 요청 명세 등을 소속기관장에게 그 외부강의 등을 마친 날부터 10일 이내에 서면으로 신고하여야 한다.

③ 공직자등은 초과하는 사례금을 받은 경우에는 대통령령으로 정하는 바에 따라 소속기관장에게 신고하고, 제공자에게 그 초과금액을 지체 없이 반환하여야 한다.

④ 소속기관장은 공직자 등이 신고한 외부강의 등이 공정한 직무수행을 저해할 수 있다고 판단하는 경우에는 그 외부강의 등을 제한할 수 있다.

**정답 및 해설 I ②**

② [×] 국가나 지방자치단체가 외부강의를 요청한 경우에는 서면신고의무가 발생하지 않는다.

> **청탁금지법 제10조【외부강의등의 사례금 수수 제한】** ② 공직자등은 사례금을 받는 외부강의등을 할 때에는 대통령령으로 정하는 바에 따라 외부강의등의 요청 명세 등을 소속기관장에게 그 외부강의등을 마친 날부터 10일 이내에 서면으로 신고하여야 한다. 다만, 외부강의등을 요청한 자가 국가나 지방자치단체인 경우에는 그러하지 아니하다.

① [O]

> **청탁금지법 제10조【외부강의등의 사례금 수수 제한】** ① 공직자등은 자신의 직무와 관련되거나 그 지위 · 직책 등에서 유래되는 사실상의 영향력을 통하여 요청받은 교육 · 홍보 · 토론회 · 세미나 · 공청회 또는 그 밖의 회의 등에서 한 강의 · 강연 · 기고 등(이하 "외부강의등"이라 한다)의 대가로서 대통령령으로 정하는 금액을 초과하는 사례금을 받아서는 아니 된다.

③④ [O]

> **청탁금지법 제10조【외부강의등의 사례금 수수 제한】** ④ 소속기관장은 제2항에 따라 공직자등이 신고한 외부강의등이 공정한 직무수행을 저해할 수 있다고 판단하는 경우에는 그 공직자등의 외부강의등을 제한할 수 있다.
>
> ⑤ 공직자등은 제1항에 따른 금액을 초과하는 사례금을 받은 경우에는 대통령령으로 정하는 바에 따라 소속기관장에게 신고하고, 제공자에게 그 초과금액을 지체 없이 반환하여야 한다. ➜ 소속기관장에게 반환 ×

**140** 「부정청탁 및 금품등 수수의 금지에 관한 법률」에 대한 설명 중 가장 적절한 것은? [2022 승진]

① 공직자등은 직무 관련 여부 및 기부 · 후원 · 증여 등 그 명목에 관계없이 동일인으로부터 1회에 100만원 또는 매 회계연도에 300만원을 초과하는 금품을 받거나 요구 또는 약속해서는 아니 된다.

② 이 법의 위반행위가 발생하였거나 발생하고 있다는 사실을 알게 된 경우에는 이해관계인만 수사기관에 신고할 수 있다.

③ 직급에 상관 없이 모든 공직자의 외부강의 사례금 상한액은 1시간당 30만원이며 1시간을 초과하면 상한액은 45만원이다.

④ 부정청탁을 받은 공직자등은 부정청탁을 한 자에게 부정청탁임을 알렸다면 이와 별도로 거절하는 의사는 명확하지 않아도 된다.

**정답 및 해설 I ①**

① [○]

> **청탁금지법 제8조【금품등의 수수 금지】** ① 공직자등은 직무 관련 여부 및 기부 · 후원 · 증여 등 그 명목에 관계없이 동일인으로부터 1회에 100만원 또는 매 회계연도에 300만원을 초과하는 금품등을 받거나 요구 또는 약속해서는 아니 된다. ➜ 직무와 관련 없더라도 어떤 명목으로든 1회 100만 / 연간 300만 초과 수수 · 요구 · 약속금지!

② [×] 누구든지 신고할 수 있다.

> **청탁금지법 제13조【위반행위의 신고 등】** ① 누구든지 이 법의 위반행위가 발생하였거나 발생하고 있다는 사실을 알게 된 경우에는 다음 각 호의 어느 하나에 해당하는 기관에 신고할 수 있다.
> 1. 이 법의 위반행위가 발생한 공공기관 또는 그 감독기관
> 2. 감사원 또는 수사기관
> 3. 국민권익위원회

③ [×] 직급 구분없이 40만원이며, 1시간을 초과하여 강의 등을 하는 경우에도 1시간 상한액의 100분의 150에 해당하는 금액(60만원)을 초과하지 못한다(청탁금지법 제10조 [별표2]).

> **청탁금지법 제10조【외부강의등의 사례금 수수 제한】** ① 공직자등은 자신의 직무와 관련되거나 그 지위 · 직책 등에서 유래되는 사실상의 영향력을 통하여 요청받은 교육 · 홍보 · 토론회 · 세미나 · 공청회 또는 그 밖의 회의 등에서 한 강의 · 강연 · 기고 등(이하 "외부강의등"이라 한다)의 대가로서 대통령령으로 정하는 금액을 초과하는 사례금을 받아서는 아니 된다.
>
> 대통령령 **청탁금지법 시행령 별표 2. 외부강의등 사례금 상한액**
> 1. 공직자등별 사례금 상한액
>    가. 법 제2조 제2호 가목 및 나목(➜ 공무원, 공직유관단체장 및 임직원)에 따른 공직자등(같은 호 다목에 따른 각급 학교의 장과 교직원 및 같은 호 라목에 따른 공직자등에도 해당하는 사람은 제외한다): 40만원
> 2. 적용기준
>    나. 제1호 가목에 따른 공직자등은 1시간을 초과하여 강의 등을 하는 경우에도 사례금 총액은 강의시간에 관계없이 1시간 상한액의 100분의 150에 해당하는 금액을 초과하지 못한다.

④ [×] 거절하는 의사를 명확히 표시하여야 한다.

> **청탁금지법 제7조【부정청탁의 신고 및 처리】** ① 공직자등은 부정청탁을 받았을 때에는 부정청탁을 한 자에게 부정청탁임을 알리고 이를 거절하는 의사를 명확히 표시하여야 한다.

## 141 「부정청탁 및 금품 등 수수의 금지에 관한 법률」에 대한 설명으로 가장 적절하지 않은 것은?

[2022 경간]

① 공직자 등은 사례금을 받는 외부강의를 할 때에는 대통령령으로 정하는 바에 따라 외부강의 요청명세 등을 소속 기관장에게 그 외부강의를 마친 날부터 10일 이내에 서면으로 신고하여야 한다. 다만, 외부강의를 요청한 자가 국가나 지방자치단체인 경우에는 그러하지 아니한다.

② 공직자 등은 부정청탁을 받았을 때에는 부정청탁을 한 자에게 부정청탁임을 알리고 이를 거절하는 의사를 명확히 표시하여야 한다.

③ 증여를 포함한 사적 거래로 인한 채무의 이행 등 정당한 권원(權原)에 의하여 제공되는 금품 등은 수수를 금지하는 금품 등에 해당하지 아니한다.

④ 공직자 등은 직무 관련 및 기부 · 후원 · 증여 등 그 명목에 관계 없이 동일인으로부터 1회에 100만원 또는 매 회계연도에 300만원을 초과하는 금품 등을 받거나 요구 또는 약속해서는 아니된다.

**정답 및 해설 I ③**

③ [×] 증여는 제외된다. 즉 증여는 정당한 권원으로 인정되지 않는다.

> **청탁금지법 제8조【금품등의 수수 금지】** ③ 제10조의 외부강의등에 관한 사례금 또는 다음 각 호의 어느 하나에 해당하는 금품등의 경우에는 제1항 또는 제2항에서 수수를 금지하는 금품등에 해당하지 아니한다.
> 3. 사적 거래(증여는 제외한다)로 인한 **채무의 이행** 등 정당한 권원에 의하여 제공되는 금품등

① [○]

> **청탁금지법 제10조【외부강의등의 사례금 수수 제한】** ② 공직자등은 사례금을 받는 외부강의등을 할 때에는 대통령령으로 정하는 바에 따라 외부강의등의 요청 명세 등을 소속기관장에게 그 외부강의등을 마친 날부터 10일 이내에 서면으로 신고하여야 한다. 다만, 외부강의등을 요청한 자가 국가나 지방자치단체인 경우에는 그러하지 아니하다.

② [○]

> **청탁금지법 제7조【부정청탁의 신고 및 처리】** ① 공직자등은 부정청탁을 받았을 때에는 부정청탁을 한 자에게 부정청탁임을 알리고 이를 거절하는 의사를 명확히 표시하여야 한다.

④ [○]

> **청탁금지법 제8조【금품등의 수수 금지】** ① 공직자등은 직무 관련 여부 및 기부 · 후원 · 증여 등 그 명목에 관계없이 동일인으로부터 1회에 100만원 또는 매 회계연도에 300만원을 초과하는 금품등을 받거나 요구 또는 약속해서는 아니 된다. ➜ 직무와 관련 없더라도 어떤 명목으로든 1회 100만 / 연간 300만 초과 수수 · 요구 · 약속금지!

## 142 「부정청탁 및 금품등 수수의 금지에 관한 법률」에 대한 설명으로 가장 적절하지 않은 것은?

[2024 1차 채용]

① 공직자등은 부정청탁을 받았을 때에는 부정청탁을 한 자에게 부정청탁임을 알리고 이를 거절하는 의사를 명확히 표시하여야 한다. 그럼에도 불구하고 동일한 부정청탁을 다시 받은 경우에는 이를 소속기관장에게 서면(전자문서를 포함한다)으로 신고하여야 한다.

② 누구든지 동법의 위반행위가 발생하였거나 발생하고 있다는 사실을 알게 된 때에는 자신의 인적사항을 밝히지 아니하고 변호사를 선임하여 신고를 대리하게 할 수 있다.

③ 공직자등은 외부기관(국가 및 지방자치단체를 포함한다)의 요청으로 사례금을 받는 외부강의등을 할 때에는 소속기관장에게 그 외부강의등을 마친 날부터 10일 이내에 서면으로 신고하여야 한다.

④ 공공기관의 장은 공직자등에게 부정청탁 금지 및 금품등의 수수 금지에 관한 내용을 정기적으로 교육하여야 하며, 교육의 실시를 위하여 필요하면 국민권익위원회에 지원을 요청할 수 있다.

**정답 및 해설 I ③**

③ [×] 외부강의등을 요청한 자가 국가나 지방자치단체인 경우는 신고대상이 아니다.

> **청탁금지법 제10조【외부강의등의 사례금 수수 제한】** ② 공직자등은 사례금을 받는 외부강의등을 할 때에는 대통령령으로 정하는 바에 따라 외부강의등의 요청 명세 등을 소속기관장에게 그 외부강의등을 마친 날부터 10일 이내에 서면으로 신고하여야 한다. 다만, 외부강의등을 요청한 자가 **국가나 지방자치단체인 경우에는 그러하지 아니하다.**

① [○]

> **청탁금지법 제7조【부정청탁의 신고 및 처리】** ① 공직자등은 부정청탁을 받았을 때에는 부정청탁을 한 자에게 부정청탁임을 알리고 이를 거절하는 의사를 명확히 표시하여야 한다.
> ② 공직자등은 제1항에 따른 조치를 하였음에도 불구하고 동일한 부정청탁을 다시 받은 경우에는 이를 소속기관장에게 서면(전자문서를 포함한다)으로 신고하여야 한다.

② [○]

> **청탁금지법 제13조【위반행위의 신고 등】** ③ 제1항에 따라 신고를 하려는 자는 자신의 인적사항과 신고의 취지 · 이유 · 내용을 적고 서명한 문서와 함께 신고 대상 및 증거 등을 제출하여야 한다. ➜ 실명신고 원칙
> **청탁금지법 제13조의2【비실명 대리신고】** ① 제13조 제3항에도 불구하고 같은 조 제1항에 따라 신고를 하려는 자는 자신의 인적사항을 밝히지 아니하고 변호사를 선임하여 신고를 대리하게 할 수 있다. 이 경우 제13조 제3항에 따른 신고자의 인적사항 및 신고자가 서명한 문서는 변호사의 인적사항 및 변호사가 서명한 문서로 갈음한다. ➜ 예외적 비실명신고

④ [○]

> **청탁금지법 제19조【교육과 홍보 등】** ① 공공기관의 장은 공직자등에게 부정청탁금지 및 금품등의 수수 금지에 관한 내용을 정기적으로 교육하여야 하며, 이를 준수할 것을 약속하는 서약서를 받아야 한다.
> ③ 공공기관의 장은 제1항 및 제2항에 따른 교육 및 홍보 등의 실시를 위하여 필요하면 국민권익위원회에 지원을 요청할 수 있다. 이 경우 국민권익위원회는 적극 협력하여야 한다.

**143** 「부정청탁 및 금품등 수수의 금지에 관한 법률」에 대한 설명으로 가장 적절하지 않은 것은? [2024 승진]

① 공직자등은 직무 관련 여부 및 기부 · 후원 · 증여 등 그 명목에 관계없이 동일인으로부터 1회에 100만원 또는 매 회계연도에 300만원을 초과하는 금품 등을 받거나 요구 또는 약속해서는 아니 된다.

② 공공기관이 소속 공직자 등이나 파견 공직자 등에게 지급하거나 상급 공직자 등이 위로 · 격려 · 포상 등의 목적으로 하급 공직자 등에게 제공하는 금품등은 수수를 금지하는 금품 등에 해당하지 아니한다.

③ 공직자등은 사례금을 받는 외부강의등을 할 때에는 대통령령으로 정하는 바에 따라 외부강의등의 요청 명세 등을 소속기관장에게 그 외부강의등을 마친 날부터 10일 이내에 서면으로 신고하여야 한다. 다만, 외부강의등을 요청한 자가 국가나 지방자치단체인 경우에는 그러하지 아니하다.

④ 기관장이 소속 직원에게 업무추진비로 10만원 상당의 화환을 보내고, 별도 사비로 10만원의 경조사비를 주는 것은 이 법 위반이다.

**정답 및 해설 I ④**

② [○] ④ [×] 국민권익위에서 발간한 청탁금지법 매뉴얼 상, 정확히 지문과 동일한 사안에 대해서 법 제8조 제3항 제1호에 해당하여 가능하다고 명시되어 있다.

> **부패방지권익위법 제8조【금품등의 수수 금지】** ③ 제10조의 외부강의등에 관한 사례금 또는 다음 각 호의 어느 하나에 해당하는 금품등의 경우에는 제1항 또는 제2항에서 수수를 금지하는 금품등에 해당하지 아니한다.
> 1. 공공기관이 소속 공직자등이나 파견 공직자등에게 지급하거나 상급 공직자등이 위로 · 격려 · 포상 등의 목적으로 하급 공직자등에게 제공하는 금품등

① [○] 

> **부패방지권익위법 제8조 【금품등의 수수 금지】** ① 공직자등은 직무 관련 여부 및 기부 · 후원 · 증여 등 그 명목에 관계없이 동일인으로부터 1회에 100만원 또는 매 회계연도에 300만원을 초과하는 금품등을 받거나 요구 또는 약속해서는 아니 된다.

② [○] 초과사례금을 받은 경우에는 초과사례금 받은 사실을 안 날부터 2일 내 소속기관장에게 신고하여야 하는 것과는 구분해야 한다(부패방지권익위법 시행령 제27조 제1항).

> **부패방지권익위법 제10조 【외부강의등의 사례금 수수 제한】** ② 공직자등은 사례금을 받는 외부강의등을 할 때에는 대통령령으로 정하는 바에 따라 외부강의등의 요청 명세 등을 소속기관장에게 그 외부강의등을 마친 날부터 10일 이내에 서면으로 신고하여야 한다. 다만, 외부강의등을 요청한 자가 국가나 지방자치단체인 경우에는 그러하지 아니하다.

## 144 「부정청탁 및 금품등 수수의 금지에 관한 법률」 및 동법 시행령에 대한 설명으로 가장 적절하지 않은 것은?

[2020 실무 1]

① 원활한 직무수행 또는 사교 · 의례 또는 부조의 목적으로 제공되는 5만원 이하의 선물(금전, 유가증권 포함)은 동법 제8조 제3항에서 규정한 '금품등의 수수 금지'의 예외사유에 해당한다.

② 원활한 직무수행 또는 사교 · 의례 또는 부조의 목적으로 제공되는 5만원 이하의 경조사비(단, 화환 · 조화를 함께 보낼 시 경조사비와 합산하여 10만원까지 가능)는 동법 제8조 제3항에서 규정한 '금품등의 수수 금지'의 예외사유에 해당한다.

③ 공직자 등이 직무와 관련하여 금품을 수수하였고, 대가성까지 있었다면 형법상 뇌물죄 성립이 가능하다.

④ 기존에 직급별로 차이가 있던 동법 제2조 제2호 가목에 따른 공직자등의 외부강의 사례금 상한액(장관급 50만원, 차관급 40만원, 4급 이상 30만원, 5급 이하 20만원)은 모두 40만원으로 변경되었다.

**정답 및 해설 I ①**

① [×] 금전 · 유가증권 등은 제외한다. ② [○]

> **청탁금지법 제8조 【금품등의 수수 금지】** ③ 제10조의 외부강의등에 관한 사례금 또는 다음 각 호의 어느 하나에 해당하는 금품등의 경우에는 제1항 또는 제2항에서 수수를 금지하는 금품등에 해당하지 아니한다.
> 2. 원활한 직무수행 또는 사교 · 의례 또는 부조의 목적으로 제공되는 음식물 · 경조사비 · 선물 등으로서 대통령령으로 정하는 가액 범위 안의 금품등. 다만, 선물 중 「농수산물 품질관리법」 제2조 제1항 제1호에 따른 농수산물 및 같은 항 제13호에 따른 농수산가공품(농수산물을 원료 또는 재료의 50퍼센트를 넘게 사용하여 가공한 제품만 해당한다)은 대통령령으로 정하는 설날 · 추석을 포함한 기간에 한정하여 그 가액 범위를 두배로 한다.
>
> 대통령령 **청탁금지법 시행령 별표 1. 음식물 · 경조사비 · 선물 등의 가액 범위**
> 1. **음식물**(제공자와 공직자등이 함께 하는 식사, 다과, 주류, 음료, 그 밖에 이에 준하는 것을 말한다): 3만원
> 2. **경조사비**: 축의금 · 조의금은 5만원. 다만, 축의금 · 조의금을 대신하는 화환 · 조화는 10만원으로 한다.
> 3. **선물**: 금전, 유가증권(상품권 제외), 제1호의 음식물 및 제2호의 경조사비를 제외한 일체의 물품, 그 밖에 이에 준하는 것은 5만원. 다만, 「농수산물 품질관리법」 제2조 제1항 제1호에 따른 농수산물(이하 "농수산물"이라 한다) 및 같은 항 제13호에 따른 농수산가공품(농수산물을 원료 또는 재료의 50퍼센트를 넘게 사용하여 가공한 제품만 해당하며, 이하 "농수산가공품"이라 한다)은 15만원(제17조 제2항에 따른 기간 중에는 30만원)으로 한다.

④ [○] 

> 청탁금지법 제10조【외부강의등의 사례금 수수 제한】 ① 공직자등은 자신의 직무와 관련되거나 그 지위 · 직책 등에서 유래되는 사실상의 영향력을 통하여 요청받은 교육 · 홍보 · 토론회 · 세미나 · 공청회 또는 그 밖의 회의 등에서 한 강의 · 강연 · 기고 등(이하 "외부강의등"이라 한다)의 대가로서 대통령령으로 정하는 금액을 초과하는 사례금을 받아서는 아니 된다.
>
> 대통령령 청탁금지법 시행령 별표 2. 외부강의등 사례금 상한액
>
> 1. 공직자등별 사례금 상한액
>
> 가. 법 제2조 제2호 가목 및 나목(➡ 공무원, 공직유관단체장 및 임직원)에 따른 공직자등(같은 호 다목에 따른 각급 학교의 장과 교직원 및 같은 호 라목에 따른 공직자등에도 해당하는 사람은 제외한다): 40만원
>
> 나. 법 제2조 제2호 다목 및 라목(➡ 교육인 · 언론인)에 따른 공직자등: 100만원
>
> 다. 가목 및 나목에도 불구하고 국제기구, 외국정부, 외국대학, 외국연구기관, 외국학술단체, 그 밖에 이에 준하는 외국기관에서 지급하는 외부강의등의 사례금 상한액은 사례금을 지급하는 자의 지급기준에 따른다.



**145** 「공직자의 이해충돌 방지법」과 「부정청탁 및 금품등 수수의 금지에 관한 법률」에 관한 설명 중 가장 적절한 것은? [2022 채용 2차]

① 「공직자의 이해충돌 방지법」상 부동산을 직접 또는 간접으로 취급하는 대통령령으로 정한 공공기관의 공직자가 소속 공공기관의 업무와 관련된 부동산을 보유하고 있거나 매수하는 경우 소속기관장에게 그 사실을 구두 또는 서면으로 신고하여야 한다.

② 「부정청탁 및 금품등 수수의 금지에 관한 법률」상 '공직자등'이 부정청탁을 받았을 때에는 부정청탁을 한 자에게 부정청탁임을 알리고 이를 거절하는 의사를 명확히 표시하여야 하며, 이러한 조치를 하였음에도 불구하고 동일한 부정청탁을 다시 받은 경우에는 이를 소속기관장에게 구두 또는 서면(전자서면을 포함)으로 신고하여야 한다.

③ 「부정청탁 및 금품등 수수의 금지에 관한 법률」에 따르면 OO경찰서 소속 경찰관 甲이 모교에서 자신의 직무와 관련된 강의를 요청받아 1시간 동안 강의를 하고 50만원의 사례금을 받았다면 대통령령이 정하는 바에 따라 소속기관장에게 신고하고 그 초과금액을 소속기관장에게 지체없이 반환하여야 한다.

④ 「부정청탁 및 금품등 수수의 금지에 관한 법률」상 「국가공무원법」 또는 「지방공무원법」에 따른 공무원과 그 밖에 다른 법률에 따라 그 자격 · 임용 · 교육훈련 · 복무 · 보수 · 신분보장 등에 있어서 공무원으로 인정된 사람은 '공직자등' 개념에 포함된다.

**정답 및 해설 | ④**

④ [○] 

> 청탁금지법 제2조【정의】 이 법에서 사용하는 용어의 뜻은 다음과 같다.
>
> 2. "공직자등"이란 다음 각 목의 어느 하나에 해당하는 공직자 또는 공적 업무 종사자를 말한다.
>
> 가. 「국가공무원법」 또는 「지방공무원법」에 따른 공무원과 그 밖에 다른 법률에 따라 그 자격 · 임용 · 교육훈련 · 복무 · 보수 · 신분보장 등에 있어서 공무원으로 인정된 사람
>
> 나. 제1호 나목 및 다목에 따른 공직유관단체 및 기관의 장과 그 임직원
>
> 다. 제1호 라목에 따른 각급 학교의 장과 교직원 및 학교법인의 임직원
>
> 라. 제1호 마목에 따른 언론사의 대표자와 그 임직원

① [×] 부동산을 '직접적'으로 취급하는 공공기관의 공직자의 경우이다. 구두(×)

> **공직자의 이해충돌 방지법 제6조 【공공기관 직무 관련 부동산 보유 · 매수 신고】** ① 부동산을 직접적으로 취급하는 대통령령으로 정하는 공공기관의 공직자는 다음 각 호의 어느 하나에 해당하는 사람이 소속 공공기관의 업무와 관련된 부동산을 보유하고 있거나 매수하는 경우 소속기관장에게 그 사실을 서면으로 신고하여야 한다.
> 1. 공직자 자신, 배우자
> 2. 공직자와 생계를 같이하는 직계존속 · 비속(배우자의 직계존속 · 비속으로 생계를 같이하는 경우를 포함한다)

② [×] 서면으로 신고하여야 한다(전자문서 포함). 구두신고는 인정되지 않는다.

> **청탁금지법 제7조 【부정청탁의 신고 및 처리】** ① 공직자등은 부정청탁을 받았을 때에는 부정청탁을 한 자에게 부정청탁임을 알리고 이를 거절하는 의사를 명확히 표시하여야 한다.
> ② 공직자등은 제1항에 따른 조치를 하였음에도 불구하고 동일한 부정청탁을 다시 받은 경우에는 이를 소속기관장에게 서면(전자문서를 포함한다. 이하 같다)으로 신고하여야 한다.

③ [×] 소속기관장에게 반환하는 것이 아니라, 제공자에게 반환하여야 한다.

> **청탁금지법 제10조 【외부강의등의 사례금 수수 제한】** ① 공직자등은 자신의 직무와 관련되거나 그 지위 · 직책 등에서 유래되는 사실상의 영향력을 통하여 요청받은 교육 · 홍보 · 토론회 · 세미나 · 공청회 또는 그 밖의 회의 등에서 한 강의 · 강연 · 기고 등(이하 "외부강의등"이라 한다)의 대가로서 대통령령으로 정하는 금액을 초과하는 사례금을 받아서는 아니 된다.
> ⑤ 공직자등은 제1항에 따른 금액을 초과하는 사례금을 받은 경우에는 대통령령으로 정하는 바에 따라 소속기관장에게 신고하고, 제공자에게 그 초과금액을 지체 없이 반환하여야 한다. ➔ 소속기관장에게 반환 X

☑ 제1항 '대통령령으로 정하는 금액'(청탁금지법 시행령 별표 2)

> **1 사례금 상한액**
> - **공무원: 40만원**
> - **공직유관단체장 및 임직원: 40만원**
> - **교육인 · 언론인: 100만원**
> - 국제기구 · 외국정부 · 외국대학 등 외국기관의 경우 지급하는 자의 기준에 따름
>
> **2 적용기준**
> - 위 금액은 강의 1시간, 기고 1건 기준
> - 1시간 초과 강의시에도 1시간 상한액의 **100분의 150** 초과 불가
> - 상한액에는 강의료 · 원고료 · 출연료 등 명목 관계없이 관련하여 지급되는 일체의 금액 포함
> - 단, '공무원 여비규정' 기준 내에서 실비수준으로 제공되는 교통비 · 숙박비 및 식비는 불포함

**146** 「부정청탁 및 금품등 수수의 금지에 관한 법률」 및 동법 시행령에 관한 설명으로 가장 적절하지 않은 것은?

[2023 채용 2차]

① 공직자등은 직무 관련 여부 및 기부 · 후원 · 증여 등 그 명목에 관계없이 동일인으로부터 1회에 100만원 또는 매 회계연도에 300만원을 초과하는 금품등을 받거나 요구 또는 약속해서는 아니 된다.

② 경찰청에서 근무하는 甲총경은 A전자회사의 요청으로 시간 당 30만원의 사례금을 약속받고 A전자회사의 직원을 대상으로 자신의 직무와 관련된 3시간짜리 강의를 월 1회, 총 3개월간 진행하였다. 이 경우 甲총경이 지급받을 수 있는 최대사례금 총액은 270만원이다.

③ B자동차회사의 요청으로 자신의 직무와 관련된 외부강의를 마치고 소정의 사례금을 약속받은 乙경무관은 대통령령으로 정하는 바에 따라 외부강의의 요청 명세 등을 소속기관장에게 그 외부강의를 마친 날부터 10일 이내에 서면으로 신고하여야한다.

④ 사단법인 C학회가 주관 및 개최한 토론회에 참석하여 자신의 직무와 관련된 토론을 한 丙경감이 상한액을 초과하는 사례금을 받은 경우 초과사례금을 받은 사실을 안 날부터 2일 이내에 동법 시행령이 정한 사항을 적은 서면으로 소속관장에게 신고하여야 한다.

**정답 및 해설 |** ②

② [×] 외부강의를 3시간 했다고 하여도 사례금 총액은 강의시간에 관계없이 1시간 상한액의 1.5배(60만원)를 초과하지 못한다. 그러므로 甲총경이 지급받을 수 있는 최대사례금 총액은 180만원이다.

> 대통령령 **청탁금지법 시행령 제25조【수수가 제한되는 외부강의등의 사례금 상한액】** 법 제10조 제1항에서 "대통령령으로 정하는 금액"이란 별표 2에 따른 금액을 말한다.
>
> **[별표]**
>
> 1. 공직자등별 사례금 상한액
>    가. 법 제2조 제2호 가목 및 나목에 따른 공직자등(같은 호 다목에 따른 각급 학교의 장과 교직원 및 같은 호 라목에 따른 공직자등에도 해당하는 사람은 제외한다): 40만원
> 2. 적용기준
>    가. 제1호 가목 및 나목의 상한액은 강의 등의 경우 1시간당, 기고의 경우 1건당 상한액으로 한다.
>    나. 제1호 가목에 따른 공직자등은 1시간을 초과하여 강의 등을 하는 경우에도 사례금 총액은 강의시간에 관계없이 1시간 상한액의 100분의 150에 해당하는 금액을 초과하지 못한다

① [○]

> **청탁금지법 제8조【금품등의 수수 금지】** ① 공직자등은 직무 관련 여부 및 기부·후원·증여 등 그 명목에 관계없이 동일인으로부터 1회에 100만원 또는 매 회계연도에 300만원을 초과하는 금품등을 받거나 요구 또는 약속해서는 아니 된다. ➜ 직무와 관련 없더라도 어떤 명목으로든 1회 100만원 / 연간 300만원 초과 수수·요구·약속금지!

③ [○]

> **청탁금지법 제10조【외부강의등의 사례금 수수 제한】** ② 공직자등은 사례금을 받는 외부강의등을 할 때에는 대통령령으로 정하는 바에 따라 외부강의등의 요청 명세 등을 소속기관장에게 그 외부강의등을 마친 날부터 10일 이내에 서면으로 신고하여야 한다. 다만, 외부강의등을 요청한 자가 국가나 지방자치단체인 경우에는 그러하지 아니하다.

④ [○]

> **청탁금지법 시행령 제27조【초과사례금의 신고방법 등】** ① 공직자등은 법 제10조 제1항에 따른 금액을 초과하는 사례금(이하 "초과사례금"이라 한다)을 받은 경우에는 법 제10조 제5항에 따라 초과사례금을 받은 사실을 안 날부터 2일 이내에 다음 각 호의 사항을 적은 서면으로 소속기관장에게 신고하여야 한다.

## 주제 5 경찰청 공무원 행동강령, 경찰관 인권행동강령

**147** 「경찰윤리강령」 및 「경찰청 공무원 행동강령」에 대한 설명으로 가장 적절한 것은? [2017 실무 1]

① 「경찰윤리강령」의 문제점 중 냉소주의 조장은 강령에 규정된 수준 이상의 근무를 하지 않으려 하는 근무수준의 최저화 경향을 말한다.

② 「경찰헌장」에는 '우리는 정의의 이름으로 진실을 추구하며, 어떠한 불의나 불법과도 타협하지 않는 공정한 경찰'이라고 하였다.

③ 「경찰윤리강령」은 '경찰윤리헌장', '새경찰신조', '경찰헌장', '경찰서비스헌장' 순으로 제정되있다.

④ 「경찰청 공무원 행동강령」상 '금품등'에는 금전, 유가증권, 부동산, 물품, 숙박권, 회원권, 입장권, 할인권, 초대권, 관람권, 부동산 등의 사용권 등 일체의 재산적 이익이 포함되나, 채무 면제나 취업 제공과 같은 유형·무형의 경제적 이익까지 포함된다고 보기는 어렵다.

**정답 및 해설 I ③**

③ [○] '윤 · 새 · 헌 · 서'의 순으로 제정되었다.

| |
|---|
| 경찰윤리헌장(1966) ➜ 새경찰신조(1980) ➜ 경찰헌장(1991) ➜ 경찰서비스헌장(1998) |

① [×] **냉소주의의 문제**는 경찰강령은 직원들의 참여에 의하여 이루어지는 것이 아니라, 상부에서 제정하여 하달되므로 냉소주의를 야기한다는 것을 말한다. 경찰관이 최선을 다하여 헌신과 봉사를 하려다가도 경찰강령에 포함된 정도의 수준으로만 근무를 하여 경찰강령이 근무수행의 최소기준이 될 수 있다는 것은 **최소주의의 위험**에 대한 설명이다.

② [×] '의로운 경찰'이라고 하였다.

| <경찰헌장(1991)> | 경찰헌장 5대덕목 |
|---|---|
| 1. 우리는 모든 사람의 인격을 존중하고 누구에게나 따뜻하게 봉사하는 **친절한 경찰**이다.<br>1. 우리는 정의의 이름으로 진실을 추구하며, 어떠한 불의나 불법과도 타협하지 않는 **의로운 경찰**이다.<br>1. 우리는 국민의 신뢰를 바탕으로 오직 양심에 따라 법을 집행하는 **공정한 경찰**이다.<br>1. 우리는 건전한 상식 위에 전문지식을 갈고 닦아 맡은 일을 성실하게 수행하는 **근면한 경찰**이다.<br>1. 우리는 화합과 단결 속에 항상 규율을 지키며, 검소하게 생활하는 **깨끗한 경찰**이다. | • **공정한 경찰**: 양심, 법<br>• **의로운 경찰**: 정의<br>• **깨끗한 경찰**: 검소<br>• **친절한 경찰**: 존중, 봉사<br>• **근면한 경찰**: 전문지식, 성실 |

④ [×]

> 훈령 **경찰청 공무원 행동강령 제2조【정의】** 이 규칙에서 사용하는 용어의 뜻은 다음과 같다.
> 3. "**금품등**"이란 다음 각 목의 어느 하나에 해당하는 것을 말한다.
> 가. 금전, 유가증권, 부동산, 물품, 숙박권, 회원권, 입장권, 할인권, 초대권, 관람권, 부동산 등의 사용권 등 일체의 재산적 이익
> 나. 음식물 · 주류 · 골프 등의 접대 · 향응 또는 교통 · 숙박 등의 편의 제공
> 다. 채무 면제, 취업 제공, 이권 부여 등 그 밖의 유형 · 무형의 경제적 이익

## 148 경찰윤리에 대한 설명으로 가장 적절한 것은? [2019 승진(경감)]

① 사회계약설로부터 도출되는 경찰활동의 기준으로 볼 때 경찰관이 사회의 일부분이 아닌 사회 전체의 이익을 염두에 두어야 한다는 것은 '냉정하고 객관적인 자세'에 해당한다.

② 경찰 전문직업화의 문제점으로 '소외'는 전문직이 되는 데 장기간의 교육이 필요하고 비용이 들어, 가난한 사람은 전문가가 되는 기회를 상실하는 것을 말한다.

③ 경찰청 공무원 행동강령에 따라 공무원은 범죄수사규칙 제30조에 따른 경찰관서 내 수사 지휘에 대한 이의 제기와 관련하여 행동강령책임관에게 상담을 요청하여야 한다.

④ 경찰윤리강령의 문제점으로 '비진정성의 조장'은 강령의 내용을 행위의 울타리로 삼아 강령에 제시된 바람직한 행위 그 이상의 자기희생을 하지 않으려는 경향을 의미한다.

**정답 및 해설 I ①**

① [○] 코헨과 펠드버그의 민주경찰 지향점 5가지 중 **냉정하고 객관적인 자세(Objectivity)**는, 경찰관은 사회의 일부분이 아닌 사회 전체의 이익을 위해 냉정하고 객관적인 자세로 업무를 수행하여야 한다는 것이다. 이에 대한 실패사례로는 **편견**이나 **냉소주의**가 있다. 예 **편견**: 아버지로부터 가정폭력을 많이 경험한 甲경장이 가정문제의 모든 잘못은 남편에게 있다고 생각하는 경우 / **냉소주의**: 조직폭력배간 난투극 신고를 받은 경찰 甲이 '어짜피 똑같은 놈들끼리 싸우다 어찌되든 무슨상관이냐'라는 생각으로 늦장대응을 하는 경우

② [×] 전문직업화의 문제점 중 **소외**는 나무는 보고 숲은 보지 못하듯 전문가가 자신의 국지적 분야만 보고 전체적인 맥락을 보지 못하는 것을 말한다. 예 경비분야에서만 전문성을 쌓은 경찰관 甲이 교통이나 생활안전 등 다른 분야의 고려 없이 효율적 시위진압만을 우선하는 결정을 하는 것

**차별**은 입직요건으로 고학력을 요구할 경우 전문직이 되는 데 장기간의 교육과 비용이 들어, 교육기회를 갖지 못한 경제적 · 사회적 약자 등의 공직진출 제한이라는 문제가 야기된다는 것을 말한다. 예 전문직업화를 위해 순경공채에서 학사 이상의 학력을 요구하는 경우 차별의 문제 발생

③ [×] 상담을 요청할 수 있다.

> 훈령 **경찰청 공무원 행동강령 제4조의2【부당한 수사지휘에 대한 이의제기】** ① 공무원은 「범죄수사규칙」 제30조에 따른 경찰관서 내 수사 지휘에 대한 이의제기와 관련하여 행동강령책임관에게 상담을 요청할 수 있다.
> ② 제1항의 상담요청을 받은 행동강령책임관은 해당 지휘의 취소 · 변경이 필요하다고 인정되면 소속기관장에게 보고하여야 한다.

④ [×] **비진정성의 조장**이란 경찰강령은 경찰관의 도덕적 자각에 따른 자발적인 행동이 아니라 외부로부터 요구되는 것으로서 타율성으로 인해 진정한 봉사가 이루어지지 않을 수 있다는 것을 말한다. 지문은 **최소주의의 위험**에 대한 설명이다.

**149** 「경찰청 공무원 행동강령」에 대한 설명 중 가장 적절하지 않은 것은? [2020 승진(경위)]

① 이 규칙은 경찰청 소속 공무원과 경찰청에 파견된 공무원에게 적용한다.

② 공무원은 상급자가 자기 또는 타인의 부당한 이익을 위하여 공정한 직무수행을 현저하게 해치는 지시를 하였을 때에는 그 사유를 상급자에게 소명하고 지시에 따르지 아니하거나, 행동강령책임관과 상담할 수 있다.

③ 위 ②와 관련 소명 후 지시를 이행하지 아니하였는데도 같은 지시가 반복될 때에는 즉시 행동강령책임관과 상담하여야 한다.

④ 위 ②, ③과 관련 상담 요청을 받은 행동강령책임관은 지시 내용을 확인하는 과정에서 부당한 지시를 한 상급자가 스스로 그 지시를 취소하거나 변경하였을 때에는 소속 기관의 장에게 보고하여야 한다.

**정답 및 해설 I ④**

④ [×] 이러한 경우에는 보고하지 아니할 수 있다(제3항). / ②③ [○]

> 훈령 **경찰청 공무원 행동강령 제4조【공정한 직무수행을 해치는 지시에 대한 처리】** ① 공무원은 상급자가 자기 또는 타인의 부당한 이익을 위하여 공정한 직무수행을 현저하게 해치는 지시를 하였을 때에는 별지 제1호 서식 또는 전자우편 등의 방법으로 그 사유를 상급자에게 소명하고 지시에 따르지 아니하거나, 별지 제2호 서식 또는 전자우편 등의 방법으로 제23조에 따라 지정된 행동강령에 관한 업무를 담당하는 공무원(이하 **"행동강령책임관"이라 한다)**과 상담할 수 있다.
> ② 제1항에 따라 지시를 이행하지 아니하였는데도 같은 지시가 반복될 때에는 **즉시 행동강령책임관과 상담하여야 한다.**
> ③ 제1항이나 제2항에 따라 상담 요청을 받은 행동강령책임관은 지시 내용을 확인하여 지시를 취소하거나 변경할 필요가 있다고 인정되면 소속 기관의 장에게 **보고하여야 한다.** 다만, 지시 내용을 확인하는 과정에서 부당한 지시를 한 상급자가 스스로 그 지시를 취소하거나 변경하였을 때에는 소속 기관의 장에게 **보고하지 아니할 수 있다.**
> ④ 제3항에 따른 보고를 받은 소속 기관의 장은 필요하다고 인정되면 지시를 취소 · 변경하는 등 적절한 조치를 하여야 한다. 이 경우 공정한 직무수행을 해치는 지시를 제1항에 따라 이행하지 아니하였는데도 같은 지시를 반복한 상급자에게는 징계 등 필요한 조치를 할 수 있다.

① [○]

> 훈령 **경찰청 공무원 행동강령 제3조【적용범위】** 이 규칙은 **경찰청 소속 공무원**과 **경찰청에 파견된 공무원**에게 적용한다.

## 150 「경찰청 공무원 행동강령」에 대한 설명으로 가장 적절하지 않은 것은? [2017 승진(경위)]

① 경찰관은 직무를 수행함에 있어 지연 · 혈연 · 학연 · 종교 등을 이유로 특정인에게 특혜를 주어서는 아니 된다.

② 경찰관은 정치인이나 정당 등으로부터 부당한 직무수행을 강요받거나 청탁을 받은 경우에는 별지 제9호 서식 또는 전자우편 등의 방법으로 소속 기관의 장에게 보고하거나 행동강령책임관과 상담하여야 한다.

③ 경찰관은 자신의 임용 · 승진 · 전보 등 인사에 부당한 영향을 미치기 위하여 타인으로 하여금 인사업무 담당자에게 청탁을 하도록 해서는 아니 된다.

④ 경찰관은 자신이 소속된 종교단체 · 친목단체 등의 회원이 직무관련자나 직무관련공무원인 경우에는 경조사를 알릴 수 없다.

**정답 및 해설 I ④**

④ [×] 이러한 경우에는 경조사를 알릴 수 있다.

> **훈령** **경찰청 공무원 행동강령 제17조【경조사의 통지 제한】** 공무원은 직무관련자나 직무관련공무원에게 경조사를 알려서는 아니 된다. 다만, 다음 각 호의 어느 하나에 해당하는 경우에는 경조사를 알릴 수 있다.
> 1. 친족(「민법」 제767조에 따른 친족을 말한다)에게 알리는 경우
> 2. 현재 근무하고 있거나 과거에 근무하였던 기관의 소속 직원에게 알리는 경우
> 3. 신문, 방송 또는 제2호에 따른 직원에게만 열람이 허용되는 **내부통신망** 등을 통하여 알리는 경우
> 4. 공무원 자신이 소속된 **종교단체 · 친목단체** 등의 회원에게 알리는 경우

① [○]

> **훈령** **경찰청 공무원 행동강령 제6조【특혜의 배제】** 공무원은 직무를 수행함에 있어 지연 · 혈연 · 학연 · 종교 등을 이유로 특정인에게 특혜를 주어서는 아니 된다.

② [○]

> **훈령** **경찰청 공무원 행동강령 제8조【정치인 등의 부당한 요구에 대한 처리】** ① 공무원은 정치인이나 정당 등으로부터 부당한 직무수행을 강요받거나 청탁을 받은 경우에는 별지 제9호 서식 또는 전자우편 등의 방법으로 소속 기관의 장에게 보고하거나 행동강령책임관과 상담하여야 한다.
> ② 제1항에 따라 보고를 받은 소속 기관의 장이나 상담을 한 행동강령책임관은 그 공무원이 공정한 직무수행을 할 수 있도록 적절한 조치를 하여야 한다.

③ [○]

> **훈령** **경찰청 공무원 행동강령 제9조【인사 청탁 등의 금지】** ① 공무원은 자신의 임용 · 승진 · 전보 등 인사에 부당한 영향을 미치기 위하여 타인으로 하여금 인사업무 담당자에게 청탁을 하도록 해서는 아니 된다.
> ② 공무원은 직위를 이용하여 다른 공무원의 임용 · 승진 · 전보 등 인사에 부당하게 개입해서는 아니 된다.

## 151 「경찰청 공무원 행동강령」에 대한 설명으로 가장 적절하지 않은 것은? [2017 채용 1차 변형]

① 공무원은 상급자가 자기 또는 타인의 부당한 이익을 위하여 공정한 직무수행을 현저하게 해치는 지시를 하였을 때에는 그 사유를 그 상급자에게 소명하고 지시에 따르지 아니하거나 행동강령책임관과 상담할 수 있다.

② 공무원은 「범죄수사규칙」 제30조에 따른 경찰관서 내 수사 지휘에 대한 이의제기와 관련하여 행동강령책임관에게 상담을 요청하여야 한다..

③ 공무원은 정치인이나 정당 등으로부터 부당한 직무수행을 강요받거나 청탁을 받은 경우에는 소속 기관의 장에게 보고하거나 행동강령책임관과 상담하여야 한다.

④ 공무원은 직위를 이용하여 다른 공무원의 임용 · 승진 · 전보 등 인사에 부당하게 개입해서는 아니 된다.

**정답 및 해설 I ②**

② [×] 상담을 요청할 수 있다.

> 훈령 **경찰청 공무원 행동강령 제4조의2【부당한 수사지휘에 대한 이의제기】** ① 공무원은 「범죄수사규칙」 제30조에 따른 경찰관서 내 수사 지휘에 대한 이의제기와 관련하여 행동강령책임관에게 상담을 요청할 수 있다.
>
> 훈령 **(경찰청) 범죄수사규칙 제30조【경찰관서 내 이의제기】** ① 경찰관은 구체적 수사와 관련된 소속 수사부서장의 지휘 · 감독의 적법성 또는 정당성에 이견이 있는 경우에는 해당 상관에게 별지 제6호 서식의 수사지휘에 대한 이의제기서를 작성하여 이의를 제기할 수 있다. ➜ 경찰법(국가경찰과 자치경찰의 조직 및 운영에 관한 법률) 제6조 제2항에도 유사한 내용이 있음을 유의!

① [○]

> 훈령 **경찰청 공무원 행동강령 제4조【공정한 직무수행을 해치는 지시에 대한 처리】** ① 공무원은 상급자가 자기 또는 타인의 부당한 이익을 위하여 공정한 직무수행을 현저하게 해치는 지시를 하였을 때에는 별지 제1호 서식 또는 전자우편 등의 방법으로 그 사유를 상급자에게 소명하고 지시에 따르지 아니하거나, 별지 제2호 서식 또는 전자우편 등의 방법으로 제23조에 따라 지정된 행동강령에 관한 업무를 담당하는 공무원(이하 "행동강령책임관"이라 한다)과 상담할 수 있다.

③ [○]

> 훈령 **경찰청 공무원 행동강령 제8조【정치인 등의 부당한 요구에 대한 처리】** ① 공무원은 정치인이나 정당 등으로부터 부당한 직무수행을 강요받거나 청탁을 받은 경우에는 별지 제9호 서식 또는 전자우편 등의 방법으로 소속 기관의 장에게 보고하거나 행동강령책임관과 상담하여야 한다.

④ [○]

> 훈령 **경찰청 공무원 행동강령 제9조【인사 청탁 등의 금지】** ① 공무원은 자신의 임용 · 승진 · 전보 등 인사에 부당한 영향을 미치기 위하여 타인으로 하여금 인사업무 담당자에게 청탁을 하도록 해서는 아니 된다.
> ② 공무원은 직위를 이용하여 다른 공무원의 임용 · 승진 · 전보 등 인사에 부당하게 개입해서는 아니 된다.

**152** 「경찰청 공무원 행동강령」에 대한 내용으로 가장 적절하지 않은 것은? [2018 채용 1차]

① 공무원은 직무를 수행함에 있어 지연 · 혈연 · 학연 · 종교 등을 이유로 특정인에게 특혜를 주어서는 아니 된다.

② 공무원은 상급자가 자기 또는 타인의 부당한 이익을 위하여 공정한 직무수행을 현저하게 해치는 지시를 하였을 때에는 그 사유를 그 상급자에게 소명하고 지시에 따르지 아니하거나 제23조에 따라 지정된 공무원 행동강령에 관한 업무를 담당하는 공무원(이하 '행동강령책임관'이라 한다)과 상담할 수 있다.

③ 공무원은 정치인이나 정당 등으로부터 부당한 직무수행을 강요받거나 청탁을 받은 경우에는 소속 기관의 장에게 보고하거나 행동강령책임관과 상담해야 한다.

④ 공무원은 「범죄수사규칙」 제30조에 따른 경찰관서 내 수사 지휘에 대한 이의제기와 관련하여 행동강령책임관에게 상담을 요청하여야 한다.

**정답 및 해설 I ④**

④ [×] 상담을 요청할 수 있다.

> 훈령 **경찰청 공무원 행동강령 제4조의2【부당한 수사지휘에 대한 이의제기】** ① 공무원은 「범죄수사규칙」 제30조에 따른 경찰관서 내 수사 지휘에 대한 이의제기와 관련하여 행동강령책임관에게 상담을 요청할 수 있다.
> ② 제1항의 상담요청을 받은 행동강령책임관은 해당 지휘의 취소 · 변경이 필요하다고 인정되면 소속기관장에게 보고하여야 한다.

① [○]

> 훈령 **경찰청 공무원 행동강령 제6조【특혜의 배제】** 공무원은 직무를 수행함에 있어 지연 · 혈연 · 학연 · 종교 등을 이유로 특정인에게 특혜를 주어서는 아니 된다.

② [O]

> 훈령 **경찰청 공무원 행동강령 제4조【공정한 직무수행을 해치는 지시에 대한 처리】** ① 공무원은 상급자가 자기 또는 타인의 부당한 이익을 위하여 공정한 직무수행을 현저하게 해치는 지시를 하였을 때에는 별지 제1호 서식 또는 전자우편 등의 방법으로 그 사유를 상급자에게 소명하고 지시에 따르지 아니하거나, 별지 제2호 서식 또는 전자우편 등의 방법으로 제23조에 따라 지정된 행동강령에 관한 업무를 담당하는 공무원(이하 "행동강령책임관"이라 한다)과 상담할 수 있다.
> ② 제1항에 따라 지시를 이행하지 아니하였는데도 같은 지시가 반복될 때에는 즉시 행동강령책임관과 상담하여야 한다.

③ [O]

> 훈령 **경찰청 공무원 행동강령 제8조【정치인 등의 부당한 요구에 대한 처리】** ① 공무원은 정치인이나 정당 등으로부터 부당한 직무수행을 강요받거나 청탁을 받은 경우에는 별지 제9호 서식 또는 전자우편 등의 방법으로 소속 기관의 장에게 보고하거나 행동강령책임관과 상담하여야 한다.
> ② 제1항에 따라 보고를 받은 소속 기관의 장이나 상담을 한 행동강령책임관은 그 공무원이 공정한 직무수행을 할 수 있도록 적절한 조치를 하여야 한다.

## 153 「경찰청 공무원 행동강령」에 대한 설명으로 가장 적절하지 않은 것은? [2018 실무 1 변형]

① 공무원은 상급자가 자기 또는 타인의 부당한 이익을 위하여 공정한 직무수행을 현저하게 해치는 지시를 하였을 때에는 그 사유를 그 상급자에게 소명하고 지시에 따르지 아니하거나 행동강령책임관과 상담할 수 있다.

② 공무원은 직무관련자에게 직위를 이용하여 행사 진행에 필요한 직·간접적 경비, 장소, 인력 또는 물품 등의 협찬을 요구하여서는 아니 된다.

③ 공무원은 수사·단속의 대상이 되는 업소 중 경찰청장이 지정하는 유형의 업소 관계자와 부적절한 사적접촉을 해서는 아니 되며, 소속 경찰관서 내에서만 접촉하여야 한다. 다만, 현장 조사 등 공무상 필요한 경우 외부에서 접촉할 수 있으며, 이 경우에는 수사서류 등 공문서에 기록하여야 한다.

④ 공직자등은 사례금을 받는 외부강의등을 할 때에는 대통령령으로 정하는 바에 따라 외부강의등의 요청 명세 등을 소속기관장에게 그 외부강의등을 마친 날부터 10일 이내에 서면으로 신고하여야 한다. 다만, 외부강의등을 요청한 자가 국가나 지방자치단체인 경우에는 그러하지 아니하다.

**정답 및 해설 | ③**

③ [×] '업소 관계자'와는 공적인 경우는 물론 부적절한 것이 아닌 한 사적으로도 접촉하는 것이 가능하다. 한편 '수사 중인 사건 관계자'와는 부적절한 사적 접촉이 금지되고 경찰관서 내에서만 접촉하는 것이 원칙이다.

> 훈령 **경찰청 공무원 행동강령 제5조의2【수사·단속 업무의 공정성 강화】** ① 공무원은 수사·단속의 대상이 되는 업소 중 경찰청장이 지정하는 유형의 업소 관계자와 부적절한 사적 접촉을 하여서는 아니 되며, 공적 또는 사적으로 접촉한 경우 경찰청장이 정하는 방법에 따라 신고하여야 한다.
> ② 공무원은 수사 중인 사건의 관계자(해당 사건의 처리와 법률적·경제적 이해관계가 있는 자로서 경찰청장이 지정하는 자를 말한다)와 부적절한 사적접촉을 해서는 아니 되며, 소속 경찰관서 내에서만 접촉하여야 한다. 다만, 현장 조사 등 공무상 필요한 경우 외부에서 접촉할 수 있으며, 이 경우에는 수사서류 등 공문서에 기록하여야 한다.

① [O]

> 훈령 **경찰청 공무원 행동강령 제4조【공정한 직무수행을 해치는 지시에 대한 처리】** ① 공무원은 상급자가 자기 또는 타인의 부당한 이익을 위하여 공정한 직무수행을 현저하게 해치는 지시를 하였을 때에는 별지 제1호 서식 또는 전자우편 등의 방법으로 그 사유를 상급자에게 소명하고 지시에 따르지 아니하거나, 별지 제2호 서식 또는 전자우편 등의 방법으로 제23조에 따라 지정된 행동강령에 관한 업무를 담당하는 공무원(이하 "행동강령책임관"이라 한다)과 상담할 수 있다.

② [○] 훈령 경찰청 공무원 행동강령 제16조의2【직무관련자에게 협찬 요구 금지】 공무원은 직무관련자에게 직위를 이용하여 행사 진행에 필요한 직 · 간접적 경비, 장소, 인력, 또는 물품 등의 협찬을 요구하여서는 아니 된다.

④ [○] 훈령 경찰청 공무원 행동강령 제15조【외부강의등의 사례금 수수 제한】 ① 공무원은 자신의 직무와 관련되거나 그 지위 · 직책 등에서 유래되는 사실상의 영향력을 통하여 요청받은 교육 · 홍보 · 토론회 · 세미나 · 공청회 또는 그 밖의 회의 등에서 한 강의 · 강연 · 기고 등(이하 "외부강의등"이라 한다)의 대가로서 별표 2에서 정하는 금액을 초과하는 사례금을 받아서는 아니 된다.
② 공무원은 사례금을 받는 외부강의등을 할 때에는 외부강의등의 요청 명세 등을 별지 제12호 서식의 외부강의등 신고서에 따라 소속 기관의 장에게 그 외부강의등을 마친 날부터 10일 이내에 신고하여야 한다. 다만, 외부강의등을 요청한 자가 국가나 지방자치단체인 경우에는 그러하지 아니하다.



**154** 「경찰청 공무원 행동강령」에 대한 설명으로 가장 적절한 것은? [2023 경간]

① 공무원은 어떠한 경우에도 자신의 직무권한을 행사하여 직무관련자로부터 사적 노무를 제공받거나 요구해서는 안 된다.

② 공무원은 정치인이나 정당 등으로부터 부당한 직무수행을 강요받거나 청탁을 받은 경우에는 별지 제9호 서식 또는 전자우편 등의 방법으로 소속기관장에게 보고하거나 행동강령책임관과 상담할 수 있다.

③ 경찰유관단체원이 경찰 업무와 관련하여 경찰관에게 금품을 제공한 경우 행동강령책임관은 해당 경찰유관단체 운영 부서장과 협의하여 소속기관장에게 경찰유관단체원의 해촉 등 필요한 조치를 건의하여야 하며, 보고를 받은 소속기관장은 적절한 조치를 취해야 한다.

④ 공무원은 사례금을 받는 외부강의(외부강의 등을 요청한 자가 국가나 지방자치단체를 포함함)를 할 때에는 외부강의의 요청 명세 등을 외부강의 등 신고서에 따라 소속 기관의 장에게 그 외부강의 등을 마친 날부터 10일 이내에 신고하여야 한다.

**정답 및 해설 | ③**

③ [○] 경찰청 공무원 행동강령 제8조의2【경찰유관단체원의 부정행위에 대한 처리】 경찰유관단체원이 다음 각 호의 어느 하나에 해당하는 행위를 한 경우 행동강령책임관은 해당 경찰유관단체 운영 부서장과 협의하여 소속기관장에게 경찰유관단체원의 해촉 등 필요한 조치를 건의하여야 하며, 보고를 받은 소속기관장은 적절한 조치를 취하여야 한다.
1. 경찰 업무와 관련하여 금품을 수수 또는 경찰관에게 금품을 제공하거나, 이를 알선한 경우

① [×] 다른 법령이나 사회상규에 따라 허용되는 경우에는 그러하지 아니하다.

경찰청 공무원 행동강령 제13조의2【사적 노무 요구 금지】 공무원은 자신의 직무권한을 행사하거나 지위 · 직책 등에서 유래되는 사실상 영향력을 행사하여 직무관련자 또는 직무관련공무원으로부터 사적 노무를 제공받거나 요구 또는 약속해서는 아니 된다. 다만, 다른 법령 또는 사회상규에 따라 허용되는 경우에는 그러하지 아니하다.

② [×] 상담하여야 한다.

경찰청 공무원 행동강령 제8조【정치인 등의 부당한 요구에 대한 처리】 ① 공무원은 정치인이나 정당 등으로부터 부당한 직무수행을 강요받거나 청탁을 받은 경우에는 별지 제9호 서식 또는 전자우편 등의 방법으로 소속 기관의 장에게 보고하거나 행동강령책임관과 상담하여야 한다.

④ [×] 국가나 지자체를 제외한다.

경찰청 공무원 행동강령 제15조【외부강의등의 사례금 수수 제한】 ② 공무원은 사례금을 받는 외부강의등을 할 때에는 외부강의등의 요청 명세 등을 별지 제12호 서식의 외부강의등 신고서에 따라 소속 기관의 장에게 그 외부강의등을 마친 날부터 10일 이내에 신고하여야 한다. 다만, 외부강의등을 요청한 자가 국가나 지방자치단체인 경우에는 그러하지 아니하다.

**155** 경찰청 공무원 행동강령에 관한 설명 중 가장 적절하지 <u>않은</u> 것은? [2022 채용1차 변형]

① 공무원은 범죄수사규칙 제30조에 따른 경찰관서 내 수사 지휘에 대한 이의제기와 관련하여 행동강령책임관에게 상담을 요청할 수 있다.

② 공무원은 수사 중인 사건의 관계자(해당 사건의 처리와 법률적 이해관계가 있는 자로서 경찰청장이 지정하는 자를 말하며, 경제적인 이해관계가 있는 자는 제외한다)와 부적절한 사적접촉을 해서는 아니 되며, 소속 경찰관서 내에서만 접촉하여야 한다. 다만, 현장 조사 등 공무상 필요한 경우 외부에서 접촉할 수 있으며, 이 경우에는 수사서류 등 공문서에 기록하여야 한다.

③ 공무원은 동창회 등 친목단체에 직무관련자가 있어 부득이 골프를 하는 경우에는 소속관서 행동강령책임관에게 사전에 신고하여야 하며 사전에 신고하기 어려운 특별한 사유가 있는 경우에는 사후에 즉시 신고하여야 한다.

④ 공무원은 직무관련자나 직무관련공무원에게 경조사를 알려서는 아니 되나, 공무원 자신이 소속된 종교단체 친목단체 등의 회원에게 알리는 경우에는 경조사를 알릴 수 있다.

**정답 및 해설 I ②**

② [×] 법률적 · 경제적 이해관계가 있는 자를 말한다.

> 훈령 **경찰청 공무원 행동강령 제5조의2【수사 · 단속 업무의 공정성 강화】** ② 공무원은 수사 중인 사건의 관계자(해당 사건의 처리와 **법률적 · 경제적 이해관계**가 있는 자로서 경찰청장이 지정하는 자를 말한다)와 부적절한 사적접촉을 해서는 아니 되며, 소속 경찰관서 내에서만 접촉하여야 한다. 다만, 현장 조사 등 공무상 필요한 경우 외부에서 접촉할 수 있으며, 이 경우에는 수사서류 등 공문서에 기록하여야 한다.

① [○]

> 훈령 **경찰청 공무원 행동강령 제4조의2【부당한 수사지휘에 대한 이의제기】** ① 공무원은 「범죄수사규칙」 제30조에 따른 경찰관서 내 수사 지휘에 대한 이의제기와 관련하여 행동강령책임관에게 상담을 요청할 수 있다.

③ [○]

> 훈령 **경찰청 공무원 행동강령 제16조의3【직무관련자와 골프 및 사적여행 제한】** ① 공무원은 직무관련자와는 **비용 부담 여부와 관계없이** 골프를 같이 하여서는 아니 된다. 다만, 다음 각 호와 같은 부득이한 사정에 따라 골프를 같이 하는 경우에는 소속관서 **행동강령 책임관에게 사전에** 신고하여야 하며 사전에 신고하기 어려운 특별한 사유가 있는 경우에는 **사후에 즉시** 신고하여야 한다.
> 1. 정책의 수립 · 시행을 위한 의견교환 또는 업무협의 등 공적인 목적을 위하여 필요한 경우
> 2. 직무관련자인 친족과 골프를 하는 경우
> 3. 동창회 등 친목단체에 직무관련자가 있어 부득이 골프를 하는 경우
> 4. 그 밖에 위 각 호와 유사한 사유로 부득이하다고 인정되는 경우

④ [○]

> 훈령 **경찰청 공무원 행동강령 제17조【경조사의 통지 제한】** 공무원은 직무관련자나 직무관련공무원에게 **경조사를 알려서는 아니 된다**. 다만, 다음 각 호의 어느 하나에 해당하는 경우에는 경조사를 알릴 수 있다.
> 1. **친족**(「민법」 제767조에 따른 친족을 말한다)에게 알리는 경우
> 2. 현재 근무하고 있거나 과거에 근무하였던 기관의 소속 **직원**에게 알리는 경우
> 3. 신문, 방송 또는 제2호에 따른 직원에게만 열람이 허용되는 **내부통신망** 등을 통하여 알리는 경우
> 4. 공무원 자신이 소속된 **종교단체 · 친목단체** 등의 회원에게 알리는 경우

## 156 「경찰청 공무원 행동강령」에 규정된 내용으로 가장 적절하지 않은 것은?

[2020 실무 1 변형] [2022 승진(실무종합)변형]

① 공무원은 여비, 업무추진비 등 공무 활동을 위한 예산을 목적 외의 용도로 사용하여 소속 기관에 재산상 손해를 입혀서는 아니 된다.

② 공무원은 사례금을 받는 외부강의등을 할 때에는 대통령령으로 정하는 바에 따라 외부강의등의 요청 명세 등을 소속기관장에게 그 외부강의등을 마친 날부터 10일 이내에 서면으로 신고하여야 한다. 다만, 외부강의등을 요청한 자가 국가나 지방자치단체인 경우에는 그러하지 아니하다.

③ 공무원은 위 ②에 따른 신고를 할 때 신고사항 중 상세 명세 또는 사례금 총액 등을 제2항의 기간 내에 알 수 없는 경우에는 해당 사항을 제외한 사항을 신고한 후 해당 사항을 안 날부터 7일 이내에 보완하여야 한다.

④ 공무원은 초과사례금을 받은 경우에는 그 사실을 안 날로부터 2일 이내에 별지에 정해진 서식으로 소속기관의 장에게 신고하여야 하며, 제공자에게 그 초과금액을 지체 없이 반환하여야 한다.

**정답 및 해설 I ③**

③ [×] 5일 이내이다.

> **훈령** **경찰청 공무원 행동강령 제15조【외부강의등의 사례금 수수 제한】** ③ 공무원은 제2항에 따른 신고를 할 때 신고사항 중 상세 명세 또는 사례금 총액 등을 제2항의 기간 내에 알 수 없는 경우에는 해당 사항을 제외한 사항을 신고한 후 해당 사항을 안 날부터 5일 이내에 보완하여야 한다.

① [○]

> **훈령** **경찰청 공무원 행동강령 제7조【예산의 목적 외 사용 금지】** 공무원은 여비, 업무추진비 등 공무 활동을 위한 예산을 목적 외의 용도로 사용하여 소속 기관에 재산상 손해를 입혀서는 아니 된다.

② [○]

> **훈령** **경찰청 공무원 행동강령 제15조【외부강의등의 사례금 수수 제한】** ① 공무원은 자신의 직무와 관련되거나 그 지위·직책 등에서 유래되는 사실상의 영향력을 통하여 요청받은 교육·홍보·토론회·세미나·공청회 또는 그 밖의 회의 등에서 한 강의·강연·기고 등(이하 "외부강의등"이라 한다)의 대가로서 별표 2에서 정하는 금액을 초과하는 사례금을 받아서는 아니 된다.
> ② 공무원은 사례금을 받는 외부강의등을 할 때에는 외부강의등의 요청 명세 등을 별지 제12호 서식의 외부강의등 신고서에 따라 소속 기관의 장에게 그 외부강의등을 마친 날부터 10일 이내에 신고하여야 한다. 다만, 외부강의등을 요청한 자가 국가나 지방자치단체인 경우에는 그러하지 아니하다.

④ [○]

> **훈령** **경찰청 공무원 행동강령 제15조의2【초과사례금의 신고등】** ① 공무원은 제15조 제1항에 따른 금액을 초과하는 사례금(이하 "초과사례금"이라 한다)을 받은 경우에는 그 사실을 안 날로부터 **2일 이내**에 별지 제13호 서식으로 소속기관의 장에게 신고하여야 하며, 제공자에게 그 초과금액을 **지체 없이 반환**하여야 한다.

## 157 「경찰청 공무원 행동강령」에 해당하지 않는 것은? [2023 채용 1차]

① 공무원은 상급자가 자기 또는 타인의 부당한 이익을 위하여 공정한 직무수행을 현저하게 해치는 지시를 하였을 때에는 그 사유를 상급자에게 소명하고 지시에 따르지 아니하거나 행동강령책임관과 상담할 수 있다.

② 공무원은 수사 · 단속의 대상이 되는 업소 중 경찰청장이 지정하는 유형의 업소 관계자와 부적절한 사적 접촉을 하여서는 아니되며, 공적 또는 사적으로 접촉한 경우 경찰청장이 정하는 방법에 따라 신고하여야 한다.

③ 공무원은 직무수행 중 알게 된 정보를 이용하여 유가증권, 부동산 등과 관련된 재산상 거래 또는 투자를 하거나 타인에게 그러한 정보를 제공하여 재산상 거래 또는 투자를 돕는 행위를 해서는 아니 된다.

④ 경찰공무원은 정당이나 정치단체에 가입하거나 정치활동에 관여하는 행위를 하여서는 아니 된다.

**정답 및 해설 I ④**

④ [×] 해당 지문은 경찰공무원법 제23조에 규정된 정치관여금지에 관한 내용이다.

> **경찰공무원법 제23조【정치 관여 금지】** ① 경찰공무원은 정당이나 정치단체에 가입하거나 정치활동에 관여하는 행위를 하여서는 아니 된다.

① [○]

> **훈령** **경찰청 공무원 행동강령 제4조【공정한 직무수행을 해치는 지시에 대한 처리】** ① 공무원은 상급자가 자기 또는 타인의 부당한 이익을 위하여 공정한 직무수행을 현저하게 해치는 지시를 하였을 때에는 별지 제1호 서식 또는 전자우편 등의 방법으로 그 사유를 상급자에게 소명하고 지시에 따르지 아니하거나, 별지 제2호 서식 또는 전자우편 등의 방법으로 제23조에 따라 지정된 행동강령에 관한 업무를 담당하는 공무원(이하 **"행동강령책임관"이라 한다)과 상담할 수 있다.**

② [○]

> **훈령** **경찰청 공무원 행동강령 제5조의2【수사 · 단속 업무의 공정성 강화】** ① 공무원은 수사 · 단속의 대상이 되는 업소 중 경찰청장이 지정하는 유형의 업소 관계자와 부적절한 사적 접촉을 하여서는 아니 되며, 공적 또는 사적으로 접촉한 경우 경찰청장이 정하는 방법에 따라 신고하여야 한다.

③ [○]

> **훈령** **경찰청 공무원 행동강령 제12조【직무 관련 정보를 이용한 거래 등의 제한】** 공무원은 직무수행 중 알게 된 정보를 이용하여 유가증권, 부동산 등과 관련된 재산상 거래 또는 투자를 하거나 타인에게 그러한 정보를 제공하여 재산상 거래 또는 투자를 돕는 행위를 해서는 아니 된다.

## 158 「경찰청 공무원 행동강령」에 대한 설명으로 가장 적절하지 않은 것은? [2023 경간]

① 공무원이 대가를 받고 수행하는 외부강의 등은 월 3회를 초과할 수 없다. 다만, 국가나 지방자치단체에서 요청하거나 겸직 허가를 받고 수행하는 외부강의 등은 그 횟수에 포함하지 아니한다.

② 공무원은 「범죄수사규칙」 제30조에 따른 경찰관서 내 수사 지휘에 대한 이의제기와 관련하여 행동강령 책임관에게 상담을 요청할 수 있다.

③ 공무원은 직무관련자와 골프를 같이 해서는 아니 된다. 단, 공무원이 스스로 비용을 부담하는 경우에는 그러하지 아니하다.

④ 공무원은 직무관련자에게 직위를 이용하여 행사 진행에 필요한 직 · 간접적 경비, 장소, 인력, 또는 물품 등의 협찬을 요구하여서는 아니 된다.

**정답 및 해설 I ③**

③ [×] 비용 부담 여부와 관계없이 골프를 같이 해서는 안 된다.

> 훈령 **경찰청 공무원 행동강령 제16조의3【직무관련자와 골프 및 사적여행 제한】** ① 공무원은 직무관련자와는 **비용 부담 여부와 관계없이** 골프를 같이 하여서는 아니 된다. 다만, 다음 각 호와 같은 부득이한 사정에 따라 골프를 같이 하는 경우에는 소속관서 **행동강령 책임관에게 사전에 신고하여야** 하며 사전에 신고하기 어려운 특별한 사유가 있는 경우에는 **사후에 즉시 신고하여야** 한다.
> 1. 정책의 수립 · 시행을 위한 의견교환 또는 업무협의 등 공적인 목적을 위하여 필요한 경우
> 2. 직무관련자인 친족과 골프를 하는 경우
> 3. 동창회 등 친목단체에 직무관련자가 있어 부득이 골프를 하는 경우
> 4. 그 밖에 위 각 호와 유사한 사유로 부득이하다고 인정되는 경우

① [○]

> 훈령 **경찰청 공무원 행동강령 제15조【외부강의등의 사례금 수수 제한】** ④ 공무원이 대가를 받고 수행하는 외부강의등은 월 3회를 초과할 수 없다. 국가나 지방자치단체에서 요청하거나 겸직 허가를 받고 수행하는 외부강의등은 그 횟수에 포함하지 아니한다.
> ⑤ 공무원은 제4항에도 불구하고 월 3회를 초과하여 대가를 받고 외부강의등을 하려는 경우에는 미리 소속 기관의 장의 승인을 받아야 한다.

② [○]

> 훈령 **경찰청 공무원 행동강령 제4조의2【부당한 수사지휘에 대한 이의제기】** ① 공무원은 「범죄수사규칙」 제30조에 따른 경찰관서 내 수사 지휘에 대한 이의제기와 관련하여 행동강령책임관에게 상담을 요청할 수 있다.

④ [○]

> 훈령 **경찰청 공무원 행동강령 제16조의2【직무관련자에게 협찬 요구 금지】** 공무원은 직무관련자에게 직위를 이용하여 행사 진행에 필요한 직 · 간접적 경비, 장소, 인력, 또는 물품 등의 협찬을 요구하여서는 아니 된다.

**159** 「경찰청 공무원 행동강령」에 대한 설명으로 가장 적절하지 <u>않은</u> 것은? [2022 승진]

① 공무원은 여비, 업무추진비 등 공무 활동을 위한 예산을 목적 외의 용도로 사용하여 소속 기관에 재산상 손해를 입혀서는 아니 된다.

② 인사업무를 담당하는 공무원은 자신이 소속된 기관에 자신의 가족이 채용되도록 지시하는 등 부당한 영향력을 행사해서는 아니 된다.

③ 공무원이 기관이 아닌 개인인 직무관련자로부터 무상으로 금전을 빌리는 경우에는 소속 기관의 장에게 서면으로 미리 신고해야 할 필요가 없다.

④ 산하기관을 지휘 · 감독 · 규제 또는 지원하는 업무를 담당하는 공무원은 자신이 소속된 기관의 산하기관과 수의계약을 체결해서는 아니 되며, 자신의 가족이 그 산하기관과 수의계약을 체결하도록 해서는 아니 된다.

**정답 및 해설 I ③**

③ [×] 신고하여야 하므로 틀린 내용이었으나, 이해충돌방지법 제정으로 2022.9. 삭제되었다.

① [○]

> 훈령 **경찰청 공무원 행동강령 제7조【예산의 목적 외 사용 금지】** 공무원은 여비, 업무추진비 등 공무 활동을 위한 예산을 목적 외의 용도로 사용하여 소속 기관에 재산상 손해를 입혀서는 아니 된다.

② [○] 옳은 내용이었으나, 이해충돌방지법 제정으로 2022.9. 삭제되었다.

④ [○] 옳은 내용이었으나, 이해충돌방지법 제정으로 2022.9. 삭제되었다.

## 주제 6 공직자의 이해충돌방지법

**160** 「공직자의 이해충돌 방지법」에 관한 설명으로 가장 적절하지 않은 것은? [2024 1차 채용]

① 이 법은 공직자의 직무수행과 관련한 사적 이익추구를 금지함으로써 공직자의 직무수행 중 발생할 수 있는 이해충돌을 방지하여 공정한 직무수행을 보장하고 공공기관에 대한 국민의 신뢰를 확보하는 것을 목적으로 한다.

② 「초 · 중등교육법」, 「고등교육법」 또는 그 밖의 다른 법령에 따라 설치된 각급 국립 · 공립학교는 '공공기관'에 해당한다.

③ 경무관인 세종특별자치시경찰청장은 '고위공직자'에 해당하지 않는다.

④ 최근 2년 이내에 퇴직한 공직자로서 퇴직일 전 2년 이내에 사적이해관계 신고 대상 직무를 수행하는 공직자와 같은 부서에서 근무하였던 사람은 사적이해관계자에 포함된다.

**정답 및 해설 | ③**

③ [×] 치안감 이상이 아니더라도 시 · 도경찰청장이면 고위공직자에 해당한다. ➔ 즉, 고위공직자 기준은 (i) 계급기준(치안감 이상) 또는 (ii) 직책(보직)기준(시 · 도경찰청장) 두 가지가 있다.

> **이해충돌방지법 제2조【정의】** 이 법에서 사용하는 용어의 뜻은 다음과 같다.
> 3. "**고위공직자**"란 다음 각 목의 어느 하나에 해당하는 공직자를 말한다.
> 아. 치안감 이상의 경찰공무원 및 특별시 · 광역시 · 특별자치시 · 도 · 특별자치도의 시 · 도경찰청장
>
> **경찰법 제28조【시 · 도경찰청장】** ① 시 · 도경찰청에 시 · 도경찰청장을 두며, 시 · 도경찰청장은 치안정감 · 치안감 또는 경무관으로 보한다.

① [○]

> **이해충돌방지법 제1조【목적】** 이 법은 공직자의 직무수행과 관련한 사적 이익추구를 금지함으로써 공직자의 직무수행 중 발생할 수 있는 **이해충돌을 방지하여 공정한 직무수행을 보장하고 공공기관에 대한 국민의 신뢰를 확보하는 것**을 목적으로 한다.

② [○] 이해충돌방지법상 사립학교는 없다는 점도 유의하여야 한다. ➔ 청탁금지법 · 부패방지법에는 사립학교 있음!

> **이해충돌방지법 제2조【정의】** 이 법에서 사용하는 용어의 뜻은 다음과 같다.
> 1. "**공공기관**"이란 다음 각 목의 어느 하나에 해당하는 기관 · 단체를 말한다.
> 가. 국회, 법원, 헌법재판소, 선거관리위원회, 감사원, 고위공직자범죄수사처, 국가인권위원회, 중앙행정기관(대통령 소속 기관과 국무총리 소속 기관을 포함한다)과 그 소속 기관
> 나. 「지방자치법」에 따른 지방자치단체의 집행기관 및 지방의회
> 다. 「지방교육자치에 관한 법률」에 따른 교육행정기관
> 라. 「공직자윤리법」 제3조의2에 따른 공직유관단체
> 마. 「공공기관의 운영에 관한 법률」 제4조에 따른 공공기관
> 바. 「초 · 중등교육법」, 「고등교육법」또는 그 밖의 다른 법령에 따라 설치된 각급 국립 · 공립 학교

④ [○]

> **이해충돌방지법 제2조【정의】** 이 법에서 사용하는 용어의 뜻은 다음과 같다.
> 6. "**사적이해관계자**"란 다음 각 목의 어느 하나에 해당하는 자를 말한다.
> 사. 최근 2년 이내에 퇴직한 공직자로서 퇴직일 전 2년 이내에 제5조 제1항 각 호의 어느 하나에 해당하는 직무를 수행하는 공직자와 국회규칙, 대법원규칙, 헌법재판소규칙, 중앙선거관리위원회규칙 또는 대통령령으로 정하는 범위의 부서에서 같이 근무하였던 사람

## 161 「공직자의 이해충돌 방지법」에 대한 설명으로 가장 적절한 것은? [2023 경간]

① 공직자가 소속된 공공기관과 계약을 체결하거나 체결하려는 것이 명백한 개인이나 법인 또는 단체는 직무관련자에 해당한다.

② 고위공직자는 그 직위에 임용되거나 임기를 개시하기 전 3년 이내에 민간 부문에서 업무활동을 한 경우, 그 활동 내역을 그 직위에 임용되거나 임기를 개시한 다음 날부터 30일 이내에 소속기관장에게 제출하여야 한다.

③ 직무와 관련된 다른 직위에 취임한 공직자는 3천만원 이하의 과태료를 부과한다.

④ 공직자로 채용 · 임용되기 전 3년 이내에 공직자 자신이 대리 하거나 고문 · 자문 등을 제공했던 개인이나 법인 또는 단체는 사적이해관계자에 해당한다.

**정답 및 해설 I ①**

① [○]

> **이해충돌방지법 제2조【정의】** 이 법에서 사용하는 용어의 뜻은 다음과 같다.
> 5. **"직무관련자"**란 공직자가 법령(조례 · 규칙을 포함한다. 이하 같다)…에 따라 수행하는 직무와 관련되는 자로서 다음 각 목의 어느 하나에 해당하는 개인 · 법인 · 단체 및 공직자를 말한다.
> 다. 공직자가 소속된 공공기관과 계약을 체결하거나 체결하려는 것이 명백한 개인이나 법인 또는 단체

② [×] 다음 날이 아니다.

> **이해충돌방지법 제8조【고위공직자의 민간 부문 업무활동 내역 제출 및 공개】** ① 고위공직자는 그 직위에 임용되거나 임기를 개시하기 전 3년 이내에 민간 부문에서 업무활동을 한 경우, 그 활동 내역을 그 직위에 임용되거나 임기를 개시한 날부터 30일 이내에 소속기관장에게 제출하여야 한다.

③ [×] 직무관련 외부활동의 모습 중 하나인 다른 직위 취임은 2천만원 이하의 과태료 부과사항이다.

> **이해충돌방지법 제28조【과태료】** ② 다음 각 호의 어느 하나에 해당하는 자에게는 2천만원 이하의 과태료를 부과한다.
> 4. 제10조를 위반하여 직무 관련 외부활동을 한 공직자

④ [×] 3년이 아닌 2년이다.

> **이해충돌방지법 제2조【정의】** 이 법에서 사용하는 용어의 뜻은 다음과 같다.
> 6. **"사적이해관계자"**란 다음 각 목의 어느 하나에 해당하는 자를 말한다.
> 라. 공직자로 채용 · 임용되기 전 2년 이내에 공직자 자신이 재직하였던 법인 또는 단체
> 마. 공직자로 채용 · 임용되기 전 2년 이내에 공직자 자신이 대리하거나 고문 · 자문 등을 제공하였던 개인이나 법인 또는 단체

**162** 「공직자의 이해충돌방지법」에 관한 내용 중 적절한 것은 모두 몇 개인가? [2023 승진]

> ㉠ 공직자는 배우자가 공직자 자신의 직무관련자(「민법」 제777조에 따른 친족 제외)와 토지 또는 건축물 등 부동산을 거래하는 행위(다만, 공개모집에 의하여 이루어지는 분양이나 공매 · 경매 · 입찰을 통한 재산상 거래 행위는 제외)를 한다는 것을 사전에 안 경우에는 안 날부터 14일 이내에 소속기관장에게 그 사실을 서면으로 신고하여야 한다.
> ㉡ 공직자는 직무관련자에게 사적으로 노무 또는 조언 · 자문 등을 제공하고 대가를 받는 행위를 해서는 아니된다(단, 「국가공무원법」 등 타 법령 · 기준에 따라 허용되는 경우는 제외).
> ㉢ 공직자는 사회상규에 따라 허용되는 경우라 할지라도 직무관련자인 소속 기관의 퇴직자(공직자가 아니게 된 날부터 2년이 지나지 아니한 사람만 해당)와 사적 접촉(골프, 여행, 사행성 오락을 같이 하는 행위) 시 소속기관장에게 신고해야 한다.
> ㉣ 사적이해관계자에 공직자 자신 또는 그 가족(「민법」 제779조에 따른 가족)도 해당된다.

① 1개 ② 2개
③ 3개 ④ 4개

**정답 및 해설 I ③**

㉠ [○]

> **이해충돌방지법 제9조【직무관련자와의 거래 신고】** ① 공직자는 자신, 배우자 또는 직계존속 · 비속(배우자의 직계존속 · 비속으로 생계를 같이하는 경우를 포함한다. 이하 이 조에서 같다) 또는 특수관계사업자가 공직자 자신의 직무관련자(「민법」 제777조에 따른 친족인 경우는 제외한다)와 다음 각 호의 어느 하나에 해당하는 행위를 한다는 것을 사전에 안 경우에는 안 날부터 14일 이내에 소속기관장에게 그 사실을 서면으로 신고하여야 한다.
> 2. 토지 또는 건축물 등 부동산을 거래하는 행위. 다만, 공개모집에 의하여 이루어지는 분양이나 공매 · 경매 · 입찰을 통한 재산상 거래 행위는 제외한다.

㉡ [○]

> **이해충돌방지법 제10조【직무 관련 외부활동의 제한】** 공직자는 다음 각 호의 행위를 하여서는 아니 된다. 다만, 「국가공무원법」 등 다른 법령 · 기준에 따라 허용되는 경우는 그러하지 아니하다.
> 1. 직무관련자에게 사적으로 노무 또는 조언 · 자문 등을 제공하고 대가를 받는 행위

㉢ [×] 사회상규에 따라 허용되는 경우에는 신고의무가 없다.

> **이해충돌방지법 제15조【퇴직자 사적 접촉 신고】** ① 공직자는 직무관련자인 소속 기관의 퇴직자(공직자가 아니게 된 날부터 2년이 지나지 아니한 사람만 해당한다)와 사적 접촉(골프, 여행, 사행성 오락을 같이 하는 행위를 말한다)을 하는 경우 소속기관장에게 신고하여야 한다. 다만, **사회상규에 따라 허용되는 경우에는 그러하지 아니하다.**

㉣ [○]

> **이해충돌방지법 제2조【정의】** 이 법에서 사용하는 용어의 뜻은 다음과 같다.
> 6. **"사적이해관계자"**란 다음 각 목의 어느 하나에 해당하는 자를 말한다.
> 가. 공직자 자신 또는 그 가족(「민법」 제779조에 따른 가족을 말한다. 이하 같다)

## 주제 7 경찰의 적극행정

**163** 「적극행정 운영규정」 및 「경찰청 적극행정 면책제도 운영규정」에 관한 설명으로 가장 적절하지 않은 것은? [2023 채용 2차]

① 「적극행정 운영규정」상 공무원이 적극행정을 추진한 결과에 대해 그의 행위에 고의 또는 중대한 과실이 없는 경우에는 징계 관련 법령에 따라 징계의결 또는 징계부가금 부과의결을 하지 않는다.

② 「경찰청 적극행정 면책제도 운영규정」에 의한 면책은 경찰청 및 그 소속 기관의 공무원 또는 산하단체의 임 · 직원 등에게 적용된다.

③ 「경찰청 적극행정 면책제도 운영규정」 제5조 제1항 제3호의 요건을 적용하는 경우 자체감사를 받는 사람이 '대상 업무를 처리하면서 중대한 절차상의 하자가 없었을 것'과 '자체감사를 받는 사람과 대상 업무 사이에 사적인 이해관계가 없을 것'이라는 요건을 모두 갖추어 업무를 처리한 것으로 인정되는 경우에는 그 행위에 고의나 중대한 과실이 없는 경우에 해당하는 것으로 추정한다.

④ 「적극행정 운영규정」 제18조의3은 "누구든지 공무원의 소극행정을 국가인권위원회가 운영하는 소극행정 신고센터에 신고할 수 있다."고 규정하고 있다.

**정답 및 해설 I ④**

④ [×] 국가인권위원회가 아닌, 국민권익위원회가 운영하는 소극행정 신고센터이다.

> 대통령령 **적극행정 운영규정 제18조의3【소극행정 신고】** ① 누구든지 공무원의 소극행정을 소속 중앙행정기관의 장이나 제3항에 따른 소극행정 신고센터에 신고할 수 있다.
> ③ 국민권익위원회는 중앙행정기관 소속 공무원의 소극행정 예방 및 근절을 위해 소극행정 신고센터를 운영하고, 중앙행정기관의 장에게 제1항에 따른 신고사항에 대해 적절한 조치를 하도록 권고할 수 있다.

① [○]

> 대통령령 **적극행정 운영규정 제16조【징계요구 등 면책】** ① 공무원이 적극행정을 추진한 결과에 대해 그의 행위에 고의 또는 중대한 과실이 없는 경우에는 「감사원법」 제34조의3 및 「공공감사에 관한 법률」 제23조의2에 따라 징계 요구 또는 문책 요구 등 책임을 묻지 않는다.

② [○]

> 훈령 **경찰청 적극행정 면책제도 운영규정 제4조【면책 대상자】** 이 규정에 의한 면책은 경찰청 및 그 소속기관의 공무원 또는 산하단체의 임 · 직원 등에게 적용된다.

③ [○]

> 훈령 **경찰청 적극행정 면책제도 운영규정 제5조【적극행정 면책요건】** ① 자체 감사를 받는 사람이 적극행정면책을 받기 위해서는 다음 각 호의 요건을 모두 갖추어야 한다.
> 1. 감사를 받는 사람의 업무처리가 불합리한 규제의 개선, 공익사업의 추진 등 공공의 이익을 위한 것일 것
> 2. 감사를 받는 사람이 대상 업무를 적극적으로 처리한 결과일 것
> 3. 감사를 받는 사람의 행위에 고의나 중대한 과실이 없을 것
> ② 제1항 제3호의 요건을 적용하는 경우 자체감사를 받는 사람이 다음 각 호의 요건을 모두 갖추어 업무를 처리한 것으로 인정되는 경우에는 그 행위에 고의나 중대한 과실이 없는 경우에 해당하는 것으로 추정한다.
> 1. 자체감사를 받는 사람과 대상 업무 사이에 사적인 이해관계가 없을 것
> 2. 대상 업무를 처리하면서 중대한 절차상의 하자가 없었을 것

**164** 「경찰청 적극행정 면책제도 운영규정」에 대한 설명으로 가장 적절하지 않은 것은? [2023 경간]

① 적극행정이란 경찰청 및 그 소속기관의 공무원 또는 산하단체의 임 · 직원이 국가 또는 공공의 이익을 증진하기 위해 성실하고 능동적으로 업무를 처리하는 행위를 말한다.

② 면책이란 적극행정 과정에서 발생한 부분적인 절차상 하자 또는 비효율, 손실 등과 관련하여 그 업무를 처리한 경찰청 소속 공무원 등에 대하여 「경찰청 감사규칙」 제10조 제1호부터 제3호 까지 및 제6호와 「경찰공무원 징계령」에 따른 징계 및 징계부 가금의 어느 하나에 해당하는 책임을 묻지 않거나 감면하는 것을 말한다.

③ 법령 · 행정규칙 등의 해석에 대한 이견 등으로 인하여 능동적인 업무처리가 곤란한 경우와 행정심판, 수사 중인 사안 등은 사전컨설팅 감사의 대상이다.

④ 사전컨설팅 감사란 불합리한 제도 등으로 인해 적극적인 업무 수행이 어려운 경우, 해당 업무의 수행에 앞서 업무처리 방향 등에 대하여 미리 감사의 의견을 듣고 이를 업무처리에 반영하여 적극행정을 추진하는 것을 말한다.

**정답 및 해설 | ③**

③ [×] 행정심판, 수사 중인 사항은 사전컨설팅 감사 대상에서 제외한다.

> **경찰청 적극행정 면책제도 운영규정 제15조 【사전컨설팅 감사의 대상】** ① 사전컨설팅 대상 기관등의 장은 다음 각 호의 어느 하나에 해당하는 업무를 수행하기 전에 감사관에게 사전컨설팅 감사를 신청할 수 있다.
> 1. 인가 · 허가 · 승인 등 규제관련 업무
> 2. 법령 · 행정규칙 등의 해석에 대한 이견 등으로 인하여 능동적인 업무처리가 곤란한 경우
> 3. 그 밖에 적극행정 추진을 위해 감사관이 필요하다고 인정하는 경우
>
> ② **행정심판, 소송, 수사 또는 타 기관에서 감사 중인 사항**, 타 법령에서 정하고 있는 **재심의 절차를 거친 사항** 등은 사전컨설팅 감사 대상에서 제외한다.

①② [○]

> **경찰청 적극행정 면책제도 운영규정 제2조 【정의】** 이 규정에서 사용하는 용어의 뜻은 다음과 같다.
> 1. "**적극행정**"이란, 경찰청 및 그 소속기관의 공무원 또는 산하단체의 임 · 직원(이하 "경찰청 소속 공무원 등"이라 한다)이 국가 또는 공공의 이익을 증진하기 위해 성실하고 능동적으로 업무를 처리하는 행위를 말한다.
> 2. "**면책**"이란, 적극행정 과정에서 발생한 부분적인 절차상 하자 또는 비효율, 손실 등과 관련하여 그 업무를 처리한 경찰청 소속 공무원 등에 대하여 다음 각 목의 어느 하나에 해당하는 책임을 묻지 않거나 감면하는 것을 말한다.
>    가. 「경찰청 감사규칙」 제10조 제1호부터 제3호까지 및 제6호
>    나. 「경찰공무원 징계령」에 따른 징계 및 징계부가금

④ [○]

> **경찰청 적극행정 면책제도 운영규정 제2조 【정의】** 이 규정에서 사용하는 용어의 뜻은 다음과 같다.
> 4. "**사전컨설팅 감사**"란 불합리한 제도 등으로 인해 적극적인 업무 수행이 어려운 경우, 해당 업무의 수행에 앞서 업무 처리 방향 등에 대하여 미리 감사의견을 듣고 이를 업무처리에 반영하여 적극행정을 추진하는 것을 말한다.

**165** 경찰의 적극행정에 관한 내용 중 가장 적절하지 <u>않은</u> 것은? [2023 승진]

① 「경찰청 적극행정 면책제도 운영규정」상 자체감사를 받는 사람은 적극행정 면책요건에 해당된다 하더라도 자의적인 법 해석 및 집행으로 법령의 본질적인 사항을 위반한 경우 면책대상에서 제외된다.

② 「공공감사에 관한 법률」상 자체감사를 받는 사람이 불합리한 규제의 개선 등 공공의 이익을 위하여 업무를 적극적으로 처리한 결과에 대하여 그의 행위에 고의나 중대한 과실이 없는 경우에는 징계 요구 또는 문책 요구 등 책임을 묻지 아니한다.

③ 「공무원 징계령 시행규칙」상 징계위원회는 징계등 혐의자와 비위 관련 직무 사이에 사적인 이해관계가 없었고 대상 업무를 처리하면서 중대한 절차상 하자가 없었을 경우 해당 비위가 고의 또는 중과실에 의하지 않은 것으로 추정한다.

④ 「적극행정 운영규정」상 "적극행정"이란, 공무원이 불합리한 규제를 개선하는 등 공공의 이익을 위해 창의성과 신속성을 바탕으로 적극적으로 업무를 처리하는 행위를 말한다.

**정답 및 해설 I ④**

④ [×] 창의성과 **전문성**을 바탕으로 적극적으로 업무를 처리하는 행위를 말한다.

> 대통령령 **적극행정 운영규정 제2조【정의】** 이 영에서 사용하는 용어의 뜻은 다음과 같다.
> 1. "적극행정"이란 공무원이 불합리한 규제를 개선하는 등 공공의 이익을 위해 창의성과 전문성을 바탕으로 적극적으로 업무를 처리하는 행위를 말한다.

① [○]

> 경찰청훈령 **경찰청 적극행정 면책제도 운영규정 제6조【면책 대상 제외】** 제5조에도 불구하고 업무처리과정에서 기본적으로 지켜야 할 의무를 다하지 않았거나 다음 각 호에 해당하는 경우에는 면책대상에서 제외한다.
> 3. 자의적인 법 해석 및 집행으로 법령의 본질적인 사항을 위반한 경우

② [○]

> **공공감사에 관한 법률 제23조의2【적극행정에 대한 면책】** ① 자체감사를 받는 사람이 불합리한 규제의 개선 등 공공의 이익을 위하여 업무를 적극적으로 처리한 결과에 대하여 그의 행위에 고의나 중대한 과실이 없는 경우에는 이 법에 따른 징계 요구 또는 문책 요구 등 책임을 묻지 아니한다.

③ [○]

> **공무원 징계령 시행규칙 제3조의2【적극행정 등에 대한 징계면제】** ② 징계위원회는 징계등 혐의자가 다음 각 호의 사항에 모두 해당되는 경우에는 해당 비위가 고의 또는 중과실에 의하지 않은 것으로 추정한다.
> 2. 대상 업무를 처리하면서 중대한 절차상의 하자가 없었을 것

## 166 경찰의 적극행정에 관한 내용으로 옳은 것을 모두 고른 것은? [2024 승진]

㉠ 국가인권위원회는 중앙행정기관 소속 공무원의 소극행정 예방 및 근절을 위해 소극행정 신고센터를 운영하고, 중앙행정기관의 장에게 신고사항에 대해 적절한 조치를 하도록 권고할 수 있다.
㉡ 「경찰청 적극행정 면책제도 운영규정」상 '적극행정'이란 경찰청 및 그 소속기관의 공무원 또는 산하단체의 임 · 직원이 국가 또는 공공의 이익을 증진하기 위해 성실하고 능동적으로 업무를 처리하는 행위를 말한다.
㉢ 「적극행정 운영규정」상 '소극행정'이란 공무원이 부작위 또는 직무태만 등 소극적 업무행태로 국민의 권익을 침해하거나 국가 재정상 손실을 발생하게 하는 행위를 말한다.
㉣ '적당편의'는 법령이나 지침 등의 변화에도 불구하고 과거규정에 따라 업무를 처리하거나, 기존의 불합리한 업무관행을 그대로 답습하는 형태를 말한다.

① ㉠, ㉡ ② ㉠, ㉣
③ ㉡, ㉢ ④ ㉢, ㉣

**정답 및 해설 I ③**

㉠ [×] 국가인권위원회가 아닌, 국민권익위원회이다.

**적극행정 운영규정 제18조의3【소극행정 신고】** ③ 국민권익위원회는 중앙행정기관 소속 공무원의 소극행정 예방 및 근절을 위해 소극행정 신고센터를 운영하고, 중앙행정기관의 장에게 제1항에 따른 신고사항에 대해 적절한 조치를 하도록 권고할 수 있다.

㉡ [○]

**경찰청 적극행정 면책제도 운영규정 제2조【정의】** 이 규정에서 사용하는 용어의 뜻은 다음과 같다.
1. **"적극행정"**이란, 경찰청 및 그 소속기관의 공무원 또는 산하단체의 임 · 직원(이하 "경찰청 소속 공무원 등"이라 한다)이 국가 또는 공공의 이익을 증진하기 위해 성실하고 능동적으로 업무를 처리하는 행위를 말한다.

㉢ [○]

**적극행정 운영규정 제2조【정의】** 이 영에서 사용하는 용어의 뜻은 다음과 같다. <개정 2020.8.25.>
1. **"적극행정"**이란 공무원이 불합리한 규제를 개선하는 등 공공의 이익을 위해 창의성과 전문성을 바탕으로 적극적으로 업무를 처리하는 행위를 말한다.
2. **"소극행정"**이란 공무원이 부작위 또는 직무태만 등 소극적 업무행태로 국민의 권익을 침해하거나 국가 재정상 손실을 발생하게 하는 행위를 말한다.

㉣ [×] 탁상행정에 관한 설명이다. 참고로 국민권익위원회에서 운영하는 소극행정신고센터에서 안내하는 소극행정의 유형은 아래와 같다.

| | |
|---|---|
| 적당편의 | 문제해결을 위해 노력하지 않고 적당히 형식만을 갖춰 부실하게 처리하는 행태 |
| 복지부동 | 주어진 업무를 게을리하거나 부주의하여 업무를 이행하지 않는 형태 |
| 탁상행정 | 법령이나 지침 등의 변화에도 불구하고 과거 규정에 따라 업무를 처리하거나 기존의 불합리한 업무관행을 그대로 답습하는 행정처리 |
| 관중심 행정 | 공적인 권한을 부당하게 행사하거나 부서 간에 책임을 떠넘기는 행위 |

# 제2장 | 범죄이론



## 주제 1 범죄원인론

**001** 화이트칼라범죄(white-collar crimes)에 관한 설명으로 가장 적절하지 않은 것은? [2023 채용 1차]

① 초기 화이트칼라범죄를 정의한 학자는 서덜랜드(Sutherland)이다.
② 화이트칼라범죄는 직업활동과 관련하여 높은 지위를 가지고 있는 사람에 의해 저질러지는 범죄이다.
③ 일반적으로 살인 · 강도 · 강간범죄는 화이트칼라범죄로 분류된다.
④ 화이트칼라범죄는 상류계층의 경제범죄에 대한 사회적 심각성을 연구하는 과정에서 등장한 개념이다.

**정답 및 해설 | ③**
③ [×] **기업범죄, 경제범죄, 환경범죄, 공무원범죄**등이 대표적인 화이트칼라범죄이다.

**002** 범죄원인론에서 J. F. Sheley가 주장한 범죄인 입장에서 바라본 범죄를 일으키는 필요조건 4가지로 가장 적절하지 않은 것은? [2015 채용 2차]

① 범행의 기술
② 보호자(감시자)의 부재
③ 범행의 동기
④ 사회적 제재로부터의 자유

**정답 및 해설 | ②**
② [×] 보호자(감시자)의 부재는 코헨 · 펠슨의 일상활동이론 중 범죄발생의 3요소 중 하나이다.

☑ 코헨 · 펠슨의 범죄발생의 3요소

| | |
|---|---|
| (잠재적) 범죄자 | 누구나 범죄자가 될 수 있다. |
| (적당한) 범죄대상 | 매장 내 원하는 물건이 있는가? 쉽게 훔칠 수 있는가? 도주하기 위한 출구는 여러 개인가? |
| 감시의 부재 | 경찰이나 경비요원이 있는가? CCTV가 있는가? |

**003** 범죄원인이론에 대한 설명으로 가장 적절하지 <u>않은</u> 것은? [2018 실무 2]

① 뒤르껭(Durkeim)은 범죄는 정상적인 것이며 불가피한 사회적 행위라는 입장에서 사회규범의 붕괴로 인해 범죄가 발생한다고 보았다.

② 사이크스(Sykes)의 '중화기술이론'은 청소년은 비행의 과정에서 합법적, 전통적 관습, 규범, 가치관 등을 중화시킨다고 한다.

③ '동조성 전념이론'은 좋은 자아관념이 주변의 범죄적 환경에도 불구하고 비행행위에 가담하지 않도록 하는 중요한 요소라고 한다.

④ '사회해체론'과 '아노미이론'은 범죄의 원인을 사회적 구조의 특성에서 찾는 사회적 수준의 범죄원인 이론이다.

**정답 및 해설 I ③**

③ [×] **렉클레스**(Reckless)**의 '견제이론'**은 범죄 유혹보다 범죄에 대한 견제가 더욱 강하면 범죄로 나아가지 않게 된다는 이론으로서, "좋은 자아관념은 주변의 범죄적 환경에도 불구하고 비행행위에 가담하지 않도록 하는 중요한 요소이다."라고 하였다. **브라이어 · 필리아빈**(Briar & Piliavin)의 **동조성 전념이론**은 관습적 목표를 지향하려는 노력이 이러한 목표수행에 인간의 행위를 전념시킴으로써 인간의 범행 잠재력을 통제하게 되어 상황적 일탈을 감소시킨다는 이론이다.

① [○] **뒤르껭**(Durkheim)은 **범죄정상설**(범죄는 결혼 · 출산처럼 자연적인 사회적 사실일 뿐이다), **범죄필연설**(어떠한 사회도 완전하게 범죄를 없앨 수는 없다), **범죄필요설**(사회가 진보하기 위해서는 오히려 일정 정도의 범죄가 필요하다)고 하면서, 사회의 규범이 붕괴하여 제대로 작동하지 못하는 무규범 상태인 '아노미'를 범죄의 원인으로 보았다.

② [○] **사이크스 · 맛차**(Sykes & Matza)의 **'중화기술이론'**은 범죄자나 비행청소년도 합법적이고 바람직한 규범을 알고 있음에도, 위법행위에 대한 정당화 기술(중화기술, Neutralization)을 통해 준법의식을 마비시키고 위법행위를 하게 된다는 이론이다.

④ [○] 사회구조 중심의 사회학적 범죄학은 아노미이론, 하위문화이론, 사회해체론, 문화갈등론이 있다.

**☑ KEY POINT I 범죄원인론의 체계**

- 고전주의(자유의지 긍정): **베까리아, 벤담**
- 실증주의(자유의지 부정)
  - 이탈리아 실증학파: **롬브로조, 페리, 가로팔로**
  - 프랑스 범죄사회적 실증학파: **라까사뉴, 뒤르껭, 따르드**
  - 생물학적 범죄학: **덕데일, 고다드, 크레취머, 셀던, 글룩 부부**
  - 심리학적 범죄학: **고링, 따르드**
- 사회학적 범죄학
  - 사회구조 중심
    - 아노미이론(긴장이론): **뒤르껭, 머튼**
    - 하위문화이론: **코헨, 밀러**
    - 사회해체론: **쇼우 · 맥케이, 버제스 · 파크**
    - 문화갈등론: **셀린**
  - 사회학습 중심(사회화과정 중심)
    - 차별적 접촉이론: **서덜랜드 · 크레시**
    - 차별적 동일시이론: **글레이저**
    - 차별적 강화이론: **버제스 · 에이커스**
    - 중화기술이론: **사이크스 · 맛차**
  - 사회통제 중심
    - 견제이론: **렉클레스**
    - 동조성 전념이론: **브라이어 · 필리아빈**
    - 사회유대이론: **허쉬**
  - 낙인이론: **탄넨바움, 레머트**

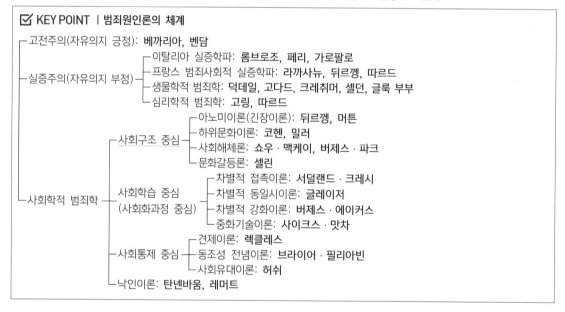

## 004 사회적 수준의 범죄원인론 중 '사회과정원인'에 해당하지 않는 것은? [2021 승진(실무종합)]

① Sutherland의 차별적 접촉이론에 따르면, 범죄는 전통을 가진 사회에서 많이 발생하며, 이러한 사회에서 개인은 범죄에 접촉·동조하면서 학습한다.

② Cohen은 하류계층의 청소년들이 목표달성의 어려움을 극복하기 위해 자신들만의 하위문화를 만들고, 범죄는 이러한 하위문화에 의해 저질러진다고 주장하였다.

③ Matza & Sykes에 따르면, 청소년은 비행 과정에서 '책임의 회피', '피해자의 부정', '피해 발생의 부인', '비난자에 대한 비난', '충성심에의 호소' 등 5가지 중화기술을 통해 규범, 가치관 등을 중화시킨다.

④ Hirshi에 따르면, 범죄는 사회적인 유대가 약화되어 통제되지 않기 때문에 발생하고, 사회적 결속은 애착, 참여, 전념, 신념의 4가지 요소에 영향을 받는다.

**정답 및 해설 I ②**

② [×] 사회학습(사회화과정) 중심의 범죄원인론은 **차별적 접촉이론**(서덜랜드 · 크레시), **차별적 동일시이론**(글레이저), **차별적 강화이론**(버제스 · 에이커스), **중화기술이론**(사이크스 · 맛차)이 있다. 한편, **견제이론**(렉클레스), **동조성 전념이론**(브라이어 · 필리아빈), **사회유대이론**(허쉬)의 경우 일반적으로는 사회통제 중심의 사회학적 범죄학으로 분류되나, 이들도 이론도 준거집단과의 사회화(좋은 자아관념 - 견제이론, 관습적 목표 - 동조성 전념이론, 애착과 같은 사회유대 - 사회유대이론)에 주목한다는 점에서 사회과정원인 중심의 범죄원인론으로 분류하기도 한다. 다만, **코헨의 하위문화이론**은 어떠한 사회화 과정이나 학습을 전제로 하는 것이 아니라 아노미현상을 전제로 자신들만의 하위문화를 만드는 것에서 범죄원인을 찾은 것이기 때문에 명확히 사회과정원인에는 포함되지 않는다고 볼 수 있다.

## 005 범죄원인이론에 대한 설명 중 가장 적절하지 않은 것은? [2020 승진(경감)]

① Miller는 범죄는 하위문화의 가치와 규범이 정상적으로 반영된 것이라고 하였다.

② Cohen은 하류계층의 청소년들이 목표와 수단의 괴리로 인해 중류계층에 대한 저항으로 비행을 저지르며, 목표달성의 어려움을 극복하기 위해 자신들만의 하위문화를 만들게 되는데 범죄는 이러한 하위문화에 의해 저질러진다고 한다.

③ '사회해체론'과 '아노미이론'은 범죄의 원인을 사회적 구조의 특성에서 찾는 사회적 수준의 범죄원인이론이다.

④ Durkheim은 좋은 자아관념이 주변의 범죄적 환경에도 불구하고 비행행위에 가담하지 않도록 하는 중요한 요소라고 한다.

**정답 및 해설 I ④**

④ [×] 좋은 **자아관념**은 중요한 범죄통제 요소라고 본 것은 **렉클레스**(Reckless)의 **'견제이론'**이다. **뒤르껭**(Durkheim)은 사회의 규범이 붕괴하여 제대로 작동하지 못하는 무규범 상태인 아노미를 범죄원인으로 보았다.

①② [○] **하위문화론**은 아노미이론에서 전제한 문화적 목표와 수단의 괴리의 결과로 형성되는 **하위문화가 범죄나 비행행위의 원인**이 된다고 보았다.

| 학자 | 주요내용 |
|---|---|
| 코헨(Cohen) | 하류계층의 청소년들이 목표와 수단의 괴리를 통해 중류계층에 대한 저항으로 비행을 저지르며, 목표달성의 어려움을 극복하기 위해 **자신들만의 하위문화**를 만들게 되며 범죄는 이러한 하위문화에 의해 저질러지는 것이다. |
| 밀러(Miller) | 범죄는 하위문화의 가치와 규범이 **정상적으로 반영**된 것이다. |

③ [○] 사회적 구조 중심의 사회학적 범죄학은 아노미이론, 하위문화이론, 사회해체론, 문화갈등론이 있다.

## 006 범죄 원인에 관한 학설의 설명으로 가장 적절하지 않은 것은? [2024 1차 채용]

① 뒤르켐(Durkheim)은 사회규범이 붕괴되어 규범에 대한 억제력이 상실된 상태를 아노미(Anomie)라고 하고 이러한 무규범상태에서 범죄가 발생한다고 주장하였다.

② 글레이저(Glaser)는 차별적 동일시이론을 통해 범죄의 원인이 개인이 아닌 사회구조의 변화에 있다고 설명하였다.

③ 탄넨바움(Tannenbaum)은 낙인이론을 통해 범죄자라는 낙인이 어떠한 결과를 낳는가에 관심을 가졌다.

④ 코헨(Cohen)은 목표와 수단이 괴리된 하류계층 청소년들이 중산층에 대한 저항으로 비행을 저지르며 목표달성의 어려움을 극복하기 위해 자신들의 하위문화를 만들게 된다고 주장하였다.

**정답 및 해설 I ②**

② [×] **글레이저(Glaser)의 차별적 동일시이론**은 범죄의 원인을 사회구조의 변화가 아닌 사회학습과정에 원인이 있다고 설명하였다.

| 학자 | 주요내용 |
|---|---|
| 글레이저 (Glaser) | • 다른사람과 자신을 동일시하는 정도와 강도가 어떤 가치관을 학습하는데 중요한 요소가 된다고 보았다.<br>• 청소년들이 영화의 주인공을 모방하고 자신과 동일시하면서 범죄를 학습한다. |

## 007 범죄원인론에 대한 설명으로 가장 적절하지 않은 것은? [2019 승진(경위)]

① 고전주의 범죄학에 따르면 범죄는 인간의 자유의지에 의한 것이 아니고, 외적 요소에 의해 강요되는 것이다.

② 마짜(Matza)와 싸이크스(Sykes)는 청소년은 비행의 과정에서 합법적 전통적 관습, 규범, 가치관 등을 중화시킨다고 주장하였다.

③ 허쉬(Hirshi)는 범죄의 원인은 사회적인 유대가 약화되어 통제되지 않기 때문이라고 주장하였다.

④ 글레이저(Glaser)는 청소년들이 영화의 주인공을 모방하고 자신과 동일시하면서 범죄를 학습한다고 주장하였다.

**정답 및 해설 I ①**

① [×] **18세기 고전주의 범죄학**은 인간은 자유의지를(Free Will) 가진 합리적 존재이므로, 이러한 인간이 범죄라는 이익을 선택하지 못하도록 하기 위해서는 그에 상응하는 고통(형벌, 두려움)을 부과해야 한다는 이론이다.

② [○] **사이크스 · 맛차**(Sykes & Matza)의 '**중화기술이론**'은 범죄자나 비행청소년도 합법적이고 바람직한 규범을 알고 있음에도 자기 범죄나 비행행위에 대한 자기자신 또는 타인의 비난을 의식적으로 합리화 내지 정당화시킴으로써 그 비난을 벗어난 안도감에서 범죄 등 비행행위를 저지르게 된다고 보았다.

③ [○] **허쉬**(Hirschi)의 '**사회유대이론**'은 사람들은 보편적으로 일탈경향이 있는 잠재적 범죄자라는 것을 전제로, 범죄는 사회적인 유대가 약화되어 통제되지 않기 때문에 발생한다고 보았다.

④ [○] **글레이저**(Glaser)의 **차별적 동일시이론**은 서덜랜드의 차별적 접촉이론에 '동일시(Identification)' 개념을 결합한 이론으로, 직접 접촉이 아니더라도 영화나 유명인으로부터 영향을 받을 수 있다는 이론이다.

## 008 다음에서 설명하는 범죄원인론과 학자를 바르게 연결한 것은? [2024 승진]

> 이 이론은 특정 지역에서의 범죄가 다른 지역에 비해서 많이 발생하는 이유를 규명하고자 하였으며, 연구결과 전이지역(transitional zone)은 타 지역에 비해 범죄율이 상대적으로 높게 나타났다. 또한 '낮은 경제적 지위', '민족적 이질성', '거주 불안정성'을 중요한 3요소로 제시하였으며, 이로 인해 지역 주민은 서로를 모르기 때문에 공동체 의식이 발달하지 못하고 사회적 통제가 약화된다고 보았다.

① 뒤르켐(Durkheim) – 아노미이론
② 코헨(Cohen) – 하위문화이론
③ 갓프레드슨과 허쉬(Gottfredson & Hirschi) – 자기통제이론
④ 쇼와 맥케이(Shaw & Mckay) – 사회해체이론

**정답 및 해설 I ④**

④ [○] 동심원이론을 주장한 버제스(Burgss)의 제자인 **쇼와 맥케이(Shaw & Mckay)**는, 버제스의 동심원 이론을 활용 · 발전시켜 범죄를 분석하였다. 이러한 사회해체이론은 특히 범죄가 집중된 지역인 전이지역에 대해 활발한 연구를 하였는데, 전이지역이란 산업화 과정을 거치면서 거주지로부터 상업 · 경제활동 지역으로 변경되고 있는 지역을 말한다.

# 주제 2 범죄예방론

## 009 고전주의 범죄학의 억제이론(Deterrence Theory)은 베카리아 (Beccaria)와 벤담(Bentham)의 주장에 근거한다. 기본전제는 인간이 자유의지를 가지고 합리적인 판단에 의해 행동한다는 것이다. 이를 기반으로 한 처벌은 계량된 처벌의 고통과 범죄로 인한 이익 사이의 함수관계로 설명되는데 이 이론의 핵심적인 내용에 해당되는 것은? [2024 1차 채용]

① 처벌의 확실성, 처벌의 엄격성, 처벌의 신속성
② 처벌의 확실성, 처벌의 엄격성, 처벌의 신중성
③ 처벌의 엄격성, 처벌의 신속성, 처벌의 신중성
④ 처벌의 엄격성, 처벌의 신속성, 처벌의 지속성

**정답 및 해설 I ①**

① [○] **억제이론**은 고전주의 범죄이론을 바탕으로 하여 ① 형벌이 확실하게 집행될수록(확실성), ② 형벌의 정도가 엄격할수록(엄격성), ③형벌집행이 범죄 이후에 신속할수록(신속성) 사람들이 형벌에 대한 두려움을 느끼고 범죄를 자제한다고 보는 입장이다.

➜ 형벌의 억제효과 순서: 확실성> 엄격성> 신속성

**010** 범죄이론과 범죄통제이론에 대한 설명으로 적절하지 않은 것을 모두 고른 것은? [2018 승진(경위)]

> ㉠ 고전학파 범죄이론은 범죄에 대한 국가의 강력하고 확실한 처벌을 통해 범죄를 억제할 수 있다고 본다.
> ㉡ 생물학 · 심리학적 이론은 범죄자의 치료와 갱생을 통한 범죄통제를 주요내용으로 하며, 범죄자를 대상으로 하므로 일반예방효과에 한계가 있다는 비판이 존재한다.
> ㉢ 사회학적 이론은 범죄기회의 제거와 범죄행위의 이익을 감소시키는 것을 내용으로 한다.
> ㉣ 상황적 범죄예방이론은 사회발전을 통해 범죄의 근본적인 원인을 제거하고자 하나, 폭력과 같은 충동적인 범죄에는 적용하는 데 한계가 있다.

① ㉠, ㉡ ② ㉠, ㉢
③ ㉡, ㉢ ④ ㉢, ㉣

**정답 및 해설 | ④**

㉠ [○] **고전적 범죄예방론**은 인간은 **자유의지(Free Will)를 가진 합리적 존재**이므로, 이러한 인간이 범죄라는 이익을 선택하지 못하도록 하기 위해서는 그에 상응하는 고통(형벌, 두려움)을 부과해야 한다는 입장이다.

㉡ [○] **치료 및 갱생이론**(생물학 · 심리학적 이론)은 생물학적 범죄학과 심리학적 범죄학을 바탕으로, **결정론적 인간관**에 기초하여 범죄자의 치료와 갱생을 통해 범죄를 예방하려는 이론이다. 이 이론은 범죄예방활동이 범죄자를 대상으로 하므로, 적극적 범죄예방이나 일반예방효과에 한계가 있다는 비판을 받는다.

㉢ [×] **사회학적 범죄예방론**(사회발전이론)은 범죄의 원인을 개인과 환경의 상호작용에서 찾는 사회학적 범죄이론을 바탕으로, 사회발전을 통해 범죄를 예방하려는 이론이다.

㉣ [×] **상황적 범죄예방론**이란 **범죄행동에 따르는 노력과 위험은 증대시키고 보상은 낮추어** 범죄를 억제하고자 하는 이론이다. 폭력과 같은 충동적인 범죄에 적용하는 데 한계가 있다는 비판은 억제이론에 대한 비판이다.

**011** 상황적 범죄예방과 관련된 이론에 대한 설명으로 가장 적절하지 않은 것은? [2021 경간]

① 일상활동이론을 주장한 코헨(Cohen)과 펠슨(Felson)은 절도범죄를 설명하면서 VIVA 모델을 제시했는데, 알파벳 I는 Inertia의 약자로서 '이동의 용이성'을 의미한다.
② 범죄패턴 이론은 브랜팅험(Brantingham)이 제시한 이론으로서 지리적 프로파일링의 이론적 배경이 되었다.
③ 상황적 범죄예방이론은 범죄 전이효과가 있다는 비판이 있다.
④ 상황적 범죄예방이론은 개인의 범죄성에 초점을 맞춘 이론으로서 범죄성향이 높은 개인들에게 범죄예방 역량을 집중할 것을 주장한다.

**정답 및 해설 | ④**

③ [○] ④ [×] **상황적 범죄예방론**이란 **범죄행동에 따르는 노력과 위험은 증대시키고 보상은 낮추어** 범죄를 억제하고자 하는 이론이다. 여기서 범죄행동에 따르는 노력과 위험을 증대시킨다는 것은 예컨대 범죄예방 대상구역에 출입통제장치나 CCTV 설치 등을 말하는 것인 바, 이와같은 조치를 통해 범죄자체가 근본적으로 예방되기보다는 이러한 조치가 취해지지 않은 다른 장소로 범행장소가 옮겨갈 뿐이라는 비판이 있다(**전이효과의 문제**). 한편, 범죄성향이 높은 개인들에게 범죄예방 역량을 집중한다는 설명은 치료 및 갱생이론과 관련이 깊다.

**012** 다음은 '범죄통제이론'을 설명한 것이다. 가장 적절하지 않은 것은? [2014 채용 1차]

① '억제이론'은 인간의 합리적 판단이 범죄 행동에도 적용된다고 보아서 폭력과 같은 충동적 범죄에는 적용에 한계가 있다.

② '치료 및 갱생이론'은 결정론적 인간관에 입각하여 특별예방효과에 중점을 둔다.

③ '일상활동이론'의 범죄발생 3요소는 '동기가 부여된 잠재적 범죄자', '적절한 대상', '범행의 기술'이다.

④ 로버트 샘슨은 지역주민간의 상호신뢰 또는 연대감과 범죄에 대한 적극적인 개입을 강조하는 '집합효율이론'을 주장하였다.

**정답 및 해설 I ③**

③ [×] '**일상활동이론**'의 범죄발생 3요소는 '(잠재적) 범죄자', '(적당한) 범죄대상', '감시의 부재'이다. '범행의 기술'은 J. Sheley의 범죄 필요조건 4대요소(S · M · O · F) 중 하나이다.

☑ J. Sheley의 범죄 필요조건 4대요소(S · M · O · F)

| 구분 | 내용 |
|---|---|
| 범행의 기술(Skill) | 전문적인 능력과 기술 |
| 범행의 동기(Motivation) | 조건이 된다면 범죄를 하고자 하는 의향 |
| 범행의 기회(Opportunity) | 범행에 공헌하는 물리적 환경 |
| 사회적 제재로부터의 자유 (Freedom from Social Constraints) | 낮은 검거율과 처벌수위, 범죄에 적대적이지 않은 분위기 |

① [○] **깁스(Gibbs), 티틀(Tittle), 로스(Ross)** 등이 주장한 **억제이론**은 합리적 인간의 자유의지를 전제하는 고전주의 범죄이론을 바탕으로 하는 이론으로서, 폭력과 같은 충동범에는 적용하기 어렵고, 어떤 범죄에 어떤 처벌을 따르는지에 대해 실제로 대중이 인지하고 있는 경우가 드물다는 비판을 받는다.

② [○] **치료 및 갱생이론**은 생물학적 범죄학과 심리학적 범죄학을 바탕으로, 결정론적 인간관에 기초하여 특별예방효과를 강조하였다. ➜ 생물학적 · 심리적 범죄요인을 가진 자가 다시 범죄를 저지르지 않도록 치료 · 갱생이 필요하다.

④ [○] **로버트 샘슨**(R. Sampson)이 주장한 **집합효율성이론**은 지역구성원들의 상호신뢰와 연대의식에 바탕을 둔 적극적 개입의지를 강조하고 있다.

**013** 다음은 '범죄통제이론'을 설명한 것이다. 가장 적절하지 않은 것은? [2018 채용 3차]

① '일상활동이론'은 범죄유발의 4요소는 '범행의 동기', '사회적 제재로부터의 자유', '범행의 기술', '범행의 기회'이다.

② 로버트 샘슨과 동료들은 지역주민간의 상호신뢰 또는 연대감과 범죄에 대한 적극적인 개입을 강조하는 '집합효율성이론'을 주장하였다.

③ '치료 및 갱생이론'은 결정론적 인간관에 입각하여 특별예방효과에 중점을 둔다.

④ '억제이론'은 폭력과 같은 충동적 범죄에 적용하는 데 한계가 있다는 비판이 있다.

**정답 및 해설 I ①**

① [×] 지문에 제시된 4요소는 J. Sheley의 범죄 필요요건 4요소이다. **코헨 · 펠슨**(Cohen & Felson)의 일상활동이론에서 제시한 범죄발생 3요소는 다음과 같다.

**☑ 코헨 · 펠슨의 범죄발생 3요소**

| | |
|---|---|
| (잠재적) 범죄자 | 누구나 범죄자가 될 수 있다. |
| (적당한) 범죄대상 | 매장 내 원하는 물건이 있는가? 쉽게 훔칠 수 있는가? 도주하기 위한 출구는 여러개인가? |
| 감시의 부재 | 경찰이나 경비요원이 있는가? CCTV가 있는가? |

② [○] **로버트 샘슨**(R. Sampson)이 주장한 **집합효율성이론**은 지역구성원들의 상호신뢰와 연대의식에 바탕을 둔 적극적 개입 의지를 강조하고 있다.

③ [○] **치료 및 갱생이론**은 생물학적 범죄학과 심리학적 범죄학을 바탕으로, 결정론적 인간관에 기초하여 특별예방효과를 강조하였다. ➜ 생물학적 · 심리적 범죄요인을 가진 자가 다시 범죄를 저지르지 않도록 치료 · 갱생이 필요하다.

④ [○] **깁스(Gibbs), 티틀(Tittle), 로스(Ross)** 등이 주장한 **억제이론**은 합리적 인간의 자유의지를 전제하는 고전주의 범죄이론을 바탕으로 하는 이론으로서, 폭력과 같은 충동범에는 적용하기 어렵고, 어떤 범죄에 어떤 처벌을 따르는지에 대해 실제로 대중이 인지하고 있는 경우가 드물다는 비판을 받는다.

## 014 범죄통제이론에 대한 다음 설명으로 가장 적절하지 않은 것은? [2017 실무 2]

① 치료 및 갱생이론은 범죄자를 대상으로 하므로 일반예방효과에는 한계가 있다.

② 깨진 유리창이론은 경미한 범죄 및 무질서 행위에 대해 무관용원칙을 주장한다.

③ 억제이론에서는 범죄에 대한 책임은 전적으로 사회에 있다고 강조한다.

④ 일상활동이론에서 범죄의 3가지 요인으로는 동기가 부여된 잠재적 범죄자, 적절한 대상, 보호자(감시자)의 부재이다.

**정답 및 해설 I ③**

③ [×] **깁스(Gibbs), 티틀(Tittle), 로스(Ross)** 등이 주장한 **억제이론**은 범죄에 대한 책임은 전적으로 자유의지를 가진 개인에게 있다고 보았다(개인책임 강조).

① [○] **치료 및 갱생이론**은 범죄행위 자체보다, 범죄자의 속성에 초점을 둔 이론으로서 범죄자를 대상으로 범죄예방활동을 하므로, 적극적 범죄예방이나 일반예방효과에 한계가 있다.

② [○] **무관용 정책**(Zero-Tolerance Policy)이란 사소한 규칙 위반에도 관용을 베풀지 않는 원칙을 말하며, 윌슨과 켈링의 깨진 유리창이론에 근거를 두고 실제 여러 법집행당국이 시행한 정책이다.

④ [○] '**일상활동이론**'의 범죄발생 3요소는 '**(잠재적) 범죄자**', '**(적당한) 범죄대상**', '**감시의 부재**'이다.

## 015 범죄통제이론에 대한 설명으로 가장 적절하지 않은 것은? [2017 채용 2차]

① '억제이론'은 인간의 자유의지를 인정하지 않는 결정론적 인간관에 바탕을 두고 특별예방효과에 중점을 둔다.

② '치료 및 갱생이론'은 생물학적 · 심리학적 범죄이론에 바탕을 두고 있다.

③ '합리적 선택이론'은 인간이 자유의지를 가지고 있다고 가정하고 합리적인 인간관을 전제로 하므로 비결정론적 인간관에 바탕을 두고 있다.

④ '일상활동이론'의 범죄발생 3요소는 '동기가 부여된 잠재적 범죄자(Motivated Offender)', '적절한 대상(Suitable Target)', '보호자의 부재(Absence of Capable Guardianship)'이다.

**정답 및 해설 I ①**

① [×] **깁스(Gibbs), 티틀(Tittle), 로스(Ross)** 등이 주장한 **억제이론**은 범죄에 대한 책임은 전적으로 자유의지를 가진 개인에게 있다고 보면서(개인책임 강조), 비결정론에 입각한 일반예방효과를 강조하였다.

② [○] **치료 및 갱생이론**은 생물학적 범죄학과 심리학적 범죄학을 바탕으로, 결정론적 인간관에 기초하여 범죄자의 치료와 갱생을 통해 범죄를 예방하려는 이론이다.

③ [○] **클락 · 코니쉬**(Clarke & Conish)가 주장한 **합리적 선택이론**은 인간의 자유의지를 전제로 한 **비결정론적 인간관**에 입각하여(신고전주의), 범죄자는 자신의 범죄행위에 있어서 비용과 이익을 계산하고 자신에게 유리한 경우에 범죄를 행한다고 보았다. 범죄기회를 감소시키는 것이 중요하다고 보았다.

④ [○] '**일상활동이론**'의 범죄발생 3요소는 '(잠재적) 범죄자', '(적당한) 범죄대상', '감시의 부재'이다.

## 016 다음의 학자들이 주장한 범죄예방이론에 대한 설명 중 가장 옳지 않은 것은? [2017 경간]

① 클락 & 코니쉬의 합리적 선택이론 – 체포의 위험성과 처벌의 확실성을 높여 효과적으로 범죄를 예방할 수 있다.

② 브랜팅햄의 범죄패턴이론 – 범죄에는 일정한 시간적 패턴이 있으므로, 일정 시간대의 집중 순찰을 통해 효율적으로 범죄를 예방할 수 있다.

③ 로버트 샘슨의 집합효율성이론 – 지역사회 구성원들이 범죄문제를 해결하기 위해 적극적으로 참여하면 효과적으로 범죄를 예방할 수 있다.

④ 윌슨 & 켈링의 깨진 유리창이론 – 경미한 무질서에 대한 무관용 원칙과 지역주민간의 상호협력이 범죄를 예방하는 데 중요한 역할을 한다.

**정답 및 해설 I ②**

② [×] **브랜팅햄**(Brantingham)이 주장한 **범죄패턴이론**은 범죄의 시간적 패턴이 아니라 **장소적 패턴**이 있다는 이론이다.

① [○] **클락 · 코니쉬**(Clarke & Conish)가 주장한 **합리적 선택이론**은 효과적인 범죄예방은 범죄기회를 감소시키는 것과 더불어 '체포의 위험성'과 '처벌의 확실성'의 제고를 통해 가능하다고 보았다.

③ [○] **로버트 샘슨**(R. Sampson)이 주장한 **집합효율성이론**은 사회해체론을 현대도시의 맥락에서 계승 · 발전시킨 이론으로, 사회해체이론에서는 단순히 자기통제력이 약화된 상태를 사회해체라 정의했지만, 집합효율성이론에서는 **지역구성원들의 상호신뢰와 연대의식에 바탕을 둔 적극적 개입의지**를 강조하고 있다.

④ [○] **윌슨 · 켈링**(Wilson & Kelling)이 주장한 **깨진 유리창이론**은 깨진 유리창 하나를 방치해 두면 그 지점을 중심으로 범죄가 확산되듯, 무질서한 환경이 심리적으로 범죄를 발생시킨다는 이론이다.

## 017 범죄통제이론에 대한 설명으로 가장 적절하지 않은 것은? [2019 승진(경감)]

① '억제이론'은 강력하고 확실한 처벌을 통하여 범죄를 억제할 수 있다고 보며, 범죄의 동기나 원인, 사회적 환경에는 관심이 없다.

② '일상활동이론'은 지역사회 구성원들이 범죄문제를 해결하기 위해 적극적으로 참여하는 것이 중요한 범죄예방의 열쇠라고 한다.

③ '합리적 선택이론'은 인간이 자유의지를 가지고 있다고 가정하고 합리적인 인간관을 전제로 하므로 비결정론적 인간관에 바탕을 두고 있다.

④ '치료 및 갱생이론'은 비용이 많이 들고 범죄자를 대상으로 하므로 일반예방효과에 한계가 있다는 비판이 존재한다.

**정답 및 해설 | ②**

② [×] **코헨 · 펠슨**(Cohen & Felson)이 주장한 **일상활동이론**은 사회구성원의 일상행위의 변화가 범죄율의 변화에 영향을 준다는 이론으로, 2차 세계대전 이후 미국 지역사회의 급격한 범죄율 상승의 원인을 개인들의 일상활동의 변화에서 찾았다. 지문은 **로버트 샘슨**(R. Sampson)이 주장한 **집합효율성이론**에 대한 것이다.

① [○] **억제이론**은 범죄에 대한 책임은 전적으로 자유의지를 가진 개인에게 있다(개인책임 강조)고 하면서 사람들로 하여금 형벌에 대한 두려움을 느끼게 하여 범죄를 억제해야 한다는 이론으로서, 비결정론에 입각한 일반예방효과를 강조하였으나 범죄의 동기와 사회적 환경에는 별다른 관심을 두지 않았다.

③ [○] **클락 · 코니쉬**(Clarke & Conish)가 주장한 **합리적 선택이론**은 인간의 자유의지를 전제로 한 비결정론적 인간관에 입각하여(신고전주의), 범죄자는 자신의 범죄행위에 있어서 비용과 이익을 계산하고 자신에게 유리한 경우에 범죄를 행한다고 보았다.

④ [○] **치료 및 갱생이론**은 생물학적 범죄학과 심리학적 범죄학을 바탕으로, 결정론적 인간관에 기초하여 범죄자의 치료와 갱생을 통해 범죄를 예방하려는 이론으로서, 범죄예방활동이 범죄자를 대상으로 하므로, 적극적 범죄예방이나 일반예방효과에 한계가 있다는 비판을 받는다.

## 018 범죄예방 관련 이론에 대한 설명으로 가장 적절하지 않은 것은? [2021 채용 1차]

① 합리적 선택이론은 거시적 범죄예방모델에 입각한 특별예방효과에 중점을 둔다.

② 깨진 유리창이론에 이론적 근거를 두고 있는 무관용 경찰활동은 처벌의 확실성을 높여 범죄를 억제하는 전략이다.

③ 범죄패턴이론은 지리적 프로파일링을 통한 범행지역 예측 활성화에 기여할 수 있다.

④ 집합효율성은 지역사회 구성원간의 연대감, 그리고 문제 상황 발생시 구성원의 적극적인 개입의지를 결합한 개념이다.

**정답 및 해설 | ①**

① [×] **클락 · 코니쉬**(Clarke & Conish)가 주장한 **합리적 선택이론**은 범죄가 이루어지는 개별 범죄상황에 주목한 **미시적 범죄예방모델**을 제시하였고, 인간의 자유의지를 전제로 범죄기회 감소와 '체포의 위험성'과 '처벌의 확실성'의 제고를 강조하였다는 점에서 **일반예방효과**에 중점을 두는 것으로 평가된다.

② [○] 사소한 규칙 위반에도 관용을 베풀지 않음으로써 처벌의 확실성을 높이는 무관용 원칙은 깨진 유리창이론에 근거를 두고 있는 것이다.

③ [○] **브랜팅햄**(Brantingham)이 주장한 **범죄패턴이론**은 범죄에는 일정한 **장소적 패턴**이 있으며 이는 범죄자의 일상적인 행동패턴과 유사하다는 점에 착안하여 일정 장소의 집중 순찰을 통해 범행을 예방할 수 있다고 보았다. ➜ 지리적 프로파일링, 연쇄범죄 해결에 도움

④ [○] **로버트 샘슨**(R. Sampson)이 주장한 **집합효율성이론**은 **지역구성원들의 상호신뢰와 연대의식에 바탕을 둔 적극적 개입의지**를 강조하고 있다.

## 019 현대적 범죄예방이론에 대한 설명 중 가장 적절하지 않은 것은? [2018 경채]

① 범죄패턴이론 – 범죄에는 일정한 장소적 패턴이 있으므로 일정 장소의 집중 순찰을 통해 범죄를 예방할 수 있다.

② 합리적 선택이론 – 인간의 자유의지를 인정하지 않는 결정론적인 인간관에 입각하여 범죄자는 자신에게 유리한 경우에 범죄를 행한다고 본다.

③ 집합효율성이론 – 집합효율성이론은 공식적 사회통제, 즉 경찰 등 법집행기관의 중요성을 간과하고 있다는 비판을 받는다.

④ 깨진 유리창이론 – 직접적인 피해자가 없는 사소한 무질서행위에 대한 경찰의 강경한 대응(Zero Tolerance)을 강조한다.

**정답 및 해설 I ②**

② [×] **클락 · 코니쉬**(Clarke & Conish)가 주장한 **합리적 선택이론**은 인간의 자유의지를 전제로 한 **비결정론적 인간관**에 입각하여(신고전주의), 범죄자는 자신의 범죄행위에 있어서 비용과 이익을 계산하고 자신에게 유리한 경우에 범죄를 행한다고 보았다.

① [○] **브랜팅햄**(Brantingham)이 주장한 **범죄패턴이론**은 범죄에는 일정한 **장소적 패턴**이 있으며 이는 범죄자의 일상적인 행동패턴과 유사하다는 점에 착안하여 일정 장소의 집중 순찰을 통해 범행을 예방할 수 있다고 보았다.

③ [○] **로버트 샘슨**(R. Sampson)이 주장한 **집합효율성이론**은 지역주민에 의한 비공식적 통제를 강조하는데, 이러한 점에 대하여 경찰 등 법집행기관의 중요성을 간과한다는 비판이 있다.

④ [○] **윌슨 · 켈링**(Wilson & Kelling)이 주장한 **깨진 유리창이론**은 깨진 유리창 하나를 방치해 두면 그 지점을 중심으로 범죄가 확산되듯, **무질서한 환경이 심리적으로 범죄를 발생시킨다**는 이론으로, 사소한 규칙 위반에도 관용을 베풀지 않는다는 무관용 정책(Zero-Tolerance Policy)을 강조한다.

## 020 환경설계를 통한 범죄예방(CPTED)에 대한 설명으로 가장 적절하지 않은 것은? [2021 경간]

① 뉴먼(O. Newman)과 제프리(C. R. Jeffery)가 주장하였다.

② 방어공간(Defensible Space)과 관련하여 영역성, 감시, 이미지, 안전지대의 4가지 관점을 제시하였다.

③ 기본원리 중 자연적 접근통제란 건축물이나 시설을 설계함에 있어서 가시권을 최대한 확보하고, 외부침입에 대한 감시기능을 확대하여 범죄기회를 감소시키는 원리이다.

④ 우리나라에서는 서울시 마포구 염리동에서 적용한 사례가 있고, 자치단체 조례로 「서울특별시 마포구 범죄예방을 위한 도시환경디자인 조례」가 2018년 제정되어 시행되고 있다.

**정답 및 해설 I ③**

③ [×] 지문은 **자연적 감시**에 대한 설명이다. **자연적 접근통제**는 일정한 지역에 접근하는 사람들을 정해진 공간으로 유도하거나 외부인의 출입을 통제하도록 설계함으로써 접근에 대한 심리적 부담을 증대시켜 범죄를 예방한다는 원리이다.

①② [○] 뉴먼이 주장한 **방어공간이론** 역시 '스스로를 방어할 수 있는 물리적인 환경 조성'을 통해 범죄예방이 가능하다고 한 이론이라는 점에서 환경설계를 통한 범죄예방(CPTED)의 범주에 포함된다고 본다.

**KEY POINT I 방어공간의 구성요소**

| | |
|---|---|
| 이미지 | 지역의 외관상 해당 지역이 다른 지역과 고립되어 있지 않고, 보호되고 있으며, 주민의 적극적 행동의지를 보여주도록 한다. |
| 자연적 감시 | 특별한 장치의 도움 없이 실내와 실외의 활동을 관찰할 수 있도록 한다. |
| 영역성 | 지역에 대한 소유의식을 고양시켜 일상적이지 않은 일이 있을 때 주민으로 하여금 행동을 취하도록 자극한다. |
| 안전지대 | 해당 공간의 위치를 범죄가 적고 지역사회가 활성화된 안전지대에 둔다. |

**021** 다음은 경찰이 수행하는 범죄예방활동 사례(<보기 1>)와 톤리와 패링턴(Tonry & Farrington)의 구분에 따른 범죄예방전략 유형(<보기 2>)이다. <보기 1>과 <보기 2>의 내용이 가장 적절하게 연결된 것은?

[2023 채용 2차]

> <보기 1>
>
> (가) 경찰서의 여성청소년 담당부서에서 운영하고 있는 학교전담 경찰관(SPO)은 학교에 배치되어 학교폭력 예방교육 등 학교폭력 관련 예방과 가해학생 선도 등 사후관리 역할을 담당하고, 학대예방경찰관(APO)은 미취학 혹은 장기결석 아동에 대해 점검하고 학대피해 우려가 높은 아동에 대해 지속적으로 모니터링을 실시함으로써 아동학대의 위험성을 감소시키고 아동의 안전 등을 확인하는 역할을 담당하고 있다.
>
> (나) 여성 1인 가구 밀집지역에 대한 경찰순찰을 확대함으로써 공식적 감시기능을 강화하거나 혹은 아파트 입구 현관문에 반사경을 부착함으로써 출입자의 익명성을 감소시켜 범행에 수반되는 발각 위험을 증대하기 위한 조치를 취하고 있다.
>
> (다) 위법행위에 대한 단속을 강화하는 무관용 경찰활동을 지향함으로써 처벌의 확실성을 높여 범죄를 억제하고자 노력하고 있다.

> <보기 2>
>
> ㉠ 상황적 범죄예방 ㉡ 지역사회 기반 범죄예방
>
> ㉢ 발달적 범죄예방 ㉣ 법집행을 통한 범죄억제

| | (가) | (나) | (다) |
|---|---|---|---|
| ① | ㉡ | ㉣ | ㉠ |
| ② | ㉢ | ㉡ | ㉣ |
| ③ | ㉡ | ㉢ | ㉠ |
| ④ | ㉢ | ㉠ | ㉣ |

**정답 및 해설 | ④**

(가) - ㉢ **발달적 범죄예방론**이란, 특정 개인의 범죄적 잠재성 발현을 예방하기 위해서는 그 개인의 발달단계 초기(아동 · 청소년기 등)에 개입하여 위험요인을 차단하고 보호요인을 증대하는 것이 바람직하다는 이론이다. 지문의 학대예방경찰관(APO) 개입은 아동에 대한 보호요인을 증대시키는 활동이고, 학교전담경찰관(SPO)는 청소년에 대한 위험요인을 차단하는 활동으로 볼 수 있다.

(나) - ㉠ **상황적 범죄예방론**이란 범죄행동에 따르는 노력과 위험은 증대시키고 보상은 낮추어 범죄를 억제하고자 하는 이론을 말한다. 지문의 공식 감시기능 확대나 반사경 부착은 범죄행동의 발각위험을 증대시키는 것으로서 상황적 범죄예방론과 관련이 깊다.

(다) - ㉣ 무관용 경찰활동을 통해 처벌의 확실성을 높임으로서 범죄를 예방하는 것은 형벌의 확실성 · 엄격성 · 신속성을 강조하는 **억제이론(법집행을 통한 범죄억제)**과 관련이 깊다.

**022** 범죄학적 이론에 대한 설명 중 가장 적절하지 않은 것은? [2020 지능범죄]

① 환경설계를 통한 범죄예방(CPTED)의 기본원리들 중 거리의 눈을 활용한 자연적 감시와 접근통제의 기능을 확대하는 원리는 활용성의 증대이며, 그 예로 공원 조성시 벤치 혹은 체육기구의 위치에 대한 설계를 들 수 있다.

② 일상활동이론은 잠재적 범죄자, 적절한 범행대상, 감시(보호)의 부재라는 요소들이 충족될 때 누구라도 범죄를 저지를 수 있다고 가정한다.

③ 깨진 유리창이론은 경미한 무질서에 대한 무관용 정책의 확산을 통해 시민들 사이의 집합적 효율성을 감소시키는 것에 중점을 둔다.

④ 합리적 선택이론은 기본적으로 비결정론 인간관을 따른다고 할 수 있고, 이 이론의 관점에서는 체포의 위험성과 처벌의 확실성을 높이는 것이 효과적인 범죄예방전략으로 여겨질 수 있다.

**정답 및 해설 I ③**

③ [×] 깨진 유리창이론에 따르면 무질서 인식은 범죄두려움에 영향을 주고 범죄두려움은 다시 주민간의 유대 약화로 이어지기에, 결과적으로 집합효율성을 저해할 수 있다. 따라서 깨진 유리창이론을 집합효율성을 증대시키는 것에 중점을 두게 된다.

① [○] **환경설계를 통한 범죄예방**(CPTED)의 5대 기본원리 중 활동의 활성화(Activity Support)는 공공장소에 대한 일반 시민들의 활발한 사용을 유도 및 자극함으로써 그들의 눈에 의한 자연스런 감시를 강화하는 것을 말한다(거리의 눈). 예 지역주민들이 시간대별 · 지역별로 공동 사용이 가능하도록 놀이시설 · 휴게시설 등을 보강, 공원 조성시 벤치 혹은 체육기구의 위치에 대한 설계, 공연회 · 친목회 등 다양한 행사가 개최될 수 있도록 조성

② [○] **코헨 · 펠슨**(Cohen & Felson)이 주장한 **일상활동이론**의 범죄발생 3요소는 다음과 같다.

| | |
|---|---|
| (잠재적) 범죄자 | 누구나 범죄자가 될 수 있다. |
| (적당한) 범죄대상 | 매장 내 원하는 물건이 있는가? 쉽게 훔칠 수 있는가? 도주하기 위한 출구는 여러개인가? |
| 감시의 부재 | 경찰이나 경비요원이 있는가? CCTV가 있는가? |

④ [○] **클락 · 코니쉬**(Clarke & Conish)가 주장한 **합리적 선택이론**은 효과적인 범죄예방이 '체포의 위험성'과 '처벌의 확실성'의 제고를 통해 가능하다고 보았다.

**023** 환경설계를 통한 범죄예방(CPTED)에 관한 설명으로 가장 적절하지 않은 것은? [2023 채용 1차]

① CPTED는 근본적이고 효과적인 범죄예방을 위한 방안으로 물리적 환경설계 또는 재설계를 통해 범죄 기회를 차단하는 것이 핵심이다.

② '자연적 감시(natural surveillance)'는 건축물이나 시설물의 설계시 가시권을 확보하여 외부침입에 대한 감시기능을 확대함으로써 범죄행위 발견 가능성을 증가시켜 범죄의 기회를 감소시킬 수 있다는 원리이다.

③ '영역성 강화(territorial reinforcement)'는 사적공간에 대한 경계표시로 주민들의 책임의식과 소유의식을 증대함으로써 사적공간에 대한 관리권과 권리를 강화시키는 원리이다.

④ '유지 · 관리(maintenance and management)'는 차단기, 방범창, 잠금장치의 파손을 수리하지 않고 유지하는 원리이다.

**정답 및 해설 I ④**

④ [×] **유지관리(Maintenance And Management)**란 처음 설계된 대로 지속적으로 이용될 수 있도록 잘 관리하는 것을 말하는 것으로서, 차단기 · 방범창 · 잠금장치의 파손을 즉시 수리하여 유지하는 원리이다.

② [○] CPTED의 5대 기본원리 중 **자연적 감시(Natural Surveillance)**란 가시권을 최대화시킬 수 있도록 건물이나 시설물 등을 배치하는 것을 말한다. 예 정원 벤치 등에 적절한 조명설치(불량 설계로 가시성 차단시 범죄자에게 은신처 제공), 가시권확대를 위한 건물의 배치

③ [○] **영역성(Territoriality)의 강화**는 사적 공간에 대한 경계를 만들어 해당 공간에 대한 정당한 이용자와 그렇지 못한 사람들을 구별하는 것을 말한다. 예 울타리와 펜스의 설치, 표지판, 조경, 조명, 도로포장 설계 등으로 소유권을 표현하는 물리적 특징을 사용(사적 공간과 공적 공간의 구분)

## 024 환경설계를 통한 범죄예방의 기본원리에 대한 내용으로 가장 적절하지 <u>않은</u> 것은? [2020 실무 2]

① '자연적 감시'는 지역사회의 설계시 주민들이 모여서 상호의견을 교환하고 유대감을 증대할 수 있는 공공장소를 설치하고 이용하도록 함으로써 '거리의 눈'을 활용한 자연적 감시와 접근통제의 기능을 확대하는 원리이다.

② '자연적 접근 통제'는 일정한 지역에 접근하는 사람들을 정해진 공간으로 유도하거나 외부인의 출입을 통제하도록 설계함으로써 접근에 대한 심리적 부담을 증대시켜 범죄를 예방한다.

③ '영역성의 강화'는 사적 공간에 대한 경계를 표시하여 주민들의 책임의식과 소유의식을 증대함으로써 사적 공간에 대한 관리권과 권리를 강화시키고, 외부인들에게는 침입에 대한 불법사실을 인식시켜 범죄기회를 차단하는 원리이다.

④ '유지관리'는 처음 설계된 대로 혹은 개선한 의도대로 기능을 지속적으로 유지하도록 관리함으로써 범죄예방을 위한 환경설계의 장기적이고 지속적 효과를 유지하는 원리이다.

**정답 및 해설 I ①**

① [×] CPTED의 5대 기본원리 중 **자연적 감시(Natural Surveillance)**란 가시권을 최대화시킬 수 있도록 건물이나 시설물 등을 배치하는 것을 말한다. 예 정원 벤치 등에 적절한 조명설치(불량 설계로 가시성 차단시 범죄자에게 은신처 제공), 가시권확대를 위한 건물의 배치

한편 **활동의 활성화(Activity Support)**는 지역사회의 설계시 주민들이 모여서 상호의견을 교환하고 유대감을 증대할 수 있는 공공장소를 설치하고 이러한 **공공장소에 대한 일반 시민들의 활발한 사용**을 유도 및 자극함으로써 그들의 눈에 의한 자연스러운 감시를 강화하는 것을 말한다(**거리의 눈**). 예 지역주민들이 시간대별 · 지역별로 공동 사용이 가능하도록 놀이시설 · 휴게시설 등을 보강, 공원 조성시 벤치 혹은 체육기구의 위치에 대한 설계, 공연회 · 친목회 등 다양한 행사가 개최될 수 있도록 조성

**025** 환경설계를 통한 범죄예방의 기본원리에 대한 설명 중 가장 적절한 것은? [2020 승진(경위)]

① 자연적 감시의 종류에는 조명 · 조경 · 가시권 확대를 위한 건물의 배치가 있다.

② 영역성의 강화는 일정한 지역에 접근하는 사람들을 정해진 공간으로 유도하거나 외부인의 출입을 통제하도록 설계함으로써 접근에 대한 심리적 부담을 증대시켜 범죄를 예방하는 원리이다.

③ 자연적 접근 통제는 지역사회의 설계시 주민들이 모여서 상호의견을 교환하고 유대감을 증대할 수 있는 공공장소를 설치하고 이용하도록 함으로써 '거리의 눈'을 활용한 자연적 감시와 접근통제의 기능을 확대하는 원리이다.

④ 활동의 활성화의 종류에는 벤치 · 정자의 위치 및 활용성에 대한 설계, 출입구의 최소화가 있다.

**정답 및 해설 I ①**

① [○] 자연적 감시에 대한 옳은 예시이다.

② [×] **영역성(Territoriality)의 강화**는 사적 공간에 대한 경계를 만들어 해당 공간에 대한 정당한 이용자와 그렇지 못한 사람들을 구별하는 것을 말한다. 예 울타리와 펜스의 설치, 표지판, 조경, 조명, 도로포장 설계 등으로 소유권을 표현하는 물리적 특징을 사용(사적 공간과 공적 공간의 구분)

③ [×] **자연적 접근 통제**(Natural Access Control)는 사람들을 도로, 보행로, 조경, 문 등을 통해 일정한 공간으로 유도함과 동시에 허가받지 않은 사람들의 진 · 출입을 차단하여 범죄목표물에 대한 접근을 어렵게 만들고 범죄행동의 노출 위험을 증가시키는 것을 말한다. 예 출입통제장치를 통한 출입구 최소화, 조경 등 구조물을 이용한 통행로 설계

④ [×] 출입구의 최소화는 **자연적 접근 통제**(Natural Access Control)의 예시에 해당한다.

**026** 환경설계를 통한 범죄예방(CPTED)에 대한 설명으로 가장 적절하지 <u>않은</u> 것은? [2015 채용 1차]

① CPTED는 주거 및 도시지역의 물리적 환경설계 또는 재설계를 통해 범죄기회를 차단하고자 하는 기법이다.

② '자연적 감시'는 건축물이나 시설물의 설계시 가시권을 최대확보, 외부 침입에 대한 감시 기능을 확대함으로써 범죄행위의 발견가능성을 증가시키고 범죄기회를 감소시킬 수 있는 원리이다.

③ '영역성의 강화'는 지역사회의 설계시 주민들이 모여서 상호의견을 교환하고 유대감을 증대할 수 있는 공공장소를 설치하고 이용하도록 함으로써 거리의 눈을 활용한 자연적 감시와 접근통제의 기능을 확대하는 원리이다.

④ '자연적 접근 통제'는 일정한 지역에 접근하는 사람들을 정해진 공간으로 유도하거나 외부인의 출입을 통제하도록 설계함으로써 접근에 대한 심리적 부담을 증대시켜 범죄를 예방하는 원리이다.

**정답 및 해설 I ③**

③ [×] CPTED의 5대 기본원리 중 **영역성(Territoriality)의 강화**란 사적 공간에 대한 경계를 만들어 해당 공간에 대한 정당한 이용자와 그렇지 못한 사람들을 구별하는 것을 말한다. 예 울타리와 펜스의 설치, 표지판, 조경, 조명, 도로포장 설계 등으로 소유권을 표현하는 물리적 특징을 사용(사적 공간과 공적 공간의 구분)

한편 **활동의 활성화**(Activity Support)는 지역사회의 설계시 주민들이 모여서 상호의견을 교환하고 유대감을 증대할 수 있는 공공장소를 설치하고 이러한 공공장소에 대한 일반 시민들의 활발한 사용을 유도 및 자극함으로써 그들의 눈에 의한 자연스러운 감시를 강화하는 것을 말한다(거리의 눈). 예 지역주민들이 시간대별 · 지역별로 공동 사용이 가능하도록 놀이시설 · 휴게시설 등을 보강, 공원 조성시 벤치 혹은 체육기구의 위치에 대한 설계, 공연회 · 친목회 등 다양한 행사가 개최될 수 있도록 조성

**027** 환경설계를 통한 범죄예방(CPTED)에 대한 설명으로 가장 적절하지 않은 것은? [2016 채용 2차, 2018 실무 2]

① 자연적 감시 – 건축물이나 시설물의 설계시 가시권을 최대 확보, 외부침입에 대한 감시기능을 확대하여 범죄행위의 발견 가능성을 증가시키고, 범죄기회를 감소시킬 수 있다는 원리이다.

② 자연적 접근 통제 – 사적 공간에 대한 경계를 표시하여 주민들의 책임의식과 소유의식을 증대함으로써 사적 공간에 대한 권리권과 권리를 강화시키고, 외부인들에게는 침입에 대한 불법사실을 인식시켜 범죄기회를 차단하는 원리이다.

③ 활동의 활성화 – 지역사회의 설계시 주민들이 모여서 상호의견을 교환하고 유대감을 증대할 수 있는 공공장소를 설치하고 이용하도록 함으로써 '거리의 눈'을 활용한 자연적 감시와 접근통제의 기능을 확대하는 원리이다.

④ 유지관리 – 처음 설계된 대로 혹은 개선한 의도대로 기능을 지속적으로 유지하도록 관리함으로써 범죄예방을 위한 환경설계의 장기적이고 지속적인 효과를 유지하는 원리이다.

**정답 및 해설 I ②**

② [×] **자연적 접근 통제**(Natural Access Control)란 사람들을 도로, 보행로, 조경, 문 등을 통해 일정한 공간으로 유도함과 동시에 허가받지 않은 사람들의 진 · 출입을 차단하여 범죄목표물에 대한 접근을 어렵게 만들고 범죄행동의 노출 위험을 증가시키는 것을 말한다. 예 출입통제장치를 통한 출입구 최소화, 조경 등 구조물을 이용한 통행로 설계
반면 **영역성**(Territoriality)**의 강화**란 사적 공간에 대한 경계를 만들어 해당 공간에 대한 정당한 이용자와 그렇지 못한 사람들을 구별하는 것을 말한다. 예 울타리와 펜스의 설치, 표지판, 조경, 조명, 도로포장 설계 등으로 소유권을 표현하는 물리적 특징을 사용(사적 공간과 공적 공간의 구분)

**028** CPTED(환경설계를 통한 범죄예방)에 대한 설명으로 가장 적절하지 않은 것은? [2018 승진(경위)]

① 자연적 감시의 종류로는 조명, 조경, 가시권확대를 위한 건물의 배치 등이 있다.

② 자연적 접근통제의 종류로는 차단기, 방범창, 잠금장치, 통행로의 설계, 출입구의 최소화가 있다.

③ 영역성의 강화란 일정한 지역에 접근하는 사람들을 정해진 공간으로 유도하거나 외부인의 출입을 통제하도록 설계함으로써 접근에 대한 심리적 부담을 증대시켜 범죄를 예방하는 원리이다.

④ 활동의 활성화란 지역사회의 설계시 주민들이 모여서 상호의견을 교환하고 유대감을 증대할 수 있는 공공장소를 설치하고 이용하도록 함으로써 '거리의 눈'을 활용한 자연적 감시와 접근통제의 기능을 확대하는 원리이다.

**정답 및 해설 I ③**

③ [×] **영역성**(Territoriality)**의 강화**란 사적 공간에 대한 경계를 만들어 해당 공간에 대한 정당한 이용자와 그렇지 못한 사람들을 구별하는 것을 말한다. 예 울타리와 펜스의 설치, 표지판, 조경, 조명, 도로포장 설계 등으로 소유권을 표현하는 물리적 특징을 사용(사적 공간과 공적 공간의 구분)
반면 **자연적 접근 통제**(Natural Access Control)란 사람들을 도로, 보행로, 조경, 문 등을 통해 일정한 공간으로 유도함과 동시에 허가받지 않은 사람들의 진 · 출입을 차단하여 범죄목표물에 대한 접근을 어렵게 만들고 범죄행동의 노출 위험을 증가시키는 것을 말한다. 예 출입통제장치를 통한 출입구 최소화, 조경 등 구조물을 이용한 통행로 설계

**029** 최근 근린생활지역 치안 확보를 위하여 CPTED(환경설계를 통한 범죄예방) 기법이 강조되고 있다. CPTED 기본 원리와 그 설명으로 가장 적절하지 않은 것은? [2015 승진(경감)]

① 자연적 접근 통제 – 일정한 지역에 접근하는 사람들을 정해진 공간으로 유도하거나 외부인의 출입을 통제하도록 설계함으로써 접근에 대한 심리적 부담을 증대시켜 범죄를 예방하는 원리

② 영역성 강화 – 처음 설계된 대로 혹은 개선한 의도대로 기능을 지속적으로 유지하도록 관리함으로써 범죄예방을 위한 환경설계의 장기적이고 지속적인 효과를 유지하는 원리

③ 자연적 감시 – 건축물이나 시설물의 가시권을 최대한 확보하여 외부 침입에 대한 감시기능을 확대함으로써 범죄행위의 발견 가능성을 증가시키고, 범죄기회를 감소시키는 원리

④ 활동의 활성화 – 지역사회의 설계시 주민들이 모여서 상호의견을 교환하고 유대감을 증대할 수 있는 공공장소를 설치하고 이용하도록 함으로써 '거리의 눈'을 활용한 자연적 감시와 접근통제의 기능을 확대하는 원리

**정답 및 해설 I ②**

② [×] **영역성(Territoriality)의 강화**란 사적 공간에 대한 경계를 만들어 해당 공간에 대한 정당한 이용자와 그렇지 못한 사람들을 구별하는 것을 말한다. 예 울타리와 펜스의 설치, 표지판, 조경, 조명, 도로포장 설계 등으로 소유권을 표현하는 물리적 특징을 사용(사적 공간과 공적 공간의 구분)

반면 **유지관리(Maintenance And Management)**란 처음 설계된 대로 지속적으로 이용될 수 있도록 잘 관리하는 것을 말하며, 황폐화되거나 버려진 듯 한 인상을 주는 공공장소는 사용자에 의한 통제나 관심부족을 표시함으로써 무질서와 범죄발생 가능성이 높은 장소로 전락될 수 있다. 예 파손의 즉시보수, 청결유지, 조명 · 조경의 관리

**030** CPTED(환경설계를 통한 범죄예방)의 원리와 그 내용 및 종류에 대한 설명으로 가장 적절하지 않은 것은? [2018 승진(경감)]

① 건축물이나 시설물의 설계시 가시권을 최대 확보, 외부침입에 대한 감시기능을 확대함으로써 범죄행위의 발견 가능성을 증가시키고, 기회를 감소시킬 수 있다는 원리를 '자연적 감시'라고 하고, 종류로는 조명 · 조경 · 가시권확대를 위한 건물의 배치 등이 있다.

② 사적 공간에 대한 경계를 표시하여 주민들의 책임의식과 소유의식을 증대함으로써 사적 공간에 대한 관리권과 권리를 강화시키고, 외부인들에게는 침입에 대한 불법사실을 인식시켜 범죄기회를 차단하는 원리를 '영역성의 강화'라고 하고, 종류로는 울타리 · 펜스의 설치, 사적 · 공적 공간의 구분이 있다.

③ 일정한 지역에 접근하는 사람들을 정해진 공간으로 유도하거나 외부인의 출입을 통제하도록 설계함으로써 접근에 대한 심리적 부담을 증대시켜 범죄를 예방하는 원리를 '자연적 접근통제'라고 하고, 종류로는 차단기 · 방범창 설치, 체육시설에의 접근성과 이용의 증대 등이 있다.

④ 처음 설계된 대로 혹은 개선한 의도대로 기능을 지속적으로 유지하도록 관리함으로써 범죄예방을 위한 환경설계의 장기적이고 지속적인 효과를 유지하는 원리를 '유지관리'라고 하고, 종류로는 파손의 즉시보수, 청결유지 등이 있다.

**정답 및 해설 I ③**

③ [×] 설명 자체는 **자연적 접근 통제(Natural Access Control)**에 대한 옳은 설명이나, 이에 대한 예시 중 '체육시설에의 접근성과 이용의 증대'는 '**활동의 활성화(Activity Support)**'의 예시이다.

## 031 CPTED(환경설계를 통한 범죄예방)의 원리와 그 내용 및 종류에 대한 설명으로 가장 적절하지 않은 것은?

[2019 채용 1차]

① '자연적 감시'란 건축물이나 시설물의 설계시 가시권을 최대한 확보하고, 외부침입에 대한 감시기능을 확대함으로써 범죄행위의 발견 가능성을 증가시키며, 범죄기회를 감소시킬 수 있다는 원리로서, 종류로는 조명 · 조경 · 가시권 확대를 위한 건물의 배치 등이 있다.

② '영역성의 강화'란 사적공간에 대한 경계를 표시하여 주민들의 책임의식과 소유의식을 증대시킴으로써 사적공간에 대한 관리권과 권리를 강화시키고, 외부인들에게는 침입에 대한 불법사실을 인식시켜 범죄기회를 차단하는 원리이며, 종류로는 출입구의 최소화, 통행로의 설계, 사적 · 공적 공간의 구분이 있다.

③ '활동의 활성화'란 지역사회의 설계시 주민들이 모여서 상호의견을 교환하고 유대감을 증대할 수 있는 공공장소를 설치하고 이용하도록 함으로써 자연적 감시와 접근통제의 기능을 확대한다는 원리이며, 종류로는 체육시설의 접근성과 이용의 증대, 벤치 · 정자의 위치 및 활용성에 대한 설계가 있다.

④ '유지관리'란 처음 설계된 대로 혹은 개선한 의도대로 기능을 지속적으로 유지하도록 관리함으로써 범죄예방을 위한 환경설계의 장기적이고 지속적인 효과를 유지한다는 원리이며, 종류로는 파손의 즉시보수, 청결유지, 조명 · 조경의 관리가 있다.

**정답 및 해설 I ②**

② [×] 설명 자체는 **영역성(Territoriality)의 강화**에 대한 옳은 설명이나, 이에 대한 예시 중 '출입구의 최소화', '통행로의 설계'는 **'자연적 접근 통제(Natural Access Control)'**의 예시이다.

## 032 환경설계를 통한 범죄예방(CPTED)의 기본원리에 대한 내용과 종류의 연결이 가장 옳지 않은 것은?

[2016 경간]

① 자연적 감시 – 조명 · 조경 · 가시권확대를 위한 건물의 배치

② 자연적 접근 통제 – 울타리 · 펜스의 설치, 사적 · 공적 공간의 구분

③ 활동성의 활성화 – 놀이터 · 공원의 설치, 체육시설의 접근성과 이용의 증대

④ 유지관리 – 파손의 즉시보수, 청결유지, 조명 · 조경의 관리

**정답 및 해설 I ②**

② [×] CPTED의 5대 기본원리 중 **자연적 접근 통제**(Natural Access Control)는 사람들을 도로, 보행로, 조경, 문 등을 통해 **일정한 공간으로 유도함과 동시에 허가받지 않은 사람들의 진 · 출입을 차단하여 범죄목표물에 대한 접근을 어렵게 만들고 범죄행동의 노출 위험을 증가시키는 것**을 말한다. 예 출입통제장치를 통한 출입구 최소화, 조경 등 구조물을 이용한 통행로 설계
지문에서 예시로 들고 있는 울타리 · 펜스의 설치, 사적 · 공적 공간의 구분은 영역성(Territoriality)의 강화에 대한 예시이다.

**033** 환경설계를 통한 범죄예방의 기본원리(CPTED)에 대한 설명으로 가장 적절한 것은? [2017 실무 2]

① 자연적 감시 - 사적 공간에 대한 경계를 표시하여 주민들의 책임의식과 소유의식을 증대함으로써 사적 공간에 대한 관리권과 권리를 강화시키고, 외부인들에게는 침입에 대한 불법사실을 인식시켜 범죄기회를 차단하는 원리

② 영역성의 강화 - 주민들이 모여서 상호의견을 교환하고 유대감을 증대할 수 있는 공공장소를 설치하고 이용하도록 함으로써 '거리의 눈'을 활용한 자연적 감시와 접근통제의 기능을 확대하는 원리

③ 자연적 접근통제 - 일정한 지역에 접근하는 사람들을 정해진 공간으로 유도하거나 외부인의 출입을 통제하도록 설계함으로써 접근에 대한 심리적 부담을 증대시켜 범죄를 예방하는 원리

④ 활동의 활성화 - 건축물이나 시설물의 설계시 가시권을 최대한 확보, 최부침입에 대한 감시기능을 확대함으로써 범죄 발각 위험을 증가시키고, 기회를 감소시킬 수 있는 원리

**정답 및 해설 I ③**

③ [○] 자연적 접근통제에 관한 옳은 설명이다.
① [×] 영역성의 강화에 관한 설명이다.
② [×] 활동의 활성화에 관한 설명이다.
④ [×] 자연적 감시에 관한 설명이다.

**034** 환경설계를 통한 범죄예방(CPTED)의 기본원리에 관한 설명으로 가장 적절한 것은? [2024 승진]

① '활동의 활성화'는 주민들이 모여서 상호의견을 교환하고 유대감을 증대할 수 있는 공공장소를 설치하여 이를 이용하도록 함으로써, '거리의 눈'에 의한 자연적인 감시와 접근통제의 기능을 확대하는 것이다. 놀이터와 공원의 설치, 벤치 · 정자의 위치 및 활용성에 대한 설계를 예로 들 수 있다.

② '영역성의 강화'는 일정한 지역에 접근하는 사람들을 정해진 공간으로 유도하거나 외부인의 출입을 통제하도록 설계함으로써, 접근에 대한 심리적 부담을 증대시켜 범죄를 예방하는 것이다. 출입구의 최소화, 통행로의 설계, 울타리 및 표지판의 설치를 예로 들 수 있다.

③ '유지관리'는 시설물이나 공공장소의 기능을 처음 설계되거나 개선한 의도대로 지속적으로 이용될 수 있도록 관리함으로써, 범죄예방을 위한 환경설계의 장기적이고 지속적 효과를 유지하는 것이다. 청결유지, 파손의 즉시 보수, 체육시설의 접근성 및 이용의 증대를 예로 들 수 있다.

④ '자연적 접근통제'는 건축물이나 시설물의 설계 시 가시권을 최대한 확보하고 외부 침입에 대한 감시기능을 확대함으로써, 범죄 발각 위험을 증가시키고 범행 기회를 감소시키는 것이다. 가시권 확대를 위한 건물의 배치, 조명 및 조경 설치를 예로 들 수 있다.

**정답 및 해설 I ①**

① [○] 옳은 설명이다.
② [×] 전체적으로 **자연적 접근통제**에 대한 설명이다. 한편, 예시 중 '울타리 및 표지판의 설치'는 **영역성의 강화**에 대한 예시이다.
③ [×] 전체적으로 옳은 설명과 예시이나, '체육시설의 접근성 및 이용의 증대'는 **활동의 활성화**에 대한 예시이다.
④ [×] **자연적 감시**에 대한 설명이다.

**035** 다음은 환경설계를 통한 범죄예방(CPTED)에 대한 설명이다. <보기 1>과 <보기 2>의 내용이 가장 적절하게 연결된 것은?

[2020 채용 1차]

> <보기 1>
>
> (가) 사적 공간에 대한 경계를 표시하여 주민들의 책임의식과 소유의식을 증대함으로써 사적 공간에 대한 관리권과 권리를 강화시키고, 외부인들에게는 침입에 대한 불법사실을 인식시켜 범죄기회를 차단하는 원리
>
> (나) 건축물이나 시설물 설계시 가시권을 최대한 확보, 외부침입에 대한 감시기능을 확대함으로써 범죄행위의 발견 가능성을 증가시키고 범죄기회를 감소시킬 수 있다는 원리
>
> (다) 일정한 지역에 접근하는 사람들을 정해진 공간으로 유도하거나 외부인의 출입을 통제하도록 설계함으로써 접근에 대한 심리적 부담을 증대시켜 범죄를 예방하는 원리
>
> (라) 지역사회 설계시 주민들이 모여서 상호의견을 교환하고 유대감을 증대할 수 있는 공공장소를 설치하고 이용하도록 함으로써 '거리의 눈'을 활용한 자연적 감시와 접근통제의 기능을 확대하는 원리

> <보기 2>
>
> ㉠ 조명, 조경, 가시권 확대를 위한 건물의 배치
>
> ㉡ 체육시설의 접근성과 이용의 증대, 벤치 · 정자의 위치 및 활용성에 대한 설계
>
> ㉢ 울타리 · 펜스의 설치, 사적 · 공적 공간의 구분
>
> ㉣ 잠금장치, 통행로의 설계, 출입구의 최소화

| | (가) | (나) | (다) | (라) |
|---|---|---|---|---|
| ① | ㉢ | ㉡ | ㉣ | ㉠ |
| ② | ㉣ | ㉠ | ㉢ | ㉡ |
| ③ | ㉢ | ㉠ | ㉣ | ㉡ |
| ④ | ㉣ | ㉡ | ㉢ | ㉠ |

**정답 및 해설 | ③**

(가) 영역성(Territoriality)의 강화 - ㉢

(나) 자연적 감시(Natural Surveillance) - ㉠

(다) 자연적 접근 통제(Natural Access Control) - ㉣

(라) 활동의 활성화(Activity Support) - ㉡

**036** 환경설계를 통한 범죄예방(CPTED)에 관한 설명이다. 이에 관한 ㉠부터 ㉣까지의 설명 중 옳고 그름의 표시(○, ×)가 모두 바르게 된 것은? [2022 채용 2차]

> ㉠ 건축물이나 시설물의 설계시 가시권의 최대 확보, 외부침입에 대한 감시기능을 확대하여 범죄행위의 발견 가능성은 증가시키고 범죄기회는 감소시킬 수 있다는 원리를 자연적 감시라고 하며, 이에 대한 종류로는 조명, 조경, 가시권 확대를 위한 건물의 배치 등이 있다.
> ㉡ 지역사회의 설계시 주민들이 모여서 상호의견을 교환하고 유대감을 증대할 수 있는 공공장소를 설치하고 이용하도록 함으로써 '거리의 눈'을 활용한 자연적 감시와 접근통제의 기능을 확대하는 원리를 활동의 활성화(활용성의 증대)라고 하며, 이에 대한 종류로는 놀이터 · 공원의 설치, 벤치 · 정자의 위치 및 활용성에 대한 설계, 통행로의 설계 등이 있다.
> ㉢ 사적 공간에 대한 경계를 표시하여 주민들의 책임의식과 소유의식을 증대함으로써 사적 공간에 대한 관리권과 권리를 강화시키고, 외부인들에게는 침입에 대한 불법사실을 인식시켜 범죄기회를 차단하는 원리를 자연적 접근통제라고 하며, 이에 대한 종류로는 방범창, 출입구의 최소화 등이 있다.
> ㉣ 처음 설계된 대로 혹은 개선한 의도대로 기능을 지속적으로 유지하도록 관리함으로써 범죄예방을 위한 환경설계의 장기적이고 지속적인 효과를 유지하는 원리를 유지관리라고 하며, 이에 대한 종류로는 청결유지, 파손의 즉시보수, 조명의 관리 등이 있다.

① ㉠ [○] ㉡ [×] ㉢ [×] ㉣ [○]
② ㉠ [○] ㉡ [○] ㉢ [×] ㉣ [○]
③ ㉠ [×] ㉡ [×] ㉢ [○] ㉣ [○]
④ ㉠ [○] ㉡ [○] ㉢ [○] ㉣ [×]

**정답 및 해설 I ①**

㉠ [○] 자연적 감시에 대한 옳은 설명이다.

> **자연적 감시(Natural Surveillance)**: 가시권을 최대화시킬 수 있도록 건물이나 시설물 등을 배치하는 것을 말한다.
> 예 정원 벤치 등에 적절한 조명 · 조경설치(불량 설계로 가시성 차단시 범죄자에게 은신처 제공), 가시권확대를 위한 건물의 배치

㉡ [×] 통행로의 설계는 자연적 접근통제의 예시이다.

> **활동의 활성화(Activity Support)**: 지역사회의 설계시 주민들이 모여서 상호의견을 교환하고 유대감을 증대할 수 있는 공공장소를 설치하고 이러한 **공공장소에 대한 일반 시민들의 활발한 사용**을 유도 및 자극함으로써 그들의 눈에 의한 자연스런 감시를 강화하는 것을 말한다(**거리의 눈**). 예 지역주민들이 시간대별 · 지역별로 공동 사용이 가능하도록 놀이시설 · 휴게시설 등을 보강, 공원 조성 시 벤치 혹은 체육기구의 위치에 대한 설계, 공연회 · 친목회 등 다양한 행사가 개최될 수 있도록 조성

㉢ [×] 사적 공간에 대한 경계를 표시하여 주민들의 책임의식과 소유의식을 증대함으로써 사적 공간에 대한 관리권과 권리를 강화시키고, 외부인들에게는 침입에 대한 불법사실을 인식시켜 범죄기회를 차단하는 원리는 **영역성의 강화**에 대한 설명이고, 방범창 · 출입구의 최소화는 자연적 접근통제의 종류이다.

> - **영역성(Territoriality)의 강화**: 사적 공간에 대한 경계를 만들어 해당 공간에 대한 정당한 이용자와 그렇지 못한 사람들을 구별하는 것을 말한다. 예 울타리와 펜스의 설치, 표지판, 조경, 조명, 도로포장 설계 등으로 소유권을 표현하는 물리적 특징을 사용(사적 공간과 공적 공간의 구분)
> - **자연적 접근 통제(Natural Access Control)**: 사람들을 도로, 보행로, 조경, 문 등을 통해 일정한 공간으로 유도함과 동시에 허가받지 않은 사람들의 진출입을 차단하여 범죄목표물에 대한 접근을 어렵게 만들고 범죄행동의 노출 위험을 증가시키는 것을 말한다. 예 출입통제장치를 통한 출입구 최소화, 조경 등 구조물을 이용한 통행로 설계

㉣ [○] 유지관리에 대한 옳은 설명이다.

> **유지관리(Maintenance And Management)**: 처음 설계된 대로 지속적으로 이용될 수 있도록 잘 관리하는 것을 말하며, 황폐화되거나 버려진 듯 한 인상을 주는 공공장소는 사용자에 의한 통제나 관심부족을 표시함으로써 무질서와 범죄발생 가능성이 높은 장소로 전락될 수 있다. 예 파손의 즉시보수, 청결유지, 조명 · 조경의 관리

**037** 뉴먼(1972)은 방어공간의 구성요소를 구분하였다. 이와 관련된 <보기 1>의 설명과 <보기 2>의 구성요소가 가장 적절하게 연결된 것은? [2022 채용 1차]

<보기 1>

(가) 지역의 외관이 다른 지역과 고립되어 있지 않고, 보호되고 있으며, 주민의 적극적 행동의지를 보여줌
(나) 지역에 대한 소유의식은 일상적이지 않은 일이 있을 때 주민으로 하여금 행동을 취하도록 자극함
(다) 특별한 장치의 도움 없이 실내와 실외의 활동을 관찰할 수 있는 능력임

<보기 2>

㉠ 영역성 ㉡ 자연적 감시
㉢ 이미지 ㉣ 환경

| | (가) | (나) | (다) |
|---|---|---|---|
| ① | ㉢ | ㉣ | ㉠ |
| ② | ㉢ | ㉠ | ㉡ |
| ③ | ㉣ | ㉠ | ㉢ |
| ④ | ㉣ | ㉢ | ㉡ |

**정답 및 해설 I ②**

② [○] 오스카 뉴먼의 방어공간의 구성요소는 다음과 같다.

| | |
|---|---|
| 이미지 | 지역의 외관상 해당 지역이 다른 지역과 고립되어 있지 않고, 보호되고 있으며, 주민의 적극적 행동의지를 보여주도록 한다. |
| 자연적 감시 | 특별한 장치의 도움 없이 실내와 실외의 활동을 관찰할 수 있도록 한다. |
| 영역성 | 지역에 대한 소유의식을 고양시켜 일상적이지 않은 일이 있을 때 주민으로 하여금 행동을 취하도록 자극한다. |
| 안전지대 | 해당 공간의 위치를 범죄가 적고 지역사회가 활성화된 안전지대에 둔다. |

**038** 다음 경찰활동 예시의 근거가 되는 범죄원인론으로 가장 관련성이 높은 것은? [2022 채용 1차]

A경찰서는 관내에서 폭행으로 적발된 청소년을 형사입건하는 대신, 학교전담경찰관이 외부 전문가와 함께 3일 동안 다양한 활동으로 구성된 선도프로그램을 제공함으로써 해당 청소년에게 스스로 잘못을 뉘우치고 장차 지역사회로 다시 통합될 수 있는 기회를 제공하였다.

① 낙인 이론
② 일반긴장 이론
③ 깨진 유리창 이론
④ 일상활동 이론

**정답 및 해설 | ①**

① [○] 낙인이론은 사소한 일탈로 인한 일탈자의 낙인이 오히려 범죄를 유발시킨다고 보는 입장인 바, 사안의 일탈 청소년들을 정식 형사절차에 따라 범죄자로 낙인을 찍는 대신 선도프로그램을 통해 지역사회에 통합될 수 있도록 함으로써 더 심각한 범죄를 예방한 것이므로 낙인이론과 관계가 깊다.

**039** 다음은 관할지역 내 범죄문제 해결을 위해 경찰서별로 실시하고 있는 활동들이다. 각 활동들의 근거가 되는 범죄원인론을 가장 적절하게 연결한 것은? [2019 채용 2차]

> ㉠ A경찰서는 관내에서 음주소란과 폭행 등으로 적발된 청소년들을 형사입건하는 대신 지역사회 축제에서 실시되는 행사에 보안요원으로 봉사할 수 있는 기회를 제공하였다.
> ㉡ B경찰서는 지역사회에 만연해 있는 경미한 주취소란에 대해서도 예외 없이 엄격한 법집행을 실시하였다.
> ㉢ C경찰서는 관내 자전거 절도사건이 증가하자 관내 자전거 소유자들을 대상으로 자전거에 일련번호를 각인해 주는 서비스를 제공하였다.
> ㉣ D경찰서는 관내 청소년 비행 문제가 증가하자 청소년들을 대상으로 폭력 영상물의 폐해에 관한 교육을 실시하고, 해당 유형의 영상물에 대한 접촉을 삼가도록 계도하였다.

| | ㉠ | ㉡ | ㉢ | ㉣ |
|---|---|---|---|---|
| ① | 낙인 이론 | 깨진 유리창 이론 | 상황적 범죄예방 이론 | 차별적 동일시 이론 |
| ② | 낙인 이론 | 깨진 유리창 이론 | 상황적 범죄예방 이론 | 차별적 접촉 이론 |
| ③ | 상황적 범죄예방 이론 | 깨진 유리창 이론 | 낙인 이론 | 깨진 유리창 이론 |
| ④ | 상황적 범죄예방 이론 | 낙인 이론 | 깨진 유리창 이론 | 차별적 동일시 이론 |

**정답 및 해설 | ①**

① [○] ㉠ **낙인 이론**: 낙인이론은 사소한 일탈로 인한 일탈자의 낙인이 오히려 범죄를 유발시킨다고 보는 입장인 바, 사안의 일탈 청소년들을 정식 형사절차에 따라 범죄자로 낙인을 찍는 대신 봉사활동을 하게 함으로써 더 심각한 범죄를 예방한 것이므로 낙인이론과 관계가 깊다.

㉡ **깨진 유리창 이론**: 사소한 규칙 위반에도 관용을 베풀지 않는 **무관용 정책**(Zero-Tolerance Policy)은 깨진 유리창 이론에 따른 범죄예방정책이다.

㉢ **상황적 범죄예방 이론**: 상황적 범죄예방론이란 범죄행동에 따르는 노력과 위험은 증대시키고 보상은 낮추어 범죄를 억제하고자 하는 이론으로서, 사안과 같이 경찰들이 자전거에 일련번호를 각인해 주는 서비스를 제공해 주는 경우 도난자전거의 추적이 가능해 짐으로써 범죄행동에 따른 위험이 증가하게 된다.

㉣ **차별적 동일시 이론**: 차별적 동일시 이론은 서덜랜드의 차별적 접촉 이론에 '동일시(Identification)' 개념을 결합한 이론으로, 직접 접촉이 아니더라도 영화나 유명인으로부터 영향을 받을 수 있다는 이론이다. 사안의 경우 영상물로부터 영향을 받는 것을 차단하고 있다는 점에서 차별적 동일시 이론에 대한 예시로 볼 수 있다. 만약 특정한 범죄그룹 접촉을 차단하는 예시라면 이는 차별적 접촉 이론에 대한 것이다.

## 040 범죄원인에 대한 이론을 설명한 것이다. 옳은 것은 모두 몇 개인가? [2021 경간]

> ㉠ 아노미이론은 Cohen에 의해 주장되었으며, '범죄는 정상적인 것이며 불가피한 사회적 행위'라는 입장에서 사회규범의 붕괴로 인해 범죄가 발생한다고 보고 있다.
> ㉡ J. F. Sheley가 주장한 범죄유발의 4요소는 범죄의 동기, 사회적 제재로부터의 자유, 범죄피해자, 범행의 기술이다.
> ㉢ 사회학습이론 중 Burgess & Akers의 차별적 강화이론에 의하면 청소년들이 영화의 주인공을 모방하고 자신과 동일시하면서 범죄를 학습한다고 본다.
> ㉣ Hirschi는 범죄의 원인은 사회적인 유대가 약화되어 통제되지 않기 때문이라고 보고, 비행을 통제할 수 있는 사회적 통제의 결속을 애착, 전념, 기회, 참여라고 하였다.
> ㉤ 합리적 선택이론에서는 인간의 자유의지를 인정하는 결정론적 인간에 입각하여 범죄자는 비용과 이익을 계산하고 자신에게 유리한 경우에 범죄를 행한다고 본다.
> ㉥ 일상활동이론은 범죄자의 입장에서 범행을 결정하는 데 고려되는 4가지 요소로 가치, 이동의 용이성, 가시성, 접근성을 들고 있다.
> ㉦ 범죄패턴이론은 지역사회 구성원들이 범죄문제를 해결하기 위해 적극적으로 참여하는 것이 중요한 범죄예방의 열쇠라고 한다.

① 0개 ② 1개
③ 2개 ④ 3개

**정답 및 해설 I ②**

㉠ [×] **뒤르껭**(Durkheim)은 **범죄정상설**(범죄는 결혼 · 출산처럼 자연적인 사회적 사실일 뿐이다), **범죄필연설**(어떠한 사회도 완전하게 범죄를 없앨 수는 없다), **범죄필요설**(사회가 진보하기 위해서는 오히려 일정 정도의 범죄가 필요하다)을 주장하면서, 사회의 규범이 붕괴하여 제대로 작동하지 못하는 무규범 상태인 '아노미'를 범죄의 원인으로 보았다. 코헨은 하위문화이론을 주장하였다.

㉡ [×] J. Sheley가 주장한 범죄발생 필요조건 4요소는 다음과 같다(SMOF).

| 구분 | 내용 |
|---|---|
| 범행의 기술(Skill) | 전문적인 능력과 기술 |
| 범행의 동기(Motivation) | 조건이 된다면 범죄를 하고자 하는 의향 |
| 범행의 기회(Opportunity) | 범행에 공헌하는 물리적 환경 |
| 사회적 제재로부터의 자유 (Freedom from Social Constraints) | 낮은 검거율과 처벌수위, 범죄에 적대적이지 않은 분위기 |

반면 일상활동이론에서 범죄발생 3요소는 (i) **범죄자**, (ii) **피해자**, (iii) **감시의 부재**이다.

㉢ [×] **버제스 · 에이커스**(Burgess & Akers)의 **차별적 강화이론**은 행위에 대한 보상이나 처벌과 같은 사회적 반응이 그 행위를 다시 반복하게 하는데 결정적인 영향을 미치게 된다는 이론을 말한다. 영화의 주인공 등과 자신을 동일시함으로써 영향을 받을 수 있다는 이론은 **글레이저**의 **차별적 동일시이론**이다.

㉣ [×] **허쉬**(Hirschi)는 **사회유대이론**에서 4가지 사회적 결속요소를 **신념(Belief)**, **참여(Involvement)**, **애착(Attachment)**, **전념(Commitment)**라고 하였다.

㉤ [×] **클락 · 코니쉬**(Clarke & Conish)가 주장한 **합리적 선택이론**은 인간의 자유의지를 전제로 한 **비결정론적 인간관**에 입각하여(신고전주의), 범죄자는 자신의 범죄행위에 있어서 비용과 이익을 계산하고 자신에게 유리한 경우에 범죄를 행한다고 보았다.

㉥ [○] **코헨 · 펠슨**(Cohen & Felson)이 주장한 **일상활동이론**에서, 범죄자의 입장에서 범행을 결정하는 4요소로 제시한 것은 다음과 같다.

| | |
|---|---|
| 대상의 가치(Value) | 보석은 단위부피당 가치가 높다. |
| 이동 용이성(Inertia) | 보석은 크기가 작아 이동시키기 용이하다. |
| 가시성(Visibility) | 보석은 주머니에 숨기기 용이하다. |
| 접근성(Access) | 다만, 보석은 통상 진열장에 강력한 보안장치가 되어 있다. |

ⓢ [×] **브랜팅햄**(Brantingham)이 주장한 **범죄패턴이론**은 범죄의 시간적 패턴이 아니라 **장소적 패턴**이 있다는 이론이다. 지역사회 구성원들이 범죄문제를 해결하기 위해 적극적으로 참여하는 것이 중요한 범죄예방의 열쇠라고 보는 것은 **로버트 샘슨**의 '**집합효율성이론**'이다.

## 041 무관용 경찰활동(Zero Tolerance Policing)에 관한 설명으로 가장 적절하지 않은 것은?

[2023 채용 1차]

① 사소한 무질서에 관대하게 대응했던 전통적 경찰활동의 전략을 계승하였다.

② 무관용 경찰활동은 1990년대 뉴욕에서 본격적으로 시행되었다.

③ 윌슨(Wilson)과 켈링(Kelling)의 '깨어진 창 이론'에 기초하였다.

④ 경미한 비행자에 대한 무관용 개입은 낙인효과를 유발할 수 있다는 비판이 있다.

**정답 및 해설 I ①**

① [×] 무관용 경찰활동은 직접적 피해자가 없는 경미한 무질서 행위에 대한 강경한 대응을 통한 더 큰 사고를 방지하기 위한 이론으로 피해자가 없는 무질서를 용인하는 전통적 경찰활동과 관련이 없다.

② [○] 1994년 뉴욕 시장인 줄리아니가 본격적으로 도입 · 시행하였다.

③ [○] 무관용 경찰활동은 사소한 규칙위반에도 관용을 베풀지 않겠다는 것으로 깨어진 창 이론에 기초한 정책이다.

④ [○] 무관용 경찰활동은 경비한 비행행위자에 대해서도 범죄자라는 낙인을 찍음으로써 오히려 더 강력한 범죄를 유발할 가능성이 있다는 비판이 있다.

# 주제 3 범죄예방과 지역사회 경찰활동

## 042 범죄예방이론에 관한 설명으로 가장 적절하지 않은 것은?

[2024 1차 채용]

① 일상활동이론(Routine Activity Theory), 합리적 선택이론(Rational Choice Theory), 범죄패턴이론(Crime PatternTheory) 등은 상황적 범죄예방(Situational Crime Prevention)의 중요한 이론적 배경이 되고 있다.

② 환경설계를 통한 범죄예방(CPTED; Crime PreventionThrough Environmental Design)은 물리적 환경설계 또는재설계를 통해 범죄기회를 차단하고 시민의 범죄에 대한 불안을 감소시키는 전략이다.

③ 특별예방이론이 잠재적 범죄자인 일반인에 대한 형벌의 예방 기능을 강조한 것이라면, 일반예방이론은 형벌을 구체적인 범죄자 개인에 대한 영향력의 행사라고 보고, 범죄자를 교화함으로써 재범하지 않도록 하는 것이다.

④ 범죄예방에 질병의 예방과 치료의 개념을 도입하여 소개한 브랜팅햄(P. J. Brantingham)과 파우스트(F. L. Faust)는 범죄예방을 1차적 범죄예방, 2차적 범죄예방, 3차적 범죄예방으로 나누고 있다. 1차적 범죄예방은 일반대중, 2차적 범죄예방은 범죄우범자나 집단, 그리고 3차적 범죄예방은 범죄자가 주요대상이라고 할 수 있다.

**정답 및 해설 I ③**

③ [×] **일반예방이론은** 잠재적 범죄자인 일반인에 대한 형벌의 예방 기능을 강조한 것이라면, **특별예방이론**은 형벌을 구체적인 범죄자 개인에 대한 영향력의 행사라고 보고, 범죄자를 교화함으로써 재범하지 않도록 하는 것이다.

① [○] 상황적 범죄예방론이란 **범죄행동에 따르는 노력과 위험은 증대시키고 보상은 낮추어** 범죄를 억제하고자 하는 이론으로서, (i) 인간의 자유의지를 전제로 한 비결정론적 인간관에 입각하여(신고전주의), 범죄자는 자신의 범죄행위에 있어서 비용과 이익을 계산하고 자신에게 유리한 경우에 범죄를 행한다고 보는 **합리적 선택이론**, (ii) 사회구성원의 일상행위의 **변화가 범죄율의 변화**에 영향을 준다는 **일상활동이론**, (iii) 범죄에는 일정한 **장소적 패턴**이 있으며 이는 범죄자의 일상적인 행동패턴과 유사하다는 점에 착안하여 일정 장소의 집중 순찰을 통해 범행을 예방할 수 있다고 보는 **범죄패턴이론**의 3가지로 이론이 여기에 속한다.

④ [○] 브랜팅햄과 파우스트(Brantingham & Faust)범죄예방활동의 목적에 따라서 범죄예방활동을 1차 · 2차 · 3차로 구분하였다.

| 구분 | 내용 | 대상 |
|---|---|---|
| 1차적 범죄예방 | • 물리적 · 사회적 환경 중에서 범죄원인이 되는 조건들을 개선시키는데 초점을 두는 범죄예방활동 예 **환경설계**: 건축설계, 조명, 자물쇠장치, 비상벨이나 CCTV설치 / **이웃감시활동**: 시민순찰 / **형사사법기관의 활동**: 경찰방범활동, 범죄예방교육 | 일반대중 |
| 2차적 범죄예방 | • 잠재적 범죄자를 초기에 발견하고 비합법적 행위가 발생하기 이전에 예방하는 범죄예방활동 예 청소년 우범지역 단속활동, 잠재적 범죄자 파악과 예측, 범죄지역분석, 전환제도 | 우범자 · 우범집단 |
| 3차적 범죄예방 | • 실제 범죄자를 대상으로 범죄자들이 더 이상 범죄를 저지르지 않도록 하기 위한 활동을 말한다. 예 특별억제(형벌을 통해 범죄자 처벌 민감성↑), 치료, 재활 등<br>• 주로 형사사법기관이 담당하나, 민간단체나 지역사회가 담당하기도 한다. | 범죄자 |

**043** '지역사회경찰활동'(Community Policing)에 관한 설명으로 가장 적절하지 않은 것은? [2023 채용 2차]

① 범죄가 자주 발생하는 지점에 경찰력을 집중적으로 배치하여 범죄예방효과를 극대화하는 데 중점을 둔다.

② 경찰활동의 목적과 우선순위를 결정할 때 시민의 참여가 중요하다.

③ 사후적 대응보다 사전적 예방 중심의 경찰활동 전개에 주력한다.

④ 경찰은 지역사회 내 지방자치단체, 학교 등 공적 주체들은 물론 시민단체 등 사적 주체들과도 파트너십을 형성할 필요가 있다.

**정답 및 해설 I ①**

① [×] 전통적 **경찰활동**은 경찰만이 유일한 법집행기관으로서 경찰권한의 강화를 통해 범죄를 해결하는 것을 경찰활동의 주된 역할로 본다. 반면 **지역사회 경찰활동**은 경찰과 시민이 모두 경찰활동의 주체가 되어 경찰의 분권화를 통해 범죄를 효율적으로 예방하는 것을 경찰활동의 주된 역할로 본다. 따라서, 범죄예방효과를 극대화 한다는 것은 지역사회 경찰활동의 목표로서 옳은 설명으로 볼 수 있으나, 경찰력 집중이 아닌 지역사회와의 협력을 통해 이러한 목표를 달성한다는 점에서 틀린 지문이 된다.

④ [○] 지역사회 경찰활동에서 경찰과 협력대상이 되는 대상은 지역주민만이 아니라 지역사회 내 각종 단체들도 포함된다.

## 044 지역사회 경찰활동(COP)에 관한 설명으로 가장 적절하지 않은 것은? [2023 채용 1차]

① 경찰과 시민 모두 지역문제 해결을 위한 치안주체로서 인정하고 협력을 강조한다.

② 업무평가의 주요한 척도는 사전예방을 강조한 범죄나 무질서의 감소율이다.

③ 프로그램으로는 전략지향적 경찰활동(Strategy Oriented Policing; SOP), 이웃지향적 경찰활동(Neighborhood Oriented Policing; NOP) 등이 있다.

④ 범죄신고에 대한 출동소요시간을 바탕으로 효과성을 평가한다

**정답 및 해설 I ④**

④ [×] **전통적 경찰활동**에 대한 설명이다. **지역사회 경찰활동**은 지역주민의 경찰업무에 대한 협조정도가 활동성과에 영향을 미치는 요소가 된다.

① [○] **지역사회 경찰활동**(Community Policing)은 경찰이 지역사회 공동체의 모든 분야와 협력함으로써 지역사회 자체의 범죄 예방능력을 강화하고, 이를 통해 지역사회차원에서 범죄문제를 해결하고자 하는 활동이다.

② [○] **전통적 경찰활동**이 범인검거율로 평가되는 것과 달리, **지역사회 경찰활동은** 범죄나 무질서의 감소율로 평가된다.

③ [○] 지역사회 경찰활동은 ⓐ 지역중심적 경찰활동(Community Oriented Policing; COP), ⓑ 전략지향적 경찰활동(Strategic Oriented Policing; SOP), ⓒ 이웃지향적 경찰활동(Neighborhood Oriented Policing; NOP), ⓓ 문제지향적 경찰활동(Problem Oriented Policing; POP)등을 그 구성요소로 한다.

## 045 지역사회 경찰활동(Community Oriented Policing)에 대한 설명으로 가장 적절하지 않은 것은? [2021 경간]

① 전략지향 경찰활동(Strategic Oriented Policing), 문제지향 경찰활동(Problem Oriented Policing), 이웃지향 경찰활동(Neighborhood Oriented Policing) 등으로 구성되어 있다.

② 경찰의 역할에서 범죄투사(Crime fighter)의 역할보다 문제해결자(Problem solver)로서의 역할에 중점을 둔다.

③ 범죄의 진압 · 수사 같은 사후대응적 경찰활동(Reactive Policing)보다는 범죄예방과 같은 사전예방적 경찰활동(Proactive Policing)을 강조한다.

④ 윌슨(W. Wilson)과 사이몬(H. A. Simon)이 연구한 경찰활동 개념이다.

**정답 및 해설 I ④**

④ [×] 지역사회 경찰활동을 연구한 대표적 인물로는 **트로야노비치(R. Trojanowicz)와 버케로(B. Bucqueroux)**를 들 수 있으며, 이들은 지역사회 경찰활동은 사람들과 경찰 사이의 새로운 관계를 증진시키는 조직적인 전략이고 원리이며, 경찰관들이 자신들이 살며, 일하고 있는 곳을 더욱 안전한 곳으로 만들고, 지역을 좀 더 좋게 만들면서 지역사회와 유기적으로 연결된 경찰활동을 하는 것이라고 정의한다.

②③ [○] **전통적 경찰활동**이 법집행자 · 범죄해결자(Crime fighter)의 입장에서 이미 발생한 범죄를 진압 · 수사하는 사후대응을 중시한다면, **지역사회 경찰활동**은 서비스제공자 · 문제해결자(Problem solver)의 입장에서 지역사회 주민들이 당면한 문제해결, 즉 발생가능성은 있으나 아직 발생하지 않은 범죄를 예방하는 것을 중시한다.

**046** 지역사회 경찰활동(Community Policing)에 대한 설명으로 가장 적절하지 않은 것은? [2023 경간]

① 지역중심적 경찰활동(Community Oriented Policing) - 경찰과 지역사회가 협력하여 길거리 범죄, 물리적 무질서 등을 확인하고 해결함으로써 주민들의 삶의 질을 개선하고자 노력한다.

② 문제지향적 경찰활동(Problem Oriented Policing) - 경찰과 지역 사회가 전통적인 경찰업무로 해결할 수 없거나 그것의 해결을 위하여 특별히 관심을 필요로 하는 사안들에 있어서 그 상황에 맞는 대안을 개발하기 위해 노력하는 활동에 주력한다.

③ 이웃지향적 경찰활동(Neighborhood Oriented Policing) - 경찰과 주민의 의사소통을 활성화하고 주민들에 의한 순찰을 실시하는 등 지역사회에 기초를 둔 범죄예방 활동 등을 위해 노력한다.

④ 관용중심적 경찰활동(Tolerance Oriented Policing) - 소규모 지역공동체 모임의 활성화를 통해 상호감시를 증대하고 단속 중심의 경찰활동을 전개함으로써 범죄에 대응하는 전략을 추진한다.

**정답 및 해설 I ④**

④ [×] 1990년대 미국 뉴욕시 경찰국에서 전개한 **무관용 경찰활동**은, 범죄감소율의 측면에서는 획기적인 개선을 가져왔으나 경미한 범죄를 강력하게 단속하고 처벌한 결과 시민들의 반발을 야기하여 지역사회와의 관계는 악화된 것으로 평가되었다. 이러한 무관용 경찰활동에 대한 반성으로 지역사회 경찰활동이라는 대안이 제시되고 있다. ➜ 지문과 같이 단속 중심의 경찰활동을 전개한다는 내용은 관용이 아니라 무관용에 가까운 설명이며, 지역사회 경찰활동의 내용으로 보기도 어렵다.

① [○] **지역중심적 경찰활동(Community Oriented Policing)**:경찰과 지역사회가 협력하여 범죄와 범죄에 대한 두려움, 무질서, 전반적인 지역의 타락과 같은 문제들을 확인하고 우선순위를 정하여 해결하고자 함께 노력해야 한다는 것을 말하는 것으로 옳은 설명이다.

② [○] **문제지향적 경찰활동(Problem Oriented Policing)**: 지역사회 내에서 무엇이 범죄나 무질서의 원인인지 파악하고, 그 문제를 근본적으로 해결하기 위해 지역사회와 협력하는 것이 필요하다는 것으로 옳은 설명이다.

③ [○] **이웃지향적 경찰활동(Neighborhood Oriented Policing)**: 지역사회경찰활동을 위하여 경찰과 주민의 의사소통라인을 개설하려는 모든 프로그램을 말하는 것으로 옳은 설명이다.

**047** 지역사회경찰활동의 구성요소에 관한 설명으로 가장 적절하지 않은 것은? [2024 1차 채용]

① 지역중심적 경찰활동(COP; Community Oriented Policing) - 지역사회에서의 전반적인 삶의 질 향상을 목표로, 지역사회와 경찰 사이의 새로운 관계를 증진시키는 조직적인 전략원리를 말한다.

② 전략지향적 경찰활동(SOP; Strategic Oriented Policing) - 확인된 문제에 대한 전략적 대응을 위해 경찰자원을 배분하고, 전통적인 경찰활동과 절차를 통해 범죄적 요소나 사회무질서의 원인을 효과적으로 제거하는 경찰활동을 말한다.

③ 이웃지향적 경찰활동(NOP; Neighborhood Oriented Policing) - 지역사회경찰활동을 위하여 경찰과 주민의 의사소통라인을 개설하려는 모든 프로그램을 말한다.

④ 문제지향적 경찰활동(POP; Problem Oriented Policing) - 지역조직은 거주자들에게 지역에 관한 정보를 제공하며 경찰과 협동하여 범죄를 억제하는 기능을 수행한다.

**정답 및 해설 I ④**

④ [×] 이웃지향적 경찰활동(NOP; Neighborhood Oriented Policing)에 대한 설명이다.

| | |
|---|---|
| 문제지향 POP | • **문제지향적 경찰활동**은, 지역사회 내에서 무엇이 범죄나 무질서의 원인인지 파악하고, 그 문제를 해결하기 위해 지역사회와 협력하는 것이 필요하다는 것으로서, 형법의 사용은 문제에 대응하기 위한 하나의 수단에 불과하다는 것이다. ➜ 이러한 맥락에서 문제지향적 경찰활동은 지역사회 경찰활동과 병행되어 실시될 것이 요구된다.<br>• 일선 경찰관에 대한 문제해결 권한과 필요한 시간을 부여하고 범죄 분석자료를 제공해야 한다고 본다.<br>• **골드스타인(Goldstein)**: "경찰은 사건 지향적이기보다는 오히려 문제지향적이어야 한다." ➜ 유사사건이 반복됨에도, 경찰은 특정 사건의 해결에만 중점을 두는 것을 비판하며 이런 사건들을 야기시키는 근본적 문제를 해결해야 한다고 함 |

①②③ [○]

| 요소 | 내용 |
|---|---|
| 지역중심 COP | • 지역사회에서의 전반적인 삶의 질 향상을 목표로, 지역사회와 경찰 사이의 새로운 관계를 증진시키는 조직적인 전략원리를 말한다.<br>• 경찰과 지역사회가 범죄와 범죄에 대한 두려움, 무질서, 전반적인 지역의 타락과 같은 문제들을 확인하고 우선순위를 정하여 해결하고자 함께 노력해야 한다는 것을 말한다. |
| 전략지향 SOP | • **전략지향적 경찰활동**은 확인된 문제에 대한 전략적 대응을 위해 경찰자원을 재분배하고, 전통적인 경찰활동과 절차를 통해 범죄적 요소나 사회무질서의 원인을 효과적으로 제거하는 경찰활동을 말한다. 예 특별수사대, 전문수사반 |
| 이웃지향 NOP | • **이웃지향적 경찰활동**은 지역사회경찰활동을 위하여 경찰과 주민의 의사소통라인을 개설하려는 모든 프로그램을 말한다. 예 경찰 · 지역주민 조기축구회, 지역사회 내 소규모 경찰관서, 경찰관의 관할구역 내료의 이주<br>• 지역조직은 경찰관에게서 중요한 역할을 부여받으며, 서로를 위해 감시하고 공식적인 민간순찰을 실시한다.<br>• 지역조직은 거주자들에게 지역에 관한 정보를 제공하며 경찰과 협동하여 범죄를 억제하는 기능을 수행해야 한다. |



**048** 다음은 전통적 경찰활동과 지역사회 경찰활동에 관한 비교설명이다(Sparrow, 1988). 질문과 답변의 연결이 가장 적절하지 <u>않은</u> 것은? [2022 채용 1차]

① 경찰은 누구인가? – 전통적 경찰활동의 관점에서는 법집행을 주로 책임지는 정부기관이라고 답변할 것이며, 지역사회 경찰활동의 관점에서는 경찰이 시민이고 시민이 경찰이라고 답변할 것이다.

② 언론 접촉 부서의 역할은 무엇인가? – 전통적 경찰활동의 관점에서는 현장경찰관들에 대한 비판적 여론을 차단하는 것이라고 답변할 것이며, 지역사회 경찰활동의 관점에서는 지역사회와의 원활한 소통창구라고 답변할 것이다.

③ 경찰의 효과성은 무엇이 결정하는가? – 전통적 경찰활동의 관점에서는 경찰의 대응시간이라고 답변할 것이며, 지역사회 경찰활동의 관점에서는 시민의 협조라고 답변할 것이다.

④ 가장 중요한 정보란 무엇인가? – 전통적 경찰활동의 관점에서는 범죄자 정보(개인 또는 집단의 활동사항 관련 정보)라고 답변할 것이며, 지역사회 경찰활동의 관점에서는 범죄사건 정보(특정범죄사건 또는 일련의 범죄사건 관련 정보)라고 답변할 것이다.

**정답 및 해설 I ④**

④ [×] 전통적 경찰활동은 범죄해결을 경찰의 주된 역할이라고 보고 있으므로, 이러한 범죄해결을 위한 범죄사건 정보가 중요한 정보가 된다. 반면, 지역사회 경찰활동은 범죄해결보다는 문제해결을 경찰의 주된 역할이라고 보고 있으므로, 문제발생 소지를 사전 예방하는 등 선제적 문제해결을 할 수 있는 범죄자가 속한 집단이나 활동에 대한 범죄자 정보가 중요한 정보가 된다.

**049** 지역사회 경찰활동(Community Policing)에 대한 설명으로 가장 적절하지 않은 것은? [2017 실무 2]

① 지역사회 경찰활동은 전통적 경찰활동에 비해 주민의 경찰업무 협조도로 효율성을 평가한다.

② 지역사회 경찰활동은 범죄와 무질서가 얼마나 적은가보다 범인검거율이 경찰업무 평가의 기준이 된다.

③ 지역사회 경찰활동에서는 집중화된 조직구조, 법과 규범에 의한 규제보다 지역사회의 요구에 부응하는 분권화된 경찰관 개개인의 능력이 강조된다.

④ 지역사회 경찰활동에서는 시민의 문제와 걱정거리 해결 역시 경찰활동의 대상에 포함된다.

**정답 및 해설 I** ②

② [×] 지역사회 경찰활동에 따른 경찰의 평가기준은 범인검거율(사후통제 관점)이 아닌 범죄감소율(사전예방 관점)이다.

**050** 지역사회 경찰활동(Community Policing)에 대한 설명으로 가장 적절하지 않은 것은? [2020 채용 1차]

① 업무평가의 주요한 척도는 사후진압을 강조한 범인검거율이 아닌 사전예방을 강조한 범죄나 무질서의 감소율이다.

② 지역사회 경찰활동의 프로그램으로 이웃지향적 경찰활동, 전략지향적 경찰활동, 문제지향적 경찰활동 등이 있다.

③ 타 기관가는 권한과 책임 문제로 인한 갈등구조가 아닌 지역사회 문제해결의 공동목적 수행을 위한 협력구조를 이룬다.

④ 지역사회 문제해결을 위한 경찰업무 영역의 확대로 일선 경찰관에 대한 감독자의 지휘 · 통제가 강조된다.

**정답 및 해설 I** ④

④ [×] 전통적 경찰활동에서는 일선 경찰관에 대한 감독자의 지휘 · 통제가 강조되나, 지역사회 경찰활동에서는 분권화된 경찰관 개개인의 능력이 강조된다.

② [○] 지역사회 경찰활동은 ㉠ 지역중심적 경찰활동(Community Oriented Policing; COP), ㉡ 전략지향적 경찰활동(Strategic Oriented Policing; SOP), ㉢ 이웃지향적 경찰활동(Neighborhood Oriented Policing; NOP), ㉣ 문제지향적 경찰활동(Problem Oriented Policing; POP) 등을 그 구성요소로 한다. 단, 여기서 COP의 경우에는 지역사회 경찰활동의 구성요소(프로그램)가 아니라 지역사회 경찰활동(Community Policing)과 같은 의미라고 보는 견해도 있다.

**051** 지역사회 경찰활동의 개념 중 문제지향적 경찰활동(Problem-Oriented Policing)은 지역사회의 문제를 해결하기 위한 여러 가지 방안을 중점으로 우선순위를 재평가, 각각의 문제에 따른 형태별 대응을 강조한다. 위 개념에 의할 때 문제해결과정을 순서대로 바르게 나열한 것은? [2017 실무 2]

① 조사(Scan) ➜ 대응(Response) ➜ 분석(Analysis) ➜ 평가(Assessment)

② 분석(Analysis) ➜ 조사(Scan) ➜ 대응(Response) ➜ 평가(Assessment)

③ 조사(Scan) ➜ 분석(Analysis) ➜ 대응(Response) ➜ 평가(Assessment)

④ 분석(Analysis) ➜ 대응(Response) ➜ 조사(Scan) ➜ 평가(Assessment)

**정답 및 해설 I ③**

③ [○] **문제지향적 경찰활동**(Problem Oriented Policing; **POP**)에 따른 문제해결과정과 관련하여 **에크와 스펠만**(Eck & Spelman)은 구체적인 문제해결과정으로 조사 ➔ 분석 ➔ 대응 ➔ 평가로 이루어지는 SARA모델을 제시하였다.

| | |
|---|---|
| 조사 (Scanning) | 문제라고 생각되는 사건을 분류하고 조사하는 과정을 말한다. 예 1942년 건설된 B아파트단지는 높은 범죄율로 도시 최악의 주택단지로 인식되고 있었다. |
| 분석 (Analysis) | 문제의 원인과 범위, 예상대응방안 및 효과를 파악하는 단계를 말한다. 예 파견 경찰관의 주민 인터뷰 및 현장조사 결과, B단지는 주거침입절도가 가장 심각했고, 노후화와 관리부재로 물리적 보안장치가 작동하지 않는 경우도 많았다. |
| 대응 (Response) | 문제를 해결하기 위해 행동을 취하는 단계를 말한다. 예 경찰은 시 관계자들과 함께 우선 청소를 실시하고, 버려진 자동차나 쓰레기들을 수거하였다. 아울러 도시개발국과 연계하여 소유주들에게 유지보수를 위한 대출이 이루어 질 수 있도록 하였다. |
| 평가 (Assessment) | 대응이 적절하였는지 평가하는 단계를 말한다. 예 B아파트단지의 생활조건이 현저하게 개선되었고, 주거침입절도가 35% 이상 감소하였다. |

**052** 에크와 스펠만(Eck & Spelman)은 경찰관서에서 문제지향 경찰활동을 지역문제의 해결에 보다 쉽게 적용할 수 있도록 4단계의 문제해결과정(이른바 SARA 모델)을 제시하였다. 개별 단계에 관한 설명으로 가장 적절하지 않은 것은? [2023 채용 2차]

① 조사단계(scanning)는 일반적으로 지역사회에서 일회적으로 발생하지만 대중의 이목을 집중시키는 심각한 중대범죄 사건을 우선적으로 조사대상화하는 데에서 출발한다.

② 분석단계(analysis)에서는 각종 통계자료 등 수집된 자료를 활용하여 심층적인 분석을 실시하며, 당면 문제의 성격을 정확하게 파악하기 위해 문제분석 삼각모형(problem analysistriangle)을 유용한 분석도구로 활용할 수 있다.

③ 대응단계(response)에서는 경찰이 보유한 자원과 역량만으로는 한계가 있으므로 지역사회 내의 여러 다른 기관들과의 협력을 통한 대응방안을 추구하며, 상황적 범죄예방에서 제시하는 25가지 범죄예방기술을 적용해 볼 수도 있다.

④ 평가단계(assessment)는 과정평가와 효과평가의 두 단계로 구성되며, 이전 문제해결과정에의 환류를 통해 각 단계가 지속적인 순환 과정으로 작동할 수 있도록 한다는 점에서 중요한 의미를가진다.

**정답 및 해설 I ①**

① [×] 에크와 스펠만의 **SARA모델**은 지역사회 경찰활동의 구성 프로그램 중 문제지향 경찰활동(POP)을 효과적으로 수행하기 위한 방법으로 제시된 모델이다. 그런데 지문에서 언급된 '일회적으로 발생하는 심각한 중대범죄'는 경찰이 지역사회 공동체와 협력하여 '지역사회차원의 범죄문제'를 해결하고자 하는 지역사회 경찰활동과는 거리가 멀다.

| | |
|---|---|
| 조사 (Scanning) | • 문제라고 생각되는 사건을 분류하고 조사하는 과정을 말한다. 예 1942년 건설된 B아파트단지는 높은 범죄율로 도시 최악의 주택단지로 인식되고 있었다. |
| 분석 (Analysis) | • 문제의 원인과 범위, 예상대응방안 및 효과를 파악하는 단계를 말한다. 예 파견 경찰관의 주민 인터뷰 및 현장조사 결과, B단지는 주거침입절도가 가장 심각했고, 노후화와 관리부재로 물리적 보안장치가 작동하지 않는 경우도 많았다. |
| 대응 (Response) | • 문제를 해결하기 위해 행동을 취하는 단계를 말한다. 예 경찰은 시 관계자들과 함께 우선 청소를 실시하고, 버려진 자동차나 쓰레기들을 수거하였다. 아울러 도시개발국과 연계하여 소유주들에게 유지보수를 위한 대출이 이루어 질 수 있도록 하였다. |
| 평가 (Assessment) | • 대응이 적절하였는지 평가하는 단계를 말한다. 예 B아파트단지의 생활조건이 현저하게 개선되었고, 주거침입절도가 35% 이상 감소하였다. |

## 053 문제지향 경찰활동에 대한 설명으로 가장 옳지 않은 것은? [2021 경간]

① 문제지향 경찰활동은 경찰활동이 단순한 법집행자의 역할에서 지역사회 범죄문제의 근본적 원인을 확인하고 해결하는 역할로 전환할 것을 추구한다.

② 지역사회 문제 해결을 위해 SARA모형이 강조되며 이는 조사(Scanning) - 평가(Assessment) - 대응(Response) - 분석(Analysis)으로 진행되는 문제해결단계를 제시한다.

③ 문제지향 경찰활동에서는 문제들에 대한 효과적인 대응전략들을 마련하면서 필요한 경우 경찰과 지역사회가 협력할 수 있는 대응전략들에 보다 높은 가치를 부여한다.

④ 문제지향 경찰활동은 종종 지역사회 경찰활동과 병행되어 실시되고 한다.

**정답 및 해설 I ②**

② [×] **문제지향적 경찰활동**(Problem Oriented Policing: POP)에 따른 문제해결과정과 관련하여 **에크와 스펠만**(Eck & Spelman)은 구체적인 문제해결과정으로 **조사 ➜ 분석 ➜ 대응 ➜ 평가**로 이루어지는 SARA모델을 제시하였다.

① [○] **문제지향적 경찰활동**과 관련하여 **골드스타인(Goldstein)**은 "경찰은 사건지향적이기보다는 오히려 **문제지향적**이어야 한다."고 하였다. ➜ 유사사건이 반복됨에도, 경찰은 특정 사건의 해결에만 중점을 두는 것을 비판하며 이런 사건들을 야기시키는 근본적 문제를 해결해야 한다고 함

③④ [○] **문제지향적 경찰활동**은, 지역사회 내에서 무엇이 범죄나 무질서의 원인인지 파악하고, 그 문제를 해결하기 위해 지역사회와 협력하는 것이 필요하다는 것으로서, 형법의 사용은 문제에 대흥하기 위한 하나의 수단에 불과하다는 것이다. ➜ 이러한 맥락에서 문제지향적 경찰활동은 지역사회 경찰활동과 병행되어 실시될 것이 요구된다.

## 054 문제지향 경찰활동에 대한 설명으로 가장 적절하지 않은 것은? [2020 채용 2차]

① 일선경찰관에게 문제해결 권한과 필요한 시간을 부여하고 범죄분석자료를 제공한다.

② 조사 - 분석 - 대응 - 평가로 이루어진 문제해결과정을 제시한다.

③ 「형법」의 적용은 여러 대응 수단 중 하나에 불과하다.

④ 거주자들에게 지역에 관한 정보를 제공하며, 주민들은 민간순찰을 실시한다.

**정답 및 해설 I ④**

④ [×] 이는 이웃지향적 경찰활동(NOP)에 대한 설명이다.

| | |
|---|---|
| 이웃지향적 경찰활동 (NOP) | • **이웃지향적 경찰활동**은 지역사회 경찰활동을 위하여 경찰과 주민의 의사소통라인을 개설하려는 모든 프로그램을 말한다. 예 경찰 · 지역주민 조기축구회, 지역사회 내 소규모 경찰관서, 경찰관의 관할구역 내료의 이주<br>• 지역조직은 경찰관에게서 중요한 역할을 부여받으며, 서로를 위해 감시하고 공식적인 민간순찰을 실시한다.<br>• 지역조직은 거주자들에게 지역에 관한 정보를 제공하며 경찰과 협동하여 범죄를 억제하는 기능을 수행해야 한다. |

①②③ [○] 문제지향 경찰활동에 대한 옳은 설명들이다.

| | |
|---|---|
| 문제지향적 경찰활동 (POP) | • **문제지향적 경찰활동**은, 지역사회 내에서 무엇이 범죄나 무질서의 원인인지 파악하고, 그 문제를 해결하기 위해 지역사회와 협력하는 것이 필요하다는 것으로서, 형법의 사용은 문제에 대응하기 위한 하나의 수단에 불과하다는 것이다. ➜ 이러한 맥락에서 문제지향적 경찰활동은 지역사회 경찰활동과 병행되어 실시될 것이 요구된다.<br>• 일선 경찰관에 대한 문제해결권한과 필요한 시간을 부여하고 범죄 분석자료를 제공해야 한다고 본다.<br>• **골드스타인**(Goldstein): "경찰은 사건지향적이기보다는 오히려 **문제지향적**이어야 한다." ➜ 유사사건이 반복됨에도, 경찰은 특정 사건의 해결에만 중점을 두는 것을 비판하며 이런 사건들을 야기시키는 근본적 문제를 해결해야 한다고 함<br>• **에크와 스펠만**(Eck & Spelman)은 구체적인 문제해결과정으로 **조사 ➜ 분석 ➜ 대응 ➜ 평가**로 이루어지는 SARA모델을 제시하였다. |

**055** 경찰활동 전략별 주요 내용에 대한 설명으로 가장 적절하지 않은 것은? [2022 승진]

① 지역중심 경찰활동(community - oriented policing)은 경찰이 지역사회 구성원과 함께 지역이 당면한 문제를 확인하고 우선순위를 정하여 해결하고자 노력하는 것을 의미한다.

② 지역중심 경찰활동과 문제지향적 경찰활동(problem - oriented policing)은 병행되어 실시될 때 효과성이 제고된다.

③ 무관용 경찰활동(zero tolerance policing)은 지역사회 문제해결을 위해 SARA모형이 강조되는데, 이 모형은 조사(Scanning) - 분석(Analysis) - 대응(Response) - 평가(Assessment)로 진행된다.

④ 문제지향적 경찰활동은 지역문제들에 대한 효과적인 대응 전략들을 고려하면서, 필요시에는 경찰과 지역사회의 협력 전략에 보다 높은 가치를 부여한다.

**정답 및 해설 I ③**

③ [×] **문제지향적 경찰활동(Problem - Oriented - Policing)은** 지역사회 문제해결을 위해 SARA모형이 강조되는데, 이 모형은 조사(Scanning) - 분석(Analysis) - 대응(Response) - 평가(Assessment)로 진행된다.

② [○] 경찰이 지역사회 주민과 협력하여 단순히 지역사회의 문제를 확인하고 해결하는 것에서 한발 더 나아가, **문제지향적 경찰활동**에 따라 지역사회 문제를 근본적으로 해결하려는 노력이 병행된다면 지역중심 경찰활동의 효과성이 제고될 수 있다.

④ [○] **문제지향적 경찰활동**은 지역사회 문제를 근본적으로 해결하기 위해 다양한 전략을 고려할 수 있고, 고려된 여러 전략 중 경찰이 단독으로 수행하는 전략보다 지역사회와의 협력을 전제로 하는 전략이 더 효율적이고 지역사회 경찰활동의 취지에 더 부합하는 것으로 평가될 가능성이 높다.

## 주제 4 범죄피해자

**056** 멘델존(Mendelsohn)의 피해자 유형 분류 중 가해자와 같은 정도의 책임이 있는 피해자에 해당하는 사례로 가장 적절하지 않은 것은? [2024 1차 채용]

① 동반자살 피해자
② 부모에게 살해된 패륜아
③ 자살미수 피해자
④ 촉탁살인에 의한 피살자

**정답 및 해설 I ②**

② [×] 부모에게 살해된 패륜아는 **가해자보다 더 책임이 있는 피해자**에 해당한다.

①③④ [○] 가해자와 같은 정도의 책임이 있는 피해자에 해당한다.

| 피해자의 유형 | 내용 |
|---|---|
| 완전히 책임 없는 피해자 | • 피해자에게는 **전혀 책임이 없는**, 가해자의 일방행위에 따른 피해자를 말하며, 이상적인 피해자라고도 한다. 예 영아살해에 있어서의 영아, 유아나 아동유괴에 있어서 유괴당한 자 |
| 책임이 조금 있는 피해자 | • 가해자의 책임이 크지만 **피해자에게도 얼마간의 잘못**이 있는 경우의 피해자를 말한다. 예컨대 흉악범 피해자에 대해 왜 피해를 당했는가를 물으면 가해자가 자신을 눈여겨보게 된 이유에 대해 집히는 데가 있다고 대답한 예가 적지 않다. 예 무지에 의한 낙태여성 |
| 가해자와 같은 정도의 책임이 있는 피해자 | • 가해자와 피해자의 **책임이 동등한 경우**의 피해자를 말한다. 예 동반자살 피해자, 촉탁살인에 의한 피살자, 어느 쪽이 시작했는지 알 수 없는 상태에서 싸움, 자살미수 피해자 |
| 가해자보다 더 책임이 있는 피해자 | • 자신의 행위에 의해 가해자에게 **가해를 유발**하는 피해자 및 자제심의 결여 때문에 사고가 일어나는 **부주의**에 의한 피해자를 말한다. 이 경우 비난받아야 하는 것은 가해자가 아니라 피해자라고 하였다. 예 호객꾼으로 가장하고 접근하여 공갈 · 협박을 하다 화가 난 상대의 반격으로 피해를 입은 자, 부모에게 살해된 패륜아 |
| 가장 책임이 높은 피해자 | • 공격을 가한 자신이 피해자가 되는 가해적 피해자 예 망상적 피해자, 위법한 공격을 감행하여 정당방위에 의해 상해 · 사망에 이른 범인 |

해커스경찰
police.Hackers.com

# 제3편

# 경찰행정학

# 제1장 | 경찰관리



## 주제 1 경찰관리의 기초

## 주제 2 경찰조직관리

**001** 경찰조직 편성원리에 관한 설명으로 가장 적절하지 않은 것은? [2014 승진(경감)]

① 명령통일의 원리란 조직목적수행을 위한 구성원의 임무를 책임과 난이도에 따라 상하로 나누어 배치하는 것을 말한다.

② 분업의 원리란 조직의 종류와 성질, 업무의 전문화 정도에 따라 기관별 · 개인별로 업무를 분담시키는 것을 말한다.

③ 통솔범위의 원리란 1인의 상관 또는 감독자가 효과적으로 직접 감독할 수 있는 부하의 수를 말한다.

④ 조정의 원리란 조직구성원간 행동양식을 조정하여 조직목적을 효율적으로 달성하기 위해 노력하는 것을 말한다.

**정답 및 해설 | ①**

① [×] 경찰조직의 편성원리 중 계층제의 원리에 대한 설명이다.

**☑ 경찰조직의 편성원리**

1. **계층제 원리**(Hierarchy)란 권한과 책임의 정도에 따라 직무를 등급화하여 상 · 하 계층간에 직무상 지휘 · 감독관계 및 명령 · 복종관계를 형성하는 것을 말한다. 예 대통령 → 행정안전부장관 → 경찰청장 → 국장 → 과장
2. **통솔범위의 원리**란 한 사람(1人)의 상관이 직접 통솔할 수 있는 부하의 합리적인 수가 어느 정도인가에 대한 원리를 말하며, 이는 최근 부각되는 구조조정의 문제와 관련이 깊다. → 관리자의 통솔 범위로 적정한 부하의 수는 몇 명 정도인가?
3. **명령통일의 원리**란 조직구성원 누구나 한 사람의 상관에게 보고하며, 한 사람의 상관으로부터 명령 · 지시를 받아야 한다는 원리이다.
4. **분업화 · 전문화의 원리**란 조직의 종류와 기능 및 성질, 업무의 전문화 정도에 따라 기관별 · 개인별로 업무를 분담시키는 원리를 말한다. 예 계선, 참모, 그리고 보조기능의 분리는 관료적 조직 내에서 전문화의 대표적인 예
5. **조정과 통합의 원리**란 조직의 공통목적 달성을 위해 조직체 각 부분 및 구성원간 협동의 통일이 이루어지도록 집단적 노력을 질서정연하게 배열 · 결합하는 과정에 적용되어야 하는 원리로서 구성원이나 단위기관의 활동을 전체적인 관점에서 통일하여 조직을 목표달성도를 높이려는 원리를 말한다.

**002** 경찰조직편성의 원리에 관한 설명 중 가장 적절하지 않은 것은? [2022 채용 1차]

① '통솔의 범위'는 한 사람의 상관이 효과적으로 감독할 수 있는 최대한의 부하의 수를 말한다.

② '계층제'는 권한과 책임의 정도에 따라 직무를 등급화함으로써 상 · 하계층간 직무상 지휘 · 감독관계에 놓이게 하는 것을 말한다.

③ '명령통일의 원리'는 조직구성원들은 한 사람의 상관으로부터만 명령을 받고, 보고도 그 상관에게만 하여야 한다는 것을 의미한다.

④ '할거주의'는 타기관 및 타부처에 대한 횡적인 조정과 협조를 용이하게 만드는 대표적인 요인으로 조정 · 통합의 원리에 필수적인 요소이다.

**정답 및 해설 I ④**

④ [×] 경찰조직 편성원리 중 분업화 · 전문화 원리의 역기능으로서, 지나치게 고도화된 분업화는 업무의 조정과 통합을 어렵게 해 조직할거주의를 초래할 수 있다. 이러한 할거주의는 조정과 통합의 원리를 통해 해결하여야 한다.

**003** 경찰조직편성의 원리에 관한 설명으로 가장 적절하지 않은 것은? [2023 채용 1차]

① 할거주의는 조정과 통합의 원리를 실현시키는 필수적 요소이다.

② 계층제는 조직의 경직화를 초래하여 환경변화에 대한 조직의 신축적 대응을 어렵게 한다.

③ 명령통일의 원리는 부하직원이 한 사람의 상관으로부터만 명령을 받고, 보고도 그 상관에게만 하도록 하는 것을 의미한다.

④ 통솔의 범위는 한 사람의 상관이 효과적으로 감독할 수 있는 최대한의 부하의 수를 의미한다.

**정답 및 해설 I ①**

① [×] 소속기관 · 부서에만 충성하거나 소속기관 · 부서의 입장만 우선하는 **할거주의**는 타 조직 · 부서와의 조정 · 협조를 어렵게 만드는 요소이다.

② [○] **계층제 원리**(Hierarchy)란 권한과 책임의 정도에 따라 직무를 등급화 하여 상 · 하 계층간에 직무상 지휘 · 감독관계 및 명령 · 복종관계를 형성하는 것을 말하는데, 이러한 계층제 원리가 너무 심화되면 조직이 경직되어 환경변화에 신축적 대응을 하기 곤란해진다.

③ [○] **명령통일의 원리**란 조직구성원 누구나 한 사람의 상관에게 보고하며, 한 사람의 상관으로부터 명령 · 지시를 받아야 한다는 원리를 말한다.

④ [○] **통솔범위 원리**는, 한 사람(1人)의 상관이 직접 통솔할 수 있는 부하의 합리적인 수가 어느정도인가에 대한 원리를 말한다.

## 004 경찰조직편성의 원리에 대한 설명으로 가장 적절하지 않은 것은? [2023 경간]

① 통솔범위의 원리에서 조직의 역사, 교통통신의 발달, 관리자의 리더십(Leadership), 부하의 능력 등은 통솔범위의 중요 요소이다.

② 통솔범위의 원리는 직무를 책임과 난이도에 따라 상하로 나누어 배치하고 상하계층간에 명령복종관계를 적용하는 조직편성원리로 상위로 갈수록 권한과 책임이 무거운 임무를 수행한다는 원리이다.

③ 무니(J. Mooney)는 조정 · 통합의 원리를 조직의 제1원리이며 가장 최종적인 원리라고 하였다.

④ 명령통일의 원리는 조직구성원 누구나 한 사람의 상관에게 보고하며 한 사람의 상관으로부터 명령을 받아야 한다는 원리이다.

**정답 및 해설 I ②**

② [×] **계층제의 원리**는 직무를 책임과 난이도에 따라 상하로 나누어 배치하고 상하계층간에 명령복종관계를 적용하는 조직편성원리로 상위로 갈수록 권한과 책임이 무거운 임무를 수행한다는 원리이다.

① [○] **통솔범위 원리**는, 한 사람(1人)의 상관이 직접 통솔할 수 있는 부하의 합리적인 수가 어느 정도인가에 대한 원리를 말하는데, 조직의 역사가 오래되었을수록 · 교통통신이 발달할수록 · 관리자의 리더십이나 부하의 능력이 좋을수록 통솔범위가 넓어진다는 점에서 이러한 요소들은 통솔범위의 중요 요소가 된다.

③ [○] **무니(J. Mooney)**는 "조정과 통합의 원리는 조직의 제1의 원리이며 가장 최종적인 원리이다."라고 하였다.

④ [○] **명령통일의 원리**란 조직구성원 누구나 한 사람의 상관에게 보고하며, 한 사람의 상관으로부터 명령 · 지시를 받아야 한다는 원리를 말한다.

## 005 경찰조직편성의 원리에 대한 설명으로 가장 옳지 않은 것은? [2016 경간]

① 계층제의 원리는 조직목적수행을 위한 구성원의 임무를 책임과 난이도에 따라 상하로 나누어 배치한다.

② 분업의 원리는 조직의 종류와 성질, 업무의 전문화 정도에 따라 기관별 · 개인별로 업무를 분담시킨다.

③ 조정의 원리는 조직구성원간 행동양식을 조정하여 조직목적을 효율적으로 달성하기 위해 노력한다.

④ 계층제의 원리는 '경찰업무처리의 신중성'이라는 측면에서 문제점이 제기된다.

**정답 및 해설 I ④**

④ [×] 계층을 따라 의사결정이 이루어지는 과정에서 **업무처리의 신중성**을 기할 수 있다는 것은 계층제 원리의 장점에 해당한다.

## 006 경찰조직 편성원리에 대한 설명으로 가장 적절하지 않은 것은? [2020 승진(경감)]

① 통솔범위의 원리란 조직목적수행을 위한 구성원의 임무를 책임과 난이도에 따라 상위로 갈수록 권한과 책임이 무거운 임무를 수행하도록 편성하는 것을 말한다.

② 명령통일의 원리란 조직구성원간에 지시나 보고를 주고받는 과정에서 지시는 한 사람만이 할 수 있고, 보고도 한 사람에게만 하여야 한다는 원칙을 말한다.

③ 명령통일의 원리에 따르면 관리자의 공백 등을 대비하여 대리, 위임, 유고관리자 사전지정 등이 필요하다.

④ 계층제의 원리는 권한과 책임의 배분을 통하여 신중한 업무처리가 가능하다는 장점이 있다.

**정답 및 해설 I ①**

① [×] **경찰조직편성의 원리**(계층제의 원리, 통솔범위의 원리, 명령통일의 원리, 분업화 · 전문화의 원리, 조정과 통합의 원리) 중 **통솔범위의 원리**는, 한 사람(1人)의 상관이 직접 통솔할 수 있는 부하의 합리적인 수가 어느 정도인가에 대한 원리를 말한다. 지문은 **계층제 원리**에 대한 설명이다.

②③ [○] **명령통일의 원리**란 조직구성원 누구나 한 사람의 상관에게 보고하며, 한 사람의 상관으로부터 명령 · 지시를 받아야 한다는 원리를 말하는데, 명령통일의 원리는 명령 · 지시를 할 상관이 부재하는 경우 모든 관련 업무가 마비될 수 있다는 문제점이 있다. 다만, 관리자 공백 등을 대비하여 대리 또는 대행자(유고관리자 사전지정)를 미리 지정해 두거나, 권한의 위임을 통해 이러한 문제점을 완화시킬 수 있다.

④ [○] 계층을 따라 의사결정이 이루어지는 과정에서 **업무처리의 신중성**을 기할 수 있다는 것은 계층제의 장점에 해당한다.

## 007 경찰조직의 편성원리에 관한 설명으로 가장 적절하지 않은 것은? [2016 승진(경감)]

① 통솔범위의 원리란 조직의 구성원간에 지시나 보고를 주고받는 과정에서 지시는 한 사람만이 할 수 있고, 보고도 한 사람에게만 하여야 한다는 원칙을 말한다.

② 계층제의 원리란 조직목적수행을 위한 구성원의 임무를 책임과 난이도에 따라 상위로 갈수록 권한과 책임이 무거운 임무를 수행하도록 편성하는 것이다.

③ 분업의 원리란 조직의 종류와 성질, 업무의 전문화 정도에 따라 기관별 · 개인별로 업무를 분담시키는 것을 말한다.

④ 조정의 원리란 구성원이나 단위기관의 활동을 전체적인 관점에서 통일하여 조직의 목표달성도를 높이려는 원리를 말한다.

**정답 및 해설 I ①**

① [×] **경찰조직의 편성원리**(계층제의 원리, 통솔범위의 원리, 명령통일의 원리, 분업화 · 전문화의 원리, 조정과 통합의 원리) 중 **통솔범위의 원리**는, 한 사람(1人)의 상관이 직접 통솔할 수 있는 부하의 합리적인 수가 어느 정도인가에 대한 원리를 말한다. 지문의 '한 사람 지시, 한 사람 보고'는 **명령통일의 원리**에 대한 설명이다.

## 008 경찰조직의 편성원리에 대한 설명으로 가장 적절하지 않은 것은? [2023 경간]

① 계층제의 원리 - 권한 및 책임 한계가 명확하며 경찰행정의 능률성과 조직의 안정성을 확보할 수 있다.

② 분업의 원리 - 업무의 전문화를 통해 업무습득에 걸리는 시간을 단축할 수 있지만 분업의 정도가 높아질수록 조직할거주의가 초래될 수 있다.

③ 명령통일의 원리 - 업무수행의 혼선을 방지하여 신속한 의사결정을 하도록 한다.

④ 통솔범위의 원리 - 업무의 종류가 단순할수록 통솔범위는 좁아지며 계층의 수가 많을수록 통솔범위는 넓어진다.

**정답 및 해설 I ④**

④ [×] 통솔범위의 원리 - 업무의 종류가 단순할수록 **통솔범위는 넓어지며,** 계층의 수가 많을수록 통솔범위는 좁아진다.

**009** 조직의 구성원간에 지시나 보고를 주고받는 과정에서 지시는 한 사람만이 할 수 있고, 보고도 한 사람에게만 하여야 한다는 조직편성의 원리는 무엇인가? [2015 채용 2차]

① 통솔범위의 원리
② 조정의 원리
③ 명령통일의 원리
④ 계층제의 원리

**정답 및 해설 I ③**

③ [○] **경찰조직의 편성원리**(계층제의 원리, 통솔범위의 원리, 명령통일의 원리, 분업화 · 전문화의 원리, 조정과 통합의 원리) 중 **명령통일의 원리**란 조직구성원 누구나 한 사람의 상관에게 보고하며, 한 사람의 상관으로부터 명령 · 지시를 받아야 한다는 원리로서 이는 상관의 신속한 결단과 결단내용의 지시가 한 사람에게 통합 · 집중되어야 한다는 것이다.

**010** 조직편성의 원리 중 명령통일의 원리에 대한 설명으로 가장 적절하지 않은 것은? [2018 승진(경감)]

① 조직의 구성원간에 지시나 보고를 주고받는 과정에서 지시는 한 사람만이 할 수 있고, 보고도 한 사람에게만 하여야 한다는 원칙이다.
② 경찰의 경우에 수사나 사고처리 및 범죄예방활동에 이르기까지 거의 모든 업무수행에서 결단과 신속한 집행을 필요로 하는데, 이때 지시가 분산되고 여러 사람으로부터 지시를 받는다면, 범인을 놓친다든지 사고처리가 늦어 인명이나 재산의 피해에 신속한 대응이 불가하다.
③ 관리자의 공백 등을 대비하여 대리, 위임, 유고관리자 사전지정 등이 필요하다.
④ 조직목적수행을 위한 구성원의 임무를 책임과 난이도에 따라 상위로 갈수록 권한과 책임이 무거운 임무를 수행하도록 편성한다.

**정답 및 해설 I ④**

④ [×] 계층제의 원리에 대한 설명이다.
② [○] 복수의 상관으로부터 지시 · 명령을 받는 경우 모순된 지시 등으로 업무수행의 혼선과 비능률이 발생할 가능성이 있는데, **명령통일의 원리**는 이러한 문제점을 방어하는 기능을 한다. ➜ 조직 내 혼란방지와 질서유지, 조직의 안정성 확보
③ [○] **명령통일의 원리**의 문제점으로는 명령 · 지시를 할 상관이 부재하는 경우 모든 관련 업무가 마비될 수 있다는 점이 지적되는데, 이러한 문제는 대리 또는 대행자(유고관리자 사전지정)를 미리 지정해 두거나, 권한의 위임 등으로 완화가 가능하다.

**011** 한정된 인력이나 예산을 가지고 갈등이 생기는 경우에 업무추진의 우선순위를 지정하는 등의 방법으로 갈등을 해결하는 조직편성원리로 가장 적절한 것은? [2021 승진(실무종합)]

① 조정과 통합의 원리
② 명령통일의 원리
③ 계층제의 원리
④ 통솔범위의 원리

**정답 및 해설 I ①**

① [○] 한정된 인력이나 예산에서 갈등이 발생하면 더 높은 상위목표를 위해 서로 이해하고 양보하도록 하거나, 업무의 우선순위를 정하도록 한다는 것은 **조정과 통합의 원리**에 따른 갈등 해결방안 중 단기적 해결방안에 대한 설명이다.

**012** 경찰조직편성의 원리에 관한 설명으로 가장 적절하지 않은 것은? [2023 채용 2차]

① 분업의 원리 – 가급적 한 사람에게 동일한 업무를 분담시킴으로써 특정 분야에 대한 업무의 전문화 확보를 가능하게 한다.

② 계층제의 원리 – 권한과 책임의 정도에 따라 직무를 계층화 함으로써 상 · 하 계층간에 직무상 지휘 · 감독 관계에 있도록 한다.

③ 조정과 통합의 원리 – 구성원의 노력과 행동을 질서있게 배열하고 통일시키는 작용을 함으로써 경찰행정의 목표를 효율적으로 달성할 수 있게 한다.

④ 통솔범위의 원리 – 1인의 상관 또는 감독자가 직접 통솔할 수 있는 부하직원의 수를 의미하며, 무니(Mooney)는 이러한 통솔 범위의 원리를 조직편성 제1의 원리라고 하였다.

**정답 및 해설 I ④**

④ [×] 무니(J. Mooney)는 "조정과 통합의 원리는 조직의 제1의 원리이며 가장 최종적인 원리이다."라고 하였다.



**013** 조직 내의 갈등은 업무의 효율성을 떨어뜨리는 요인이 된다. 다음 중 갈등의 조정과 통합방법에 대한 설명으로 가장 적절하지 않은 것은? [2017 승진(경위)]

① 부서간의 갈등이 일어나고 있을 때는 더 높은 상위목표를 제시, 상호간 이해와 양보를 유도하는 것이 바람직하다.

② 한정된 인력이나 예산을 가지고 갈등이 생기는 경우에는 가능하면 예산과 인력을 확보하고 업무추진의 우선순위를 지정할 필요가 있다.

③ 문제해결이 어려운 경우에는 갈등을 완화, 양자간의 타협을 도출, 관리자가 갈등을 초래할 수 있는 결정을 보류 또는 회피하는 방식을 사용한다.

④ 조직의 구조, 보상체계, 인사 등의 제도개선과 조직원의 행태를 합리적으로 개선하는 것은 갈등의 단기적인 대응방안이다.

**정답 및 해설 I ④**

④ [×] 이는 조정과 통합의 원리에 따른 갈등의 장기적 해결방안이다.

①②③ [○] 조정과 통합의 원리에 따른 장 · 단기적 갈등해결 방안은 다음과 같은 것들이 있다.

| | |
|---|---|
| 단기적 해결방안 | • 교섭과 협상을 통해 갈등의 원인을 근원적으로 해결하거나 문제해결이 어려울 경우에는 갈등을 완화하고 양자간의 타협을 도출하거나, 갈등을 초래할 수 있는 결정을 보류 또는 회피하는 것도 좋은 방법이 될 수 있다.<br>• 한정된 인력이나 예산에서 갈등이 발생하면 더 높은 상위목표를 위해 서로 이해하고 양보하도록 하거나, 업무의 우선순위를 정하도록 한다.<br>• 갈등의 원인이 세분화된 업무처리에 있다면 업무의 통합 또는 연결장치나 대화채널의 확보가 요구된다. |
| 장기적 해결방안 | • 조직의 구조, 보상체계, 인사 등의 문제점을 조직 제도개선을 통해 해결한다.<br>• 조직원들을 협력적이고 합리적인 태도로 변화시키는 조직원 행태개선을 통해 해결한다. |

## 014 조정과 통합의 원리에 대한 다음 설명 중 가장 옳지 않은 것은? [2017 경간]

① 문제해결이 어려울 경우 갈등을 완화하고 양자간의 타협을 도출해야 한다. 또한 관리자가 갈등을 초래할 수 있는 결정을 보류 또는 회피하는 것도 좋은 방법이다.

② 한정된 인력이나 예산으로 대한 선택에 갈등이 생기는 경우에는 가능하면 예산과 인력을 확보하고 업무추진의 우선순위를 지정할 필요가 있다.

③ 갈등해결 방안으로는 강제적 · 공리적 · 규범적 방안이 있을 수 있는바, '상위목표의 제시'는 규범적 방안, '처벌과 제재'는 강제적 방안의 하나이다.

④ 갈등의 원인이 세분화된 업무처리에 있다면, 이를 더 전문화시키는 데 힘써야 한다.

**정답 및 해설 I ④**

④ [×] 갈등의 원인이 세분화된 업무처리에 있다면 업무의 통합 또는 연결장치나 대화채널의 확보가 요구된다.

① [○] 결정을 보류하거나 회피하는 것도 갈등의 해결방안이 될 수 있다는 점에 주목해야 한다.

## 015 조직 내부 갈등의 해결방법에 대한 설명으로 가장 적절하지 않은 것은? [2019 승진(경감)]

① 부서간의 갈등이 일어나고 있을 때는 더 높은 상위목표를 제시, 상호간 이해와 양보를 유도하는 것이 바람직하다.

② 문제해결이 어려운 경우에는 갈등을 완화하거나 관리자가 갈등을 초래할 수 있는 결정을 보류 또는 회피하는 방식을 사용할 수 있다.

③ 갈등의 장기적 대응을 위해서 조직의 구조, 보상체계, 인사 등의 제도개선과 조직원의 행태를 합리적으로 개선하는 방안이 있다.

④ 갈등의 원인이 세분화된 업무처리에 있다면 업무추진의 우선순위를 정해주는 것이 바람직하고, 한정된 인력이나 예산으로 갈등이 생기는 경우 전체적인 업무처리과정의 조정과 통합이 바람직하다.

**정답 및 해설 I ④**

④ [×] 갈등의 원인이 **세분화된 업무처리**에 있다면 업무의 통합 또는 연결장치나 대화채널의 확보가 요구된다. 갈등의 원인이 **한정된 인력이나 예산**에서 비롯되었다면 더 높은 상위목표를 위해 서로 이해하고 양보하도록 하거나, 업무의 우선순위를 정하도록 한다.

①②③ [○] 조정과 통합의 원리에 따른 갈등해결에 대한 옳은 설명이다.

## 016 조직편성의 일반원리와 이에 대한 설명으로 가장 적절한 것은? [2017 실무 1]

① 계층제의 원리 - 조직의 목적 수행을 위해 구성원의 임무를 책임과 난이도에 따라 상하로 나누어 배치하는 원리로서, 지휘계통을 확립하고 조직의 업무수행 활동에 질서와 통일을 기할 수 있는 장점이 있으며, 계층이 많아질수록 의사소통과 업무처리시간에 효율을 기할 수 있다.

② 통솔범위의 원리 - 한 사람의 관리자가 조직 구성원을 몇 명 정도나 관리할 수 있는지에 관한 원리로서, 부하의 능력과 의욕, 경험 등의 수준이 높아질수록 관리자의 통솔범위는 축소된다고 할 수 있다.

③ 명령통일의 원리 - 조직의 구성원간에 지시나 보고를 주고받는 과정에서 지시는 한 사람만이 할 수 있고 보고도 한 사람에게만 하여야 하는 원리이다. 한편 형식적으로 명령통일의 원리를 적용할 경우 생길 수 있는 한계를 보완할 수 있는 제도는 없다.

④ 조정과 통합의 원리 - 조직의 목표달성 과정에서 여러 단위간의 충돌과 갈등을 방지하기 위해 질서정연한 행동통일을 기하는 원리로서, 관리자의 리더십을 강화하거나 위원회제도 등을 활용하여 조직단위의 권한과 책임의 한계를 명확히 함으로써 제고될 수 있다.

**정답 및 해설 I ④**

④ [○] 조정과 통합의 원리는 조직 내에서 발생하는 여러 갈등을 해결할 수 있는 원리로서, 관리자의 리더십을 강화하거나 위원회제도 등을 활용하여 조직단위의 권한과 책임의 한계를 명확히 하는 것이 이 원리에 따른 기본적인 갈등해결의 방침이 된다.

① [×] 계층의 수가 많을수록 **관리비용이 증가**되고 **업무처리과정이 지연**되며, **계층간 갈등발생** 가능성이 높아진다.

② [×] 통솔자(관리자)나 피통솔자(부하)가 유능하고 경험이 많을수록 통솔범위는 넓어진다.

③ [×] 관리자 공백 등을 대비하여 대리 또는 대행자(유고관리자 사전지정)를 미리 지정해 두거나, 권한의 위임을 통해 통솔범위의 한계를 재조정하는 등으로 문제점을 완화시킬 수 있다.

## 017 조직편성의 원리에 대한 설명으로 가장 적절하지 않은 것은? [2019 승진(경위)]

① 계층제의 원리 - 직무를 책임과 난이도에 따라 등급화하고 계층간에 명령복종관계를 적용하는 원리로, 지휘계통을 확립하고 조직의 업무수행에 통일을 기할 수 있다.

② 통솔범위의 원리 - 1인의 상관 또는 감독자가 효과적으로 직접 통솔할 수 있는 부하의 수를 정하는 원리로, 통솔범위는 신설 부서보다는 오래된 부서, 지리적으로 분산된 부서보다는 근접 부서, 복잡한 업무보다는 단순한 업무의 경우에 넓어진다.

③ 명령통일의 원리 - 조직의 집단적 노력을 질서 있게 배열하는 과정으로서 개별적인 활동을 전체적인 관점에서 통일하여 조직의 목표달성도를 높이려는 원리로, 관리자의 공백 등을 대비하여 대리, 위임, 유고관리자 사전지정 등이 필요하다.

④ 조정의 원리 - 조직편성의 각각의 원리는 장 · 단점을 가지고 있는바, 이러한 장 · 단점을 조화롭게 승화시키는 원리로, 문제해결이 어려운 경우 관리자가 갈등을 초래할 수 있는 결정을 보류 또는 회피하는 방식을 사용할 수 있다.

**정답 및 해설 I ③**

③ [×] '조직의 집단적 노력을 질서 있게 배열하는 과정으로서 개별적인 활동을 전체적인 관점에서 통일하여 조직의 목표달성도를 높이려는 원리'는 **조정과 통합의 원리**에 대한 설명이다. '관리자의 공백 등을 대비하여 대리, 위임, 유고관리자 사전지정 등이 필요하다.'는 부분은 명령통일 원리의 문제점 극복에 대한 옳은 설명이다.

① [○] **계층제의 원리**(Hierarchy)란 권한과 책임의 정도에 따라 직무를 등급화하여 상 · 하 계층간에 직무상 지휘 · 감독관계 및 명령 · 복종관계를 형성하는 것을 말하며, 지휘 · 감독을 통한 **조직의 질서와 통일을 확보하기 용이**하다는 장점이 있다.

② [○] 통솔범위의 원리에 따른 통솔범위 결정요인은 다음과 같다.

| | |
|---|---|
| 업무의 성격 | • 업무의 종류가 동질적이고 단순할수록 통솔범위는 넓어진다.<br>• 업무의 종류가 전문적 · 창의적이고 복잡할수록 통솔범위는 좁아진다. |
| 공간상 거리 | 하부조직 및 인원이 동일한 장소(건물)에 존재하는 경우 통솔범위는 넓어진다. |
| 교통 · 정보통신 | • 교통기관이 발달할수록 통솔범위는 넓어진다.<br>• 정보통신기술의 발달로 의사전달이 원활할수록 통솔범위는 넓어진다. |
| 유능성 | 통솔자(관리자)나 피통솔자(부하)가 유능하고 경험이 많을수록 통솔범위는 넓어진다. |
| 조직크기 | 조직규모가 작을수록 통솔범위는 넓어진다. ➜ 조직규모가 작으면 비공식적 접촉경로가 많아지기 때문이다(조직규모와 통솔범위는 반비례 관계). [2012 채용 2차] |
| 계층의 수 | 계층의 수가 적을수록 통솔범위는 넓어진다. ➜ 계층의 수와 통솔범위는 반비례 관계 |
| 조직안정성 | 역사와 전통이 있는 안정된 기성조직일수록 통솔범위는 넓어진다. |
| 위기상황 | 정상적인 상황에 비하여, 위기상황에서는 통솔범위가 넓어진다. |

④ [○] 조정과 통합의 원리에 따르면, 갈등을 초래할 수 있는 결정을 보류 또는 회피하는 것도 좋은 방법이 될 수 있다.

## 018 다음에 설명하는 내용을 볼 때, 경찰조직에 필요한 조직편성의 원리로 가장 적절한 것은? [2021 경간]

> 경찰은 대부분의 경우 예기치 못한 사태가 돌발적으로 발생하며, 시급히 해결하지 않으면 피해를 회복하기 곤란한 경우가 많아 신속한 집행을 필요로 하는데, 이때 지시가 분산되고 여러 사람으로부터 지시를 받는다면, 범인을 놓친다든지 사고처리가 늦어 인명이나 재산의 피해에 신속한 대응이 불가능하다.

① 계층제의 원리(Hierarchy)

② 통솔범위의 원리(Span of Control)

③ 명령통일의 원리(Unity of Command)

④ 조정과 통합의 원리(Coordination)

**정답 및 해설 I ③**

③ [○] 주어진 지문은 신속한 대응이 필요한 경찰업무 특성상 다수의 상관으로부터 명령을 받고 다수의 상관에게 보고하는 것이 바람직하지 않다는 것이므로, 누구나 한 사람의 상관에게 보고하며, 한 사람의 상관으로부터 명령 · 지시를 받아야 한다는 **명령통일의 원리**에 대한 설명으로 볼 수 있다.

## 019 다음에서 설명하는 조직편성의 원리와 가장 관계가 깊은 것은? [2024 1차 채용]

- 업무를 그 종류와 성질별로 구분하여 구성원에게 가능한 한 한 가지의 주된 업무를 부담시킴으로써 조직관리상의 능률을 향상시키려는 원리이다.
- 한 사람이 수행할 수 있는 업무의 양과 시간에는 한계가 있고, 서로 다른 특성을 가진 업무를 한 사람이 맡아서 하는 것은 비효율적이다.
- 다수가 일을 함에 있어서 각자의 임무를 나누어서 분명하게 부과하고 협력을 하도록 하는 것으로, 인간능력의 한계를 극복하고 업무를 효율적으로 수행하기 위한 것이다.

① 이 원리는 구조조정의 문제와 깊은 관련성이 있다.
② 이 원리에 따르면 업무에 대한 신속결단과 결단내용의 지시가 단일한 명령계통이어야 한다.
③ 이 원리의 장점은 권한과 책임을 계층에 따라 분배하여 의사결정의 검토가 이루어져 신중한 업무처리가 가능하다는 것이다.
④ 이 원리의 단점은 정형적 · 반복적 업무수행에 기인하여 작업에 대한 흥미 상실과 노동의 소외화나 인간기계화를 심화시키며, 부처간의 할거주의가 초래될 수 있다는 것이다.

**정답 및 해설 I ④**
④ [○] 보기의 원리는 분업화 전문화 원리에 대한 설명으로, 지문의 ④가 분업화 · 전문화 원리에 대한 역기능적 설명이다.
① [×] **통솔범위의 원리**란 한 사람(1人)의 상관이 직접 통솔할 수 있는 부하의 합리적인 수가 어느 정도인가에 대한 원리를 말하며, 이는 최근 부각되는 구조조정의 문제와 관련이 깊다.
② [×] **명령통일의 원리**란 조직구성원 누구나 한 사람의 상관에게 보고하며, 한 사람의 상관으로부터 명령 · 지시를 받아야 한다는 원리로서, 상관의 신속한 결단과 결단내용의 지시가 한 사람에게 통합 · 집중되어야 한다는 것이다.
③ [×] **계층제 원리**(Hierarchy)란 권한과 책임의 정도에 따라 직무를 등급화하여 상 · 하 계층간에 직무상 지휘 · 감독관계 및 명령 · 복종관계를 형성하는 것을 말한다. 예 대통령 ➔ 행정안전부장관 ➔ 경찰청장 ➔ 국장 ➔ 과장

## 020 경찰조직편성의 원리에 대한 설명 중 적절한 것을 모두 고른 것은? [2018 채용 3차]

㉠ 계층제의 원리 – 책임과 난이도에 따라 상위로 갈수록 권한과 책임이 무거운 임무를 수행하도록 편성한다.
㉡ 통솔범위의 원리 – 신설조직보다 기성조직에서, 단순반복 업무보다 전문적 사무를 담당하는 조직에서 상관이 많은 부하직원을 통솔할 수 있다.
㉢ 명령통일의 원리 – 상위직에 부여된 권한과 책임을 하위자에게 분담시키는 권한의 위임제도를 적절히 활용하여 명령통일의 한계를 완화할 수 있다.
㉣ 조정과 통합의 원리 – 조직의 구조, 보상체계, 인사 등의 제도개선과 조직원의 행태를 합리적으로 개선하는 것은 갈등의 단기적인 대응방안이다.

① ㉠, ㉡
② ㉠, ㉢
③ ㉠, ㉣
④ ㉡, ㉢

**정답 및 해설 I ②**
㉠ [○] 계층제 원리에 따르면 상위로 갈수록 권한과 책임, 업무의 난이도가 상승한다.
㉡ [×] 신설조직보다는 역사와 전통이 있는 안정된 기성조직일수록 통솔범위는 넓어진다는 부분은 옳다. 다만, 업무의 종류가 전문적 · 창의적이고 복잡할수록 통솔범위는 좁아진다.

ⓒ [○] **명령통일의 원리**의 문제점으로는 명령 · 지시를 할 상관이 부재하는 경우 모든 관련 업무가 마비될 수 있다는 점이 지적되는데, 이러한 문제는 대리 또는 대행자(유고관리자 사전지정)를 미리 지정해 두거나, 권한의 위임 등으로 완화가 가능하다.
ⓓ [×] 이는 장기적인 대응방안이다.

## 021 경찰조직편성의 원리에 관한 다음 설명 중 옳은 것은 모두 몇 개인가? [2018 경간]

> 가. 계층제는 경찰조직의 일체감과 통일성을 확보하지만 조직의 경직화를 초래한다.
> 나. 둘 이상의 상관으로부터 지시나 명령을 받게 되면 업무수행의 혼선이 발생할 수 있으므로 명령통일의 원리가 필요하다.
> 다. Mooney는 조정의 원리를 제1의 원리라고 하였다.
> 라. 구조조정의 문제와 깊은 관련성이 있는 것은 통솔범위의 원리이다.
> 마. 분업은 전문화라는 장점이 있지만 전체적인 통찰력을 약화시키는 단점이 있다.

① 2개 ② 3개 ③ 4개 ④ 5개

**정답 및 해설 I ④**
모두 옳은 설명이다.
가. [○] 계층제는 지휘 · 감독을 통한 **조직의 질서와 통일을 확보하기 용이**하다는 장점이 있지만, 계층제가 심화되는 경우 **조직의 경직화**를 가져온다.
나. [○] 복수의 상관으로부터 지시 · 명령을 받는 경우 모순된 지시 등으로 업무수행의 혼선과 비능률이 발생할 가능성이 있는데, **명령통일의 원리**는 이러한 문제점을 방어하는 기능을 한다.
다. [○] **무니(J. Mooney)**는 "조정과 통합의 원리는 조직의 제1의 원리이며 가장 최종적인 원리이다."라고 하였다.
라. [○] 효율적으로 통솔할 수 있는 범위를 넘어가는 수의 부하들은 구조조정이 필요할 수 있기 때문이다.
마. [○] **분업화 · 전문화의 원리**는 자기 분야는 잘 알지만 시야가 좁아지고 경찰문제를 전체적으로 보는 넓은 통찰력을 약화시키는 역기능이 있다(소외현상의 초래).

## 022 경찰조직편성의 원리에 대한 설명 중 가장 적절하지 않은 것은 모두 몇 개인가? [2020 지능범죄]

> ㉠ 계층제의 원리는 구성원의 임무를 책임과 난이도에 따라 상하로 나누어 배치하여 조직의 일체감, 통일성을 유지하므로 조직의 환경변화에 신축적으로 대응하기 용이하다.
> ㉡ 통솔범위의 원리에 의하면 통솔범위는 부하직원의 능력이 높을수록, 신설부서일수록, 근접한 부서일수록, 단순 업무일수록, 계층의 수가 적을수록 넓어진다.
> ㉢ 분업의 원리는 구성원의 부품화, 반복업무에 따른 흥미상실, 비밀증가 등 지나친 전문화로 인하여 문제가 발생할 경우, 조정의 원리 등의 적용을 통하여 해결할 수 있다.
> ㉣ 조정의 원리는 조직의 목적달성을 위해 구성원의 행동이 통일을 기하도록 집단적 노력을 질서 있게 배열하는 과정이다.
> ㉤ 조정과 통합의 원리에서 갈등의 원인이 지나치게 세분화된 업무처리에 있다면 관리자는 조직의 전문화 강화에 더욱 힘써야 한다.

① 1개 ② 2개 ③ 3개 ④ 4개

**정답 및 해설 I ③**

㉠ [×] 계층제가 심화되는 경우 **조직의 경직화**를 가져온다. 예 유동성 · 융통성 있는 인간관계 저해, 환경변화에 신축적 대응력 저하, 새로운 지식 · 기술의 신속한 도입 곤란, 기관장의 독단화

㉡ [×] 역사와 전통이 있는 안정된 기성조직일수록 통솔범위는 넓어지고, 신설부서일수록 통솔의 범위는 좁아진다.

㉢㉣ [○] 업무의 과다한 분업화(전문화)와 분업화로 인한 의사소통의 단절(할거주의), 계층제의 경직성 등은 갈등의 원인이 될 수 있으나, 이러한 갈등은 조직의 공통목적 달성을 위해 조직체 각 부분 및 구성원간 협동의 통일이 이루어지도록 집단적 노력을 질서정연하게 배열 · 결합하는 과정에 적용되는 원리인 **조정과 통합의 원리**를 통해 해결할 수 있다.

㉤ [×] 갈등의 원인이 세분화된 업무처리에 있다면 업무의 통합 또는 연결장치나 대화채널의 확보가 요구된다.

## 023 경찰조직 편성원리에 관한 설명 중 옳지 않은 것을 모두 고른 것은? [2023 승진]

> ㉠ 통솔범위의 원리는 관리자의 능률적인 감독을 위해서는 통솔하는 대상의 범위를 적정하게 제한하여야 한다는 것으로 관리의 효율성을 좌우하는 중요한 원리이다.
> ㉡ 조직의 집단적 노력을 질서있게 배열하는 과정으로 개별적인 활동을 전체적인 관점에서 통일하여 조직의 목표달성도를 높이려는 조직편성의 원리를 명령통일의 원리라고 한다.
> ㉢ 계층제의 원리는 관리자의 공백 등을 대비하여 대리, 위임, 유고관리자 사전지정 등이 필요하다.
> ㉣ 조정과 통합의 원리는 조직편성 원리의 장단점을 조화롭게 승화시키는 원리로, 무니(Mooney)는 조정의 원리를 '제1의 원리'라고 하였다.

① ㉠, ㉡　　② ㉠, ㉢
③ ㉡, ㉢　　④ ㉢, ㉣

**정답 및 해설 I ③**

㉠ [○] **통솔범위 원리**는, 한 사람(1人)의 상관이 직접 통솔할 수 있는 부하의 합리적인 수가 어느정도인가에 대한 원리를 말하며, 통솔하는 부하의 수가 너무 많은 경우는 물론, 너무 적은 경우에도 고비용 관리자가 많음으로 인한 예산낭비의 비효율을 초래하게 된다.

㉡ [×] **조정의 원리**에 관한 설명이다.

㉢ [×] **명령통일의 원리**란 조직구성원 누구나 한 사람의 상관에게 보고하며, 한 사람의 상관으로부터 명령 · 지시를 받아야 한다는 원리를 말하는데, 명령통일 원리는 명령 · 지시를 할 상관이 부재하는 경우 모든 관련업무가 마비될 수 있다는 문제점이 있다. 다만, 관리자 공백 등을 대비하여 대리 또는 대행자(유고관리자 사전지정)를 미리 지정해 두거나, 권한의 위임을 통해 이러한 문제점을 완화시킬 수 있다.

㉣ [○] **무니(J. Mooney)**는 "조정과 통합의 원리는 조직의 제1의 원리이며 가장 최종적인 원리이다."라고 하였다.

## 024 막스 베버(M. Weber)의 '이상적 관료제'의 구조적 특성에 대한 설명 중 가장 적절하지 않은 것은? [2020 승진(경위)]

① 관료의 권한과 직무 범위는 법규와 관례에 의해 규정된다.

② 직무의 수행은 서류에 의해 이루어진다.

③ 직무조직은 계층제적 구조로 구성된다.

④ 구성원간 또는 직무수행상 감정의 배제가 필요하다.

**정답 및 해설 I ①**

① [×] **막스 베버**(Max Weber)는 관료의 권한과 직무범위는 **법규**에 의해 규정된다고 하였다(**법규의 지배**).

② [○] **문서주의**: 직무의 수행은 문서에 의해서 이루어지며 기록은 장기간 보존된다.

③ [○] **계층제적 조직구조**: 직무의 분할 · 할당이 **계층제적 조직구조하에 배치된다**. 예 국 ➜ 과 ➜ 계 ➜ 반

④ [○] **인정의 배제**: 관료는 직무수행 과정에서 애정이나 증오 등의 개인의 감정에 의하지 않고 법규에 따라 임무를 수행한다.
➜ 공사의 구별, 공정하고 객관적인 처리, 개인의 감정 배제

## 주제 3 경찰인사관리

**025** 엽관주의와 실적주의에 관한 설명으로 옳은 것을 모두 고른 것은? [2024 승진]

㉠ 엽관주의는 정치지도자의 국정 지도력을 강화함으로써 공공정책의 실현을 용이하게 해준다.
㉡ 잭슨(Jackson) 대통령이 암살당한 사건은 미국에서 실적주의 도입의 배경이 되었다.
㉢ 엽관주의는 행정의 안정성과 지속성을 확보하기 어렵다.
㉣ 실적주의는 정치적중립에 집착하여 인사행정을 소극화 · 형식화시켰다.

① ㉠, ㉡
② ㉡, ㉢
③ ㉠, ㉢, ㉣
④ ㉠, ㉡, ㉢, ㉣

**정답 및 해설 I ③**

㉠ [○] 엽관주의는 충성심 · 당파성을 기준으로 공직에 임명하는 제도로서, 선거에서 승리한 정당이 모든 관직을 전리품과 같이 획득하는 인사제도를 말한다. 즉, 정치지도자부터 하위 공직자까지 같은 당파에 속하게 되므로, 국정 지도력이 강화되고 공공저책 실현이 용이해진다.

㉡ [×] 가필드(Garfield) 대통령이 암살당한 사건이 미국에서 엽관주의 반성과 함께 실적주의 도입의 배경이 되었다.

**☑ 미국 제20대 가필드 대통령 암살사건(1881)**

- 가필드 대통령은 엽관주의의 신봉자였고, 가필드 대통령을 지지하던 여러 세력들도 가필드 대통령의 당선과 함께 주요 공직을 차지할 수 있을 것이라 기대하였다.
- 그러나, 대선에서 가필드를 물심양면으로 지원하였던 콩클링 가문은, 가필드 당선 후에 원하던 프랑스 대사 자리를 얻지 못하자, '기토'라는 자를 사주하여 가필드 대통령을 암살하였다.
- 이 사건으로 엽관제의 폐해가 드러나, 정치와 행정을 분리하는 펜들턴 법(Pendleton Civil Service Reform Act)이 1883년 제정되어 실적주의가 차츰 자리잡게 되었다.

㉢ [○] 엽관제는 정치세력의 변동이 공직자의 변동까지 가져오게 되므로, 행정의 안정성 · 지속성이 확보되기 어렵다.

㉣ [○] **실적주의**는 공직채용기준을 능력 · 자격 · 실적으로 한정함에 따라 **인사행정이 소극화 · 형식화 · 집권화**될 수 있다.

## 026 직업공무원제도에 대한 설명이다. 아래 가.부터 라.까지 설명 중 옳고 그름의 표시(○, ×)가 바르게 된 것은?

[2023 경간]

| |
|---|
| 가. 직업공무원제도는 신분보장, 정치적 중립, 자격이나 능력 중시, 개방형 인력충원 방식의 선호라는 점에서 실적주의와 공통점을 가진다.<br>나. 직업공무원제도의 성공적 정착을 위해서는 공직에 대한 사회의 높은 평가가 필요하며 퇴직 후의 불안해소와 생계보장을 위해 적절한 연금제도가 확립되어야 한다.<br>다. 직업공무원제도는 장기적인 발전가능성을 선발기준으로 삼고 있으며 직위분류제가 계급제보다 직업공무원제도의 정착에 더 유리하다.<br>라. 직업공무원제도는 행정의 안정성과 독립성 확보에 용이하며 외부환경 변화에 신속하게 대응한다는 장점이 있다. |

① 가. [○] 나. [○] 다. [○] 라. [×]
② 가. [×] 나. [○] 다. [×] 라. [×]
③ 가. [○] 나. [○] 다. [×] 라. [○]
④ 가. [×] 나. [○] 다. [○] 라. [×]

**정답 및 해설 I ②**
가. [×] 직업공무원제도는 신분보장, 정치적 중립, 자격이나 능력 중시, **폐쇄형** 인력충원 방식을 선호한다.
나. [○] 옳은 설명이다.
다. [×] 직업공무원제도는 장기적인 발전가능성을 선발기준으로 삼고 있으며 계급제가 직위분류제보다 직업공무원제도의 정착에 더 유리하다.
라. [×] 직업공무원제도는 행정의 안정성과 독립성 확보에 용이하나 외부환경 변화에 신속하게 대응하지 못하는 단점이 있다.

## 027 다음은 경찰직업공무원제도에 대한 설명이다. 옳은 것은 모두 몇 개인가?

[2020 채용 1차]

| |
|---|
| ㉠ 실적주의는 직업공무원제로 발전되어 가는 기반이 되지만, 실적주의가 바로 직업공무원제도를 의미하는 것은 아니다.<br>㉡ 행정의 안정성, 계속성, 독립성, 중립성 확보가 용이하다.<br>㉢ 행정통제 및 행정책임 확보가 용이하다.<br>㉣ 젊은 인재의 채용을 위한 연령제한으로 공직임용의 기회균등을 저해한다. |

① 1개 ② 2개
③ 3개 ④ 4개

**정답 및 해설 I ③**
㉠ [○] 실적주의는 능력 · 자격 · 실적을 기준으로 공직에 임명하는 제도를 말하며, 정권교체와 관계없이 공무원이 행정사무에 전념할 수 있도록 함으로써 공무원의 신분보장과 정치적 중립을 핵심으로 하는 직업공무원제도의 기반이 되는 제도이다.
㉡ [○] 직업공무원제는 공무원의 신분보장과 정치적 중립성이 보장되므로 직업공무원들의 **독립성 확보가 용이**하고, 정권교체가 있더라도 직업공무원은 그대로 유지되므로 **행정의 계속성과 안정성 확보가 용이**하다.
㉢ [×] 직업공무원제하의 강력한 신분보장은 공무원의 중대한 잘못이 없는 한 파면이나 해임과 같은 신분박탈 효과를 가져오는 징계를 하기 어려워 **행정통제 및 행정책임의 확보가 어렵다**는 비판이 존재한다.

ⓔ [○] 직업공무원으로서 경찰의 경우 최일선의 치안현장에서 범인 검거 및 추격, 시위진압 등 격렬하고 위험한 업무를 수행하는 경찰의 특성상 젊고 신체적 · 체력적 능력이 우수한 인재를 선발할 필요가 있는데, 이를 위한 연령제한은 공직임용의 기회균등을 제한하는 측면이 있다.

## 028 공직 분류 방식 중 계급제와 직위분류제에 대한 설명이다. 가장 적절하지 않은 것은? [2017 채용 1차]

① 계급제는 사람을, 직위분류제는 직무를 중요시한다.

② 직위분류제는 계급제보다 권한의 한계가 불명확하다.

③ 공직을 평생직장으로 이해하는 직업공무원제도의 정착에는 직위분류제보다 계급제가 유리하다.

④ 우리나라의 공직 분류는 계급제 위주에 직위분류제적 요소를 가미한 혼합형태라고 할 수 있다.

**정답 및 해설 I ②**

② [×] 직위분류제는 횡적 직무범위와 종적 지휘 · 감독관계가 분명하여 권한과 책임의 한계가 명확하다.

①③ [○] 계급제와 직위분류제에 대한 옳은 설명이다.

**☑ KEY POINT I 계급제와 직위분류제 비교**

| 비교기준 | 계급제(Rank System) | 직위분류제(Position Classification) |
|---|---|---|
| 성격 | 일반행정가(Generalist) | 전문행정가(Specialist) |
| 분류기준 | 개인의 자격, 능력, 신분 | 직무의 종류, 곤란도, 책임도 |
| 채용기준 | 일반교양 | 전문지식 |
| 특성 | 사람 중심 | 직무 중심 |
| 충원방식 | 폐쇄형(내부충원) | 개방형(외부충원) |
| 조직 내 인력이동 | 용이함 ➔ 직무성격 관계없이 계급 기준으로 이동 가능(신축적 · 탄력적 인사배치) | 어려움 ➔ 직무성격 다를 경우 보직이동 곤란(비신축적 · 경직적 인사배치) |
| 보직관리 | • 합리성 ↓<br>• 융통성 ↑ | • 합리성 ↑<br>• 융통성 ↓ |
| 경력발전 | 승진기회가 넓어 경력발전에 유리 | 특정직위 연결로 경력발전 어려움 |
| 교육훈련 | • 교육훈련 수요나 내용 파악 곤란<br>• 일반지식 · 교양 강조, 잠재능력 개발 | • 교육훈련 수요나 내용 파악 용이<br>• 전문지식 강조 |
| 보수체계 | • 연공 · 계급 비례하여 결정<br>• 생활급 | • 직무 책임성 · 난이도 비례하여 결정<br>• 직무급(동일직무에 동일보수) |
| 전문성 | 약함 | 강함 |
| 신분보장 | 강함 | 약함 |
| 제도친화성 | 직업공무원제 확립 용이 | 직업공무원제 확립 곤란 |
| 조정협조 | 용이 | 곤란 |
| 채택국가 | 영국, 프랑스, 독일, 일본 | • 미국, 캐나다, 필리핀<br>• 1909년 미국 시카고시에서 처음 채용 |
| 발달배경 | 직업분화 미비한 농업사회 | 고도로 직업이 분화된 산업사회 |

④ [○] 계급제와 직위분류제는 서로 양립할 수 없는 배타적인 관계가 아니라, 상호보완적인 관계를 가진다. 우리나라는 계급제를 위주로 하면서 직위분류제적 요소를 가미한 혼합적 형태라고 평가되며, 우리나라는 물론 각국의 공직제도는 계급제와 직위분류제가 상호융화되는 경향이 있다.

## 029 계급제와 직위분류제에 관한 설명으로 가장 적절하지 않은 것은? [2023 채용 1차]

① 직위분류제는 사람 중심 분류로서 계급제보다 인사배치의 신축성 측면에서 유리하다.

② 우리나라의 공직분류는 계급제 위주에 직위분류제적 요소를 가미한 혼합 형태라고 할 수 있다.

③ 직위분류제는 미국에서 실시된 후 다른 나라로 전파되었다.

④ 직위분류제는 계급제에 비해서 보수결정의 합리적인 기준을 제시하는 것이 장점이다.

**정답 및 해설 | ①**

① [×] **계급제**에 대한 설명이다. **직위분류제**는 직무중심 분류로서 인사배치에 비신축적이다.

② [○] 우리나라는 계급제를 위주로 하면서 직위분류제적 요소를 가미한 혼합적 형태라고 평가되며, 우리나라는 물론 각국의 공직제도는 계급제와 직위분류제가 상호 융화되는 경향이 있다.

③ [○] 직위분류제는 1909년 미국의 시카고 시에서 처음 시작되었으며 1923년에는 직위분류법 제정으로 직위분류제가 자리잡게 되었다.

④ [○] **직위분류제**는 동일직무 · 동일보수 원칙을 채택하므로 계급제에 비해서 보수결정의 합리적인 기준을 제시하기 유리하다.



## 030 계급제와 직위분류제의 관계에 관한 설명으로 가장 적절하지 않은 것은? [2024 1차 채용]

① 직무분석과 직무평가의 충실한 수행을 강조하는 것은 직위분류제이다.

② 계급제는 직업공무원제도 정착에 유리하다.

③ 양자는 양립할 수 없는 상호 배타적인 관계가 아니라 서로의 결함을 시정할 수 있는 상호 보완적인 관계이다.

④ 계급제는 '동일직무에 대한 동일보수의 원칙'을 확립함으로써 보수제도의 합리적 기준을 제시한다.

**정답 및 해설 | ④**

④ [×] '동일직무에 대한 동일보수의 원칙'을 확립함으로써 보수제도의 합리적 기준을 제시하는 것은 직위분류제에 대한 설명이다.

| 구분 | 계급제 | 직위분류제 |
|---|---|---|
| 장점 | • 일반적 교양과 능력을 소유한 넓은 시야를 가진 일반행정가 양성에 유리하다. ➔ 제네럴리스트(Generalist)<br>• 여러 보직을 두루 경험하여 타 부서 업무에 대한 이해도가 높아져 부처간의 협조와 조정이 용이하다.<br>• 인사관리가 계급을 기준으로 하므로 전직 · 전보가 용이하고, 분류구조와 보수체계가 비교적 단순하므로 인력활용(인사배치 · 인사이동)의 신축성 · 탄력성에 기여할 수 있다.<br>• 조직 내부자를 대상으로 충원을 하는 **폐쇄적 충원방식**을 취하므로, 신분보장과 직업공무원제의 확립이 용이하다.<br>• 직업공무원제도의 정착에 보다 유리하다. | • 동일한 직무를 장기간 담당하므로 공직의 전문화에 기여하고 전문행정가 양성에 유리하다. ➔ 스페셜리스트(Specialist)<br>• 효율적인 교육훈련이 가능하고, 행정의 전문화 · 분업화 촉진에 유리하다.<br>• **동일직무 · 동일보수 원칙**에 따라 보수체계의 합리적 기준을 제시한다.<br>• 예산행정의 능률화에 기여할 수 있다.<br>• 횡적 직무범위와 종적 지휘 · 감독관계가 분명하여 권한과 책임의 한계가 명확하다. |
| 단점 | • 행정의 전문화를 기하기 어렵고, 전문행정가 양성이 곤란하다.<br>• 동일직무 · 동일보수 원칙이 아닌 **동일계급 · 동일보수 원칙**이 적용되는 결과, 보수체계의 비합리성이 초래될 수 있다.<br>• 계급을 기준으로 하는 인사관리는 계급 간 차별을 고착화시킬 수 있고, 관료의 특권계급화가 초래될 수 있다.<br>• 객관적인 근무평정과 훈련계획의 수립이 곤란한 측면이 있다.<br>• 계급의 수가 적고 계급 간의 차별이 심해질 수 있다. | • 전체적 시각을 가진 일반행정가 양성이 곤란하다.<br>• 특정 직무를 전문적으로 수행하는 자가 양성되는데 그치므로 종합적이고 장기적인 관점에서 해당 공무원의 성장에 한계가 있다.<br>• 다른 직무에 대한 이해부족으로 수평적 · 횡적 협조와 조정이 곤란해 질 수 있다.<br>• 직무를 중심으로 채용하였는데 해당 직무가 불필요하게 된 경우 새로운 인사배치를 하기 곤란하고(인사배치의 비융통성 · 비신축성), 아울러 신분보장이 미흡해진다. |

## 031 직위분류제와 계급제를 비교한 것으로 가장 옳지 않은 것은? [2016 경간]

① 계급제는 사람을, 직위분류제는 직무를 중요시한다.

② 직위분류제보다는 계급제가 공직을 평생직장으로 이해하는 직업공무원제도의 정착에 보다 유리하다.

③ 계급제는 인사배치가 비융통적이나, 직위분류제는 보다 신축적이다.

④ 각국의 공직제도는 계급제와 직위분류제가 상호융화되는 경향이 있다.

**정답 및 해설 I ③**

③ [×] **계급제**는 직무성격과 관계없이 계급 기준으로 이동 가능하나(신축적 · 탄력적 인사배치), **직위분류제**는 직무성격이 다를 경우 보직이동이 곤란하다(비신축적 · 경직적 인사배치).

①② [○] 계급제와 직위분류제에 대한 옳은 설명이다.

④ [○] 계급제와 직위분류제는 서로 양립할 수 없는 배타적인 관계가 아니라, 상호보완적인 관계를 가진다. 우리나라는 계급제를 위주로 하면서 직위분류제적 요소를 가미한 혼합적 형태라고 평가되며, 우리나라는 물론 각국의 공직제도는 계급제와 직위분류제가 상호융화되는 경향이 있다.

## 032 계급제와 직위분류제에 대한 설명으로 가장 적절하지 않은 것은? [2019 채용 1차]

① 직위분류제의 경우 직무 중심 분류로서 계급제보다 인사배치에 신축성을 기할 수 있다.

② 계급제의 경우 널리 일반적 교양, 능력을 갖춘 사람을 채용하여 장기간에 걸쳐 능력을 향상시키므로 공무원이 종합적 · 신축적인 능력을 갖출 수 있다.

③ 직위분류제의 경우 동일한 직무를 장기간 담당하게 되어 행정의 전문화에 기여한다.

④ 우리나라의 공직분류는 계급제 위주에 직위분류제적 요소를 가미한 혼합 형태라고 할 수 있다.

**정답 및 해설 I ①**

① [×] **계급제**는 직무성격 관계없이 계급 기준으로 이동 가능하므로 인사배치가 신축적 · 탄력적이나, **직위분류제**는 직무성격이 다를 경우 보직이동이 곤란하므로 인사배치가 비신축적 · 경직적이다.

② [○] **계급제**는 일반적 교양과 능력을 소유한 넓은 시야를 가진 **일반행정가 양성**에 유리하다. ➜ 제네럴리스트(Generalist)

③ [○] **직위분류제**는 동일한 직무를 장기간 담당하므로 공직의 전문화에 기여하고 **전문행정가 양성**에 유리하다. ➜ 스페셜리스트(Specialist)

④ [○] 우리나라는 계급제를 위주로 하면서 직위분류제적 요소를 가미한 혼합적 형태라고 평가되며, 우리나라는 물론 각국의 공직제도는 계급제와 직위분류제가 상호융화되는 경향이 있다.

## 033 공직의 분류 방식에 대한 설명 중 가장 적절하지 않은 것은? [2018 경채]

① 직위분류제는 채용 · 전직 · 보수 등 인사행정의 합리적 기준을 제공하나 권한과 책임의 한계가 불명확하다는 한계가 존재한다.

② 계급제는 사람 중심의 분류방식으로, 직위분류제에 비해서 부처간의 협조와 조정이 용이하다.

③ 직위분류제는 1909년 미국의 시카고 시에서 처음 실시된 방식으로 동일한 직무를 장기간 담당하게 되어 행정의 전문화에 유용하다.

④ 우리나라의 공직분류 방식은 계급제를 위주로 하여 직위분류제적 요소를 가미한 혼합형태라고 할 수 있다.

**정답 및 해설 I ①**

① [×] 직위분류제는 횡적 직무범위와 종적 지휘 · 감독관계가 분명하여 **권한과 책임의 한계가 명확**하다.

② [○] **계급제**는 개인의 경력 · 자격 · 능력을 중심(사람 중심)으로 계급을 부여하는 제도로서 계급제하의 공무원은 승진을 거치면서 여러 보직을 경험하므로 타 부서 업무에 대한 이해도가 높아 부처간 협조와 조정에 유리하다.

③ [○] 직위분류제는 1909년 미국의 시카고 시에서 처음 시작되었으며 1923년에는 직위분류법 제정으로 직위분류제가 자리잡게 되었다. 직위분류제는 동일한 직무를 장기간 담당하므로 공직의 전문화에 기여하고 **전문행정가 양성**에 유리하다.

④ [○] 우리나라는 계급제를 위주로 하면서 직위분류제적 요소를 가미한 혼합적 형태라고 평가되며, 우리나라는 물론 각국의 공직제도는 계급제와 직위분류제가 상호융화되는 경향이 있다.

## 034 계급제와 직위분류제를 비교한 것으로 가장 적절한 것은? [2019 승진(경위)]

① 계급제는 공직을 분류함에 있어서 행정기관을 구성하는 개개의 직위에 내포되어 있는 직무의 종류와 책임도 및 곤란도에 따라 여러 직종과 등급 및 직급을 분류하는 제도이다.

② 계급제는 보통 계급의 수가 적고 계급간의 차별이 심하며, 동일한 직무를 장기간 담당하게 되어 직위분류제에 비해 행정의 전문화에 기여한다.

③ 직위분류제는 직무 중심의 분류방법으로 시험 채용 전직의 합리적 기준을 제공하여 계급제에 비해 인사배치의 신축성을 기할 수 있다.

④ 직위분류제는 권한과 책임의 한계를 명확히 하는 장점이 있지만, 유능한 일반행정가의 확보 곤란, 신분보장의 미흡 등의 단점이 있다.

**정답 및 해설 I ④**

④ [○] 직위분류제는 횡적 직무범위와 종적 지휘 · 감독관계가 분명하여 **권한과 책임의 한계가 명확**하다는 장점이 있다. 다만, 전체적 시각을 가진 **일반행정가 양성**이 곤란하고, 직무를 중심으로 채용하였는데 해당 직무가 불필요하게 된 경우 새로운 인사배치를 하기 곤란하므로 **신분보장이 미흡**해진다.

① [×] 직위분류제에 대한 설명이다.

② [×] 계급의 수가 적고 계급간의 차별이 심해질 수 있다는 것은 계급제에 대한 정당한 비판이다. 다만, 동일한 직무를 장기간 담당하게 되어 행정의 전문화에 기여한다는 설명은 직위분류제의 내용이다.

③ [×] **직위분류제**는 직무성격이 다를 경우 보직이동이 곤란하여 **인사배치가 비신축적** · 경직적이다.

## 035 공직분류 방식에 대한 설명으로 가장 적절한 것은? [2019 승진(경감)]

① 계급제는 인간 중심의 분류방법으로 널리 일반적 교양 · 능력을 가진 사람을 채용하여 신분보장과 함께 장기간에 걸쳐 능력이 키워지므로 공무원이 보다 종합적 · 신축적인 능력을 가질 수 있다.

② 직위분류제는 동일한 직무를 장기간 담당하게 되어 행정의 전문화에 유용하나, 권한과 책임의 한계가 불명확하다는 단점이 있다.

③ 계급제는 충원방식에서 폐쇄형을 채택하여 인사배치가 비융통적이나 직위분류제는 개방형을 채택하고 있어 인사배치의 신축성이 있다.

④ 직위분류제는 계급제에 비해서 보수결정의 합리적인 기준을 제시할 수 있으며, 직무분석을 통한 이해력이 넓어져 기관간의 횡적 협조가 용이한 편이다.

**정답 및 해설 I ①**

① [○] **계급제**는 개인의 경력 · 자격 · 능력을 중심(사람 중심)으로 계급을 부여하고 상위계급의 지시 · 명령에 하위계급이 복종함으로써 조직 의사를 확정하는 제도로서 일반적 교양과 능력을 소유한 넓은 시야를 가진 일반행정가 양성에 유리하다.

② [×] 직위분류제는 횡적 직무범위와 종적 지휘 · 감독관계가 분명하여 권한과 책임의 한계가 명확하다.

③ [×] 계급제가 폐쇄형 충원방식, 직위분류제가 개방형 충원방식을 취한다는 설명은 옳다. 다만, **계급제**는 직무성격에 관계없이 계급 기준으로 이동 가능하므로 인사배치가 신축적 · 탄력적이나, **직위분류제**는 직무성격이 다를 경우 보직이동이 곤란하므로 인사배치가 비신축적 · 경직적이다.

④ [×] **직위분류제**는 동일직무 · 동일보수 원칙을 채택하므로 계급제에 비해서 보수결정의 합리적인 기준을 제시하기 유리하다는 설명은 옳으나, 직무분석을 통한 이해력이 넓어져 기관간의 횡적 협조가 용이하다는 설명은 계급제에 대한 것이다.

## 036 다음은 공직분류 방식 중 계급제와 직위분류제에 대한 설명이다. 옳은 것은 모두 몇 개인가?

[2016 채용 2차]

| |
|---|
| ㉠ 직위분류제는 계급제에 비해서 보수결정의 합리적인 기준을 제시하는 것이 장점이다.<br>㉡ 계급제는 이해력이 넓어져 직위분류제에 비해서 기관간의 횡적 협조가 용이한 편이다.<br>㉢ 직위분류제는 프랑스에서 처음 실시된 후 독일 등으로 전파되었다.<br>㉣ 우리나라의 공직 분류는 계급제 위주에 직위분류제적 요소를 가미한 혼합형태라고 할 수 있다. |

① 1개　　② 2개

③ 3개　　④ 4개

**정답 및 해설 I ③**

㉠ [○] **동일직무 · 동일보수의 원칙**에 따라 보수체계의 합리적 기준을 제시한다.

㉡ [○] 계급제하의 공무원은 여러 보직을 두루 거치며 전체적인 시각을 가진 일반행정가(Generalist) 양성에 유리하고, 이러한 일반행정가는 넓은 시각으로 조직간 횡적 협조를 이끌어내기 쉽다.

㉢ [×] 직위분류제는 1909년 미국 시카고시에서 처음 채용되었다.

㉣ [○] 우리나라는 계급제를 위주로 하면서 직위분류제적 요소를 가미한 혼합적 형태라고 평가되며, 우리나라는 물론 각국의 공직제도는 계급제와 직위분류제가 상호융화되는 경향이 있다.

## 037 동기부여이론에 관한 설명과 학자가 가장 적절하게 연결된 것은? [2022 채용 2차]

> ㉠ 인간은 자신의 욕구를 충족시키기 위해서 노력하며 하위단계의 욕구가 충족되어야 다음 단계로 발전되는 순차적 특성을 갖는다.
> ㉡ Y이론적 인간형은 부지런하고, 책임과 자율성 및 창의성을 발휘하기를 좋아하고, 스스로 통제와 발전이 가능하기 때문에 민주적이고 인간적인 동기유발 전략이 필요한 유형이다.
> ㉢ 인간의 개인적 성격과 성격의 성숙과정을 '미성숙에서 성숙으로'라고 보고, 관리자는 조직 구성원을 최대의 성숙상태로 실현시켜야 한다고 하였다.
> ㉣ 위생요인을 제거해주는 것은 불만을 줄여주는 소극적 효과일 뿐이기 때문에, 근무태도 변화에 단기적 영향을 주어 사기는 높여줄 수 있으나 생산성을 높여주지는 못한다. 만족요인이 충족되면 자기실현욕구를 자극하여, 적극적 만족을 유발하고 동기유발에 장기적 영향을 준다.

① ㉠ 매슬로우(Maslow) ㉡ 맥그리거(McGregor) ㉢ 아지리스(Argyris) ㉣ 허즈버그(Herzberg)
② ㉠ 매슬로우(Maslow) ㉡ 아지리스(Argyris) ㉢ 맥그리거(McGregor) ㉣ 허즈버그(Herzberg)
③ ㉠ 매슬로우(Maslow) ㉡ 맥그리거(McGregor) ㉢ 허즈버그(Herzberg) ㉣ 아지리스(Argyris)
④ ㉠ 맥그리거(McGregor) ㉡ 아지리스(Argyris) ㉢ 허즈버그(Herzberg) ㉣ 매슬로우(Maslow)

**정답 및 해설 I ①**
㉠ **매슬로우(Maslow)의 인간욕구이론**에 대한 설명이다.
㉡ **맥그리거(McGregor)의 X · Y이론**에 대한 설명이다.
㉢ **아지리스(Argyris)의 성숙 – 미성숙이론**에 대한 설명이다.
㉣ **허즈버그(Herzberg)의 동기부여 – 위생이론**에 대한 설명이다.

## 038 매슬로우(Maslow)의 욕구 이론에 대한 설명으로 가장 적절하지 않은 것은? [2017 채용 2차]

① 매슬로우는 욕구를 생리적 욕구(Physiological Needs), 안전의 욕구(Safety Needs), 사회적 욕구(Social Needs), 존경의 욕구(Esteem Needs), 자기실현 욕구(Self-actualization Needs)로 구분하였다.
② 안전의 욕구는 현재 및 장래의 신분이나 생활에 대한 불안 해소에 관한 것으로 신분보장, 연금제도 등을 통해 충족시켜 줄 수 있다.
③ 존경의 욕구는 동료 · 상사 · 조직 전체에 대한 친근감 · 귀속감 충족에 관한 것으로 인간관계의 개선, 고충처리 상담 등을 통해 충족시켜 줄 수 있다.
④ 생리적 욕구는 의 · 식 · 주 및 건강 등에 관한 것으로 적정보수제도, 휴양제도 등을 통해 충족시켜 줄 수 있다.

**정답 및 해설 | ③**

③ [×] **존경의 욕구**는 긍지 · 자존심 · 지위인정 · 명예감정 등 주로 타인으로부터 인정과 존경을 받고자 하는 욕구를 말하며, 제안제도 · 포상제도, 권한위임 · 참여확대 등으로 충족될 수 있다. 지문은 사회적 욕구(애정의 욕구)에 대한 설명이다.

**☑ 매슬로우(Maslow)의 인간욕구이론**

| 유형 | 내용 | 충족조건 |
|---|---|---|
| 생리적 욕구 | 가장 기초적이고 강한, 충족의 우선순위가 가장 높은 의식주, 건강 등의 욕구 | • 적절한 근무강도와 합리적 보수<br>• 적절한 휴양제도 |
| 안전의 욕구 | • 현재 및 장래의 신분이나 생활에 대한 불안을 해소하고자 하는 욕구<br>• 위험 · 위협으로부터 보호받고자 하는 욕구 | • 신분보장<br>• 연금제도 |
| 사회적 욕구<br>(애정의 욕구) | 친밀한 인간관계, 집단에의 소속감, 경찰관 상호간 동료애를 충족시키고자 하는 욕구 | • 인간관계 개선<br>• 고충처리 상담 |
| 존경의 욕구 | 긍지 · 자존심 · 지위인정 · 명예감정 등 주로 타인으로부터 인정과 존경을 받고자 하는 욕구 | • 제안제도 · 포상제도<br>• 권한위임 · 참여확대<br>• 근무성적 평정 |
| 자아실현의 욕구 | • 자기발전과 잠재능력 실현, 성취감 충족, 창의성과 관련된 최상위의 욕구<br>• 조직과 가장 조화되기 어려운 욕구로 조직과 갈등유발 가능성이 높음 | • 공정하고 합리적 승진<br>• 공무원단체 활용 |

## 039 매슬로(Maslow)가 주장하는 5단계 기본욕구와 그 욕구를 충족시키는 것을 바르게 연결한 것은?

[2015 채용 3차]

① 안전욕구 – 적정보수제도, 휴양제도

② 사회적 욕구 – 인간관계의 개선, 고충처리 상담

③ 존경욕구 – 신분보장, 연금제도

④ 생리적 욕구 – 참여확대, 권한의 위임, 제안제도, 포상제도

**정답 및 해설 | ②**

② [○] **사회적 욕구**는 친밀한 인간관계, 집단에의 소속감, 경찰관 상호간 동료애를 충족시키고자 하는 욕구를 말하며, 인간관계 개선, 고충처리 상담 등으로 충족될 수 있다.

① [×] **안전의 욕구**는 신분보장, 연금제도 등으로 충족될 수 있다.

③ [×] **존경의 욕구**는 제안제도 · 포상제도, 권한위임 · 참여확대, 근무성적 평정 등으로 충족될 수 있다.

④ [×] **생리적 욕구**는 적절한 근무강도와 합리적 보수, 적절한 휴양제도 등으로 충족될 수 있다.

## 040 매슬로우(Maslow)의 욕구계층이론에 대한 설명으로 가장 적절한 것은? [2019 승진(경감)]

① 경찰관이 포상휴가를 가는 것보다 유능한 경찰관이라는 인정을 받고 싶어서 열심히 범인을 검거하였다면 자아실현의 욕구를 충족하고 싶은 것이다.

② 매슬로우는 5단계 기본욕구가 우선순위의 계층을 이루고 있어 한 단계의 욕구가 충족되어야 비로소 다음 단계의 욕구가 발로된다고 보았다.

③ 소속 직원들간 인간관계의 개선, 공무원 단체의 활용, 고충처리 상담, 적정한 휴양제도는 사회적 욕구를 충족시켜 주기 위한 방안에 해당한다.

④ 경찰관에 대한 공정하고 합리적인 승진제도를 마련하고 권한의 위임과 참여를 확대하는 것은 자아실현의 욕구를 충족시켜 주기 위한 방안에 해당한다.

**정답 및 해설 | ②**

② [○] 매슬로우에 따르면 인간은 단계별 욕구(생리 → 안전 → 사회 → 존경 → 자아실현)를 가지고 있으며 **우선순위 욕구가 충족되어야 다음 순위의 욕구를 충족**시키고자 하는 속성이 있으므로, 이러한 속성을 잘 활용하면 동기부여를 통한 사기진작이 가능하다고 보았다.

① [×] 타인으로부터 인정과 존경을 받고자 하는 욕구는 **존경의 욕구**이다.

③ [×] 인간관계의 개선과 고충처리 상담은 **사회적 욕구**를 충족시켜 주기 위한 수단이 맞다. 다만, 공무원 단체의 활용은 **자아실현 욕구**를, 적정한 휴양제도는 **생리적 욕구**를 충족시켜주는 수단이다.

④ [×] 공정하고 합리적인 승진제도는 **자아실현의 욕구**를 충족시켜 주기 위한 수단이 맞다. 다만, 권한의 위임과 참여를 확대하는 것은 **존경의 욕구**를 충족시켜주는 수단이다.

## 041 경찰조직관리를 위한 동기부여이론을 내용이론과 과정이론으로 나눌 때 내용이론을 주창한 사람이 아닌 자는? [2022 경간]

① 맥클랜드(McClelland)

② 허즈버그(Herzberg)

③ 아담스(Adams)

④ 매슬로우(Maslow)

**정답 및 해설 | ③**

③ [×] 아담스(Adams)는 **과정이론**을 주창한 사람이다.

## 042 동기부여이론 중 내용이론에 해당하는 것으로 가장 적절하지 않은 것은? [2023 채용 2차]

① 매슬로우(Maslow)의 욕구단계이론

② 맥그리거(McGregor)의 X이론 · Y이론

③ 포터와 롤러(Porter & Lawler)의 업적만족이론

④ 허즈버그(Herzberg)의 욕구충족요인 이원론(동기위생이론)

**정답 및 해설 I ③**

③ [×] **과정이론**에 해당한다.

| | | |
|---|---|---|
| 내용 이론 | 의의 | 인간의 특정 욕구가 동기부여를 일으키는 것으로 이해하는 이론 |
| | 이론 | • 매슬로우(Maslow)의 욕구단계이론<br>• 허즈버그(Herzberg)의 이원론<br>• 아지리스(C. Argyris)의 성숙 · 미성숙 이론 등<br>• 맥그리거(McGregor)의 X이론 · Y이론<br>• 샤인(E. Schein)의 복잡인 모형(4대 인간관 모형)<br>• 맥클랜드(McClelland)의 성취동기이론 |
| 과정 이론 | 의의 | 인간의 특정 욕구가 직접적으로 동기부여하는 것이 아니라 욕구와는 별도의 다양한 요인들이 동기부여 과정에 작용한다고 이해하는 이론 |
| | 이론 | • 포터&롤러(Porter & Lawler)의 업적만족이론<br>• 브룸(Vroom)의 기대이론<br>• 아담스(Adams)의 공정성이론 등 |

**043** A경찰서장은 동기부여이론 및 사기이론을 활용하여 소속 경찰관들의 사기를 높이기 위한 방안을 모색하였다. 이론의 적용으로 가장 적절하지 <u>않은</u> 것은? [2020 채용 2차]

① Maslow의 욕구계층이론에 따라 존경의 욕구를 충족시켜주기 위하여 권한위임을 확대하였다.

② Herzberg의 동기위생요인이론에 따르면 사기진작을 위해서는 동기요인이 강화되어야 하므로 적성에 맞는 직무에 배정하고 책임감과 성취감을 느낄 수 있도록 독려하였다.

③ McGregor의 X이론에 따르면 인간은 근본적으로 업무에 대한 의욕을 가지고 있기 때문에 이러한 의욕을 강화시키기 위해 금전적 보상과 포상제도를 강화하였다.

④ McGregor의 Y이론을 적용하여 상급자의 일방적 지시와 명령을 줄이고 의사결정 과정에 일선경찰관들의 참여를 확대시키도록 지시하였다.

**정답 및 해설 I ③**

③ [×] ④ [○] McGregor의 **X이론**에 따르면 인간은 근본적으로 일하기를 싫어하므로 가능하면 일하기를 피하려 한다. 따라서 금전적 보상과 엄격한 통제로 조직을 관리하여야 한다고 보았다.

☑ **맥그리거(McGregor)의 X · Y이론**

| 구분 | X이론 | Y이론 |
|---|---|---|
| 관점 | • 통제 중심의 전통적 이론<br>• 성악설, 홉스의 인간관 | • 개인과 조직간 통합을 강조한 이론<br>• 성선설, 루소의 인간관 |
| 내용 | • 인간은 근본적으로 일하기를 싫어하므로 가능하면 일하기를 피하려 한다.<br>• 조직의 목표를 달성하기 위해서는 강압, 통제, 벌로 다스려야 한다.<br>• 구성원은 책임을 피하려 하며 공식적인 지시가 있어야만 움직인다. | • 인간은 일을 휴식이나 여가와 같이 당연한 것으로 받아들인다.<br>• 구성원이 조직목표에 동의한다면 자기지시 및 자기통제를 발휘한다.<br>• 책임을 수용하고 기꺼이 감수하는 태도로 자발적으로 움직인다. |
| 조직관리 | 금전적 보상과 엄격한 통제로 조직을 관리하여야 한다. | 자율적이고 창의적으로 일할 수 있는 환경을 조성하는 방식으로 조직을 관리하여야 한다. |

① [○] Maslow에 따르면 **존경의 욕구**는 긍지 · 자존심 · 지위인정 · 명예감정 등 주로 타인으로부터 인정과 존경을 받고자 하는 욕구를 말하며, 제안제도 · 포상제도, 권한위임 · 참여확대 등으로 충족될 수 있다.

② [○] 허즈버그(Herzberg)는 근로자의 동기를 유발하여 생산성을 향상시키기 위해서는, 위생요인은 제거하고 동기요인은 충족해야 한다고 하였다.

**☑ 허즈버그(Herzberg)의 동기부여 - 위생이론**

| 구분 | 위생요인(Hygiene) = 불만요인, 제거대상 | 동기요인(Motivators) = 만족요인, 충족대상 |
|---|---|---|
| 내용 | • 통상 직무의 외부적 · 물리적 · 환경적 요인이다.<br>• 위생요인은 제거하더라도 불만이 없어지는 상태가 될 뿐, 위생요인이 제거되더라도 바로 생산성 향상을 가져오는 것은 아니다. ➜ 생산성 향상의 필요조건이나 충분조건은 아니다. | • 통상 직무의 내재적 · 심리적 요인이다.<br>• 동기요인은 충족이 되는 경우 생산성 향상과 직접 연관된다. ➜ 생산성 향상의 충분조건이다. |
| 예시 | • 부족한 급여<br>• 너무 엄격한 조직의 정책<br>• 비합리적이고 납득하기 어려운 관리 · 감독<br>• 불안한 신분(불충분한 직무상 안정)<br>• 긴장감을 유발하는 대인관계 | • 직무상의 성취감 · 책임감 · 안정감<br>• 승진의 가능성이나 개인적 성장 · 발전가능성<br>• 적성에 맞는 직무<br>• 주변의 인정 |



**044** 다음 학자와 그가 주장하는 이론에 대한 설명으로 적절한 것은 모두 몇 개인가? [2023 경간]

가. 맥클리랜드(McClelland) - 개인마다 욕구의 계층은 차이가 있다고 보았으며 인간의 욕구를 성취 욕구, 자아실현 욕구, 권력 욕구로 구분하였다.
나. 허즈버그(Herzberg) - 주어진 일에 대한 성취감, 주변의 인정, 승진 가능성 등은 동기(만족)요인으로, 열악한 근무 환경, 낮은 보수 등은 위생요인으로 구분하였으며 두 요인은 상호 독립되어 있다고 보았다.
다. 맥그리거(McGregor) - 인간의 욕구는 5단계의 계층으로 이루어지며 하위 욕구부터 상위 욕구로 발달한다고 보았다.
라. 앨더퍼(Alderfer) - 인간의 욕구를 계층화하여 생존(Existence) 욕구, 존경(Respect) 욕구, 성장(Growth) 욕구의 3단계로 구분하였다.

① 1개　　② 2개
③ 3개　　④ 4개

**정답 및 해설 | ①**

가. [×] 맥클리랜드(McClelland) - 개인마다 욕구의 계층은 차이가 있다고 보았으며 인간의 욕구를 성취 욕구, 친교 욕구, 권력 욕구로 구분하였다.
나. [○] 옳은 설명이다.
다. [×] **맥그리거(McGregor) - XY이론을 주장**하였고, 인간의 욕구는 5단계의 계층으로 이루어지며 하위 욕구부터 상위 욕구로 발달한다고 보는 것은 **매슬로우의 욕구 단계 이론**이다.
라. [×] **앨더퍼(Alderfer)** - 인간의 욕구를 계층화하여 생존(Existence) 욕구, **관계 욕구(Relatedness)**, 성장(Growth) 욕구의 3단계로 구분하였다.

**045** 경찰의 근무성적평정에 관한 설명 중 가장 적절하지 않은 것은? [2022 채용 2차]

① 공무원에 대한 근무성적평정은 현대에 이르러 조직발전의 기초로 작용하는 공무원의 능력개발과 행정제도 개선의 수단으로도 활용될 수 있다.

② 전통적 근무성적평정제도는 생산성과 능률성에 중점을 두어 공무원의 직무수행능력을 측정하고 이를 인사행정의 표준화와 직무수행의 통제를 위한 수단으로 활용하였다.

③ 근무성적평정과정에서 평정자에 의한 집중화 · 엄격화 등의 오류를 방지하기 위해 경찰서 수사과에서 고소 · 고발 등에 대한 조사업무를 직접 처리하는 경위 계급의 경찰공무원의 제2평정요소에 따른 근무성적 평정은 수 20%, 우 40%, 양 30%, 가 10%로 분배해야 한다.

④ 총경에 대한 근무성적평정은 매년 하되, 근무실적, 직무수행능력 및 직무수행태도로만 평정한다.

**정답 및 해설 I ③**

③ [×] 경찰공무원과 경찰서 수사과에서 고소 · 고발 등에 대한 조사업무를 직접 처리하는 경위 계급의 경찰공무원을 평정할 때에는 제2평정 상대평가(가-수-양-우, 1-2-3-4)의 예외에 해당한다.

> 대통령령 **경찰공무원 승진임용 규정 제7조【근무성적 평정】** ③ 제2 평정 요소에 따른 근무성적 평정은 평정대상자의 계급별로 평정 결과가 다음 각 호의 분포비율에 맞도록 하여야 한다. 다만, 평정 결과 제4호에 해당하는 사람이 없는 경우에는 제4호의 비율을 제3호의 비율에 가산하여 적용한다. → 1 + 2 + 3 + 4 = 10 / 중간층을 두껍게 / 상위권을 후하게
> 1. **수**: 20퍼센트
> 2. **우**: 40퍼센트
> 3. **양**: 30퍼센트
> 4. **가**: 10퍼센트
>
> ④ 제11조 제2항 단서에 해당하는 경찰공무원과 경찰서 수사과에서 고소 · 고발 등에 대한 조사업무를 직접 처리하는 경위 계급의 경찰공무원을 평정할 때에는 제3항의 비율을 적용하지 아니할 수 있다.

①② [○] 근무평정제도에 대한 옳은 설명이다.

④ [○] 총경은 제2 평정요소로만 평정하고, 제2평정요소는 근무실적 · 직무수행능력 · 직무수행태도(실직직)이므로 옳은 설명이다.

> 훈령 **경찰공무원 승진임용 규정 시행규칙 제4조【근무성적 평정 등의 시기】** ① 영 제7조에 따른 근무성적 평정, 영 제9조에 따른 경력 평정은 연 1회 실시한다.
>
> 훈령 **경찰공무원 승진임용 규정 시행규칙 제7조【근무성적의 평정 방법】** ② 총경인 경찰공무원의 근무성적 평정점은 영 제7조 제2항 제2호에 따른 제2 평정 요소(이하 "제2평정요소"라 한다)에 대하여 제1차평정자가 20점을 최고점으로 하여 평정한 점수와 제2차평정자와 제3차평정자가 각각 15점을 최고점으로 하여 평정한 점수를 합산한다.

**046** 경찰공무원의 근무성적 평정에 대한 내용 중 옳지 않은 것은 모두 몇 개인가? [2021 경간]

> ㉠ 총경 이하의 경찰공무원에 대해서는 매년 근무성적을 평정하여야 하며, 근무성적 평정의 결과는 승진 등 인사관리에 반영하여야 한다.
> ㉡ 근무성적 평정시 제2평정(주관)요소들에 대한 평정은 수(20%), 우(40%), 양(30%), 가(10%)의 분포비율에 맞도록 하여야 한다.
> ㉢ 근무성적 평정 결과는 공개한다. 다만, 경찰청장은 근무성적 평정이 완료되기 전이라도 필요하면 평정 대상 경찰공무원에게 해당 근무성적 평정 예측결과를 통보할 수 있다.
> ㉣ 정기평정 이후에 신규채용되거나 승진임용된 경찰공무원에 대해서는 3개월이 지난 후부터 근무성적을 평정하여야 한다.
> ㉤ 근무성적 평정은 연 1회 실시하며, 근무성적 평정자는 3명으로 한다.

① 2개 ② 3개
③ 4개 ④ 5개

**정답 및 해설 I ①**

㉠ [O]

> 대통령령 **경찰공무원 승진임용 규정 제7조【근무성적 평정】** ① 총경 이하의 경찰공무원에 대해서는 매년 근무성적을 평정하여야 하며, 근무성적 평정의 결과는 승진 등 인사관리에 반영하여야 한다.

㉡ [O]

> 대통령령 **경찰공무원 승진임용 규정 제7조【근무성적 평정】** ③ 제2 평정 요소에 따른 근무성적 평정은 평정대상자의 계급별로 평정 결과가 다음 각 호의 분포비율에 맞도록 하여야 한다. 다만, 평정 결과 제4호에 해당하는 사람이 없는 경우에는 제4호의 비율을 제3호의 비율에 가산하여 적용한다. ➜ 1 + 2 + 3 + 4 = 10 / 중간층을 두껍게 / 상위권을 후하게
> 1. 수: 20퍼센트
> 2. 우: 40퍼센트
> 3. 양: 30퍼센트
> 4. 가: 10퍼센트

㉢ [×] 평정 결과는 공개하지 않으며, 평정 완료시 경찰청장이 대상 경찰공무원에게 평정 결과를 통보할 수 있다.

> 대통령령 **경찰공무원 승진임용 규정 제7조【근무성적 평정】** ⑤ 근무성적 평정 결과는 공개하지 아니한다. 다만, 경찰청장은 근무성적 평정이 완료되면 평정 대상 경찰공무원에게 해당 근무성적 평정 결과를 통보할 수 있다.

㉣ [×] 2개월이 지난 후부터 평정하여야 한다(제5항).

> 대통령령 **경찰공무원 승진임용 규정 제8조【근무성적 평정의 예외】** ① 휴직 · 직위해제 등의 사유로 해당 연도의 평정기관에서 6개월 이상 근무하지 아니한 경찰공무원에 대해서는 근무성적을 평정하지 아니한다.
> ③ 교육훈련 외의 사유로 국가기관, 지방자치단체 또는 인사혁신처장이 지정하는 기관에 2개월 이상 파견근무하게 된 경찰공무원에 대해서는 파견받은 기관의 의견을 고려하여 근무성적을 평정하여야 한다.
> ④ 평정대상자인 경찰공무원이 전보된 경우에는 그 경찰공무원의 근무성적 평정표를 전보된 기관에 이관하여야 한다. 다만, 평정기관을 달리하는 기관으로 전보된 후 2개월 이내에 정기평정을 할 때에는 전출기관에서 전출 전까지의 근무기간에 대한 근무성적을 평정하여 이관하여야 하며, 전입기관에서는 받은 평정 결과를 고려하여 평정하여야 한다.
> ⑤ 정기평정 이후에 신규채용되거나 승진임용된 경찰공무원에 대해서는 2개월이 지난 후부터 근무성적을 평정하여야 한다.

㉤ [O] 훈령 **경찰공무원 승진임용 규정 시행규칙 제4조【근무성적 평정 등의 시기】** ① 영 제7조에 따른 근무성적 평정, 영 제9조에 따른 경력 평정은 연 1회 실시한다.
② 근무성적 평정은 10월 31일을 기준으로 하고, 경력 평정은 12월 31일을 기준으로 한다. 다만, 총경과 경정의 경력 평정은 10월 31일을 기준으로 한다.

훈령 **경찰공무원 승진임용 규정 시행규칙 제6조【근무성적 평정자】** ① 근무성적 평정자는 3명으로 하되, 제1차 평정자는 평정대상자의 바로 위 감독자가 되고, 제2차 평정자는 제1차 평정자의 바로 위 감독자가 되며, 제3차 평정자는 제2차 평정자의 바로 위 감독자가 된다.
② 제1항에도 불구하고 경찰청장은 평정자를 특정하기가 곤란하다고 인정하는 경우에는 따로 평정자를 지정할 수 있다.

# 주제 4 경찰예산관리

## 047 다음 설명과 같은 특성을 가진 예산제도로 가장 적절한 것은? [2018 승진(경위)]

- 지출의 대상 · 성질을 기준으로 하여 세출예산의 금액 분류
- 회계책임이 명확하고, 인사행정에 유용한 정보와 자료를 제공하는 장점은 있지만, 기능의 중복을 피하기 곤란하다는 단점이 있다.

① 품목별 예산제도

② 영점기준예산

③ 자본예산제도

④ 일몰법

**정답 및 해설 | ①**

① [O] 이는 **품목별 예산제도**(LIBS: Line Item Budgeting System)에 대한 설명으로, 그 장 · 단점은 다음과 같다.

**☑ 품목별 예산제도(LIBS)의 장점 및 단점**

| 장점 | 단점 |
|---|---|
| • 회계책임의 명확화를 기할 수 있다.<br>• 예산의 운영과 지출이 합법적으로 이루어졌는지 회계검사가 쉬워 재정통제에 유리하다.<br>• 행정관료의 재량범위가 축소되어 부정과 예산남용을 방지할 수 있다.<br>• 인사행정에 필요한 품목(봉급 · 수당 · 휴가비 · 보상비 등)별로 금액이 책정되므로 소요예산을 쉽게 책정할 수 있어 인사행정에 유용한 정보 · 자료를 제공할 수 있다. | • 세부 품목별로 금액이 결정되어 있어 예산집행의 신축성이 저해된다.<br>• 기능별로 예산을 계상하지 않고 품목별로 계상하므로 기능의 중복을 피하기 곤란하다. 예 시계 · 핸드폰<br>• 같은 기능을 수행하기 위해 예산을 얼마나 절감하였는지 성과측정이 곤란하다.<br>• 무엇을 구매하는지는 알 수 있지만 왜 사는지는 알 수 없어 지출목적이 불분명하다.<br>• 물가변동 등에 따른 계획과 지출의 불일치에 대응하기 어렵다.<br>• 품목별 비용을 따지는 미시적 관리로 전체적인 정부활동 조정에 필요한 역할을 하기 어렵고, 의사결정을 위한 자료를 제시하기 부족하다. |

**048** 성과주의 예산제도에 대한 설명으로 가장 적절하지 않은 것은? [2020 실무 1]

① 경비를 지출하기 위한 사업이나 기능에 대하여 그 사업이나 기능을 수행하기 위하여 어느 정도의 예산이 소요되는지를 명백하게 나타내기 위한 예산제도이다.

② 인건비 등 경직성 경비에 대한 적용이 용이하다는 장점이 있다.

③ 해당 부서의 업무능률은 측정하여 다음 연도 예산에 반영할 수 있다는 장점이 있다.

④ 단위원가 계산이 곤란하고, 업무측정단위를 선정하기 어렵다는 단점이 있다.

**정답 및 해설 I ②**

② [×] **성과주의 예산제도**(PBS: Performance Budgeting System)는 예산의 통제보다는 정부가 수행하는 업무성과에 초점을 두는 예산으로서, 예산항목을 사업별 · 활동별로 분류한 다음 각 항목별 업무량과 단위원가를 산출하여 '단위원가 × 업무량 = 예산액'으로 표시하여 편성하는 예산으로서, 인건비 등 경직성 경비에 적용이 어렵다는 단점이 있다. 성과주의 예산제도의 장 · 단점은 다음과 같다.

☑ 성과주의 예산제도(PBS)의 장점 및 단점

| 장점 | 단점 |
|---|---|
| • 사업별 · 활동별로 예산이 편성되므로 국민이 경찰의 활동과 목적을 이해하기 쉽다.<br>• 업무규모와 단위, 단위원가가 분석 · 계산되므로 자원배분의 합리성을 제고할 수 있다.<br>• 개별품목별로 예산을 계상하지 않으므로 예산집행의 신축성을 기할 수 있다.<br>• 해당 부서의 업무능률을 측정하여 다음 연도 예산에 반영하기 쉽다. | • 단위원가 및 업무측정단위 산정이 어려운 경우가 있다.<br>예 연구개발과 같은 무형적 사업<br>• 인건비와 같은 경직성 경비에는 적용이 어려워 기본경비에 대한 적용이 곤란하다.<br>• 품목별 예산제도에 비해 회계책임이 불분명해지고 입법적 통제가 어려워진다. |

**049** 예산제도에 대한 다음 설명 중 가장 옳지 않은 것은? [2017 경간]

① 품목별 예산제도는 기능의 중복을 피하기 용이하지만, 행정책임의 소재와 회계책임을 명확히 할 수 없다는 단점이 있다.

② 품목별 예산제도는 통제지향적이라 볼 수 있으며, 관계공무원에게 필요한 핵심적 기술로 회계기술을 꼽는다.

③ 성과주의 예산제도는 정부의 기능 · 활동 · 사업계획을 세부사업으로 분류하고 각 세부사업을 '단위 원가 × 업무량 = 예산액'으로 표시하여 편성하는 예산제도이다.

④ 성과주의 예산제도는 일반국민이 정부사업에 대한 이해가 용이하다는 장점을 갖는다.

**정답 및 해설 I ①**

① [×] **품목별 예산제도**(LIBS: Line Item Budgeting System)는 회계책임의 명확화를 기할 수 있고 예산의 운영과 지출이 합법적으로 이루어졌는지 회계검사가 쉬워 재정통제에 유리하다는 장점이 있으나, 기능별로 예산을 계상하지 않고 품목별로 계상하므로 기능의 중복을 피하기 곤란하다는 단점이 있다. 예 시계 · 핸드폰

② [○] **품목별 예산제도**(LIBS: Line Item Budgeting System)는 예산담당 공무원에게 회계기술을 갖출 것을 요구하는 제도로서, 개별 지출품목마다 비용이 명시되어 있으므로 예산낭비 · 부당집행의 방지 및 감독부서의 결산검사, 그리고 국회의 통제가 용이하다. ➔ 통제지향적

③④ [○] **성과주의 예산제도**(PBS: Performance Budgeting System)는 예산의 통제보다는 정부가 수행하는 업무성과에 초점을 두는 예산으로서, 예산항목을 사업별 · 활동별로 분류한 다음 각 항목별 업무량과 단위원가를 산출하여 '단위원가 × 업무량 = 예산액'으로 표시하여 편성하는 예산으로, 사업별 · 활동별로 예산이 편성되므로 국민이 경찰의 활동과 목적을 이해하기 쉽다는 장점이 있다.

**050** 예산제도에 대한 설명으로 가장 적절한 것은? [2019 승진(경감)]

① 품목별 예산제도는 지출의 대상 · 성질을 기준으로 세출예산의 금액을 분류하는 통제지향적 제도로 회계책임의 명확화를 통해 계획과 지출의 불일치를 극복할 수 있다는 장점이 있다.

② 성과주의 예산제도는 정부가 구입하는 물품보다 정부가 수행하는 업무에 중점을 두는 관리지향적 예산제도로 기능의 중복을 피하기가 곤란하고 인건비 등 경직성 경비에 적용이 어렵다.

③ 영기준예산제도는 예산편성시 전년도 예산을 기준으로 점증적으로 예산을 책정하는 폐단을 탈피하기 위한 예산제도이다.

④ 일몰법은 특정의 행정기관이나 사업이 일정기간 지나면 의무적 자동적으로 폐지되게 하는 예산제도로 행정부가 예산편성을 통해 정하며 중요사업에 대해 적용된다.

**정답 및 해설 I ③**

③ [○] **영기준예산제도**(ZBB: Zero Based Budgeting)는 조직체의 모든 사업 · 활동에 대하여 영기준을 적용해서 각각 효과성 · 효율성 및 중요도 등을 체계적으로 분석하여 사업의 축소 · 확대 여부를 **매년 원점에서 다시 검토하여 우선순위가 높은 사업을 선택하여 예산을 집행**하는 제도로서, 예산편성시 전년도 예산을 기준으로 점증적으로 예산액을 책정하는 폐단을 시정하려는 목적에서 유래하였다.

① [×] 전체적으로 품목별 예산제도에 대한 옳은 설명이다. 다만, 물가변동 등에 따른 **계획과 지출의 불일치**에 대응하기 어렵다는 것은 품목별 예산제도의 단점에 해당한다.

② [×] 기능의 중복을 피하기가 곤란하다는 것은 품목별 예산제도의 단점에 해당한다.

④ [×] 일몰법도 법률이므로 입법부인 국회가 정한다. 예 **기업구조조정 촉진법 부칙 제2조【유효기간】** ① 이 법은 이 법 시행일부터 5년이 되는 날까지 효력을 가진다.

**051** 예산제도에 관한 설명으로 적절하지 <u>않은</u> 것을 모두 고른 것은? [2017 실무 1]

| |
|---|
| ㉠ 품목별 예산제도는 비교적 운용하기 쉬우나 회계책임이 분명하지 아니한 단점이 있다.<br>㉡ 영점기준예산제도는 3년 주기로 사업의 우선순위를 새로이 결정하여 그에 따라 예산을 책정하는 방식이다.<br>㉢ 계획예산제도는 정부활동의 목표와 그 성취에 초점을 맞추고 예산기능과 계획기능의 연계를 강조하는 모형이다.<br>㉣ 성과주의 예산제도는 국민의 입장에서 경찰활동을 쉽게 이해할 수 있는 장점이 있다. |

① ㉠, ㉡
② ㉠, ㉢
③ ㉡, ㉢
④ ㉢, ㉣

**정답 및 해설 I ①**

㉠ [×] **품목별 예산제도**(LIBS: Line Item Budgeting System)는 다른 제도에 비해 비교적 운용하기가 쉬워 현재 우리 정부(경찰)를 비롯하여 세계적으로 가장 많이 활용되는 예산방식으로서, **회계책임의 명확화**를 기할 수 있다.

㉡ [×] **영기준예산제도**(ZBB: Zero Based Budgeting)는 3년 단위가 아니라 **매년** 사업의 축소 · 확대 여부 등 우선순위를 새로이 결정한다.

㉢ [○] **계획예산제도**(PPBS: Planning Programming Budgeting System)는 활동목표 · 성취지향적이며 계획기능과 예산기능 연계를 강조한다.

㉣ [○] **성과주의 예산제도**(PBS: Performance Budgeting System)는 사업별 · 활동별로 예산이 편성되므로 **국민이 경찰의 활동과 목적을 이해하기 쉽다.**

## 052 예산제도에 대한 설명 중 가장 옳은 것은? [2018 경채]

① 품목별 예산제도는 지출의 대상, 성질을 기준으로 세출예산의 금액을 분류함으로써 단위원가의 계산이 중요하고 정부가 수행하는 업무에 중점을 두는 관리지향적 예산제도이다.

② 계획예산제도는 장기적인 기획과 단기적인 예산을 프로그램 작성을 통하여 유기적으로 결합하여 회계책임이 명확해지고, 인사행정에 유용한 정보와 자료를 제공할 수 있다는 장점이 있다.

③ 일몰법은 특정의 행정기관이나 사업이 일정기간 경과하면 의무적 · 자동적으로 폐지되게 하는 법률을 말하며 입법부에서 제정한다.

④ 추가경정예산은 회계연도 개시 전까지 예산의 불성립시에 전년도 예산에 준하여 지출하는 예산제도이다.

**정답 및 해설 I ③**

③ [○] **일몰법**은 특정한 정부조직이나 사업이 일정기간 경과하면 별도의 연장입법이 없는 한 의무적 · 자동적으로 폐지되도록 한 법률을 말하는 것으로서, 영기준예산과 함께 감축지향적 예산제도로서 중요한 의미를 갖는다. 일몰법도 법률이므로 당연히 입법부에서 제정한다.

① [×] 품목별 예산제도는 지출의 대상, 성질을 기준으로 세출예산 금액을 분류한다는 설명은 옳다. 다만, 단위원가 계산이 중요한 관리 지향적 예산제도는 성과주의 예산제도에 대한 설명이다.

② [×] 회계책임이 명확해지고, 인사행정에 유용한 정보와 자료를 제공할 수 있다는 장점은 품목별 예산제도의 장점에 해당한다.

④ [×] **추가경정예산**은 예산이 국회에서 의결된 후 새로운 사정으로 인해 소요경비의 과부족이 생길 때 본예산에 추가 또는 변경을 가하는 예산을 말한다. 지문은 **준예산**에 대한 설명이다.

## 053 예산제도에 관한 설명으로 가장 적절하지 않은 것은? [2023 채용 2차]

① 영기준 예산제도는 전년도 예산을 기준으로 하여 점증적으로 예산액을 결정하는데서 생기는 폐단을 시정하려고 개발한 것이다.

② 품목별 예산제도는 일반 국민들이 정부사업에 대한 이해를 용이하게 하지만 인건비 등 경직성 경비적용에 어려움이 있다.

③ 계획예산의 핵심은 프로그램 예산형식을 따르는 것으로서, 기획(planning), 사업구조화(programming), 예산(budgeting)을 연계시킨 시스템적 예산제도이다.

④ 준예산은 새로운 회계연도가 개시될 때까지 국회에서 예산안이 의결되지 못한 경우 예산안이 의결될 때까지 전년도 예산에 준하여 지출하는 예산이다.

**정답 및 해설 I ②**

② [×] **성과주의 예산제도**에 대한 설명이다.

| 장점 | 단점 |
|---|---|
| • 사업별 · 활동별로 예산이 편성되므로 **국민이 경찰의 활동과 목적을 이해하기 쉽다.**<br>• 업무규모와 단위, 단위원가가 분석 · 계산되므로 **자원배분의 합리성을 제고할 수 있다.**<br>• 개별품목별로 예산을 계상하지 않으므로 **예산집행의 신축성을 기할 수 있다.**<br>• 해당 부서의 업무능률을 측정하여 다음 연도 예산에 반영하기 쉽다. | • **단위원가 및 업무측정단위 산정이 어려운 경우가 있다.** 예 연구개발과 같은 무형적 사업<br>• 인건비와 같은 경직성 경비에는 적용이 어려워 **기본경비에 대한 적용이 곤란하다.**<br>• 품목별 예산제도에 비해 **회계책임이 불분명해지고 입법적 통제가 어려워진다.** |

**054** 「국가재정법」상 경찰예산에 관한 설명으로 가장 적절하지 <u>않은</u> 것은? [2024 1차 채용]

① 경찰청장은 매년 1월 31일까지 해당 회계연도부터 5회계연도 이상의 기간 동안의 신규사업 및 경찰청장이 정하는 주요 계속사업에 대한 중기사업계획서를 기획재정부장관에게 제출하여야 한다.

② 기획재정부장관은 국무회의의 심의를 거쳐 대통령의 승인을 얻은 다음 연도의 예산안편성지침을 매년 3월 31일까지 경찰청장에게 통보하여야 한다.

③ 감사원은 제출된 국가결산보고서를 검사하고 그 보고서를 다음연도 5월 20일까지 기획재정부장관에게 송부하여야 한다.

④ 경찰청장은 예산이 확정된 후 예산배정요구서를 기획재정부장관에게 제출하여야 하고, 기획재정부장관은 제출된 예산배정요구서에 따라 분기별 예산배정계획을 작성하여 국무회의의 심의를 거친 후 대통령의 승인을 얻어야 한다.

**정답 및 해설 I ①**

① [×] 기획재정부장관에게 제출되는 사업계획서에 기재되는 계속사업의 기준은 제출받는 기획재정부장관이 정하는 것이 타당할 것이다.

> **국가재정법 제28조【중기사업계획서의 제출】** 각 중앙관서의 장은 매년 1월 31일까지 해당 회계연도부터 5회계연도 이상의 기간 동안의 신규사업 및 기획재정부장관이 정하는 주요 계속사업에 대한 중기사업계획서를 기획재정부장관에게 제출하여야 한다.

② [○]

> **국가재정법 제29조【예산안편성지침의 통보】** ① 기획재정부장관은 국무회의의 심의를 거쳐 대통령의 승인을 얻은 다음 연도의 예산안편성지침을 매년 3월 31일까지 각 중앙관서의 장에게 통보하여야 한다.

③ [○]

> **국가재정법 제60조【결산검사】** 감사원은 제59조에 따라 제출된 국가결산보고서를 검사하고 그 보고서를 다음 연도 5월 20일까지 기획재정부장관에게 송부하여야 한다.

④ [○]

> **국가재정법 제42조【예산배정요구서의 제출】** 각 중앙관서의 장은 예산이 확정된 후 사업운영계획 및 이에 따른 세입세출예산 · 계속비와 국고채무부담행위를 포함한 예산배정요구서를 기획재정부장관에게 제출하여야 한다.
>
> **국가재정법 제43조【예산의 배정】** ① 기획재정부장관은 제42조의 규정에 따른 예산배정요구서에 따라 분기별 예산배정계획을 작성하여 국무회의의 심의를 거친 후 대통령의 승인을 얻어야 한다.

## 055 다음은 경찰예산의 과정을 순서 없이 나열한 것이다. 과정의 순서를 가장 바르게 나열한 것은?

[2020 채용 2차]

| |
|---|
| ㉠ 경찰청장은 다음 연도의 세입세출예산 · 계속비 · 명시이월비 및 국고채무부담행위 요구서를 작성하여 기획재정부장관에게 제출한다.<br>㉡ 기획재정부장관은 대통령의 승인을 받은 국가결산보고서를 감사원에 제출하여야 한다.<br>㉢ 정부는 국가결산보고서를 국회에 제출하여야 한다.<br>㉣ 경찰청장은 예산배정요구서를 기획재정부장관에게 제출하여야 한다.<br>㉤ 기획재정부장관은 국무회의 심의를 거쳐 대통령의 승인을 얻은 다음 연도의 예산편성지침을 경찰청장에게 통보한다.<br>㉥ 정부는 대통령의 승인을 얻은 예산안을 국회에 제출하고 국회는 심의와 의결을 거쳐 예산안을 확정한다. |

① ㉤ - ㉠ - ㉣ - ㉥ - ㉢ - ㉡
② ㉠ - ㉤ - ㉥ - ㉣ - ㉢ - ㉡
③ ㉤ - ㉠ - ㉥ - ㉣ - ㉡ - ㉢
④ ㉣ - ㉤ - ㉠ - ㉥ - ㉡ - ㉢

**정답 및 해설 I ③**

③ [○] 예산절차의 전체적인 과정은 다음과 같다.

| |
|---|
| **예산안 편성**(행정부) ➔ **예산안 심의 · 의결**(입법부) ➔ **예산집행**(행정부) ➔ **예산결산**(행정부 · 입법부) |

먼저 **정부의 예산안 편성절차**는

㉤ 기획재정부장관이 다음 연도 예산안 편성지침을 경찰청장과 같은 중앙관서의 장에게 하달(통보)하면,

㉠ 중앙관서의 장은 하달받은 예산안 편성지침에 따라 다음 연도 예산요구서를 작성하여 기획재정부장관에게 제출하고,

㉥ 기획재정부장관은 중앙관서의 장들이 제출한 예산요구서를 취합하여 예산안을 작성하여 국무회의 심의, 대통령 승인을 받아 정부 예산안을 완성시킨 후, 정부는 이와같이 완성된 정부 예산안을 국회에 제출한다.

⬇

다음으로 **국회의 예산안 심의 · 의결절차**는(㉥의 뒷부분), 소관 상임위원회 예비심사 ➔ 예산결산특별위원회의 종합심사 ➔ 국회 본회의 심의 · 의결 ➔ 정부이송의 과정을 거치게 된다.

⬇

위와 같이 국회에서 확정된 예산은 **행정부에서 집행**을 할 수 있게 되는데,

㉣ 각 중앙관서의 장들은 예산배정요구서를 기획재정부장관에게 제출하고,

- 기획재정부 장관은 분기별 예산배정계획서를 작성하여 국무회의 심의, 대통령 승인을 받은 후 이 계획서에 따라 각 중앙관서의 장에게 예산을 배정하며,
- 이렇게 예산이 실제 배정이 되면 비로소 각 중앙관서의 장은 예산을 실제로 집행할 수 있게 된다.

⬇

마지막으로 각 중앙관서의 장들의 예산집행에 대해서는 **결산절차**를 거치게 되는데,
각 중앙관서의 장들은 중앙관서결산보고서를 기획재정부장관에게 제출하고,

㉡ 기획재정부장관은 중앙관서결산보고서를 취합하여 국가결산보고서를 작성 후 대통령 승인을 받아 감사원에 제출하며,

㉢ 감사원이 국가결산보고서검사를 마치고 나면 이를 정부가 국회에 제출하게 된다.

## 056 「국가재정법」상 예산안의 편성 절차를 순서대로 나열한 것으로 가장 적절한 것은? [2023 승진]

| |
|---|
| ㉠ 기획재정부장관은 국무회의의 심의를 거쳐 대통령의 승인을 얻은 다음 연도의 예산안편성지침을 각 중앙관서의 장에게 통보하여야 한다.<br>㉡ 기획재정부장관은 예산요구서에 따라 예산안을 편성하여 국무회의의 심의를 거친 후 대통령의 승인을 얻어야 한다.<br>㉢ 각 중앙관서의 장은 예산안편성지침에 따라 그 소관에 속하는 다음 연도의 세입세출예산 · 계속비 · 명시이월비 및 국고채무부담 행위 요구서를 작성하여 기획재정부장관에게 제출하여야 한다.<br>㉣ 기획재정부장관은 각 중앙관서의 장에게 통보한 예산안 편성지침을 국회 예산결산 특별위원회에 보고하여야 한다. |

① ㉠ ➔ ㉡ ➔ ㉢ ➔ ㉣
② ㉠ ➔ ㉣ ➔ ㉢ ➔ ㉡
③ ㉣ ➔ ㉠ ➔ ㉢ ➔ ㉡
④ ㉣ ➔ ㉢ ➔ ㉠ ➔ ㉡

**정답 및 해설 I ②**

정부의 예산안 편성절차는

㉠ 기획재정부 장관이 다음 연도 예산안 **편성지침**을 경찰청장과 같은 중앙관서의 장에게 하달(통보)하되,

㉣ 기획재정부 장관은 통보한 예산안 **편성지침**을 국회 예산결산 특별위원회에 보고하여야 하며,

| |
|---|
| **국가재정법 제30조【예산안편성지침의 국회보고】** 기획재정부장관은 제29조 제1항의 규정에 따라 각 중앙관서의 장에게 통보한 **예산안편성지침**을 국회 예산결산특별위원회에 보고하여야 한다. |

㉢ 중앙관서의 장은 하달받은 예산안 편성지침에 따라 다음 연도 **예산요구서**를 작성하여 기획재정부 장관에게 제출하고,

㉡ 기획재정부 장관은 중앙관서의 장들이 제출한 예산요구서를 취합하여 예산안을 작성하여 국무회의 심의 · 대통령 승인을 받아 **정부 예산안**을 완성시킨 후, 정부는 이와같이 완성된 정부 예산안을 국회에 제출한다.

## 057 「국가재정법」상 예산안의 편성과 집행에 관한 설명으로 가장 적절하지 <u>않은</u> 것은? [2023 채용 1차]

① 각 중앙관서의 장은 예산안편성지침에 따라 그 소관에 속하는 다음 연도의 세입세출예산 · 계속비 · 명시이월비 및 국고채무부담행위 요구서를 작성하여 매년 5월 31일까지 기획재정부장관에게 제출하여야 한다.
② 기획재정부장관은 예산요구서에 따라 예산안을 편성하여 국회심의를 거친 후 대통령의 승인을 얻어야 한다.
③ 각 중앙관서의 장은 예산이 확정된 후 사업운영계획 및 이에 따른 세입세출예산 · 계속비와 국고채무부담행위를 포함한 예산 배정요구서를 기획재정부장관에게 제출하여야 한다.
④ 기획재정부장관은 각 중앙관서의 장에게 예산을 배정한 때에는 감사원에 통지하여야 한다.

**정답 및 해설 I ②**

② [×] 국무회의의 심의를 거친 후 대통령의 승인을 얻어야 한다.

| |
|---|
| **국가재정법 제32조【예산안의 편성】** 기획재정부장관은 제31조 제1항의 규정에 따른 예산요구서에 따라 예산안을 편성하여 국무회의의 심의를 거친 후 대통령의 승인을 얻어야 한다. |

① [○]

> **국가재정법 제31조【예산요구서의 제출】** ① 각 중앙관서의 장은 제29조의 규정에 따른 예산안편성지침에 따라 그 소관에 속하는 다음 연도의 세입세출예산 · 계속비 · 명시이월비 및 국고채무부담행위 요구서(이하 "예산요구서"라 한다)를 작성하여 매년 5월 31일까지 기획재정부장관에게 제출하여야 한다.
> ② 예산요구서에는 대통령령으로 정하는 바에 따라 예산의 편성 및 예산관리기법의 적용에 필요한 서류를 첨부하여야 한다.

③ [○]

> **국가재정법 제42조【예산배정요구서의 제출】** 각 중앙관서의 장은 예산이 확정된 후 사업운영계획 및 이에 따른 세입세출예산 · 계속비와 국고채무부담행위를 포함한 예산배정요구서를 기획재정부장관에게 제출하여야 한다.

④ [○]

> **국가재정법 제43조【예산의 배정】** ② 기획재정부장관은 각 중앙관서의 장에게 예산을 배정한 때에는 감사원에 통지하여야 한다.



## 058 「국가재정법」상 예산안의 편성을 설명한 것으로 가장 적절하지 않은 것은? [2016 지능범죄]

① 각 중앙관서의 장은 매년 1월 31일까지 당해 회계연도부터 5회계연도 이상의 기간 동안의 신규사업 및 기획재정부장관이 정하는 주요 계속사업에 대한 중기사업계획서를 기획재정부장관에게 제출하여야 한다.

② 기획재정부장관은 국무회의의 심의를 거쳐 대통령의 승인을 얻은 다음 연도의 예산안편성지침을 매년 3월 31일까지 각 중앙관서의 장에게 통보하여야 한다.

③ 예산요구서에는 대통령령이 정하는 바에 따라 예산의 편성 및 예산관리기법의 적용에 필요한 서류를 첨부하여야 한다.

④ 정부는 제32조(예산안의 편성)의 규정에 따라 대통령의 승인을 얻은 예산안을 회계연도 개시 90일 전까지 국회에 제출하여야 한다.

**정답 및 해설 | ④**

④ [×] 국가재정법은 120일 전까지 제출하도록 규정하고 있다(헌법은 90일 전까지 제출하도록 규정).

> **헌법 제54조** ② 정부는 회계연도마다 예산안을 편성하여 **회계연도 개시 90일전까지** 국회에 제출하고, 국회는 회계연도 개시 30일전까지 이를 의결하여야 한다.
> **국가재정법 제32조【예산안의 편성】** 기획재정부장관은 제31조 제1항의 규정에 따른 예산요구서에 따라 예산안을 편성하여 국무회의의 심의를 거친 후 대통령의 승인을 얻어야 한다.
> **국가재정법 제33조【예산안의 국회제출】** 정부는 제32조의 규정에 따라 대통령의 승인을 얻은 예산안을 **회계연도 개시 120일 전까지** 국회에 제출하여야 한다.

① [○]

> **국가재정법 제28조【중기사업계획서의 제출】** 각 중앙관서의 장은 **매년 1월 31일까지** 해당 회계연도부터 5회계연도 이상의 기간 동안의 신규사업 및 기획재정부장관이 정하는 주요 계속사업에 대한 중기사업계획서를 기획재정부장관에게 제출하여야 한다

② [○]

> **국가재정법 제29조【예산안편성지침의 통보】** ① 기획재정부장관은 **국무회의의 심의를 거쳐 대통령의 승인을 얻은** 다음 연도의 예산안편성지침을 매년 3월 31일까지 각 중앙관서의 장에게 통보하여야 한다.

③ [○]


> **국가재정법 제31조【예산요구서의 제출】** ① 각 중앙관서의 장은 제29조의 규정에 따른 예산안편성지침에 따라 그 소관에 속하는 다음 연도의 세입세출예산 · 계속비 · 명시이월비 및 국고채무부담행위 요구서(이하 "예산요구서"라 한다)를 작성하여 매년 5월 31일까지 기획재정부장관에게 제출하여야 한다.
> ② 예산요구서에는 대통령령으로 정하는 바에 따라 예산의 편성 및 예산관리기법의 적용에 필요한 서류를 첨부하여야 한다.

**059** 「국가재정법」상 예산안의 편성에 대한 내용으로 가장 적절하지 않은 것은? [2018 채용 1차]

① 각 중앙관서의 장은 매년 1월 31일까지 당해 회계연도부터 3회계연도 이상의 기간 동안의 신규사업 및 기획재정부장관이 정하는 주요 계속사업에 대한 중기사업계획서를 기획재정부장관에게 제출하여야 한다.

② 기획재정부장관은 국무회의의 심의를 거쳐 대통령의 승인을 얻은 다음 연도의 예산안편성지침을 매년 3월 31일까지 각 중앙관서의 장에게 통보하여야 한다.

③ 각 중앙관서의 장은 제29조의 규정에 따른 예산안편성지침에 따라 그 소관에 속하는 다음 연도의 세입세출 예산 · 계속비 · 명시이월비 · 국고채무부담행위 요구서를 작성하여 매년 5월 31일까지 기획재정부장관에게 제출하여야 한다.

④ 정부는 제32조의 규정에 따라 대통령의 승인을 얻은 예산안을 회계연도 개시 120일 전까지 국회에 제출하여야 한다.

**정답 및 해설 | ①**

① [×] 3회계연도가 아닌 5회계연도이다.

> **국가재정법 제28조 【중기사업계획서의 제출】** 각 중앙관서의 장은 매년 1월 31일까지 해당 회계연도부터 5회계연도 이상의 기간 동안의 신규사업 및 기획재정부장관이 정하는 주요 계속사업에 대한 중기사업계획서를 기획재정부장관에게 제출하여야 한다. 예 2022년 1월 31일까지, 2022 · 23 · 24 · 25 · 26년도 기간동안의 신규사업 · 중기사업계획서 제출

② [○]

> **국가재정법 제29조 【예산안편성지침의 통보】** ① 기획재정부장관은 국무회의의 심의를 거쳐 대통령의 승인을 얻은 다음 연도의 예산안편성지침을 매년 3월 31일까지 각 중앙관서의 장에게 통보하여야 한다.

③ [○]

> **국가재정법 제31조 【예산요구서의 제출】** ① 각 중앙관서의 장은 제29조의 규정에 따른 예산안편성지침에 따라 그 소관에 속하는 다음 연도의 세입세출예산 · 계속비 · 명시이월비 및 국고채무부담행위 요구서(이하 "예산요구서"라 한다)를 작성하여 매년 5월 31일까지 기획재정부장관에게 제출하여야 한다.

④ [○]

> **국가재정법 제32조 【예산안의 편성】** 기획재정부장관은 제31조 제1항의 규정에 따른 예산요구서에 따라 예산안을 편성하여 국무회의의 심의를 거친 후 대통령의 승인을 얻어야 한다.
>
> **국가재정법 제33조 【예산안의 국회제출】** 정부는 제32조의 규정에 따라 대통령의 승인을 얻은 예산안을 회계연도 개시 120일 전까지 국회에 제출하여야 한다.

**060** 「국가재정법」상 예산 편성 및 집행에 관한 설명 중 가장 적절하지 않은 것은? [2022 채용 1차]

① 각 중앙관서의 장은 제29조의 규정에 따른 예산안편성지침에 따라 그 소관에 속하는 당해 연도의 세입세출 예산 · 계속비 · 명시이월비 및 국고채무부담행위 요구서를 작성하여 매년 3월 31일까지 기획재정부장관에게 제출하여야 한다.

② 각 중앙관서의 장은 매년 1월 31일까지 해당 회계연도부터 5회계연도 이상의 기간 동안의 신규사업 및 기획재정부장관이 정하는 주요 계속사업에 대한 중기사업계획서를 기획재정부장관에게 제출하여야 한다.

③ 기획재정부장관은 각 중앙관서의 장에게 예산을 배정한 때에는 감사원에 통지하여야 한다.

④ 정부는 제32조의 규정에 따라 대통령의 승인을 얻은 예산안을 회계연도 개시 120일 전까지 국회에 제출하여야 한다.

**정답 및 해설 I ①**

① [×] 다음 연도의 예산요구서를 매년 5월 31일까지 기획재정부장관에게 제출하는 것이다.

> **국가재정법 제31조【예산요구서의 제출】** ① 각 중앙관서의 장은 제29조의 규정에 따른 예산안편성지침에 따라 그 소관에 속하는 다음 연도의 세입세출예산 · 계속비 · 명시이월비 및 국고채무부담행위 요구서(이하 "예산요구서"라 한다)를 작성하여 매년 5월 31일까지 기획재정부장관에게 제출하여야 한다.

② [○]

> **국가재정법 제28조【중기사업계획서의 제출】** 각 중앙관서의 장은 매년 1월 31일까지 해당 회계연도부터 5회계연도 이상의 기간 동안의 신규사업 및 기획재정부장관이 정하는 주요 계속사업에 대한 중기사업계획서를 기획재정부장관에게 제출하여야 한다. 예 2022년 1월 31일까지, 2022 · 23 · 24 · 25 · 26년도 기간동안의 신규사업 · 중기사업계획서 제출

③ [○]

> **국가재정법 제43조【예산의 배정】** ② 기획재정부장관은 각 중앙관서의 장에게 예산을 배정한 때에는 감사원에 통지하여야 한다.

④ [○]

> **국가재정법 제32조【예산안의 편성】** 기획재정부장관은 제31조 제1항의 규정에 따른 예산요구서에 따라 예산안을 편성하여 국무회의의 심의를 거친 후 대통령의 승인을 얻어야 한다.
>
> **국가재정법 제33조【예산안의 국회제출】** 정부는 제32조의 규정에 따라 대통령의 승인을 얻은 예산안을 회계연도 개시 120일 전까지 국회에 제출하여야 한다.



**061** 「국가재정법」상 경찰 예산안의 편성에 대한 설명으로 가장 적절하지 않은 것은? [2020 승진(경감)]

① 경찰청장은 매년 1월 31일까지 당해 회계연도부터 5회계연도 이상의 기간 동안의 신규사업 및 기획재정부장관이 정하는 주요 계속사업에 대한 중기사업계획서를 기획재정부장관에게 제출하여야 한다.

② 기획재정부장관은 국무회의의 심의를 거쳐 대통령의 승인을 얻은 다음 연도의 예산안편성지침을 매년 3월 31일까지 경찰청장에게 통보하여야 한다.

③ 경찰청장은 예산안편성지침에 따라 그 소관에 속하는 다음 연도의 세입세출예산 · 계속비 · 명시이월비 및 국고채무부담행위 요구서를 작성하여 매년 5월 31일까지 기획재정부장관에게 제출하여야 한다.

④ 기획재정부장관은 예산요구서에 따라 예산안을 편성하여 국회의 심의를 거친 후 대통령의 승인을 얻어야 한다.

**정답 및 해설 I ④**

④ [×] 국회의 심의가 아닌 국무회의의 심의이다.

> **국가재정법 제32조【예산안의 편성】** 기획재정부장관은 제31조 제1항의 규정에 따른 예산요구서에 따라 예산안을 편성하여 국무회의의 심의를 거친 후 대통령의 승인을 얻어야 한다.

① [○]

> **국가재정법 제28조【중기사업계획서의 제출】** 각 중앙관서의 장은 매년 1월 31일까지 해당 회계연도부터 5회계연도 이상의 기간 동안의 신규사업 및 기획재정부장관이 정하는 주요 계속사업에 대한 중기사업계획서를 기획재정부장관에게 제출하여야 한다.

② [○]

> **국가재정법 제29조【예산안편성지침의 통보】** ① 기획재정부장관은 국무회의의 심의를 거쳐 대통령의 승인을 얻은 다음 연도의 예산안편성지침을 매년 3월 31일까지 각 중앙관서의 장에게 통보하여야 한다.

③ [○]

> **국가재정법 제31조【예산요구서의 제출】** ① 각 중앙관서의 장은 제29조의 규정에 따른 예산안편성지침에 따라 그 소관에 속하는 다음 연도의 세입세출예산 · 계속비 · 명시이월비 및 국고채무부담행위 요구서(이하 "예산요구서"라 한다)를 작성하여 매년 5월 31일까지 기획재정부장관에게 제출하여야 한다.

**062** 「국가재정법」상 경찰예산의 집행에 대한 설명으로 가장 적절하지 않은 것은? [2015 채용 1차]

① 경찰청장은 예산이 확정된 후 사업운영계획 및 이에 따른 세입세출예산 · 계속비와 국고채무부담행위를 포함한 예산배정요구서를 기획재정부장관에게 제출하여야 한다.

② 기획재정부장관은 경찰청장에게 예산을 배정한 때에는 감사원에 통지하여야 한다.

③ 기획재정부장관은 예산집행의 효율성을 높이기 위하여 매년 예산집행에 관한 지침을 작성하여 경찰청장에게 통보하여야 한다.

④ 경찰청장은 세출예산이 정한 목적 외에 경비를 사용할 수 있다.

**정답 및 해설 I ④**

④ [×] 목적 외 경비를 사용할 수 없다.

> **국가재정법 제45조【예산의 목적 외 사용금지】** 각 중앙관서의 장은 세출예산이 정한 목적 외에 경비를 사용할 수 없다.

① [○]

> **국가재정법 제42조【예산배정요구서의 제출】** 각 중앙관서의 장은 예산이 확정된 후 사업운영계획 및 이에 따른 세입세출예산 · 계속비와 국고채무부담행위를 포함한 예산배정요구서를 기획재정부장관에게 제출하여야 한다.

② [○]

> **국가재정법 제43조【예산의 배정】** ② 기획재정부장관은 각 중앙관서의 장에게 예산을 배정한 때에는 감사원에 통지하여야 한다.

③ [○]

> **국가재정법 제44조【예산집행지침의 통보】** 기획재정부장관은 예산집행의 효율성을 높이기 위하여 매년 예산집행에 관한 지침을 작성하여 각 중앙관서의 장에게 통보하여야 한다.

**063** 「국가재정법」상 경찰예산에 대한 설명으로 가장 적절하지 않은 것은? [2022 경간]

① 경찰청장은 매년 1월 31일까지 당해 회계연도부터 5회계연도 이상의 기간 동안의 신규사업 및 기획재정부장관이 정하는 주요 계속사업에 대한 중기사업계획서를 기획재정부장관에게 제출하여야 한다.

② 경찰청장은 예산이 확정된 후 사업운영계획 및 이에 따른 세입세출예산 · 계속비와 국고채무 부담행위를 포함한 예산배정요구서를 기획재정부장관에게 제출하여야 한다.

③ 경찰청장은 세출예산이 정한 목적 외에 경비를 사용할 수 없다.

④ 경찰청장은 「국가재정법」 제29조의 규정에 따른 예산안편성지침에 따라 그 소관에 속하는 다음 연도의 세입세출예산 · 계속비 · 명시이월비 및 국고채무부담행위 요구서를 작성하여 매년 6월 30일까지 우선 행정안전부장관에게 제출하여야 한다.

**정답 및 해설 I ④**

④ [×] **예산요구서**는 중앙관서의 장이 매년 **5월 31일까지, 기획재정부장관**에게 제출하여야 한다.

> **국가재정법 제31조【예산요구서의 제출】** ① 각 중앙관서의 장은 제29조의 규정에 따른 예산안편성지침에 따라 그 소관에 속하는 다음 연도의 세입세출예산 · 계속비 · 명시이월비 및 국고채무부담행위 요구서(이하 "예산요구서"라 한다)를 작성하여 **매년 5월 31일까지** 기획재정부장관에게 제출하여야 한다.

① [○]

> **국가재정법 제28조【중기사업계획서의 제출】** 각 중앙관서의 장은 **매년 1월 31일까지** 해당 회계연도부터 5회계연도 이상의 기간 동안의 신규사업 및 기획재정부장관이 정하는 주요 계속사업에 대한 중기사업계획서를 기획재정부장관에게 제출하여야 한다.

② [○]

> **국가재정법 제42조 【예산배정요구서의 제출】** 각 중앙관서의 장은 예산이 확정된 후 사업운영계획 및 이에 따른 세입세출예산 · 계속비와 국고채무부담행위를 포함한 예산배정요구서를 기획재정부장관에게 제출하여야 한다.

③ [○]

> **국가재정법 제45조 【예산의 목적 외 사용금지】** 각 중앙관서의 장은 세출예산이 정한 목적 외에 경비를 사용할 수 없다.

**064** 「국가재정법」상 예산의 집행에 대한 설명 중 가장 적절한 것은? [2020 승진(경위)]

① 각 중앙관서의 장은 예산이 확정되기 전에 사업운영계획 및 이에 따른 세입세출예산 · 계속비와 국고채무부담행위를 포함한 예산배정요구서를 기획재정부장관에게 제출하여야 한다.

② 기획재정부장관은 예산배정요구서에 따라 분기별 예산배정계획을 작성하여 국무회의의 심의를 거친 후 대통령의 승인을 얻어야 한다.

③ 예산이 확정되면 해당 예산이 배정되지 않은 상태라도 지출원인행위를 할 수 있다.

④ 경찰청장은 예산이 정한 각 기관 간 또는 각 장 · 관 · 항 간에 상호 이용(移用)할 수 있는 것이 원칙이다.

**정답 및 해설 | ②**

② [○]

> **국가재정법 제43조 【예산의 배정】** ① 기획재정부장관은 제42조의 규정에 따른 예산배정요구서에 따라 분기별 예산배정계획을 작성하여 **국무회의의 심의를 거친 후 대통령의 승인**을 얻어야 한다.

① [×] 예산이 확정된 후에 제출한다. 예산이 국회에서 확정되지도 않았는데 예산배정을 요구할 수는 없는 노릇이다.

> **국가재정법 제42조 【예산배정요구서의 제출】** 각 중앙관서의 장은 예산이 확정된 후 사업운영계획 및 이에 따른 세입세출예산 · 계속비와 국고채무부담행위를 포함한 예산배정요구서를 기획재정부장관에게 제출하여야 한다.

③ [×] **지출원인행위**는 국고금 지출의 원인이 되는 계약이나 그 밖의 행위를 말하는 것으로서(예 경찰장비 발주 · 구매계약), 예산이 확정되었더라도 **배정된 예산이 없는 경우에는 지출원인행위를 할 수 없다.**

> **국고금 관리법 제20조 【지출원인행위의 준칙】** 지출원인행위는 중앙관서의 장이 법령이나 「국가재정법」 제43조에 따라 배정된 예산 또는 기금운용계획의 금액 범위에서 하여야 한다.

④ [×] 일정한 예외가 있으나, 이용(移用)할 수 없는 것이 원칙이다.

> **국가재정법 제47조 【예산의 이용 · 이체】** ① 각 중앙관서의 장은 예산이 정한 각 기관 간 또는 각 장 · 관 · 항 간에 상호 이용할 수 없다. 다만, 다음 각 호의 어느 하나에 해당하는 경우에 한정하여 미리 예산으로써 국회의 의결을 얻은 때에는 **기획재정부장관의 승인을 얻어 이용하거나 기획재정부장관이 위임하는 범위 안에서** 자체적으로 이용할 수 있다.
> 1. 법령상 지출의무의 이행을 위한 경비 및 기관운영을 위한 필수적 경비의 부족액이 발생하는 경우
> 2. 환율변동 · 유가변동 등 사전에 예측하기 어려운 불가피한 사정이 발생하는 경우
> 3. 재해대책 재원 등으로 사용할 시급한 필요가 있는 경우
> 4. 그 밖에 대통령령으로 정하는 경우

**065** 국가재정법상 경찰예산에 관한 설명으로 가장 적절하지 않은 것은? [2019 채용 2차]

① 정부 예산안이 국회를 통과하여 확정된 후에 새롭게 발생한 사유로 인하여 이미 성립한 예산에 변경을 가할 필요가 있을 때 편성하는 예산은 추가경정예산이다.

② 예산의 집행은 예산의 배정으로부터 시작되므로 예산이 확정되더라도 해당 예산이 배정되지 않은 상태에서는 지출원인행위를 할 수 없다.

③ 품목별 예산제도는 세출예산의 대상 · 성질에 따라 편성한 예산으로 집행에 대한 회계책임을 명백히 하고 경비사용의 적정화에 유리한 장점이 있다.

④ 기획재정부장관은 예산안을 편성하여 국무회의 심의를 거쳐 대통령의 승인을 얻어야 하며, 정부는 이 예산안을 회계연도 개시 90일 전까지 국회에 제출하여야 한다.

**정답 및 해설 I ④**

④ [×] 120일 전까지 국회에 제출하여야 한다.

> **국가재정법 제32조【예산안의 편성】** 기획재정부장관은 제31조 제1항의 규정에 따른 예산요구서에 따라 예산안을 편성하여 국무회의의 심의를 거친 후 대통령의 승인을 얻어야 한다.
>
> **국가재정법 제33조【예산안의 국회제출】** 정부는 제32조의 규정에 따라 대통령의 승인을 얻은 예산안을 회계연도 개시 120일 전까지 국회에 제출하여야 한다.

① [○]

> **국가재정법 제89조【추가경정예산안의 편성】** ① 정부는 다음 각 호의 어느 하나에 해당하게 되어 이미 확정된 예산에 변경을 가할 필요가 있는 경우에는 추가경정예산안을 편성할 수 있다.
> 1. 전쟁이나 대규모 재해(「재난 및 안전관리 기본법」 제3조에서 정의한 자연재난과 사회재난의 발생에 따른 피해를 말한다)가 발생한 경우
> 2. 경기침체, 대량실업, 남북관계의 변화, 경제협력과 같은 대내 · 외 여건에 중대한 변화가 발생하였거나 발생할 우려가 있는 경우
> 3. 법령에 따라 국가가 지급하여야 하는 지출이 발생하거나 증가하는 경우

② [○] **지출원인행위**는 국고금 지출의 원인이 되는 계약이나 그 밖의 행위를 말하는 것으로서(예 경찰장비 발주 · 구매계약), 예산이 확정되었더라도 배정된 예산이 없는 경우에는 지출원인행위를 할 수 없다.

> **국고금 관리법 제20조【지출원인행위의 준칙】** 지출원인행위는 중앙관서의 장이 법령이나 「국가재정법」 제43조에 따라 배정된 예산 또는 기금운용계획의 금액 범위에서 하여야 한다.

③ [○] **품목별 예산제도**(LIBS: Line Item Budgeting System)는 **지출의 대상 · 성질에 따라** 세출예산을 인건비, 운영경비, 시설비 등으로 구분하는 예산으로, 지출품목마다 그 비용을 명시하고 그에 따라 예산을 배정하는 제도를 말하며, 회계책임의 명확화를 기할 수 있고 행정관료의 재량범위가 축소되어 부정과 예산남용을 방지할 수 있다는 장점이 있다.

## 066 경찰예산에 대한 설명으로 가장 적절한 것은? [2019 승진(경감)]

① 정부 예산안이 국회를 통과하여 확정된 후에 새롭게 발생한 사유로 인하여 이미 성립한 예산에 변경을 가할 필요가 있을 때 편성하는 예산은 수정예산이다.

② 준예산은 회계연도 개시 전까지 예산의 불성립시 전년도 예산에 준하여 지출하는 제도로 예산 확정 전에는 경찰공무원의 보수와 경찰관서의 유지 · 운영 등 기본경비에는 사용할 수 없다.

③ 관서운영경비는 관서운영경비출납공무원이 아니면 지급할 수 없으며 관서운영경비출납공무원은 관서운영경비를 금융회사등에 예치하여 관리하여야 한다.

④ 예산의 집행은 예산의 배정으로 시작되며 예산이 확정되면 해당 예산이 배정되지 않은 상태에서도 지출원인행위를 할 수 있다.

**정답 및 해설 I** ③

③ [○]

> **국고금 관리법 제24조【관서운영경비의 지급】** ② 제1항에 따라 관서운영경비를 교부받아 지급하는 출납공무원(이하 "관서운영경비출납공무원"이라 한다)은 대통령령으로 정하는 바에 따라 제1항에 따라 교부된 자금의 범위에서 지급원인행위를 할 수 있다.
> ③ 관서운영경비는 관서운영경비출납공무원이 아니면 지급할 수 없다.
> ④ 관서운영경비출납공무원은 관서운영경비를 금융회사등에 예치하여 관리하여야 한다.

① [×] **수정예산**은 정부가 예산안을 국회에 제출한 후 국회의 심의 · 확정 전 부득이한 사정으로 내용을 수정하여 제출하는 예산을 말한다. 반면 **추가경정예산**은 예산이 국회에서 의결된 후 새로운 사정으로 인해 소요경비의 과부족이 생길 때 본예산에 추가 또는 변경을 가하는 예산을 말한다. 따라서 지문은 수정예산이 아닌 추가경정예산에 대한 설명이다.

② [×] 비록 법정기한 내 예산이 의결되지 못하였더라도, 준예산 제도를 통하여 헌법이나 법률에 의하여 설치된 기관 또는 시설의 유지 · 운영경비를 지출하는 것이 가능하며, 경찰공무원의 보수와 경찰관서의 유지 · 운영 등 기본경비가 여기에 해당한다.

> **헌법 제54조** ③ 새로운 회계연도가 개시될 때까지 예산안이 의결되지 못한 때에는 정부는 국회에서 예산안이 의결될 때까지 다음의 목적을 위한 경비는 전년도 예산에 준하여 집행할 수 있다.
> 1. 헌법이나 법률에 의하여 설치된 기관 또는 시설의 유지 · 운영
> 2. 법률상 지출의무의 이행
> 3. 이미 예산으로 승인된 사업의 계속

④ [×] **예산의 집행**이란 국회에서 확정된 예산에 따라 재원을 조달하고 경비를 지출하는 활동을 말하며, 예산의 집행은 예산의 배정으로부터 시작된다. 한편, **지출원인행위**는 국고금 지출의 원인이 되는 계약이나 그 밖의 행위를 말하는 것으로서(예 경찰장비 발주 · 구매계약), 예산이 확정되었더라도 배정된 예산이 없는 경우에는 지출원인행위를 할 수 없다.

> **국고금 관리법 제20조【지출원인행위의 준칙】** 지출원인행위는 중앙관서의 장이 법령이나 「국가재정법」 제43조에 따라 배정된 예산 또는 기금운용계획의 금액 범위에서 하여야 한다.

**067** 경찰예산 과정에 대한 내용으로 옳지 않은 것은? [2021 경간]

① 경찰청장은 예산편성지침에 따라 그 소관에 속하는 다음 연도의 예산요구서를 기획재정부장관에게 제출하고, 기획재정부장관은 예산요구서에 따라 국무회의 심의를 거쳐 대통령의 승인을 얻은 후 회계연도 개시 120일 전까지 국회에 제출하여야 한다.

② 국회에 제출된 경찰예산안은 행정안전위원회에서 종합심사를 통해 구체적이고 실질적인 금액 조정이 이루어지며 종합심사가 끝난 예산안은 본회의에 상정되어 회계연도 개시 30일 전까지 본회의 의결을 거침으로써 확정된다.

③ 경찰청장은 예산이 확정된 후 예산배정요구서를 기획재정부장관에게 제출하고 기획재정부장관은 예산배정요구서에 따라 분기별 예산배정계획을 작성하여 국무회의 심의와 대통령의 승인을 얻은 후 분기별 예산배정계획에 따라 경찰청장에게 예산을 배정한다.

④ 경찰청장은 결산보고서를 기획재정부장관에게 제출하여야 하며, 정부는 감사원 감사를 거친 국가결산보고서를 다음 연도 5월 31일까지 국회에 제출하여야 한다.

**정답 및 해설 I ②**

② [×] 정부가 국회에 제출한 예산안은 국회의 심의 · 의결을 거쳐 확정되는데, 국회의 심의 · 의결절차는 구체적으로 (i) 소관 상임위원회(경찰청의 소관 상임위원회는 행정안정위원회)의 **예비심사**와 (ii) **예산결산특별위원회의 종합심사**, (iii) 그리고 국회 본회의 **심의 · 의결절차**로 구성된다. 이 중 실질적인 예산 증액 · 삭감과 같은 금액 조정이 이루어지는 절차는 (ii) **예산결산특별위원회의 종합심사** 절차인데, 좀더 세부적으로는 그중에서도 계수조정위원회라고도 불리는 '예산안 등 조정소위원회' 심사절차에서 예산 증액 · 삭감이 이루어진다.

> **국회법 제84조【예산안 · 결산의 회부 및 심사】** ① 예산안과 결산은 소관 상임위원회에 회부하고, 소관 상임위원회는 예비심사를 하여 그 결과를 의장에게 보고한다. 이 경우 예산안에 대해서는 본회의에서 정부의 시정연설을 듣는다.
> ③ 예산결산특별위원회의 예산안 및 결산 심사는 제안설명과 전문위원의 검토보고를 듣고 종합정책질의, 부별 심사 또는 분과위원회 심사 및 찬반토론을 거쳐 표결한다. 이 경우 위원장은 종합정책질의를 할 때 간사와 협의하여 각 교섭단체별 대표질의 또는 교섭단체별 질의시간 할당 등의 방법으로 그 기간을 정한다.
>
> **헌법 제54조** ① 국회는 국가의 예산안을 심의 · 확정한다.
> ② 정부는 회계연도마다 예산안을 편성하여 회계연도 개시 90일전까지 국회에 제출하고, 국회는 회계연도 개시 30일전까지 이를 의결하여야 한다. ➜ 12월 2일까지

① [○]

> **국가재정법 제31조【예산요구서의 제출】** ① 각 중앙관서의 장은 제29조의 규정에 따른 예산안편성지침에 따라 그 소관에 속하는 다음 연도의 세입세출예산 · 계속비 · 명시이월비 및 국고채무부담행위 요구서(이하 "예산요구서"라 한다)를 작성하여 **매년 5월 31일까지** 기획재정부장관에게 제출하여야 한다.
>
> **국가재정법 제33조【예산안의 국회제출】** 정부는 제32조의 규정에 따라 대통령의 승인을 얻은 예산안을 **회계연도 개시 120일 전까지** 국회에 제출하여야 한다.

③ [○]

> **국가재정법 제42조【예산배정요구서의 제출】** 각 중앙관서의 장은 예산이 확정된 후 사업운영계획 및 이에 따른 세입세출예산 · 계속비와 국고채무부담행위를 포함한 예산배정요구서를 기획재정부장관에게 제출하여야 한다.
>
> **국가재정법 제43조【예산의 배정】** ① 기획재정부장관은 제42조의 규정에 따른 예산배정요구서에 따라 분기별 예산배정계획을 작성하여 국무회의의 심의를 거친 후 **대통령의 승인**을 얻어야 한다.
> ② 기획재정부장관은 각 중앙관서의 장에게 예산을 배정한 때에는 감사원에 통지하여야 한다.

④ [○]

> **국가재정법 제58조【중앙관서결산보고서의 작성 및 제출】** ① 각 중앙관서의 장은 「국가회계법」에서 정하는 바에 따라 회계연도마다 작성한 결산보고서(이하 "중앙관서결산보고서"라 한다)를 **다음 연도 2월 말일까지** 기획재정부장관에게 제출하여야 한다.
>
> **국가재정법 제61조【국가결산보고서의 국회제출】** 정부는 제60조에 따라 감사원의 검사를 거친 국가결산보고서를 **다음 연도 5월 31일까지** 국회에 제출하여야 한다.

## 068 「국가재정법」에 대한 설명으로 적절한 것은 모두 몇 개인가? [2023 경간]

> 가. 기획재정부장관은 국무회의의 심의를 거쳐 대통령의 승인을 얻은 다음 연도의 예산안편성지침을 매년 1월 31일까지 각 중앙관서의 장에게 통보하여야 한다.
> 나. 각 중앙관서의 장은 예산의 목적범위 안에서 재원의 효율적 활용을 위하여 대통령령으로 정하는 바에 따라 국무회의의 심의를 거친 후 대통령의 승인을 얻어 각 세항 또는 목의 금액을 전용할 수 있다.
> 다. 각 중앙관서의 장은 「국가회계법」에서 정하는 바에 따라 회계연도마다 작성한 결산보고서를 다음 연도 2월 말일까지 기획재정부장관에게 제출하여야 한다.
> 라. 기획재정부장관은 「국가회계법」에서 정하는 바에 따라 회계연도마다 작성하여 대통령의 승인을 받은 국가결산보고서를 다음 연도 5월 20일까지 감사원에 제출하여야 한다.

① 1개 ② 2개 ③ 3개 ④ 4개

**정답 및 해설 | ①**

가. [×] 매년 3월 31일까지 각 중앙관서의 장에게 통보

> 국가재정법 제29조 【예산안편성지침의 통보】 ① 기획재정부장관은 국무회의의 심의를 거쳐 대통령의 승인을 얻은 다음 연도의 예산안편성지침을 매년 3월 31일까지 각 중앙관서의 장에게 통보하여야 한다.

나. [×] 기획재정부장관의 승인을 얻어 각 세항 또는 목의 금액을 전용할 수 있다.

> 국가재정법 제46조 【예산의 전용】 ① 각 중앙관서의 장은 예산의 목적범위 안에서 재원의 효율적 활용을 위하여 대통령령으로 정하는 바에 따라 기획재정부장관의 승인을 얻어 각 세항 또는 목의 금액을 전용할 수 있다. 이 경우 사업 간의 유사성이 있는지, 재해대책 재원 등으로 사용할 시급한 필요가 있는지, 기관운영을 위한 필수적 경비의 충당을 위한 것인지 여부 등을 종합적으로 고려하여야 한다.

다. [○]

> 국가재정법 제58조 【중앙관서결산보고서의 작성 및 제출】 ① 각 중앙관서의 장은 「국가회계법」에서 정하는 바에 따라 회계연도마다 작성한 결산보고서(이하 "중앙관서결산보고서"라 한다)를 다음 연도 2월 말일까지 기획재정부장관에게 제출하여야 한다.

라. [×] 다음 연도 4월 10일까지 감사원에 제출

> 국가재정법 제59조 【국가결산보고서의 작성 및 제출】 기획재정부장관은 「국가회계법」에서 정하는 바에 따라 회계연도마다 작성하여 대통령의 승인을 받은 국가결산보고서를 다음 연도 4월 10일까지 감사원에 제출하여야 한다.

# 주제 5 경찰장비관리

## 069 「경찰장비관리규칙」상 무기관리에 대한 설명으로 가장 적절하지 않은 것은? [2017 승진(경감)]

① 무기는 인명 또는 신체에 위해를 가할 수 있도록 제작된 권총 · 소총 · 도검 등을 말한다.
② 무기 · 탄약고 비상벨은 상황실과 숙직실 등 초동조치 가능장소와 연결하고, 외곽에는 철조망장치와 조명등 및 순찰함을 설치할 수 있다.
③ 탄약고는 무기고와 분리되어야 하며, 가능한 본 청사와 격리된 독립 건물로 하여야 한다.
④ 간이무기고는 근무자가 24시간 상주하는 지구대, 파출소, 상황실 및 112타격대 등 경찰기관의 장이 필요하다고 인정하는 상당한 이유가 있는 장소에 설치할 수 있다.

**정답 및 해설 I ②**

② [×] 설치하여야 한다.

> 훈령 **경찰장비관리규칙 제115조【무기고 및 탄약고 설치】** ⑤ 무기 · 탄약고 비상벨은 상황실과 숙직실 등 초동조치 가능장소와 연결하고, 외곽에는 철조망장치와 조명등 및 순찰함을 설치하여야 한다.

① [○]

> 훈령 **경찰장비관리규칙 제112조【정의】** 이 장에서 사용하는 용어의 정의는 다음과 같다.
> 1. "**무기**"란 인명 또는 신체에 위해를 가할 수 있도록 제작된 권총 · 소총 · 도검 등을 말한다.

③ [○]

> 훈령 **경찰장비관리규칙 제115조【무기고 및 탄약고 설치】** ③ 탄약고는 무기고와 분리되어야 하며 가능한 본 청사와 격리된 독립 건물로 하여야 한다. ➜ 탄약고와 무기고는 반드시 분리 ○, 반드시 본 청사와 독립건물 ×

④ [○]

> 훈령 **경찰장비관리규칙 제115조【무기고 및 탄약고 설치】** ⑥ 간이무기고는 근무자가 24시간 상주하는 지구대, 파출소, 상황실 및 112타격대(이하 "지구대 및 상황실 등"이라 한다) 등 경찰기관의 장이 필요하다고 인정하는 상당한 이유가 있는 장소에 설치할 수 있다.

## 070 경찰장비관리규칙상 무기고 및 탄약고 설치에 관한 설명 중 가장 적절하지 않은 것은? [2022 채용 1차]

① 무기 · 탄약고 비상벨은 상황실과 숙직실 등 초동조치 가능장소와 연결하고, 외곽에는 철조망 장치와 조명등 및 순찰함을 설치하여야 한다.

② 탄약고 내에는 전기시설을 하는 것이 원칙이나, 조명은 건전지 등으로 하고 방화시설을 완비하여야 한다.

③ 무기고와 탄약고의 환기통 등에는 손이 들어가지 않도록 쇠창살 시설을 하고, 출입문은 2중으로 하여 각 1개소 이상씩 자물쇠를 설치하여야 한다.

④ 탄약고는 무기고와 분리되어야 하며 가능한 본 청사와 격리된 독립 건물로 하여야 한다.

**정답 및 해설 I ②**

② [×] 전기시설을 할 수 없는 것이 원칙이다.

> 훈령 **경찰장비관리규칙 제115조【무기고 및 탄약고 설치】** ⑦ 탄약고 내에는 전기시설을 하여서는 아니되며, 조명은 건전지 등으로 하고 방화시설을 완비하여야 한다. 단, 방폭설비를 갖춘 경우 전기시설을 설치할 수 있다.

① [○]

> 훈령 **경찰장비관리규칙 제115조【무기고 및 탄약고 설치】** ⑤ 무기 · 탄약고 비상벨은 상황실과 숙직실 등 초동조치 가능장소와 연결하고, 외곽에는 철조망장치와 조명등 및 순찰함을 설치하여야 한다.

③ [○]

> 훈령 **경찰장비관리규칙 제115조【무기고 및 탄약고 설치】** ④ 무기고와 탄약고의 환기통 등에는 손이 들어가지 않도록 쇠창살 시설을 하고, 출입문은 2중으로 하여 각 1개소 이상씩 자물쇠를 설치하여야 한다.

④ [○]

> 훈령 **경찰장비관리규칙 제115조【무기고 및 탄약고 설치】** ③ 탄약고는 무기고와 분리되어야 하며 가능한 본 청사와 격리된 독립 건물로 하여야 한다. ➜ 탄약고와 무기고는 반드시 분리 ○, 반드시 본 청사와 독립건물 ×

## 071 「경찰장비관리규칙」상 무기를 휴대한 자 중에서 '무기 · 탄약을 회수할 수 있는 자'에 해당하는 것을 모두 고른 것은? [2018 실무 1]

| |
|---|
| ㉠ 직무상의 비위 등으로 인하여 중징계 의결 요구된 자<br>㉡ 경찰공무원 직무적성검사 결과 고위험군에 해당되는 자<br>㉢ 사의를 표명한 자<br>㉣ 정신건강상 문제가 우려되어 치료가 필요한 자<br>㉤ 술자리 또는 연회장소에 출입할 경우<br>㉥ 정서적 불안 상태로 인하여 무기 소지가 적합하지 않은 자로서 소속 부서장의 요청이 있는 자 |

① ㉠, ㉡, ㉤
② ㉡, ㉣, ㉤
③ ㉡, ㉣, ㉥
④ ㉢, ㉣, ㉥

**정답 및 해설 | ③**

③ [○] 무기 · 탄약의 **임의적 회수(심의회수)** 사유는 '㉡ 경찰공무원 직무적성검사 결과 고위험군에 해당되는 자, ㉣ 정신건강상 문제가 우려되어 치료가 필요한 자, ㉥ 정서적 불안 상태로 인하여 무기 소지가 적합하지 않은 자로서 소속 부서장의 요청이 있는 자'이다. '㉠ 직무상의 비위 등으로 인하여 중징계 의결 요구된 자, ㉢ 사의를 표명한 자'는 **필요적 회수(강제회수)** 사유에 해당하고, '㉤ 술자리 또는 연회장소에 출입할 경우'는 **일시보관** 사유에 해당한다.

> 훈령 **경찰장비관리규칙 제120조【무기 · 탄약의 회수 및 보관】** ① 경찰기관의 장은 무기를 휴대한 자 중에서 다음 각 호에 해당하는 자가 발생한 때에는 즉시 대여한 무기 · 탄약을 회수하여야 한다. 다만, 대상자가 이의신청을 하거나 소속 부서장이 무기 소지 적격 여부에 대해 심의를 요청하는 경우에는 무기 소지 적격 심의위원회(이하 '심의위원회'라 한다)의 심의를 거쳐 대여한 무기 · 탄약의 회수여부를 결정한다.
> 1. 직무상의 비위 등으로 인하여 중징계 의결 요구된 자
> 2. 삭제
> 3. 사의를 표명한 자
>
> ② 경찰기관의 장은 무기를 휴대한 자 중에서 다음 각 호에 해당하는 자가 있을 때에는 심의위원회의 심의를 거쳐 대여한 무기 · 탄약을 회수할 수 있다. 다만, 심의위원회를 개최할 시간적 여유가 없거나 사고 방지 등을 위해 신속한 회수가 필요하다고 인정되는 경우에는 대여한 무기 · 탄약을 즉시 회수할 수 있으며, 회수한 날부터 7일 이내에 심의위원회를 개최하여 회수의 타당성을 심의하고 계속 회수 여부를 결정한다.
> 1. 직무상의 비위 등으로 인하여 감찰조사의 대상이 되거나 경징계의결 요구 또는 경징계 처분 중인 자
> 2. 형사사건의 수사 대상이 된 자
> 3. 경찰공무원 직무적성검사 결과 고위험군에 해당되는 자
> 4. 정신건강상 문제가 우려되어 치료가 필요한 자
> 5. 정서적 불안 상태로 인하여 무기 소지가 적합하지 않은 자로서 소속 부서장의 요청이 있는 자
> 6. 그 밖에 경찰기관의 장이 무기 소지 적격 여부에 대해 심의를 요청하는 자
>
> ③ 경찰기관의 장은 제1항과 제2항에 규정한 사유들이 소멸되면 직권 또는 당사자 신청에 따라 무기 소지 적격 심의위원회의 심의를 거쳐 무기 회수의 해제 조치를 할 수 있다.
> ④ 경찰기관의 장은 무기를 휴대한 자 중에서 다음 각 호에 해당하는 경우에는 대여한 무기 · 탄약을 무기고에 보관하도록 해야 한다.
> 1. 술자리 또는 연회장소에 출입할 경우
> 2. 상사의 사무실을 출입할 경우
> 3. 기타 정황을 판단하여 필요하다고 인정되는 경우

**072** 「경찰장비관리규칙」상 무기 · 탄약의 회수 및 보관에 대한 설명 중 가장 적절한 것은? [2020 승진(경위) 변형]

① 경찰기관의 장은 무기를 휴대한 자 중에서 사의를 표명한 자에게 대여한 무기 · 탄약을 즉시 회수하여야 한다.

② 경찰기관은 장은 무기를 휴대한 자 중에서 경찰공무원 직무적성검사 결과 고위험군에 해당되는 자에게 대여한 무기 · 탄약을 즉시 회수하여야 한다.

③ 경찰기관의 장은 무기를 휴대한 자 중에서 직무상의 비위 등으로 인하여 중징계 의결이 요구된 자에게 대여한 무기 · 탄약을 무기 소지 적격 심의위원회의 심의를 거쳐 회수할 수 있다.

④ 경찰기관의 장은 무기를 휴대한 자 중에서 정신건강상 문제가 우려되어 치료가 필요한 자에게 대여한 무기 · 탄약을 즉시 회수하여야 한다.

**정답 및 해설 I ①**

① [○] '사의를 표명한 자'는 필요적 회수(강제회수) 사유에 해당한다.

> 훈령 **경찰장비관리규칙 제120조【무기 · 탄약의 회수 및 보관】** ① 경찰기관의 장은 무기를 휴대한 자 중에서 다음 각 호에 해당하는 자가 발생한 때에는 즉시 대여한 무기 · 탄약을 **회수하여야 한다**. 다만, **대상자가 이의신청을** 하거나 **소속 부서장이 무기 소지 적격 여부에 대해 심의를 요청**하는 경우에는 무기 소지 적격 심의위원회(이하 '심의위원회'라 한다)의 심의를 거쳐 대여한 무기 · 탄약의 회수여부를 결정한다.
> 1. 직무상의 비위 등으로 인하여 **중징계** 의결 요구된 자
> 2. 삭제
> 3. **사의를 표명한 자**
>
> ② 경찰기관의 장은 무기를 휴대한 자 중에서 다음 각 호에 해당하는 자가 있을 때에는 **심의위원회의 심의를 거쳐** 대여한 무기 · 탄약을 **회수할 수 있다**. 다만, 심의위원회를 개최할 **시간적 여유가 없거나** 사고 방지 등을 위해 **신속한 회수가 필요하다고 인정되는** 경우에는 대여한 무기 · 탄약을 즉시 회수할 수 있으며, 회수한 날부터 **7일** 이내에 심의위원회를 개최하여 회수의 타당성을 심의하고 계속 회수 여부를 결정한다.
> 1. 직무상의 비위 등으로 인하여 **감찰조사**의 대상이 되거나 **경징계**의결 요구 또는 경징계 처분 중인 자
> 2. **형사사건의 수사 대상**이 된 자
> 3. 경찰공무원 직무적성검사 결과 **고위험군**에 해당되는 자
> 4. **정신건강상 문제**가 우려되어 치료가 필요한 자
> 5. **정서적 불안 상태**로 인하여 무기 소지가 적합하지 않은 자로서 소속 부서장의 요청이 있는 자
> 6. 그 밖에 경찰기관의 장이 무기 소지 **적격 여부에 대해 심의를 요청하는** 자

② [×] '경찰공무원 직무적성검사 결과 고위험군에 해당되는 자'는 임의적 회수(심의회수) 사유에 해당한다.

③ [×] '직무상의 비위 등으로 인하여 **중징계 의결**이 요구된 자'는 필요적 회수(강제회수) 사유에 해당하나, (i) **대상자의 이의신청**이 있거나, (ii) **소속 부서장의 심의 요청**이 있는 경우에는 적격심의위원회의 심의를 거쳐서 결정한다.

④ [×] '정신건강상 문제가 우려되어 치료가 필요한 자'는 임의적 회수(심의회수) 사유에 해당한다.

**073** 「경찰장비관리규칙」상 무기 및 탄약관리에 대한 설명으로 가장 적절하지 않은 것은? [2017 채용 2차]

① '집중무기고'란 경찰인력 및 경찰기관별 무기책정기준에 따라 배정된 개인화기와 공용화기를 집중보관 · 관리하기 위하여 각 경찰기관에 설치된 시설을 말한다.

② 탄약고는 무기고와 분리되어야 하며 가능한 본 청사와 격리된 독립 건물로 하여야 한다.

③ 경찰서에 설치된 집중무기고의 열쇠는 일과시간은 경무과장, 일과 후는 상황관리관이 보관 · 관리한다. 다만, 휴가 · 비번 등으로 관리책임자 공백시는 별도 관리책임자를 지정하여야 한다.

④ 경찰기관의 장이 무기를 휴대한 자 중에서 대여한 무기 · 탄약을 즉시 회수하여야 하는 대상은 '경찰공무원 직무적성검사 결과 고위험군에 해당되는 자', '형사사건의 수사의 대상이 된 자', '사의를 표명한 자', '정서적 불안 상태로 인하여 무기 소지가 적합하지 않은 자로서 소속 부서장의 요청이 있는 자'이다.

**정답 및 해설 I ④**

④ [×] 고위험군, 정신건강 문제, 정서적 불안, 형사사건의 수사대상이 된 자는 즉시회수(강제회수)가 아닌 심의회수의 대상이다.

① [○]

> 훈령 **경찰장비관리규칙 제112조【정의】** 이 장에서 사용하는 용어의 정의는 다음과 같다.
> 2. "**집중무기고**"란 경찰인력 및 경찰기관별 무기책정기준에 따라 배정된 개인화기와 공용화기를 집중보관 · 관리하기 위하여 각 경찰기관에 설치된 시설을 말한다.

② [○]

> 훈령 **경찰장비관리규칙 제115조【무기고 및 탄약고 설치】** ③ 탄약고는 무기고와 분리되어야 하며 가능한 본 청사와 격리된 독립 건물로 하여야 한다. ➔ 탄약고와 무기고는 반드시 분리 ○, 반드시 본 청사와 독립건물 ×

③ [○]

> 훈령 **경찰장비관리규칙 제117조【무기 · 탄약고 열쇠의 보관】** ① 무기고와 탄약고의 열쇠는 관리 책임자가 보관한다.
> ② 집중무기 · 탄약고와 간이무기고는 다음 각 호의 관리자가 보관 관리한다. 다만, 휴가, 비번 등으로 관리책임자 공백시는 별도 관리책임자를 지정하여야 한다.
> 1. **집중무기 · 탄약고의 경우**
> 가. 일과시간의 경우 무기 관리부서의 장(정보화장비과장, 운영지원과장, 총무과장, 경찰서 경무과장 등)
> 나. 일과시간 후 또는 토요일 · 공휴일의 경우 당직 업무(청사방호) 책임자(상황관리관 등 당직근무자)
> 2. **간이무기고의 경우**
> 가. 상황실 간이무기고는 112종합상황실(팀)장
> 나. 지구대 등 간이무기고는 지역경찰관리자
> 다. 그 밖의 간이무기고는 일과시간의 경우 설치부서 책임자, 일과시간 후 또는 토요일 · 공휴일의 경우 당직 업무(청사방호) 책임자

**074** 「경찰장비관리규칙」상 무기 및 탄약관리에 관한 설명으로 가장 적절하지 않은 것은? [2023 채용 2차]

① 간이무기고란 경찰인력 및 경찰기관별 무기책정기준에 따라 배정된 개인화기와 공용화기를 집중보관 · 관리하기 위하여 각 경찰기관에 설치된 시설을 말한다.

② 무기 · 탄약을 대여 받은 자는 그 무기를 휴대하고 근무하는 경우를 제외하고는 무기고에 보관하여야 하며, 근무 종료시에는 감독자 입회아래 무기탄약 입출고부에 기재한 뒤 즉시 입고하여야 한다.

③ 경찰기관의 장은 무기를 휴대한 자가 형사사건의 수사 대상이 된 때에는 무기 소지 적격심의위원회의 심의를 거쳐 대여한 무기 · 탄약을 회수할 수 있다.

④ 경찰기관의 장은 무기를 휴대한 자가 상사의 사무실을 출입할 경우 대여한 무기 · 탄약을 무기고에 보관하도록 하여야 한다.

**정답 및 해설 I ①**

① [×] **집중무기고**에 대한 설명이다.

> **훈령** **경찰장비관리규칙 제112조【정의】** 이 장에서 사용하는 용어의 정의는 다음과 같다.
> 2. "**집중무기고**"란 경찰인력 및 경찰기관별 무기책정기준에 따라 배정된 개인화기와 공용화기를 집중보관 · 관리하기 위하여 각 경찰기관에 설치된 시설을 말한다.
> 4. "**간이무기고**"란 경찰기관의 각 기능별 운용부서에서 효율적 사용을 위하여 집중무기고로부터 무기 · 탄약의 일부를 대여 받아 별도로 보관 · 관리하는 시설을 말한다.

② [○]

> **훈령** **경찰장비관리규칙 제118조【무기 · 탄약 등의 대여】** ⑤ 무기탄약을 대여 받은 자는 그 무기를 휴대하고 근무하는 경우를 제외하고는 무기고에 보관하여야 하며, 근무 종료시에는 감독자 입회아래 무기탄약 입출고부에 기재한 뒤 즉시 입고하여야 한다.

③ [○]

> **훈령** **경찰장비관리규칙 제120조【무기 · 탄약의 회수 및 보관】** ② 경찰기관의 장은 무기를 휴대한 자 중에서 다음 각 호에 해당하는 자가 있을 때에는 심의위원회의 심의를 거쳐 대여한 무기 · 탄약을 회수할 수 있다. 다만, 심의위원회를 개최할 시간적 여유가 없거나 사고 방지 등을 위해 신속한 회수가 필요하다고 인정되는 경우에는 대여한 무기 · 탄약을 즉시 회수할 수 있으며, 회수한 날부터 7일 이내에 심의위원회를 개최하여 회수의 타당성을 심의하고 계속 회수 여부를 결정한다.
> 1. 직무상의 비위 등으로 인하여 감찰조사의 대상이 되거나 경징계의결 요구 또는 경징계 처분 중인 자
> 2. 형사사건의 수사 대상이 된 자
> 3. 경찰공무원 직무적성검사 결과 고위험군에 해당되는 자
> 4. 정신건강상 문제가 우려되어 치료가 필요한 자
> 5. 정서적 불안 상태로 인하여 무기 소지가 적합하지 않은 자로서 소속 부서장의 요청이 있는 자
> 6. 그 밖에 경찰기관의 장이 무기 소지 적격 여부에 대해 심의를 요청하는 자

④ [○]

> **훈령** **경찰장비관리규칙 제120조【무기 · 탄약의 회수 및 보관】** ④ 경찰기관의 장은 무기를 휴대한 자 중에서 다음 각 호에 해당하는 경우에는 대여한 무기 · 탄약을 무기고에 보관하도록 하여야 한다. ➜ 일시보관
> 1. 술자리 또는 연회장소에 출입할 경우
> 2. 상사의 사무실을 출입할 경우
> 3. 기타 정황을 판단하여 필요하다고 인정되는 경우

## 075 「경찰장비관리규칙」상 무기류관리에 대한 설명으로 가장 적절하지 않은 것은? [2023 경간]

① 경찰기관의 장은 무기를 휴대한 자 중에서 직무상의 비위 등으로 인하여 중징계 의결 요구된 자, 형사사건의 수사 대상이 된 자, 경찰공무원 직무적성검사 결과 고위험군에 해당되는 자가 발생한 때에는 즉시 대여한 무기·탄약을 회수하여야 한다.

② 간이무기고는 근무자가 24시간 상주하는 지구대, 파출소, 상황실 및 112타격대 등 경찰기관의 장이 필요하다고 인정하는 상당한 이유가 있는 장소에 설치할 수 있다.

③ 탄약고 내에는 전기시설을 하여서는 아니되며, 조명은 건전지 등으로 하고 방화시설을 완비하여야 한다. 단, 방폭설비를 갖춘 경우 전기시설을 설치할 수 있다.

④ 지구대 등의 간이무기고의 경우는 소속 경찰관에 한하여 무기를 지급하되 감독자 입회(감독자가 없을 경우 반드시 타 선임경찰관 입회)하에 무기탄약 입출고부에 기재한 뒤 입출고하여야 한다. 다만, 긴급상황 발생시 경찰서장의 사전허가를 받은 경우의 대여는 예외로 한다.



**정답 및 해설 | ①**

① [×] 형사사건의 수사 대상이 된 자, 경찰공무원 직무적성검사 결과 고위험군에 해당되는 자가 발생한 때에는 무기 소지 적격 심의위원회의 심의를 거쳐 대여한 무기·탄약을 회수할 수 있다(**임의적 회수사유**).

> 훈령 **경찰장비관리규칙 제120조【무기·탄약의 회수 및 보관】** ① 경찰기관의 장은 무기를 휴대한 자 중에서 다음 각 호에 해당하는 자가 발생한 때에는 즉시 대여한 무기·탄약을 회수하여야 한다. 다만, 대상자가 이의신청을 하거나 소속 부서장이 무기 소지 적격 여부에 대해 심의를 요청하는 경우에는 무기 소지 적격 심의위원회(이하 '심의위원회'라 한다)의 심의를 거쳐 대여한 무기·탄약의 회수여부를 결정한다.
> 1. 직무상의 비위 등으로 인하여 중징계 의결 요구된 자
> 2. 삭제
> 3. 사의를 표명한 자

②③ [○]

> 훈령 **경찰장비관리규칙 제115조【무기고 및 탄약고 설치】** ⑥ 간이무기고는 근무자가 24시간 상주하는 지구대, 파출소, 상황실 및 112타격대(이하 "지구대 및 상황실 등"이라 한다) 등 경찰기관의 장이 필요하다고 인정하는 상당한 이유가 있는 장소에 설치할 수 있다.
> ⑦ 탄약고 내에는 전기시설을 하여서는 아니되며, 조명은 건전지 등으로 하고 방화시설을 완비하여야 한다. 단, 방폭설비를 갖춘 경우 전기시설을 설치할 수 있다.

④ [○]

> 훈령 **경찰장비관리규칙 제118조【무기·탄약 등의 대여】** ④ 지구대 등의 간이무기고의 경우는 소속 경찰관에 한하여 무기를 지급하되 감독자 입회(감독자가 없을 경우 반드시 타 선임 경찰관 입회)하에 무기탄약 입출고부에 기재한 뒤 입출고하여야 한다. 다만, 긴급상황 발생시 경찰서장의 사전허가를 받은 경우의 대여는 예외로 한다.

**076** 「경찰장비관리규칙」상 무기류에 관한 설명으로 가장 적절하지 않은 것은? [2024 승진]

① 탄약고 내에는 전기시설을 하여서는 아니되며, 조명은 건전지 등으로 하고 방화시설을 완비하여야 한다. 단, 방폭설비를 갖춘 경우 전기시설을 설치할 수 있다.

② 집중무기 · 탄약고의 열쇠보관은 일과시간에는 무기 관리부서의 장이, 일과시간 후에는 당직 업무(청사방호) 책임자가 한다.

③ 경찰기관의 장은 무기를 휴대한 자가 술자리 또는 연회장소에 출입할 경우 즉시 대여한 무기 · 탄약을 회수해야 한다.

④ 경찰관이 권총을 휴대 · 사용하는 경우 1탄은 공포탄, 2탄 이하는 실탄을 장전한다. 다만, 대간첩작전, 살인 · 강도 등 중요범인이나 무기 · 흉기 등을 사용하는 범인의 체포 및 위해의 방호를 위하여 불가피한 경우에 1탄부터 실탄을 장전할 수 있다.

**정답 및 해설 | ③**

③ [×] 해당 사유는 일시보관사유이다.

> **훈령** **경찰장비관리규칙 제120조【무기 · 탄약의 회수 및 보관】** ④ 경찰기관의 장은 무기를 휴대한 자 중에서 다음 각 호에 해당하는 경우에는 대여한 무기 · 탄약을 무기고에 보관하도록 해야 한다.
> 1. 술자리 또는 연회장소에 출입할 경우
> 2. 상사의 사무실을 출입할 경우
> 3. 기타 정황을 판단하여 필요하다고 인정되는 경우

① [○]

> **훈령** **경찰장비관리규칙 제115조【무기고 및 탄약고 설치】** ⑦ 탄약고 내에는 전기시설을 하여서는 아니되며, 조명은 건전지 등으로 하고 방화시설을 완비하여야 한다. 단, 방폭설비를 갖춘 경우 전기시설을 설치할 수 있다.

② [○]

> **훈령** **경찰장비관리규칙 제117조【무기 · 탄약고 열쇠의 보관】** ① 무기고와 탄약고의 열쇠는 관리 책임자가 보관한다.
> ② 집중무기 · 탄약고와 간이무기고는 다음 각 호의 관리자가 보관 관리한다. 다만, 휴가, 비번 등으로 관리책임자 공백시는 별도 관리책임자를 지정하여야 한다.
> 1. 집중무기 · 탄약고의 경우
>    가. 일과시간의 경우 무기 관리부서의 장(정보화장비과장, 운영지원과장, 총무과장, 경찰서 경무과장 등)
>    나. 일과시간 후 또는 토요일 · 공휴일의 경우 당직 업무(청사방호) 책임자(상황관리관 등 당직근무자)

④ [○]

> **훈령** **경찰장비관리규칙 제123조【무기 · 탄약 취급상의 안전관리】** ① 경찰관은 권총 · 소총 등 총기를 휴대 · 사용하는 경우 다음의 안전수칙을 준수하여야 한다.
> 1. 권총
>    다. 1탄은 공포탄, 2탄 이하는 실탄을 장전한다. 다만, 대간첩작전, 살인 강도 등 중요범인이나 무기 · 흉기 등을 사용하는 범인의 체포 및 위해의 방호를 위하여 불가피한 경우에 1탄부터 실탄을 장전할 수 있다.

**077** 「경찰장비관리규칙」상 무기관리에 관한 설명으로 옳은 것은 모두 몇 개인가? [2024 1차 채용]

> ㉠ 무기고와 탄약고는 견고하게 만들고 환기 · 방습장치와 방화시설 및 총가시설 등이 완비되어야 한다.
> ㉡ 간이무기고는 근무자가 24시간 상주하는 지구대, 파출소, 상황실 등 경찰기관의 장이 필요하다고 인정하는 상당한 이유가 있는 장소에 설치할 수 있다.
> ㉢ 집중무기 · 탄약고의 열쇠보관은 일과시간의 경우 무기 관리 부서의 장이, 일과시간 후에는 당직 업무(청사방호) 책임자(상황관리관 등 당직근무자)가 한다.
> ㉣ 경찰기관의 장은 무기를 휴대한 자 중에서 '정신건강상 문제가 우려되어 치료가 필요한 자'가 있을 때에는 즉시 대여한 무기 · 탄약을 회수하여야 한다.

① 1개 ② 2개
③ 3개 ④ 4개

**정답 및 해설 I ③**

㉠ [○]
> 훈령 **경찰장비관리규칙 제115조【무기고 및 탄약고 설치】** ② 무기고와 탄약고는 견고하게 만들고 환기 · 방습장치와 방화시설 및 총가시설 등이 완비되어야 한다.

㉡ [○]
> 훈령 **경찰장비관리규칙 제115조【무기고 및 탄약고 설치】** ① 집중무기고는 다음 각 호의 경찰기관에 설치한다.
> 1. **경찰청** / 2. 시 · **도경찰청** / 3. 경찰대학, 경찰인재개발원, 중앙경찰학교 및 경찰수사연수원 / 4. **경찰서** / 5. 경찰기동대, 방범순찰대 및 경비대 / 6. 의무경찰대 / 7. 경찰특공대 / 8. 기타 경찰청장이 지정하는 경찰관서
> ⑥ 간이무기고는 근무자가 24시간 상주하는 **지구대, 파출소, 상황실 및 112타격대**(이하 "지구대 및 상황실 등"이라 한다) 등 경찰기관의 장이 필요하다고 인정하는 상당한 이유가 있는 장소에 설치할 수 있다.

㉢ [○]
> 훈령 **경찰장비관리규칙 제117조【무기 · 탄약고 열쇠의 보관】** ① 무기고와 탄약고의 열쇠는 관리 책임자가 보관한다.
> ② 집중무기 · 탄약고와 간이무기고는 다음 각 호의 관리자가 보관 관리한다. 다만, 휴가, 비번 등으로 관리책임자 공백시는 별도 관리책임자를 지정하여야 한다.
> **1. 집중무기 · 탄약고의 경우**
> 가. 일과시간의 경우 **무기 관리부서의 장**(정보화장비과장, 운영지원과장, 총무과장, 경찰서 경무과장 등)
> 나. 일과시간 후 또는 토요일 · 공휴일의 경우 당직 업무(청사방호) 책임자(**상황관리관** 등 당직근무자)

㉣ [×] 정신건강상 문제는 심의위원회의 심의를 거쳐 대여한 무기 · 탄약을 회수할 수 있는 임의적 회수사유이다.

> 훈령 **경찰장비관리규칙 제120조【무기 · 탄약의 회수 및 보관】** ② 경찰기관의 장은 무기를 휴대한 자 중에서 다음 각 호에 해당하는 자가 있을 때에는 **심의위원회의 심의를 거쳐** 대여한 무기 · 탄약을 **회수할 수 있다**. 다만, 심의위원회를 개최할 시간적 여유가 없거나 사고 방지 등을 위해 신속한 회수가 필요하다고 인정되는 경우에는 대여한 무기 · 탄약을 **즉시 회수할 수 있으며**, 회수한 날부터 **7일 이내**에 심의위원회를 개최하여 회수의 타당성을 심의하고 계속 회수 여부를 결정한다.
> 1. 직무상의 비위 등으로 인하여 **감찰조사의 대상**이 되거나 **경징계**의결 요구 또는 경징계 처분 중인 자
> 2. **형사사건**의 수사 대상이 된 자
> 3. 경찰공무원 직무적성검사 결과 **고위험군**에 해당되는 자
> 4. **정신건강상 문제**가 우려되어 치료가 필요한 자
> 5. **정서적 불안 상태**로 인하여 무기 소지가 적합하지 않은 자로서 소속 부서장의 요청이 있는 자

**078** 「경찰장비관리규칙」에 대한 설명으로 가장 적절하지 않은 것은? [2017 승진(경위)]

① 부속기관 및 시 · 도경찰청의 장은 다음 연도에 소속기관의 차량 정수를 증감시킬 필요가 있을 때에는 매년 3월 말까지 다음 연도 차량정수 소요계획을 경찰청장에게 제출하여야 한다.

② 부속기관 및 시 · 도경찰청은 소속기관 차량 중 다음 연도 교체대상 차량을 매년 11월 말까지 경찰청장에게 보고하여야 한다.

③ 차량교체를 위한 불용 대상차량은 부속기관 및 시 · 도경찰청에 배정되는 수량의 범위 내에서 주행거리를 최우선적으로 고려하여 선정한다.

④ 차량운행시 책임자는 1차 운전자, 2차 선임탑승자(사용자), 3차 경찰기관의 장으로 한다.

**정답 및 해설 I ③**

③ [×] 차량사용기간을 최우선적으로 고려하여야 한다.

> 훈령 **경찰장비관리규칙 제94조【교체대상차량의 불용처리】** ① 차량교체를 위한 불용 대상차량은 부속기관 및 시 · 도경찰청에 배정되는 수량의 범위 내에서 내용연수 경과 여부 등 **차량사용기간을 최우선적으로 고려하여** 선정한다.

① [○]

> 훈령 **경찰장비관리규칙 제90조【차량소요계획의 제출】** ① 부속기관 및 시 · 도경찰청의 장은 다음 년도에 소속기관의 차량정수를 증감시킬 필요가 있을 때에는 **매년 3월말까지** 다음 년도 차량정수 소요계획을 경찰청장에게 제출하여야 한다.

② [○]

> 훈령 **경찰장비관리규칙 제93조【차량의 교체】** ① 부속기관 및 시 · 도경찰청은 소속기관 차량 중 다음 년도 교체대상 차량을 매년 11월 말까지 경찰청장에게 보고하여야 한다.
> ② 차량교체는 차량의 최단운행 기준연한(이하 "내용연수"라 한다)에 따라 부속기관 및 시 · 도경찰청의 장이 보고한 교체대상 차량 중 책정된 예산범위 내에서 매년 초에 수립하는 "경찰청 물품수급관리계획"에 따라 실시한다.

④ [○]

> 훈령 **경찰장비관리규칙 제98조【차량의 관리책임】** ① 차량을 배정 받은 각 경찰기관의 장은 차량에 대한 관리사항을 수시 확인하여 항상 적정하게 유지되도록 하여야 한다.
> ② 경찰기관의 장은 차량이 책임 있게 관리되도록 차량별 관리담당자를 지정하여야 한다.
> ③ 차량운행시 책임자는 **1차 운전자, 2차 선임탑승자(사용자), 3차 경찰기관의 장**으로 한다.

**079** 「경찰장비관리규칙」상 차량관리에 대한 설명으로 적절하지 않은 것을 모두 고른 것은? [2018 승진(경감)]

> ㉠ 차량은 용도별로 전용 · 지휘용 · 행정용 · 순찰용 · 특수용 차량으로 구분한다.
> ㉡ 부속기관 및 시 · 도경찰청의 장은 다음 연도에 소속기관의 차량정수를 증감시킬 필요가 있을 때에는 매년 11월 말까지 다음 연도 차량정수 소요계획을 경찰청장에게 제출하여야 한다.
> ㉢ 차량교체를 위한 불용 대상차량은 주행거리와 차량의 노후상태를 최우선적으로 고려하여 선정하여야 하고, 주행거리가 동일한 경우에는 차량사용시간, 사용부서 등을 추가로 검토한다.
> ㉣ 차량운행시 책임자는 1차 선임탑승자, 2차 운전자(사용자), 3차 경찰기관의 장으로 한다.

① ㉠, ㉣ ② ㉠, ㉡, ㉢

③ ㉡, ㉢, ㉣ ④ ㉠, ㉡, ㉢, ㉣

**정답 및 해설 | ④**

㉠ [×] 행정용이 아니라 업무용이다.

> **훈령** 경찰장비관리규칙 제88조【차량의 구분】② 차량은 용도별로 다음 각호와 같이 전용 · 지휘용 · 업무용 · 순찰용 · 특수용 차량으로 구분한다.

㉡ [×] 다음 연도 **차량정수 증감**은 매년 3월 말까지이고, 다음 연도 **교체대상 차량**은 매년 11월 말까지이다.

> **훈령** 경찰장비관리규칙 제90조【차량소요계획의 제출】① 부속기관 및 시 · 도경찰청의 장은 다음 년도에 소속기관의 차량정수를 증감시킬 필요가 있을 때에는 매년 3월 말까지 다음 년도 차량정수 소요계획을 경찰청장에게 제출하여야 한다.
>
> **훈령** 경찰장비관리규칙 제93조【차량의 교체】① 부속기관 및 시 · 도경찰청은 소속기관 차량 중 다음 년도 교체대상 차량을 매년 11월 말까지 경찰청장에게 보고하여야 한다.

㉢ [×] **차량사용기간**이 최우선적 고려요소이고, 사용기간이 동일하면 주행거리, 차량의 노후상태, 사용부서 등을 종합적으로 검토한다.

> **훈령** 경찰장비관리규칙 제94조【교체대상차량의 불용처리】① 차량교체를 위한 불용 대상차량은 부속기관 및 시 · 도경찰청에 배정되는 수량의 범위 내에서 내용연수 경과 여부 등 **차량사용기간을 최우선적으로 고려**하여 선정한다.
> ② 사용기간이 동일한 경우에는 주행거리와 **차량의 노후상태, 사용부서 등을 종합적으로 검토**, 예산낭비 요인이 없도록 신중하게 선정한다.

㉣ [×] 1차 운전자, 2차 선임탑승자(사용자), 3차 경찰기관의 장이다.

> **훈령** 경찰장비관리규칙 제98조【차량의 관리책임】③ 차량운행시 책임자는 1차 운전자, 2차 선임탑승자(사용자), 3차 경찰기관의 장으로 한다.



## 080 「경찰장비관리규칙」에 관한 다음 설명 중 옳은 것은 모두 몇 개인가? [2018 경간 변형]

> 가. 전자충격기는 물품관리관의 책임하에, 운용부서에 대여하여 그 부서장의 책임하에 관리 · 운용하게 할 수 있다.
> 나. 차량의 차종은 승용 · 승합 · 화물 · 특수용으로 구분하고, 차형은 차종별로 대형 · 중형 · 소형 · 경형 · 다목적형으로 구분한다.
> 다. 각 경찰기관의 업무용차량은 운전요원의 부족 등 불가피한 사유가 없는 한 집중관리를 원칙으로 한다.
> 라. 부속기관 및 시 · 도경찰청의 장은 다음 연도에 소속기관의 차량정수를 증감시킬 필요가 있을 때에는 매년 3월 말까지 다음 년도 차량정수 소요계획을 경찰청장에게 제출하여야 한다.
> 마. 경찰기관의 장은 무기를 휴대한 자 중에서 직무상의 비위 등으로 인하여 중징계 의결 요구된 자, 사의를 표명한 자가 발생한 때에는 즉시 대여한 무기 · 탄약을 회수하여야 한다.

① 2개　　② 3개
③ 4개　　④ 5개

**정답 및 해설 | ④**

가. [○]

> **훈령** 경찰장비관리규칙 제79조【전자충격기】① 전자충격기는 물품관리관의 책임 하에 집중관리함을 원칙으로 하나, 운용부서에 대여하여 그 부서장의 책임하에 관리 · 운용하게 할 수 있다.

나. [○]

> **훈령** 경찰장비관리규칙 제88조【차량의 구분】① 차량의 차종은 승용 · 승합 · 화물 · 특수용으로 구분하고, 차형은 차종별로 대형 · 중형 · 소형 · 경형 · 다목적형으로 구분한다.

다. [○]

> **훈령** **경찰장비관리규칙 제95조【차량의 집중관리】** ① 각 경찰기관의 업무용차량은 운전요원의 부족 등 불가피한 사유가 없는 한 집중관리를 원칙으로 한다. 다만, 지휘용 차량은 업무의 특성을 고려하여 지정 활용할 수 있다.

라. [○]

> **훈령** **경찰장비관리규칙 제90조【차량소요계획의 제출】** ① 부속기관 및 시 · 도경찰청의 장은 다음 년도에 소속기관의 차량정수를 증감시킬 필요가 있을 때에는 **매년 3월말까지** 다음 년도 차량정수 소요계획을 경찰청장에게 제출하여야 한다.

마. [○]

> **훈령** **경찰장비관리규칙 제120조【무기·탄약의 회수 및 보관】** ① 경찰기관의 장은 무기를 휴대한 자 중에서 다음 각 호에 해당하는 자가 발생한 때에는 즉시 대여한 무기 · 탄약을 **회수하여야 한다**. 다만, **대상자가 이의신청을 하거나 소속 부서장이 무기 소지 적격 여부에 대해 심의를 요청하는** 경우에는 무기 소지 적격 심의위원회(이하 '심의위원회'라 한다)의 심의를 거쳐 대여한 무기 · 탄약의 회수여부를 결정한다.
> 1. 직무상의 비위 등으로 인하여 **중징계** 의결 요구된 자
> 2. 삭제
> 3. **사의를 표명한 자**

## 081 「물품관리법」상 물품관리에 대한 내용으로 가장 적절한 것은? [2018 채용 1차]

① 기획재정부장관은 각 중앙관서의 장이 수행하는 물품관리에 관한 업무를 총괄 · 조정한다.

② 각 중앙관서의 장은 물품관리관의 사무의 일부를 분장하는 분임물품관리관을 대통령령으로 정하는 바에 따라 두어야 한다.

③ 분임물품관리관이란 물품출납공무원의 사무의 일부를 분장하는 공무원을 말한다.

④ 물품관리관으로부터 대통령령으로 정하는 바에 따라 물품의 사용에 관한 사무를 위임받은 공무원을 물품운용관이라 한다.

**정답 및 해설 I ④**

④ [○]

> **물품관리법 제11조【물품운용관】** ① 물품관리관은 대통령령으로 정하는 바에 따라 그가 소속된 관서의 공무원에게 국가의 사무 또는 사업의 목적과 용도에 따라서 물품을 사용하게 하거나 사용 중인 물품의 관리에 관한 사무(이하 "물품의 사용에 관한 사무"라 한다)를 위임**하여야 한다**.
> ② 제1항에 따라 물품의 **사용에 관한 사무를 위임받은** 공무원을 **물품운용관**이라 한다.

① [×] 물품관리에 관한 업무를 총괄 · 조정하는 자는 조달청장이다.

> **물품관리법 제7조【총괄기관】** ① **기획재정부장관**은 물품관리의 **제도와 정책에 관한 사항**을 관장하며, 물품관리에 관한 정책의 결정을 위하여 필요하면 조달청장이나 각 중앙관서의 장으로 하여금 물품관리 상황에 관한 보고를 하게 하거나 필요한 조치를 할 수 있다.
> ② **조달청장**은 각 중앙관서의 장이 수행하는 **물품관리에 관한 업무를 총괄** · **조정**한다.

②③ [×] 분임물품관리관은 중앙관서의 장이 물품관리관의 사무 일부를 분장하기 위해 두는 자이다. 이러한 분임물품관리관을 두는지 여부는 중앙관서의 장의 재량에 맡겨져 있다(둘 수 있다).

> **물품관리법 제12조【관리기관의 분임 및 대리】** ① 각 중앙관서의 장은 **물품관리관의 사무의 일부를 분장**하는 공무원(➔ 분임물품관리관)을, 물품관리관은 **물품출납공무원의 사무의 일부를 분장**하는 공무원(➔ 분임물품출납공무원)을 대통령령으로 정하는 바에 따라 각각 둘 수 있다.

## 주제 6 경찰보안관리

**082** 비밀분류원칙에 대한 설명으로 가장 적절하지 않은 것은? [2018 실무 1]

① 비밀은 적절히 보호할 수 있는 최저등급으로 분류하여야 하며, 과도 또는 과소하게 분류하여서는 안 된다는 원칙은 과도 또는 과소분류금지의 원칙이다.

② 외국비밀존중의 원칙은 외국 정부 또는 국제기구로부터 접수한 비밀은 그 생산기관이 필요로 하는 정도로 보호할 수 있도록 분류하는 원칙이다.

③ 비밀은 그 자체의 내용과 가치의 정도에 따라 분류하여야 하며, 다른 비밀과 관련하여서는 안 된다는 원칙은 독립분류의 원칙이다.

④ 비밀분류원칙은 「보안업무규정 시행규칙」 제12조에 규정되어 있다.

**정답 및 해설 I ④**

④ [×] 보안업무규정 제12조에 규정되어 있다. / ①②③ [○]

> 대통령령 **보안업무규정 제12조【분류원칙】** ① 비밀은 적절히 보호할 수 있는 최저등급으로 분류하되, 과도하거나 과소하게 분류해서는 아니 된다. ➜ 과도 · 과소분류금지의 원칙
> ② 비밀은 그 자체의 내용과 가치의 정도에 따라 분류하여야 하며, 다른 비밀과 관련하여 분류해서는 아니 된다. ➜ 독립분류의 원칙
> ③ 외국 정부나 국제기구로부터 접수한 비밀은 그 생산기관이 필요로 하는 정도로 보호할 수 있도록 분류하여야 한다. ➜ 외국비밀존중의 원칙

**083** 보안업무규정상 비밀에 관한 설명 중 가장 적절하지 않은 것은? [2022 채용 1차]

① Ⅱ급비밀은 누설될 경우 국가안전보장에 막대한 지장을 끼칠 우려가 있는 비밀을 말한다.

② 비밀은 적절히 보호할 수 있는 최고등급으로 분류하되, 과도하거나 과소하게 분류해서는 아니 된다.

③ 비밀은 보관하고 있는 시설 밖으로 반출해서는 아니 된다. 다만, 공무상 반출이 필요할 때에는 소속 기관의 장의 승인을 받아야 한다.

④ 비밀을 휴대하고 출장 중인 사람은 비밀을 안전하게 보호하기 위하여 국내 경찰기관 또는 재외공관에 보관을 위탁할 수 있으며, 위탁받은 기관은 그 비밀을 보관하여야 한다.

**정답 및 해설 I ②**

② [×] 적절히 보호할 수 있는 최저등급으로 분류하여야 한다.

> 대통령령 **보안업무규정 제12조【분류원칙】** ① 비밀은 적절히 보호할 수 있는 최저등급으로 분류하되, 과도하거나 과소하게 분류해서는 아니 된다. ➜ 과도 · 과소분류금지의 원칙

① [○]

> 대통령령 **보안업무규정 제4조【비밀의 구분】** 비밀은 그 중요성과 가치의 정도에 따라 다음 각 호와 같이 구분한다.
> 1. **Ⅰ급비밀**: 누설될 경우 대한민국과 외교관계가 단절되고 전쟁을 일으키며, 국가의 방위계획 · 정보활동 및 국가방위에 반드시 필요한 과학과 기술의 개발을 위태롭게 하는 등의 우려가 있는 비밀 예 핵무기 개발계획
> 2. **Ⅱ급비밀**: 누설될 경우 국가안전보장에 막대한 지장을 끼칠 우려가 있는 비밀 예 군사용 암호생성 · 해독장비
> 3. **Ⅲ급비밀**: 누설될 경우 국가안전보장에 해를 끼칠 우려가 있는 비밀 예 부대의 인원현황

③ [○]

| |
|---|
| 대통령령 보안업무규정 제27조【비밀의 반출】비밀은 보관하고 있는 시설 밖으로 반출해서는 아니 된다. 다만, 공무상 반출이 필요할 때에는 소속 기관의 장의 승인을 받아야 한다. |

④ [○]

| |
|---|
| 대통령령 보안업무규정 제19조【출장 중의 비밀 보관】비밀을 휴대하고 출장 중인 사람은 비밀을 안전하게 보호하기 위하여 국내 경찰기관 또는 재외공관에 보관을 위탁할 수 있으며, 위탁받은 기관은 그 비밀을 보관하여야 한다. |

## 084 「보안업무규정」 제12조에 규정된 비밀분류의 원칙에 대한 설명으로 가장 적절하지 않은 것은?

[2020 실무 1]

① 알 사람만 알게 하고 한 번에 다량의 비밀이나 정보가 유출되지 않도록 하여야 한다.

② 외국 정부나 국제기구로부터 접수한 비밀은 그 생산기관이 필요로 하는 정도로 보호할 수 있도록 분류하여야 한다.

③ 비밀은 적절히 보호할 수 있는 최저등급으로 분류하되, 과도하거나 과소하게 분류해서는 아니 된다.

④ 비밀은 그 자체의 내용과 가치의 정도에 따라 분류하여야 하며, 다른 비밀과 관련하여 분류해서는 아니 된다.

**정답 및 해설 I ①**

① [×] 이는 비밀분류의 원칙이 아니라 보안업무의 4원칙 중 하나이다.

**☑ 보안업무의 4원칙**

| | |
|---|---|
| 알 사람만 알아야 한다는 원칙 | • 한정의 원칙, 비확산의 원칙, 필요성의 원칙이라고도 한다.<br>• 보안에 있어 가장 기본적이며 중요한 원칙으로서, 보안의 대상이 되는 사실을 전파할 때 전파가 꼭 필요한지, 전파가 필요하다면 전파를 받는 사람이 반드시 전파를 받아야 하는 사람인지의 여부를 신중히 검토한 후에 전파가 이루어져야 한다는 원칙이다. |
| 부분화의 원칙 | 한번에 다량의 비밀이나 정보가 유출되지 않도록 해야 한다는 원칙이다. |
| 적당성의 원칙 | 사용자가 필요한 만큼 적당한 양을 전달해야 하며, 사용자가 요구하는 것 이상으로 정보를 제공하는 것은 불필요한 보안상 문제를 야기할 수 있다는 원칙이다. |
| 보안과 업무효율 조화의 원칙 | 보안과 업무효율은 반비례의 관계가 있으므로 양자의 적절한 조화를 유지하는 방법을 강구해야 한다는 원칙을 말한다. |

## 085 「보안업무규정」에 대한 설명으로 가장 적절하지 않은 것은?

[2019 승진(경감)]

① 비밀이란 그 내용이 누설될 경우 국가안전보장에 해를 끼칠 우려가 있는 국가기밀로서 그 중요성과 가치에 따라 Ⅰ급 · Ⅱ급 · Ⅲ급비밀로 구분된다.

② 누설될 경우 국가안전보장에 막대한 지장을 끼칠 우려가 있는 비밀을 Ⅱ급비밀로 하며, 누설될 경우 국가안전보장에 해를 끼칠 우려가 있는 비밀을 Ⅲ급비밀로 한다.

③ 비밀은 다른 비밀과 관련하여 분류해서는 아니 되고, 외국 정부나 국제기구로부터 접수한 비밀은 그 생산기관이 필요로 하는 정도로 보호할 수 있도록 분류하여야 한다.

④ 공무원 또는 공무원이었던 사람은 어떠한 경우에도 소속 기관의 장이나 소속되었던 기관의 장의 승인 없이 비밀을 공개해서는 아니 된다.

**정답 및 해설 I ④**

④ [×] 법률에서 정하는 경우에는 승인이 없어도 가능하다.

> **대통령령** **보안업무규정 제25조【비밀의 공개】** ① 중앙행정기관등의 장은 다음 각 호의 어느 하나에 해당하는 사유가 있을 때에는 그가 생산한 비밀을 제3조의3에 따른 보안심사위원회의 심의를 거쳐 공개할 수 있다. 다만, **Ⅰ급비밀의 공개에** 관하여는 국가정보원장과 미리 협의해야 한다.
> 1. 국가안전보장을 위하여 국민에게 긴급히 알려야 할 필요가 있다고 판단될 때
> 2. 공개함으로써 국가안전보장 또는 국가이익에 현저한 도움이 된다고 판단될 때
>
> ② 공무원 또는 공무원이었던 사람은 법률에서 정하는 경우를 제외하고는 소속 기관의 장이나 소속되었던 기관의 장의 승인 없이 비밀을 공개해서는 아니 된다.

①② [○] 단순히 지문의 '해'라는 단어에 얽매여서 틀린 지문이라고 접근해서는 안 되고, Ⅰ · Ⅱ · Ⅲ급비밀 모두 전체적인 맥락 자체가 누설시 대한민국의 국가안전보장에 마이너스적인 요소(해)를 가져오는 것이므로 맞는 지문으로 보아야 한다.

> **대통령령** **보안업무규정 제4조【비밀의 구분】** 비밀은 그 중요성과 가치의 정도에 따라 다음 각 호와 같이 구분한다.
> 1. **Ⅰ급비밀**: 누설될 경우 대한민국과 **외교관계가 단절되고 전쟁을 일으키며**, 국가의 방위계획 · 정보활동 및 국가방위에 반드시 필요한 **과학과 기술의 개발을 위태롭게** 하는 등의 우려가 있는 비밀 예 핵무기 개발계획
> 2. **Ⅱ급비밀**: 누설될 경우 국가안전보장에 **막대한 지장**을 끼칠 우려가 있는 비밀 예 군사용 암호생성 · 해독장비
> 3. **Ⅲ급비밀**: 누설될 경우 국가안전보장에 **해**를 끼칠 우려가 있는 비밀 예 부대의 인원현황

③ [○]

> **대통령령** **보안업무규정 제12조【분류원칙】** ① 비밀은 적절히 보호할 수 있는 **최저등급**으로 분류하되, 과도하거나 과소하게 분류해서는 아니 된다. ➜ 과도 · 과소분류금지의 원칙
> ② 비밀은 **그 자체**의 내용과 가치의 정도에 따라 분류하여야 하며, 다른 비밀과 관련하여 분류해서는 아니 된다. ➜ 독립분류의 원칙
> ③ 외국 정부나 국제기구로부터 접수한 비밀은 그 **생산기관**이 필요로 하는 정도로 보호할 수 있도록 분류하여야 한다. ➜ 외국비밀존중의 원칙

## 086 「보안업무규정」에 대한 설명으로 가장 적절한 것은? [2017 승진(경위)]

① 비밀은 그 중요성과 가치의 정도에 따라 Ⅰ급비밀, Ⅱ급비밀, Ⅲ급비밀, 대외비로 구분한다.

② 외국 정부나 국제기구로부터 접수한 비밀은 그 접수기관이 필요로 하는 정도로 보호할 수 있도록 분류하여야 한다.

③ 경찰청장은 Ⅰ급비밀 취급 인가권자이다.

④ 누설될 경우 국가안전보장에 막대한 지장을 끼칠 우려가 있는 비밀은 Ⅱ급비밀이다.

**정답 및 해설 I ④**

④ [○] ① [×] 대외비는 '비밀'에 속하지 않는다(비밀 '외').

> **대통령령** **보안업무규정 제4조【비밀의 구분】** 비밀은 그 중요성과 가치의 정도에 따라 다음 각 호와 같이 구분한다.
> 1. **Ⅰ급비밀**: 누설될 경우 대한민국과 **외교관계가 단절되고 전쟁을 일으키며**, 국가의 방위계획 · 정보활동 및 국가방위에 반드시 필요한 **과학과 기술의 개발을 위태롭게** 하는 등의 우려가 있는 비밀 예 핵무기 개발계획
> 2. **Ⅱ급비밀**: 누설될 경우 국가안전보장에 **막대한 지장**을 끼칠 우려가 있는 비밀 예 군사용 암호생성 · 해독장비
> 3. **Ⅲ급비밀**: 누설될 경우 국가안전보장에 **해**를 끼칠 우려가 있는 비밀 예 부대의 인원현황
>
> **훈령** **보안업무규정 시행규칙 제16조【분류 금지와 대외비】** ③ 영 제4조에 따른 비밀 외에 「공공기관의 정보공개에 관한 법률」 제9조 제1항 제3호부터 제8호까지의 비공개 대상 정보 중 직무 수행상 특별히 보호가 필요한 사항은 이를 **"대외비"**로 한다.
> ④ 각급기관의 장은 제3항에 따른 대외비를 업무와 관계되지 아니한 사람이 열람, 복제 · 복사, 배부할 수 없도록 보안대책을 수립 · 시행하여야 한다.

제3편 I 경찰행정학 1장

② [×] 생산기관이 필요로 하는 정도이다.

> 대통령령 **보안업무규정 제12조【분류원칙】** ③ 외국 정부나 국제기구로부터 접수한 비밀은 그 생산기관이 필요로 하는 정도로 보호할 수 있도록 분류하여야 한다. ➜ 외국비밀존중의 원칙

③ [×] 경찰청장은 Ⅱ급 및 Ⅲ급비밀 취급 인가권자이다.

> 대통령령 **보안업무규정 제9조【비밀 · 암호자재취급 인가권자】** ② Ⅱ급 및 Ⅲ급비밀 취급 인가권자와 Ⅲ급비밀 소통용 암호자재 취급 인가권자는 다음 각 호와 같다. ➜ Ⅱ · Ⅲ / Ⅲ
> 2. **중앙행정기관등인 청의 장** ➜ 경찰청장은 여기 해당

## 087 「보안업무규정」과 「보안업무규정 시행규칙」에 대한 설명 중 가장 적절하지 않은 것은? [2017 실무 3]

① 외국 정부나 국제기구로부터 접수한 비밀은 그 생산기관이 필요로 하는 정도로 보호할 수 있도록 분류하여야 한다.

② '비밀이 누설될 경우 외교관계 단절, 전쟁 유발, 국가의 방위계획 및 국가방위상 불가결한 과학기술의 개발을 위태롭게 하는 등의 우려가 있는 비밀'은 Ⅰ급비밀로 규정되어 있다.

③ 비밀은 그 자체의 내용과 가치의 정도에 따라서 분류하여야 하며 다른 비밀과 관련하여 분류해서는 안 된다.

④ '비밀이 누설될 경우 국가안전보장에 해를 끼칠 우려가 있는 비밀'은 Ⅱ급비밀로 규정되어 있다.

**정답 및 해설 | ④**

④ [×] ② [○]

> 대통령령 **보안업무규정 제4조【비밀의 구분】** 비밀은 그 중요성과 가치의 정도에 따라 다음 각 호와 같이 구분한다.
> 1. **Ⅰ급비밀**: 누설될 경우 대한민국과 **외교관계가 단절되고 전쟁을 일으키며**, 국가의 방위계획 · 정보활동 및 국가방위에 반드시 필요한 **과학과 기술의 개발을 위태롭게** 하는 등의 우려가 있는 비밀 예 핵무기 개발계획
> 2. **Ⅱ급비밀**: 누설될 경우 국가안전보장에 **막대한 지장**을 끼칠 우려가 있는 비밀 예 군사용 암호생성 · 해독장비
> 3. **Ⅲ급비밀**: 누설될 경우 국가안전보장에 **해**를 끼칠 우려가 있는 비밀 예 부대의 인원현황

①③ [○]

> 대통령령 **보안업무규정 제12조【분류원칙】** ① 비밀은 적절히 보호할 수 있는 **최저등급**으로 분류하되, 과도하거나 과소하게 분류해서는 아니 된다. ➜ 과도 · 과소분류금지의 원칙
> ② 비밀은 **그 자체**의 내용과 가치의 정도에 따라 분류하여야 하며, 다른 비밀과 관련하여 분류해서는 아니 된다. ➜ 독립분류의 원칙
> ③ 외국 정부나 국제기구로부터 접수한 비밀은 그 **생산기관**이 필요로 하는 정도로 보호할 수 있도록 분류하여야 한다. ➜ 외국비밀존중의 원칙

**088** 「보안업무규정」상 비밀의 구분 및 분류에 관한 설명으로 가장 적절한 것은? [2016 승진(경감)]

① 비밀은 그 중요성과 가치에 따라 Ⅰ급비밀, Ⅱ급비밀, Ⅲ급비밀, 대외비로 구분된다.

② Ⅱ급비밀은 누설되는 경우 국가안전보장에 해를 끼칠 우려가 있는 비밀을 말한다.

③ 비밀은 적절히 보호할 수 있는 최고등급으로 분류하되, 과도하거나 과소하게 분류해서는 아니 된다.

④ 비밀은 그 자체의 내용과 가치의 정도에 따라 분류하여야 하며 다른 비밀과 관련하여 분류해서는 아니 된다.

**정답 및 해설 I ④**

④ [○] 독립분류의 원칙에 대한 옳은 설명이다.

① [×] 대외비는 '비밀'에 속하지 않는다(비밀 '외').

> 훈령 **보안업무규정 시행규칙 제16조【분류 금지와 대외비】** ③ 영 제4조에 따른 비밀 외에「공공기관의 정보공개에 관한 법률」 제9조 제1항 제3호부터 제8호까지의 비공개 대상 정보 중 직무 수행상 특별히 보호가 필요한 사항은 이를 "대외비"로 한다.
> ④ 각급기관의 장은 제3항에 따른 대외비를 업무와 관계되지 아니한 사람이 열람, 복제 · 복사, 배부할 수 없도록 보안대책을 수립 · 시행하여야 한다.

② [×] Ⅲ급 비밀은 '해', Ⅱ급 비밀은 '막대한 지장'이다.

> 대통령령 **보안업무규정 제4조【비밀의 구분】** 비밀은 그 중요성과 가치의 정도에 따라 다음 각 호와 같이 구분한다.
> 2. **Ⅱ급비밀**: 누설될 경우 국가안전보장에 막대한 지장을 끼칠 우려가 있는 비밀 예 군사용 암호생성 · 해독장비
> 3. **Ⅲ급비밀**: 누설될 경우 국가안전보장에 해를 끼칠 우려가 있는 비밀 예 부대의 인원현황

③ [×] 적절히 보호할 수 있는 최저등급으로 분류하여야 한다.

> 대통령령 **보안업무규정 제12조【분류원칙】** ① 비밀은 적절히 보호할 수 있는 최저등급으로 분류하되, 과도하거나 과소하게 분류해서는 아니 된다. ➜ 과도 · 과소분류금지의 원칙
> ② 비밀은 그 자체의 내용과 가치의 정도에 따라 분류하여야 하며, 다른 비밀과 관련하여 분류해서는 아니 된다. ➜ 독립분류의 원칙
> ③ 외국 정부나 국제기구로부터 접수한 비밀은 그 생산기관이 필요로 하는 정도로 보호할 수 있도록 분류하여야 한다. ➜ 외국비밀존중의 원칙

**089** 「보안업무규정」상 비밀보호에 관한 설명으로 가장 적절하지 않은 것은? [2023 채용 1차]

① 비밀은 그 중요성과 가치의 정도에 따라 구분되는데, 누설될 경우 대한민국과 외교관계가 단절되고 전쟁을 일으키며 국가의 방위계획 · 정보활동 및 국가방위에 반드시 필요한 과학과 기술의 개발을 위태롭게 하는 등의 우려가 있는 비밀은 'Ⅰ급비밀'에 속한다.

② 비밀은 해당 등급의 비밀취급 인가를 받은 사람만 취급할 수 있으며, 암호자재는 해당 등급의 비밀 소통용 암호자재취급 인가를 받은 사람만 취급할 수 있다.

③ 검찰총장, 국가정보원장, 경찰청장은 Ⅰ급비밀 취급 인가권자와 Ⅰ급 및 Ⅱ급비밀 소통용 암호자재 취급 인가권자에 해당한다.

④ 비밀은 적절히 보호할 수 있는 최저등급으로 분류하되, 과도하거나 과소하게 분류해서는 아니 된다.

**정답 및 해설 I ③**

③ [×] 검찰총장, 국가정보원의 장은 Ⅰ급비밀 취급 인가권자와 Ⅰ급 및 Ⅱ급비밀 소통용 암호자재 취급 인가권자에 해당하지만, 경찰청장은 Ⅱ급 및 Ⅲ급비밀 취급 인가권자와 Ⅲ급비밀 소통용 암호자재 취급 인가권자이다.

> 대통령령 보안업무규정 제9조【비밀 · 암호자재취급 인가권자】 ① Ⅰ급비밀 취급 인가권자와 Ⅰ급 및 Ⅱ급비밀 소통용 암호자재 취급 인가권자는 다음 각 호와 같다. ➜ Ⅰ/Ⅰ · Ⅱ
> 1. 대통령 / 2. 국무총리 / 3. 감사원장 /
> 4. 국가인권위원회 위원장 / 4의2. 고위공직자범죄수사처장 / 5. 각 부 · 처의 장
> 6. 국무조정실장, 방송통신위원회 위원장, 공정거래위원회 위원장, 금융위원회 위원장, 국민권익위원회 위원장, 개인정보보호위원회 위원장 및 원자력안전위원회 위원장
> 7. 대통령 비서실장 / 8. 국가안보실장 / 9. 대통령경호처장
> 10. 국가정보원장 / 11. 검찰총장
> 12. 합동참모의장, 각군 참모총장, 지상작전사령관 및 육군제2작전사령관
> 13. 국방부장관이 지정하는 각군 부대장
>
> ② Ⅱ급 및 Ⅲ급비밀 취급 인가권자와 Ⅲ급비밀 소통용 암호자재 취급 인가권자는 다음 각 호와 같다. ➜ Ⅱ · Ⅲ / Ⅲ
> 1. 제1항 각 호의 사람
> 2. 중앙행정기관등인 청의 장 ➜ 경찰청장은 여기 해당
> 3. 지방자치단체의 장
> 4. 특별시 · 광역시 · 도 및 특별자치시 · 특별자치도의 교육감
> 5. 제1호부터 제4호까지의 사람이 지정한 기관의 장

① [○]

> 대통령령 보안업무규정 제4조【비밀의 구분】 비밀은 그 중요성과 가치의 정도에 따라 다음 각 호와 같이 구분한다.
> 1. Ⅰ급비밀: 누설될 경우 대한민국과 외교관계가 단절되고 전쟁을 일으키며, 국가의 방위계획 · 정보활동 및 국가방위에 반드시 필요한 과학과 기술의 개발을 위태롭게 하는 등의 우려가 있는 비밀 예 핵무기 개발계획

② [○]

> 대통령령 보안업무규정 제8조【비밀 · 암호자재의 취급】 비밀은 해당 등급의 비밀취급 인가를 받은 사람만 취급할 수 있으며, 암호자재는 해당 등급의 비밀 소통용 암호자재취급 인가를 받은 사람만 취급할 수 있다.

④ [○]

> 대통령령 보안업무규정 제12조【분류원칙】 ① 비밀은 적절히 보호할 수 있는 최저등급으로 분류하되, 과도하거나 과소하게 분류해서는 아니 된다. ➜ 과도 · 과소분류 금지원칙

## 090 「보안업무규정」에 관한 내용으로 가장 적절한 것은? [2024 승진]

① 비밀은 그 중요성과 가치의 정도에 따라 구분하는데, 누설될 경우 국가안전보장에 막대한 지장을 끼칠 우려가 있는 비밀은 Ⅰ급비밀로 구분한다.

② 지방자치단체의 장, 광역시 · 도의 교육감, 경찰청장은 Ⅱ급 및 Ⅲ급비밀 취급인가권자와 Ⅲ급비밀 소통용 암호자재 취급인가권자이다.

③ 비밀은 적절히 보호할 수 있는 최고등급으로 분류하되, 과도하거나 과소하게 분류해서는 아니 된다.

④ 각급기관의 장은 비밀분류를 통일성있고 적절하게 하기 위하여 세부 분류지침을 작성하여 시행하여야 하며 이 경우 세부 분류지침은 공개하는 것을 원칙으로 한다.

**정답 및 해설 I ②**

② [○]

| |
|---|
| 대통령령 **보안업무규정 제9조【비밀 · 암호자재취급 인가권자】** ② Ⅱ급 및 Ⅲ급비밀 취급 인가권자와 Ⅲ급비밀 소통용 암호자재 취급 인가권자는 다음 각 호와 같다.<br>1. 제1항 각 호의 사람 ➜ 대통령 · 국무총리 · 각부, 처의 정 · 공수처장 · 검찰총장 · 국정원장 등: Ⅰ급 비밀 / Ⅱ · Ⅲ급 소통용 암호자재 취급 인가권자!<br>2. 중앙행정기관등인 청의 장<br>3. 지방자치단체의 장<br>4. 특별시 · 광역시 · 도 및 특별자치시 · 특별자치도의 교육감<br>5. 제1호부터 제4호까지의 사람이 지정한 기관의 장 |

① [×] 막대한 지장은 Ⅱ급 비밀이다.

| |
|---|
| 대통령령 **보안업무규정 제4조【비밀의 구분】** 비밀은 그 중요성과 가치의 정도에 따라 다음 각 호와 같이 구분한다.<br>1. **Ⅰ급비밀**: 누설될 경우 대한민국과 외교관계가 단절되고 전쟁을 일으키며, 국가의 방위계획 · 정보활동 및 국가방위에 반드시 필요한 과학과 기술의 개발을 위태롭게 하는 등의 우려가 있는 비밀<br>2. **Ⅱ급비밀**: 누설될 경우 국가안전보장에 막대한 지장을 끼칠 우려가 있는 비밀 |

③ [×] 적절히 보호할 수 있는 **최저등급**으로 분류하여야 한다.

| |
|---|
| 대통령령 **보안업무규정 제12조【분류원칙】** ① 비밀은 적절히 보호할 수 있는 최저등급으로 분류하되, 과도하거나 과소하게 분류해서는 아니 된다. ➜ 과도과소분류 금지원칙 |

④ [×] 세부 분류지침은 공개하지 않는다.

| |
|---|
| 대통령령 **보안업무규정 제13조【분류지침】** 각급기관의 장은 비밀 분류를 통일성 있고 적절하게 하기 위하여 세부 분류지침을 작성하여 시행하여야 한다. 이 경우 세부 분류지침은 공개하지 않는다. |

## 091 「보안업무규정」상 비밀보호에 관한 설명으로 틀린 것은 모두 몇 개인가? [2016 채용 1차]

| |
|---|
| ㉠ 각급기관의 장은 비밀의 분류 · 취급 · 유통 및 이관 등의 모든 과정에서 비밀이 누설되거나 유출되지 아니하도록 보안대책을 수립하여 시행하여야 한다.<br>㉡ 비밀은 해당 등급의 비밀취급 인가를 받은 사람만 취급할 수 있다.<br>㉢ 비밀은 적절히 보호할 수 있는 최고등급으로 분류하되, 과도하거나 과소하게 분류해서는 아니 된다.<br>㉣ 비밀은 그 자체의 내용과 가치의 정도에 따라 분류하여야 하며, 다른 비밀과 관련해서 분류해서는 아니 된다.<br>㉤ 경찰청장은 Ⅱ급 및 Ⅲ급비밀 취급 인가권자이다. |

① 1개 ② 2개

③ 3개 ④ 4개

**정답 및 해설 I ①**

㉠ [○]

| |
|---|
| 대통령령 **보안업무규정 제5조【비밀의 보호와 관리 원칙】** 각급기관의 장은 비밀의 작성 · 분류 · 취급 · 유통 및 이관 등의 모든 과정에서 비밀이 누설되거나 유출되지 아니하도록 보안대책을 수립하여 시행하여야 한다. 이 경우 비밀의 제목 등 해당 비밀의 내용을 유추할 수 있는 정보가 포함된 자료는 공개하지 않는다. |

㉡ [○]

| |
|---|
| 대통령령 **보안업무규정 제8조【비밀 · 암호자재의 취급】** 비밀은 해당 등급의 비밀취급 인가를 받은 사람만 취급할 수 있으며, 암호자재는 해당 등급의 비밀 소통용 암호자재취급 인가를 받은 사람만 취급할 수 있다. |

ⓒ [×] 최저등급으로 분류한다. / ⓔ [○]

> **대통령령** **보안업무규정 제12조【분류원칙】** ① 비밀은 적절히 보호할 수 있는 **최저등급**으로 분류하되, 과도하거나 과소하게 분류해서는 아니 된다. ➜ 과도 · 과소분류금지의 원칙
> ② 비밀은 **그 자체**의 내용과 가치의 정도에 따라 분류하여야 하며, 다른 비밀과 관련하여 분류해서는 아니 된다. ➜ 독립분류의 원칙
> ③ 외국 정부나 국제기구로부터 접수한 비밀은 **그 생산기관이 필요로 하는 정도로** 보호할 수 있도록 분류하여야 한다. ➜ 외국비밀존중의 원칙

ⓜ [○]

> **대통령령** **보안업무규정 제9조【비밀 · 암호자재취급 인가권자】** ② Ⅱ급 및 Ⅲ급비밀 취급 인가권자와 Ⅲ급비밀 소통용 암호자재 취급 인가권자는 다음 각 호와 같다. ➜ Ⅱ · Ⅲ / Ⅲ
> 1. 제1항 각 호의 사람
> 2. **중앙행정기관등인 청의 장** ➜ 경찰청장은 여기 해당
> 3. 지방자치단체의 장
> 4. 특별시 · 광역시 · 도 및 특별자치시 · 특별자치도의 교육감

## 092 보안업무에 관한 설명으로 가장 적절한 것은?

[2015 승진(경위)]

① 경찰공무원은 임용과 동시에 Ⅰ급비밀 취급권을 갖는다.

② 비밀의 등급은 보안과에서 일괄 결정한다.

③ 비밀의 보관용기는 외부에 비밀의 보관을 알리거나 나타내는 표시를 반드시 하여야 한다.

④ 비밀 분류시 과도 또는 과소분류금지 원칙, 독립분류의 원칙, 외국비밀존중의 원칙을 준수하여야 한다.

**정답 및 해설 Ⅰ ④**

④ [○]

> **대통령령** **보안업무규정 제12조【분류원칙】** ① 비밀은 적절히 보호할 수 있는 **최저등급**으로 분류하되, 과도하거나 과소하게 분류해서는 아니 된다. ➜ 과도 · 과소분류금지의 원칙
> ② 비밀은 **그 자체**의 내용과 가치의 정도에 따라 분류하여야 하며, 다른 비밀과 관련하여 분류해서는 아니 된다. ➜ 독립분류의 원칙
> ③ 외국 정부나 국제기구로부터 접수한 비밀은 **그 생산기관이 필요로 하는 정도로** 보호할 수 있도록 분류하여야 한다. ➜ 외국비밀존중의 원칙

① [×] Ⅲ급비밀 취급권을 갖는다.

> **훈령** **보안업무규정 시행 세부규칙 제15조【특별인가】** ① 모든 경찰공무원(전투경찰순경을 포함한다)은 임용과 동시 Ⅲ급 비밀취급권을 가진다.

② [×] 비밀을 생산 또는 관리하는 사람이 분류 · 재분류 책임을 진다.

> **대통령령** **보안업무규정 제11조【비밀의 분류】** ③ **비밀을 생산하거나 관리하는 사람**은 비밀의 작성을 완료하거나 비밀을 접수하는 즉시 그 비밀을 분류하거나 재분류할 책임이 있다.

③ [×] 어떠한 표시도 해서는 안 된다.

> **훈령** **보안업무규정 시행규칙 제34조【보관용기】** ① 비밀의 보관용기 외부에는 비밀의 보관을 알리거나 나타내는 **어떠한 표시도 해서는 아니 된다.**
> ② 보관용기의 잠금장치의 종류 및 사용방법은 보관책임자 외의 사람이 알지 못하도록 특별한 통제를 하여야 하며, 다른 사람이 알았을 때에는 즉시 이를 변경하여야 한다.

## 093 비밀에 대한 설명으로 가장 적절하지 않은 것은? [2022 승진]

① 「보안업무규정 시행 세부규칙」상 모든 경찰공무원(전투경찰순경을 포함한다)은 임용과 동시 Ⅲ급 비밀취급권을 가진다.

② 「보안업무규정 시행 세부규칙」상 정보부서에 근무하는 경찰공무원은 그 보직발령과 동시에 Ⅱ급 비밀취급권을 인가받은 것으로 한다.

③ 「보안업무규정」과 「보안업무규정 시행규칙」상 보호지역 중 제한구역은 비인가자가 비밀, 주요시설 및 Ⅲ급 비밀 소통용 암호자재에 접근하는 것을 방지하기 위하여 안내를 받아 출입하여야 하는 구역을 말한다.

④ 「보안업무규정」상 비밀은 그 중요성과 가치의 정도에 따라 구분하며 누설될 경우 국가안전보장에 해를 끼칠 우려가 있는 비밀은 Ⅱ급 비밀에 해당한다.

**정답 및 해설 I ④**

④ [×] 누설될 경우 국가안전보장에 해를 끼칠 우려가 있는 비밀은 **Ⅲ급 비밀**에 해당한다.

> 대통령령 **보안업무규정 제4조【비밀의 구분】** 비밀은 그 중요성과 가치의 정도에 따라 다음 각 호와 같이 구분한다.
> 1. **Ⅰ급비밀**: 누설될 경우 대한민국과 외교관계가 단절되고 전쟁을 일으키며, 국가의 방위계획 · 정보활동 및 국가방위에 반드시 필요한 과학과 기술의 개발을 위태롭게 하는 등의 우려가 있는 비밀 예 핵무기 개발계획
> 2. **Ⅱ급비밀**: 누설될 경우 국가안전보장에 막대한 지장을 끼칠 우려가 있는 비밀 예 군사용 암호생성 · 해독장비
> 3. **Ⅲ급비밀**: 누설될 경우 국가안전보장에 해를 끼칠 우려가 있는 비밀 예 부대의 인원현황

①② [○]

> 훈령 **보안업무규정 시행 세부규칙 제15조【특별인가】** ① 모든 경찰공무원(전투경찰순경을 포함한다)은 임용과 동시 Ⅲ급 비밀취급권을 가진다.
> ② 경찰공무원 중 다음 각 호의 부서에 근무하는 자(전투경찰순경을 포함한다)는 그 보직발령과 동시에 Ⅱ급 비밀취급권을 인가받은 것으로 한다.
> 1. 경비, 경호, 작전, 항공, 정보통신 담당부서(기동대, 전경대의 경우는 행정부서에 한한다)
> 2. 정보, 안보, 외사부서
> 3. 감찰, 감사 담당부서
> 4. 치안상황실, 발간실, 문서수발실
> 5. 경찰청 각 과의 서무담당자 및 비밀을 관리하는 보안업무 담당자
> 6. 부속기관, 시 · 도경찰청, 경찰서 각 과의 서무담당자 및 비밀을 관리하는 보안업무 담당자
>
> ③ 제1항 및 제2항에 따라 비밀의 취급인가를 받은 자에 대하여는 별도로 비밀취급인가증을 발급하지 않는다. 다만, 업무상 필요한 경우에는 발급할 수 있다.

③ [○]

> 훈령 **보안업무규정 시행규칙 제54조【보호지역의 구분】** ① 영 제34조 제2항에 따른 제한지역, 제한구역 및 통제구역이란 각각 다음 각 호의 지역 또는 구역을 말한다.
> 2. **제한구역**: 비인가자가 비밀, 주요시설 및 Ⅲ급 비밀 소통용 암호자재에 접근하는 것을 방지하기 위하여 안내를 받아 출입하여야 하는 구역

**094** 「보안업무규정」 및 동 시행규칙에 대한 설명으로 가장 적절하지 않은 것은? [2022 경간]

① 누설되는 경우 국가안전보장에 해를 끼칠 우려가 있는 비밀은 이를 III급 비밀로 하며, II급 비밀은 누설되는 경우 국가안전보장에 막대한 지장을 초래할 우려가 있는 비밀을 말한다.

② 비밀취급 인가권자는 업무상 조정 · 감독을 받는 기업체나 단체에 소속된 사람에 대하여 소관 비밀을 계속적으로 취급하게 하여야 할 필요가 있을 때에는 미리 경찰청장과의 협의를 거쳐 해당하는 사람에게 II급 이하의 비밀취급을 인가할 수 있다.

③ 제한구역이란 비인가자가 비밀, 주요시설 및 III급 비밀 소통용 암호자재에 접근하는 것을 방지하기 위하여 안내를 받아 출입하는 구역을 말한다.

④ 비밀열람기록전의 자료는 비밀과 함께 철하여 보관 · 활용하고, 비밀의 보호기간이 만료되면 비밀에서 분리한 후 각각 편철하여 5년간 보관해야 한다.

**정답 및 해설 I ②**

② [×] 일정한 민간인에 대해서도 비밀취급을 인가할 수 있는 경우가 있으며, 이 경우 미리 **국가정보원장과의 협의**를 거친다.

> 훈령 **보안업무규정 시행규칙 제13조【비밀취급 인가의 특례】** ① 비밀취급 인가권자는 업무 상 조정 · 감독을 받는 **기업체나 단체**에 소속된 사람에 대하여 소관 비밀을 계속적으로 취급하게 하여야 할 필요가 있을 때에는 미리 국가정보원장과의 협의를 거쳐 해당하는 사람에게 II급 이하의 비밀취급을 인가할 수 있다.

① [○] 보안업무규정 제4조

> 대통령령 **보안업무규정 제4조【비밀의 구분】** 비밀은 그 중요성과 가치의 정도에 따라 다음 각 호와 같이 구분한다.
> 2. **II급비밀**: 누설될 경우 국가안전보장에 막대한 지장을 끼칠 우려가 있는 비밀 예 군사용 암호생성 · 해독장비
> 3. **III급비밀**: 누설될 경우 국가안전보장에 해를 끼칠 우려가 있는 비밀 예 부대의 인원현황

③ [○]

> 훈령 **보안업무규정 시행규칙 제54조【보호지역의 구분】** ① 영 제34조 제2항에 따른 제한지역, 제한구역 및 통제구역이란 각각 다음 각 호의 지역 또는 구역을 말한다.
> 2. **제한구역**: 비인가자가 비밀, 주요시설 및 III급 비밀 소통용 암호자재에 접근하는 것을 방지하기 위하여 안내를 받아 출입하여야 하는 구역

④ [○]

> 훈령 **보안업무규정 시행규칙 제70조【비밀 및 암호자재 관련 자료의 보관】** ① 다음 각 호의 자료는 비밀과 함께 철하여 보관 · 활용하고, 비밀의 보호기간이 만료되면 비밀에서 분리한 후 각각 편철하여 5년간 보관해야 한다.
> 1. 비밀접수증 / 2. 비밀열람기록전 / 3. 배부처

## 095 '보안업무규정'상 비밀보호를 설명한 것으로 다음 보기 중 틀린 것은 몇 개인가? [2016 지능범죄]

> ㉠ 비밀은 그 중요성과 가치의 정도에 따라 Ⅰ급 · Ⅱ급 · Ⅲ급비밀로 구분한다.
> ㉡ Ⅱ급 비밀은 누설될 경우 국가안전보장에 해를 끼칠 우려가 있는 비밀이다.
> ㉢ 외국 정부나 국제기구로부터 접수한 비밀은 그 생산기관이 필요로 하는 정도로 보호할 수 있도록 분류하여야 한다.
> ㉣ 각급기관의 장은 비밀의 작성 · 분류 · 접수 · 발송 및 취급 등에 필요한 모든 관리사항을 기록하기 위하여 비밀관리기록부를 작성하여 갖추어 두어야 한다. 다만, Ⅰ급비밀관리기록부는 따로 작성하여 갖추어 두어야 하며, 암호자재는 암호자재 관리기록부로 관리한다.
> ㉤ 각급기관의 장은 매 분기별 비밀 소유 현황을 조사하여 국가정보원장에게 통보하여야 한다.

① 없음　　② 1개
③ 2개　　④ 3개

**정답 및 해설 | ③**

㉠ [○] ㉡ [×] **Ⅱ급비밀**은 '막대한 지장', **Ⅲ급비밀**은 '해'이다.

> 대통령령 **보안업무규정 제4조【비밀의 구분】** 비밀은 그 중요성과 가치의 정도에 따라 다음 각 호와 같이 구분한다.
> 1. **Ⅰ급비밀**: 누설될 경우 대한민국과 외교관계가 단절되고 전쟁을 일으키며, 국가의 방위계획 · 정보활동 및 국가방위에 반드시 필요한 과학과 기술의 개발을 위태롭게 하는 등의 우려가 있는 비밀 예 핵무기 개발계획
> 2. **Ⅱ급비밀**: 누설될 경우 국가안전보장에 막대한 지장을 끼칠 우려가 있는 비밀 예 군사용 암호생성 · 해독장비
> 3. **Ⅲ급비밀**: 누설될 경우 국가안전보장에 해를 끼칠 우려가 있는 비밀 예 부대의 인원현황

㉢ [○]

> 대통령령 **보안업무규정 제12조【분류원칙】** ③ 외국 정부나 국제기구로부터 접수한 비밀은 그 생산기관이 필요로 하는 정도로 보호할 수 있도록 분류하여야 한다. ➜ 외국비밀존중의 원칙

㉣ [○]

> 대통령령 **보안업무규정 제22조【비밀관리기록부】** ① 각급기관의 장은 비밀의 작성 · 분류 · 접수 · 발송 및 취급 등에 필요한 모든 관리사항을 기록하기 위하여 비밀관리기록부를 작성하여 갖추어 두어야 한다. 다만, Ⅰ급비밀관리기록부는 따로 작성하여 갖추어 두어야 하며, 암호자재는 암호자재 관리기록부로 관리한다.
> ② 비밀관리기록부와 암호자재 관리기록부에는 모든 비밀과 암호자재에 대한 보안책임 및 보안관리 사항이 정확히 기록 · 보존되어야 한다.

㉤ [×] 연 2회 통보하여야 한다.

> 대통령령 **보안업무규정 제31조【비밀 소유 현황 통보】** ① 각급기관의 장은 연 2회 비밀 소유 현황을 조사하여 국가정보원장에게 통보하여야 한다.
> ② 제1항에 따라 조사 및 통보된 비밀 소유 현황은 공개하지 않는다.

**096** 대통령령 훈령인 '보안업무규정 시행규칙'에 대한 다음 설명 중 옳지 않은 것은 모두 몇 개인가?

[2017 경간]

> ㉠ Ⅰ급비밀은 반드시 금고에 보관하여야 하며, 보관책임자가 Ⅰ급비밀취급인가를 받은 때에는 Ⅰ급비밀을 Ⅱ · Ⅲ급비밀과 혼합 보관할 수 있다.
> ㉡ 비밀의 보관용기 외부는 비밀의 보관을 알리거나 나타내는 어떠한 표시도 하여서는 아니 된다.
> ㉢ 비밀열람기록전은 그 비밀을 파기시에 같이 파기하는 것이 아니라 분리하여 따로 철하여 보관하여야 한다.
> ㉣ 비밀열람기록전의 보존기간은 3년이다.

① 0개 ② 1개

③ 2개 ④ 3개

**정답 및 해설 I ③**

㉠ [×] Ⅰ급비밀은 다른 비밀과 혼합하여 보관할 수 없다. 다만, Ⅱ급비밀과 Ⅲ급비밀은 같은 용기에 혼합하여 보관할 수 있는 경우가 있다.

> 훈령 보안업무규정 시행규칙 제33조【보관기준】 ① 비밀은 일반문서나 암호자재와 혼합하여 보관하여서는 아니 된다.
> ② Ⅰ급비밀은 반드시 금고에 보관하여야 하며, 다른 비밀과 혼합하여 보관하여서는 아니 된다.
> ③ Ⅱ급비밀 및 Ⅲ급비밀은 금고 또는 이중 철제캐비닛 등 잠금장치가 있는 안전한 용기에 보관하여야 하며, 보관책임자가 Ⅱ급비밀 취급 인가를 받은 때에는 Ⅱ급비밀과 Ⅲ급비밀을 같은 용기에 혼합하여 보관할 수 있다.
> ④ 보관용기에 넣을 수 없는 비밀은 제한구역 또는 통제구역에 보관하는 등 그 내용이 노출되지 아니하도록 특별한 보호대책을 마련하여야 한다.

㉡ [○]

> 훈령 보안업무규정 시행규칙 제34조【보관용기】 ① 비밀의 보관용기 외부에는 비밀의 보관을 알리거나 나타내는 어떠한 표시도 해서는 아니 된다.
> ② 보관용기의 잠금장치의 종류 및 사용방법은 보관책임자 외의 사람이 알지 못하도록 특별한 통제를 하여야 하며, 다른 사람이 알았을 때에는 즉시 이를 변경하여야 한다.

㉢ [○] ㉣ [×] 비밀열람기록전의 보존기간은 5년이다.

> 훈령 보안업무규정 시행규칙 제70조【비밀 및 암호자재 관련 자료의 보관】 ① 다음 각 호의 자료는 비밀과 함께 철하여 보관 · 활용하고, 비밀의 보호기간이 만료되면 비밀에서 분리한 후 각각 편철하여 5년간 보관해야 한다.
> 1. 비밀접수증
> 2. 비밀열람기록전
> 3. 배부처

**097** 「보안업무규정 시행규칙」에 관한 다음 설명 중 가장 옳지 않은 것은? [2018 경간]

① 비밀취급 인가권자는 소속 직원의 인사기록 카드에 기록된 비밀취급의 인가 및 인가해제 사유와 임용시의 신원조사회보서에 따라 새로 신원조사를 하지 아니하고 비밀취급을 인가할 수 있다. 다만, Ⅰ급비밀 취급을 인가할 때에는 새로 신원조사를 하여야 한다.

② 비밀취급 인가권자는 업무상 조정 · 감독을 받는 기업체나 단체에 소속된 사람에 대하여 소관 비밀을 계속적으로 취급하게 하여야 할 필요가 있을 때에는 미리 국가정보원장과의 협의를 거쳐 해당하는 사람에게 Ⅱ급 이하의 비밀취급을 인가할 수 있다.

③ Ⅱ급비밀 및 Ⅲ급비밀은 금고 또는 이중 철제캐비닛 등 잠금장치가 있는 안전한 용기에 보관하여야 하며, 보관책임자가 Ⅱ급비밀 취급 인가를 받은 때에는 Ⅱ급비밀과 Ⅲ급비밀을 같은 용기에 혼합하여 보관할 수 있다.

④ 보관용기에 넣을 수 없는 비밀은 제한지역에 보관하는 등 그 내용이 노출되지 아니하도록 특별한 보호대책을 마련하여야 한다.



**정답 및 해설 | ④**

④ [×] 제한지역이 아닌 제한구역 또는 통제구역이다.

> 훈령 **보안업무규정 시행규칙 제33조【보관기준】** ④ 보관용기에 넣을 수 없는 비밀은 제한구역 또는 통제구역에 보관하는 등 그 내용이 노출되지 아니하도록 특별한 보호대책을 마련하여야 한다.

① [○]

> 훈령 **보안업무규정 시행규칙 제12조【비밀취급 인가의 제한】** ① 비밀취급 인가권자는 임무 및 직책상 해당 등급의 비밀을 항상 취급하는 사람에 한정하여 비밀취급을 인가하여야 한다.
> ② 비밀취급 인가권자는 소속 직원의 인사기록 카드에 기록된 비밀취급의 인가 및 인가해제 사유와 임용 시의 신원조사회보서에 따라 새로 신원조사를 하지 아니하고 비밀취급을 인가할 수 있다. 다만, Ⅰ급비밀 취급을 인가할 때에는 새로 신원조사를 하여야 한다.
> ③ 신원조사 결과 국가안전보장에 유해한 정보가 있음이 확인된 사람은 비밀취급 인가를 받을 수 없다.
> ④ 비밀취급 인가가 해제된 사람은 비밀을 취급하는 직책으로부터 해임되어야 한다.

② [○]

> 훈령 **보안업무규정 시행규칙 제13조【비밀취급 인가의 특례】** ① 비밀취급 인가권자는 업무상 조정 · 감독을 받는 기업체나 단체에 소속된 사람에 대하여 소관 비밀을 계속적으로 취급하게 하여야 할 필요가 있을 때에는 미리 국가정보원장과의 협의를 거쳐 해당하는 사람에게 Ⅱ급 이하의 비밀취급을 인가할 수 있다.

③ [○]

> 훈령 **보안업무규정 시행규칙 제33조【보관기준】** ① 비밀은 일반문서나 암호자재와 혼합하여 보관하여서는 아니 된다.
> ② Ⅰ급비밀은 반드시 금고에 보관하여야 하며, 다른 비밀과 혼합하여 보관하여서는 아니 된다.
> ③ Ⅱ급비밀 및 Ⅲ급비밀은 금고 또는 이중 철제캐비닛 등 잠금장치가 있는 안전한 용기에 보관하여야 하며, 보관책임자가 Ⅱ급비밀 취급 인가를 받은 때에는 Ⅱ급비밀과 Ⅲ급비밀을 같은 용기에 혼합하여 보관할 수 있다.
> ④ 보관용기에 넣을 수 없는 비밀은 제한구역 또는 통제구역에 보관하는 등 그 내용이 노출되지 아니하도록 특별한 보호대책을 마련하여야 한다.

## 098 「보안업무규정」상 비밀보호에 대한 설명으로 가장 적절하지 않은 것은? [2019 승진(경위)]

① Ⅰ급비밀은 그 생산자의 허가를 받은 경우에도 모사 · 타자 · 인쇄 · 조각 · 녹음 · 촬영 · 인화 · 확대 등 그 원형을 재현하는 행위를 할 수 없다.

② 비밀은 해당 등급의 비밀취급 인가를 받은 사람 중 그 비밀과 업무상 직접 관계가 있는 사람만 열람할 수 있다.

③ 공무원 또는 공무원이었던 사람은 법률에서 정하는 경우를 제외하고는 소속 기관의 장이나 소속되었던 기관의 장의 승인 없이 비밀을 공개해서는 아니 된다.

④ 비밀은 보관하고 있는 시설 밖으로 반출해서는 아니 된다. 다만, 공무상 반출이 필요할 때에는 소속 기관의 장의 승인을 받아야 한다.

**정답 및 해설 I ①**

① [×] 생산자의 허가를 받은 경우에는 가능하다.

> 대통령령 **보안업무규정 제23조【비밀의 복제 · 복사 제한】** ① 비밀의 일부 또는 전부나 암호자재에 대해서는 모사 · 타자 · 인쇄 · 조각 · 녹음 · 촬영 · 인화 · 확대 등 그 **원형을 재현하는 행위를 할 수 없다**. 다만, 다음 각 호의 구분에 따른 비밀의 경우에는 그러하지 아니하다.
> 1. **Ⅰ급비밀**: 그 생산자의 허가를 받은 경우
> 2. **Ⅱ급비밀 및 Ⅲ급비밀**: 그 생산자가 특정한 제한을 하지 아니한 것으로서 해당 등급의 **비밀취급 인가를 받은 사람이** 공용으로 사용하는 경우
> 3. **전자적 방법으로 관리되는 비밀**: 해당 비밀을 보관하기 위한 용도인 경우

② [○]

> 대통령령 **보안업무규정 제24조【비밀의 열람】** ① 비밀은 해당 등급의 **비밀취급** 인가를 받은 사람 중 그 비밀과 업무상 **직접 관계가 있는 사람만 열람할 수 있다**. ➜ 비밀취급 인가 + 업무상 직접 관계

③ [○]

> 대통령령 **보안업무규정 제25조【비밀의 공개】** ② 공무원 또는 공무원이었던 사람은 법률에서 정하는 경우를 제외하고는 소속 기관의 장이나 소속되었던 기관의 장의 승인 없이 비밀을 공개해서는 아니 된다.

④ [○]

> 대통령령 **보안업무규정 제27조【비밀의 반출】** 비밀은 보관하고 있는 시설 밖으로 반출해서는 아니 된다. 다만, 공무상 반출이 필요할 때에는 소속 기관의 장의 승인을 받아야 한다.

## 099 「보안업무규정」상 비밀보호에 관한 설명으로 가장 적절하지 않은 것은? [2023 채용 2차]

① 각급기관의 장은 비밀의 작성 · 분류 · 접수 · 발송 및 취급 등에 필요한 모든 관리사항을 기록하기 위하여 비밀관리기록부를 작성하여 갖추어 두어야 한다. 다만, Ⅱ급 이상 비밀관리기록부는 따로 작성하여 갖추어 두어야 한다.

② 각급기관의 장은 비밀문서의 접수 · 발송 · 복제 · 열람 및 반출 등의 통제에 필요한 규정을 따로 작성 · 운영할 수 있다.

③ 각급기관의 장은 연 2회 비밀 소유 현황을 조사하여 국가정보원장에게 통보하여야 한다.

④ 중앙행정기관등의 장은 국가안전보장을 위하여 국민에게 긴급히 알려야 할 필요가 있다고 판단될 때에는 그가 생산한 비밀을 「보안업무규정」 제3조의3에 따른 보안심사위원회의 심의를 거쳐 공개할 수 있다. 다만, Ⅰ급비밀의 공개에 관하여는 국가정보원장과 미리 협의해야 한다.

**정답 및 해설 I** ①

① [×] I급 이상 비밀관리기록부는 따로 작성하여 갖추어 두어야 한다.

> 대통령령 **보안업무규정 제22조【비밀관리기록부】** ① 각급기관의 장은 비밀의 작성 · 분류 · 접수 · 발송 및 취급 등에 필요한 모든 관리사항을 기록하기 위하여 비밀관리기록부를 작성하여 갖추어 두어야 한다. 다만, Ⅰ급비밀관리기록부는 따로 작성하여 갖추어 두어야 하며, 암호자재는 암호자재 관리기록부로 관리한다.

② [○]

> 대통령령 **보안업무규정 제29조【비밀문서의 통제】** 각급기관의 장은 비밀문서의 접수 · 발송 · 복제 · 열람 및 반출 등의 통제에 필요한 규정을 따로 작성 · 운영할 수 있다.

③ [○]

> 대통령령 **보안업무규정 제31조【비밀 소유 현황 통보】** ① 각급기관의 장은 연 2회 비밀 소유 현황을 조사하여 국가정보원장에게 통보하여야 한다.
> ② 제1항에 따라 조사 및 통보된 비밀 소유 현황은 공개하지 않는다.

④ [○]

> 대통령령 **보안업무규정 제25조【비밀의 공개】** ① 중앙행정기관등의 장은 다음 각 호의 어느 하나에 해당하는 사유가 있을 때에는 그가 생산한 비밀을 제3조의3에 따른 보안심사위원회의 심의를 거쳐 공개할 수 있다. 다만, Ⅰ급비밀의 공개에 관하여는 국가정보원장과 미리 협의해야 한다.
> 1. 국가안전보장을 위하여 국민에게 긴급히 알려야 할 필요가 있다고 판단될 때
> 2. 공개함으로써 국가안전보장 또는 국가이익에 현저한 도움이 된다고 판단될 때



**100** 「보안업무규정」에 대한 설명으로 가장 적절한 것은? [2018 채용 3차]

① 각급기관의 장은 비밀의 작성 · 분류 · 접수 · 발송 및 취급 등에 필요한 모든 관리사항을 기록하기 위하여 비밀관리기록부를 작성하여 갖추어 두어야 한다. 다만, Ⅱ급 이상 비밀관리기록부는 따로 작성하여 갖추어 두어야 하며, 암호자재는 암호자재 관리기록부로 관리한다.

② 그 생산자가 특정한 제한을 하지 아니한 것으로서 해당 등급의 비밀취급 인가를 받은 사람이 공용(共用)으로 사용하는 경우 Ⅰ급 비밀의 일부 또는 전부에 대해서 모사(模寫) · 타자(打字) · 인쇄 · 조각 · 녹음 · 촬영 · 인화(印畫) · 확대 등 그 원형을 재현(再現)하는 행위를 할 수 있다.

③ 비밀취급 인가를 받지 아니한 사람에게 비밀을 열람하거나 취급하게 할 때에는 국가정보원장이 정하는 바에 따라 소속 기관의 장(비밀이 군사와 관련된 사항인 경우에는 국방부장관)이 미리 열람자의 인적사항과 열람하려는 비밀의 내용 등을 확인하고 열람시 비밀 보호에 필요한 자체 보안대책을 마련하는 등의 보안조치를 하여야 한다. 다만, Ⅰ급비밀의 보안조치에 관하여는 국가정보원장과 미리 협의하여야 한다.

④ 각급기관의 장은 보안 업무의 효율적인 수행을 위하여 필요하다고 인정되는 경우에는 국가정보원장의 승인하에 해당 비밀의 보존기간 내에서 그 사본을 제작하여 보관할 수 있다.

**정답 및 해설 | ③**

③ [○]

> 대통령령 **보안업무규정 제24조【비밀의 열람】** ① 비밀은 해당 등급의 **비밀취급 인가를 받은 사람 중 그 비밀과 업무상 직접 관계가 있는 사람만** 열람할 수 있다. ➜ 비밀취급 인가 + 업무상 직접 관계
> ② 비밀취급 인가를 받지 아니한 사람에게 비밀을 열람하거나 취급하게 할 때에는 국가정보원장이 정하는 바에 따라 소속 기관의 장(비밀이 군사와 관련된 사항인 경우에는 국방부장관)이 미리 열람자의 인적사항과 열람하려는 비밀의 내용 등을 확인하고 열람 시 비밀 보호에 필요한 자체 보안대책을 마련하는 등의 보안조치를 하여야 한다. 다만, **Ⅰ급비밀의 보안조치에 관하여는 국가정보원장과 미리 협의**하여야 한다.

① [×] Ⅰ급비밀관리기록부는 따로 작성하여 갖추어 두어야 한다.

> 대통령령 **보안업무규정 제22조【비밀관리기록부】** ① 각급기관의 장은 비밀의 작성 · 분류 · 접수 · 발송 및 취급 등에 필요한 모든 관리사항을 기록하기 위하여 비밀관리기록부를 작성하여 갖추어 두어야 한다. 다만, **Ⅰ급비밀관리기록부는 따로 작**성하여 갖추어 두어야 하며, 암호자재는 암호자재 관리기록부로 관리한다.

② [×] 모사 등을 하기 위해서, **Ⅱ급비밀 및 Ⅲ급비밀**은 생산자가 특정한 제한을 하지 않았고 비밀취급 인가자가 공용으로 사용시 가능하지만, **Ⅰ급비밀**의 경우에는 **생산자 허가**를 받아야 한다. / ④ [×] 이는 각급기관의 장의 권한으로 국가정보원장의 승인이 필요한 사항이 아니다.

> 대통령령 **보안업무규정 제23조【비밀의 복제 · 복사 제한】** ① 비밀의 일부 또는 전부나 암호자재에 대해서는 모사 · 타자 · 인쇄 · 조각 · 녹음 · 촬영 · 인화 · 확대 등 **그 원형을 재현하는 행위를 할 수 없다.** 다만, 다음 각 호의 구분에 따른 비밀의 경우에는 그러하지 아니하다.
> 1. **Ⅰ급비밀**: 그 생산자의 허가를 받은 경우
> 2. **Ⅱ급비밀 및 Ⅲ급비밀**: 그 생산자가 특정한 제한을 하지 아니한 것으로서 해당 등급의 **비밀취급 인가를 받은 사람이** 공용으로 사용하는 경우
> 3. **전자적 방법으로 관리되는 비밀**: 해당 비밀을 **보관하기 위한** 용도인 경우
>
> ② 각급기관의 장은 보안 업무의 효율적인 수행을 위하여 필요하다고 인정되는 경우에는 해당 비밀의 보존기간 내에서 제1항 단서에 따라 **그 사본을 제작하여 보관할 수 있다.**

## 101 「보안업무규정 시행규칙」상 비밀의 관리방법으로 옳은 것은 모두 몇 개인가? [2020 경간]

> 가. 비밀보관책임자는 보관비밀을 대출하는 때에는 비밀대출부에 관련사항을 기록 · 유지한다.
> 나. 비밀관리기록부와 암호자재 관리기록부에는 모든 비밀과 암호자재에 대한 보안책임 및 보안관리 사항이 정확히 기록 · 보존되어야 한다.
> 다. 비밀열람기록전은 그 비밀의 생산기관이 첨부하며, 비밀을 파기하는 때에는 비밀에서 분리하여 따로 철하여 보관하여야 한다.
> 라. 각급기관의 장은 비밀의 작성 · 분류 · 접수 · 발송 및 취급 등에 필요한 모든 관리사항을 기록하기 위하여 비밀관리기록부를 작성하여 갖추어 두어야 한다. 다만, Ⅰ급비밀관리기록부는 따로 작성하여 갖추어 두어야 하며, 암호자재는 암호자재 관리기록부로 관리한다.
> 마. 비밀의 발간업무에 종사하는 사람은 작업일지에 작업에 관한 사항을 기록 · 보관해야 한다.
> 바. 비밀접수증, 비밀열람기록전, 배부처는 비밀의 보호기간이 만료되면 비밀에서 분리한 후 각각 편철하여 5년간 보존하여야 한다.

① 2개 ② 3개
③ 4개 ④ 5개

**정답 및 해설 I ③**

가. [○] 제1항 / 다. [○] 제3항 / 마. [○] 제5항

> 훈령 **보안업무규정 시행규칙 제45조【비밀의 대출 및 열람】** ① 비밀보관책임자는 보관비밀을 대출하는 때에는 별지 제15호서식의 비밀대출부에 관련 사항을 기록·유지한다.
> ② 개별 비밀에 대한 열람자 범위를 파악하기 위하여 각각의 비밀문서 끝 부분에 별지 제16호서식의 비밀열람기록전을 첨부한다. 이 경우 문서 형태 외의 비밀에 대한 열람기록은 따로 비밀열람기록전(철)을 비치하고 기록·유지한다.
> ③ 제2항에 따른 비밀열람기록전은 그 비밀의 생산기관이 첨부하며, 비밀을 파기하는 때에는 비밀에서 분리하여 따로 철하여 보관하여야 한다. ➜ 비밀 자체는 파기되어도 비밀열람기록전은 따로 보관되어(5년), 누가 해당 비밀을 열람했는지 파악할 수 있다.
> ④ 비밀열람자는 비밀을 열람하기에 앞서 비밀열람기록전에 정해진 사항을 기재하고 서명 또는 날인한 후 비밀을 열람하여야 한다.
> ⑤ 비밀의 발간업무에 종사하는 사람은 작업일지에 작업에 관한 사항을 기록·보관해야 한다. 이 경우 작업일지는 비밀열람기록전을 갈음하는 것으로 본다.

나. 라. [×] 지문의 내용 자체는 맞지만, 보안업무규정 시행세칙이 아니라 보안업무규정에 해당 내용이 존재한다.

> 대통령령 **보안업무규정 제22조【비밀관리기록부】** ① 각급기관의 장은 비밀의 작성·분류·접수·발송 및 취급 등에 필요한 모든 관리사항을 기록하기 위하여 비밀관리기록부를 작성하여 갖추어 두어야 한다. 다만, **Ⅰ급비밀관리기록부는** 따로 작성하여 갖추어 두어야 하며, 암호자재는 암호자재 관리기록부로 관리한다.
> ② 비밀관리기록부와 암호자재 관리기록부에는 모든 비밀과 암호자재에 대한 보안책임 및 보안관리 사항이 정확히 기록·보존되어야 한다.

바. [○]

> 훈령 **보안업무규정 시행규칙 제70조【비밀 및 암호자재 관련 자료의 보관】** ① 다음 각 호의 자료는 비밀과 함께 철하여 보관·활용하고, 비밀의 보호기간이 만료되면 비밀에서 분리한 후 각각 편철하여 5년간 보관해야 한다.
> 1. 비밀접수증
> 2. 비밀열람기록전
> 3. 배부처

**102** 「보안업무규정」에 따른 보호지역 중 비인가자가 비밀, 주요시설 및 Ⅲ급 비밀 소통용 암호자재에 접근하는 것을 방지 하기 위하여 안내를 받아 출입하여야 하는 구역에 해당하는 장소는? [2024 1차 채용]

① 작전·경호·정보·안보업무 담당부서 전역

② 무기고 및 탄약고

③ 종합상황실

④ 종합조회처리실

**정답 및 해설 I ①**

① [○] 설문은 제한구역에 대한 설명으로 ① 작전·경호·정보·안보업무 담당부서 전역이 제한구역에 해당한다.

> 훈령 **보안업무규정 시행규칙 제54조【보호지역의 구분】** ① 영 제34조 제2항에 따른 제한지역, 제한구역 및 통제구역이란 각각 다음 각 호의 지역 또는 구역을 말한다.
> 1. **제한지역**: 비밀 또는 국·공유재산의 보호를 위하여 울타리 또는 방호·경비인력에 의하여 영 제34조 제3항에 따른 승인을 받지 않은 사람의 접근이나 출입에 대한 감시가 필요한 지역
> 2. **제한구역**: 비인가자가 비밀, 주요시설 및 Ⅲ급 비밀 소통용 암호자재에 접근하는 것을 방지하기 위하여 안내를 받아 출입하여야 하는 구역
>
> > 훈령 **보안업무규정 시행 세부규칙 제60조 제1호**
> > • 전자교환기(통합장비)실, 정보통신실, 발간실, 송신 및 중계소, 정보통신관제센터, 경찰청 및 시·도경찰청 항공대, 작전·경호·정보·안보업무 담당부서 전역, 과학수사센터

②③④ [×] 통제구역에 해당한다.

> 훈령 **보안업무규정 시행규칙 제54조 【보호지역의 구분】** ① 영 제34조 제2항에 따른 제한지역, 제한구역 및 통제구역이란 각각 다음 각 호의 지역 또는 구역을 말한다.
> 3. **통제구역**: 보안상 매우 중요한 구역으로서 비인가자의 출입이 금지되는 구역
>
> > 훈령 **보안업무규정 시행 세부규칙 제60조 제2호** ➜ 암호 · 기록 · 상황 · 종합 · 비밀 · 무기
> > • 암호취급소, 정보보안기록실, 무기창 · 무기고 및 탄약고, 종합상황실 · 치안상황실, 암호장비관리실, 정보상황실, 비밀발간실, 종합조회처리실

## 103 「보안업무규정 시행규칙」상 보호지역 중 아래 설명에 해당하는 것은? [2020 실무 3]

비밀 또는 주요 시설 및 Ⅲ급비밀 소통용 암호자재에 대한 비인가자의 접근을 방지하기 위하여 그 출입에 안내가 요구되는 구역

① 제한구역

② 통제구역

③ 제한지역

④ 통제지역

**정답 및 해설 I ①**

① [○] 제한구역에 대한 설명이다.

> 훈령 **보안업무규정 시행규칙 제54조 【보호지역의 구분】** ① 영 제34조 제2항에 따른 제한지역, 제한구역 및 통제구역이란 각각 다음 각 호의 지역 또는 구역을 말한다.
> 1. **제한지역**: 비밀 또는 국 · 공유재산의 보호를 위하여 울타리 또는 방호 · 경비인력에 의하여 영 제34조 제3항에 따른 승인을 받지 않은 사람의 접근이나 출입에 대한 감시가 필요한 지역
> 2. **제한구역**: 비인가자가 비밀, 주요시설 및 Ⅲ급 비밀 소통용 암호자재에 접근하는 것을 방지하기 위하여 안내를 받아 출입하여야 하는 구역
> 3. **통제구역**: 보안상 매우 중요한 구역으로서 비인가자의 출입이 금지되는 구역

## 104 「보안업무규정 시행 세부규칙」에 따른 제한구역을 모두 고른 것은? [2020 승진(경위)]

㉠ 정보통신실
㉡ 과학수사센터
㉢ 암호취급소
㉣ 발간실
㉤ 치안상황실
㉥ 작전 · 경호 · 정보 · 보안업무 담당부서 전역

① ㉠, ㉡, ㉢, ㉣ ② ㉠, ㉢, ㉤, ㉥

③ ㉠, ㉡, ㉣, ㉥ ④ ㉡, ㉢, ㉤, ㉥

**정답 및 해설 | ③**

③ [○] ㉠㉡㉣㉥이 제한구역에 해당한다(보기 중 통제구역에 해당하는 암호 · 기록 · 상황 · 종합 · 비밀 · 무기를 소거).

> 훈령 **보안업무규정 시행규칙 제54조【보호지역의 구분】** ① 영 제34조 제2항에 따른 제한지역, 제한구역 및 통제구역이란 각각 다음 각 호의 지역 또는 구역을 말한다.
>
> 1. **제한지역**: 비밀 또는 국 · 공유재산의 보호를 위하여 울타리 또는 방호 · 경비인력에 의하여 영 제34조 제3항에 따른 승인을 받지 않은 사람의 접근이나 출입에 대한 감시가 필요한 지역
> 2. **제한구역**: 비인가자가 비밀, 주요시설 및 Ⅲ급 비밀 소통용 암호자재에 접근하는 것을 방지하기 위하여 안내를 받아 출입하여야 하는 구역
>
> > 훈령 **보안업무규정 시행 세부규칙 제60조 제1호**
> > 전자교환기(통합장비)실, 정보통신실, 발간실, 송신 및 중계소, 정보통신관제센터, 경찰청 및 시 · 도경찰청 항공대, 작전 · 경호 · 정보 · 안보업무 담당부서 전역, 과학수사센터
>
> 3. **통제구역**: 보안상 매우 중요한 구역으로서 비인가자의 출입이 금지되는 구역
>
> > 훈령 **보안업무규정 시행 세부규칙 제60조 제2호** ➜ 암호 · 기록 · 상황 · 종합 · 비밀 · 무기
> > 암호취급소, 정보보안기록실, 무기창 · 무기고 및 탄약고, 종합상황실 · 치안상황실, 암호장비관리실, 정보상황실, 비밀발간실, 종합조회처리실



## 105 「보안업무규정 시행규칙」에 대한 설명으로 가장 적절하지 않은 것은? [2020 승진(경감)]

① Ⅰ급비밀은 반드시 금고에 보관하여야 하며, 다른 비밀과 혼합하여 보관하여서는 아니 된다.

② 비밀의 보관용기 외부에는 비밀의 중요성과 가치에 따라 구분하여 표시하여야 한다.

③ 제한구역이란 비인가자가 비밀, 주요시설 및 Ⅲ급비밀 소통용 암호자재에 접근하는 것을 방지하기 위하여 안내를 받아 출입하여야 하는 구역을 말한다.

④ 통제구역이란 보안상 매우 중요한 구역으로서 비인가자의 출입이 금지되는 구역을 말한다.

**정답 및 해설 | ②**

② [×] 어떠한 표시도 하여서는 안 된다.

> 훈령 **보안업무규정 시행규칙 제34조【보관용기】** ① 비밀의 보관용기 외부에는 비밀의 보관을 알리거나 나타내는 어떠한 표시도 해서는 아니 된다.

① [○]

> 훈령 **보안업무규정 시행규칙 제33조【보관기준】** ① 비밀은 일반문서나 암호자재와 혼합하여 보관하여서는 아니 된다.
> ② Ⅰ급비밀은 반드시 금고에 보관하여야 하며, 다른 비밀과 혼합하여 보관하여서는 아니 된다.
> ③ Ⅱ급비밀 및 Ⅲ급비밀은 금고 또는 이중 철제캐비닛 등 잠금장치가 있는 안전한 용기에 보관하여야 하며, 보관책임자가 Ⅱ급비밀 취급 인가를 받은 때에는 Ⅱ급비밀과 Ⅲ급비밀을 같은 용기에 혼합하여 보관할 수 있다.

③④ [○]

> 훈령 **보안업무규정 시행규칙 제54조【보호지역의 구분】** ① 영 제34조 제2항에 따른 제한지역, 제한구역 및 통제구역이란 각각 다음 각 호의 지역 또는 구역을 말한다.
>
> 1. **제한지역**: 비밀 또는 국 · 공유재산의 보호를 위하여 울타리 또는 방호 · 경비인력에 의하여 영 제34조 제3항에 따른 승인을 받지 않은 사람의 접근이나 출입에 대한 감시가 필요한 지역
> 2. **제한구역**: 비인가자가 비밀, 주요시설 및 Ⅲ급 비밀 소통용 암호자재에 접근하는 것을 방지하기 위하여 안내를 받아 출입하여야 하는 구역
> 3. **통제구역**: 보안상 매우 중요한 구역으로서 비인가자의 출입이 금지되는 구역

**106** 「보안업무규정」상 신원조사는 국가보안을 위하여 실시한다. 국가보안을 위한 신원조사의 내용이 아닌 것은?

[2020 경간]

① 충성심

② 성실성

③ 객관성

④ 신뢰성

**정답 및 해설 I ②, ③(복수정답)**

②③ [×] 성실성과 객관성은 신원조사 내용이 아니다. 출제 당시에는 성실성도 신원조사 내용에 포함되어 있었으나, 현재는 성실성은 삭제되었다.

> 대통령령 **보안업무규정 제36조【신원조사】** ① 국가정보원장은 제3조 제2호(➜ 국가안전보장에 한정된 국가기밀을 취급하는 인원)에 해당하는 사람의 충성심 · 신뢰성 등을 확인하기 위하여 신원조사를 한다.

**107** 「보안업무규정」상 신원조사에 대한 설명으로 가장 적절하지 않은 것은? [2018 채용 2차]

① 신원조사는 관계 기관의 장의 요청에 따라 경찰청장이 한다.

② 공무원 임용 예정자(국가안전보장에 한정된 국가 기밀을 취급하는 직위에 임용될 예정인 사람으로 한정한다)는 신원조사의 대상이 된다.

③ 현행 보안업무규정상 해외여행을 하고자 하는 자는 신원조사의 대상에서 삭제되었다.

④ 국가정보원장은 신원조사 결과 국가안전보장에 해를 끼칠 정보가 있음이 확인된 사람에 대해서는 관계 기관의 장에게 그 사실을 통보하여야 한다.

**정답 및 해설 I ①**

① [×] 관계 기관의 장의 요청에 따라 국가정보원장이 한다. / ② [○]

> 대통령령 **보안업무규정 제36조【신원조사】** ① 국가정보원장은 제3조 제2호(➜ 국가안전보장에 한정된 국가기밀을 취급하는 인원)에 해당하는 사람의 **충성심** · **신뢰성** 등을 확인하기 위하여 신원조사를 한다.
> ③ 관계 기관의 장은 다음 각 호에 해당하는 사람에 대하여 국가정보원장에게 신원조사를 요청해야 한다.
> 1. **공무원 임용 예정자**(국가안전보장에 한정된 국가 기밀을 취급하는 직위에 임용될 예정인 사람으로 한정한다)
> 2. 비밀취급 인가 예정자
> 4. 국가보안시설 · 보호장비를 관리하는 기관 등의 장(해당 국가보안시설 등의 관리 업무를 수행하는 소속 직원을 포함한다)
> 6. 그 밖에 다른 법령에서 정하는 사람이나 각급기관의 장이 국가안전보장을 위하여 필요하다고 인정하는 사람

③ [○] 과거에는 규정되어 있었으나 현재는 삭제되었다.

④ [○]

> 대통령령 **보안업무규정 제37조【신원조사 결과의 처리】** ① 국가정보원장은 신원조사 결과 국가안전보장에 해를 끼칠 정보가 있음이 확인된 사람에 대해서는 관계 기관의 장에게 그 사실을 통보하여야 한다.

**108** 「보안업무규정」상 신원조사에 대한 설명 중 가장 적절하지 않은 것은? [2017 실무 3]

① 국가정보원장은 국가안전보장에 한정된 국가기밀을 취급하는 인원)에 해당하는 사람의 충성심 · 신뢰성 등을 확인하기 위하여 신원조사를 한다.

② 국가보안시설 · 보호장비를 관리하는 기관 등의 장(해당 국가보안시설 등의 관리 업무를 수행하는 소속 직원을 포함한다)은 신원조사의 대상이 된다.

③ 공무원 임용 예정자는 모두 신원조사의 대상이다.

④ 임직원을 임명할 때 정부의 승인이나 동의가 필요한 공공기관의 임직원은 신원조사의 대상이 아니다.

**정답 및 해설 I ③**

③ [×] 공무원 임용 예정자 중 국가안전보장에 한정된 국가 기밀을 취급하는 직위에 임용될 예정인 사람만 신원조사 대상이 된다. / ② [○]

> 대통령령 **보안업무규정 제36조【신원조사】** ③ 관계 기관의 장은 다음 각 호에 해당하는 사람에 대하여 국가정보원장에게 신원조사를 요청해야 한다.
> 1. 공무원 임용 예정자(국가안전보장에 한정된 국가 기밀을 취급하는 직위에 임용될 예정인 사람으로 한정한다)
> 2. 비밀취급 인가 예정자
> 4. 국가보안시설 · 보호장비를 관리하는 기관 등의 장(해당 국가보안시설 등의 관리 업무를 수행하는 소속 직원을 포함한다)
> 6. 그 밖에 다른 법령에서 정하는 사람이나 각급기관의 장이 국가안전보장을 위하여 필요하다고 인정하는 사람

① [○]

> 대통령령 **보안업무규정 제36조【신원조사】** ① 국가정보원장은 제3조 제2호(➜ 국가안전보장에 한정된 국가기밀을 취급하는 인원)에 해당하는 사람의 충성심 · 신뢰성 등을 확인하기 위하여 신원조사를 한다.

④ [○] 과거에는 신원조사 대상에 포함되었으나 현재는 삭제되었다.

**109** 「보안업무규정」상 신원조사에 대하여 설명한 것이다. 옳은 것을 모두 고른 것은? [2017 채용 2차]

> ㉠ 국가정보원장은 국가안전보장에 한정된 국가기밀을 취급하는 인원에 해당하는 사람의 충성심 · 신뢰성 · 성실성 등을 확인하기 위하여 신원조사를 한다.
> ㉡ 국가보안시설 · 보호장비를 관리하는 기관 등의 장(해당 국가보안시설 등의 관리 업무를 수행하는 소속 직원을 포함한다)은 신원조사의 대상이 된다.
> ㉢ 공무원 임용 예정자(국가안전보장에 한정된 국가 기밀을 취급하는 직위에 임용될 예정인 사람으로 한정한다)와 비밀취급 인가 예정자는 신원조사의 대상이 된다.
> ㉣ 임직원을 임명할 때 정부의 승인이나 동의가 필요한 공공기관의 임직원은 신원조사의 대상이 아니다.
> ㉤ 국가정보원장은 신원조사 결과 국가안전보장에 해를 끼칠 정보가 있음이 확인된 사람에 대해서는 관계 기관의 장에게 통보할 수 있으며, 통보를 받은 관계 기관의 장은 신원조사 결과에 따라 필요한 보안대책을 마련하여야 한다.

① ㉠, ㉡　　② ㉠, ㉢, ㉣

③ ㉡, ㉢, ㉣　　④ ㉠, ㉢, ㉣, ㉤

**정답 및 해설 | ③**

㉠ [×] 성실성은 확인 대상이 아니다.

> **대통령령** **보안업무규정 제36조【신원조사】** ① 국가정보원장은 제3조 제2호(➔ 국가안전보장에 한정된 국가기밀을 취급하는 인원)에 해당하는 사람의 충성심 · 신뢰성 등을 확인하기 위하여 신원조사를 한다.

㉡㉢ [○]

> **대통령령** **보안업무규정 제36조【신원조사】** ③ 관계 기관의 장은 다음 각 호에 해당하는 사람에 대하여 국가정보원장에게 신원조사를 요청해야 한다.
> 1. 공무원 임용 예정자(국가안전보장에 한정된 국가 기밀을 취급하는 직위에 임용될 예정인 사람으로 한정한다)
> 2. 비밀취급 인가 예정자
> 4. 국가보안시설 · 보호장비를 관리하는 기관 등의 장(해당 국가보안시설 등의 관리 업무를 수행하는 소속 직원을 포함한다)
> 6. 그 밖에 다른 법령에서 정하는 사람이나 각급기관의 장이 국가안전보장을 위하여 필요하다고 인정하는 사람

㉣ [○] 과거에는 신원조사 대상에 포함되었으나 현재는 삭제되었다.

㉤ [×] 통보하여야 한다.

> **대통령령** **보안업무규정 제37조【신원조사 결과의 처리】** ① 국가정보원장은 신원조사 결과 국가안전보장에 해를 끼칠 정보가 있음이 확인된 사람에 대해서는 관계 기관의 장에게 그 사실을 통보하여야 한다.
> ② 제1항에 따라 통보를 받은 관계 기관의 장은 신원조사 결과에 따라 필요한 보안대책을 마련하여야 한다.

## 110 「보안업무규정」상 신원조사에 대한 설명으로 가장 적절하지 않은 것은? [2018 승진(경위)]

① 국가정보원장은 국가보안을 위하여 국가에 대한 충성심 · 신뢰성 등을 확인하기 위하여 신원조사를 한다.

② 관계 기관의 장은 비밀취급 인가 예정자에 해당하는 사람에 대하여 국가정보원장에게 신원조사를 요청해야 한다.

③ 국가정보원장은 신원조사 결과 국가안전보장에 해를 끼칠 정보가 있음이 확인된 사람에 대해서는 관계 기관의 장에게 그 사실을 통보하여야 한다.

④ 위 ③과 같이 통보를 받은 관계 기관의 장은 신원조사 결과에 따라 필요한 보안대책을 마련할 수 있다.

**정답 및 해설 | ④**

④ [×] 필요한 보안대책을 마련하여야 한다. / ③ [○]

> **대통령령** **보안업무규정 제37조【신원조사 결과의 처리】** ① 국가정보원장은 신원조사 결과 국가안전보장에 해를 끼칠 정보가 있음이 확인된 사람에 대해서는 관계 기관의 장에게 그 사실을 통보하여야 한다.
> ② 제1항에 따라 통보를 받은 관계 기관의 장은 신원조사 결과에 따라 필요한 보안대책을 마련하여야 한다.

① [○]

> **대통령령** **보안업무규정 제36조【신원조사】** ① 국가정보원장은 제3조 제2호(➔ 국가안전보장에 한정된 국가기밀을 취급하는 인원)에 해당하는 사람의 충성심 · 신뢰성 등을 확인하기 위하여 신원조사를 한다.

② [○]

> **대통령령** **보안업무규정 제36조【신원조사】** ① 국가정보원장은 제3조 제2호(➔ 국가안전보장에 한정된 국가기밀을 취급하는 인원)에 해당하는 사람의 충성심 · 신뢰성 등을 확인하기 위하여 신원조사를 한다.
> ③ 관계 기관의 장은 다음 각 호에 해당하는 사람에 대하여 국가정보원장에게 신원조사를 요청해야 한다.
> 2. 비밀취급 인가 예정자

# 주제 7 경찰홍보

**111** 지역사회 내의 경찰 · 공사기관 그리고 각 개인이 그들의 공통된 문제 · 욕구 · 책임을 발견하고 지역사회문제의 해결과 적극적인 지역사회 프로그램을 위해 공동으로 노력하는 것을 무엇이라고 하는가?

[2016 승진(경감)]

① Press Relations(언론관계)

② Media Relations(대중매체관계)

③ Community Relations(지역공동체관계)

④ Public Relations(공공관계)

**정답 및 해설 I ③**

③ [○] **지역공동체관계, CR**(Community Relations)에 관한 설명이다.

☑ 경찰홍보의 유형

| 유형 | 내용 |
|---|---|
| 협의의 홍보<br>(Public Relations) | 인쇄매체 · 유인물 · 팜플렛 등 각종 매체를 통해 알리고 싶은 긍정적 부분을 일방적으로 알리는 홍보활동 |
| 지역공동체관계, CR<br>(Community Relations) | 지역사회 내의 각종 기관 및 주민들과 유기적인 연락 및 협조체제를 구축하여 지역사회 각계각층의 요구에 부응하는 경찰활동을 하는 동시에, 경찰활동의 긍정적인 측면을 지역사회에 널리 알리는 종합적인 지역사회 **홍보체계** [2016 승진(경감)] |
| 언론관계, PR<br>(Press Relations) | 신문 · 잡지 · TV · 라디오 등의 보도기능에 대응하는 활동으로 개별 사건사고에 대한 기자들의 질의에 답하는 대응적 · 소극적 홍보활동 |
| 대중매체관계, MR<br>(Media Relations) | 종합적인 홍보활동으로 신문 · 방송 및 영상물 등 각종 대중매체 제작자와 긴밀한 협조관계를 구축하여 대중매체의 필요를 충족시켜 주면서 경찰의 긍정적인 측면을 널리 알리는 적극적인 홍보활동 |
| 기업이미지식 홍보 | • 시민을 소비자로 보는 시민중심의 행정 관점에서 발달<br>• 영 · 미를 중심으로 발달한 적극적인 홍보활동으로 경찰이 더 이상의 독점적인 치안기구가 아니라는 인식에 근거한 개념<br>• 조직이미지를 개선하여 국민의 지지도를 높이고 이를 바탕으로 예산획득, 타 조직 및 국민의 협력확보와 같은 목적을 달성하는 종합적이고 계획적인 홍보활동<br>• 일반기업이 이미지 제고를 위해 유료광고를 내고 친근한 상징물이나 캐릭터를 개발 · 전파하는 활동도 포함한다. 예 포돌이 · 포순이 |

**112** 지역사회 내의 각종 기관 및 주민들과 유기적인 연락 및 협조체계를 구축하여 지역사회 각계 각층의 문제 · 요구 · 책임을 발견하고 지역사회의 문제해결과 적극적인 지역사회 프로그램을 위해 경찰과 지역사회가 공동으로 노력하는 것을 무엇이라고 하는가? [2021 경간]

① Public Relations(PR: 공공관계)

② Police-Press Relations(PPR: 경찰과 언론관계)

③ Police-Media Relations(PMR: 경찰과 대중매체관계)

④ Police-Community Relations(PCR: 경찰과 지역사회관계)

**정답 및 해설 I ④**

④ [O] 설문은 Police-Community Relations(PCR: 경찰과 지역사회관계 내지 지역공동체관계)에 대한 설명이다.

## 113 경찰과 대중매체와의 관계에 대한 여러 학자들의 견해가 가장 적절하게 연결된 것은? [2018 승진(경위)]

| |
|---|
| • ( ㉠ )은 "경찰과 대중매체는 서로를 필요로 하기 때문에 둘 사이에는 공생관계가 발달한다."라고 주장하였다.<br>• ( ㉡ )는 경찰과 대중매체의 관계를 단란하고 행복스럽지는 않더라도, 오래 지속되는 결혼생활에 비유하였다. |

| | ㉠ | ㉡ |
|---|---|---|
| ① | Crandon | C. R. Jeffery |
| ② | Crandon | Sir Robert Mark |
| ③ | Ericson | Sir Robert Mark |
| ④ | Ericson | C. R. Jeffery |

**정답 및 해설 I ②**

② [O]

| 학자 | 주요내용 |
|---|---|
| 로버트 마크<br>(R. Mark) | • 전(前) 영국 수도경찰청장<br>• "경찰과 대중매체는 단란하고 행복스럽지는 않더라도, 오래 지속되는 결혼생활과 같다." |
| 크랜돈<br>(Crandon) | • 경찰과 대중매체는 서로를 필요로 하는 공생관계로 발달한다고 주장하고 있다.<br>• 경찰은 범죄에 대한 대응이나 업무수행의 어려움을 널리 알리기 위해 대중매체가 필요한 반면, 대중매체는 시청자나 독자 확보를 위한 흥미거리를 제공해 주는 이야기를 확보하기 위해 경찰을 필요로 한다. |
| 에릭슨<br>(Ericson) | • 경찰과 대중매체의 관계를 광범위하고 정치적인 관점으로 보았다.<br>• "경찰과 대중매체는 서로 연합하여 그 사회의 일탈에 대한 개념을 규정하며, 도덕성과 정의를 규정짓는 사회적 엘리트 집단을 구성한다." |

## 114 다음 ( ) 안에 들어갈 인물을 바르게 나열한 것은? [2018 승진(경감)]

| |
|---|
| 경찰과 대중매체의 관계를 '단란하고 행복스럽지 않더라도, 오래 지속되는 결혼생활'에 비유한 사람은 ( ㉠ )이고, "경찰과 대중매체는 서로를 필요로 하기 때문에 둘 사이에는 공생관계가 발달한다."고 주장한 사람은 ( ㉡ )이다. |

| | ㉠ | ㉡ |
|---|---|---|
| ① | Ericson | Crandon |
| ② | Crandon | Sir Robert Mark |
| ③ | Sir Robert Mark | Ericson |
| ④ | Sir Robert Mark | Crandon |

**정답 및 해설 I ④**

④ [○] 경찰과 대중매체의 관계를 '단란하고 행복스럽지 않더라도, 오래 지속되는 결혼생활'에 비유한 사람은 ( ㉠ Sir Robert Mark )이고, "경찰과 대중매체는 서로를 필요로 하기 때문에 둘 사이에는 공생관계가 발달한다."고 주장한 사람은 ( ㉡ Crandon )이다.

## 115 경찰과 대중매체 관계에 관한 내용과 인물을 바르게 연결한 것은? [2024 1차 채용]

> ㉠ 경찰과 대중매체가 서로를 필요로 하기 때문에 둘 사이에는 공생관계가 발달한다고 주장하였다.
> ㉡ 경찰과 대중매체는 서로 연합하여 그 사회의 일탈에 대한 개념을 규정하며, 도덕성과 정의를 규정짓는 사회적 엘리트 집단을 구성한다.
> ㉢ 경찰과 대중매체의 관계를 "단란하고 행복스럽지는 않지만, 오래 지속되는 결혼생활"에 비유하였다.

① ㉠ - G. Crandon ㉡ - R. Mark ㉢ - R. Ericson
② ㉠ - R. Ericson ㉡ - G. Crandon ㉢ - R. Mark
③ ㉠ - R. Mark ㉡ - R. Ericson ㉢ - G. Crandon
④ ㉠ - G. Crandon ㉡ - R. Ericson ㉢ - R. Mark

**정답 및 해설 I ④**

④ [○] 옳은 연결이다.

| 학자 | 주요내용 |
|---|---|
| 로버트 마크 (R. Mark) | • 전(前) 영국 수도경찰청장<br>• "경찰과 대중매체는 단란하고 행복스럽지는 않더라도, 오래 지속되는 결혼생활과 같다." |
| 크랜돈 (Crandon) | • 경찰과 대중매체는 서로를 필요로 하는 공생관계로 발달한다고 주장하고 있다.<br>• 경찰은 범죄에 대한 대응이나 업무수행의 어려움을 널리 알리기 위해 대중매체가 필요한 반면, 대중매체는 시청자나 독자 확보를 위한 흥미거리를 제공해 주는 이야기를 확보하기 위해 경찰을 필요로 한다. |
| 에릭슨 (Ericson) | • 경찰과 대중매체의 관계를 광범위하고 정치적인 관점으로 보았다.<br>• "경찰과 대중매체는 서로 연합하여 그 사회의 일탈에 대한 개념을 규정하며, 도덕성과 정의를 규정짓는 사회적 엘리트 집단을 구성한다." |

## 116 「언론중재 및 피해구제 등에 관한 법률」에 대한 설명으로 가장 적절한 것은? [2023 경간]

① 피해자가 정정보도청구권을 행사할 정당한 이익이 없더라도 피해자 권리 보호를 위해 해당 언론사는 정정보도의 청구를 거부할 수 없다.
② 정정보도 청구를 받은 언론사 등의 대표자는 7일 이내에 그 수용 여부에 대한 통지를 청구인에게 발송하여야 한다.
③ 경찰관이 사실적 주장에 관한 언론보도가 진실하지 아니함으로 피해를 입은 경우 해당 언론보도가 있음을 안 날부터 3개월 이내에 해당 언론사 대표에게 서면으로 그 언론보도 내용에 관한 정정보도를 청구할 수 있다.
④ 청구된 정정보도의 내용이 국가 · 지방자치단체 또는 공공단체의 공개회의와 법원의 공개재판절차의 사실보도에 관한 것인 경우에는 언론사 등은 정정보도 청구를 거부할 수 없다.

**정답 및 해설 I ③**

③ [O]

> **언론중재 및 피해구제 등에 관한 법률 제14조【정정보도 청구의 요건】** ① 사실적 주장에 관한 언론보도등이 진실하지 아니함으로 인하여 피해를 입은 자(이하 "피해자"라 한다)는 해당 언론보도등이 있음을 안 날부터 3개월 이내에 언론사, 인터넷뉴스서비스사업자 및 인터넷 멀티미디어 방송사업자(이하 "언론사등"이라 한다)에게 그 언론보도등의 내용에 관한 정정보도를 청구할 수 있다. 다만, 해당 언론보도등이 있은 후 6개월이 지났을 때에는 그러하지 아니하다.

① [×] 정당한 이익이 없는 경우 정정보도 청구를 거부할 수 있다.

> **언론중재 및 피해구제 등에 관한 법률 제15조【정정보도청구권의 행사】** ④ 다음 각 호의 어느 하나에 해당하는 사유가 있는 경우에는 언론사등은 정정보도 청구를 거부할 수 있다.
> 1. 피해자가 정정보도청구권을 행사할 정당한 이익이 없는 경우

② [×] 3일 이내에 그 수용 여부에 대한 통지를 청구인에게 발송하여야 한다.

> **언론중재 및 피해구제 등에 관한 법률 제15조【정정보도청구권의 행사】** ② 제1항의 청구를 받은 언론사등의 대표자는 3일 이내에 그 수용 여부에 대한 통지를 청구인에게 발송하여야 한다. 이 경우 …

④ [×] 이러한 경우 역시 정정보도 청구를 **거부할 수 있다.**

> **언론중재 및 피해구제 등에 관한 법률 제15조【정정보도청구권의 행사】** ④ 다음 각 호의 어느 하나에 해당하는 사유가 있는 경우에는 언론사등은 정정보도 청구를 거부할 수 있다.
> 5. 청구된 정정보도의 내용이 국가 · 지방자치단체 또는 공공단체의 공개회의와 법원의 공개재판절차의 사실보도에 관한 것인 경우

**117** 「언론중재 및 피해구제 등에 관한 법률」상 정정보도청구에 대한 설명으로 가장 적절하지 않은 것은?

[2020 승진(경감)]

① 사실적 주장에 관한 언론보도등이 진실하지 아니함으로 인하여 피해를 입은 자는 해당 언론보도등이 있음을 안 날부터 3개월 이내에 언론사등에게 그 언론보도등의 내용에 관한 정정보도를 청구할 수 있다. 다만, 해당 언론보도등이 있은 후 6개월이 지났을 때에는 그러하지 아니하다.

② 정정보도 청구는 언론사등의 대표자에게 서면으로 하여야 하며, 청구서에는 피해자의 성명 · 주소 · 전화번호 등의 연락처를 적고, 정정의 대상인 언론보도등의 내용 및 정정을 청구하는 이유와 청구하는 정정보도문을 명시하여야 한다.

③ 청구된 정정보도의 내용이 법원의 공개재판절차의 사실보도에 관한 것인 경우 언론사등은 정정보도 청구를 거부할 수 없다.

④ 이 법에 따른 정정보도청구등과 관련하여 분쟁이 있는 경우 피해자 또는 언론사등은 중재위원회에 조정을 신청할 수 있다.

**정답 및 해설 I ③**

③ [×] 정정보도 청구를 거부할 수 있다.

> **언론중재 및 피해구제 등에 관한 법률 제15조【정정보도청구권의 행사】** ④ 다음 각 호의 어느 하나에 해당하는 사유가 있는 경우에는 언론사등은 정정보도 청구를 거부할 수 있다.
> 1. 피해자가 정정보도청구권을 행사할 정당한 이익이 없는 경우
> 2. 청구된 정정보도의 내용이 명백히 사실과 다른 경우
> 3. 청구된 정정보도의 내용이 명백히 위법한 내용인 경우
> 4. 정정보도의 청구가 상업적인 광고만을 목적으로 하는 경우
> 5. 청구된 정정보도의 내용이 국가 · 지방자치단체 또는 공공단체의 공개회의와 법원의 공개재판절차의 사실보도에 관한 것인 경우

① [○]

> **언론중재 및 피해구제 등에 관한 법률 제14조【정정보도 청구의 요건】** ① 사실적 주장에 관한 언론보도등이 진실하지 아니함으로 인하여 피해를 입은 자(이하 "피해자"라 한다)는 해당 언론보도등이 있음을 안 날부터 3개월 이내에 언론사, 인터넷뉴스서비스사업자 및 인터넷 멀티미디어 방송사업자(이하 "언론사등"이라 한다)에게 그 언론보도등의 내용에 관한 정정보도를 청구할 수 있다. 다만, 해당 언론보도등이 있은 후 6개월이 지났을 때에는 그러하지 아니하다.

② [○]

> **언론중재 및 피해구제 등에 관한 법률 제15조【정정보도청구권의 행사】** ① 정정보도 청구는 언론사등의 대표자에게 서면으로 하여야 하며, 청구서에는 피해자의 성명 · 주소 · 전화번호 등의 연락처를 적고, 정정의 대상인 언론보도등의 내용 및 정정을 청구하는 이유와 청구하는 정정보도문을 명시하여야 한다. 다만, 인터넷신문 및 인터넷뉴스서비스의 언론보도등의 내용이 해당 인터넷 홈페이지를 통하여 계속 보도 중이거나 매개 중인 경우에는 그 내용의 정정을 함께 청구할 수 있다.

④ [○]

> **언론중재 및 피해구제 등에 관한 법률 제18조【조정신청】** ① 이 법에 따른 정정보도청구등과 관련하여 분쟁이 있는 경우 피해자 또는 언론사등은 중재위원회에 조정을 신청할 수 있다.

**118** 「언론중재 및 피해구제 등에 관한 법률」에 규정된 내용이다. 아래 ㉠부터 ㉥까지의 내용 중 옳지 않은 것을 모두 고른 것은? [2017 승진(경감)]

> **제15조 제2항** – 정정보도 청구를 받은 언론사등의 대표자는 ㉠ 7일 이내에 그 수용 여부에 대한 통지를 청구인에게 발송하여야 한다.
>
> **제15조 제4항** – 다음 각 호의 어느 하나에 해당하는 사유가 있는 경우에는 언론사등은 정정보도 청구를 거부할 수 있다.
> 1. ㉡ 피해자가 정정보도청구권을 행사할 정당한 이익이 없는 경우
> 2. ㉢ 청구된 정정보도의 내용이 명백이 사실인 경우
> 3. ㉣ 청구된 정정보도의 내용이 명백히 위법한 내용인 경우
> 4. ㉤ 정정보도의 청구가 상업적인 광고만을 목적으로 하는 경우
> 5. ㉥ 청구된 정정보도의 내용이 국가 · 지방자치단체 또는 공공단체의 비공개회의와 법원의 비공개재판절차의 사실보도에 관한 것인 경우

① ㉠, ㉢, ㉥  ② ㉠, ㉣, ㉤

③ ㉡, ㉢, ㉤  ④ ㉡, ㉣, ㉥

**정답 및 해설 I ①**

① [○] ㉠ [×] 3일이다. / ㉢ [×] '사실과 다른 경우'이다. / ㉥ [×] 공개회의, 공개재판절차이다.

> **언론중재 및 피해구제 등에 관한 법률 제15조 【정정보도청구권의 행사】** ② 제1항의 청구를 받은 언론사등의 대표자는 3일 이내에 그 수용 여부에 대한 통지를 청구인에게 발송하여야 한다. 이 경우 정정의 대상인 언론보도등의 내용이 방송이나 인터넷신문, 인터넷뉴스서비스 및 인터넷 멀티미디어 방송의 보도과정에서 성립한 경우에는 해당 언론사등이 그러한 사실이 없었음을 입증하지 아니하면 그 사실의 존재를 부인하지 못한다.
>
> **언론중재 및 피해구제 등에 관한 법률 제15조 【정정보도청구권의 행사】** ④ 다음 각 호의 어느 하나에 해당하는 사유가 있는 경우에는 언론사등은 정정보도 청구를 거부할 수 있다.
> 1. 피해자가 정정보도청구권을 행사할 정당한 이익이 없는 경우
> 2. 청구된 정정보도의 내용이 명백히 사실과 다른 경우
> 3. 청구된 정정보도의 내용이 명백히 위법한 내용인 경우
> 4. 정정보도의 청구가 상업적인 광고만을 목적으로 하는 경우
> 5. 청구된 정정보도의 내용이 국가·지방자치단체 또는 공공단체의 공개회의와 법원의 공개재판절차의 사실보도에 관한 것인 경우

## 119 다음은 '언론중재 및 피해구제 등에 관한 법률'에 대한 내용이다. 괄호 안에 들어갈 숫자의 총합은?

[2017 경간]

> • 사실적 주장에 관한 언론보도가 진실하지 아니함으로 인하여 피해를 입은 자는 당해 언론보도가 있음을 안 날로부터 (　　)개월 이내, 당해 언론보도가 있은 후 (　　)개월 이내에 정정보도를 청구할 수 있다.
> • 정정보도 청구를 받은 언론사등의 대표자는 (　　)일 이내에 그 수용 여부에 대한 통지를 청구인에게 발송하여야 한다.
> • 언론사등이 정정보도 청구를 수용할 때에는 지체 없이 피해자 또는 그 대리인과 정정보도의 내용·크기 등에 관하여 협의한 후, 그 청구를 받은 날부터 (　　)일 이내에 정정보도문을 방송하거나 게재하여야 한다.

① 18　　② 19

③ 24　　④ 25

**정답 및 해설 I ②**

② [○] 3 + 6 + 3 + 7 = 19

> **언론중재 및 피해구제 등에 관한 법률 제14조 【정정보도 청구의 요건】** ① 사실적 주장에 관한 언론보도등이 진실하지 아니함으로 인하여 피해를 입은 자(이하 "피해자"라 한다)는 해당 언론보도등이 있음을 안 날부터 ( 3 )개월 이내에 언론사, 인터넷뉴스서비스사업자 및 인터넷 멀티미디어 방송사업자(이하 "언론사등"이라 한다)에게 그 언론보도등의 내용에 관한 정정보도를 청구할 수 있다. 다만, 해당 언론보도등이 있은 후 ( 6 )개월이 지났을 때에는 그러하지 아니하다.
>
> **언론중재 및 피해구제 등에 관한 법률 제15조 【정정보도청구권의 행사】** ① 정정보도 청구는 언론사등의 대표자에게 서면으로 하여야 하며, 청구서에는 피해자의 성명·주소·전화번호 등의 연락처를 적고, 정정의 대상인 언론보도등의 내용 및 정정을 청구하는 이유와 청구하는 정정보도문을 명시하여야 한다. 다만, 인터넷신문 및 인터넷뉴스서비스의 언론보도등의 내용이 해당 인터넷 홈페이지를 통하여 계속 보도 중이거나 매개 중인 경우에는 그 내용의 정정을 함께 청구할 수 있다.
> ② 제1항의 청구를 받은 언론사등의 대표자는 ( 3 )일 이내에 그 수용 여부에 대한 통지를 청구인에게 발송하여야 한다.
>
> **언론중재 및 피해구제 등에 관한 법률 제15조 【정정보도청구권의 행사】** ③ 언론사등이 제1항의 청구를 수용할 때에는 지체 없이 피해자 또는 그 대리인과 정정보도의 내용·크기 등에 관하여 협의한 후, 그 청구를 받은 날부터 ( 7 )일 내에 정정보도문을 방송하거나 게재(인터넷신문 및 인터넷뉴스서비스의 경우 제1항 단서에 따른 해당 언론보도등 내용의 정정을 포함한다)하여야 한다.

**120** 「언론중재 및 피해구제 등에 관한 법률」에 대한 설명 중 옳지 않은 것은 모두 고른 것은? [2020 경간]

| |
|---|
| 가. 정정보도 청구를 받은 언론사등의 대표자는 3일 이내에 그 수용 여부에 대한 통지를 청구인에게 발송하여야 한다.<br>나. 피해자가 정정보도청구권을 행사할 정당한 이익이 없는 경우 언론사는 정정보도 청구를 거부할 수 있다.<br>다. 청구된 정정보도의 내용이 명백히 사실과 다른 경우 언론사는 정정보도 청구를 거부할 수 있다.<br>라. 청구된 정정보도의 내용이 명백히 위법한 내용인 경우 언론사는 정정보도 청구를 거부할 수 있다.<br>마. 정정보도의 청구가 공익적인 광고만을 목적으로 하는 경우 언론사는 정정보도 청구를 거부할 수 있다.<br>바. 청구된 정정보도의 내용이 국가 · 지방자치단체 또는 공공단체의 공개회의와 법원의 비공개재판절차의 사실보도에 관한 것인 경우 언론사는 정정보도 청구를 거부할 수 있다. |

① 가, 나, 마　　② 다, 마, 바
③ 라, 바　　④ 마, 바

**정답 및 해설 I ④**

가. [○]

> **언론중재 및 피해구제 등에 관한 법률 제15조【정정보도청구권의 행사】** ② 제1항의 청구를 받은 언론사등의 대표자는 3일 이내에 그 수용 여부에 대한 통지를 청구인에게 발송하여야 한다. 이 경우 정정의 대상인 언론보도등의 내용이 방송이나 인터넷신문, 인터넷뉴스서비스 및 인터넷 멀티미디어 방송의 보도과정에서 성립한 경우에는 해당 언론사등이 그러한 사실이 없었음을 입증하지 아니하면 그 사실의 존재를 부인하지 못한다.

나. [○]

> **언론중재 및 피해구제 등에 관한 법률 제15조【정정보도청구권의 행사】** ④ 다음 각 호의 어느 하나에 해당하는 사유가 있는 경우에는 언론사등은 정정보도 청구를 거부할 수 있다.
> 1. 피해자가 정정보도청구권을 행사할 정당한 이익이 없는 경우

다. [○]

> **언론중재 및 피해구제 등에 관한 법률 제15조【정정보도청구권의 행사】** ④ 다음 각 호의 어느 하나에 해당하는 사유가 있는 경우에는 언론사등은 정정보도 청구를 거부할 수 있다.
> 2. 청구된 정정보도의 내용이 명백히 사실과 다른 경우

라. [○]

> **언론중재 및 피해구제 등에 관한 법률 제15조【정정보도청구권의 행사】** ④ 다음 각 호의 어느 하나에 해당하는 사유가 있는 경우에는 언론사등은 정정보도 청구를 거부할 수 있다.
> 3. 청구된 정정보도의 내용이 명백히 위법한 내용인 경우

마. [×] 상업적 광고만을 목적으로 하는 경우에 청구를 거부할 수 있다.

> **언론중재 및 피해구제 등에 관한 법률 제15조【정정보도청구권의 행사】** ④ 다음 각 호의 어느 하나에 해당하는 사유가 있는 경우에는 언론사등은 정정보도 청구를 거부할 수 있다.
> 4. 정정보도의 청구가 상업적인 광고만을 목적으로 하는 경우

바. [×] 공개재판절차의 사실보도에 관한 것인 경우에 청구를 거부할 수 있다.

> **언론중재 및 피해구제 등에 관한 법률 제15조【정정보도청구권의 행사】** ④ 다음 각 호의 어느 하나에 해당하는 사유가 있는 경우에는 언론사등은 정정보도 청구를 거부할 수 있다.
> 5. 청구된 정정보도의 내용이 국가 · 지방자치단체 또는 공공단체의 공개회의와 법원의 공개재판절차의 사실보도에 관한 것인 경우

**121** 「언론중재 및 피해구제 등에 관한 법률」에 관한 설명 중 가장 적절하지 않은 것은? [2023 승진]

① 언론중재위원회에 위원장 1명과 2명 이내의 부위원장 및 3명의 감사를 두며, 각각 언론중재위원 중에서 호선(互選)한다.

② 사실적 주장에 관한 언론보도등이 진실하지 아니함으로 인하여 피해를 입은 자는 해당 언론보도등이 있음을 안 날부터 3개월 이내에 언론사, 인터넷뉴스서비스사업자 및 인터넷 멀티미디어 방송사업자에게 그 언론보도등의 내용에 관한 정정보도를 청구할 수 있다. 다만, 해당 언론보도등이 있은 후 6개월이 지났을 때에는 그러하지 아니하다.

③ 언론중재위원회는 40명 이상 90명 이내의 중재위원으로 구성하며, 중재위원은 문화체육관광부장관이 위촉한다.

④ 피해자가 정정보도청구권을 행사할 정당한 이익이 없는 경우에는 언론사등은 정정보도 청구를 거부할 수 있다.

**정답 및 해설 I ①**

① [×] 2명 이내의 감사를 둔다.

> **언론중재 및 피해구제 등에 관한 법률 제7조【언론중재위원회의 설치】** ④ 중재위원회에 위원장 1명과 2명 이내의 부위원장 및 2명 이내의 감사를 두며, 각각 중재위원 중에서 호선한다.
> ⑤ 위원장 · 부위원장 · 감사 및 중재위원의 임기는 각각 3년으로 하며, 한 차례만 연임할 수 있다.

② [○]

> **언론중재 및 피해구제 등에 관한 법률 제14조【정정보도 청구의 요건】** ① 사실적 주장에 관한 언론보도등이 진실하지 아니함으로 인하여 피해를 입은 자(이하 "피해자"라 한다)는 해당 언론보도등이 있음을 안 날부터 3개월 이내에 언론사, 인터넷뉴스서비스사업자 및 인터넷 멀티미디어 방송사업자(이하 "언론사등"이라 한다)에게 그 언론보도등의 내용에 관한 정정보도를 청구할 수 있다. 다만, 해당 언론보도등이 있은 후 6개월이 지났을 때에는 그러하지 아니하다.

③ [○]

> **언론중재 및 피해구제 등에 관한 법률 제7조【언론중재위원회의 설치】** ③ 중재위원회는 40명 이상 90명 이내의 중재위원으로 구성하며, 중재위원은 다음 각 호의 사람 중에서 문화체육관광부장관이 위촉한다. 이 경우 제1호부터 제3호까지의 위원은 각각 중재위원 정수의 5분의 1 이상이 되어야 한다.
> 1. 법관의 자격이 있는 사람 중에서 법원행정처장이 추천한 사람
> 2. 변호사의 자격이 있는 사람 중에서 「변호사법」 제78조에 따른 대한변호사협회의 장이 추천한 사람
> 3. 언론사의 취재 · 보도 업무에 10년 이상 종사한 사람
> 4. 그 밖에 언론에 관하여 학식과 경험이 풍부한 사람

④ [○]

> **언론중재 및 피해구제 등에 관한 법률 제15조【정정보도청구권의 행사】** ④ 다음 각 호의 어느 하나에 해당하는 사유가 있는 경우에는 언론사등은 정정보도 청구를 거부할 수 있다.
> 1. 피해자가 정정보도청구권을 행사할 정당한 이익이 없는 경우

**122** 언론중재 및 피해구제 등에 관한 법률에 관한 설명 중 가장 적절하지 않은 것은? [2022 채용 1차]

① '정정보도'란 언론의 보도 내용의 전부 또는 일부가 진실하지 아니한 경우 이를 진실에 부합되게 고쳐서 보도하는 것을 말한다.

② 언론중재 및 피해구제 등에 관한 법률 제16조 제1항 · 제2항에 따르면, 사실적 주장에 관한 언론보도등으로 인하여 피해를 입은 자는 그 보도 내용에 관한 반론보도를 언론사등에 청구할 수 있고, 이러한 청구에는 언론사등의 고의 · 과실이나 위법성을 필요로 하지 아니하며, 보도 내용의 진실 여부와 상관없이 그 청구를 할 수 있다.

③ 언론중재 및 피해구제 등에 관한 법률 제19조 제3항에 따르면, 제2항의 출석요구를 받은 신청인이 2회에 걸쳐 출석하지 아니한 경우에는 조정신청을 취하한 것으로 보며, 피신청 언론사등이 2회에 걸쳐 출석하지 아니한 경우에는 조정신청 취지에 따라 정정보도등을 이행하기로 합의한 것으로 본다.

④ 언론중재위원회는 40명 이상 90명 이내의 중재위원으로 구성하며, 위원장 1명과 2명 이내의 부위원장 및 2명 이내의 감사를 두는데, 위원장 · 부위원장 · 감사 및 중재위원의 임기는 각각 3년으로 하며, 연임할 수 없다.

**정답 및 해설 I ④**

④ [×] 한 차례만 연임할 수 있다.

> **언론중재 및 피해구제 등에 관한 법률 제7조【언론중재위원회의 설치】** ④ 중재위원회에 위원장 1명과 2명 이내의 부위원장 및 2명 이내의 감사를 두며, 각각 중재위원 중에서 호선한다.
> ⑤ 위원장 · 부위원장 · 감사 및 중재위원의 임기는 각각 3년으로 하며, 한 차례만 연임할 수 있다.

① [○] **정정보도 청구권**이란 사실적 주장에 관한 언론보도 내용의 일부 또는 전부가 진실하지 아니한 경우 해당 언론사가 스스로 기사내용이 잘못되었음을 밝히는 정정기사를 게재(또는 방송)해 줄 것을 요구하는 권리를 말하고, 이러한 정정보도 청구권 행사에 따른 언론기관의 보도가 정정보도이다.

② [○]

> **언론중재 및 피해구제 등에 관한 법률 제16조【반론보도청구권】** ① 사실적 주장에 관한 언론보도등으로 인하여 피해를 입은 자는 그 보도 내용에 관한 반론보도를 언론사등에 청구할 수 있다.
> ② 제1항의 청구에는 언론사등의 고의 · 과실이나 위법성을 필요로 하지 아니하며, 보도 내용의 진실 여부와 상관없이 그 청구를 할 수 있다.

③ [○]

> **언론중재 및 피해구제 등에 관한 법률 제19조【조정】** ① 조정은 관할 중재부에서 한다. 관할구역을 같이 하는 중재부가 여럿일 경우에는 중재위원회 위원장이 중재부를 지정한다.
> ② 조정은 신청 접수일부터 14일 이내에 하여야 하며, 중재부의 장은 조정신청을 접수하였을 때에는 지체 없이 조정기일을 정하여 당사자에게 출석을 요구하여야 한다.
> ③ 제2항의 출석요구를 받은 신청인이 2회에 걸쳐 출석하지 아니한 경우에는 조정신청을 취하한 것으로 보며, 피신청 언론사등이 2회에 걸쳐 출석하지 아니한 경우에는 조정신청 취지에 따라 정정보도등을 이행하기로 합의한 것으로 본다.

## 123 「언론중재 및 피해구제 등에 관한 법률」상 언론중재위원회에 대한 설명으로 가장 적절하지 않은 것은?

[2015 승진(경위)]

① 언론등의 보도 또는 매개로 인한 분쟁의 조정 · 중재 및 침해사항을 심의하기 위하여 언론중재위원회를 둔다.

② 언론중재위원회는 중재위원회 규칙의 제정 · 개정 및 폐지에 관한 사항 등을 심의한다.

③ 위원장은 중재위원회를 대표하고, 중재위원회의 업무를 총괄한다.

④ 중재위원회의 회의는 재적위원 1/4의 출석과 출석위원 과반수의 찬성으로 의결한다.

**정답 및 해설 | ④**

④ [×] 재적위원 과반수 출석, 출석위원 과반수 찬성이다.

> **언론중재 및 피해구제 등에 관한 법률 제7조【언론중재위원회의 설치】** ⑨ 중재위원회의 회의는 재적위원 과반수의 출석과 출석위원 과반수의 찬성으로 의결한다.

①② [○]

> **언론중재 및 피해구제 등에 관한 법률 제7조【언론중재위원회의 설치】** ① 언론등의 보도 또는 매개(이하 "언론보도등"이라 한다)로 인한 분쟁의 조정 · 중재 및 침해사항을 심의하기 위하여 언론중재위원회(이하 "중재위원회"라 한다)를 둔다.
> ② 중재위원회는 다음 각 호의 사항을 심의한다.
> 1. 중재부의 구성에 관한 사항
> 2. 중재위원회규칙의 제정 · 개정 및 폐지에 관한 사항
> 3. 제11조 제2항에 따른 사무총장의 임명 동의
> 4. 제32조에 따른 시정권고의 결정 및 그 취소결정
> 5. 그 밖에 중재위원회 위원장이 회의에 부치는 사항

③ [○]

> **언론중재 및 피해구제 등에 관한 법률 제7조【언론중재위원회의 설치】** ④ 중재위원회에 위원장 1명과 2명 이내의 부위원장 및 2명 이내의 감사를 두며, 각각 중재위원 중에서 호선한다.
> ⑤ 위원장 · 부위원장 · 감사 및 중재위원의 임기는 각각 3년으로 하며, 한 차례만 연임할 수 있다.
> ⑥ 위원장은 중재위원회를 대표하고 중재위원회의 업무를 총괄한다.

## 124 「언론중재 및 피해구제 등에 관한 법률」상 언론중재위원회(이하 "중재위원회"라 한다)의 설치에 관한 내용으로 가장 적절하지 않은 것은?

[2016 채용 1차]

① 중재위원회는 40명 이상 90명 이내의 중재위원으로 구성한다.

② 중재위원회에 위원장 1명과 2명 이내의 부위원장 및 2명 이내의 감사를 두며, 각각 중재위원 중에서 호선한다.

③ 위원장, 부위원장, 감사 및 중재위원의 임기는 각각 2년으로 하며, 연임할 수 없다.

④ 중재위원회의 회의는 재적위원 과반수의 출석과 출석위원 과반수의 찬성으로 의결한다.

**정답 및 해설 I ③**

③ [×] 임기는 3년, 연임은 한 차례만 가능하다.

> **언론중재 및 피해구제 등에 관한 법률 제7조【언론중재위원회의 설치】** ⑤ 위원장 · 부위원장 · 감사 및 중재위원의 임기는 각각 3년으로 하며, 한 차례만 연임할 수 있다.

① [○]

> **언론중재 및 피해구제 등에 관한 법률 제7조【언론중재위원회의 설치】** ③ 중재위원회는 40명 이상 90명 이내의 중재위원으로 구성하며, 중재위원은 다음 각 호의 사람 중에서 문화체육관광부장관이 위촉한다. 이 경우 제1호부터 제3호까지의 위원은 각각 중재위원 정수의 5분의 1 이상이 되어야 한다.
> 1. 법관의 자격이 있는 사람 중에서 법원행정처장이 추천한 사람
> 2. 변호사의 자격이 있는 사람 중에서 「변호사법」 제78조에 따른 대한변호사협회의 장이 추천한 사람
> 3. 언론사의 취재 · 보도 업무에 10년 이상 종사한 사람
> 4. 그 밖에 언론에 관하여 학식과 경험이 풍부한 사람

② [○]

> **언론중재 및 피해구제 등에 관한 법률 제7조【언론중재위원회의 설치】** ④ 중재위원회에 위원장 1명과 2명 이내의 부위원장 및 2명 이내의 감사를 두며, 각각 중재위원 중에서 호선한다.

④ [○]

> **언론중재 및 피해구제 등에 관한 법률 제7조【언론중재위원회의 설치】** ⑨ 중재위원회의 회의는 재적위원 과반수의 출석과 출석위원 과반수의 찬성으로 의결한다.



## 125 「언론중재 및 피해구제 등에 관한 법률」상 언론중재위원회에 대한 설명으로 가장 적절하지 않은 것은?

[2018 실무 1]

① 중재위원회는 40명 이상 90명 이내의 중재위원으로 구성하며, 중재위원은 문화체육관광부장관이 위촉한다.

② 중재위원회에 위원장 1명과 2명 이내의 부위원장 및 2명 이내의 감사를 두며, 각각 중재위원 중에서 호선(互選)한다.

③ 위원장 · 부위원장 · 감사 및 중재위원의 임기는 각각 2년으로 하며, 한 차례만 연임할 수 있다.

④ 중재위원회의 회의는 재적위원 과반수의 출석과 출석위원 과반수의 찬성으로 의결한다.

**정답 및 해설 I ③**

③ [×] 임기는 3년, 연임은 한 차례만 가능하다.

> **언론중재 및 피해구제 등에 관한 법률 제7조【언론중재위원회의 설치】** ⑤ 위원장 · 부위원장 · 감사 및 중재위원의 임기는 각각 3년으로 하며, 한 차례만 연임할 수 있다.

① [○]

> **언론중재 및 피해구제 등에 관한 법률 제7조【언론중재위원회의 설치】** ③ 중재위원회는 40명 이상 90명 이내의 중재위원으로 구성하며, 중재위원은 다음 각 호의 사람 중에서 문화체육관광부장관이 위촉한다. …

② [○]

> **언론중재 및 피해구제 등에 관한 법률 제7조【언론중재위원회의 설치】** ④ 중재위원회에 위원장 1명과 2명 이내의 부위원장 및 2명 이내의 감사를 두며, 각각 중재위원 중에서 호선한다.

④ [○]

> **언론중재 및 피해구제 등에 관한 법률 제7조【언론중재위원회의 설치】** ⑨ 중재위원회의 회의는 재적위원 과반수의 출석과 출석위원 과반수의 찬성으로 의결한다.

## 126 「언론중재 및 피해구제 등에 관한 법률」상 언론중재위원회에 대한 설명으로 가장 적절하지 않은 것은?

[2017 실무 1]

① 중재위원회는 중재부의 구성에 관한 사항, 중재위원회규칙의 제정 · 개정 및 폐지에 관한 사항 등을 심의한다.

② 중재위원회 40명 이상 90명 이내의 중재위원으로 구성하며, 중재위원은 문화체육관광부장관이 위촉한다.

③ 중재위원회에 위원장 1명과 2명 이내의 부위원장 및 5명 이내의 감사를 두며, 각각 중재위원 중에서 호선(互選)한다.

④ 중재위원회의 회의는 재적위원 과반수의 출석과 출석위원 과반수의 찬성으로 의결한다.

**정답 및 해설 I ③**

③ [×] 감사는 2명 이내이다.

> **언론중재 및 피해구제 등에 관한 법률 제7조【언론중재위원회의 설치】** ④ 중재위원회에 위원장 1명과 2명 이내의 부위원장 및 2명 이내의 감사를 두며, 각각 중재위원 중에서 호선한다.

① [○]

> **언론중재 및 피해구제 등에 관한 법률 제7조【언론중재위원회의 설치】** ① 언론등의 보도 또는 매개(이하 "언론보도등"이라 한다)로 인한 분쟁의 조정 · 중재 및 침해사항을 심의하기 위하여 언론중재위원회(이하 "중재위원회"라 한다)를 둔다.
> ② 중재위원회는 다음 각 호의 사항을 심의한다.
> 1. 중재부의 구성에 관한 사항
> 2. 중재위원회규칙의 제정 · 개정 및 폐지에 관한 사항 [2015 승진(경위)]
> 3. 제11조 제2항에 따른 사무총장의 임명 동의
> 4. 제32조에 따른 시정권고의 결정 및 그 취소결정
> 5. 그 밖에 중재위원회 위원장이 회의에 부치는 사항

② [○]

> **언론중재 및 피해구제 등에 관한 법률 제7조【언론중재위원회의 설치】** ③ 중재위원회는 40명 이상 90명 이내의 중재위원으로 구성하며, 중재위원은 다음 각 호의 사람 중에서 문화체육관광부장관이 위촉한다. 이 경우 제1호부터 제3호까지의 위원은 각각 중재위원 정수의 5분의 1 이상이 되어야 한다.
> 1. 법관의 자격이 있는 사람 중에서 법원행정처장이 추천한 사람
> 2. 변호사의 자격이 있는 사람 중에서 「변호사법」 제78조에 따른 대한변호사협회의 장이 추천한 사람
> 3. 언론사의 취재 · 보도 업무에 10년 이상 종사한 사람
> 4. 그 밖에 언론에 관하여 학식과 경험이 풍부한 사람

④ [○]

> **언론중재 및 피해구제 등에 관한 법률 제7조【언론중재위원회의 설치】** ⑨ 중재위원회의 회의는 재적위원 과반수의 출석과 출석위원 과반수의 찬성으로 의결한다.

## 127 「언론중재 및 피해구제 등에 관한 법률」상 언론중재위원회에 대한 설명으로 가장 적절하지 않은 것은?

[2017 승진(경위)]

① 언론등의 보도 또는 매개로 인한 분쟁의 조정 · 중재 및 침해사항을 심의하기 위하여 언론중재위원회를 둔다.

② 언론중재위원회에 위원장 1명과 2명 이내의 부위원장 및 3명 이내의 감사를 두며, 각각 언론중재위원 중에서 호선한다.

③ 위원장 · 부위원장 · 감사 및 언론중재위원의 임기는 각각 3년으로 하며, 한 차례만 연임할 수 있다.

④ 언론중재위원회의 회의는 재적위원 과반수의 출석과 출석위원 과반수의 찬성으로 의결한다.

**정답 및 해설 I ②**

② [×] 감사는 2명 이내이다.

> **언론중재 및 피해구제 등에 관한 법률 제7조【언론중재위원회의 설치】** ④ 중재위원회에 위원장 1명과 2명 이내의 부위원장 및 2명 이내의 감사를 두며, 각각 중재위원 중에서 호선한다.

① [○]

> **언론중재 및 피해구제 등에 관한 법률 제7조【언론중재위원회의 설치】** ① 언론등의 보도 또는 매개(이하 "언론보도등"이라 한다)로 인한 분쟁의 조정 · 중재 및 침해사항을 심의하기 위하여 언론중재위원회(이하 "중재위원회"라 한다)를 둔다.

③ [○]

> **언론중재 및 피해구제 등에 관한 법률 제7조【언론중재위원회의 설치】** ⑤ 위원장 · 부위원장 · 감사 및 중재위원의 임기는 각각 3년으로 하며, 한 차례만 연임할 수 있다.

④ [○]

> **언론중재 및 피해구제 등에 관한 법률 제7조【언론중재위원회의 설치】** ⑨ 중재위원회의 회의는 재적위원 과반수의 출석과 출석위원 과반수의 찬성으로 의결한다.



**128** 「언론중재 및 피해구제 등에 관한 법률」상 언론중재위원회에 대한 내용으로 ㉠부터 ㉣에 들어갈 숫자를 모두 합한 값은? [2018 채용 1차]

> • 중재위원회는 ( ㉠ )명 이상 ( ㉡ )명 이내의 중재위원으로 구성한다.
> • 중재위원회에 위원장 1명과 ( ㉢ )명 이내의 부위원장 및 ( ㉣ )명 이내의 감사를 두며, 각각 중재위원 중에서 호선한다.

① 124 ② 125

③ 134 ④ 135

**정답 및 해설 I ③**

③ [○] 40 + 90 + 2 + 2 = 134

> **언론중재 및 피해구제 등에 관한 법률 제7조【언론중재위원회의 설치】** ③ 중재위원회는 ( ㉠ 40 )명 이상 ( ㉡ 90 )명 이내의 중재위원으로 구성하며, 중재위원은 다음 각 호의 사람 중에서 문화체육관광부장관이 위촉한다.
> ④ 중재위원회에 위원장 1명과 ( ㉢ 2 )명 이내의 부위원장 및 ( ㉣ 2 )명 이내의 감사를 두며, 각각 중재위원 중에서 호선한다.

**129** 경찰관이 언론사를 상대로 정정보도를 청구하려고 한다. 법률과 판례에 따를 때 옳지 않은 것은?

[2021 경간]

① 사실적 주장에 관한 언론보도가 진실하지 아니함으로 피해를 입은 경우 해당 언론보도가 있음을 안 날부터 3개월 이내에 해당 언론사 대표에게 서면으로 그 언론보도 내용에 관한 정정보도를 청구할 수 있다.

② 사실적 주장이란 의견표명에 대치되는 개념으로 사실적 주장과 의견표명이 혼재할 경우 양자를 구별할 때에는 해당 언론보도의 객관적인 내용과 아울러 해당 언론보도가 게재한 문맥의 보다 넓은 의미나 배경이 되는 사회적 흐름 및 시청자에게 주는 전체적인 인상도 함께 고려하여야 한다.

③ 복잡한 사실관계를 알기 쉽게 단순하게 만드는 과정에서 일부 특정한 사실관계를 압축 · 강조하거나 대중의 흥미를 끌기 위해 실제 사실관계에 장식을 가하는 과정에서 다소의 수사적 과정이 있더라도 전체적인 맥락에서 보다 보도내용의 중요부분이 진실에 합치한다면 그 보도의 진실성은 인정된다.

④ 정정보도를 청구하는 경우에 그 언론사의 고의 · 과실이나 위법성을 필요로 하는 것은 아니며 그 언론사는 언론보도가 진실하다는 것에 대한 증명책임을 부담한다.

**정답 및 해설 I ④**

④ [×] 청구인이 진실하지 않다는 점에 대한 증명책임을 부담한다.

**요지판례 I**

■ 언론중재법 제14조에 의하여 사실적 주장에 관한 언론보도 등의 내용에 관한 정정보도를 청구하는 피해자는 그 언론보도 등이 진실하지 아니하다는 데 대한 증명책임을 부담한다(대판 2011.9.2, 2009다52649).

① [○] **언론중재 및 피해구제 등에 관한 법률 제14조 【정정보도 청구의 요건】** ① 사실적 주장에 관한 언론보도등이 진실하지 아니함으로 인하여 피해를 입은 자(이하 "피해자"라 한다)는 해당 언론보도등이 있음을 안 날부터 3개월 이내에 언론사, 인터넷뉴스서비스사업자 및 인터넷 멀티미디어 방송사업자(이하 "언론사등"이라 한다)에게 그 언론보도등의 내용에 관한 정정보도를 청구할 수 있다. 다만, 해당 언론보도등이 있은 후 6개월이 지났을 때에는 그러하지 아니하다.

② [○]

**요지판례 I**

■ 사실적 주장이란 가치판단이나 평가를 내용으로 하는 의견표명에 대치되는 개념으로서 증거에 의하여 그 존재 여부를 판단할 수 있는 사실관계에 관한 주장을 말한다(대판 2012.11.15, 2011다86782). ➜ 언론보도는 대개 사실적 주장과 의견표명이 혼재하는 형식으로 이루어지는 것이어서 구별기준 자체가 일의적이라고 할 수 없고, 양자를 구별할 때에는 당해 원보도의 객관적인 내용과 아울러 일반 독자가 보통의 주의로 원보도를 접하는 방법을 전제로, 사용된 어휘의 통상적인 의미, 전체적인 흐름, 문구의 연결 방법뿐만 아니라 당해 원보도가 게재한 문맥의 보다 넓은 의미나 배경이 되는 **사회적 흐름 및 일반 독자에게 주는 전체적인 인상도 함께 고려**하여야 한다.

③ [○]

**요지판례 I**

■ 언론중재법 제14조 제1항에서 정하는 언론보도의 진실성은 내용 전체의 취지를 살펴보아 중요한 부분이 객관적 사실과 합치되는 것일 때 인정되며 세부적인 면에서 진실과 약간 차이가 나거나 다소 과장된 표현이 있더라도 무방하고, 또한 복잡한 사실관계를 알기 쉽도록 단순하게 만드는 과정에서 일부 특정한 사실관계를 압축 · 강조하거나 대중의 흥미를 끌기 위하여 실제 사실관계에 장식을 가하는 과정에서 다소 수사적 과장이 있더라도 **전체적인 맥락에서 보아 보도내용의 중요부분이 진실에 합치한다면 보도의 진실성은 인정된다**고 보아야 한다(대판 2011.9.2, 2009다52649). ➜ 진실에 부합하는지는 표현의 전체적인 취지가 중시되어야 하는 것이고 세부적인 문제에서 객관적 진실과 완전히 일치할 것이 요구되어서는 아니 되기 때문이다.

# 제2장 | 경찰통제



## 주제 1 경찰통제의 기초

**001** 경찰통제에 대한 설명으로 가장 적절하지 않은 것은? [2020 채용 2차]

① 국가경찰위원회제도와 국민감사청구제도는 경찰행정에 대하여 국민들의 참여를 보장하는 민주적 통제장치이다.

② 경찰의 위법행위에 대한 국가배상판결이나 행정심판에 의한 통제는 사법통제이며, 국가인권위원회와 국민권익위원회에 의한 통제는 행정통제이다.

③ 상급기관이 갖는 훈령권 · 직무명령권은 하급기관의 위법이나 재량권 행사의 오류를 시정할 수 있는 내부적 통제장치이다.

④ 국회가 갖는 입법권과 예산심의권은 사전통제에 해당하나 예산결산권과 국정감사 · 조사권은 사후통제에 해당한다.



**정답 및 해설 | ②**

② [×] 중앙행정심판위원회의 행정심판은 행정부에 의한 통제에 해당한다.

| | | |
|---|---|---|
| 사법부에 의한 통제 | • 항고소송이나 국가배상청구소송 등 위법한 경찰활동에 대한 법원의 사후적 사법심사를 통한 통제를 말하며, 대륙법계보다는 판례법이 법체계의 근간을 이루는 영미법계에서 더 강력한 통제장치로서 작용한다.<br>• 개별 사안별로는 가장 강력한 통제수단이 될 수 있지만, 시간과 비용이 많이 소요되고, 위법한 정도에 이르지 않는 부당한 재량행위 등은 사법부가 통제하기 어렵다는 한계가 있다. | |
| 행정부에 의한 통제 | 주체 | 내용 |
| | 대통령 | 경찰청장의 임명권, 국가경찰위원회 위원의 임명권, 정책결정권 |
| | 행정안전부장관 | 경찰청장과 국가경찰위원회 위원의 임명제청권 |
| | 감사원 | 세입 · 세출의 결산확인, 경찰기관 및 경찰공무원의 직무에 대한 감찰권 |
| | 국민권익위원회 | (국무총리 소속) 고충민원의 조사와 처리 및 이와 관련된 시정권고 또는 의견표명 |
| | 시민고충처리위원회 | (지방단치단체 소속) 지방자치단체 및 그 소속 기관에 관한 고충민원의 처리와 행정제도의 개선 |
| | 행정심판위원회 | (국민권익위원회 소속) 경찰관청의 위법 · 부당한 처분에 대한 재결 |
| | 소청심사위원회 | (인사혁신처 소속) 경찰공무원의 징계 등 불이익처분에 관한 소청심사청구 |
| | 국가경찰위원회 | (행정안전부 소속) 경찰의 주요정책 등에 대한 심의 · 의결권을 통해 경찰을 통제 |
| | 시 · 도자치경찰위원회 | (시 · 도지사 소속) 자치경찰사무 관장 |
| | 기타 | 국가정보원, 국방부, 검찰 등에 의한 통제 |

① [○]

| 구분 | 민주적 통제 | 사법적 통제 |
|---|---|---|
| 의의 | 시민이 직접 또는 그 대표기관을 통하여 참여 · 감시 시스템을 구축하여 통제하는 것 | 행정소송이나 국가배상제도를 통해 사법부가 행정부의 행위를 심사하여 통제하는 것 |
| 관련 원칙 | 적법절차(적정절차) 원칙 | • 행정소송 개괄주의<br>• 재량권의 일탈 · 남용에 대한 심사 |
| 성격 | 절차적 · 사전적 통제 | 실체적 · 사후적 통제 |
| 원류 | 영미법계 | 대륙법계 |
| 관련 제도 | 경찰위원회제도, 경찰책임자 선거제도, 자치경찰제도 | 행정소송제도, 국가배상제도 |
| 우리나라 | 국가경찰위원회, 시 · 도자치경찰위원회, 자치경찰제도, 국민감사청구제도 [2020 채용 2차] | 행정소송제도, 국가배상제도 |

③ [○] 상급관청은 하급관청에 대하여 지시권이나 감독권 등의 훈령권을 행사함으로써 하급관청의 위법이나 재량권 행사의 오류를 시정하는 등 통제할 수 있다. 상급자는 하급자에게 직무명령권을 행사하여 하급자를 통제할 수 있다.

④ [○]

| 구분 | 사전적 통제 | 사후적 통제 |
|---|---|---|
| 의의 | 권리나 이익이 침해되기 전 미리 행정을 통제하는 것 | 권리나 이익이 침해된 후 사후적으로 행정을 통제하는 것 |
| 입법부 | 국회의 입법권, 예산심의권 | 국회의 국정감사 · 조사권, 예산결산권, 경찰청장에 대한 탄핵소추권 |
| 행정부 | • 행정절차법상의 청문 · 공청회 · 의견청취, 입법예고, 행정예고 등<br>• 국가경찰위원회 제도 | 행정심판제도, 징계책임제도, 상급기관의 하급기관에 대한 감사 · 감독권 |
| 사법부 | - | 행정소송제도, 국가배상제도 |

## 002 경찰통제에 관한 설명 중 가장 적절하지 않은 것은? [2022 채용 1차]

① 국회는 입법권과 예산심의권을 통해 경찰을 사전통제할 수 있다.

② 부패방지 및 국민권익위원회의 설치와 운영에 관한 법률 및 동법 시행령에 따르면, 18세 이상의 국민은 경찰 등 공공기관의 사무처리가 법령위반 또는 부패행위로 인하여 공익을 현저히 해하는 경우, 100명 이상의 국민의 연서로 감사원에 감사를 청구할 수 있다.

③ 상급자의 하급자에 대한 직무명령권은 내부적 통제의 일환이다.

④ 경찰의 위법한 처분에 대한 행정소송제도는 사법통제로서 외부적 통제장치이다.

**정답 및 해설 I ②**

② [×] 300명 이상의 국민의 연서로 감사를 청구할 수 있다.

> **부패방지 및 국민권익위원회의 설치와 운영에 관한 법률(이하 '부패방지권익위법'이라 한다) 제72조【감사청구권】** ① 18세 이상의 국민은 공공기관의 사무처리가 법령위반 또는 부패행위로 인하여 공익을 현저히 해하는 경우 대통령령으로 정하는 일정한 수 이상(➜ 300인 이상)의 국민의 연서로 **감사원에 감사를 청구**할 수 있다. 다만, 국회 · 법원 · 헌법재판소 · 선거관리위원회 또는 감사원의 사무에 대하여는 국회의장 · 대법원장 · 헌법재판소장 · 중앙선거관리위원회 위원장 또는 감사원장(이하 "당해 기관의 장"이라 한다)에게 감사를 청구하여야 한다. <개정 2022.1.4, 시행 2022.7.5.>

① [○] 국회의 **입법권, 예산심의권**은 대표적인 입법부의 사전통제 수단이면서, 외부적 통제수단이기도 하다.

③ [○] **내부적 통제**는 경찰조직 내부적으로 권한의 남용이나 일탈을 통제하는 것을 말하며, 상급자가 하급자에게 **직무명령권**을 행사하여 하급자를 통제할 수 있다는 것은 내부적 통제의 대표적 예이다.

④ [○] 행정소송제도는 사법부에 의한 사후적 사법통제이면서, 경찰조직 외부에 의한 외부적 통제에 해당한다.

## 003 경찰통제에 대한 설명 중 가장 적절하지 않은 것은? [2020 승진(경위)]

① 19세 이상의 국민은 경찰을 비롯한 공공기관의 사무처리가 법령위반 또는 부패행위로 인하여 공익을 현저히 해하는 경우 200인 이상의 연서로 감사원에 감사를 청구할 수 있다.

② 국가경찰위원회 제도는 경찰의 주요정책 등에 관하여 심의 · 의결하는 권한을 가지고 있으므로 민주적 통제에 해당하고, 행정안전부 소속으로 외부적 통제에도 해당한다.

③ 청문감사인권관 제도는 경찰 내부적 통제이다.

④ 행정절차법은 입법예고, 행정예고 등 행정에 대한 사전통제를 규정하고 있다.

**정답 및 해설 I ①**

① [×] 18세 이상 국민이고, 300인 이상의 연서가 필요하다. [* 2022.7.5. 개정법 시행일 기준, 출제 당시에는 19세 이상 국민이라고 한 부분은 옳으나, 200인 이상이라는 부분이 틀린 부분이었다]

> **부패방지권익위법 제72조【감사청구권】** ① 18세 이상의 국민은 공공기관의 사무처리가 법령위반 또는 부패행위로 인하여 공익을 현저히 해하는 경우 대통령령으로 정하는 일정한 수 이상(➜ 300인 이상)의 국민의 연서로 감사원에 감사를 청구할 수 있다. 다만, 국회 · 법원 · 헌법재판소 · 선거관리위원회 또는 감사원의 사무에 대하여는 국회의장 · 대법원장 · 헌법재판소장 · 중앙선거관리위원회 위원장 또는 감사원장(이하 "당해 기관의 장"이라 한다)에게 감사를 청구하여야 한다. <개정 2022.1.4, 시행 2022.7.5.>

② [○] 또한 국가경찰위원회 제도는 사전통제 수단이기도 하다.

③ [○] 경찰청과 그 소속기관 및 산하단체에 대한 감사업무 등을 담당하는 청문감사인권관은 조직 내부적 통제장치에 속한다.

④ [○] 행정절차법상의 청문 · 공청회 · 의견제출, 입법예고, 행정예고 등은 행정부에 의한 사전통제 수단이다.



## 004 경찰통제의 유형이 가장 바르게 연결된 것은? [2019 채용 1차]

① 내부통제: 청문감사인권관 제도, 국가경찰위원회, 직무명령권

② 외부통제: 국민권익위원회, 소청심사위원회, 국민감사청구제도

③ 사전통제: 행정예고제, 상급기관의 하급기관에 대한 감독권

④ 사후통제: 사법부에 의한 사법심사, 국회의 입법권 · 예산심의권

**정답 및 해설 I ②**

② [○] 모두 경찰조직 외부에 의한 외부통제에 해당한다.

① [×] 국가경찰위원회는 외부통제에 해당한다.

③ [×] 상급기관의 하급기관에 대한 감독권은 사후통제에 해당한다.

④ [×] 국회의 입법권 · 예산심의권은 사전통제에 해당한다.

## 005 경찰통제의 유형 중 가장 적절하게 연결된 것은? [2023 승진]

① 민주적 통제 - 국가경찰위원회, 국민감사청구, 국가배상제도

② 사전통제 - 입법예고제, 국회의 예산심의권, 사법부의 사법심사

③ 외부통제 - 소청심사위원회, 행정소송, 훈령권

④ 사후통제 - 행정심판, 국정 감사 · 조사권, 국회의 예산결산권

**정답 및 해설 I ④**

④ [○] 옳게 연결되어 있다.

① [×] 국가배상제도는 사법적 통제에 해당한다.

② [×] 사법부의 사법심사는 사후적 통제에 해당한다.

③ [×] 훈령권은 내부통제에 해당한다.

## 006 다음 경찰통제의 유형 중 내부적 통제에 해당하는 것은 모두 몇 개인가? [2023 채용 1차]

| | |
|---|---|
| ㉠ 청문감사인권관제도 | ㉡ 국민권익위원회 |
| ㉢ 국가경찰위원회 | ㉣ 소청심사위원회 |
| ㉤ 경찰청장의 훈령권 | ㉥ 국회의 입법권 |

① 2개 ② 3개

③ 4개 ④ 5개

**정답 및 해설 I ①**

① [○] ㉠㉤**이 내부통제**에 해당하고 ㉡㉢㉣㉥은 외부통제에 해당한다.

## 007 다음 경찰의 통제유형 가운데 사후통제인 동시에 외부통제에 해당하는 것은 모두 몇 개인가? [2015 경간]

| | |
|---|---|
| 가. 청문감사인권관제도 | 나. 국회의 예산심의권 |
| 다. 국회의 국정감사 | 라. 국가경찰위원회의 심의 · 의결 |
| 마. 법원의 사법심사 | 바. 감사원의 직무감찰 |

① 2개 ② 3개

③ 4개 ④ 5개

**정답 및 해설 I ②**

가. [×] **청문감사인권관제도**: 경찰의 내부통제이면서 사후통제 수단이다.
나. [×] **국회의 예산심의권**: 입법부의 외부통제이면서 사전통제 수단이다.
다. [○] **국회의 국정감사**: 입법부의 외부통제이면서 사후통제 수단이다.
라. [×] **국가경찰위원회의 심의 · 의결**: 행정부에 의한 외부통제이면서 사전통제 수단이다.
마. [○] **법원의 사법심사**: 사법부의 외부통제이면서 사후통제 수단이다.
바. [○] **감사원의 직무감찰**: 행정부의 외부통제이면서 사후통제 수단이다.

**008** 다음은 경찰의 사전통제와 사후통제, 내부통제와 사후통제, 내부통제와 외부통제를 구분 없이 나열한 것이다. 이 중 사전통제와 내부통제에 관한 것으로 올바르게 짝지어진 것은? [2017 경간]

<사전통제와 사후통제>

가. 행정절차법에 의한 청문
나. 국회의 입법권
다. 국회의 국정감사 · 조사권
라. 사법부에 의한 사법심사
마. 국회의 예산심의권

<내부통제와 외부통제>

㉠ 국가경찰위원회의 심의 · 의결
㉡ 감사원에 의한 직무감찰
㉢ 청문감사인권관제도
㉣ 경찰청장의 훈령권
㉤ 중앙행정심판위원회의 심리 · 재결

① 사전통제: 가, 나　내부통제: ㉠, ㉢
② 사전통제: 나, 다　내부통제: ㉢, ㉣
③ 사전통제: 라, 마　내부통제: ㉡, ㉤
④ 사전통제: 나, 마　내부통제: ㉢, ㉣

**정답 및 해설 I ④**

④ [○]

<사전통제와 사후통제>

| 사전통제 | 사후통제 |
|---|---|
| 가. 행정절차법에 의한 청문<br>나. 국회의 입법권<br>마. 국회의 예산심의권 | 다. 국회의 국정감사 · 조사권<br>라. 사법부에 의한 사법심사 |

<내부통제와 외부통제>

| 내부통제 | 외부통제 |
|---|---|
| ㉢ 청문감사인권관제도<br>㉣ 경찰청장의 훈령권 | ㉠ 국가경찰위원회의 심의 · 의결<br>㉡ 감사원에 의한 직무감찰<br>㉤ 중앙행정심판위원회의 심리 · 재결 |

## 009 경찰통제의 유형에 대한 설명 중 옳은 것은? [2020 경간]

① 행정절차법, 국회에 의한 예산결산권은 사전통제에 해당한다.

② 경찰청의 감사관, 시 · 도경찰청의 청문감사인권담당관, 경찰서의 청문감사인권관은 외부통제에 해당한다.

③ 국가인권위원회의 통제는 협의의 행정통제로서 외부통제에 해당한다.

④ 행정안전부장관의 경찰청장과 국가경찰위원회 위원의 임명제청권은 행정통제로서 외부통제에 해당한다.

**정답 및 해설 I ④**

④ [○] 행정안전부장관은 행정부에 속한다는 점에서 행정통제에 해당하며, 경찰조직 외부에 의한 통제이므로 외부통제에 해당한다.

① [×] 행정절차법은 사전통제에 해당하지만, 예산결산권은 사후통제에 해당한다.

② [×] 경찰청과 그 소속기관 및 산하단체에 대한 감사업무 등을 담당하는 감사관은(시 · 도경찰청은 청문감사인권담당관, 경찰서는 청문감사인권관) 조직내부적 통제장치에 속한다.

③ [×] 국가인권위원회는 인권의 보호와 향상을 위한 업무를 수행하기 위하여 설치된 독립기구로서 입법 · 행정 · 사법 어디에도 속하지 않으나, 넓은 의미에서는 행정부에 의한 통제로 볼 수 있다(광의의 행정부에 의한 통제).

## 010 「부패방지 및 국민권익위원회의 설치와 운영에 관한 법률」상 부패행위 등의 신고에 대한 설명으로 가장 적절하지 않은 것은? [2024 승진]

① 신고를 하려는 자는 본인의 인적사항과 신고취지 및 이유를 기재한 기명의 문서로써 하여야 하며, 신고대상과 부패행위의 증거 등을 함께 제시하여야 한다.

② 국민권익위원회는 접수된 신고사항에 대하여 신고자를 상대로 신고대상자의 인적사항, 신고의 경위 및 취지 등 신고내용의 특정에 필요한 사항을 확인하여야 한다.

③ 공직자는 그 직무를 행함에 있어 다른 공직자가 부패행위를 한 사실을 알게 되었거나 부패행위를 강요 또는 제의받은 경우에는 지체 없이 이를 수사기관 · 감사원 또는 국민권익위원회에 신고하여야 한다.

④ 조사기관은 신고를 이첩 또는 송부받은 날부터 60일 이내에 감사 · 수사 또는 조사를 종결하여야 한다. 다만, 정당한 사유가 있는 경우에는 그 기간을 연장할 수 있으며, 국민권익위원회에 그 연장사유 및 연장기간을 통보하여야 한다.

**정답 및 해설 I ②**

② [×] 국민권익위원회는 후속조치 진행여부 판단을 위해 신고사항에 불분명한 내용이 있으면 확인할 수도 있고, 신고사항만으로도 충분한 판단이 가능하면 필요한 사항을 확인하지 아니할 수도 있는 것이다.

> **부패방지권익위법 제59조【신고내용의 확인 및 이첩 등】** ① 위원회는 접수된 신고사항에 대하여 신고자를 상대로 다음 각 호의 사항을 확인할 수 있다.
> 1. 신고자의 인적사항, 신고의 경위 및 취지 등 신고내용의 특정에 필요한 사항

① [○]

> **부패방지권익위법 제58조【신고의 방법】** 신고를 하려는 자는 본인의 인적사항과 신고취지 및 이유를 기재한 기명의 문서로써 하여야 하며, 신고대상과 부패행위의 증거 등을 함께 제시하여야 한다. ➜ 기명신고 원칙

③ [○] 누구든지 신고할 수 있으나, 공직자는 신고하여야 한다.

> **부패방지권익위법 제56조【공직자의 부패행위 신고의무】** 공직자는 그 직무를 행함에 있어 다른 공직자가 부패행위를 한 사실을 알게 되었거나 부패행위를 강요 또는 제의받은 경우에는 지체 없이 이를 수사기관 · 감사원 또는 위원회에 신고하여야 한다.

④ [○] 여기서 **조사기관**은 감사원, 수사기관 또는 해당 공공기관의 감독기관을 말한다.

> **부패방지권익위법 제60조【조사결과의 처리】** ① 조사기관은 신고를 이첩 또는 송부받은 날부터 60일 이내에 감사·수사 또는 조사를 종결하여야 한다. 다만, 정당한 사유가 있는 경우에는 그 기간을 연장할 수 있으며, 위원회에 그 연장사유 및 연장기간을 통보하여야 한다.

## 011 경찰작용 및 경찰공무원을 통제하는 행정기관의 역할과 기능에 관한 설명 중 옳은 것을 모두 고른 것은?

[2022 채용 2차]

> ㉠ 행정심판위원회는 경찰관청의 위법한 처분 및 대통령의 부작위에 대해서 심리하여 침해된 국민의 권리를 구제하고 경찰행정의 적정한 운영을 도모한다.
> ㉡ 시·도자치경찰위원회는 자치경찰사무 담당 경찰공무원에 대한 징계를 요구할 수 있다.
> ㉢ 국민권익위원회는 누구든지 경찰공무원 등의 부패행위를 알게 된 때에는 무기명으로 신고할 수 있도록 하고 있다.
> ㉣ 인사혁신처에 소청심사위원회를 설치하여, 경찰공무원이 징계처분, 그 밖에 그 의사에 반하는 불리한 처분이나 부작위를 구제받을 수 있도록 하고 있다.
> ㉤ 국가인권위원회는 경찰기관 및 경찰공무원 등에 의한 인권침해행위 또는 차별행위에 대해 조사하고 구제할 수 있다.
> ㉥ 감사원은 국회·법원 및 헌법재판소를 포함한 모든 국가기관 및 그에 소속한 공무원의 사무를 감찰하여 비위를 적발하고 시정한다.

① ㉠, ㉢, ㉤　　② ㉡, ㉣, ㉤
③ ㉡, ㉢, ㉣　　④ ㉢, ㉣, ㉥

**정답 및 해설 I ②**

㉠ [×] 대통령의 처분 또는 부작위는 행정심판의 대상이 되지 않는 것이 원칙이다.

> **행정심판법 제3조【행정심판의 대상】** ① 행정청의 처분 또는 부작위에 대하여는 다른 법률에 특별한 규정이 있는 경우 외에는 이 법에 따라 행정심판을 청구할 수 있다.

㉡ [○]

> **경찰법 제24조【시·도자치경찰위원회의 소관 사무】** ① 시·도자치경찰위원회의 소관 사무는 다음 각 호로 한다.
> 9. 자치경찰사무 담당 공무원에 대한 징계요구

㉢ [×] 2022.7.5. 실명신고 원칙에 대한 예외로 비실명 대리신고제도가 시행되었으나, 이러한 비실명 대리신고도 신고자의 이름을 기재하지 않는 '무기명'신고는 아니다.

> **부패방지권익위법 제55조【부패행위의 신고】** 누구든지 부패행위를 알게 된 때에는 이를 위원회에 신고할 수 있다.
>
> **부패방지권익위법 제58조【신고의 방법】** 신고를 하려는 자는 본인의 인적사항과 신고취지 및 이유를 기재한 기명의 문서로써 하여야 하며, 신고대상과 부패행위의 증거 등을 함께 제시하여야 한다. ➜ 실명신고 원칙
>
> **부패방지권익위법 제58조의2【비실명 대리신고】** ① 제58조에도 불구하고 신고자는 자신의 인적사항을 밝히지 아니하고 변호사를 선임하여 신고를 대리하게 할 수 있다. 이 경우 제58조에 따른 신고자의 인적사항 및 기명의 문서는 변호사의 인적사항 및 변호사 이름의 문서로 갈음한다. ➜ 예외적 비실명신고
> ② 제1항에 따른 신고는 위원회에 하여야 하며, 신고자 또는 신고자를 대리하는 변호사는 그 취지를 밝히고 신고자의 인적사항, 신고자임을 입증할 수 있는 자료 및 위임장을 위원회에 함께 제출하여야 한다.
> ③ 위원회는 제2항에 따라 제출된 자료를 봉인하여 보관하여야 하며, 신고자 본인의 동의 없이 이를 열람하여서는 아니 된다. <본조신설 2022.1.4, 시행 2022.7.5.>

㉣ [○]

> **국가공무원법 제9조 【소청심사위원회의 설치】** ① 행정기관 소속 공무원의 징계처분, 그 밖에 그 의사에 반하는 불리한 처분이나 부작위에 대한 소청을 심사 · 결정하게 하기 위하여 인사혁신처에 소청심사위원회를 둔다.

㉤ [○]

> **국가인권위원회법 제19조 【업무】** 위원회는 다음 각 호의 업무를 수행한다.
> 2. 인권침해행위에 대한 조사와 구제
> 3. 차별행위에 대한 조사와 구제

㉥ [×] 국회 · 법원 및 헌법재판소 소속 공무원은 제외된다.

> **감사원법 제24조 【감찰 사항】** ① 감사원은 다음 각 호의 사항을 감찰한다.
> 1. 「정부조직법」 및 그 밖의 법률에 따라 설치된 행정기관의 사무와 그에 소속한 공무원의 직무
> 2. 지방자치단체의 사무와 그에 소속한 지방공무원의 직무
> 3. 제22조 제1항 제3호 및 제23조 제7호에 규정된 자의 사무와 그에 소속한 임원 및 감사원의 검사대상이 되는 회계사무와 직접 또는 간접으로 관련이 있는 직원의 직무
>
> ③ 제1항의 공무원에는 국회 · 법원 및 헌법재판소에 소속한 공무원은 제외한다.

## 012 「부패방지 및 국민권익위원회의 설치와 운영에 관한 법률」에 대한 다음 설명으로 가장 적절하지 않은 것은?

[2015 실무 1]

① 공직자가 직무와 관련하여 그 지위 또는 권한을 남용하거나 법령을 위반하여 자기 또는 제3자의 이익을 도모하는 행위도 부패행위에 포함된다.

② 공공기관의 예산사용, 공공기관 재산의 취득 · 관리 · 처분 또는 공공기관을 당사자로 하는 계약의 체결 및 그 이행에 있어서 법령에 위반하여 공공기관에 대하여 재산상 손해를 가하는 행위도 부패행위에 포함된다.

③ 공직자의 청렴의무와 업무상 비밀이용 금지는 별도로 규정하고 있지 않다.

④ 공공기관은 부패를 방지하기 위하여 볍령상, 제도상 또는 행정상의 모순이 있거나 그 밖에 개선할 사항이 있다고 인정할 때는 즉시 이를 개선 또는 시정하여야 한다.

**정답 및 해설 I ③**

③ [×] 공직자의 청렴의무에 대한 명시적 규정이 있다. 반면 업무상 비밀이용 금지에 대한 규정은 법 개정에 따라 삭제되었다(개정 2021.5.18, 시행 2022.5.19.).

> **부패방지권익위법 제7조 【공직자의 청렴의무】** 공직자는 법령을 준수하고 친절하고 공정하게 집무하여야 하며 일체의 부패행위와 품위를 손상하는 행위를 하여서는 아니 된다.
>
> **부패방지권익위법 제7조의2** 삭제 <2021.5.18.>

①② [○]

> **부패방지권익위법 제2조 【정의】** 이 법에서 사용하는 용어의 뜻은 다음과 같다.
> 4. "부패행위"란 다음 각 목의 어느 하나에 해당하는 행위를 말한다.
> 가. 공직자가 직무와 관련하여 그 지위 또는 권한을 남용하거나 법령을 위반하여 자기 또는 제3자의 이익을 도모하는 행위
> 나. 공공기관의 예산사용, 공공기관 재산의 취득 · 관리 · 처분 또는 공공기관을 당사자로 하는 계약의 체결 및 그 이행에 있어서 법령에 위반하여 공공기관에 대하여 재산상 손해를 가하는 행위
> 다. 가목과 나목에 따른 행위나 그 은폐를 강요, 권고, 제의, 유인하는 행위

④ [○]

> **부패방지권익위법 제3조 【공공기관의 책무】** ② 공공기관은 부패를 방지하기 위하여 법령상, 제도상 또는 행정상의 모순이 있거나 그 밖에 개선할 사항이 있다고 인정할 때에는 즉시 이를 개선 또는 시정하여야 한다.

**013** 부패방지 및 국민권익위원회의 설치와 운영에 관한 법률에 대한 설명으로 가장 적절하지 않은 것은?

[2017 실무 1]

① 공직자는 그 직무를 행함에 있어 다른 공직자가 부패행위를 한 사실을 알게 되었거나 부패행위를 강요 또는 제의받은 경우에는 지체 없이 이를 수사기관 · 감사원 또는 위원회에 신고하여야 한다.

② 신고자가 신고의 내용이 허위라는 사실을 알았거나 알 수 있었음에도 불구하고 신고한 경우에는 이 법의 보호를 받지 못한다.

③ 부패행위를 신고하고자 하는 자는 신고취지 및 이유를 기재한 무기명의 문서로써 하여야 하며, 신고대상과 부패행위의 증거 등을 함께 제시하여야 한다.

④ 누구든지 부패행위을 알게 된 때에는 이를 위원회에 신고할 수 있다.

**정답 및 해설 I ③**

③ [×] 실명신고가 원칙이다. 단, 예외적으로 비실명 신고가 가능한 경우가 있으나, 그 경우에도 무기명은 아니고 인적사항이 기재된 자료를 제출해야 하며, 다만 그러한 자료가 봉인되고 보관될 뿐이다.

> **부패방지권익위법 제58조【신고의 방법】** 신고를 하려는 자는 본인의 인적사항과 신고취지 및 이유를 기재한 기명의 문서로써 하여야 하며, 신고대상과 부패행위의 증거 등을 함께 제시하여야 한다. ➜ 실명신고 원칙
>
> **부패방지권익위법 제58조의2【비실명 대리신고】** ① 제58조에도 불구하고 신고자는 자신의 인적사항을 밝히지 아니하고 변호사를 선임하여 신고를 대리하게 할 수 있다. 이 경우 제58조에 따른 신고자의 인적사항 및 기명의 문서는 변호사의 인적사항 및 변호사 이름의 문서로 갈음한다. ➜ 예외적 비실명신고
>
> ② 제1항에 따른 신고는 위원회에 하여야 하며, 신고자 또는 신고자를 대리하는 변호사는 그 취지를 밝히고 신고자의 인적사항, 신고자임을 입증할 수 있는 자료 및 위임장을 위원회에 함께 제출하여야 한다.
>
> ③ 위원회는 제2항에 따라 제출된 자료를 봉인하여 보관하여야 하며, 신고자 본인의 동의 없이 이를 열람하여서는 아니 된다. <신설 2022.1.4, 시행 2022.7.5.>

① [○]

> **부패방지권익위법 제56조【공직자의 부패행위 신고의무】** 공직자는 그 직무를 행함에 있어 다른 공직자가 부패행위를 한 사실을 알게 되었거나 부패행위를 강요 또는 제의받은 경우에는 지체 없이 이를 수사기관 · 감사원 또는 위원회에 신고하여야 한다.

② [○]

> **부패방지권익위법 제57조【신고자의 성실의무】** 제55조 및 제56조에 따른 부패행위 신고(이하 이 장에서 "신고"라 한다)를 한 자(이하 이 장에서 "신고자"라 한다)가 신고의 내용이 허위라는 사실을 알았거나 알 수 있었음에도 불구하고 신고한 경우에는 이 법의 보호를 받지 못한다.

④ [○]

> **부패방지권익위법 제55조【부패행위의 신고】** 누구든지 부패행위를 알게 된 때에는 이를 위원회에 신고할 수 있다.

**014** 「부패방지 및 국민권익위원회의 설치와 운영에 관한 법률」에 대한 설명으로 옳지 않은 것은? [2020 경간]

① 국민권익위원회는 신고가 접수된 부패행위의 혐의대상자가 경무관급 이상의 경찰공무원이고, 부패 혐의의 내용이 형사처벌을 위한 수사 및 공소제기의 필요성이 있는 경우에는 위원회의 명의로 검찰에 고발할 수 있다.

② 조사기관은 신고를 이첩받은 날부터 60일 이내에 감사 · 수사 또는 조사를 종결하여야 한다. 다만, 정당한 사유가 있는 경우에는 그 기간을 연장할 수 있으며, 위원회에 그 연장사유 및 연장기간을 통보하여야 한다.

③ 부패행위를 신고하고자 하는 자는 신고자의 인적사항과 신고취지 및 이유를 기재한 기명의 문서로써 하여야 하며, 신고대상과 부패행위의 증거 등을 함께 제시하여야 한다.

④ 신고자가 신고의 내용이 허위라는 사실을 알았거나 알 수 있었음에도 불구하고 신고한 경우에는 「부패방지 및 국민권익위원회의 설치와 운영에 관한 법률」의 보호를 받을 수 없다.

**정답 및 해설 I ①**

① [×] 위원회의 명의로 검찰에 고발을 하여야 한다.

> **부패방지권익위법 제59조【신고내용의 확인 및 이첩 등】** ⑥ 위원회에 신고가 접수된 당해 부패행위의 혐의대상자가 다음 각 호에 해당하는 고위공직자로서 부패혐의의 내용이 형사처벌을 위한 수사 및 공소제기의 필요성이 있는 경우에는 위원회의 명의로 검찰, 수사처, 경찰 등 **관할 수사기관에 고발을 하여야 한다.** <시행 2022.1.4, 시행 2022.7.5.>
> 1. 차관급 이상의 공직자
> 2. 특별시장, 광역시장, 특별자치시장, 도지사 및 특별자치도지사
> 3. **경무관급 이상**의 경찰공무원
> 4. 법관 및 검사
> 5. 장성급 장교
> 6. 국회의원

② [○]

> **부패방지권익위법 제60조【조사결과의 처리】** ① 조사기관은 신고를 이첩 또는 송부받은 날부터 **60일 이내**에 감사 · 수사 또는 조사를 종결하여야 한다. 다만, 정당한 사유가 있는 경우에는 그 기간을 연장할 수 있으며, 위원회에 그 연장사유 및 연장기간을 통보하여야 한다. <시행 2022.1.4, 시행 2022.7.5.>

③ [○]

> **부패방지권익위법 제58조【신고의 방법】** 신고를 하려는 자는 본인의 인적사항과 신고취지 및 이유를 기재한 **기명**의 문서로써 하여야 하며, 신고대상과 부패행위의 증거 등을 함께 제시하여야 한다. ➜ 실명신고 원칙

④ [○]

> **부패방지권익위법 제57조【신고자의 성실의무】** 제55조 및 제56조에 따른 부패행위 신고(이하 이 장에서 "신고"라 한다)를 한 자(이하 이 장에서 "신고자"라 한다)가 **신고의 내용이 허위라는 사실을 알았거나 알 수 있었음에도 불구하고** 신고한 경우에는 이 법의 보호를 받지 못한다.

## 주제 2 경찰 감찰

**015** 「경찰 감찰 규칙」의 내용으로 가장 적절한 것은? [2018 실무 1]

① 「경찰 감찰 규칙」 제1조는 "경찰청 및 그 소속기관에 소속하는 경찰공무원, 별정 · 일반직 공무원, 의무경찰 등의 공직기강 확립과 경찰 행정의 효율성 확보를 위한 감찰에 필요한 사항을 규정함을 목적으로 한다."라고 명시하고 있다.

② 감찰관은 다른 경찰기관 또는 검찰, 감사원 등 다른 행정기관으로부터 통보받은 소속직원의 의무위반행위에 대해서는 통보받은 날로부터 2개월 이내에 신속히 처리하여야 한다.

③ 「경찰 감찰 규칙」 제13조는 '특별감찰'에 대해 "경찰기관의 장은 상급 경찰기관의 장의 지시에 따라 소속 감찰관으로 하여금 일정기간 동안 다른 경찰기관 소속 직원의 복무실태, 업무추진 실태 등을 점검하게 할 수 있다."라고 규정하고 있다.

④ 감찰관은 경찰공무원등의 의무위반행위에 관한 현장인지, 진정 · 탄원 등 단서를 수집 · 접수한 경우, 소속 경찰기관의 감찰부서장에게 보고하여야 하며, 감찰부서장은 감찰관의 보고를 받은 경우 감찰대상으로서의 적정성을 검토한 후 감찰활동 착수 여부를 결정하여야 한다.

**정답 및 해설 I ④**

④ [○]

> 훈령 **경찰 감찰 규칙 제15조【감찰활동의 착수】** ① 감찰관은 소속공무원의 의무위반행위에 관한 단서(현장인지, 진정 · 탄원 등을 포함한다)를 수집 · 접수한 경우 소속 경찰기관의 감찰부서장에게 보고하여야 한다.
> ② 감찰부서장은 제1항에 따른 보고를 받은 경우 감찰 대상으로서의 적정성을 검토한 후 감찰활동 착수 여부를 결정하여야 한다.

① [×] 효율성 확보가 아니라 적정성 확보이다.

> 훈령 **경찰 감찰 규칙 제1조【목적】** 이 규칙은 경찰청 및 그 소속기관(이하 "경찰기관"이라 한다)에 소속하는 경찰공무원, 별정 · 일반직 공무원(무기계약 및 기간제 근로자를 포함한다), 의무경찰 등(이하 "소속공무원"이라 한다)의 공직기강 확립과 경찰 행정의 적정성 확보를 위한 감찰에 필요한 사항을 규정함을 목적으로 한다.

② [×] 기관통보 사건의 처리기한은 1개월이다.

> 훈령 **경찰 감찰 규칙 제36조【기관통보사건의 처리】** ① 감찰관은 다른 경찰기관 또는 검찰, 감사원 등 다른 행정기관으로부터 통보받은 소속공무원의 의무위반행위에 대해서는 통보받은 날로부터 **1개월 이내**에 신속히 처리하여야 한다.

③ [×] 이는 특별감찰이 아닌 교류감찰에 대한 설명이다.

> 훈령 **경찰 감찰 규칙 제13조【특별감찰】** 경찰기관의 장은 의무위반행위가 자주 발생하거나 그 발생 가능성이 높다고 인정되는 시기, 업무분야 및 경찰관서 등에 대하여는 일정기간 동안 전반적인 조직관리 및 업무추진 실태 등을 집중 점검할 수 있다.
>
> 훈령 **경찰 감찰 규칙 제14조【교류감찰】** 경찰기관의 장은 상급 경찰기관의 장의 지시에 따라 소속 감찰관으로 하여금 일정기간 동안 다른 경찰기관 소속 직원의 복무실태, 업무추진 실태 등을 점검하게 할 수 있다.

## 016 「경찰 감찰 규칙」에 관한 설명으로 가장 적절하지 않은 것은? [2023 채용 2차]

① "감찰"이란 복무기강 확립과 경찰행정의 적정성을 확보하기 위해 경찰기관 또는 소속공무원의 제반업무와 활동 등을 조사 · 점검 · 확인하고 그 결과를 처리하는 감찰관의 직무활동을 말한다.

② 감찰부서장은 소속 감찰관에 대하여 감찰관 보직 후 3년마다 적격심사를 실시하여 인사에 반영하여야 한다.

③ 경찰기관의 장은 의무위반행위가 자주 발생하거나 그 발생 가능성이 높다고 인정되는 시기, 업무분야 및 경찰관서 등에 대하여는 일정기간 동안 전반적인 조직관리 및 업무추진 실태 등을 집중 점검할 수 있다.

④ 감찰관은 감찰관 본인이 의무위반행위로 인해 감찰대상이 된 때에는 당해 감찰직무(감찰조사 및 감찰업무에 대한 지휘를 포함한다)에서 제척된다.

**정답 및 해설 I ②**

② [×] 2년마다 적격심사를 실시한다.

> 훈령 **경찰 감찰 규칙 제8조【감찰관 적격심사】** ① 경찰기관의 장은 소속 감찰관에 대하여 감찰관 보직 후 2년마다 적격심사를 실시하여 인사에 반영하여야 한다.

① [○]

> 훈령 **경찰 감찰 규칙 제2조【정의】** 이 규칙에서 사용하는 용어의 정의는 다음과 같다.
> 2. "**감찰**"이란 복무기강 확립과 **경찰행정의 적정성을 확보**하기 위해 경찰기관 또는 소속공무원의 제반업무와 활동 등을 조사 · 점검 · 확인하고 그 결과를 처리하는 감찰관의 직무활동을 말한다.

③ [○]

> 훈령 **경찰 감찰 규칙 제13조【특별감찰】** 경찰기관의 장은 의무위반행위가 **자주 발생**하거나 그 **발생 가능성이 높다고 인정되는 시기, 업무분야 및 경찰관서** 등에 대하여는 일정기간 동안 전반적인 조직관리 및 업무추진 실태 등을 집중 점검할 수 있다.

④ [○]

> 훈령 **경찰 감찰 규칙 제9조【제척】** 감찰관은 다음 경우에 당해 감찰직무(감찰조사 및 감찰업무에 대한 **지휘를 포함한**다)에서 제척된다. ➔ 당연히 빠지는 것!
> 1. 감찰관 본인이 의무위반행위로 인해 **감찰대상**이 된 때
> 2. 감찰관 본인이 의무위반행위로 인해 피해를 받은 자(이하 "**피해자**"라 한다)인 때
> 3. 감찰관 본인이 의무위반행위로 인해 감찰대상이 된 소속공무원(이하 "**조사대상자**"라 한다)이나 피해자의 친족이거나 친족관계가 있었던 자인 때
> 4. 감찰관 본인이 조사대상자나 피해자의 법정대리인이나 후견감독인인 때

## 017 「경찰 감찰 규칙」에 대한 설명으로 가장 적절하지 않은 것은? [2021 승진(실무종합)]

① 감찰관은 소속 경찰기관의 관할구역 안에서 활동하여야 하나, 상급 경찰기관의 장의 지시가 있는 경우에는 관할구역 밖에서도 활동할 수 있다.

② 감찰관은 소속공무원의 의무위반행위에 관한 단서(현장인지, 진정 · 탄원 등을 포함한다)를 수집 · 접수한 경우 소속 경찰기관의 감찰부서장에게 보고하여야 한다.

③ 경찰기관의 장은 감찰관이 제5조에 따른 결격사유에 해당되는 것으로 밝혀졌을 경우와 제7조 제1항 각 호의 어느 하나에 해당하는 경우를 제외하고는 3년 이내에 본인의 의사에 반하여 전보하여서는 아니 된다. 다만, 승진 등 인사관리상 필요한 경우에는 그러하지 아니하다.

④ 경찰기관의 장은 1년 이상 성실히 근무한 감찰관에 대해서는 희망부서를 고려하여 전보한다.

**정답 및 해설 I ③**

③ [×] ④ [○] 2년 이내에 의사에 반하는 전보조치가 금지되며, 다만 1년 이상 성실 근무한 감찰관 본인이 희망하는 경우에는 희망부서 고려하여 전보한다.

> 훈령 **경찰 감찰 규칙 제7조【감찰관의 신분보장】** ① 경찰기관의 장은 감찰관이 제5조에 따른 결격사유에 해당되는 것으로 밝혀졌을 경우와 다음 각 호의 어느 하나에 해당하는 경우를 제외하고는 2년 이내에 본인의 의사에 반하여 전보하여서는 아니 된다. 다만, 승진 등 인사관리상 필요한 경우에는 그러하지 아니하다.
> 1. 징계사유가 있는 경우
> 2. 형사사건에 계류된 경우
> 3. 질병 등으로 감찰업무를 수행할 수 없거나 직무수행 능력이 현저히 부족하다고 판단되는 경우
> 4. 고압 · 권위적인 감찰활동을 반복하여 물의를 야기한 경우
>
> ② 경찰기관의 장은 1년 이상 성실히 근무한 감찰관에 대해서는 희망부서를 고려하여 전보한다.

① [○]

> 훈령 **경찰 감찰 규칙 제12조【감찰활동의 관할】** 감찰관은 소속 경찰기관의 관할구역 안에서 활동하여야 한다. 다만, 상급 경찰기관의 장의 지시가 있는 경우에는 관할구역 밖에서도 활동할 수 있다.

② [○]

> 훈령 **경찰 감찰 규칙 제15조【감찰활동의 착수】** ① 감찰관은 소속공무원의 의무위반행위에 관한 단서(현장인지, 진정 · 탄원 등을 포함한다)를 수집 · 접수한 경우 소속 경찰기관의 감찰부서장에게 보고하여야 한다.

## 018 「경찰감찰규칙」에 대한 설명으로 가장 적절하지 않은 것은? [2016 채용 2차]

① 경찰기관장은 1년 이상 성실히 근무한 감찰관에 대해서는 희망부서를 고려하여 전보한다.

② 감찰관은 소속 경찰공무원 등의 의무위반사실에 대한 민원을 접수하였을 때에는 접수일로부터 2개월 내에 신속히 처리하여야 한다.

③ 감찰관은 심야(오후 10시부터 오전 6시까지를 말한다)에 조사를 하여서는 아니 된다. 다만, 감찰관은 조사대상자 또는 그 변호인의 심야조사 요청서에 의한 심야조사 요청이 있는 경우에는 예외적으로 심야조사를 할 수 있다.

④ 경찰기관의 장은 상급 경찰기관의 장의 지시에 따라 소속 감찰관으로 하여금 일정기간 동안 다른 경찰기관 소속 직원의 복무실태, 업무추진 실태 등을 점검하게 할 수 있다.

**정답 및 해설 I ③**

③ [×]

> 훈령 **경찰 감찰 규칙 제32조【심야조사의 금지】** ① 감찰관은 심야(자정부터 오전 6시까지를 말한다)에 조사를 하여서는 아니 된다.
> ② 제1항에도 불구하고 감찰관은 조사대상자 또는 그 변호인의 별지 제6호 서식에 의한 심야조사 요청이 있는 경우에는 예외적으로 심야조사를 할 수 있다. 이 경우 심야조사의 사유를 조서에 명확히 기재하여야 한다.

① [○]

> 훈령 **경찰 감찰 규칙 제7조【감찰관의 신분보장】** ② 경찰기관의 장은 1년 이상 성실히 근무한 감찰관에 대해서는 희망부서를 고려하여 전보한다.

② [○]

> 훈령 **경찰 감찰 규칙 제35조【민원사건의 처리】** ① 감찰관은 소속공무원의 의무위반사실에 대한 민원을 접수한 경우 접수일로부터 2개월 내에 신속히 처리하여야 한다. 다만, 부득이한 사유로 민원을 기한 내에 처리할 수 없을 때에는 소속 경찰기관의 감찰부서장에게 보고하여 그 처리 기간을 연장할 수 있다.

④ [○]

> 훈령 **경찰 감찰 규칙 제14조【교류감찰】** 경찰기관의 장은 상급 경찰기관의 장의 지시에 따라 소속 감찰관으로 하여금 일정기간 동안 다른 경찰기관 소속 직원의 복무실태, 업무추진 실태 등을 점검하게 할 수 있다.

**019** 「경찰 감찰 규칙」에 대한 설명으로 가장 적절하지 않은 것은? [2017 승진(경감)]

① 경찰기관장은 1년 이상 성실히 근무한 감찰관에 대해서는 희망부서를 고려하여 전보한다.

② 소속 경찰기관의 장의 지시에 따라 소속 감찰관으로 하여금 일정기간 동안 다른 경찰기관 소속 직원의 복무실태, 업무추진 실태 등을 점검하게 할 수 있다.

③ 감찰관은 다른 경찰기관 또는 검찰, 감사원 등 다른 행정기관으로부터 통보받은 소속직원의 의무위반행위에 대해서는 통보받은 날로부터 1개월 이내에 신속히 처리하여야 한다.

④ 감찰관은 심야(자정부터 오전 6시까지를 말한다)에 조사를 하여서는 아니 된다. 다만, 감찰관은 조사대상자 또는 그 변호인의 심야조사 요청서에 의한 심야조사 요청이 있는 경우에는 예외적으로 심야조사를 할 수 있다.

**정답 및 해설 I ②**

② [×] '상급 경찰기관의 장의 지시'에 따라 '경찰기관의 장'이 '소속 감찰관'에게 교류감찰을 하게 할 수 있다.

> 훈령 **경찰 감찰 규칙 제14조【교류감찰】** 경찰기관의 장은 상급 경찰기관의 장의 지시에 따라 소속 감찰관으로 하여금 일정기간 동안 다른 경찰기관 소속 직원의 복무실태, 업무추진 실태 등을 점검하게 할 수 있다.

① [○]

> 훈령 **경찰 감찰 규칙 제7조【감찰관의 신분보장】** ② 경찰기관의 장은 1년 이상 성실히 근무한 감찰관에 대해서는 희망부서를 고려하여 전보한다.

③ [○]

> 훈령 **경찰 감찰 규칙 제36조【기관통보사건의 처리】** ① 감찰관은 다른 경찰기관 또는 검찰, 감사원 등 다른 행정기관으로부터 통보받은 소속공무원의 의무위반행위에 대해서는 통보받은 날로부터 **1개월 이내**에 신속히 처리하여야 한다.

④ [○]

> 훈령 **경찰 감찰 규칙 제32조【심야조사의 금지】** ① 감찰관은 심야(자정부터 오전 6시까지를 말한다)에 조사를 하여서는 아니 된다.
> ② 제1항에도 불구하고 감찰관은 조사대상자 또는 그 변호인의 별지 제6호 서식에 의한 심야조사 요청이 있는 경우에는 예외적으로 심야조사를 할 수 있다. 이 경우 심야조사의 사유를 조서에 명확히 기재하여야 한다.

**020** 「경찰 감찰 규칙」상 감찰활동에 대한 설명 중 가장 적절하지 않은 것은? [2020 승진(경위)]

① 감찰관은 직무상 조사를 위한 출석, 질문에 대한 답변 및 진술서 제출, 증거품 등 자료 제출, 현지조사의 협조를 요구할 수 있다.

② ①과 같은 요구를 받은 소속공무원은 정당한 사유가 없는 한 그 요구에 응하여야 한다.

③ 감찰관은 다른 경찰기관 또는 검찰, 감사원 등 다른 행정기관으로부터 통보받은 소속공무원의 의무위반행위에 대해서는 통보받은 날로부터 1개월 이내에 신속히 처리하여야 한다.

④ 감찰관은 심야(오후 10시부터 오전 6시까지를 말한다)에 조사를 하여서는 아니 된다.

**정답 및 해설 I ④**

④ [×] 심야는 자정부터 오전 6시까지를 말한다.

> 훈령 **경찰 감찰 규칙 제32조【심야조사의 금지】** ① 감찰관은 심야(자정부터 오전 6시까지를 말한다)에 조사를 하여서는 아니 된다.
> ② 제1항에도 불구하고 감찰관은 조사대상자 또는 그 변호인의 별지 제6호 서식에 의한 심야조사 요청이 있는 경우에는 예외적으로 심야조사를 할 수 있다. 이 경우 심야조사의 사유를 조서에 명확히 기재하여야 한다.

①② [O]

> 훈령 **경찰 감찰 규칙 제17조【자료 제출 요구 등】** ① 감찰관은 직무상 다음 각 호의 요구를 할 수 있다. 다만, 제2호 및 제3호의 경우에는 필요 최소한의 범위 내에서 요구하여야 한다.
> 1. 조사를 위한 출석
> 2. 질문에 대한 답변 및 진술서 제출 ➜ 필요최소한 요구
> 3. 증거품 등 자료 제출 ➜ 필요최소한 요구
> 4. 현지조사의 협조
>
> ② 소속공무원은 감찰관으로부터 제1항에 따른 요구를 받은 때에는 정당한 사유가 없는 한 그 요구에 응하여야 한다.

③ [O]

> 훈령 **경찰 감찰 규칙 제36조【기관통보사건의 처리】** ① 감찰관은 다른 경찰기관 또는 검찰, 감사원 등 다른 행정기관으로부터 통보받은 소속공무원의 의무위반행위에 대해서는 통보받은 날로부터 **1개월 이내**에 신속히 처리하여야 한다.

## 021 「경찰 감찰 규칙」에 관한 설명으로 가장 적절하지 않은 것은? [2016 승진(경위)]

① 감찰관은 소속 경찰공무원 등의 의무위반사실에 대한 민원을 접수하였을 때는 접수일로부터 3개월 이내에 신속히 처리하여야 하며 그 기간을 연장할 수 없다.

② 감찰관은 직무수행에 있어서 조사를 위한 출석, 질문에 대한 답변 및 진술서 제출, 증거품 및 자료 제출, 현지조사의 협조 등을 요구할 수 있으며, 경찰공무원 등은 정당한 사유가 없는 한 그 요구에 응하여야 한다.

③ 감찰관은 원칙적으로 감찰조사를 위해서 조사대상자의 출석을 요구할 때에는 조사기일 3일 전까지 출석요구서 또는 구두로 조사일시, 의무위반행위사실 요지 등을 통지하여야 한다.

④ 감찰관은 원칙적으로 심야(자정부터 오전 6시까지)에 조사하는 것은 금지되나, 조사대상자 또는 그 변호인의 심야조사 요청서에 의한 심야조사 요청이 있는 경우에는 예외적으로 심야조사를 할 수 있다.

**정답 및 해설 I ①**

① [×] 2개월 내에 신속히 처리하여야 한다.

> 훈령 **경찰 감찰 규칙 제35조【민원사건의 처리】** ① 감찰관은 소속공무원의 의무위반사실에 대한 민원을 접수한 경우 접수일로부터 2개월 내에 신속히 처리하여야 한다. 다만, 부득이한 사유로 민원을 기한 내에 처리할 수 없을 때에는 소속 경찰기관의 감찰부서장에게 보고하여 그 처리 기간을 연장할 수 있다.

② [O]

> 훈령 **경찰 감찰 규칙 제17조【자료 제출 요구 등】** ① 감찰관은 직무상 다음 각 호의 요구를 할 수 있다. 다만, 제2호 및 제3호의 경우에는 필요 최소한의 범위 내에서 요구하여야 한다.
> 1. 조사를 위한 출석
> 2. 질문에 대한 답변 및 진술서 제출 ➜ 필요최소한 요구
> 3. 증거품 등 자료 제출 ➜ 필요최소한 요구
> 4. 현지조사의 협조
>
> ② 소속공무원은 감찰관으로부터 제1항에 따른 요구를 받은 때에는 정당한 사유가 없는 한 그 요구에 응하여야 한다.

③ [O]

> 훈령 **경찰 감찰 규칙 제25조【출석요구】** ① 감찰관은 감찰조사를 위해서 조사대상자의 출석을 요구할 때에는 조사기일 3일 전까지 별지 제5호 서식의 출석요구서 또는 구두로 조사일시, 의무위반행위사실 요지 등을 통지하여야 한다. 다만, 사안이 급박한 경우 또는 조사대상자의 요청이 있는 경우에는 즉시 조사에 착수할 수 있다.

④ [O]

> 훈령 **경찰 감찰 규칙 제32조【심야조사의 금지】** ① 감찰관은 심야(자정부터 오전 6시까지를 말한다)에 조사를 하여서는 아니 된다.
>
> ② 제1항에도 불구하고 감찰관은 조사대상자 또는 그 변호인의 별지 제6호 서식에 의한 심야조사 요청이 있는 경우에는 예외적으로 심야조사를 할 수 있다. 이 경우 심야조사의 사유를 조서에 명확히 기재하여야 한다.

## 022 경찰 감찰 규칙에 대한 설명으로 가장 적절한 것은? [2017 채용 1차]

① 감찰관은 심야(오후 10시부터 오전 6시까지를 말한다)에 조사를 하여서는 아니 된다. 다만, 감찰관은 조사대상자 또는 그 변호인의 심야조사 요청서에 의한 심야조사 요청이 있는 경우에는 예외적으로 심야조사를 할 수 있다.

② 감찰관은 소속 경찰기관의 관할구역 안에서 활동하여야 한다. 다만, 상급 경찰기관의 장의 지시가 있는 경우에는 관할구역 밖에서도 활동할 수 있다.

③ 감찰관은 검찰 · 경찰, 그 밖의 수사기관으로부터 수사개시 통보를 받은 경우에는 징계의결요구권자의 결재를 받아 해당 기관으로부터 수사결과의 통보를 받을 때까지 감찰조사, 징계의결요구 등의 절차를 진행해야 한다.

④ 감찰관은 감찰조사를 실시하기 전에 조사대상자에게 의무위반행위 사실의 요지를 알릴 수 없지만, 다른 감찰관의 참여를 요구할 수 있음은 고지하여야 한다.

**정답 및 해설 | ②**

② [○]

> **훈령 경찰 감찰 규칙 제12조【감찰활동의 관할】** 감찰관은 소속 경찰기관의 관할구역 안에서 활동하여야 한다. 다만, 상급 경찰기관의 장의 지시가 있는 경우에는 관할구역 밖에서도 활동할 수 있다.

① [×] 자정부터 오전 6시까지를 말한다.

> **훈령 경찰 감찰 규칙 제32조【심야조사의 금지】** ① 감찰관은 심야(자정부터 오전 6시까지를 말한다)에 조사를 하여서는 아니 된다.
> ② 제1항에도 불구하고 감찰관은 조사대상자 또는 그 변호인의 별지 제6호 서식에 의한 심야조사 요청이 있는 경우에는 예외적으로 심야조사를 할 수 있다. 이 경우 심야조사의 사유를 조서에 명확히 기재하여야 한다.

③ [×] 진행하지 아니할 수 있다.

> **훈령 경찰 감찰 규칙 제36조【기관통보사건의 처리】** ② 감찰관은 검찰 · 경찰, 그 밖의 수사기관으로부터 수사개시 통보를 받은 경우에는 징계의결요구권자의 결재를 받아 해당 기관으로부터 수사결과의 통보를 받을 때까지 감찰조사, 징계의결요구 등의 절차를 진행하지 아니할 수 있다.

④ [×] 의무위반행위 사실의 요지 및 다른 감찰관 등의 참여 요구를 할 수 있음을 모두 고지해야 한다.

> **훈령 경찰 감찰 규칙 제29조【감찰조사 전 고지】** ① 감찰관은 감찰조사를 실시하기 전에 조사대상자에게 의무위반행위 사실의 요지를 알려야 한다.
> ② 제1항의 경우 감찰관은 조사대상자에게 제28조 제1항 각 호의 사항(➔ 참여 · 동석)을 신청할 수 있다는 사실을 고지하여야 한다.
>
> **훈령 경찰 감찰 규칙 제28조【조사 참여】** ① 감찰관은 조사대상자가 다음 각 호의 사항을 신청할 경우 이에 해당하는 사람을 참여하게 하거나 동석하도록 하여야 한다.
> 1. 다음 각 목의 사람의 참여
>    가. 다른 감찰관
>    나. 변호인
> 2. 다음 각 목의 사람의 동석
>    가. 조사대상자의 동료공무원
>    나. 조사대상자의 직계친족, 배우자, 가족 등 조사대상자의 심리적 안정과 원활한 의사소통에 도움을 줄 수 있는 자

**023** 「경찰 감찰 규칙」에 의한 감찰활동에 대한 설명으로 가장 적절하지 않은 것은? [2019 승진(경위)]

① 경찰기관의 장은 상급 경찰기관의 장의 지시에 따라 소속 감찰관으로 하여금 일정기간 동안 다른 경찰기관 소속 직원의 복무실태, 업무추진 실태 등을 점검하게 할 수 있다.

② 감찰관은 감찰조사를 위해서 의무위반행위와 관련된 경찰공무원 등의 출석을 요구할 때에는 조사기일 3일 전까지 출석요구서 또는 구두로 조사일시, 의무위반행위사실 요지 등을 통지하여야 한다. 다만, 사안이 급박한 경우에는 즉시 조사에 착수할 수 있다.

③ 감찰관은 경찰공무원 등의 의무이반행위에 관한 현장인지, 진정 · 탄원 등 단서를 수집 · 접수한 경우, 소속 경찰기관의 감찰부서장에게 보고 하여야 하며, 감찰부서장은 감찰관의 보고를 받은 경우 감찰대상으로서의 적정성을 검토한 후 감찰활동 착수 여부를 결정하여야 한다.

④ 감찰관은 검찰 · 경찰, 그 밖의 수사기관으로부터 수사개시 통보를 받은 경우에는 해당 기관으로부터 수사결과의 통보를 받을 때까지 감찰조사, 징계의결요구 등의 절차를 진행해서는 아니 된다.

**정답 및 해설 I ④**

④ [×] 진행하지 않을 수 있다.

> 훈령 **경찰 감찰 규칙 제36조【기관통보사건의 처리】** ② 감찰관은 검찰 · 경찰, 그 밖의 수사기관으로부터 수사개시 통보를 받은 경우에는 징계의결요구권자의 결재를 받아 해당 기관으로부터 수사결과의 통보를 받을 때까지 감찰조사, 징계의결요구 등의 절차를 진행하지 아니 할 수 있다.

① [○]

> 훈령 **경찰 감찰 규칙 제14조【교류감찰】** 경찰기관의 장은 상급 경찰기관의 장의 지시에 따라 소속 감찰관으로 하여금 일정기간 동안 다른 경찰기관 소속 직원의 복무실태, 업무추진 실태 등을 점검하게 할 수 있다.

② [○]

> 훈령 **경찰 감찰 규칙 제25조【출석요구】** ① 감찰관은 감찰조사를 위해서 조사대상자의 출석을 요구할 때에는 조사기일 3일 전까지 별지 제5호 서식의 출석요구서 또는 구두로 조사일시, 의무위반행위사실 요지 등을 통지하여야 한다. 다만, 사안이 급박한 경우 또는 조사대상자의 요청이 있는 경우에는 즉시 조사에 착수할 수 있다.

③ [○]

> 훈령 **경찰 감찰 규칙 제15조【감찰활동의 착수】** ① 감찰관은 소속공무원의 의무위반행위에 관한 단서(현장인지, 진정 · 탄원 등을 포함한다)를 수집 · 접수한 경우 소속 경찰기관의 감찰부서장에게 보고하여야 한다.
> ② 감찰부서장은 제1항에 따른 보고를 받은 경우 감찰 대상으로서의 적정성을 검토한 후 감찰활동 착수 여부를 결정하여야 한다.

**024** 「경찰 감찰 규칙」상 감찰활동에 대한 설명으로 가장 적절하지 않은 것은? [2021 경간]

① 경찰기관의 장은 의무위반행위가 자주 발생하거나 그 발생 가능성이 높다고 인정되는 시기, 업무분야 및 경찰관서 등에 대하여는 일정기간 동안 전반적인 조직관리 및 업무추진 실태 등을 집중 점검할 수 있다.

② 감찰관은 소속공무원의 의무위반행위에 관한 단서(현장인지, 진정 · 탄원 등을 포함한다)를 수집 · 접수한 경우 소속 경찰기관의 장에게 보고하여야 한다.

③ 감찰관은 직무상 조사를 위한 출석, 질문에 대한 답변 및 진술서 제출, 증거품 등 자료 제출, 현지조사의 협조를 요구할 수 있다.

④ 경찰기관의 장은 상급 경찰기관의 장의 지시에 따라 소속 감찰관으로 하여금 일정기간 동안 다른 경찰기관 소속 직원의 복무실태, 업무추진 실태 등을 점검하게 할 수 있다.

**정답 및 해설 I ②**

① [O]

> 훈령 경찰 감찰 규칙 제13조【특별감찰】 경찰기관의 장은 의무위반행위가 자주 발생하거나 그 발생 가능성이 높다고 인정되는 시기, 업무분야 및 경찰관서 등에 대하여는 일정기간 동안 전반적인 조직관리 및 업무추진 실태 등을 집중 점검할 수 있다.

② [×] 소속 경찰기관의 **감찰부서장**에게 보고하여야 한다.

> 훈령 경찰 감찰 규칙 제15조【감찰활동의 착수】 ① 감찰관은 소속공무원의 의무위반행위에 관한 단서(현장인지, 진정 · 탄원 등을 포함한다)를 수집 · 접수한 경우 소속 경찰기관의 감찰부서장에게 보고하여야 한다.

③ [O]

> 훈령 경찰 감찰 규칙 제17조【자료 제출 요구 등】 ① 감찰관은 직무상 다음 각 호의 요구를 할 수 있다. 다만, 제2호 및 제3호의 경우에는 필요 최소한의 범위 내에서 요구하여야 한다.
> 1. 조사를 위한 출석
> 2. 질문에 대한 답변 및 진술서 제출 ➜ 필요최소한 요구
> 3. 증거품 등 자료 제출 ➜ 필요최소한 요구
> 4. 현지조사의 협조

④ [O]

> 훈령 경찰 감찰 규칙 제14조【교류감찰】 경찰기관의 장은 상급 경찰기관의 장의 지시에 따라 소속 감찰관으로 하여금 일정기간 동안 다른 경찰기관 소속 직원의 복무실태, 업무추진 실태 등을 점검하게 할 수 있다.

## 025 「경찰 감찰 규칙」에 대한 설명 중 <u>틀린</u> 것은 모두 몇 개인가? [2016 경간]

> ㉠ 감찰관은 소속 경찰기관의 관할구역 안에서 활동하여야 한다. 다만, 상급 경찰기관의 장의 지시가 있는 경우에는 관할구역 밖에서도 활동할 수 있다.
> ㉡ 경찰기관의 장은 상급 경찰기관의 장의 지시에 따라 소속 감찰관으로 하여금 일정기간 동안 다른 경찰기관 소속 직원의 복무실태, 업무추진 실태 등을 점검하게 할 수 있다.
> ㉢ 감찰관은 다른 경찰기관 또는 검찰, 감사원 등 다른 행정기관으로부터 통보받은 소속직원의 의무위반행위에 대해서는 통보받은 날로부터 2개월 이내에 신속히 처리하여야 한다.
> ㉣ 감찰관은 소속공무원의 의무위반사실에 대한 민원을 접수한 경우 접수일로부터 1개월 내에 신속히 처리하여야 한다. 다만, 부득이한 사유로 민원을 기한 내에 처리할 수 없을 때에는 소속 경찰기관의 감찰부서장에게 보고하여 그 처리 기간을 연장할 수 있다.
> ㉤ 경찰기관장은 1년 이상 성실히 근무한 감찰관에 대해서는 희망부서를 고려하여 전보한다.

① 0개　② 1개　③ 2개　④ 3개

**정답 및 해설 I ③**

㉠ [O]

> 훈령 경찰 감찰 규칙 제12조【감찰활동의 관할】 감찰관은 소속 경찰기관의 관할구역 안에서 활동하여야 한다. 다만, 상급 경찰기관의 장의 지시가 있는 경우에는 **관할구역 밖에서도 활동할 수 있다.**

㉡ [O]

> 훈령 경찰 감찰 규칙 제14조【교류감찰】 경찰기관의 장은 상급 경찰기관의 장의 지시에 따라 소속 감찰관으로 하여금 일정기간 동안 다른 경찰기관 소속 직원의 복무실태, 업무추진 실태 등을 점검하게 할 수 있다.

㉢ [×] 기관통보사건의 처리기간은 1개월이다.

> 훈령 경찰 감찰 규칙 제36조【기관통보사건의 처리】 ① 감찰관은 다른 경찰기관 또는 검찰, 감사원 등 다른 행정기관으로부터 통보받은 소속공무원의 의무위반행위에 대해서는 통보받은 날로부터 **1개월 이내**에 신속히 처리하여야 한다.

㉣ [×] 민원사건의 처리기간은 2개월이다.

> 훈령 **경찰 감찰 규칙 제35조【민원사건의 처리】** ① 감찰관은 소속공무원의 의무위반사실에 대한 민원을 접수한 경우 접수일로부터 2개월 내에 신속히 처리하여야 한다. 다만, 부득이한 사유로 민원을 기한 내에 처리할 수 없을 때에는 소속 경찰기관의 감찰부서장에게 보고하여 그 처리 기간을 연장할 수 있다.

㉤ [○]

> 훈령 **경찰 감찰 규칙 제7조【감찰관의 신분보장】** ② 경찰기관의 장은 1년 이상 성실히 근무한 감찰관에 대해서는 희망부서를 고려하여 전보한다.

## 026 「경찰 감찰 규칙」에 대한 설명으로 가장 적절한 것은? [2018 승진(경감)]

① 감찰관은 소속 경찰공무원 등의 의무위반사실에 대한 민원을 접수하였을 때에는 부득이한 사유로 민원을 기한 내에 처리할 수 없는 경우가 아닌 한 접수일로부터 2개월 내에 신속히 처리하여야 한다.

② 감찰관은 직무상 증거품 등 자료 제출, 현지조사의 협조 등을 요구할 수 있으며, 경찰공무원 등은 정당한 사유가 없더라도 감찰관의 요구에 응하지 않을 수 있다.

③ 감찰관은 감찰조사를 위해서 조사대상자의 출석을 요구할 때에는 조사기일 2일 전까지 출석요구서 또는 구두로 조사일시, 의무위반행위사실 요지 등을 통지하여야 한다. 다만, 사안이 급박한 경우에는 즉시 조사에 착수할 수 있다.

④ 감찰관의 의무위반행위 중 직무와 관련된 금품 및 향응 수수, 공금횡령·유용, 성폭력범죄에 한하여 「경찰공무원 징계령 세부시행규칙」의 징계양정에 정한 기준보다 가중하여 징계조치한다.

**정답 및 해설 I** ①

① [○]

> 훈령 **경찰 감찰 규칙 제35조【민원사건의 처리】** ① 감찰관은 소속공무원의 의무위반사실에 대한 민원을 접수한 경우 접수일로부터 2개월 내에 신속히 처리하여야 한다. 다만, 부득이한 사유로 민원을 기한 내에 처리할 수 없을 때에는 소속 경찰기관의 감찰부서장에게 보고하여 그 처리 기간을 연장할 수 있다.

② [×]

> 훈령 **경찰 감찰 규칙 제17조【자료 제출 요구 등】** ① 감찰관은 직무상 다음 각 호의 요구를 할 수 있다. 다만, 제2호 및 제3호의 경우에는 필요 최소한의 범위 내에서 요구하여야 한다.
> 1. 조사를 위한 출석
> 2. 질문에 대한 답변 및 진술서 제출 ➜ 필요최소한 요구
> 3. 증거품 등 자료 제출 ➜ 필요최소한 요구
> 4. 현지조사의 협조
>
> ② 소속공무원은 감찰관으로부터 제1항에 따른 요구를 받은 때에는 정당한 사유가 없는 한 그 요구에 응하여야 한다.
> ③ 감찰관은 직무수행 중 알게 된 정보나 제출 받은 자료를 감찰 목적 외의 용도로 이용할 수 없다.

③ [×] 3일 전까지 통지하여야 한다.

> 훈령 **경찰 감찰 규칙 제25조【출석요구】** ① 감찰관은 감찰조사를 위해서 조사대상자의 출석을 요구할 때에는 조사기일 3일 전까지 별지 제5호 서식의 출석요구서 또는 구두로 조사일시, 의무위반행위사실 요지 등을 통지하여야 한다. 다만, 사안이 급박한 경우 또는 조사대상자의 요청이 있는 경우에는 즉시 조사에 착수할 수 있다.

④ [×] 직무와 관련된 금품 및 향응 수수, 공금횡령·유용, 성폭력범죄에 한정하지 않는다.

> 훈령 **경찰 감찰 규칙 제40조【감찰관에 대한 징계 등】** ① 경찰기관의 장은 감찰관이 이 규칙에 위배하여 직무를 태만히 하거나 권한을 남용한 경우 및 직무상 취득한 비밀을 누설한 경우에는 해당 사건의 담당 감찰관 교체, 징계요구 등의 조치를 한다.
> ② 감찰관의 의무위반행위에 대해서는 「경찰공무원 징계령 세부시행규칙」의 징계양정에 정한 기준보다 가중하여 징계조치한다.

## 027 「경찰청 감사 규칙」에 대한 설명으로 가장 적절한 것은? [2018 채용 3차]

① 특정한 정책 · 사업 · 조직 · 기능 등에 대한 경제성 · 능률성 · 효과성의 분석과 평가를 위주로 실시하는 감사를 특정감사라고 한다.

② 경찰청장 또는 감사관은 감사담당자가 본인 또는 본인의 친족이 감사대상이 되는 기관 · 부서 · 업무와 관련된 주요 의사결정과정에 직 · 간접적으로 관여한 경우에는 해당 감사담당자등을 감사에서 제외하는 등 적정한 조치를 할 수 있다.

③ 감사관은 감사결과 위법 또는 부당하다고 인정되는 사실이 있으나 그 정도가 징계 또는 문책사유에 이르지 아니할 정도로 경미하거나, 감사대상기관 또는 부서에 대한 제재가 필요한 경우 시정요구를 한다.

④ 감사의 종류는 종합감사, 특정감사, 재무감사, 성과감사, 복무감사, 일상감사로 구분하되, 종합감사의 주기는 1년에서 3년까지 하되 치안수요 등을 고려하여 조정 실시한다.

**정답 및 해설 | ④**

④ [O] 참고로 원래 지문은 지도방문에 관한 것이었으나 2021.5.28.자 개정으로 해당 내용은 삭제되었다.

> 훈령 **경찰청 감사 규칙 제4조【감사의 종류와 주기】** ① 감사의 종류는 종합감사, 특정감사, 재무감사, 성과감사, 복무감사, 일상감사로 구분한다.
> ② 종합감사의 주기는 1년에서 3년까지 하되 치안수요 등을 고려하여 조정 실시한다. 다만, 직전 또는 당해연도에 감사원 등 다른 감사기관이 감사를 실시한(실시 예정인 경우를 포함한다) 감사대상기관에 대해서는 감사의 일부 또는 전부를 실시하지 아니할 수 있다.

① [×] 지문은 성과감사에 관한 내용이다.

| 수단 | 내용 |
|---|---|
| 종합감사 | 감사대상기관의 주기능 · 주임무 및 조직 · 인사 · 예산 등 업무 전반의 적법성 · 타당성 등을 점검하기 위하여 실시하는 감사 |
| 특정감사 | 특정한 업무 · 사업 등에 대하여 문제점을 파악하여 원인과 책임 소재를 규명하고 개선대책을 마련하기 위하여 실시하는 감사 |
| 재무감사 | 예산의 운용실태 및 회계처리의 적정성 여부 등에 대한 검토와 확인을 위주로 실시하는 감사 |
| 성과감사 | 특정한 정책 · 사업 · 조직 · 기능 등에 대한 경제성 · 능률성 · 효과성의 분석과 평가를 위주로 실시하는 감사 |
| 복무감사 | 감사대상기관에 속한 사람이 감사대상사무와 관련하여 법령과 직무상 명령을 준수하는지 여부 등 그 복무에 대하여 실시하는 감사 |

② [×] 적정한 조치를 하여야 한다.

> 훈령 **경찰청 감사 규칙 제7조【감사담당자등의 제외 등】** ① 감사담당자등(감사관 및 감사담당자를 말한다)은 다음 각 호의 어느 하나에 해당하여 감사수행의 독립성을 유지하기 어렵다고 판단될 때에는 감사관은 경찰청장에게, 감사담당자는 감사관에게 지체 없이 보고하여야 한다.
> 1. 본인 또는 본인의 친족(「민법」 제777조에 따른 친족을 말한다. 이하 같다)이 감사대상이 되는 기관 · 부서 · 업무와 관련이 있는 사람과 개인적인 연고나 이해관계 등이 있어 공정한 감사수행에 영향을 미칠 우려가 있는 경우
> 2. 본인 또는 본인의 친족이 감사대상이 되는 기관 · 부서 · 업무와 관련된 주요 의사결정과정에 직 · 간접적으로 관여한 경우
> 3. 그 밖에 공정한 감사수행이 어려운 특별한 사정이 있는 경우
>
> ② 경찰청장 또는 감사관은 제1항에 따른 보고를 받거나 감사담당자등이 제1항 각 호의 어느 하나에 해당한다고 인정하는 경우에는 해당 감사담당자등을 감사에서 제외하는 등 적정한 조치를 하여야 한다.

③ [×] 시정요구가 아닌 경고 · 주의요구이다.

> 훈령 **경찰청 감사 규칙 제10조【감사결과의 처리기준 등】** 감사관은 감사결과를 다음 각 호의 기준에 따라 처리하여야 한다.
> 2. **시정 요구**: 감사결과 위법 또는 부당하다고 인정되는 사실이 있어 추징 · 회수 · 환급 · 추급 또는 원상복구 등이 필요하다고 인정되는 경우
> 3. **경고 · 주의 요구**: 감사결과 위법 또는 부당하다고 인정되는 사실이 있으나 그 정도가 징계 또는 문책사유에 이르지 아니할 정도로 경미하거나, 감사대상기관 또는 부서에 대한 제재가 필요한 경우

**028** 「경찰청 감사 규칙」상 감사결과의 조치기준과 그 내용을 연결한 것으로 가장 적절한 것은?

[2018 승진(경감)]

① 개선 요구 – 감사결과 문제점이 인정되는 사실이 있어 그 대안을 제시하고 감사기관의 장 등으로 하여금 개선방안을 마련하도록 할 필요가 있는 경우

② 권고 – 감사결과 법령 · 제도상 또는 행정상 모순이 있거나 그 밖에 개선할 사항이 있다고 인정되는 경우

③ 변상명령 – 검사결과 위법 또는 부당하다고 인정되는 사실이 있어 추징 · 회수 · 환급 · 추급 또는 원상복구 등이 필요하다고 인정되는 경우

④ 통보 – 감사결과 비위 사실이나 위법 또는 부당하다고 인정되는 사실이 있으나 징계 또는 문책 요구, 시정 요구, 경고 · 주의 요구, 개선 요구, 권고를 하기에 부적합하여 감사대상기관 또는 부서에서 자율적으로 처리할 필요가 있다고 인정되는 경우

**정답 및 해설 I ④**

④ [○] **통보**에 대한 옳은 설명이다.
① [×] **권고**에 대한 설명이다.
② [×] **개선 요구**에 대한 설명이다.
③ [×] **시정 요구**에 대한 설명이다.

> 훈령 **경찰청 감사 규칙 제10조【감사결과의 처리기준 등】** 감사관은 감사결과를 다음 각 호의 기준에 따라 처리하여야 한다.
> 1. **징계 또는 문책 요구**: 국가공무원법과 그 밖의 법령에 규정된 **징계 또는 문책 사유**에 해당하거나 정당한 사유 없이 자체감사를 거부하거나 자료의 제출을 게을리한 경우
> 2. **시정 요구**: 감사결과 위법 또는 부당하다고 인정되는 사실이 있어 추징 · 회수 · 환급 · 추급 또는 **원상복구 등이** 필요하다고 인정되는 경우
> 3. **경고 · 주의 요구**: 감사결과 위법 또는 부당하다고 인정되는 사실이 있으나 그 정도가 징계 또는 문책사유에 이르지 아니할 정도로 경미하거나, 감사대상기관 또는 부서에 대한 **제재**가 필요한 경우
> 4. **개선 요구**: 감사결과 법령상 · 제도상 또는 행정상 모순이 있거나 그 밖에 개선할 사항이 있다고 인정되는 경우
> 5. **권고**: 감사결과 문제점이 인정되는 사실이 있어 그 대안을 제시하고 감사대상기관의 장 등으로 하여금 개선방안을 마련하도록 할 필요가 있는 경우
> 6. **통보**: 감사결과 비위 사실이나 위법 또는 부당하다고 인정되는 사실이 있으나 제1호부터 제5호까지의 요구를 하기에 부적합하여 감사대상기관 또는 부서에서 **자율적으로 처리할 필요가 있다고** 인정되는 경우
> 7. **변상명령**: 「회계관계직원 등의 책임에 관한 법률」이 정하는 바에 따라 **변상책임**이 있는 경우
> 8. **고발**: 감사결과 **범죄 혐의**가 있다고 인정되는 경우
> 9. **현지조치**: 감사결과 경미한 지적사항으로서 **현지에서** 즉시 시정 · 개선조치가 필요한 경우

## 029 「경찰청 감사 규칙」상 감사결과의 조치기준에 대한 설명으로 옳은 것을 모두 고른 것은?

[2020 승진(경감)]

> ㉠ 시정 요구 – 감사결과 법령상 · 제도상 또는 행정상 모순이 있거나 그 밖에 개선할 사항이 있다고 인정되는 경우
> ㉡ 권고 – 감사결과 문제점이 인정되는 사실이 있어 그 대안을 제시하고 감사대상기관의 장 등으로 하여금 개선방안을 마련하도록 할 필요가 있는 경우
> ㉢ 징계 또는 문책 요구 – 국가공무원법과 그 밖의 법령에 규정된 징계 또는 문책 사유에 해당하거나 정당한 사유 없이 자체감사를 거부하거나 자료의 제출을 게을리한 경우
> ㉣ 변상명령 – 감사결과 위법 또는 부당하다고 인정되는 사실이 있어 추징 · 회수 · 환급 · 추급 또는 원상복구 등이 필요하다고 인정되는 경우

① ㉠, ㉡　　② ㉡, ㉢
③ ㉠, ㉢　　④ ㉢, ㉣

**정답 및 해설 I ②**

㉠ [×] **개선 요구**에 대한 설명이다.
㉣ [×] **시정 요구**에 대한 설명이다.

**☑ 감사결과 처리 정리** ➔ 권문 · 경제 · 통자 · 개모 · 징거 · 시원 · 고범 · 변변 · 현현

- **징계 또는 문책 요구**: 거부, 게을리
- **시정 요구**: 원상복구
- **경고 · 주의 요구**: 부서 제재
- **개선 요구**: 법령 · 제도 · 행정 모순
- **권고**: 문제점 인정
- **통보**: 자율적
- **변상명령**: 변상책임
- **고발**: 범죄혐의
- **현지조치**: 현지시정 · 개선

## 030 경찰청 감사 규칙상 감사결과의 처리기준에 관한 설명 중 옳은 것은 모두 몇 개인가?

[2022 채용 1차]

> ㉠ 변상명령: 감사결과 경미한 지적사항으로서 현지에서 즉시 시정 개선조치가 필요한 경우
> ㉡ 경고 · 주의 요구: 감사결과 위법 또는 부당하다고 인정되는 사실이 있으나 그 정도가 징계 또는 문책사유에 이르지 아니할 정도로 경미하거나, 감사대상기관 또는 부서에 대한 제재가 필요한 경우
> ㉢ 시정 요구: 감사결과 법령상 제도상 또는 행정상 모순이 있거나 그 밖에 개선할 사항이 있다고 인정되는 경우
> ㉣ 개선 요구: 감사결과 문제점이 인정되는 사실이 있어 그 대안을 제시하고 감사대상기관의 장 등으로 하여금 개선방안을 마련하도록 할 필요가 있는 경우

① 0개　　② 1개
③ 2개　　④ 3개

**정답 및 해설 I** ②

㉠ [×] **변상명령**: 「회계관계직원 등의 책임에 관한 법률」이 정하는 바에 따라 **변상책임**이 있는 경우(**변변**). 지문은 **현지조치**에 대한 설명이다(**현현**: 현지조치 – 현지시정 · 개선).

㉡ [○] **경고 · 주의 요구**: 감사결과 위법 또는 부당하다고 인정되는 사실이 있으나 그 정도가 징계 또는 문책사유에 이르지 아니할 정도로 경미하거나, 감사대상기관 또는 부서에 대한 **제재**가 필요한 경우(**경제**: 경고 · 주의 요구 – 제재)

㉢ [×] **시정 요구**: 감사결과 위법 또는 부당하다고 인정되는 사실이 있어 추징 · 회수 · 환급 · 추급 또는 원상복구 등이 필요하다고 인정되는 경우(시원). 지문은 **개선 요구**에 대한 설명이다(**개모**: 개선요구 – 법령 · 제도 · 행정 모순).

㉣ [×] **개선 요구**: 감사결과 법령상 · 제도상 또는 행정상 모순이 있거나 그 밖에 개선할 사항이 있다고 인정되는 경우(개모). 지문은 **권고**에 대한 설명이다(**권문**: 권고 – 문제점 인정).

## 031 「행정업무의 운영 및 혁신에 관한 규정」이 정하는 공문서 종류에 대한 설명으로 가장 적절하지 않은 것은?

[2018 실무 1]

① '지시문서'란 조례 · 규칙 · 훈령 · 지시 · 예규 및 일일명령 등 행정기관이 그 하급기관 또는 소속 공무원에 대하여 일정한 사항을 지시하는 문서를 말한다.

② '비치문서'란 행정기관이 일정한 사항을 기록하여 행정기관 내부에 비치하면서 업무에 활용하는 대장, 카드 등의 문서를 말한다.

③ '민원문서'란 민원인이 행정기관에 허가, 인가, 그 밖의 처분 등 특정한 행위를 요구하는 문서와 그에 대한 처리문서를 말한다.

④ '일반문서'란 법규 · 지시 · 공고 · 비치 · 민원문서에 속하지 아니하는 모든 문서를 말한다.

**정답 및 해설 I** ①

① [×] 조례 · 규칙은 법규문서에 해당한다.

> 대통령령 **행정업무의 운영 및 혁신에 관한 규정 제4조【공문서의 종류】** 공문서(이하 "문서"라 한다)의 종류는 다음 각 호의 구분에 따른다.
> 1. **법규문서**: 헌법 · 법률 · 대통령령 · 총리령 · 부령 · 조례 · 규칙(이하 "법령"이라 한다) 등에 관한 문서
> 2. **지시문서**: 훈령 · 지시 · 예규 · 일일명령 등 행정기관이 그 하급기관이나 소속 공무원에 대하여 일정한 사항을 지시하는 문서
> 3. **공고문서**: 고시 · 공고 등 행정기관이 일정한 사항을 일반에게 알리는 문서
> 4. **비치문서**: 행정기관이 일정한 사항을 기록하여 **행정기관 내부에 비치하면서 업무에 활용**하는 대장, 카드 등의 문서
> 5. **민원문서**: 민원인이 행정기관에 허가, 인가, 그 밖의 처분 등 **특정한 행위를 요구하는 문서와 그에 대한 처리문서**
> 6. **일반문서**: 제1호부터 제5호까지의 문서에 속하지 아니하는 모든 문서

**032** 「행정업무의 운영 및 혁신에 관한 규정」상 공문서에 관한 설명 중 가장 적절하지 않은 것은?

[2022 채용 1차]

① '지시문서'란 훈령 · 지시 · 예규 · 일일명령 등 행정기관이 그 하급기관이나 소속 공무원에 대하여 일정한 사항을 지시하는 문서를 말한다.
② '공고문서'란 고시 · 공고 등 행정기관이 일정한 사항을 일반에게 알리는 문서를 말한다.
③ '일반문서'란 민원인이 행정기관에 허가, 인가, 그 밖의 처분 등 특정한 행위를 요구하는 문서와 그에 대한 처리문서를 말한다.
④ '법규문서'란 헌법 · 법률 · 대통령령 · 총리령 · 부령 · 조례 · 규칙 등에 관한 문서를 말한다.

**정답 및 해설 I ③**

③ [×] **'일반문서'**란 다른 문서에 속하지 않는 모든 문서를 말하며, 지문은 **민원문서**에 대한 설명이다.

**033** 「행정업무의 운영 및 혁신에 관한 규정」에 대한 설명으로 가장 적절하지 않은 것은? [2024 승진]

① 공문서는 「국어기본법」에 따른 어문규범에 맞게 한글로 작성하되, 뜻을 정확하게 전달하기 위하여 필요한 경우에는 괄호 안에 한자나 그 밖의 외국어를 함께 적을 수 있다.
② 공문서는 결재권자가 해당 문서에 서명(전자이미지서명, 전자문자서명 및 행정전자서명을 포함한다)의 방식으로 결재함으로써 성립된다.
③ 공문서는 수신자에게 도달(전자문서의 경우는 수신자가 관리하거나 지정한 전자적시스템 등에 입력되는 것을말한다)됨으로써 효력을 발생한다. 다만, 공고문서의 경우 그 문서에서 효력발생 시기를 구체적으로 밝히고 있지 않으면 그 고시 또는 공고 등이 있은 날부터 5일이 경과한 때에 효력이 발생한다.
④ 공문서에는 음성정보나 영상정보 등이 수록되거나 연계된 바코드 등을 표기할 수 없다.

**정답 및 해설 I ④**

④ [×] 음성정보나 영상정보 등이 수록되거나 연계된 바코드 등을 표기할 수 있다.

> **행정업무의 운영 및 혁신에 관한 규정 제7조 【문서 작성의 방법】** ③ 문서에는 음성정보나 영상정보 등이 수록되거나 연계된 바코드 등을 표기할 수 있다.

① [○]

> **행정업무의 운영 및 혁신에 관한 규정 제7조 【문서 작성의 방법】** ① 문서는 「국어기본법」 제3조 제3호에 따른 어문규범에 맞게 한글로 작성하되, 뜻을 정확하게 전달하기 위하여 필요한 경우에는 괄호 안에 한자나 그 밖의 외국어를 함께 적을 수 있으며, 특별한 사유가 없으면 가로로 쓴다.

②③ [○]

> **행정업무의 운영 및 혁신에 관한 규정 제6조 【문서의 성립 및 효력 발생】** ① 문서는 결재권자가 해당 문서에 서명(전자이미지서명, 전자문자서명 및 행정전자서명을 포함한다. 이하 같다)의 방식으로 결재함으로써 성립한다.
> ② 문서는 수신자에게 도달(전자문서의 경우는 수신자가 관리하거나 지정한 전자적 시스템 등에 입력되는 것을 말한다)됨으로써 효력을 발생한다.
> ③ 제2항에도 불구하고 공고문서는 그 문서에서 효력발생 시기를 구체적으로 밝히고 있지 않으면 그 고시 또는 공고 등이 있은 날부터 5일이 경과한 때에 효력이 발생한다.

## 주제 3 인권보장과 경찰통제

**034** 「경찰 인권보호 규칙」에 대한 설명 중 가장 적절하지 않은 것은? [2021 경간]

① "경찰관등"이란 경찰청과 그 소속기관의 경찰공무원, 일반직공무원, 무기계약근로자 및 기간제근로자, 의무경찰을 의미한다.

② 경찰 활동 전반에 걸친 민주적 통제를 구현하여 경찰력 오·남용을 예방하고, 경찰 행정의 인권지향성을 높여 인권을 존중하는 경찰활동을 정립하기 위해 인권문제에 대한 심의기구로서 각각 경찰청 인권위원회, 시·도경찰청 인권위원회를 설치하여 운영한다.

③ "인권침해"란 경찰관등이 직무를 수행하는 과정에서 모든 사람에게 보장된 인권을 침해하는 것을 말한다.

④ "조사담당자"란 인권침해를 내용으로 하는 진정을 조사하고 이에 따른 구제 업무 등을 수행하는 경찰청과 그 소속기관에 근무하는 공무원을 말한다.

**정답 및 해설 | ②**

② [×] 경찰청·시도경찰청에 설치되는 인권위원회는 심의기구가 아닌 자문기구이다.

> 훈령 **경찰 인권보호 규칙 제3조【설치】** 경찰 활동 전반에 걸친 민주적 통제를 구현하여 경찰력 오·남용을 예방하고, 경찰 행정의 인권지향성을 높여 인권을 존중하는 경찰 활동을 정립하기 위해 경찰청장 및 시·도경찰청장의 자문기구로서 각각 경찰청 인권위원회, 시·도경찰청 인권위원회(이하 "위원회"라 한다)를 설치하여 운영한다.

①③④ [○]

> 훈령 **경찰 인권보호 규칙 제2조【정의】** 이 규칙에서 사용하는 용어의 정의는 다음과 같다.
> 1. "**경찰관등**"이란 경찰청과 그 소속기관의 경찰공무원, 일반직공무원, 무기계약근로자 및 기간제근로자, 의무경찰을 의미한다.
> 2. "**인권침해**"란 경찰관등이 직무를 수행하는 과정에서 모든 사람에게 보장된 인권을 침해하는 것을 말한다.
> 3. "**조사담당자**"란 인권침해를 내용으로 하는 진정을 조사하고 이에 따른 구제 업무 등을 수행하는 경찰청과 그 소속기관에 근무하는 공무원을 말한다.

**035** 경찰 인권보호 규칙에 관한 설명 중 가장 적절하지 않은 것은? [2022 채용 1차]

① '인권침해'란 경찰관등이 직무를 수행하는 과정에서 모든 사람에게 보장된 인권을 침해하는 것을 말한다.

② 경찰 활동 전반에 걸친 민주적 통제를 구현하여 경찰력 오·남용을 예방하고, 경찰 행정의 인권지향성을 높여 인권을 존중하는 경찰 활동을 정립하기 위해 시·도경찰청장 및 경찰서의 심의의결기구로서 각각 시·도경찰청 인권위원회, 경찰서 인권위원회를 설치하여 운영한다.

③ 경찰청장은 국민의 인권보호와 증진을 위하여 경찰 인권정책 기본계획을 5년마다 수립해야 한다.

④ 인권보호담당관은 인권침해를 예방하고 제도를 개선하기 위해 연 1회 이상 인권 관련 정책 이행 실태, 인권교육 추진 현황, 경찰청과 소속기관의 청사 및 부속 시설 전반의 인권침해적 요소의 존재 여부를 진단하여야 한다.

**정답 및 해설 I ②**

② [×] 심의의결기구가 아니라 자문기구이고, 경찰서에는 설치되지 않는다.

> 훈령 **경찰 인권보호 규칙 제3조【설치】** 경찰 활동 전반에 걸친 민주적 통제를 구현하여 경찰력 오·남용을 예방하고, 경찰 행정의 인권지향성을 높여 인권을 존중하는 경찰 활동을 정립하기 위해 경찰청장 및 시·도경찰청장의 자문기구로서 각각 경찰청 인권위원회, 시·도경찰청 인권위원회(이하 "위원회"라 한다)를 설치하여 운영한다.

① [○]

> 훈령 **경찰 인권보호 규칙 제2조【정의】** 이 규칙에서 사용하는 용어의 정의는 다음과 같다.
> 2. "**인권침해**"란 경찰관등이 직무를 수행하는 과정에서 모든 사람에게 보장된 인권을 침해하는 것을 말한다.

③ [○]

> 훈령 **경찰 인권보호 규칙 제18조【경찰 인권정책 기본계획의 수립】** ① 경찰청장은 국민의 인권보호와 증진을 위하여 경찰 인권정책 기본계획을 5년마다 수립해야 한다.

④ [○]

> 훈령 **경찰 인권보호 규칙 제25조【진단사항】** 인권보호담당관은 인권침해를 예방하고 제도를 개선하기 위해 연 1회 이상 다음 각 호의 사항을 진단하여야 한다.
> 1. 인권 관련 정책 이행 실태
> 2. 인권교육 추진 현황
> 3. 경찰청과 소속기관의 청사 및 부속 시설 전반의 인권침해적 요소의 존재 여부

## 036 「경찰 인권보호 규칙」상 경찰청 및 시·도경찰청 인권위원회에 관한 설명으로 가장 적절한 것은?

[2023 채용 2차]

① 당연직 위원은 경찰청은 청문감사인권담당관, 시·도경찰청은 감사관으로 한다.

② 경찰청 인권위원회와 시·도경찰청 인권위원회 각각의 위원장과 위촉 위원의 임기는 위촉된 날로부터 2년으로 하며 위원장의 직은 연임할 수 없고, 위촉 위원은 세 차례만 연임할 수 있다.

③ 경찰청 인권위원회와 시·도경찰청 인권위원회의 정기회의는 각각 분기 1회 개최한다.

④ 경찰의 직에 있거나 그 직에서 퇴직한 날부터 3년이 지나지 아니한 사람은 경찰청 인권위원회나 시·도경찰청 인권위원회의 위촉 위원이 될 수 없다.

**정답 및 해설 I ④**

④ [○]

> 훈령 **경찰 인권보호 규칙 제6조【위촉 위원의 결격사유】** ① 다음 각 호의 어느 하나에 해당하는 사람은 위원이 될 수 없다.
> 1. 「공직선거법」에 따라 실시하는 선거에 후보자(예비후보자 포함)로 등록한 사람
> 2. 「공직선거법」에 따라 실시하는 선거에 의하여 취임한 공무원이거나 그 직에서 퇴직한 날부터 3년이 지나지 아니한 사람
> 3. 경찰의 직에 있거나 그 직에서 퇴직한 날부터 3년이 지나지 아니한 사람
> 4. 「공직선거법」에 따른 선거사무관계자 및 「정당법」에 따른 정당의 당원

① [×] 시·도경찰청은 **청문감사인권담당관이다.**

> 훈령 **경찰 인권보호 규칙 제5조【구성】** ③ 당연직 위원은 경찰청은 감사관, 시·도경찰청은 청문감사인권담당관으로 한다.

② [×] 위촉 위원은 두 차례만 연임할 수 있다.

> 훈령 **경찰 인권보호 규칙 제7조【임기】** ① 위원장과 위촉 위원의 임기는 위촉된 날로부터 2년으로 하며 위원장의 직은 연임할 수 없고, 위촉 위원은 두 차례만 연임할 수 있다.

③ [×] **경찰청**은 **월 1회**, 시 · 도경찰청은 분기 1회

> 훈령 **경찰 인권보호 규칙 제11조【회의】** ② 정기회의는 경찰청은 월 1회, 시 · 도경찰청은 분기 1회 개최한다.

**037** 「경찰인권보호규칙」상 경찰청 인권위원회에 대한 설명으로 가장 적절하지 않은 것은? [2023 경간]

① 위원회는 위원장 1명을 포함하여 7명 이상 13명 이하의 위원으로 구성한다. 이때, 특정 성별이 전체 위원 수의 10분의 6을 초과하지 아니해야 한다.

② 위원은 경찰의 직에 있거나 그 직에서 퇴직한 날부터 3년이 지나지 아니한 사람이어야 한다.

③ 위원장과 위촉 위원의 임기는 위촉된 날로부터 3년으로 하며 위원장의 직은 연임할 수 없고, 위촉위원은 두 차례만 연임할 수 있다.

④ 입건 전 조사 · 수사 중인 사건에 청탁 또는 경찰 인사에 관여하는 행위를 하거나 기타 직무 관련 비위사실이 있는 경우 청장은 위원회의 의견을 들어 위원을 해촉할 수 있다.

**정답 및 해설 | ②, ③**

② [×] 경찰의 직에 있거나 그 직에서 퇴직한 날부터 3년이 지나지 아니한 사람은 위원이 될 수 없다.

> **경찰 인권보호 규칙 제6조【위촉 위원의 결격사유】** ① 다음 각 호의 어느 하나에 해당하는 사람은 위원이 될 수 없다.
> 1. 「공직선거법」에 따라 실시하는 선거에 후보자(예비후보자 포함)로 등록한 사람
> 2. 「공직선거법」에 따라 실시하는 선거에 의하여 취임한 공무원이거나 그 직에서 퇴직한 날부터 3년이 지나지 아니한 사람
> 3. 경찰의 직에 있거나 그 직에서 퇴직한 날부터 3년이 지나지 아니한 사람
> 4. 「공직선거법」에 따른 선거사무관계자 및 「정당법」에 따른 정당의 당원

③ [×] 위원장과 위촉 위원의 임기는 위촉된 날로부터 2년이다.

> **경찰 인권보호 규칙 제7조【임기】** ① 위원장과 위촉 위원의 임기는 위촉된 날로부터 2년으로 하며 위원장의 직은 연임할 수 없고, 위촉 위원은 두 차례만 연임할 수 있다.

① [○]

> **경찰 인권보호 규칙 제5조【구성】** ① 위원회는 위원장 1명을 포함하여 7명 이상 13명 이하의 위원으로 구성한다. 이때, 특정 성별이 전체 위원 수의 10분의 6을 초과하지 아니해야 한다.

④ [○]

> **경찰 인권보호 규칙 제8조【위원의 해촉】** 다음 각 호의 어느 하나에 해당하는 경우에는 청장은 위원회의 의견을 들어 위원을 해촉할 수 있다.
> 1. 입건 전 조사 · 수사 중인 사건에 청탁 또는 경찰 인사에 관여하는 행위를 하거나 기타 직무 관련 비위사실이 있는 경우

## 038 「경찰 인권보호 규칙」에 관한 설명으로 가장 적절하지 않은 것은? [2023 채용 1차]

① "경찰관등"이란 경찰청과 그 소속기관의 경찰공무원, 일반직 공무원을 말한다(단, 무기계약근로자 및 기간제근로자, 의무경찰은 제외한다).

② 경찰활동 전반에 걸친 민주적 통제를 구현하여 경찰력 오·남용을 예방하고, 경찰행정의 인권지향성을 높여 인권을 존중하는 경찰활동을 정립하기 위해 경찰청장 및 시·도경찰청장의 자문 기구로서 각각 경찰청 인권위원회, 시·도경찰청 인권위원회를 설치하여 운영한다.

③ 경찰청장은 국민의 인권보호와 증진을 위하여 경찰 인권정책 기본계획을 5년마다 수립해야 한다.

④ 인권보호담당관은 인권침해를 예방하고 제도를 개선하기 위해 연 1회 이상 인권 관련 정책 이행 실태, 인권교육 추진 현황, 경찰청과 소속기관의 청사 및 부속 시설 전반의 인권침해적 요소의 존재 여부를 진단하여야 한다.

**정답 및 해설 I ①**

① [×] 무기계약근로자 및 기간제근로자, 의무경찰을 포함한다.

> **훈령 경찰 인권보호 규칙 제2조【정의】** 이 규칙에서 사용하는 용어의 정의는 다음과 같다.
> 1. "**경찰관등**"이란 경찰청과 그 소속기관의 경찰공무원, 일반직공무원, 무기계약근로자 및 기간제근로자, 의무경찰을 의미한다.

② [○]

> **훈령 경찰 인권보호 규칙 제3조【설치】** 경찰 활동 전반에 걸친 민주적 통제를 구현하여 경찰력 오·남용을 예방하고, 경찰 행정의 인권지향성을 높여 인권을 존중하는 경찰 활동을 정립하기 위해 경찰청장 및 시·도경찰청장의 자문기구로서 각각 **경찰청** 인권위원회, 시·도**경찰청** 인권위원회(이하 "위원회"라 한다)를 설치하여 운영한다.

③ [○]

> **훈령 경찰 인권보호 규칙 제18조【경찰 인권정책 기본계획의 수립】** ① 경찰청장은 국민의 인권보호와 증진을 위하여 경찰 인권정책 기본계획(이하 "기본계획"이라 한다)을 5년마다 수립해야 한다.

④ [○]

> **훈령 경찰 인권보호 규칙 제25조【진단사항】** 인권보호담당관은 인권침해를 예방하고 제도를 개선하기 위해 연 **1회** 이상 다음 각 호의 사항을 진단하여야 한다.
> 1. 인권 관련 정책 이행 실태
> 2. 인권교육 추진 현황
> 3. 경찰청과 소속기관의 청사 및 부속 시설 전반의 인권침해적 요소의 존재 여부

## 039 「경찰 인권보호 규칙」에 대한 설명으로 옳지 않은 것은? [2019 채용1차]

① 경찰청 인권위원회는 위원장 1명을 포함하여 7명 이상 13명 이하의 위원으로 구성한다. 이때, 특정 성별이 전체 위원 수의 10분의 6을 초과하지 아니해야 한다.

② 위원장과 위촉 위원의 임기는 위촉된 날로부터 2년으로 하며 위촉위원은 두 차례만 연임할 수 있다.

③ 경찰청장은 매년 인권교육종합계획을 수립하여 시행하여야 한다.

④ 경찰관서의 장은 경찰청 인권교육종합계획의 내용을 반영하여 매년 인권교육 계획을 수립·시행하여야 한다.

**정답 및 해설 I ③**

③ [×] 경찰청장의 인권교육종합계획 수립 · 시행은 3년 단위로 이루어진다. / ④ [○]

> 훈령 **경찰 인권보호 규칙 제18조의2【경찰 인권교육계획의 수립】** ① 경찰청장은 경찰관등(경찰공무원으로 신규 임용될 사람을 포함한다. … )이 근무하는 동안 지속적 · 체계적으로 교육을 받을 수 있도록 **3년 단위**로 다음 각 호의 사항을 포함한 **인권교육종합계획**을 수립하여 시행해야 한다.
> ② 경찰관서의 장은 제1항의 내용을 반영하여 매년 인권교육 계획을 수립하여 시행하여야 한다.

① [○]

> 훈령 **경찰 인권보호 규칙 제5조【구성】** ① 위원회는 위원장 1명을 포함하여 7명 이상 13명 이하의 위원으로 구성한다. 이때, 특정 성별이 전체 위원 수의 10분의 6을 초과하지 아니해야 한다.

② [○]

> 훈령 **경찰 인권보호 규칙 제7조【임기】** ① 위원장과 위촉 위원의 임기는 위촉된 날로부터 2년으로 하며 위원장의 직은 연임할 수 없고, 위촉 위원은 두 **차례만** 연임할 수 있다.

**040** 「경찰 인권보호 규칙」상 경찰청 및 시 · 도경찰청 인권위원회에 대한 설명 중 가장 적절하지 않은 것은?

[2020 지능범죄]

① 경찰활동 전반에 걸친 민주적 통제를 구현하여 경찰력 오 · 남용을 예방하기 위해 경찰청과 시 · 도경찰청에 인권보호와 관련한 정책 심의의결기구로서 각각 경찰청 인권위원회, 시 · 도경찰청 인권위원회를 두고 있다.

② 경찰청 및 시 · 도경찰청 인권위원회는 위원장 1명을 포함하여 7명 이상 13명 이하의 위원으로 구성한다.

③ 위원장과 위촉 위원의 임기는 위촉된 날로부터 2년으로 하며 위원장의 직은 연임할 수 없고, 위촉 위원에 결원이 생긴 경우 새로 위촉할 수 있으며, 이 경우 새로 위촉된 위원의 임기는 위촉된 날부터 기산한다.

④ 경찰청장은 경찰관 등이 근무하는 동안 지속적 · 체계적으로 교육을 받을 수 있도록 3년 단위로 인권교육종합계획을 수립하여 시행하여야 한다.

**정답 및 해설 I ①**

① [×] 심의의결기구가 아니라 자문기구이다.

> 훈령 **경찰 인권보호 규칙 제3조【설치】** 경찰 활동 전반에 걸친 민주적 통제를 구현하여 경찰력 오 · 남용을 예방하고, 경찰 행정의 인권지향성을 높여 인권을 존중하는 경찰 활동을 정립하기 위해 경찰청장 및 시 · 도경찰청장의 **자문기구**로서 각각 **경찰청** 인권위원회, 시 · **도경찰청** 인권위원회(이하 "위원회"라 한다)를 설치하여 운영한다.

② [○]

> 훈령 **경찰 인권보호 규칙 제5조【구성】** ① 위원회는 위원장 1명을 포함하여 7명 이상 13명 이하의 위원으로 구성한다. 이때, 특정 성별이 전체 위원 수의 10분의 6을 초과하지 아니해야 한다.

③ [○]

> 훈령 **경찰 인권보호 규칙 제7조【임기】** ① 위원장과 위촉 위원의 임기는 위촉된 날로부터 2년으로 하며 위원장의 직은 연임할 수 없고, 위촉 위원은 두 **차례만** 연임할 수 있다.
> ② 위촉 위원에 결원이 생긴 경우 새로 위촉할 수 있고, 이 경우 새로 위촉된 위원의 임기는 위촉된 날부터 기산한다.

④ [○]

> 훈령 **경찰 인권보호 규칙 제18조의2【경찰 인권교육계획의 수립】** ① 경찰청장은 경찰관등(경찰공무원으로 신규 임용될 사람을 포함한다. … )이 근무하는 동안 지속적 · 체계적으로 교육을 받을 수 있도록 **3년 단위**로 다음 각 호의 사항을 포함한 **인권교육종합계획**을 수립하여 시행해야 한다.
> ② 경찰관서의 장은 제1항의 내용을 반영하여 **매년** 인권교육 계획을 수립하여 시행하여야 한다.

**041** 「경찰 인권보호 규칙」상 경찰청 및 시 · 도경찰청 인권위원회에 대한 설명으로 가장 적절한 것은?

[2018 채용3차]

① 위원회는 위원장 1명을 포함하여 7명 이상 15명 이하의 위원으로 구성한다. 이때, 특정 성별이 전체 위원 수의 10분의 6을 초과하지 아니해야 한다.

② 위원회의 회의는 정기회의와 임시회의로 구분하며, 정기회의는 경찰청은 분기 1회, 시 · 도경찰청은 월 1회 개최한다.

③ 위원장과 위촉 위원의 임기는 위촉된 날로부터 2년으로 하며 위원장의 직은 연임할 수 없고, 위촉 위원은 두 차례만 연임할 수 있다.

④ 위촉 위원에 결원이 생긴 경우 새로 위촉할 수 있고, 이 경우 위촉된 위원의 임기는 위촉된 날의 다음 날부터 기산한다.

**정답 및 해설 I ③**

③ [○]

> 훈령 **경찰 인권보호 규칙 제7조【임기】** ① 위원장과 위촉 위원의 임기는 위촉된 날로부터 2년으로 하며 위원장의 직은 연임할 수 없고, 위촉 위원은 두 차례만 연임할 수 있다.

① [×] 7명 이상 13명 이하의 위원으로 구성한다.

> 훈령 **경찰 인권보호 규칙 제5조【구성】** ① 위원회는 위원장 1명을 포함하여 7명 이상 13명 이하의 위원으로 구성한다. 이때, 특정 별이 전체 위원 수의 10분의 6을 초과하지 아니해야 한다.

② [×] 정기회의의 경우 경찰청은 월 1회, 시 · 도경찰청은 분기 1회 개최한다.

> 훈령 **경찰 인권보호 규칙 제11조【회의】** ① 위원회의 회의는 정기회의와 임시회의로 구분하며, 재적위원 과반수의 출석으로 개의하고, 출석위원 과반수의 찬성으로 의결한다.
> ② 정기회의는 경찰청은 월 1회, 시 · 도경찰청은 분기 1회 개최한다.

④ [×] 결원으로 위촉된 위원의 임기는 **위촉된 날부터** 기산한다.

> 훈령 **경찰 인권보호 규칙 제7조【임기】** ② 위촉 위원에 결원이 생긴 경우 새로 위촉할 수 있고, 이 경우 새로 위촉된 위원의 임기는 위촉된 날부터 기산한다.

**042** 「경찰 인권보호규칙」(경찰청 훈령)에 대한 설명으로 가장 적절하지 않은 것은? [2021 승진]

① 인권보호담당관은 반기 1회 이상 인권영향평가의 이행 여부를 점검하고, 이를 경찰청 인권위원회에 제출하여야 한다.

② 경찰청장은 경찰관등이 근무하는 동안 지속적 · 체계적으로 교육을 받을 수 있도록 매년 인권교육종합계획을 수립 · 시행하여야 한다.

③ 조사담당자는 사건을 조사하는 과정에서 동일한 사건에 대하여 경찰 · 검찰 등의 수사가 시작된 경우에는 사건 조사를 즉시 중단하고 종결하거나 해당 기관에 이첩할 수 있다. 다만, 확인된 인권침해 사실에 대한 구제 절차는 계속하여 이행할 수 있다.

④ 조사담당자는 제출자가 보관중인 물건의 반환을 요구하는 경우에는 반환하여야 하며, 사건이 종결되어 더 이상 보관할 필요가 없는 경우에는 제출자가 요구하지 않더라도 반환할 수 있다.

**정답 및 해설 I ②**

② [×] 경찰청장은 3년 단위로 인권교육종합계획을 수립 · 시행하여야 한다.

> 훈령 **경찰 인권보호 규칙 제18조의2【경찰 인권교육계획의 수립】** ① 경찰청장은 경찰관등(경찰공무원으로 신규 임용될 사람을 포함한다. … )이 근무하는 동안 지속적 · 체계적으로 교육을 받을 수 있도록 3년 단위로 다음 각 호의 사항을 포함한 인권교육종합계획을 수립하여 시행해야 한다.

① [○]

> 훈령 **경찰 인권보호 규칙 제24조【점검】** 인권보호담당관은 **반기 1회** 이상 인권영향평가의 이행 여부를 점검하고, 이를 경찰청 인권위원회에 제출하여야 한다.

③ [○]

> 훈령 **경찰 인권보호 규칙 제35조【조사중지】** ① 조사담당자는 인권침해 사건을 조사하는 과정에서 다음 각 호의 어느 하나에 해당하는 사유로 사건 조사를 진행할 수 없는 경우에는 조사를 중지할 수 있다. 다만, 확인된 인권침해 사실에 대한 구제 절차는 계속하여 이행할 수 있다.
> 1. 진정인이나 피해자의 **소재를 알 수 없는 경우**
> 2. 사건 해결과 진상 규명에 핵심적인 중요 참고인의 **소재를 알 수 없는 경우**
> 3. 그 밖에 제1호 또는 제2호와 유사한 사정으로 더 이상 사건 **조사를 진행할 수 없는 경우**
> 4. 감사원의 조사, 경찰 · 검찰 등 수사기관에서 **조사 또는 수사가 개시된 경우**
>
> ② 조사중지 사유가 해소된 경우에는 조사담당자는 별지 제4호 서식의 사건 표지에 새롭게 사건을 재개한 사유를 적고 **즉시 조사를 다시 시작하여야 한다.**

④ [○]

> 훈령 **경찰 인권보호 규칙 제32조【물건 등의 보관 등】** ④ 조사담당자는 제출자가 보관 중인 물건의 반환을 요구하는 경우에는 **반환하여야 하며**, 다음 각 호의 어느 하나에 해당하는 경우에는 제출자가 요구하지 않더라도 **반환할 수 있다.**
> 1. 진정인이 **진정을 취소한** 사건에서 진정인이 제출한 물건이 있는 경우
> 2. **사건이 종결되어** 더 이상 보관할 필요가 없는 경우
> 3. 그 밖에 물건을 계속 보관하는 것이 적절하지 않은 경우

## 043 인권과 관련한 다음 설명 중 가장 적절하지 않은 것은? [2022 승진]

① 「경찰관 인권행동강령」상 경찰관은 직무를 수행하는 과정에서 합리적인 이유 없이 성별, 종교, 장애 등을 이유로 누구도 차별하여서는 아니 되고, 신체적 · 정신적 · 경제적 · 문화적인 차이 등으로 특별한 보호가 필요한 사람의 인권을 보호하여야 한다.

② 「경찰 인권보호 규칙」상 인권보호담당관은 분기 1회 이상 인권영향평가의 이행 여부를 점검하고, 이를 경찰청 인권위원회에 제출하여야 한다.

③ 참가인원, 내용, 동원 경력의 규모, 배치 장비 등을 고려하여 인권침해 가능성이 높다고 판단되는 집회 및 시위의 경우는 「경찰 인권보호 규칙」상 인권영향평가 실시 대상에 해당한다.

④ 「경찰 인권보호 규칙」상 인권침해사건 조사절차에서 사건이 종결되어 더 이상 물건을 보관할 필요가 없는 경우, 조사담당자는 사건 조사 과정에서 진정인이 임의로 제출한 물건을 제출자가 요구하지 않더라도 반환할 수 있다.

**정답 및 해설 l ②**

② [×] 반기 1회 이상이다.

> 훈령 **경찰 인권보호 규칙 제24조【점검】** 인권보호담당관은 반기 1회 이상 인권영향평가의 이행 여부를 점검하고, 이를 경찰청 인권위원회에 제출하여야 한다.

① [○]

> 훈령 **경찰관 인권행동강령 제6조【차별 금지 및 약자 · 소수자 보호】** 경찰관은 직무를 수행하는 과정에서 합리적인 이유 없이 성별, 종교, 장애, 병력(病歷), 나이, 사회적 신분, 국적, 민족, 인종, 정치적 견해 등을 이유로 누구도 차별하여서는 아니 되고, 신체적 · 정신적 · 경제적 · 문화적인 차이 등으로 특별한 보호가 필요한 사람의 인권을 보호하여야 한다.

③ [○]

> 훈령 **경찰 인권보호 규칙 제21조【인권영향평가의 실시】** ① 경찰청장은 인권침해를 예방하고, 인권친화적인 치안 행정이 구현되도록 다음 각 호의 사항에 대하여 인권영향평가를 실시하여야 한다.
> 1. 제 · 개정하려는 법령 및 행정규칙
> 2. 국민의 인권에 영향을 미치는 정책 및 계획
> 3. 참가인원, 내용, 동원 경력의 규모, 배치 장비 등을 고려하여 인권침해 가능성이 높다고 판단되는 집회 및 시위

④ [○]

> 훈령 **경찰 인권보호 규칙 제32조【물건 등의 보관 등】** ④ 조사담당자는 제출자가 보관 중인 물건의 반환을 요구하는 경우에는 **반환하여야** 하며, 다음 각 호의 어느 하나에 해당하는 경우에는 제출자가 요구하지 않더라도 **반환할** 수 있다.
> 1. 진정인이 진정을 취소한 사건에서 진정인이 제출한 물건이 있는 경우
> 2. 사건이 종결되어 더 이상 보관할 필요가 없는 경우
> 3. 그 밖에 물건을 계속 보관하는 것이 적절하지 않은 경우

**044** 「경찰 인권보호 규칙」상 인권침해사건 조사절차에 관한 설명으로 가장 적절하지 <u>않은</u> 것은? [2023 승진]

① 조사담당자는 사건 조사 과정에서 진정인 · 피진정인 또는 참고인 등이 임의로 제출한 물건 중 사건 조사에 필요한 물건은 보관할 수 있다.

② 조사담당자는 제출받은 물건에 사건번호와 표제, 제출자 성명, 물건 번호, 보관자 성명 등을 적은 표지를 붙인 후 봉투에 넣거나 포장하여 안전하게 보관하여야 한다.

③ 진정인이 진정을 취소한 사건에서 진정인이 제출한 물건이 있는 경우에는 진정인이 요구하는 경우에 한하여 반환할 수 있다.

④ 조사담당자는 사건을 조사하는 과정에서 동일한 사건에 대하여 경찰 · 검찰 등의 수사가 시작된 경우에는 사건 조사를 중지할 수 있다. 다만, 확인된 인권침해 사실에 대한 구제 절차는 계속하여 이행할 수 있다.

**정답 및 해설 l ③**

③ [×] 진정인이 진정을 취소한 사건에서 진정인이 제출한 물건이 있는 경우 **제출자가** 요구하지 **않더라도 반환할** 수 있다.

> 훈령 **경찰 인권보호 규칙 제32조【물건 등의 보관 등】** ④ 조사담당자는 제출자가 보관 중인 물건의 반환을 요구하는 경우에는 **반환하여야** 하며, 다음 각 호의 어느 하나에 해당하는 경우에는 제출자가 요구하지 않더라도 **반환할** 수 있다.
> 1. 진정인이 진정을 취소한 사건에서 진정인이 제출한 물건이 있는 경우
> 2. 사건이 종결되어 더 이상 보관할 필요가 없는 경우
> 3. 그 밖에 물건을 계속 보관하는 것이 적절하지 않은 경우

① [○]

> 훈령 **경찰 인권보호 규칙 제32조【물건 등의 보관 등】** ① 조사담당자는 사건 조사 과정에서 진정인 · 피진정인 또는 참고인 등이 임의로 제출한 물건 중 사건 조사에 필요한 물건은 보관할 수 있다.
> ② 조사담당자는 제1항에 따라 제출받은 물건의 목록을 작성하여 제출자에게 내주고 사건기록에 그 물건 등의 번호 · 명칭 및 내용, 제출자 및 소유자의 성명과 주소를 적고 서명 또는 기명날인하게 하여야 한다.

② [○]

> 훈령 **경찰 인권보호 규칙 제32조【물건 등의 보관 등】** ③ 조사담당자는 제출받은 물건에 사건번호와 표제, 제출자 성명, 물건 번호, 보관자 성명 등을 적은 표지를 붙인 후 봉투에 넣거나 포장하여 안전하게 보관하여야 한다.

④ [○]

> 훈령 **경찰 인권보호 규칙 제35조【조사중지】** ① 조사담당자는 인권침해 사건을 조사하는 과정에서 다음 각 호의 어느 하나에 해당하는 사유로 사건 조사를 진행할 수 없는 경우에는 조사를 중지할 수 있다. 다만, 확인된 인권침해 사실에 대한 구제 절차는 계속하여 이행할 수 있다.
> 1. 진정인이나 피해자의 소재를 알 수 없는 경우
> 2. 사건 해결과 진상 규명에 핵심적인 중요 참고인의 소재를 알 수 없는 경우
> 3. 그 밖에 제1호 또는 제2호와 유사한 사정으로 더 이상 사건 조사를 진행할 수 없는 경우
> 4. 감사원의 조사, 경찰 · 검찰 등 수사기관에서 조사 또는 수사가 개시된 경우
>
> ② 조사중지 사유가 해소된 경우에는 조사담당자는 별지 제4호 서식의 사건 표지에 새롭게 사건을 재개한 사유를 적고 즉시 조사를 다시 시작하여야 한다.



## 045 「경찰 인권보호 규칙」에 관한 설명으로 가장 적절하지 않은 것은? [2024 승진]

① 경찰청장은 국민의 인권보호와 증진을 위하여 경찰 인권정책 기본계획을 3년마다 수립해야 한다.

② 인권보호담당관은 반기 1회 이상 인권영향평가의 이행 여부를 점검하고, 이를 경찰청 인권위원회에 제출하여야 한다.

③ 경찰청 및 그 소속기관의 장은 진정의 원인이 된 사실이 공소시효, 징계시효 및 민사상 시효 등이 모두 완성된 경우에 그 진정을 각하할 수 있다.

④ 경찰 활동 전반에 걸친 민주적 통제를 구현하여 경찰력 오 · 남용을 예방하고, 경찰 행정의 인권지향성을 높여 인권을 존중하는 경찰활동을 정립하기 위해 경찰청장 및 시 · 도경찰청장의 자문기구로서 각각 경찰청 인권위원회, 시 · 도경찰청 인권위원회를 설치하여 운영한다.

**정답 및 해설 I ①**

① [×] **기본계획**은 5년마다, **종합계획**은 3년마다 수립해야 한다. ➜ 5 · 기 · 3 · 종

> **경찰 인권보호 규칙 제18조【경찰 인권정책 기본계획의 수립】** ① 경찰청장은 국민의 인권보호와 증진을 위하여 경찰 인권정책 기본계획(이하 "기본계획"이라 한다)을 5년마다 수립해야 한다.

② [○]

> **경찰 인권보호 규칙 제24조【점검】** 인권보호담당관은 반기 1회 이상 인권영향평가의 이행 여부를 점검하고, 이를 경찰청 인권위원회에 제출하여야 한다.

③ [○]

> **경찰 인권보호 규칙 제29조【진정의 각하】** ① 경찰청 및 그 소속기관의 장은 다음 각 호의 어느 하나에 해당할 경우에는 그 진정을 각하할 수 있다.
> 4. 진정의 원인이 된 사실이 공소시효, 징계시효 및 민사상 시효 등이 모두 완성된 경우

④ [○] 경찰 인권보호 규칙에 따라 설치되는, '청'단위 인권위원회이다.

> **경찰 인권보호 규칙 제3조【설치】** 경찰 활동 전반에 걸친 민주적 통제를 구현하여 경찰력 오 · 남용을 예방하고, 경찰 행정의 인권지향성을 높여 인권을 존중하는 경찰 활동을 정립하기 위해 경찰청장 및 시 · 도경찰청장의 자문기구로서 각각 경찰청 인권위원회, 시 · 도경찰청 인권위원회(이하 "위원회"라 한다)를 설치하여 운영한다.

**046** 「경찰 인권보호 규칙」에 대한 설명이다. 아래 가.부터 라.까지 설명 중 옳고 그름의 표시(○, ×)가 바르게 된 것은? [2023 경간]

> 가. 인권보호담당관은 분기별 1회 이상 인권영향평가의 이행 여부를 점검하고, 이를 경찰청 인권위원회에 제출하여야 한다.
> 나. 경찰청장은 경찰관 등이 근무하는 동안 지속적 · 체계적으로 교육을 받을 수 있도록 매년 단위로 인권교육종합계획을 수립하여 시행하여야 한다.
> 다. 경찰 활동 전반에 걸친 민주적 통제를 구현하여 경찰력 오 · 남용을 예방하고, 경찰 행정의 인권 지향성을 높여 인권을 존중하는 경찰 활동을 정립하기 위해 경찰청장 및 시 · 도경찰청장, 경찰서장의 자문기구로서 각각 경찰청 인권위원회, 시 · 도경찰청 인권위원회, 경찰서 인권위원회를 설치하여 운영한다.
> 라. 조사담당자는 사건을 조사하는 과정에서 동일한 사건에 대하여 경찰 · 검찰 등의 수사가 시작된 경우에는 사건 조사를 즉시 중지할 수 없다. 다만, 확인된 인권침해 사실에 대한 구제절차는 계속하여 이행할 수 있다.

① 가. [○] 나. [×] 다. [○] 라. [×]
② 가. [×] 나. [×] 다. [○] 라. [○]
③ 가. [×] 나. [×] 다. [×] 라. [○]
④ 가. [×] 나. [×] 다. [×] 라. [×]

**정답 및 해설 I ④**

가. [×] 반기 1회 이상이다.

> 훈령 **경찰 인권보호 규칙 제24조【점검】** 인권보호담당관은 **반기 1회 이상** 인권영향평가의 이행 여부를 점검하고, 이를 경찰청 인권위원회에 제출하여야 한다.

나. [×] 인권정책 기본계획은 5년마다 수립해야 하고, 인권교육종합계획은 3년 단위로 수립하여 시행해야 한다.

> 훈령 **경찰 인권보호 규칙 제18조【경찰 인권정책 기본계획의 수립】** ① 경찰청장은 국민의 인권보호와 증진을 위하여 경찰 **인권정책 기본계획**(이하 "기본계획"이라 한다)을 5년마다 수립해야 한다.
>
> 훈령 **경찰 인권보호 규칙 제18조의2【경찰 인권교육계획의 수립】** ① 경찰청장은 경찰관등(경찰공무원으로 신규 임용될 사람을 포함한다. …)이 근무하는 동안 지속적 · 체계적으로 교육을 받을 수 있도록 3년 단위로 다음 각 호의 사항을 포함한 **인권교육종합계획**을 수립하여 시행해야 한다.
> ② 경찰관서의 장은 제1항의 내용을 반영하여 **매년** 인권교육 계획을 수립하여 시행하여야 한다.

다. [×] 경찰서에는 설치되지 않는다.

> 훈령 **경찰 인권보호 규칙 제3조【설치】** 경찰 활동 전반에 걸친 민주적 통제를 구현하여 경찰력 오 · 남용을 예방하고, 경찰 행정의 인권지향성을 높여 인권을 존중하는 경찰 활동을 정립하기 위해 경찰청장 및 시 · 도경찰청장의 **자문기구**로서 각각 **경찰청** 인권위원회, 시 · **도경찰청** 인권위원회(이하 "위원회"라 한다)를 설치하여 운영한다.

라. [×] 중지할 수 있다.

> 훈령 **경찰 인권보호 규칙 제35조【조사중지】** ① 조사담당자는 인권침해 사건을 조사하는 과정에서 다음 각 호의 어느 하나에 해당하는 사유로 사건 조사를 진행할 수 없는 경우에는 조사를 중지할 수 있다. 다만, 확인된 인권침해 사실에 대한 구제절차는 계속하여 이행할 수 있다.
> 1. 진정인이나 피해자의 **소재를 알 수 없는 경우**
> 2. 사건 해결과 진상 규명에 핵심적인 중요 참고인의 **소재를 알 수 없는 경우**
> 3. 그 밖에 제1호 또는 제2호와 유사한 사정으로 더 이상 사건 **조사를 진행할 수 없는 경우**
> 4. 감사원의 조사, 경찰 · 검찰 등 수사기관에서 **조사 또는 수사가 개시된 경우**
> ② 조사중지 사유가 해소된 경우에는 조사담당자는 별지 제4호 서식의 사건 표지에 새롭게 사건을 재개한 사유를 적고 **즉시 조사를 다시 시작하여야 한다.**

## 047 경찰활동의 인권지향성을 제고하기 위한 제도적 수단들로 옳은 것은? [2021 경간]

① '국가재정법'에 따라 경찰은 예산을 편성할 때 예산이 인권에 미친 영향을 평가하는 보고서를 작성하여야 한다.

② '국가경찰과 자치경찰의 조직 및 운영에 관한 법률'에 따라 인권보호와 관련된 경찰의 운영 · 개선에 관한 사항은 국가경찰위원회의 심의 · 의결을 거칠 수 있다.

③ '경찰 인권보호 규칙'에 따라 경찰청장은 인권침해를 예방하고 인권친화적인 치안행정이 구현되도록 소정의 사항에 대하여 인권영향평가를 실시하여야 한다.

④ '국가인권위원회법'에 따라 국가인권위원회는 인권의 보호와 향상을 위하여 필요하다고 인정하면 경찰정책과 관행을 개선 또는 시정할 수 있다.

**정답 및 해설 I ③**

③ [○]

> 훈령 **경찰 인권보호 규칙 제21조【인권영향평가의 실시】** ① 경찰청장은 인권침해를 예방하고, 인권친화적인 치안 행정이 구현되도록 다음 각 호의 사항에 대하여 인권영향평가를 실시하여야 한다.
> 1. 제 · 개정하려는 법령 및 행정규칙
> 2. 국민의 인권에 영향을 미치는 정책 및 계획
> 3. 참가인원, 내용, 동원 경력의 규모, 배치 장비 등을 고려하여 인권침해 가능성이 높다고 판단되는 집회 및 시위
>
> ② 제1항에도 불구하고 다음 각 호의 어느 하나에 해당하는 경우 평가 대상에서 제외한다.
> 1. 제 · 개정하려는 법령 및 행정규칙의 내용이 경미한 경우
> 2. 사전에 청문, 공청회 등 의견 청취 절차를 거친 정책 및 계획

① [×] 국가재정법상 특수한 예산서로 성인지예산서와 온실가스감축인지 예산서는 있으나, 인권영향평가 관련 지문과 같은 내용은 없다.

> **국가재정법 제26조【성인지 예산서의 작성】** ① 정부는 예산이 여성과 남성에게 미칠 영향을 미리 분석한 보고서(이하 "성인지 예산서"라 한다)를 작성하여야 한다.
> ② 성인지 예산서에는 성평등 기대효과, 성과목표, 성별 수혜분석 등을 포함하여야 한다.
> ③ 성인지 예산서의 작성에 관한 구체적인 사항은 대통령령으로 정한다.
>
> **국가재정법 제27조【온실가스감축인지 예산서의 작성】** ① 정부는 예산이 온실가스 감축에 미칠 영향을 미리 분석한 보고서(이하 "온실가스감축인지 예산서"라 한다)를 작성하여야 한다.
> ② 온실가스감축인지 예산서에는 온실가스 감축에 대한 기대효과, 성과목표, 효과분석 등을 포함하여야 한다.
> ③ 온실가스감축인지 예산서의 작성에 관한 구체적인 사항은 대통령령으로 정한다.

② [×] 심의 · 의결을 거쳐야 한다.

> **경찰법 제10조【국가경찰위원회의 심의 · 의결 사항 등】** ① 다음 각 호의 사항은 국가경찰위원회의 심의 · 의결을 거쳐야 한다.
> 1. 국가경찰사무에 관한 인사, 예산, 장비, 통신 등에 관한 주요정책 및 경찰 업무 발전에 관한 사항
> 2. 국가경찰사무에 관한 인권보호와 관련되는 경찰의 운영 · 개선에 관한 사항
> 3. 국가경찰사무 담당 공무원의 부패 방지와 청렴도 향상에 관한 주요 정책사항
> 4. 국가경찰사무 외에 다른 국가기관으로부터의 업무협조 요청에 관한 사항
> 5. 제주특별자치도의 자치경찰에 대한 경찰의 지원 · 협조 및 협약체결의 조정 등에 관한 주요 정책사항
> 6. 제18조에 따른 시 · 도자치경찰위원회 위원 추천, 자치경찰사무에 대한 주요 법령 · 정책 등에 관한 사항, 제25조 제4항에 따른 시 · 도자치경찰위원회 의결에 대한 재의 요구에 관한 사항
> 7. 제2조에 따른 시책 수립에 관한 사항
> 8. 제32조에 따른 비상사태 등 전국적 치안유지를 위한 경찰청장의 지휘 · 명령에 관한 사항
> 9. 그 밖에 행정안전부장관 및 경찰청장이 중요하다고 인정하여 국가경찰위원회의 회의에 부친 사항

④ [×] 개선 또는 시정을 권고하거나 의견을 표명할 수 있는 것이지, 직접 개선 · 시정할 수는 없다.

> **국가인권위원회법 제25조【정책과 관행의 개선 또는 시정 권고】** ① 위원회는 인권의 보호와 향상을 위하여 필요하다고 인정하면 관계기관등에 정책과 관행의 개선 또는 시정을 권고하거나 의견을 표명할 수 있다.
> ② 제1항에 따라 권고를 받은 관계기관등의 장은 그 권고사항을 존중하고 이행하기 위하여 노력하여야 한다.
> ③ 제1항에 따라 권고를 받은 관계기관등의 장은 권고를 받은 날부터 **90일 이내**에 그 권고사항의 이행계획을 위원회에 통지하여야 한다.
> ④ 제1항에 따라 권고를 받은 관계기관등의 장은 그 권고의 내용을 이행하지 아니할 경우에는 그 이유를 위원회에 통지하여야 한다.
> ⑤ 위원회는 제1항에 따른 권고 또는 의견의 **이행실태를 확인 · 점검할 수 있다.** <신설 2022.1.4, 시행 2022.7.1.>
> ⑥ 위원회는 필요하다고 인정하면 제1항에 따른 위원회의 권고와 의견 표명, 제4항에 따라 권고를 받은 관계기관등의 장이 통지한 내용 및 제5항에 따른 이행실태의 확인 · 점검 결과를 공표할 수 있다. <신설 2022.1.4, 시행 2022.7.1.>

## 048 「개인정보 보호법」상 정의 및 개념에 관한 설명 중 가장 적절하지 않은 것은? [2022 채용 2차]

① 살아 있는 개인에 관한 정보로서 해당 정보만으로는 특정 개인을 알아볼 수 없더라도 다른 정보와 쉽게 결합하여 알아볼 수 있는 정보를 "개인정보"라 한다.

② 개인정보의 일부를 삭제하거나 일부 또는 전부를 대체하는 등의 방법으로 추가 정보가 없이는 특정 개인을 알아볼 수 없도록 처리하는 것을 "가명처리"라 한다.

③ 정보처리 기술을 활용하여 기존의 다양한 정보를 가공해서 만들어 낸 새로운 정보에 관한 독점적 권리를 가지는 사람을 "정보주체"라 한다.

④ 일정한 공간에 지속적으로 설치되어 사람 또는 사물의 영상 등을 촬영하거나 이를 유 · 무선망을 통하여 전송하는 장치로서 네트워크 카메라와 같은 장치를 "영상정보처리기기"라 한다.

**정답 및 해설 I ③**

③ [×] 정보주체는 정보의 주체가 되는 사람을 말한다.

> **개인정보 보호법 제2조【정의】** 이 법에서 사용하는 용어의 정의는 다음과 같다.
> 3. "**정보주체**"란 처리되는 정보에 의하여 알아볼 수 있는 사람으로서 그 정보의 주체가 되는 사람을 말한다.

① [○]

> **개인정보 보호법 제2조【정의】** 이 법에서 사용하는 용어의 뜻은 다음과 같다.
> 1. "**개인정보**"란 **살아 있는 개인에 관한 정보**로서 다음 각 목의 어느 하나에 해당하는 정보를 말한다.
> 나. 해당 정보만으로는 특정 개인을 알아볼 수 없더라도 **다른 정보와 쉽게 결합하여 알아볼 수 있는 정보**. 이 경우 쉽게 결합할 수 있는지 여부는 다른 정보의 입수 가능성 등 개인을 알아보는 데 소요되는 시간, 비용, 기술 등을 합리적으로 고려하여야 한다. 예 '홍길동' 이라는 이름만으로는 누구인지 특정이 불가능하지만, 성별 · 나이 · 주소 등 다른 정보와 결합할 경우 특정한 개인이 식별가능한 경우

② [○]

> **개인정보 보호법 제2조【정의】** 이 법에서 사용하는 용어의 뜻은 다음과 같다.
> 1의2. "**가명처리**"란 개인정보의 일부를 삭제하거나 일부 또는 전부를 대체하는 등의 방법으로 추가 정보가 없이는 **특정 개인을 알아볼 수 없도록 처리하는 것**을 말한다. 예 홍××(남, 21세, 서울시 동작구 ××동 거주)

④ [○]

> **개인정보 보호법 제2조【정의】** 이 법에서 사용하는 용어의 뜻은 다음과 같다.
> 7. "**영상정보처리기기**"란 일정한 공간에 지속적으로 설치되어 사람 또는 사물의 영상 등을 촬영하거나 이를 유 · 무선망을 통하여 전송하는 장치로서 대통령령으로 정하는 장치를 말한다.

**049** 「개인정보 보호법」에 관한 설명으로 가장 적절하지 <u>않은</u> 것은? [2023 채용 2차]

① 살아 있는 개인에 관한 정보로서 성명, 주민등록번호 및 영상 등을 통하여 개인을 알아볼 수 있는 정보는 "개인정보"에 해당한다.

② "개인정보처리자"란 업무를 목적으로 개인정보파일을 운용하기 위하여 스스로 또는 다른 사람을 통하여 개인정보를 처리하는 공공기관, 법인, 단체 및 개인 등을 말한다.

③ 정보주체는 자신의 개인정보 처리와 관련하여 개인정보의 처리 정지, 정정 · 삭제 및 파기를 요구할 권리를 가진다.

④ "익명처리"란 개인정보의 전부를 삭제하거나 일부를 대체하는 등의 방법으로 추가 정보가 없이는 특정 개인을 알아볼 수 없도록 처리하는 것을 말한다.

**정답 및 해설 I ④**

④ [×] 가명처리에 대한 설명이다. 그리고 삭제의 대상은 '일부'이고 대체의 대상은 '일부 또는 전부'이다.

> **개인정보 보호법 제2조【정의】** 이 법에서 사용하는 용어의 뜻은 다음과 같다.
> 1의2. **"가명처리"**란 개인정보의 일부를 삭제하거나 일부 또는 전부를 대체하는 등의 방법으로 추가 정보가 없이는 특정 개인을 알아볼 수 없도록 처리하는 것을 말한다.

①② [○]

> **개인정보 보호법 제2조【정의】** 이 법에서 사용하는 용어의 뜻은 다음과 같다.
> 1. **"개인정보"**란 살아 있는 **개인에 관한 정보**로서 다음 각 목의 어느 하나에 해당하는 정보를 말한다.
> 가. 성명, 주민등록번호 및 영상 등을 통하여 **개인을 알아볼 수 있는 정보**
> 5. **"개인정보처리자"**란 업무를 목적으로 개인정보파일을 운용하기 위하여 스스로 또는 다른 사람을 통하여 개인정보를 처리하는 공공기관, 법인, 단체 및 개인 등을 말한다.

③ [○]

> **개인정보 보호법 제4조【정보주체의 권리】** 정보주체는 자신의 개인정보 처리와 관련하여 다음 각 호의 권리를 가진다.
> 4. 개인정보의 처리 정지, 정정 · 삭제 및 파기를 요구할 권리

**050** 「개인정보 보호법」 제2조(정의)의 규정 내용으로 가장 적절하지 <u>않은</u> 것은? [2014 실무 3]

① 개인정보란 특정 개인을 식별하거나 식별할 수 있는 정보로 사자(死者)에 관한 정보는 포함되지 않는다.

② 공공기관에는 국회, 법원, 헌법재판소, 중앙선거관리위원회의 행정사무를 처리하는 기관, 중앙행정기관, 지방자치단체가 포함된다.

③ 해당 정보만으로 특정 개인을 알아볼 수 없다면, 다른 정보와 쉽게 결합하여 알아볼 수 있더라도 개인정보에는 포함하지 않는다.

④ 정보주체란 처리되는 정보에 의하여 알아볼 수 있는 사람으로서 그 정보의 주체가 되는 사람을 말한다.

**정답 및 해설 I ③**

③ [×] 정보와 쉽게 결합하여 알아볼 수 있으면 개인정보에 해당한다. / ① [○] '살아 있는 개인'에 대한 정보이므로 사자(죽은 자)에 대한 정보는 개인정보에 포함되지 않는다.

> **개인정보 보호법 제2조【정의】** 이 법에서 사용하는 용어의 뜻은 다음과 같다.
> 1. "**개인정보**"란 살아 있는 개인에 관한 정보로서 다음 각 목의 어느 하나에 해당하는 정보를 말한다.
>    가. 성명, 주민등록번호 및 영상 등을 통하여 **개인을 알아볼 수 있는 정보**
>    나. 해당 정보만으로는 특정 개인을 알아볼 수 없더라도 **다른 정보와 쉽게 결합하여 알아볼 수 있는 정보**. 이 경우 쉽게 결합할 수 있는지 여부는 다른 정보의 입수 가능성 등 개인을 알아보는 데 소요되는 시간, 비용, 기술 등을 합리적으로 고려하여야 한다. 예 '홍길동' 이라는 이름만으로는 누구인지 특정이 불가능하지만, 성별 · 나이 · 주소 등 다른 정보와 결합할 경우 특정한 개인이 식별가능한 경우
>    다. 가목 또는 나목을 제1호의2에 따라 가명처리함으로써 원래의 상태로 복원하기 위한 추가 정보의 사용 · 결합 없이는 특정 개인을 알아볼 수 없는 정보(이하 "가명정보"라 한다)

② [○]

> **개인정보 보호법 제2조【정의】** 이 법에서 사용하는 용어의 뜻은 다음과 같다.
> 6. "**공공기관**"이란 다음 각 목의 기관을 말한다.
>    가. 국회, 법원, 헌법재판소, 중앙선거관리위원회의 행정사무를 처리하는 기관, 중앙행정기관(대통령 소속 기관과 국무총리 소속 기관을 포함한다) 및 그 소속 기관, 지방자치단체
>    나. 그 밖의 국가기관 및 공공단체 중 대통령령으로 정하는 기관

④ [○]

> **개인정보 보호법 제2조【정의】** 이 법에서 사용하는 용어의 뜻은 다음과 같다.
> 3. "**정보주체**"란 처리되는 정보에 의하여 알아볼 수 있는 사람으로서 그 정보의 **주체**가 되는 사람을 말한다. 예 위 예시에서 '홍길동'이라는 개인이 정보주체이다.

## 051 「개인정보 보호법」 제2조(정의)의 규정 내용으로 가장 적절하지 않은 것은? [2015 실무 3]

① 개인정보란 특정 개인을 식별하거나 식별할 수 있는 정보로 사자(死者)에 관한 정보도 포함된다.

② 공공기관에는 국회, 법원, 헌법재판소, 중앙선거관리위원회의 행정사무를 처리하는 기관, 중앙행정기관, 지방자치단체가 포함된다.

③ 정보주체란 처리되는 정보에 의하여 알아볼 수 있는 사람으로서 그 정보의 주체가 되는 사람을 말한다.

④ 개인정보에는 해당 정보만으로는 특정 개인을 알아볼 수 없더라도 다른 정보와 쉽게 결합하여 알아볼 수 있는 것을 포함한다.

**정답 및 해설 I ①**

① [×] '살아 있는 개인'에 대한 정보이므로 사자(죽은 자)에 대한 정보는 개인정보에 포함되지 않는다. / ④ [○]

> **개인정보 보호법 제2조【정의】** 이 법에서 사용하는 용어의 뜻은 다음과 같다.
> 1. "**개인정보**"란 살아 있는 개인에 관한 정보로서 다음 각 목의 어느 하나에 해당하는 정보를 말한다.
>    가. 성명, 주민등록번호 및 영상 등을 통하여 **개인을 알아볼 수 있는 정보**
>    나. 해당 정보만으로는 특정 개인을 알아볼 수 없더라도 **다른 정보와 쉽게 결합하여 알아볼 수 있는 정보**. 이 경우 쉽게 결합할 수 있는지 여부는 다른 정보의 입수 가능성 등 개인을 알아보는 데 소요되는 시간, 비용, 기술 등을 합리적으로 고려하여야 한다. 예 '홍길동' 이라는 이름만으로는 누구인지 특정이 불가능하지만, 성별 · 나이 · 주소 등 다른 정보와 결합할 경우 특정한 개인이 식별가능한 경우
>    다. 가목 또는 나목을 제1호의2에 따라 가명처리함으로써 원래의 상태로 복원하기 위한 추가 정보의 사용 · 결합 없이는 특정 개인을 알아볼 수 없는 정보(이하 "가명정보"라 한다)

② [○]

> **개인정보 보호법 제2조 【정의】** 이 법에서 사용하는 용어의 뜻은 다음과 같다.
> 6. "**공공기관**"이란 다음 각 목의 기관을 말한다.
>    가. 국회, 법원, 헌법재판소, 중앙선거관리위원회의 행정사무를 처리하는 기관, 중앙행정기관(대통령 소속 기관과 국무총리 소속 기관을 포함한다) 및 그 소속 기관, 지방자치단체
>    나. 그 밖의 국가기관 및 공공단체 중 대통령령으로 정하는 기관

③ [○]

> **개인정보 보호법 제2조 【정의】** 이 법에서 사용하는 용어의 뜻은 다음과 같다.
> 3. "**정보주체**"란 처리되는 정보에 의하여 알아볼 수 있는 사람으로서 그 정보의 주체가 되는 사람을 말한다. 예 위 예시에서 '홍길동'이라는 개인이 정보주체이다.

## 052 「개인정보 보호법」에 관한 다음 설명 중 가장 옳지 않은 것은? [2018 경간]

① 개인정보처리자는 보유기간의 경과, 개인정보의 처리 목적 달성 등 그 개인정보가 불필요하게 되었을 때에는 지체 없이 그 개인정보를 파기하여야 한다. 다만, 다른 법령에 따라 보존하여야 하는 경우에는 그러하지 아니하다.

② 개인정보처리자는 정보주체의 동의를 받은 경우에도 정보주체의 개인정보를 제3자에게 제공(공유를 포함한다)하여서는 아니 된다.

③ 개인정보처리자는 법률에 특별한 규정이 있거나 법령상 의무를 준수하기 위하여 불가피한 경우에는 개인정보를 수집할 수 있으며 그 수집 목적의 범위에서 이용할 수 있다.

④ 개인정보를 처리하거나 처리하였던 자는 업무상 알게 된 개인정보를 누설하거나 권한 없이 다른 사람이 이용하도록 제공하는 행위를 하여서는 아니 된다.

**정답 및 해설 I ②**

② [×] 동의를 받으면 제3자에게 제공할 수 있다.

> **개인정보 보호법 제17조 【개인정보의 제공】** ① 개인정보처리자는 다음 각 호의 어느 하나에 해당되는 경우에는 정보주체의 개인정보를 제3자에게 제공(공유를 포함한다. 이하 같다)할 수 있다.
> 1. 정보주체의 동의를 받은 경우
> 2. 제15조 제1항 제2호 · 제3호 · 제5호 및 제39조의3 제2항 제2호 · 제3호에 따라 개인정보를 수집한 목적 범위에서 개인정보를 제공하는 경우

① [○]

> **개인정보 보호법 제21조 【개인정보의 파기】** ① 개인정보처리자는 보유기간의 경과, 개인정보의 처리 목적 달성 등 그 개인정보가 불필요하게 되었을 때에는 지체 없이 그 개인정보를 파기하여야 한다. 다만, 다른 법령에 따라 보존하여야 하는 경우에는 그러하지 아니하다.

③ [○]

> **개인정보 보호법 제15조 【개인정보의 수집 · 이용】** ① 개인정보처리자는 다음 각 호의 어느 하나에 해당하는 경우에는 개인정보를 수집할 수 있으며 그 수집 목적의 범위에서 이용할 수 있다.
> 2. 법률에 특별한 규정이 있거나 법령상 의무를 준수하기 위하여 불가피한 경우

④ [○]

> **개인정보 보호법 제59조 【금지행위】** 개인정보를 처리하거나 처리하였던 자는 다음 각 호의 어느 하나에 해당하는 행위를 하여서는 아니 된다.
> 1. 거짓이나 그 밖의 부정한 수단이나 방법으로 개인정보를 취득하거나 처리에 관한 동의를 받는 행위
> 2. 업무상 알게 된 개인정보를 누설하거나 권한 없이 다른 사람이 이용하도록 제공하는 행위
> 3. 정당한 권한 없이 또는 허용된 권한을 초과하여 다른 사람의 개인정보를 훼손, 멸실, 변경, 위조 또는 유출하는 행위

**053** 「개인정보 보호법」에 관한 설명으로 가장 적절하지 않은 것은? (단, 동법 제3조의 개인정보 보호 원칙은 준수한 것으로 봄) [2024 1차 채용]

① 개인정보처리자는 법령상 의무를 준수하기 위하여 불가피한 경우에는 개인정보를 수집할 수 있으며 그 수집 목적의 범위에서 이용할 수 있다.

② 인명의 구조 · 구급 등을 위하여 필요한 경우로서 대통령령으로 정하는 경우에는 불특정 다수가 이용하는 목욕실, 탈의실 등 개인의 사생활을 현저히 침해할 우려가 있는 장소의 내부를 볼 수 있는 곳에서 이동형 영상정보처리기기로 사람 또는 그 사람과 관련된 사물의 영상을 촬영할 수 있다.

③ 개인정보처리자는 개인정보를 익명 또는 가명으로 처리하여도 개인정보 수집목적을 달성할 수 있는 경우 익명처리가 가능한 경우에는 익명에 의하여, 익명처리로 목적을 달성할 수 없는 경우에는 가명에 의하여 처리될 수 있도록 하여야 한다.

④ 개인정보처리자는 통계작성, 과학적 연구, 공익적 기록보존 등을 위하여 가명정보를 처리하는 경우에 정보주체에게 이를 알리고 동의를 받아야 한다.

**정답 및 해설 I ④**

④ [×] 통계작성, 과학적 연구, 공익적 기록보존 등을 위할 때에는 정보주체의 동의 없이 가명처리할 수 있다.

> **개인정보 보호법 제28조의2 【가명정보의 처리 등】** ① 개인정보처리자는 통계작성, 과학적 연구, 공익적 기록보존 등을 위하여 정보주체의 동의 없이 가명정보를 처리할 수 있다.

① [○]

> **개인정보 보호법 제15조 【개인정보의 수집 · 이용】** ① 개인정보처리자는 다음 각 호의 어느 하나에 해당하는 경우에는 개인정보를 수집할 수 있으며 그 수집 목적의 범위에서 이용할 수 있다.
> 2. 법률에 특별한 규정이 있거나 법령상 의무를 준수하기 위하여 불가피한 경우

② [○]

> **개인정보 보호법 제25조의2 【이동형 영상정보처리기기의 운영 제한】** ② 누구든지 불특정 다수가 이용하는 목욕실, 화장실, 발한실, 탈의실 등 개인의 사생활을 현저히 침해할 우려가 있는 장소의 내부를 볼 수 있는 곳에서 이동형 영상정보처리기기로 사람 또는 그 사람과 관련된 사물의 영상을 촬영하여서는 아니 된다. 다만, 인명의 구조 · 구급 등을 위하여 필요한 경우로서 대통령령으로 정하는 경우에는 그러하지 아니하다.

③ [○]

> **개인정보 보호법 제3조 【개인정보 보호 원칙】** ⑦ 개인정보처리자는 개인정보를 익명 또는 가명으로 처리하여도 개인정보 수집목적을 달성할 수 있는 경우 익명처리가 가능한 경우에는 익명에 의하여, 익명처리로 목적을 달성할 수 없는 경우에는 가명에 의하여 처리될 수 있도록 하여야 한다.

2025 대비 최신개정판

해커스경찰
# 서정표 경찰학
기출문제집 | 1권 총론

개정 3판 1쇄 발행 2024년 7월 29일

| | |
|---|---|
| 지은이 | 서정표 편저 |
| 펴낸곳 | 해커스패스 |
| 펴낸이 | 해커스경찰 출판팀 |
| 주소 | 서울특별시 강남구 강남대로 428 해커스경찰 |
| 고객센터 | 1588-4055 |
| 교재 관련 문의 | gosi@hackerspass.com<br>해커스경찰 사이트(police.Hackers.com) 교재 Q&A 게시판<br>카카오톡 플러스 친구 [해커스경찰] |
| 학원 강의 및 동영상강의 | police.Hackers.com |
| ISBN | 1권: 979-11-7244-234-7 (14350)<br>세트: 979-11-7244-233-0 (14350) |
| Serial Number | 03-01-01 |